黄河小浪底水利枢纽规划设计丛书

枢 纽 规 划 设 计

林秀山　总主编

林秀山　主　编
王庆明　副主编

中国水利水电出版社
黄河水利出版社

内容提要

本书为《黄河小浪底水利枢纽规划设计丛书》的枢纽规划设计卷,由直接参与工程规划、设计的人员撰写。本书分规划设计综述、工程重大问题研究与实践、工程评估与专家咨询等三篇,共18章,在全面综述该枢纽规划设计的基础上,对枢纽规划设计中的一些专门问题作了较为详细的介绍,并对其中设计优化与创新,规划设计中的经验与体会,以及专家咨询意见也作了介绍。

本书内容丰富,实用性强,可供从事水利水电工程规划设计、建设管理的有关人员参考,也可作为大专院校相关专业的参考书。

图书在版编目(CIP)数据

枢纽规划设计/林秀山主编 .—郑州:黄河水利
出版社,2006.12
(黄河小浪底水利枢纽规划设计丛书)
ISBN 7 - 80734 - 079 - 7

Ⅰ.枢⋯ Ⅱ.林⋯ Ⅲ.①黄河 – 水利枢纽 – 水利
规划②黄河 – 水利枢纽 – 水利工程 – 设计
Ⅳ.TV632.613

中国版本图书馆 CIP 数据核字(2006)第 100499 号

出 版 社:中国水利水电出版社
    地址:北京市西城区三里河路6号 邮政编码:100044
  黄河水利出版社
    地址:河南省郑州市金水路11号 邮政编码:450003
发行单位:黄河水利出版社
    发行部电话:0371 - 66026940 传真:0371 - 66022620
    E-mail:hhslcbs@126.com
承印单位:河南省瑞光印务股份有限公司
开本:787 mm × 1 092 mm 1/16
印张:35
字数:810 千字   印数:1—2 500
版次:2006 年 12 月第 1 版 印次:2006 年 12 月第 1 次印刷

书号:ISBN 7 - 80734 - 079 - 7/TV·465   定价:140.00 元

总 序 一

　　黄河小浪底水利枢纽是"以防洪（包括防凌）、减淤为主,兼顾供水、灌溉、发电,蓄清排浑,除害兴利,综合利用"为开发目标的大型水利工程,是国家"八五"重点建设项目,也是当时我国利用世界银行贷款最大的工程项目。小浪底主体工程于1994年9月开工,2001年底按期完工。工程采用国际招标方式选择了世界上一流的承包商,从施工管理、工程设计、移民搬迁到环境影响评价全面和国际接轨,为我国水利水电建设积累了宝贵经验。工程建成运行5年来,在黄河下游防洪、防凌、减淤冲沙、城市供水、发电、灌溉方面发挥了不可替代的作用。截至2004年底,累计发电约150亿kWh。在黄河连续枯水的情况下为确保黄河不断流提供了物质基础。显著的社会效益和经济效益使小浪底水利枢纽成为治黄的里程碑工程。

　　本着建设我国一流工程的目标,我有幸参与了小浪底工程的建设管理。一流的工程首先要以一流的设计为龙头。小浪底工程由于其独特的水文泥沙条件、复杂的工程地质条件和严格的水库运用要求,给工程设计提出了一系列挑战性的课题,被国内外专家公认为是世界上最具挑战性的工程之一。黄河勘测规划设计有限公司❶的工程技术人员,经过近30年的规划论证和10多年的方案比选,以敢于创新和科学求实的精神,在国内科研院所和高等院校的配合下,较满意地解决了一个个技术难题,诸如深式进水口防泥沙淤堵、施工导流洞改建为孔板消能泄洪洞的重复利用、排沙洞后张预应力混凝土衬砌、洞室群围岩稳定、大坝深覆盖层基础处理、进出口高边坡加固、20万移民的生产性安置等,提出了以集中布置为鲜明特点的枢纽建筑物总体布置方案,同时也创造了许多国内国际领先水平的设计。小浪底工程于1999年10月蓄水运行以来,已安全正常地运行了5年,并经历了2003年高水位的运用考验,实践证明,小浪底工程的设计是成功的。

　　小浪底工程成功的设计,为小浪底工程的建设提供了可靠的技术保障。

---

　　❶　编者注:黄河勘测规划设计有限公司为原水利部黄河水利委员会勘测规划设计研究院。

黄河勘测规划设计有限公司的同志们认真总结小浪底工程的设计经验,编写出版了这套技术丛书。这套丛书的出版,无疑将丰富和促进我国水利水电建设事业的发展,也希望通过这套丛书使小浪底水利枢纽的成功经验得到更好的推广和应用。

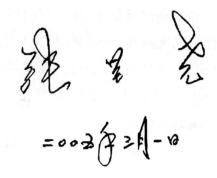

二〇〇八年三月一日

总　序　二

　　小浪底水利枢纽是黄河治理开发的关键工程。如今这座举世瞩目的工程已全面竣工,几代黄河人的小浪底之梦终成现实。宏伟的小浪底工程犹如一座巍峨的丰碑,记载着人民治黄的丰功伟绩,同时又是一座黄河治理开发的里程碑工程。它的建成运用,使治黄工作进入了一个能够对黄河下游水沙进行调控的新阶段。

　　黄河是世界上最复杂、最难治的河流。大量的泥沙淤积在下游河道内,使下游河道滩面高于大堤背河地面,成为举世闻名的"地上悬河"。如何把黄河的事情办好,一代又一代黄河人进行着孜孜不倦的探索和实践。

　　位于黄河中游最后一个峡谷出口处的小浪底,是三门峡水利枢纽以下唯一能够取得较大库容的坝址,处于承上启下控制黄河水沙的关键部位。修建小浪底水库对于黄河下游防洪、防凌、减淤等具有非常重要的作用,其战略地位是其他治黄工程无法替代的。

　　小浪底工程规模宏大,地质条件复杂,水沙条件特殊,运用要求严格,被公认为世界坝工史上最具挑战性的工程之一。面对这些难题,设计人员总结国内外的工程实践经验,克服重重困难,以勇于开拓创新又实事求是的科学精神,攻克了一个个技术难关,创造了多项国内外领先的设计成果。目前,工程已经开始发挥巨大的综合效益,特别是在调水调沙及塑造黄河下游协调水沙关系方面更是发挥了突出作用。

　　小浪底工程的勘测、规划和设计实践体现了"团结、务实、开拓、拼搏、奉献"的黄河精神,凝聚了广大治黄人员的智慧,同时也为今后的工作积累了丰富的经验。现在黄河勘测规划设计有限公司的同志总结小浪底工程的设计经验,编撰了这套规划设计丛书,非常必要、及时。丛书注重工程特点,论述设计思路和方法,突出创新成果,体现时代特征,系统全面反映了工程设计情况,对于今后的治黄工作乃至我国水利水电工程建设都将具有很好的借鉴作用。

　　小浪底工程建成后,黄河治理开发的任务依然非常繁重。小浪底水库本身的运用方式仍然需要深入研究，以保证其最大限度地发挥综合效益。同时，必须抓住小浪底水库投入运用的大好机会，抓紧开展黄河下游治理工作，并加快黄河干流骨干工程和南水北调西线工程建设、中游水土保持以及小北干流放淤等工作，构建完善的黄河水沙调控体系，使治黄工作朝着"维持黄河健康生命"的终极目标迈进。

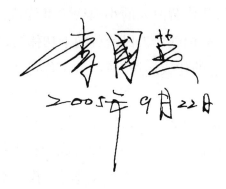

2005年 9月22日

总 前 言

  小浪底水利枢纽位于黄河中游三门峡以下约130km黄河最后一个峡谷的出口处。从三门峡到小浪底,河床比降0.1%,南岸是秦岭山系邙山,北岸是中条山、王屋山,河谷宽500~1000m,洪水水面宽200~300m,每遇洪水,黄河波浪滔天、咆哮而下。黄河出小浪底峡谷之后,河道突然展宽,大浪没有了,小浪也到底了,进入了由黄河泥沙堆积而成的黄淮海平原。郑州花园口以下约800km的下游河道高悬于两岸地面,在约1400km堤防的约束下流入渤海。居住在峡谷出口右岸黄河岸边一个小山村的先人们,观黄河流态的变化,以"小浪底"命名了自己的小山村。年年岁岁,世世代代,先人们并不知道今天小浪底竟成了家喻户晓的一个巨大的水利枢纽的名字。这个名字牵系着国内外许多专家、学者,牵系着曾为之奋斗的上万名中外建设者,牵系着上至中央领导、下至黎民百姓。

  小浪底水利枢纽控制黄河流域面积69.4万 km^2,占黄河流域总面积(不包括内陆区)的92.3%,控制黄河天然年径流总量的87%及近100%的黄河泥沙。小浪底工程处在承上启下控制黄河水沙的关键部位,与龙羊峡、刘家峡、大柳树、碛口、古贤、三门峡一起成为开发治理黄河的七大骨干工程,在治黄中具有十分重要的战略地位。

  小浪底工程建在因含沙量高而闻名于世的黄河上。黄河不仅水少沙多,而且水沙在时间上分布不均,黄河下游为"地上悬河",河道上宽下窄,比降上陡下缓,排洪能力上大下小,凌汛也威胁着黄河两岸人民的安全。我国近代治河的先驱者,总结我国的治河经验,引进西方科技,提出了"全面开发,综合利用"的水利规划思想。新中国成立以后,开始了人民治黄的历程。历经50多年,治黄取得了举世瞩目的成就。在黄河流域整体规划的基础上,小浪底工程的开发论证经过了近半个世纪漫长的历程。根据黄河的特点及小浪底工程在黄河流域规划中所处的位置,对小浪底工程的开发目标进行了多次分析论证,一致认为小浪底水库处在控制黄河下游水沙的关键部位,是黄河干流三门峡以下唯一能取得最大库容的重大控制工程,在治黄中具有重要的战略地位。国家计委于1986年5月明确小浪底水利枢纽的开发目标为"以防洪(包括防凌)、减淤为主,兼顾供水、灌溉和发电,蓄清排浑,除害兴利,综合利用"。要求达到的目标是:提高下游防洪标准;基本消除下游凌汛威胁,在一定时段内遏制黄河下游河床淤积的趋势;调节径流,提高下游灌溉供水保证率;水电站在系统中担任调峰。

  小浪底水利枢纽由于其独特的水文泥沙条件,复杂的工程地质条件,适应多目标开发的严格的运用要求,以及巨大的工程规模和在治理黄河中重要的战略地位,被国内外专家公认为是世界坝工史上最具挑战性的工程之一。多年来,参与工程规划设计和研究的人员如履薄冰,认真总结借鉴前人的经验,以求实创新的精神开展工作,攻克了工程规划设计中的许多技术难关,保证了工程的规划设计达到先进水平。设计人员既尊重科学,又敢于突破常规,开拓创新,先后进行了400余项科学试验和专题论证分析,融汇了国内外许多专家的心血和智慧,解决了一个又一个难题。在建造深82m的混凝土防渗墙、将3条直径 14.5m 的导流洞改建为永久的多级孔板消能泄洪洞、在地质条件极为复杂的左岸单薄山体内建造了规模宏大和数量众多的地下洞室群、在高水头大直径排沙洞设计中采用了双圈缠绕的后张无黏结预应力混凝土衬砌结构、在国内大规模采用了双层保护的预应力锚索和钢纤维喷混凝土技术等多方面取得突破,在国内外处于领先地位。如今,小浪底水利枢纽以其独具鲜明特色的总体布置和建筑物设计展现在世人面前。小浪底工程为黄河治理开创了崭新的局面。

小浪底工程的规划设计、研究和论证,以及工程建设一直得到中央领导、水利部和国家有关部委的关注,并得到国内外许多专家的支持和帮助,融汇了他们的心血和智慧。

小浪底工程的成功设计,为小浪底工程的建设做出了巨大的贡献。为总结小浪底工程规划设计方面的经验和教训,我们组织了直接参与小浪底工程规划设计的人员从工程规划、设计的各个方面,认真总结小浪底工程的设计经验,并出版黄河小浪底水利枢纽规划设计丛书,以期和同行进行技术交流,丰富和促进我国水利水电建设事业,使小浪底工程的成功经验得到更好的推广和应用。黄河勘测规划设计有限公司对丛书的出版给予了大力支持,国务院南水北调建设委员会办公室主任张基尧和水利部黄河水利委员会主任李国英亲自为丛书作序,在此表示衷心的感谢。

由于水平所限,谬误之处在所难免,敬请指正。

黄河小浪底水利枢纽设计总工程师

林秀山

2005年9月

黄河小浪底水利枢纽规划设计丛书
编辑委员会

前　言

　　黄河小浪底水利枢纽是以防洪（包括防凌）、减淤为主，兼顾供水、灌溉和发电为开发目标的大型综合利用水利工程。经过 30 余年的规划、设计和研究论证，于 1994 年 9 月 12 日枢纽主体工程开工，经建设者们 7 年多的努力奋斗，在 2001 年底枢纽主体工程全部完工。

　　黄河小浪底水利枢纽工程规划设计中遇到了一系列技术难题，如进水口防泥沙淤堵、高速含沙水流磨蚀、大坝深覆盖层处理、地下洞室群围岩稳定、进出口岩石开挖高边坡加固处理、水电站汛期发电、左岸单薄山体稳定和水库运用方式等，因此被国内外专家公认为是世界坝工史上最具挑战性的工程之一。针对工程中的这些技术难题以及关键技术，工程建设单位组织了 400 余项科学研究以及大量的方案比较和论证。

　　多年来，参与工程规划设计和研究的人员如履薄冰，认真总结借鉴前人的经验，以求实创新的精神开展工作，攻克了工程规划设计中的许多技术难关，保证了工程的规划设计达到先进水平，并在建造深 82m 的混凝土防渗墙、将 3 条直径 14.5m 的导流洞改建为永久的多级孔板消能泄洪洞、在地质条件极为复杂的左岸单薄山体内建造了规模宏大和数量众多的地下洞室群、在高水头大直径排沙洞设计中采用了双圈缠绕的后张无黏结预应力混凝土衬砌结构、在国内大规模采用了双层保护的预应力锚索和钢纤维喷混凝土技术等多方面取得突破，在国内外处于领先地位。

　　小浪底工程的规划设计、研究和论证，以及工程建设一直得到水利部和中央领导的关注，并得到国内外许多专家的支持和帮助，融会了他们的心血和智慧。

　　为总结小浪底工程规划设计方面的经验和教训，丰富水利水电工程建设的宝库，并为水利水电规划设计人员提供参考，组织编写了本书。本书分规划设计综述、工程重大问题研究与实践、工程评估与专家咨询意见三篇，共 18 章。规划设计综述篇对小浪底工程主要建筑物设计、机电设计和金属结构设计、环境保护、施工规划和移民规划等作了概要性介绍；工程重大问题研究与实践篇对工程规划设计中的一些亮点和工程中专题研究成果作了介绍；工程评估与专家咨询意见篇收入了小浪底水利枢纽开发论证过程中国内外知名专家的意见及评价，专家意见对小浪底工程规划设计帮助很大，在此表示感谢！本书中收录的专家咨询意见未经本人审阅，敬请谅解。

　　限于作者的水平，书中难免有谬误之处，敬请同行专家批评指正。

林秀山

2006 年 1 月

《枢纽规划设计》编写人员名单

主　编　林秀山　副主编　王庆明

章　名	编写人员
第一章　黄河治理开发的里程碑工程	林秀山
第二章　枢纽布置及主要建筑物设计	林秀山　景来红
第三章　工程机电设计	王庆明
第四章　金属结构设计	金树训　行少阜
第五章　环境保护与环境影响预测	张宏安
第六章　施工规划	刘维新
第七章　水库淹没处理及移民安置规划	翟贵德
第八章　斜心墙堆石坝动力稳定性评价	沈凤生
第九章　泄水建筑物进口防泥沙淤堵措施	罗义生
第十章　进出口高边坡施工期稳定性研究及加固技术	高广淳
第十一章　进水塔群动力稳定性研究	刘存禄
第十二章　多级孔板消能泄洪洞的试验研究与设计	林秀山　沈凤生
第十三章　排沙洞无黏结后张预应力混凝土衬砌技术研究与应用	沈凤生
第十四章　地下厂房围岩稳定分析及支护设计	杨法玉
第十五章　左岸洞群围岩稳定分析及支护设计	潘家铨
第十六章　水库运用方式的研究与实践	李世滢
第十七章　水库渗漏处理及安全评价	高广淳
第十八章　工程评估和专家咨询意见	林秀山

目　录

第一篇
规划设计综述

第一章　黄河治理开发的里程碑工程

　　黄河从三门峡自西向东约 130km 河段是黄河最后一个峡谷,河床比降约 0.1‰,南岸是秦岭山系邙山,北岸是中条山、王屋山,河谷宽 500～1 000m,洪水水面宽 200～300m。每遇洪水,黄河波浪滔天咆哮而下。黄河出峡谷后,河道突然展宽,大浪没有了,小浪也到底了。再往下游黄河进入华北平原的游荡性宽河道,水流也显得貌似文静。居住在峡谷出口右岸黄河岸边一个小山村的先人们,观黄河流态的变化,以“小浪底”命名了自己的小山村。年年岁岁,朝朝代代,先人们并不知道今天小浪底竟成了家喻户晓的一个巨大的水利枢纽的名字。这个名字牵系着国内外许多专家学者,牵系着曾为之奋斗的上万名中外建设者,牵系着上至国家主席、总理,下至黎民百姓。经过几十年的论证研究,十多年的建设,高峡出平湖,一个宏伟的工程已耸立在中州大地,展现在世人面前,小浪底将以其在治理黄河中重要的战略地位,以其在世界水利水电建设中的开拓性业绩而载入史册。黄河小浪底水利枢纽工程位置图见图 1-0-1。

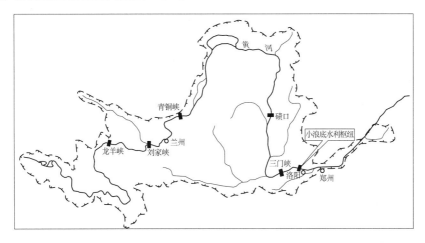

图 1-0-1　黄河小浪底水利枢纽工程位置图

第一节　工程开发背景及论证过程

一、黄河流域概况及黄河的特点

　　黄河发源于青藏高原巴颜喀拉山北麓海拔 4 500m 的约古宗列盆地,流经青海、四川、甘肃、宁夏、内蒙古、陕西、山西、河南、山东九省(区),注入渤海。干流河道全长 5 464km,流域面积 79.5 万 km²(包括内流区 4.2 万 km²),是我国第二条大河,也是孕育中华文明的母亲河。从河源至内蒙古托克托河口镇为黄河上游,干流河道全长 3 479km;从河口镇至郑州桃花峪为黄河中游,干流河道全长 1 209km,黄河上中游流域面积占黄河流域总面积的 97%。黄河桃花峪以下近 800km 下游河道绝大部分为"地上悬河",流域面积仅占黄河流域总面积的 3%。黄河流域幅员辽阔,西部属青藏高原,北邻沙漠戈壁,南靠长江流域,东部穿越黄淮海平原。综观黄河流域图,像一头蹲卧的雄狮昂首东方。流域内人口 1.1 亿人,耕地 1.79 亿亩❶。另外,下游防洪保护区 12 万 km²,涉及 106 个县,7 800 万人,耕地 1.1 亿亩。

黄河主要有如下特点。

(一)黄河因高含沙而闻名于世,也因水流呈黄色而得名,水少沙多是黄河的显著特点

全河多年平均天然年径流量 580 亿 m³,仅占全国河川径流总量的 2%,位居长江、珠江、松花江之后,列于我国七大江河第四位。流域平均降水量 466mm,由东南向西北递减,宁蒙河套平原降水量只有 200mm 左右。流域内人均水量 527m³,为全国人均水量的 25%,耕地亩均水量 324m³,仅为全国亩均水量的 17%,为资源性缺水流域。流域内大部分地区旱灾频繁。黄河上中游流经世界上最大的黄土高原,这里土质疏松,植被稀少,每遇暴雨水土大量流失。水土流失面积 45.4 万 km²,其中平均年侵蚀模数大于 5 000t/km² 的面积约为 14.65 万 km²。由于水土流失,大量泥沙汇入黄河,黄河三门峡站多年平均输沙量约 16 亿 t(1919～1960 年),最大年输沙量达 39.1 亿 t(1933 年),黄河高含沙量在世界大江大河中名列第一。与长江相比,黄河天然年径流量约为长江的 1/17,输沙量约为长江(葛洲坝站)的 3 倍。

随着国民经济发展对水量的需求增加,原本资源性缺水的黄河捉襟见肘,断流频频发生。严重的水土流失加上流域北部长城内外强烈的风蚀危害,使黄河流域的生态环境非常脆弱,严重阻碍了当地社会和经济的发展;大量的泥沙输入黄河,成为黄河下游河床淤高、水患严重的症结所在。

(二)水沙异源,且水沙在时间上分布不均

黄河上游兰州站控制流域面积 22.3 万 km²,占全河总流域面积的 29.6%,平均年径流量 323 亿 m³,占全河年径流总量的 55.6%。而黄河 90% 以上的泥沙来自河口镇至潼关区间约 30 万 km² 的中游黄土高原地区。黄河汛期水量约占全年的 60%,汛期沙量占全年的 85% 以上。水沙在时间和空间上的不均匀分布,表现为高含沙暴雨洪水,并带来相应十分复杂的诸如水库淤积、引水泄水口淤堵、流道泥沙磨蚀、河床演变等非常突出的工程泥沙问题。

(三)下游为"地上悬河",且河道上宽下窄,比降上陡下缓,排洪能力上大下小

黄河多年平均输沙量 16 亿 t,约 1/4 淤在下游河床,致使河床平均每年抬升约 10cm。河床升而大堤长,形成了罕见的"地上悬河"。目前下游 786km 河道靠两岸 1 400km 堤防约束行洪,河床一般高出地面 3～5m,下游滩面比新乡市地面高出 20m,比开封市地面高出 13m,比济南市地面高出 5m。黄河河南段南北堤距最宽处达 24km,而山东段堤距一般 1～3m,最窄处不足 0.5km,且河道比降逐渐由河南段的 0.02% 降至山东段的 0.009%,这样使下游河道的排洪能力形成了上大下小的不利局面。黄河郑州花园口的设防流量为

---

❶ 1 亩 = 1/15hm²,全书同。

22 000m³/s,山东艾山以下只能过洪 10 000m³/s。

由此特点可看出黄河下游的洪水问题十分严重。正因为如此,黄河下游灾多害重。从公元前 602 年至公元 1938 年的 2 540 年间,黄河下游决口泛滥的年份有 543 年,决口达 1 590 余次,改道 26 次,其中有 5 次大的迁徙改道,洪灾波及范围北抵天津,南至江苏夺淮入海,波及面积达 25 万 km²,给国家和人民带来了深重的灾难。

(四)黄河凌汛威胁

黄河内蒙古三盛公以下河段地处黄河自南向北的顶端,黄河下游河道从低纬度的河南流向高纬度的山东入海,每到封河期,特别是冬春之交开河季节,冰块壅塞,有时形成冰坝,危及大堤安全,甚而造成堤防决溢。

二、黄河的治理与开发

(一)历史上黄河的治理

黄河是中华民族的摇篮,中华民族的治河历史与华夏文明一样源远流长。相传在 4 000 多年前的尧舜时代,我国黄河流域连续发生特大洪水,"汤汤洪水方割,荡荡怀山襄陵,浩浩滔天"。夏族首领鲧主持治水,采用"堙障"办法修筑堤坝围堵洪水。治水九年没能制止水患,后被放逐羽山处死。以后鲧的儿子禹主持治水,禹总结水流运动的规律,"疏川导滞",凡十三年"劳心焦思",三过家门而不入,终于制服了洪水。在治水过程中,大禹自然地拥有了至高无上的权力和威望,建立了我国第一个父传子袭的奴隶制国家夏朝。秦始皇继位后,任用水工郑国,投入大量的人力、物力兴建沟通泾水和洛水的大型灌溉工程,引泾水淤灌。"于是关中为沃野,无凶年",为统一六国奠定了经济基础。汉武帝修漕渠,沟通渭水和黄河,以利漕运和灌溉。公元前 132 年,黄河在南岸濮阳瓠子决口,河水南流夺淮河、泗水入海,使梁、楚之地 16 郡受灾,致使黄河泛滥长达 20 多年。公元前 109 年,汉武帝亲临堵口现场指挥堵口 ,并"沉白马玉璧于河"表示治河的决心。经艰苦奋战,终于堵口成功。汉代著名史学家司马迁以其亲身经历作《河渠书》纳入《史记》。《史记》也成为我国第一部水利通史。公元 11 年,黄河在魏郡决口形成第二次大改道。由于王莽弃而不治,水患连绵 60 年得不到平息。公元 69 年,汉明帝命王景主持治水事宜。王景率数十万兵民"筑堤,理渠,绝水,立门,河、汴分流,复其旧迹"。选择了一条新的入海路线,在两岸新筑和培修了大堤,固定了黄河第二次改道后的新河床。为沟通黄河和淮河两大水系的汴渠规划了新的渠线。仍使河、汴分流,并采取"十里立一水门,令更相洄注"的办法,在汴渠引黄段的百里范围内,约隔十里开凿一个引水口,实行多水口引水,并在每个引水口修水门(闸门),交替控制引河水入汴。王景在一年的时间内,筑堤、疏浚黄河、汴渠 2 000 余里❶,使数十年的黄水灾害得到平息,并在以后的 800 年中,黄河仅有 40 个年份决溢,且都不大,主流一直处于稳定状态。王景治河的办法和经验一直为后人所推崇效法。明嘉靖年间,黄河下游主流自开封而东,到江苏徐州注入泗水,南流到淮安汇淮河,流入黄海。京杭大运河在淮安一带与黄、淮相交,常由于黄河泛滥造成运河淤塞,中断漕运。1565 年 7 月,黄河在江苏沛县决口,沛县南北的大运河被淤塞 200 余里,徐州以上纵横数

---

❶　1 里 = 500m,下同。

百里一片泽国。潘季驯主持治河,提出"开导上源,疏浚下流"的治河方案,"加堤修岸","塞决开渠",并采用"筑近堤以束水流,筑遥堤以防溃决"的办法,系统地发出了"筑堤束水,以水攻沙"的理论,并应用于治河实践,提出了治理黄、淮、运的全面规划,对河道进行了一次大规模的整治活动。黄河经他治理后,河道基本稳定了200多年,扭转了长期分流的混乱局面,并使京杭大运河畅通。

综观华夏历史,善治国者必重水利。魏以引漳而富,秦以引泾而强,四川因修都江堰而获天府之国的美称,苏杭因太湖水利而富甲天下。我国历史上出现的一些"盛世"局面,无不得力于统治者对水利的重视,得力于水利建设及其成效。但历史上的黄河由于连年战乱,受社会和经济的制约而得不到有效的治理。

(二)新中国的治黄实践

我国近代治河的先驱者李仪祉先生(1882～1938年),总结我国的治河经验,引进西方科技,提出了"全面开发,综合利用"的水利规划思想,并强调要"加强立法,统一水政",从理论和实践上成为我国现代水利的奠基人。

新中国成立以后,毛主席相继发出了"一定要把淮河修好","根治海河"和"要把黄河的事情办好"的伟大号召,开始了人民治黄的历程。历经50多年,人民治黄取得了举世瞩目的成就。

1. 黄河下游治理

历史上郑州至高村206km游荡性河道是极易发生决溢的河段。当黄河出现10 000 m³/s以上的洪水均有发生决溢的记载;当黄河出现5 000～10 000m³/s的洪水约有50%的几率发生决溢。据统计,1840～1938年的98年当中计有52年黄河发生决溢。人民治黄以来,大力开展了堤防的除险加固和河道整治工程,并四次加高培厚大堤;在干支流上修建了三门峡水库、陆浑水库、故县水库等拦洪工程,在下游建设了北金堤、东平湖、南展、北展等滞洪工程,初步形成了"上拦下排,两岸分滞"的防洪工程体系。战胜了10次超过10 000m³/s的洪水,特别是战胜了1958年22 300m³/s的大洪水,取得了连续50多年伏秋大汛安澜的伟大胜利。

2. 水资源的开发利用

"黄河百害,唯富一套",在历史长河中只有宁蒙河套平原和汾渭谷地的黄河流域地区集中发展了灌溉事业,但受社会和经济条件的限制规模有限。至新中国成立初期,全流域灌溉面积约1 200万亩。人民治黄以来,在下游成功建设了人民胜利渠,开创下游引黄灌溉的先河;在上中游干支流上相继修建了三盛公、青铜峡、汾河水库、渭河宝鸡峡水库等引水枢纽,并成功地建设了甘肃景泰川、陕西东雷等高抽高灌工程,灌溉事业得到了长足的发展。全河干流设计总引水能力达6 000m³/s,据1997年资料统计,黄河流域和下游流域外引黄灌区有效灌溉面积为11 266.5万亩,黄河供水地区年耗水量达300多亿m³,水资源利用率达53%。全河30万亩以上的大型灌区70处,有效灌溉面积6 678万亩;1万～30万亩中型灌区670处,有效灌溉面积1 754万亩。黄河灌溉事业的发展取得了较好的经济效益和社会效益,区域内绝大部分地区解决了温饱问题,部分干旱地区人畜饮水困难也有很大缓解,促进了农村经济的发展,改善了生态环境。据1990年统计,黄河流域粮、棉、油料产量分别占全国产量的11.2%、31.0%和12.9%,供水直接经济效益达6 000亿元以上。

3. 干流骨干工程的建设

在发展引黄灌溉的同时,截至 2001 年底,在黄河干流上修建了包括小浪底、万家寨在内的 12 个水利枢纽工程,总库容 560 多亿 m^3,有效库容 356 亿 m^3。除促进了灌溉事业的发展外,还大力开发了黄河水电资源,发电总装机容量近 9 000MW,年平均发电量 336 亿 kWh,已建水电站发电直接经济效益累计达 1 200 亿元。黄河干流已建工程技术经济指标见表 1-1-1。

表 1-1-1 黄河干流已建工程技术经济指标

序 号	工程名称	控制面积 (万 km^2)	总库容 (亿 m^3)	有效库容 (亿 m^3)	装机容量 (MW)	年发电量 (亿 kWh)
1	龙羊峡	13.1	247.0	193.5	1 280.0	59.4
2	李家峡	13.7	16.5	0.6	2 000.0	59.4
3	刘家峡	18.2	57.0	41.5	1 160.0	55.8
4	盐锅峡	18.3	2.2	0.1	396.0	21.7
5	八盘峡	21.6	0.5	0.1	180.0	9.5
6	大　峡	22.8	0.9	0.6	300.0	14.7
7	青铜峡	27.5	5.7	3.2	272.0	10.4
8	三盛公	31.4	0.8	0.2	0	0
9	万家寨	39.5	9.0	4.5	1 080.0	27.5
10	天　桥	40.4	0.7	0.4	128.0	6.1
11	三门峡	68.8	96.4	60.4	400.0	13.0
12	小浪底	69.4	126.5	51.0	1 800.0	51.0

4. 水土保持

黄河上中游总水土流失面积 45.4 万 km^2,包括 306 个县(旗、市、区),总人口 8 255 万人。严重的水土流失使大量泥沙进入黄河,成为黄河下游洪灾频繁的症结所在,也是当地群众生活贫困的主要原因。新中国成立以来,水土保持工作由重点试办到全面发展,取得了很大成绩。20 世纪 80 年代中期以后又加强了预防监督工作,积累了比较完整的水土流失防治和水土保持管理的经验,建立了具有流域特色的水土保持科学技术体系。40 多年来开展以小流域为单元的综合治理,兴修以梯田为主的各类基本农田 9 700 万亩,造林 13 315 万亩,种草 4 035 万亩,造经济林与果园 1 113 万亩。建设治沟骨干工程 1 390 座,建各种小型蓄水保土工程 400 多万处,扩大灌溉面积 500 多万亩,保护耕地 200 多万亩,平均每年增产粮食 50 亿 kg,生产果品 180 亿 kg,使 1 200 多万人解决了温饱和农村生活用水问题。各项措施共初步治理水土流失面积 18.03 万 km^2,占水土流失总面积的 39.7%,使入黄泥沙平均每年减少 3 亿 t 左右。

三、小浪底工程的开发论证及设计简要历程

为什么要修建小浪底？小浪底的开发论证经历了近半个世纪漫长的历程。

1935 年 8 月 23 日～9 月 2 日,时任黄河水利委员会委员长、我国近代著名的水利专家李仪祉先生指派挪威籍主任工程师安立森等人查勘黄河潼关至孟津河段,之后提出了三门峡、八里胡同、小浪底等 3 个坝址的查勘报告。

1946 年 12 月,国民政府行政院公共工程委员会聘请雷巴德、萨凡奇等美国专家组成的黄河顾问团查勘了黄河,在"治理黄河初步报告"中提出了小浪底坝址。

新中国成立以后,为了实现"变害河为利河"的治黄总目标,在大力进行下游修防保证防洪安全的同时,积极开展了治本的各项准备工作,广泛开展了黄河水文、地质、社会经济等基本资料的收集和研究。1950 年初,组织查勘队查勘了黄河龙门至孟津河段,北京大学教授冯景兰、河南地质调查所曹世禄两位专家参与了查勘小浪底坝址。1953～1954 年进行了坝址的地质测绘工作,同时黄河水利委员会(简称黄委会)钻探队在小浪底坝段大峪河口、大小西沟和猪娃崖钻孔 11 个,揭开了小浪底工程勘测设计的序幕。

1955 年 7 月,在全国一届人大二次会议上审议通过了《关于根治黄河水害和开发黄河水利的综合规划》的报告,标志着人民治黄事业进入了一个全面治理、综合开发的新阶段,是治黄史上的里程碑。按照这个规划,在黄河干流上要建设 46 个梯级工程,选择三门峡为第一期重点开发工程。黄河技术经济报告确定三门峡水库正常高水位 350m,总库容 360 亿 m³,设计允许泄量 8 000m³/s。认为三门峡水库与伊、洛、沁河水库联合运用,黄河下游防洪问题将得到全部解决。规划中的小浪底为第 40 级工程,壅高水位 27m,总库容 2.4 亿 m³,装机 300MW,为径流式电站。三门峡至小浪底 130km 河段规划有任家堆、八里胡同和小浪底三个梯级。按照这个规划,三门峡水库共淹没农田 200 万亩,迁移人口 60 万人。为了减轻移民困难,库水位拟采取分期抬高,初期最高水位不超过 335.5m,共需移民 21.5 万人,其余移民可根据需要在 15～20 年内陆续迁移。规划水库堆沙库容 147 亿 m³,认为库区泥沙淤积问题必须与黄土高原全面的水土保持措施结合起来解决。在水土保持措施生效前,为了减轻三门峡水库的淤积,第一期计划先修"五大五小"拦泥库,总库容 75.6 亿 m³。估计到 1967 年,水土保持减沙效益可达 25%～35%,三门峡入库沙量可减少 50%。关于三门峡水库的建设,在周恩来总理亲自主持讨论会后确定拦河大坝按正常高水位 360m 设计、350m 施工,水库死水位 325m,坝顶高程 353m,1960 年前最高运用水位不超过 340m。

1958 年 12 月,黄委会在完成的《黄河综合治理三大规划草案》中,提出将小浪底至八里胡同合并成一级开发,在小浪底修建壅高水位 96m 的高坝,总库容 41.5 亿 m³,开发任务为发电、防洪和灌溉,装机 1 220MW。1959 年 12 月 ,黄委会在完成的《黄河下游综合利用补充报告(草案)》中,提出三小(三门峡至小浪底,下同)区间任家堆、八里胡同、小浪底三级开发合并为一级开发方案,正常高水位 280m,总库容 117 亿 m³,装机 2 200MW,枢纽的主要任务为发电、灌溉。正是由于三门峡在治黄规划中的地位,认为三门峡水库与伊、洛、沁河水库联合运用,下游的防洪问题将得到全部解决,故小浪底的开发目标始终以发

电和灌溉为主。

1960年汛前,三门峡大坝混凝土全部浇至340m高程以上,开始拦洪运用。由于20世纪50年代末到20世纪60年代初,黄河下游连续干旱,旱情严重,水电部决定三门峡水库抓紧时间蓄水。1961年汛期,从8月27日关闸到10月21日,坝前水位达332.53m。由于适逢库区上游连降暴雨,黄河、渭河同时涨水,含沙量也比较大,渭河排泄不畅造成潼关以上严重淤积。

1962年2月决定三门峡水库由"蓄水拦沙"运用改为"滞洪排沙"运用,即降低水位汛期滞洪,其他时间敞泄,这是当时被迫的应急措施。1964年周恩来总理在北京主持召开治黄会议,决定按照"确保西安,确保下游"的方针,在三门峡大坝左岸增建两条直径为11m的泄洪排沙隧洞,改建原5~8号发电钢管为泄洪排沙钢管。1967年6月,在三门峡召开了晋、陕、豫、鲁四省治黄会议,研究三门峡水库的运用方式,决定按照"合理拦洪、排沙放淤、径流发电"的原则进一步打开1~8号8个施工导流底孔,并改建为永久泄洪排沙孔,同时降低1~5号发电钢管的进口。明确汛期最低运用水位300~305m,在315m水位下枢纽泄流能力增至10 000m³/s。1973年11月,水库开始采取了"蓄清排浑"的运用方式,保持了330m高程以下30亿m³和335m以下60亿m³的防洪库容。

三门峡水库由于严重淤积,潼关高程抬高,渭河泄流不畅,将正常高水位从350m降到335m运用以后,水库防洪库容只有60亿m³,且在315m的泄流能力增至10 000m³/s,下泄流量加大。1958年花园口出现以三门峡至花园口区间暴雨洪水为主的大洪水,洪峰流量22 300m³/s,说明黄河下游的防洪问题仍十分严重。在1967年的四省治黄会议上就提出了兴建小浪底水库的问题。1970年黄委会在编制《黄河三秦间(三门峡至秦厂区间)干流规划报告》中,提出小浪底水库正常高水位265m,总库容91.5亿m³的三小间河段一级开发方案,枢纽任务为防洪、防凌、发电、灌溉,首次把小浪底主要开发目标由发电、灌溉改为防洪和防凌。

1975年8月上旬,淮河流域发生罕见的特大暴雨,造成库坝失事,给国民经济和人民生命财产带来严重损失,这对黄河下游防洪安全又一次敲响了警钟。经分析,如果这场暴雨北移至三门峡至花园口区间,可能产生40 000m³/s以上的特大洪水,远远超过下游的防护标准,必将会发生严重后果。为此,河南、山东两省和水利电力部联合向国务院报送《关于防御黄河下游特大洪水意见的报告》,提出在三门峡以下黄河干流上修建小浪底水库或桃花峪水库。报告认为,"从全局看,为了确保黄河下游安全,必须考虑修建其中一处"。国务院以国发[1976]41号文了批复,原则上同意上述报告,即可对各项重大防洪工程进行规划设计。黄委会随即组织力量,全面开展了小浪底工程和桃花峪工程的规划论证研究,于1976年6月提出《黄河小浪底水库规划报告》。论证比较结果,推荐小浪底正常高水位275m的高坝方案,总库容112亿m³,电站装机1 150MW,并把防洪和减淤作为开发任务的重点。1980年11月,水利部对小浪底、桃花峪工程规划比较进行了审查讨论,认为在解决黄河下游防洪问题方面,小浪底水库优于桃花峪水库,决定不再进行桃花峪水库的比较工作,并责成黄委会抓紧小浪底水库设计工作。

1983年3月,国家计委和中国农村发展研究中心在北京联合召开了小浪底水库工程论证会,参加会议的有国务院有关部委、省市和科研、设计、高等院校的领导、专家和工程技术人员近百人。经代表们的认真讨论,对兴建小浪底工程的重要性取得了共识。会后,宋平和杜润生向国务院提出了《关于小浪底水库论证报告》。报告指出,小浪底水库处在控制黄河下游水沙的关键部位,是黄河干流三门峡以下唯一能够取得较大库容的重大控制工程,在治黄中具有重要的战略地位,兴建小浪底水库在整体规划上是非常必要的,黄委会要求尽快兴建是有道理的,小浪底水库的主要任务应该是防洪、减淤。

1984年8月,黄河水利委员会勘测规划设计院(曾更名为黄河水利委员会勘测规划设计研究院,简称黄委会设计院;现名为黄河勘测规划设计有限公司,简称黄河设计公司)完成了《黄河小浪底水利枢纽可行性研究报告》,水利电力部组织专家进行了审查,并以[84]水电水规第86号文下达了审查意见。审查意见认为,兴建小浪底水利枢纽是非常必要的,同意小浪底水利枢纽的开发任务为"以防洪(包括防凌)、减淤为主,兼顾供水、灌溉和发电"。工程最终规模应力争达到可行性研究报告中推荐的最高蓄水位275m的方案。同意小浪底枢纽为一级工程,主体工程为一级建筑物。同意最终选定三坝址,坝型原则同意采用土石坝。鉴于高含沙量高速水流对泄水建筑物引起的磨损、气蚀和振动是枢纽建筑物设计中的一个关键问题,应对隧洞型式进行多方案的比较。可行性研究报告提出施工期为11年,总投资34亿元。审查中提出了不少意见和问题,要求在初步设计中进一步研究采用新技术,改进施工方法,提出经济合理并切实可行的工期和造价。对水库移民应会同河南、山西两省提出切实可行的迁建措施实施方案和相应的投资概算。

1984年12月,水电部在以[84]水电水规第125号文《关于下达黄河小浪底水利枢纽设计任务书》的通知中指出:鉴于小浪底水利枢纽的水文、泥沙及工程地质条件复杂,工程量较大,国内尚缺乏实际经验,因此经国家计委批准,初步设计中有关工程地质评价和处理方法,枢纽总体布置和水工建筑物设计,以及施工方法、总工期和工程概算等部分,由黄委会和美国柏克德公司进行轮廓设计,其余部分由黄委会负责完成,并汇总成统一的初步设计。

按水电部的指示,1984年9月~1985年10月,在时任黄委会主任龚时旸的带领下,黄委会与柏克德公司进行了小浪底轮廓设计。轮廓设计确定了以洞群进口集中布置为特点的枢纽建筑物总布置格局,左岸单薄山体作为大坝的延伸,采用钢筋混凝土包山方案,提出了新型的由导流洞改建的孔板消能泄洪洞,按国际施工水平确定工程总工期为8.5年。水电部组织国内专家50余人对轮廓设计报告进行了审查,审查认为,该轮廓设计在技术上是可行的,有关小浪底工程地质评价、枢纽布置、建筑物设计、施工进度等方面的成果达到了初步设计深度。

1986年5月,国家计委委托中国国际工程咨询公司对小浪底水利枢纽设计任务书进行了评估。评估意见认为,小浪底水利枢纽是当前治理黄河下游现实可行的方案,明确小浪底水利枢纽的开发目标为"以防洪(包括防凌)、减淤为主,兼顾供水、灌溉和发电,蓄清排浑,除害兴利,综合利用"。正常高水位275m,水库总库容126.5亿 m^3,其中防洪和调水调沙共51亿 m^3 为长期有效库容。设计正常死水位230m,淤沙库容75.5亿 m^3,枢纽按千年一遇洪水40 000 m^3/s 设计,万年一遇洪水52 300 m^3/s 校核,枢纽总泄流能力不小于

17 000m³/s,电站装机 6×260MW。评估意见认为,在水工设计安全可靠的条件成熟和财力许可时,宜尽早兴建小浪底水利枢纽。国家计委以计农[1987]52 号文《关于审批黄河小浪底水利枢纽工程设计任务书的请示》呈报国务院,并以计农[1987]177 号文通知水利部,上述请示业经国务院领导批准。黄委会设计院按计委批示于 1987 年 2 月~1988 年 7 月全面开展了小浪底水利枢纽初步设计工作。1987 年 8 月水电部和水利水电规划设计总院(简称水规总院)在京召开了小浪底初步设计中间汇报会,1988 年 3 月水规总院邀请国家计委,河南、山西两省以及其他有关单位在京预审了小浪底初步设计,并于 1988 年 4 月分别对小浪底工程概算及机电组织了专业预审。1988 年 8 月水利部召开部务会议对小浪底的初设文件进行了讨论,之后水利部以水规[1988]41 号文《关于报请审批〈黄河小浪底水利枢纽初步设计报告〉的报告》呈报国家计委。1988 年 10 月,水利部组织有关专家就小浪底水利枢纽泄洪方案进行了复议,并以[88]水规字第 59 号文下达了纪要,要求黄委会设计院在技术设计阶段进一步优化设计,研究进口的淤积、下游消能、排沙洞改进和低位导流洞适当提高等问题。黄委会设计院根据水利部的指示,提出了枢纽泄洪方案优化设计报告,水利部于 1989 年元月在京组织了审查讨论会,对优化后的泄洪方案予以肯定。在审查纪要中指出,"在低运行水位 220m 时,应有不少于 7 000m³/s 的泄流能力",并原则同意黄委会设计院的意见,电站应力争提早发电,以提高偿还能力。优化后的枢纽建筑物总布置方案将原初设 6 座错台布置的综合进水塔改为直线布置的 9 座进水塔(招标设计时又增加 1 座灌溉塔),大大改善了进水塔前的流态,高低进水口互相保护,使防止泥沙淤积、闸门防淤堵问题得到可靠解决,形成了低位泄洪排沙、中间引水发电、高位泄洪排漂的合理布局,为招标设计工作的开展奠定了基础。

为了促进小浪底工程尽快上马,水利部拟部分利用世界银行贷款,责成黄委会设计院编制了《部分利用世界银行贷款的可行性报告》,连同《黄河小浪底水利枢纽泄洪建筑物总布置优化设计报告》和《小浪底水库淹没及处理规划报告》,以水规[1989]38 号文《关于报请审批黄河小浪底水利枢纽初步设计的补充报告》呈报国家计委。1989 年 7 月,水利部又以水计[1989]51 号文《关于黄河小浪底水利枢纽实施意见的报告》呈报国家计委。

1990 年黄委会设计院经过认真分析论证,提出小浪底水电站由原初设 6×260MW 增容至 6×300MW 的扩机增容报告,水利部水利水电规划设计总院以[90]水规规字第 10 号文回复黄委会设计院,认为"单机容量由 260MW 适当加大是经济合理的。为此,待计委审批初步设计后,再请你院报送小浪底扩机增容报告"。

1991 年 11 月,黄委会设计院在认真听取了咨询专家的意见并进行了大量的分析论证后,完成了《黄河小浪底水利枢纽地下厂房专题报告》,对引水发电系统进行了进一步优化,将原初设半地下厂房改为地下厂房,同时取消了上游调压井和尾水调压室。结合电站扩机增容,最终完成了引水发电系统的设计优化工作。

1991 年全国人大七届四次会议将小浪底工程列入国家经济和社会发展十年规划和第八个五年计划纲要,确定在"八五"期间开工建设。

1991 年 9 月 1 日,在国家计委对小浪底初步设计未正式审批的情况下,为了争取时间,在小浪底工地举行了前期准备工程开工典礼,揭开了小浪底工程建设的序幕。

1991 年 11 月,黄委会设计院按照部分利用世界银行贷款,主体土建工程进行国际公开招标的构想,按招标设计提供的工程量,完成了反映 1991 年价格水平的"黄河小浪底水利枢纽主体土建工程国际招标内外资概算"的编制工作。经水利部审查后作为初设总概算的推荐方案,以水规[1992]9 号文上报国家计委。

1991 年 12 月,水利部又以水规[1991]67 号文《关于黄河小浪底水利枢纽初步设计中的几个问题的报告》上报国家计委,报告了初设优化后的枢纽总布置、泄洪方式、改地下厂房等几个问题的复审意见。

为利于进行招标设计和组织施工,水利部于 1992 年 3 月以水计字[1992]20 号文《关于请求审批黄河小浪底水利枢纽工程初步设计及有关问题的函》上报国家计委,再次要求尽快审批小浪底初步设计。中国国际工程咨询公司于 1992 年上半年对小浪底初步设计中的水工建筑物、库区移民安置和工程总投资等几个重点问题进行了评估。同年 7 月 6 日,国际咨询公司以咨农[1992]287 号文将评估意见上报国家计委。评估结论指出,"小浪底水利枢纽工程是治理黄河的一项关键工程,并已列入我国国民经济和社会发展十年规划和第八个五年计划纲要,设计部门已完成了初步设计的优化工作,三通一平等前期施工准备工程已于 1991 年 9 月开工,施工征地和水库移民工作也在积极进行,各方面条件已基本具备,建议批准初步设计优化方案,以利工程早日开工建设,尽早发挥工程效益"。

1993 年 3 月 23 日,国家计委以计农经[1993]459 号文《关于黄河小浪底水利枢纽工程初步设计的复函》发至水利部,文称"根据国务院领导同志的批示,原则同意小浪底水利枢纽工程初步设计优化方案"。至此,属于工程初步设计阶段的工作才算正式结束。

黄委会设计院于 1990 年全面开展了工程的招标设计工作。通过公开招标,并经水利部和世界银行批准,确定加拿大国际工程管理集团黄河联合咨询公司(CYJV)作为工程招标设计的咨询公司。此外,按世界银行要求聘请了世界上知名的 14 名专家组成特别咨询专家组,同时水利部提名组建了以赵传绍为首的中国咨询专家组,对工程招标设计中有关技术问题进行全面评估和咨询。招标设计工作分详细设计和标书编制两个阶段进行,于 1990 年底基本完成了详细设计工作。同时,黄委会设计院投入了大量人力,与 CYJV 专家一起分 13 卷准备供世界银行贷款项目评估用的简要报告。1992 年底完成了主体土建工程国际招标文件的编制,经过资格预审后,于 1993 年 3 月 8 日,以中国国家技术进出口公司为对外窗口发售了标书,1993 年 7 月由黄委会设计院完成了相应 3 个主体土建标的标底编制,1993 年 8 月 31 日,小浪底 3 个主体土建工程标在北京钓鱼台国宾馆公开开标,1994 年 6 月正式发出中标通知。

小浪底前期准备工程于 1991 年 9 月 1 日开工以来约在两年半的时间内完成全部项目,水利部于 1994 年 4 月组织了验收。

自 1989 年以来,历经前后 13 次考察,世界银行于 1992 年 10 月进行了项目预评估,于 1993 年 5 月结束了项目正式评估工作。1994 年 6 月与世界银行签署了正式贷款协议。

1994 年 9 月 12 日,李鹏总理亲临小浪底工地宣布了小浪底主体土建工程开工,小浪底的主体建筑物的设计工作也全面进入了施工详图阶段。历经坎坷,于 1997 年 10 月 28 日实现大河截流,2000 年 1 月 9 日首台机组并网发电,2001 年底主体工程按进度计划全部完工。

小浪底工程的地质勘探工作前后延续了 30 多年,完成钻孔 58 768m,探洞 4 715m,竖井3 375m,并进行了大量的室内和现场试验。针对小浪底挑战性的技术难题,组织完成了400 余项科学试验研究,包括现场混凝土防渗墙造墙试验、大洞室开挖试验、孔板洞碧口中间试验等。完成国际标土建施工详图 5 700 多张,国内标施工详图 5 300 多张,金属结构加工制造图 5 885 张。

第二节　工程规模的研究与论证

一、水库正常运用水位

小浪底工程在黄河治理开发中的地位主要是解决下游的洪水问题,而黄河下游洪水问题的症结在于泥沙,故把防洪和减淤作为小浪底工程的主要开发目标。防洪和减淤都是以水库的库容为基础的,但小浪底水库最高运用水位上受三门峡水电站尾水的限制,下受坝址左岸单薄分水岭的制约,最高运用水位不宜超过 275m。在首先满足防洪库容要求的前提下,不同的运用水位主要表现为减淤效益的不同,其次是发电效益方面的差别。防凌库容和灌溉要求的水量调节库容与防洪库容可以重复使用,可不作为考虑的因素。

在可行性研究阶段,曾就最高运用水位 265m、270m 和 275m 等 3 个方案进行了技术经济比较,结果表明,各方案调整死水位及淤积滩面高程,都可以长期保持同样的有效库容。但 275m 蓄水位的拦沙库容分别比 265m 和 270m 蓄水位大 25 亿 m^3 和 13 亿 m^3,在 50年内相当于使下游河床不淤积的年数分别多 7 年和 4 年,发电量约分别多 250 亿 kWh 和125 亿 kWh。由于主体工程费用中泄洪排沙建筑物占很大比重,而 3 种蓄水位的泄流规模均由汛期限制水位控制,故反映在总投资中差别不大,而蓄水位 275m 方案的减淤效益却要大得多。

考虑到小浪底水库对下游减淤的不可替代性以及河流泥沙问题的复杂性,在库容设计上应留有较大余地,尽量使库容大一些,以充分发挥水库的减淤作用。为此,在不影响上游三门峡水电站尾水的前提下,推荐 275m 为小浪底水库最高运用水位。这样,在经济上是合理的,在技术上也是可行的。小浪底水库运用示意图见图 1-2-1。

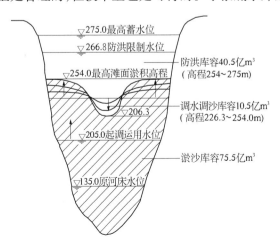

水位	原始库容 (亿 m^3)	有效库容 (亿 m^3)
200	13.9	0
205	17.1	0
220	29.6	0
230	40.8	0.14
240	55.0	1.7
250	71.1	6.4
254	78.3	10.0
260	90.0	17.6
275	126.5	51.0

图 1-2-1　小浪底水库运用示意图　(高程单位:m)

二、水库库容规划

小浪底水库在正常运用水位 275m 时,回水约 130km,水库面积 272km²,总库容为 126.5 亿 m³,是一个河道型水库。从高程上看,水位 230m 以下的库容约占 1/3,230m 以上的库容占 2/3;从库容平面分布看,支流库容约占 1/3,干流库容约占 2/3;此外,距大坝 45km 的干支流库容约占总库容的 2/3。根据小浪底水利枢纽以防洪、减淤为主的开发任务以及千年一遇洪水设计、万年一遇洪水校核的标准,本着合理拦排、综合兴利的原则,规划水位 254m 以上的库容 40.5 亿 m³ 为防洪库容,254m 也是汛限水位和控制最高淤积滩面高程。规划 254m 以下有约 10 亿 m³ 的调水调沙库容,其余为淤沙库容。防洪库容和调水调沙库容为长期有效库容,汛期以防洪、减淤为主,非汛期调节径流综合兴利,凌汛期预留 20 亿 m³ 的库容防凌。经调洪演算,千年一遇洪水最高洪水位 274m,控制最大下泄流量 13 490m³/s;万年一遇最高洪水位 275m,控制最大下泄流量 13 990m³/s。在设计洪水条件下,小浪底工程最大下泄流量 13 490m³/s,加上下游相应频率的支流洪水,不超过花园口 22 000m³/s 的设防标准,说明这样的库容规划可以满足下游防洪要求,并可最大限度地发挥水库的减淤效益。

三、水库死水位

根据上述库容规划,小浪底水库汛期正常运用的汛限水位为 254m,254m 以上有 40.5 亿 m³ 的防洪库容。经过大约 30 年的蓄水拦沙运用,控制水库最高淤积面为 254m,254m 以下将形成一个新的河槽及约 10 亿 m³ 的槽库容供调水调沙,槽底高程约为 226m。由此确定水库死水位为 230m,在正常情况下,小浪底水库汛期水位在 230~254m 之间调节水沙,并预留足够的库容拦滞洪水。当水库最高淤积面达到 254m 后再来特大洪水时,只要小浪底工程的入库流量大于水位 254m 的最大泄流能力,水库水位就会壅高,随之滩面继续淤高,从而将侵占长期有效库容。为了恢复长期有效库容,就需要将汛期运用水位降低,通过泄水拉沙增加调沙槽库容。为此,小浪底工程规划了一个 220m 的非常死水位,也即在正常运用期汛期运用的可能最低水位,并把水位 230m 称为正常死水位。

四、枢纽泄流规模

(一)死水位泄流规模

在黄河下游"上拦下排,两岸分滞"的防洪体系中,小浪底工程是一个承上启下、地理位置十分重要的防洪工程。其死水位泄流规模的确定有以下几个方面的考虑:

(1)与三门峡"蓄清排浑"运用方式相应,满足水库排沙要求。三门峡水库非汛期蓄清水兴利,同时也将泥沙拦在库内,集中在汛期下泄。三门峡水库汛期敞泄排沙的最低运用水位 305m,相应泄流规模 4 500m³/s。自"蓄清排浑"运用以来,库区基本保持冲淤平衡。小浪底水库低水位泄流能力要与之相应。

(2)要有利于下游河道排沙。黄河下游河道的基本特点是输沙率大小决定于流量的大小,并与来水含沙量大小有关。大水漫滩后淤滩刷槽,总的输沙能力降低。实测资料表明,下游河道输沙能力最大的流量为平滩流量。黄河下游河道的平滩流量有变化,各河段也有不同,但在较长时间内有相对稳定值,平滩流量大体上与多年平均洪峰流量相当。花园口站实测多年平均洪峰流量为 6 000 ~ 7 000m³/s,一般情况下,下游平滩流量为 6 000m³/s。

(3)考虑小浪底工程在黄河治理中具有重要的战略地位,泄流规模确定时应适当留有余地。小浪底工程以隧洞泄洪为主,均为高流速泄洪洞。9 条泄洪洞的泄流能力占总泄流能力的 78%,且采用了诸如多级孔板消能、后张预应力混凝土衬砌等新技术,故枢纽泄流规模应适当留有余地。

综合上述三点考虑,工程规划确定 220m 非常死水位的泄流规模为 7 000m³/s,实际工程泄流能力为 7 068m³/s,相应正常死水位 230m 的泄流能力为 8 406m³/s。

(二)枢纽最大泄流规模

小浪底水利枢纽防洪运用校核洪水位为 275m,鉴于小浪底工程的重要性,考虑三门峡水库防洪运用最大下泄流量 15 000m³/s 的可能性,并留有余地,确定枢纽在正常运用水位 275m 时的最大泄流能力不小于 17 000m³/s,实际最大泄流能力为 17 559m³/s。

小浪底工程采用以隧洞泄洪为主的总体布置,水库壅高水头 140m,这些隧洞均为高流速泄洪洞,且采用了由导流洞改建的多级孔板消能和后张法预应力隧洞衬砌等新技术。为了确保工程安全,在初步设计审查中,要求设 3 000m³/s 的非常溢洪道。为此,在左岸规划设计了一个堰顶高程 267m、宽 100m 的自爆溢流式非常溢洪道。

第三节　小浪底在黄河治理开发中的地位

黄河小浪底水利枢纽位于黄河中游最后一个峡谷的出口,上距三门峡水库 130km,下距郑州花园口京广铁路桥 128km。控制黄河流域面积 69.4 万 km²,占黄河流域总面积(不包括内陆区)的 92.3%,控制黄河天然年径流总量的 87% 及近 100% 的黄河泥沙。黄河出小浪底峡谷之后进入了由黄河泥沙堆积而成的黄淮海平原。在郑州花园口以下约 800km 的下游河道高悬于两岸地面,在约 1 400km 堤防的约束下流入渤海。小浪底处在承上启下控制黄河水沙的关键部位,与龙羊峡、刘家峡、大柳树、碛口、古贤、三门峡一起成为开发治理黄河的七大骨干工程,在治黄中具有十分重要的战略地位。小浪底在治黄中的地位主要体现在以下几个方面。

一、提高了黄河下游的防洪标准

小浪底水库的主要开发目标是防洪。尽管人民治黄 50 多年来取得了巨大的成就,建设了"上拦下排,两岸分滞"的防洪体系,但防护标准不高,为 1958 年的实测洪水 22 000m³/s,约相当于 60 年一遇洪水。由于黄河在下游高悬于两岸地面,一旦溃决后果十分严重。黄河大堤无论从南岸或北岸决口,黄泛区均在 30 000km² 左右,直接受灾人口近千万人。小浪底水库具有 40.5 亿 m³ 长期有效的防洪库容,在出现千年一遇洪水 42 300m³/s(花园口)的情况下,小浪底水库和三门峡水库、故县水库、陆浑水库联合调度,花园口的洪峰流量为 22 600m³/s,基本为现在的设防标准,出现百年一遇洪水 29 200m³/s(花园口)时,花园口洪峰流量不超过 15 700m³/s。由于小浪底水库的投入运用,大大提高了黄河下游的防洪标准,无疑对黄河下游洪水问题的处理创造了极为有利的条件。

进入 20 世纪 90 年代以来,黄河连续出现枯水年。在大河断流愈演愈烈的同时,主槽萎缩,由通常的 6 000m³/s 降低到不足 3 000m³/s,1996 年汛期 7 860m³/s 洪水沿河各站的水位普遍高出 1958 年 22 000m³/s 的实测洪水位 1~2m。此外,"二级悬河"的态势也越来越严重。2002 年 7 月初黄河进行首次调水调沙试验时,有的河段流量不到 2 000m³/s 河水就开始上滩,说明小浪底水库投入运用前后,黄河下游的防洪形势比小浪底水库论证上马时更为严峻。小浪底水库除提高了下游的防洪标准外,通过水库初期蓄水拦沙下泄清水和调水调沙运用,对下游主河槽行洪能力的恢复将起积极促进作用,对中小洪水也可适时进行调节以减少滩区淹没造成的损失。此外,小浪底水库投入运用,也大大减少了三门峡水库的防洪运用几率。截至 2004 年,以小浪底水库为主体,黄河进行了三次调水调沙试验,黄河下游各河段平滩流量增加 460~1 050m³/s,平均增加 672m³/s,主槽过流能力已全面达到 3 000m³/s。

二、基本解除下游凌汛威胁

黄河出小浪底峡谷后逐渐呈悬河态势进入下游黄淮海平原。黄河在河南的河段为宽浅散乱的游荡性河道,一般堤距宽 5~10km,最宽达 24km。山东河段的黄河堤距一般宽 1~3km,最窄只有 0.5km,成弯曲性河道,形成泄洪能力上大下小的不利局面。由于纬度的差别,山东河段封河一般比河南河段早 10 天左右,开河比河南河段晚 20 天左右。封河期因冰凌阻水,泄流不畅,增加河道蓄水量;开河时上段先开下段尚未解冻,容易形成冰塞、冰坝,使水位骤涨,造成凌汛。

三门峡水库建成并担负防凌任务以来,对黄河下游防凌起了积极作用,但是三门峡防凌限制水位由于受潼关高程的制约只能到 326m,最大蓄水量 18 亿 m³,不能满足防凌要求。为此,在下游山东河道修建了南展和北展工程,必要时分流凌汛洪水,但分流运用的代价很高。龙羊峡水库投入运用以后,凌汛期下泄水量增加,使下游防凌库容不足的矛盾更加突出。据分析,要解决下游的防凌问题,至少需要 35 亿 m³ 的防凌库容。小浪底水库投入运用以后,可提供 20 亿 m³ 的防凌库容并先期投入防凌运用,不足部分由三门峡水库承担,这样可基本解除下游的凌汛威胁,也大大缓解了三门峡水库的防凌负担。

三、在一定时段内遏制了黄河下游河床淤积的态势

减少下游河床淤积是小浪底水利枢纽的主要开发目标之一。为此,规划水库淤沙库容 75.5 亿 m³,可拦沙约 102 亿 t。小浪底设计水平年的黄河年平均输沙量为 13.23 亿 t,将集中来自汛期。按照统计资料分析,黄河泥沙大约 1/4 淤积在下游河床,1/4 淤积在河口三角洲。按照水库减淤运用的原则,小浪底水库初期汛期最低运用水位 205m,随水库淤积的发展逐渐抬高运用水位,利用 6 亿~8 亿 m³ 调水调沙库容,以"两极分化"的泄流方式,控制进入山东河段的流量或者小于 800m³/s,或者大于 2 000m³/s,并控制水库淤积形态,达到拦粗排细的目的。经分析,通过小浪底水库拦蓄泥沙及调水调沙运用,可减少下游河床淤积 78 亿 t,使下游河床 20~25 年基本不淤积抬高,从而为黄河的治理,为黄河上中游开展水土保持赢得宝贵的时间。截至 2005 年汛后,由于水库基本下泄清水,小浪

底水库累计拦沙 16.86 亿 m^3,三次调水调沙下游主槽全线冲刷,主槽过流能力得到一定的恢复,共冲刷入海沙量 1.483 亿 t,初步发挥了水库的拦沙减淤作用。

四、调节径流,提高黄河下游灌溉供水保证率

黄河是下游河南、山东最重要的水源。现下游引黄能力已达 3 900 m^3/s,控制灌溉面积 3 500 万亩,随着国民经济的发展,城市及工业用水量也大大增加。此外,黄河还担负着引黄济青、引黄入淀向华北供水的任务。黄河下游的来水主要靠上中游的产流和调节。由于缺乏足够的调节能力,有限的水资源得不到充分利用,灌溉供水保证率很低,每到 5 月、6 月份频频发生断流。据统计,1980 ~ 1990 年累计断流 191 天。进入 20 世纪 90 年代以来,由于黄河进入连续的枯水年,断流现象愈演愈烈。1992 年黄河利津站断流 83 天,1997 年黄河下游断流 26 次,累计 226 天,断流河段长达 702km。小浪底水库投入运用以后,多年平均增加下游年调节水量 17.9 亿 m^3,从而提高了下游 4 000 万亩耕地的灌溉用水保证率,改善了下游的灌溉和供水条件。小浪底水库于 1999 年汛后开始蓄水,2000 年 4 月 26 日 ~ 6 月 27 日,小浪底水库向下游补水 11.5 亿 m^3,同年 10 月 13 日又引黄济津供水 8.19 亿 m^3,天津受水 4 亿 m^3,解决了天津的严重缺水问题。2000 年黄河下游来水仅 163.5 亿 m^3,是有记录以来第三个最枯年。小浪底在蓄水运用的第一年就发挥了显著的供水效益,在黄河特枯之年黄河下游没有断流。2000 年底,小浪底水库蓄水约 47 亿 m^3,2001 年黄河全年来水量 145 亿 m^3,小浪底水库全年向下游补水 40 多亿 m^3,在这特枯之年,小浪底再次显示了它不可替代的水量调节功能,为保证黄河下游不断流发挥了关键作用。2000 ~ 2003 年,小浪底水库在 3 ~ 6 月间,共向下游补水 84.5 亿 m^3,极大地缓解了豫鲁两省严重的旱情。

五、小浪底水电站在系统中担任调峰

小浪底水电站装机 6 台 300MW 水轮发电机组,总装机容量 1 800MW,于 2000 年 1 月 9 日首台机组发电,2001 年 12 月 27 日最后一台机组投入商业运行。计算前 10 年平均年发电量 45.99 亿 kWh,10 年后平均年发电量 58.51 亿 kWh。至 2005 年 12 月底,实际发电约 200 亿 kWh,其中 2004 年和 2005 年发电量均超过 50 亿 kWh。水电站地处河南电力负荷中心,在以火电为主的河南电网中是难得的调峰电站。6 年来的运用说明,电站在系统中的调峰作用十分显著,改善了河南电网的供电质量。随着小浪底配套工程西霞院反调节水库的兴建,小浪底在系统中调峰、调频及事故备用的作用将会更好地发挥。

综上所述,小浪底水利枢纽的建成投用在国民经济中将发挥越来越大的作用,为黄河的治理开创了新的局面。水利部领导提出了“堤防不决口,河道不断流,污染不超标,河床不抬高”的黄河下游治理目标,在实现这个目标中,小浪底工程无疑将担任重要的角色。

第四节　小浪底工程在坝工史上的地位

黄河小浪底水利枢纽由于其独特的水文泥沙条件,复杂的工程地质条件,适应多目标开发的严格的运用要求,以及巨大的工程规模和在治理黄河中重要的战略地位,被国内外

专家公认为是世界坝工史上最具挑战性的工程之一。工程设计者面临一系列挑战性的技术难题。例如 70 多 m 深的大坝深厚覆盖层防渗处理,高速含沙水流问题的处理,进水口防泥沙淤堵,地下洞室群的围岩稳定,滑坡及岩石开挖高边坡的加固处理,进水塔群的动力稳定,水轮机抗磨蚀及高含沙水流条件下的汛期发电,砂卵石地基上高土石坝的地震液化,以及水库运用方式和 20 万移民的生产性安置等。围绕着上述课题进行了长期的论证研究,先后进行了 400 余项科学试验和专题论证分析,融会了国内外许多专家的心血和智慧,对上述问题均取得了较满意的解决。在解决这些挑战性课题的过程中,设计人员既尊重科学,又敢于突破常规,开拓创新,使小浪底水利枢纽的总体布置和建筑物设计都有非常鲜明的特色,从而创造了一批具有国际、国内领先水平的工程项目。

一、设计建造了坝高国内第一壤土心墙堆石大坝

坐落在 70 余 m 深厚覆盖层基础上的小浪底壤土斜心墙堆石坝坝高 160m,坝顶长 1 667m,总填筑量 5 073 万 m³,无论就其高度还是体积来说,均是国内第一壤土心墙堆石坝。大坝采用了 17 种坝料进行了分区设计,将截流戗堤、枯水围堰、拦洪围堰和主坝有机地结合成一个整体。在施工中,创造了日填筑 6.7 万 m³,平均月填筑 125 万 m³ 国内最高水平。

二、建造了国内最深厚的混凝土防渗墙

小浪底大坝坐落在深 70 多 m 的砂卵石基础上,设计采用了混凝土墙防渗技术。混凝土防渗墙截断砂卵石覆盖层下嵌入基岩 1～2m,上插入心墙 12m。混凝土墙厚 1.2m,最大造孔深 82m,在国内均属领先水平。在混凝土防渗墙施工中,首次在国内采用了横向槽孔塑性混凝土保护下的平板式接头新技术。

三、首次大规模采用了多级孔板消能技术

小浪底工程采用 3 条直径 14.5m 的圆形导流洞导流。在大量试验研究的基础上,开拓创新,首次在世界上大规模地采用了多级孔板洞内消能技术,在施工中分期将导流洞改建为永久的多级孔板消能泄洪洞。该项技术的采用不仅解决了小浪底枢纽总体布置的困难,节省了大量投资,也为处理高速水流闯出了一条新路,为世界坝工发展做出了贡献。

四、首次在国内采用了双圈缠绕后张无黏结预应力混凝土隧洞衬砌技术

小浪底水利枢纽 3 条排沙洞直径 6.5m,每条洞长约 1 100m,设计水头 122m,设计为出口工作弧门可局部开启运用的压力式洞。小浪底排沙洞的进口直接位于发电引水口下 15m/20m,担负着泄流排沙、减少过机沙量、调节径流及保持进口冲刷漏斗的任务,使用最为频繁。为了防止高压水向左岸单薄山体渗透,经多种方案比较,设计最终采用了双圈缠绕的后张无黏结预应力混凝土衬砌技术。这项技术在国内为首次采用,填补了国内环锚空白,专家评价具有国际先进水平。

五、在砂页岩地层中设计建造了国内最大的地下厂房

引水式水电站地下厂房位于小浪底大坝左岸,装机 6 台 300MW 的混流式水轮发电机

组。厂房跨度 26.2m,最大高度 61.4m,长 251.5m,设计采用了喷锚柔性支护作为永久支护和岩壁吊车梁技术,是国内同类地层中最大的地下厂房。

六、设计建造了世界坝工史上绝无仅有的进水塔群和大型综合消能水垫塘

小浪底水利枢纽的一个鲜明特点是以具有深式进水口的隧洞群泄洪为主,并采用了进水口集中、洞线集中和出口消能集中的布置方案。9 条泄洪洞、6 条发电洞和 1 条灌溉洞的进水口集中布置在 10 座进水塔内,形成了高 113m,总前缘宽度 276.4m,总混凝土量近 100 万 m³ 的宏伟的进水塔群。在进水塔群上布置有 89 个门孔,61 扇闸门(拦污栅)。9 条泄洪洞和 1 个正常溢洪道最大泄流能力 17 559m³/s,校核洪水最大泄量 13 990m³/s,集中在被导墙分开的三个水垫塘内消能。钢筋混凝土水垫塘宽 356m,水深 28m,池底长 140m/160m。小浪底的进水塔群和大型综合消能水垫塘均为坝工史上所罕见。

七、设计了新型低参数抗磨水轮机,较好地解决了高含沙水流条件下的汛期发电问题

设计了新型的低参数抗磨水轮机,采用综合措施,较好地解决了高含沙水流条件下的汛期发电问题。电站控制、枢纽闸门控制及工程安全监测均采用了计算机监控系统,提高了枢纽运行的安全可靠性。

八、成功地处理了地质条件极为复杂的进出口岩石开挖高边坡,首次在国内大规模地采用了双层保护预应力锚索和钢纤维喷混凝土技术

采用双层保护预应力锚索和钢纤维喷混凝土技术,成功地处理了地质条件极为复杂、高 120m、平均坡度 1:0.3 的进口岩石开挖高边坡;采用减载、排水降压、抗滑桩、预应力锚索、阻滑墙等综合措施成功地确保了高 80m 出口边坡施工期的稳定。

九、首次在国内成功地采用了 GIN 帷幕灌浆技术

小浪底工程首次采用 GIN 法灌浆,直、斜孔组均取得圆满成功,并表现出耗时短、效率高、质量好的显著特点,采用 GIN 法现场灌浆 30 000 多 m,为大规模灌浆施工提供了一种新的更为先进的灌浆技术方法。

十、成功地对 20 万移民进行了生产性安置

按世界银行导则成功地对 20 万移民进行了生产性安置,移民安居乐业,受到世界银行好评,成为世界银行的样板工程。

小浪底水利枢纽利用世界银行贷款 10 亿美元,是世界银行在我国最大的贷款项目。通过国际竞争性招标施工,引进了国外先进的施工技术和管理经验,为我国水利水电行业对外开放、走向世界锻炼了队伍,培养了人才,积累了新鲜的经验。

第二章　枢纽布置及主要建筑物设计

第一节　工程设计条件

一、水文条件

小浪底水利枢纽为国家一等工程,主要建筑物为一级建筑物,按千年一遇洪水设计,万年一遇洪水校核,导流标准按百年一遇洪水。

(一)设计洪水

黄河的洪水系由暴雨形成,洪水发生时间为 6～10 月。黄河的大洪水和特大洪水主要来自黄河中游的河口镇至龙门区间、龙门至三门峡区间和三门峡至花园口区间这三大地区。三门峡以上为主的大洪水(简称上大洪水)系由西南东北向切变线低涡暴雨所形成,其特点是洪峰高,洪量大,含沙量也大,对黄河下游防洪威胁严重。如三门峡河段 1843 年 36 000m³/s 的历史调查特大洪水和 1933 年实测 20 200m³/s 的大洪水就属于上大洪水。三门峡至花园口区间为主的暴雨洪水(简称下大洪水)系由南北向切变线加低涡或台风间接影响所形成,其特点是洪峰来势猛,峰高,含沙量小,预见期短,对黄河下游防洪威胁也很严重。花园口 1761 年历史调查特大洪水 32 000m³/s 和 1958 年实测 22 300m³/s 的大洪水就是下大洪水。据实测、调查和历史资料分析,黄河上大洪水和下大洪水不发生遭遇。

黄河上于 1919 年建站的三门峡(陕县)水文站观测资料最长,小浪底工程水文站于 1955 年建站以来也有 40 多年的观测资料。通过水文资料相关,插补延长了黄河上各主要水文站点的水文系列,并对历史洪水进行了发掘考证,确定了历史洪水的量级及重现期,为黄河水文分析创造了有利条件。按 1919～1969 年水文系列,运用经验频率分析法,于 1976 年对黄河下游各主要测站的洪水进行了分析,其成果见表 2-1-1。

经原水电部水规总院审查,同意上述成果作为小浪底工程初步设计的依据。

1985 年,考虑到实测洪水系列有较多的增加,特别是 1982 年花园口又出现了建站以来仅次于 1958 年的大洪水,再加上对历史特大洪水的定量及重现期有所修正,故又对黄河下游和小浪底工程的设计洪水做了补充分析(采用系列年为 1919～1982 年),并提出了"黄河小浪底水利枢纽设计洪水报告(初步设计阶段)"。此次分析成果与 1976 年原水电部审定成果相比,偏小 10%左右。考虑到目前科学技术水平和资料条件的限制,经原水电部复审,认为小浪底工程初步设计阶段仍可采用 1976 年的审定成果。1986 年 5 月,中国国际工程咨询公司又对上述报告进行了审查,维持采用 1976 年审定成果的结论。

考虑小浪底水库控制流域面积太大,采用水文气象法推求可能最大洪水存在很大的难度,故决定采用万年一遇洪水标准作为小浪底工程可能最大洪水。

表 2-1-1 小浪底工程设计洪水频率分析采用的成果

站名	项目	计算年份	均值	C_v	C_s/C_v	万年	千年	百年
花园口	Q_m	1976	9 780	0.54	4	55 000	42 300	29 200
	W_5	1980	26.5	0.49	3.5	125	98.4	71.3
	W_{12}	1976	53.5	0.42	3	201	164	125
	W_{45}	1976	153	0.33	2	417	358	294
小浪底	Q_m	1985				52 300	40 000	27 500
	W_5	1980	22.3	0.51	3.5	111	87.0	62.4
	W_{12}	1980	44.1	0.44	3	172	139	106
	W_{45}	1985	128	0.35	2	366	312	256
三门峡	Q_m	1976	8 880	0.56	4	52 300	40 000	27 500
	W_5	1980	21.6	0.50	3.5	104	81.8	59.1
	W_{12}	1976	43.5	0.43	3	168	136	104
	W_{45}	1976	126	0.35	2	360	308	251
三花间	Q_m	1976	5 100	0.92	2.5	46 700	34 600	22 700
	W_5	1976	9.80	0.90	2.5	87.0	64.7	42.8
	W_{12}	1976	15.03	0.84	2.5	121.5	91.0	61.0
	W_{45}	1976	31.6	0.56	2.5	165	132	96.5
无控制区	Q_m	1976	2 910	0.88	3	27 400	20 100	12 900
	W_5	1976	5.06	1.04	2.5	55.0	40.1	25.4
	W_{12}	1980	7.14	0.96	2.5	69.3	51.0	33.1
三小间	Q_m	1980				28 000	20 400	12 900
	W_5	1980				26.6	19.7	12.8
	W_{12}	1980				33.3	25.1	16.7
小花间	Q_m	1976	4 230	0.86	2.5	35 400	26 500	17 600
	W_5	1976	8.65	0.84	2.5	70.0	52.6	35.3
	W_{12}	1976	13.2	0.80	2.5	99.5	75.3	51.2

注：Q_m 为洪峰流量，m^3/s；W_5、W_{12}、W_{45}分别为 5 天、12 天和 45 天洪量，亿 m^3。三花间、三小间、小花间分别是三门峡至花园口区间、三门峡至小浪底区间、小浪底至花园口区间的简称，下同。

(二)设计径流

黄河花园口以上天然径流深 77mm，是一条资源性缺水的河流。黄河径流具有地区分布不均、年内年际变化大、水流含沙量高、水质污染日益严重等特点。

小浪底工程坝址控制黄河流域面积 694 155km²，占黄河流域总面积的 92.3%。实测多年平均径流量(1919～1980 年)为 423.2 亿 m³，径流还原后多年平均天然径流量(1919～1980 年)为 503.76 亿 m³。确定 2000 年为设计水平年，预测设计水平年城镇、工业耗水量 32.8 亿 m³，农业需耗水量 189.5 亿 m³，小浪底水库多年平均入库径流量 281.46 亿 m³，扣除南岸灌溉引水量 4.23 亿 m³,设计径流量为 277.2 亿 m³。

上述预测设计水平年 2000 年上游工农业耗水量,是按照国务院国发办〔1987〕第 61 号文件规定的黄河可供水量分配方案,即全河可供分配水量 370 亿 m³ 计算的,这个方案也代表了南水北调生效以前的全河可供水水平。根据目前全河用水情况分析,小浪底工程坝址以上用水未达到国务院分水指标,小浪底水文站 1980~1997 年实测平均年径流量 313.77 亿 m³,上述时段包括了 20 世纪 90 年代以来的部分枯水年份。

(三)设计入库泥沙量

黄河以高含沙量而著称于世。黄河上游为少沙河流,河口镇实测年平均水量 248.2 亿 m³,沙量 1.44 亿 t,平均含沙量 5.8kg/m³。中游流经世界上最大的黄土高原,水土流失严重,是主要产沙区。按三门峡站 1919~1960 年水文年统计,实测平均水量 432.2 亿 m³,沙量 16 亿 t,平均含沙量 37.5kg/m³。1933 年陕县站实测年最大输沙量 39.1 亿 t,最大一日输沙量 7.66 亿 t。三门峡至小浪底区间年平均水量 9 亿 m³,悬移质输沙量约 470 万 t,含沙量 5.2kg/m³,因此三门峡站的水沙可作为小浪底工程的入库水沙。

1919~1960 年水文统计是自然条件下的水沙情况,受工程影响少。小浪底入库水沙受气候、地理条件、干支流水库工程和人类活动等因素影响。1960~1968 年受三门峡水库蓄水和泄流能力小的影响,三门峡水库共淤积 55.65 亿 t,故小浪底汛期来沙减少,非汛期来沙略有增加,年平均入库沙量 10.6 亿 t。1968~1974 年三门峡经两次增建泄流设施,形成相对稳定的槽库容,自然来水偏少,来沙偏多,小浪底平均入库沙量 14.45 亿 t。1974~1986 年黄河上游清水区来水多,河口镇至龙门产沙区无大的暴雨洪水,以及支流工程的拦沙作用,水多沙少,这个时段的年平均入库沙量为 10.75 亿 t。随着上中游工农业用水的增加和治理措施的作用,小浪底的入库水沙都有减少。龙羊峡水库和刘家峡水库的径流调节,汛期拦蓄上游清水 50 亿~70 亿 m³,三门峡"蓄清排浑"运用,泥沙集中在汛期下泄,使小浪底汛期水量减少,含沙量增加。

经过分析,选择有系统实测资料的 1950 年 7 月~1975 年 6 月水文年系列作为代表性系列,以预估的 2000 年水平为南水北调生效前的设计水平年。选择的该代表性系列在各主要站的水量、沙量均与 1919~1982 年长系列接近,且包括了丰水段、平水段和枯水段。将此系列轮番计算,考虑三门峡以下发生的 1958 年洪水为 50 年内出现一次,在第二轮计算中以 1954 年汛期替代 1958 年汛期的水沙系列。由此计算小浪底设计水平年的入库沙量为 13.23 亿 t,考虑三门峡水库与小浪底水库联合运用,小浪底水库汛期平均入库沙量 13.13 亿 t,平均含沙量为 78.3kg/m³,非汛期入库沙量 0.1 亿 t,含沙量为 0.72kg/m³。

此外,作为小浪底工程的设计水沙条件,还必须注意到洪峰期间含沙量很高,小浪底 1977 年 8 月 7 日实测瞬时含沙量达 941kg/m³。小浪底站泥沙平均中值粒径 d_{50} 为 0.022 5mm,泥沙矿物成分以石英为主,坚硬物质含量占 85%。黄河泥沙颗粒的大小与产沙区有关,也与含沙量大小有关。据潼关、三门峡、小浪底三站资料统计,含沙量由 100 kg/m³ 增加至 900kg/m³,泥沙中值粒径由 0.021mm 增至 0.105mm。

二、坝址区地形地质条件

小浪底水利枢纽选定的三坝线位于黄河中游最后一个峡谷的出口,黄河由西向东出峡谷后逐渐展宽,河谷宽约800m,河床右岸为滩地和黄土二级阶地。右岸山势陡峻,高程在380~420m,坡度为40°~50°;左岸山势平缓,高程为290~320m,且有高程为240m左右的垭口。受沟道切割的影响形成单薄分水岭。

小浪底工程坝址区主要出露的地层为二叠系上石盒子组、石千峰组黏土岩和砂岩,三叠系下统刘家沟组及和尚沟组砂岩、粉砂岩。第四系主要是黄土和砂砾石层。坝址区地层褶皱轻微,断裂构造发育。由于断距220m、顺河向F_1断层的切割,河床右岸出露的岩层主要为二叠系砂岩和黏土岩,左岸出露的岩层主要是三叠系的砂岩和粉砂岩。河床部分为最大深度达70余m的砂砾石覆盖层。坝址处于狂口背斜的东端,其轴部在右坝肩。受背斜褶皱的影响,岩层呈单斜地层以10°左右的缓倾角倾向北东。坝址区主要工程地质问题如下。

(一)河床深覆盖层

河床覆盖层一般深30~40m,最大深度达70余m。覆盖层上部为松散的Q_4粉细砂层,下部为Q_3密实的砂砾石层,其间含有粉细砂透晶体和底部连续的粉细砂层。作为大坝基础的河床覆盖层,其防渗和抗地震液化是设计的关键。

(二)断裂构造发育

坝址区出露的主要断裂构造自北向南有F_{461}、F_{240}、F_{238}、F_{236}、F_1、F_{233}、F_{231}、F_{230}及F_{28}等。除F_{28}走向北东外,其余主要断裂构造均呈上下游方向展布,且大部分为高倾角正断层,将坝区岩体切割成条块状。坝址区节理裂隙发育,其发育程度与岩性和岩层单层厚度有关。砂岩地层较黏土岩地层节理发育。一般每米1~2条节理。坝区主要节理有NW270°~290°、NW340°~350°、NE10°~20°和NE60°~70°四组,倾角70°~80°,属于剪切性节理,一般延伸不长。在每一地段发育有2~3组节理。这些断裂构造与建筑物围岩稳定关系密切,且形成了明显的上下游方向带状渗水的水文地质特征。

(三)泥化夹层

小浪底工程坝址区的砂岩层系河湖相沉积,在砂岩中常夹有黏土岩,后期受剪切构造作用而发生层间错动。因砂岩刚度较大,易沿薄层黏土岩发生剪切错动,造成黏土岩破碎、泥化现象。泥化层的分布一般以长度30~50m、层厚1~2cm者为主。在左岸坝肩山体泥化层有延伸长200~300m的。通过大量室内外试验,泥化层的力学指标较低,根据不同的组成和岩性,$f = 0.20~0.28$,$C = 0.005MPa$。由于岩层呈10°左右的缓倾角倾向下游,因此在建筑物区基岩地层中的泥化夹层基本上是控制稳定的关键地层。

(四)左岸单薄分水岭

坝址左岸山体山势平缓,上游有风雨沟,下游有葱沟、瓮沟、西沟和桥沟切割,岩层主要为三叠系的砂岩和黏土岩互层,岩层中有F_{236}、F_{238}、F_{240}等基本为上下游方向展布的断层和与分水岭呈北东向斜交的F_{28}大断层。岩层节理裂隙发育,风化卸荷严重。左岸山体和建筑物关系密切,水库蓄水后,山体南段存在自身稳定和整个山体的漏水处理问题。

(五)滑坡和倾倒变形体

由于坝址区岩层为倾向北东的单斜地层,河谷南岸多发育有倾向河床的滑坡及倾倒变形体。距坝轴线上游2~3km的1号和2号滑坡体体积分别为1100万m^3和410万m^3;坝肩处的东坡滑坡体和坝下游的东苗家滑坡体与枢纽建筑物的安全运用关系十分密切。

(六)地震

小浪底工程坝址远源破坏性地震主要来自汾渭地震带和太行山麓地震带,历史地震8级,震中距一般为140~250km。近源地震以小浪底为中心,半径30km范围内有封门口和城崖地断裂,历史地震5级。经国家地震局审定,小浪底工程坝址区地震基本烈度为7度,主要挡水建筑物的设防烈度为8度,在远场地震和近场地震共同作用下,10^{-4}概率最大水平加速度为0.215g。

第二节 枢纽总体布置

一、总体布置的任务

小浪底水利枢纽正常运用水位275m,设计坝高154m(实际坝高160m),总库容126.5亿 m^3,装机1 800MW,属国家大一型一等工程,主要建筑物为一级建筑物。枢纽按千年一遇洪水设计,万年一遇洪水校核,百年一遇洪水导流。在水库总库容126.5亿 m^3 中,长期有效库容51亿 m^3,淤沙库容75.5亿 m^3。小浪底枢纽建筑物总体布置的任务如下:

(1)根据坝址区的地形地质条件,选择合适的挡水建筑物型式。

(2)在已选定坝型的基础上,选择合适的泄水建筑物,满足枢纽宣泄洪水的要求,枢纽总泄流能力不得小于17 000m^3/s,在非常死水位220m时泄流能力不得小于7 000m^3/s。

(3)妥善处理诸如进口防泥沙淤堵、高速含沙水流磨蚀等工程泥沙问题。

(4)妥善处理黄河洪水挟带的漂浮物。

(5)选择合适的引水发电建筑物的型式,研究减少过机沙量的措施,妥善解决高含沙水流条件下的汛期发电问题。

二、总体布置的特点

小浪底水利枢纽在黄河治理中重要的战略地位,特殊的水沙条件和复杂的地质条件,以及十分严格的水库运用方式,给枢纽设计提出了一系列极具挑战性的技术难题。诸如河床深覆盖层的处理,进水口防泥沙淤堵,高速含沙水流处理,水轮机抗磨及水电站汛期发电问题,左岸单薄山体稳定,进出口开挖高边坡的支护,地下洞室群的围岩稳定等。其中与枢纽建筑物总体布置关系最为密切的是泄洪方式的选择。根据近20个枢纽总体布置方案的比选,小浪底工程最终推荐采用的枢纽总体布置方案如图2-2-1所示,该方案有如下鲜明的特点:

(1)一个坐落在深厚覆盖层基础上的斜心墙堆石大坝。

(2)所有泄洪、发电及引水建筑物均集中布置在山体相对比较单薄的左岸。

(3)采用以具有深式进水口的隧洞群泄洪为主的方案,9条泄洪洞总泄流能力13 563m^3/s,占总泄流能力的78%。其中3条泄洪洞为由导流洞改建的多级孔板消能泄洪洞。

(4)所有泄洪、发电及引水建筑物的16个进口错落有致地集中布置在10座进水塔内,9条泄洪洞和1座陡槽式溢洪道采用出口集中消能的方式。

(5)采用以地下厂房为核心的引水发电系统。

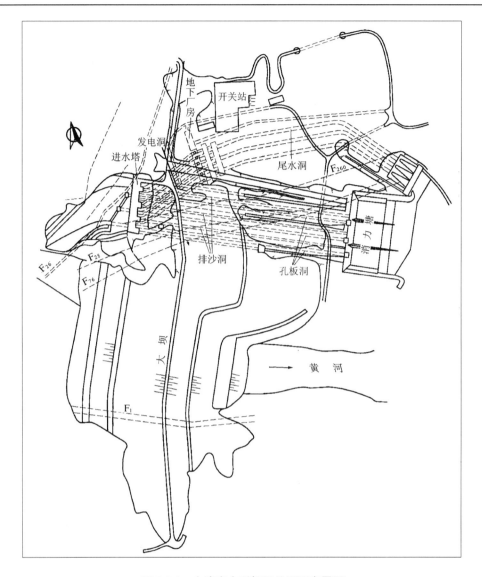

图 2-2-1　小浪底水利枢纽总平面布置图

这样的布置方式可满足宣泄设计及校核洪水的要求,并留有约 3 000m³/s 的泄流能力作为安全裕度。采用进水口集中布置的方式,并设高程至 250m 的进口导墙导引水流,可保持进口冲刷漏斗,辅以加大闸门启闭机容量、设置高压水枪及进口泥沙淤积监测等措施可保证进水口不被泥沙堵死。设置的高位明流洞可兼排漂排污。采用低位导流洞改建的多级孔板消能泄洪洞进行洞内消能,不仅解决了枢纽总布置的困难,也为解决高速水流创出了一条新路。压力式排沙洞直接布置在引水发电进口下 15～20m,可大大减少过机沙量,采用新型抗磨水轮机及其他防护和维修措施可保证水电站汛期正常发电。排沙洞采用双圈缠绕的后张无黏结预应力混凝土衬砌结构可防止高压水向单薄山体渗透,保证左岸单薄山体的稳定和安全。此外,泄洪洞的高流速段采用了 70MPa 的高强硅粉混凝土衬砌,设置了掺气减蚀措施,出口采用大型水垫塘消能,对枢纽建筑物的正常运行都会发挥应有的作用。对进出口开挖高边坡及洞室群的围岩稳定均给予足够的重视和设计考虑。

第三节　坝址、坝型选择及大坝设计

一、大坝的设计特点

根据小浪底工程坝址区的地形地质条件、丰富的土石资源和施工总进度安排,经过多方案比较,最终推荐的大坝设计方案为带内铺盖的壤土斜心墙堆石坝,并将截流戗堤、枯水围堰、拦洪围堰和主坝形成一个有机的整体。坝顶高程281m,设计坝高154m,实际坝高160m,坝顶长1 667m,坝顶宽15m,总体积5 073万 m³。坐落在河床深覆盖层上的大坝长度达400多 m,斜心墙下设厚1.2m的混凝土防渗墙,防渗墙向下截断深厚覆盖层嵌入基岩1～2m,向上插入心墙12m,形成主防渗线。厚6m的人工掺砾土内铺盖连接壤土斜心墙和拦洪围堰壤土斜墙,随着水库淤积的发展将形成天然铺盖作为大坝的辅助防渗线。大坝采用分区设计,并尽可能多地利用了枢纽建筑物的开挖料填筑坝体。左岸单薄山体视为大坝的延伸进行防渗、排水和填沟压戗稳定处理。根据世界银行专家的建议,校核了大坝在8度地震及发生震中距10km、6.25级水库诱发地震工况下的动力稳定。对于横穿坝下的顺河向 F_1 大断层采用混凝土板封闭、固结灌浆、5排加强帷幕灌浆,在过渡料和堆石体底面设置反滤保护等措施。在大坝的设计中还采用了一系列先进的施工工艺,诸如GIN帷幕灌浆技术、龙口段高压旋喷灌浆防渗技术、混凝土防渗墙槽口段平接技术、左岸坝脚坡积洪积物地基采用旋喷灌浆桩加固技术等。大坝设置了渗压计、沉降仪、测斜管、土压力计等共487支原型观测仪器和大量的位移测点,关键的原型观测仪器用 MCU 和计算机联网,可进行数据的自动传输和处理分析。

二、坝址比选

(一)坝址选择

根据各坝段的地形地质特点和各阶段对工程开发任务的不同认识,不同时期曾对竹峪、青石嘴、一坝址、二坝址及三坝址等五个坝址作了大量的研究、比较(见图2-3-1),其中竹峪坝址因条件较差而较早被舍弃。

各坝址工程地质问题有一定共性,主要表现在:

(1)河谷都是平缓的砂页岩地层,砂页岩中普遍存在摩擦系数很小的泥化夹层。

(2)各坝址均存在较深厚的砂砾石覆盖层。

(3)河谷右岸都有倾向河床的顺层岸坡和大小不同的滑坡分布。

(4)高倾角断层较发育,泄洪排沙建筑物难以完全避开。

(5)各坝址的地质条件都比较复杂,不宜建混凝土重力坝。

一、二两坝址右岸都有大型古滑坡体,滑坡处理工程量大,滑坡涌浪又严重威胁大坝安全,故一、二坝址缺点明显。

青石嘴坝址位于一坝址大滑坡的上游,不存在滑坡涌浪威胁,河床覆盖层相对较薄,左岸地形条件易于布置泄水、发电建筑物。但河床断层很多,左岸洞群区断层破碎带宽达

图 2-3-1　比选坝址位置图

150m;隧洞出口段基岩面突然降低,使洞群在纵剖面上难以布置,地质上缺点很多而且难以回避。此外,青石嘴坝址的库容因不包括大峪河而减少 14.7 亿 m³,大坝工程量则因河床较其他坝址宽阔而增加 1 000 万 m³ 以上。

三坝址位于一坝址下游 3.5km 处,受滑坡涌浪比一、二坝址相对较小,左岸具有布置泄水建筑物的地形地质条件,虽河床覆盖层较厚,深槽达 80m,但其防渗处理按国内技术条件是可以解决的。最后推荐三坝址为选定方案。

(二)坝轴线比选

坝轴线的选择与坝型选择具有密切联系。

坝轴线选择考虑了对坝体坝基的稳定是否有利、防渗体能否避开深槽右岸的基岩陡坎、混凝土防渗墙能否部分安排在前期施工以及对左岸泄水建筑物进口布置的影响等。结合推荐采用的坝型,通过多达 6 条轴线的研究比较,所选坝轴线的这种走向,成功解决了下面几个关键问题:

(1)充分利用了左岸山梁,使得大坝上游坡对泄水建筑物进口的布置影响最小。

(2)右岸坝轴线折向下游,使斜墙坐落在东坡上游的沟底,对防渗和稳定都有利。

(3)使河床坝段防渗体的底部尽量避开了深槽基岩陡坎的不利影响。

(4)相当一部分混凝土防渗墙位于右岸滩地上,便于提前施工。

三、坝型比选

(一)坝型选择的基本思路

前文已提及,由于厚达 70 ~ 80m 的深厚覆盖层和坝址区普遍分布的抗剪强度极低的泥化夹层的存在,混凝土重力坝方案在此显然是不经济的。

土石坝坝型的确定与坝基砂砾石处理方案密切相关,结合小浪底工程的实际情况,在不同的设计阶段共研究过二十几种坝型,基本设计思想包括以下三种考虑:

(1)利用坝前天然铺盖和混凝土防渗墙共同防渗。前期以拦洪围堰下混凝土防渗墙防渗,后期主要靠天然铺盖防渗的双重防渗体系。

(2)以混凝土防渗墙垂直防渗为主,坝前泥沙淤积铺盖为辅的双重防渗体系。

(3)大开挖的心墙堆石坝和斜心墙堆石坝防渗方案。

以天然淤积防渗为主,还是天然淤积防渗为辅,或是混凝土防渗墙与淤积铺盖共同防渗,始终是坝型设计中研究的重要课题。其中问题的焦点集中在天然淤积防渗的可靠程度和深近 80m 的河床砂砾石覆盖层造墙的可行性及墙体质量的可靠性。

(二)研究的典型坝型

经过多种方案坝型的比较论证,在初步设计阶段选择了具有代表性的斜墙坝型、斜心墙坝型、心墙坝型等多种坝型方案,各坝型的典型剖面见图 2-3-2。

最终确定坝型的典型断面图见图 2-3-3。其主要优点为:

(1)坝基防渗采用以垂直防渗为主、水平防渗为辅的双重防渗体系,提高了大坝防渗的可靠性。

(2)上游堆石坝壳体积大大增加,保证了坝体抗滑稳定性和抗震性能。

(3)内铺盖采用上爬式,消除了坝体下部软弱带,提高上游坝坡稳定性,从而改陡了上

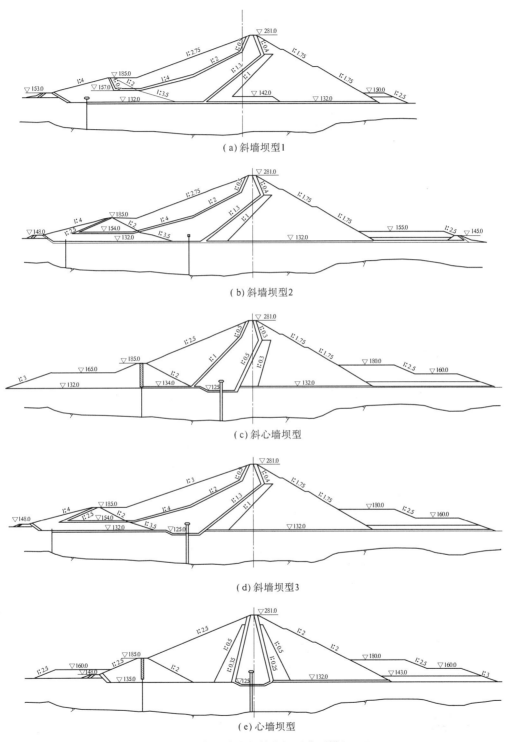

（a）斜墙坝型1

（b）斜墙坝型2

（c）斜心墙坝型

（d）斜墙坝型3

（e）心墙坝型

图 2-3-2 初步设计阶段基本坝型典型横剖面图

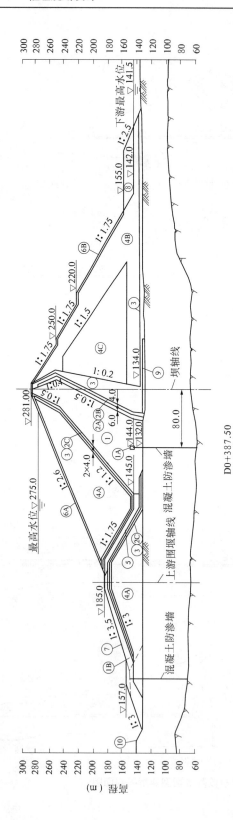

图 2-3-3 大坝典型剖面 （单位：m）

①、(1B)—黏土；(1A)—高塑性黏土；③—过滤料；(4A)、(4B)、(4C)—堆石；
⑤—掺合料；(6A)、(6B)、(6C)—护坡块石；⑦—护坡块石；⑧—堆石护坡；⑨—石渣；⑩—上游铺盖；
(2A)—下游第一层反滤；(2B)—下游第二层反滤；(2C)—反滤；⑨—回填砂卵石；⑩—上游铺盖；

游坝坡,将上游围堰顶部宽 70m 的平台变为 20m,坝体填筑方量减少约 5.3%。

(4)主坝混凝土防渗墙移至斜心墙下,与斜墙坝型相比,大坝防渗线缩短约 530m,帷幕灌浆进尺减少约 39%。

(5)上游围堰采用斜墙,与上爬式薄内铺盖衔接,减少了施工难度,使截流后施工工期紧张问题得到解决。

(三)坝前泥沙淤积防渗的可行性论证

高含沙量是黄河来水的主要特征之一,也是与其他河流来水最根本的区别,因此坝前泥沙淤积对大坝的影响是大坝设计必须考虑的因素。对小浪底水库而言,考虑三门峡水库和小浪底水库联合运用,经计算分析,50 年年平均入库水量 277.2 亿 m^3,年平均入库沙量 13.23 亿 t,99% 的沙量来自汛期,汛期平均含沙量 78.2kg/m^3。

最终坝前形成高滩深槽的淤积形态,靠右岸为滩面,淤积高程 254.00m,靠左岸为深槽,淤积底面高程 226.00m。就悬沙而言,小浪底坝前泥沙淤积的最大粒径 $d_{max} \leqslant$ 0.50mm,其颗粒级配见表 2-3-1。

表 2-3-1　小浪底断面泥沙颗粒组成表(1962~1983 年平均)

项目	小于某粒径之土重百分数						中值粒径(mm)
粒径(mm)	0.005	0.01	0.025	0.05	0.1	0.25	0.022 5
百分数(%)	15.6	30.5	52.4	77.9	93.4	100	

注:按吸管法分析的资料。

为了探讨坝前淤积泥沙的防渗性能,进行了大量调查研究和科学试验工作,其中在三门峡水库坝前淤积层中进行了勘测试验工作。淤积原状土渗透试验成果统计见表 2-3-2。

表 2-3-2　三门峡坝前淤积原状土渗透系数统计表(平均值)

土　名	干容重 γ_d(kN/m^3)	含水量 (%)	孔隙比 e	黏粒含量 (%)	渗透系数 (cm/s)
重粉质砂壤土	15.1	26.3	0.802	6.5	2.5×10^{-5}
重粉质壤土	14.6	31.1	0.872	24.5	1.7×10^{-6}
粉质黏土	13.1	38.8	1.092	38.0	2.9×10^{-6}

由此可见,三种淤积土固结后,渗透系数均在 10^{-5}cm/s 量级以下,形成的铺盖可以作为大坝基础的辅助防渗措施加以利用。

四、大坝设计

由于坝址地形地质条件的复杂性、筑坝材料的特殊性以及黄河特有的水沙条件,决定了小浪底土石坝设计的难度。通过大量的科学试验研究,成功地解决了一系列重大技术课题,如黄土类壤土修筑高坝的可行性、利用黄河泥沙淤积铺盖防渗、人工反滤料设计研究、枢纽建筑物开挖料利用、约 80m 的深厚覆盖层处理以及大坝抗震性能研究等,为大坝的设计提供了坚实的技术保证。

(一)坝体结构设计

1. 坝体分区

坝体共由 10 种大的材料分区组成,各分区共包括了 17 种材料。其中 1、1A、1B、5、10 区为防渗体,2A、2B、2C 区为反滤层,3 区为过渡层,4A、4B、4C 区为坝壳堆石区,6、7 区为护坡,8 区为下游压戗,9 区为坝基回填砂砾石,10 区为上游铺盖。

2. 筑坝材料

1)防渗土料

大坝防渗料为黄土类壤土。共采用了 5 种类型的土料,其中 1 区用于主坝斜心墙,1A 区用于主坝混凝土防渗墙顶部的高塑性土区,1B 区用于上游围堰斜墙,5 区用于连接主坝斜心墙和上游围堰斜墙的上爬式内铺盖,10 区用于上游水平人工铺盖。各区防渗土料的工程量见表 2-3-3。

表 2-3-3　防渗土料工程量

材料分区	1 区	1A 区	1B 区	5 区	10 区
工程量(万 m³)	820.0	1.0	150.0	45.0	100.0

1 区为大坝防渗的核心,采自寺院坡料场。按《土工试验规程》(SDS01—79)的三角分类法,寺院坡料场土料主要为重粉质壤土、中粉质壤土和轻粉质壤土及少量黏土,按统一分类法应为中塑性黏土。中、重粉质壤土占总储量的 90% 左右,轻粉质壤土仅占 10% 左右。其主要物理力学性质见表 2-3-4。

表 2-3-4　寺院坡料场土料物理力学性质

土料名称	颗粒级配（%）				不均匀系数 η	液限 W_L（%）	塑限 W_P（%）	塑性指数 I_P	比重 G_S	天然容重（kN/m³）	天然含水量（%）
	0.25～0.1 mm	0.1～0.05 mm	0.05～0.005 mm	<0.005 mm							
重粉质壤土	0.5	9.8	66.1	23.6	12.1	36.2	21.8	14.4	2.73	19.5	20.0
中粉质壤土	1.3	12.2	69.4	17.1	10.0	32.3	20.9	11.4	2.73	17.7	20.0
轻粉质壤土	1.5	14.7	70.9	12.9	7.5	29.7	20.9	8.8	2.72	17.3	18.0～19.6

在设计过程中分别按照 SDS01—79、SD128—84 和 GBJ123—88 三种土工试验规程规定的击实试验方法对重粉质壤土、中粉质壤土和轻粉质壤土分别进行了标准击实试验。试验成果见表 2-3-5。

设计含水量按试验的最优含水量选取,设计干容重按式(2-3-1)确定

$$\gamma_d = P\gamma_{dmax} \tag{2-3-1}$$

式中　γ_d——设计干容重;

　　　γ_{dmax}——标准击实试验最大干容重;

　　　P——压实系数。

　　鉴于小浪底工程规模及其重要性,土料的设计除满足了我国《碾压式土石坝设计规范》(SDJ218—84)要求外,还参考了国外的设计标准,见表2-3-6。

表 2-3-5　击实试验成果

土名	试验规程	击数	击实功能 (kJ/m³)	组数	最大干容重 (kN/m³)	最优含水量 (%)
重粉质 壤土	SDS01—79	25	864	49	16.96	18.62
		32	1 104	32	17.10	18.60
	SD128—84	27	607.5	5	16.80	18.66
		37	832.5	4	17.10	17.25
	GBJ123—88	25	591.6	18	16.80	17.82
		35	828.8	18	17.10	18.62
中粉质 壤土	SDS01—79	25	864	31	17.10	16.96
		32	1 104	32	17.10	16.40
	SD128—84	27	607.5	1	16.80	17.50
		37	832.5	1	16.50	
	GBJ123—88	25	591.6	13	16.90	18.71
		35	828.8	13	17.30	17.48

表 2-3-6　不同压实度的设计干容重

标　准	压实系数	干容重 (kN/m³)
SDJ218—84	0.96 ~ 0.99	16.3 ~ 16.8
SDJ218—84(补充)	0.97 ~ 0.99	16.5 ~ 16.8
美国垦务局	0.98 ~ 1.00	16.6 ~ 16.95
	0.95 ~ 0.98	16.1 ~ 16.6
美国陆军工程师团	0.95 ~ 1.00	16.1 ~ 16.95

　　根据土料性质、河床覆盖层条件、大坝受力特点并参考国内外工程经验及设计标准等多种因素,设计采用压实系数 1.00,设计干容重为 16.9kN/m³,相应的最优含水量 ω_{op} = 18.6%。

　　大量试验表明,土料的渗透系数一般在 $1 \times 10^{-7} \sim 1 \times 10^{-8}$cm/s 之间。

　　试验成果表明,当击实土干容重不小于 16.9kN/m³ 时,其抗渗比降可达 300 以上。

　　土料缝隙抗渗试验表明,在相同反滤保护下,土体裂缝后的抗渗比降为完整土样的 1/10 ~ 1/15,即抗渗比降为 20 ~ 30。在设计中,考虑到土料质量的不均一性、施工填筑不均匀性和其他不可预见因素,并参考其他工程经验及大量的研究,确定斜心墙底部宽度时采用的允许抗渗比降为 2,确定坝基混凝土防渗墙插入土体高度时采用的允许抗渗比降为 5。

　　三轴试验成果整理采用了摩尔圆法和主应力差法,试验结果见表2-3-7。

　　动强度试验用土样物性及静强度指标见表2-3-8。

　　动力试验成果见表2-3-9,表中所列结果取轴向应变达到 5% 作为破坏标准。

施工填筑要求为:填筑层厚(压实后)0.25m,用凸块振动碾至少碾压 6 遍,使其干密度不小于按美国 ASTMD698 标准普氏击实试验获得的最大干密度的 100%。

表 2-3-7 土料抗剪强度指标(平均值)

试验方法	γ_d(kN/m³)	ω(%)	C(100kPa)	φ(°)
UU(总强度)	17.0	18.0	1.26	18.81
CU(总强度)	17.0	18.0	0.94	15.3
CD(有效强度)	17.0	18.1	0.33	25.78

表 2-3-8 动力试验用土样物性及静强度指标

土 样	流限(%)	塑限(%)	塑性指数(%)	比重	γ_d(kN/m³)	C(100kPa)	φ(°)
重粉质壤土 1	35.0	24.0	11.0	2.74	16.8	0.05	26.2
重粉质壤土 2	35.8	23.6	12.2	2.74	16.9		
中粉质壤土	42.8	23.7	19.1	2.72	16.9	0.22	28.3

表 2-3-9 土料动强度指标

土料名称	固结比	$N = 10$		$N = 20$		$N = 30$	
		C_d(100kPa)	φ_d(°)	C_d(100kPa)	φ_d(°)	C_d(100kPa)	φ_d(°)
重粉质壤土 2	1.5	0.58	18.26	0.55	17.96	0.54	17.68
	2.0	0.64	17.43	0.61	16.91	0.59	16.31

注:表中 N 为振动次数,$N = 10$,相当于 6 度地震;$N = 20$,相当于 7 度地震;$N = 30$,相当于 8 度地震。

在主混凝土防渗墙顶设置高塑性土区(1A 区)的目的主要是提高墙顶以上土体适应变形能力,防止墙顶以上土体发生裂缝,改善混凝土防渗墙的应力状态。因此,要求土料具有较好的塑性,并要选择合适的干容重和相应的含水量,使压实后的土体有较好的压缩变形特性。

1A 区土料采自会塵沟料场,为粉质黏土,施工中,控制压实度为 0.90 ~ 0.95,填筑含水量高于最优含水量 1% ~ 3%。

1B 区土料位于拦洪围堰上游面,施工期作为围堰的防渗斜墙,运用期与上游淤积铺盖一起构成大坝辅助防渗系统。施工要求填筑层厚 0.25m(压实后),其干密度应不小于按标准普氏击实试验获得的最大干密度的 100%。

5 区料为内铺盖土料,共对 P_2^4 黏土岩风化料、第三纪红土、风化砂砾石料和河床砂砾石与寺院坡料场土料掺合料等 4 种材料进行了研究,以期内铺盖土料达到"增加抗剪强度、地震时强度不降低或降低很少"的双重要求。

5 区料碾压层厚亦不大于 0.25m(压实后),用振动凸块碾至少碾压 4 遍,使其干密度不小于按美国 ASTMD698 标准普氏击实试验所获得的最大干密度的 100%。

2)反滤料(2A 区、2B 区、2C 区)

反滤设计遵循以下设计原则:

(1)总结国内外的经验,并根据小浪底土石坝的特点,确定了提高"关键性"反滤的可靠性,简化"非关键性"反滤的原则:①提高"关键性"反滤的可靠性,加厚斜心墙下游的反滤层;②当防渗体开裂出现集中渗漏时,反滤应能控制集中渗漏,并迅速使裂缝愈合;③在确保工程安全的条件下,尽量简化"非关键性"反滤,降低工程造价。

（2）合理利用天然筛分料和人工轧制料。

（3）以科学试验为主,以常规计算为辅确定反滤料级配。

斜心墙下游设 2A、2B 两层反滤。经多种方案的比较,最终将第一层反滤(2A 区)的粒径范围定为 20～0.1mm,第二层反滤(2B 区)的粒径范围定为 60～5mm。

2A、2B 区反滤料级配如表 2-3-10 和图 2-3-4 所示。

表 2-3-10　2A 和 2B 区反滤料级配

粒径范围（mm）	包线名称	颗粒组成（%）										
		80～60mm	60～40mm	40～20mm	20～10mm	10～5mm	5～2mm	2～1mm	1～0.5mm	0.5～0.25mm	0.25～0.1mm	0.1mm
20～0.1	上包线				15	15	18	12	12	12	13	3
	下包线			10	17	16	17	10.5	10.5	9	10	
60～5	上包线		17	23	25	25	4	3	3			
	下包线	15	15	25	25	20						

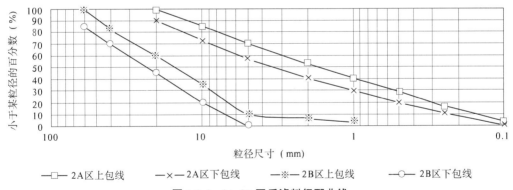

图 2-3-4　2A、2B 区反滤料级配曲线

除坝型因素外,2A、2B 区反滤层厚度的确定还主要考虑了以下因素:①坝基砂砾石覆盖层深达 70 余 m,沉降量大;②大坝设防烈度达 8 度,地震时,坝体和坝基可能产生较大的变形;③便于大型机械施工。

最终确定斜心墙下游侧 2A 区反滤层水平宽度 6m,2B 区水平宽度为 4m。

斜心墙上游侧设置 2C 区反滤料的目的是在库水位骤降时,保护心墙。仅设置一层,最小水平宽度为 4m。2C 区反滤料还用在内铺盖上下游两侧(水平宽度 4m)、拦洪围堰斜墙下游(水平宽度 4m)及下游河床砂砾石表面(最小厚度 1m)等部位。经试验论证选用的反滤料级配如表 2-3-11 和图 2-3-5 所示。

2A、2B、2C 区反滤料应符合美国标准 ASTMC88 所规定的细骨料坚固度要求。

2A、2B、2C 区反滤料填筑质量要求是:

表 2-3-11　2C 区反滤料级配

包线名称	颗 粒 级 配（%）										特征粒径(mm)				不均匀系数 d_{60}/d_{10}
	80~60mm	60~40mm	40~20mm	20~10mm	10~5mm	5~2mm	2~1mm	1~0.5mm	0.5~0.25mm	0.25~0.1mm	0.1mm	d_{85}	d_{60}	d_{15}	d_{10}	
上包线		8	13	11	10	14	10	10	9	12	3	28	5.7	0.25	0.16	35.6
下包线		5	11	10	10	14	9	7	9	10	0	60	11	0.36	0.25	44

（1）各层反滤宽度不能小于设计宽度，并不应出现粗细颗粒分离。

（2）其颗粒级配应在规定包线范围内。一般压实区层厚不大于 0.25m，专门压实区层厚不超过 0.15m。

（3）用振动碾至少碾压 2 遍，其干密度应不小于按美国标准 ASTMD4253 进行振动密度试验所得的最大干密度的 95%。

（4）各层填筑边界线不应超出规定边界线的 0.3m。

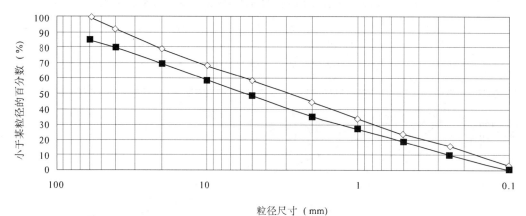

图 2-3-5　2C 区反滤料级配曲线

3）堆石料设计

A. 堆石料分区

坝壳堆石料按其在坝体中所处的部位、作用，分为堆石料和反滤料之间的过渡料区（3 区）、上游 A 类堆石料（4A 区）、下游 B 类堆石料（4B 区）和下游 C 类堆石料（4C 区），以及上、下游护坡（6A、6B、7 区）、石渣压戗（8 区）和斜心墙底部回填的砂砾石料（9 区）。

各区材料的填筑工程量见表 2-3-12。

表 2-3-12　坝壳堆石料工程量

项目	3 区	4A 区	4B 区	4C 区	8 区	6A、6B、7 区	9 区
工程量(万 m³)	320	1 300	1 210	470	380	98	30
合计(万 m³)	3 778						30

B. 料源选择

根据坝址区出露的地层岩性特征，坝壳堆石主要选用了两种类型的堆石料，一种是料场开采的堆石料,另一种是枢纽建筑物开挖料。

(1)料场开采料。需要量 2 540 万 m^3,主要采自石门沟料场,石料主要为三叠系下统刘家沟组 T_1^3、T_1^4 岩组。T_1^{3-1} 上部 30m 为 T_1^{3-2} 岩组,以紫红色厚层、巨厚层泥质粉砂岩、细砂岩为主,其次为钙质细砂岩,夹薄层粉砂质黏土岩。T_1^4 岩组厚度达 60m,主要为紫红色厚层、巨厚层硅质与少量钙质胶结的石英细砂岩,其次为石英中砂岩和粉砂岩,夹薄层页岩。相关含量和指标见表 2-3-13 和表 2-3-14。

表 2-3-13　T_1^3、T_1^4 岩组各类岩石含量

岩石名称	粉砂质黏土页岩(%)	泥质粉砂岩(%)	钙泥质砂岩(%)	钙质细砂岩(%)	硅钙质砂岩(%)
T_1^{3-1}	6.4	9.6		51.3	32.7
T_1^{3-2}	3.5	35.6	20.8	40.1	
T_1^4	2.0	8.0	3.6	18.1	68.3

表 2-3-14　石门沟料场石料主要物理力学指标

岩层岩性	比重	容重(kN/m^3)	孔隙率(%)	吸水率(%)	平均抗压强度(MPa)		软化系数
					干	饱和	
钙硅质砂岩	2.72	26.3		0.65	145	88.9	0.61
钙泥质砂岩	2.73	26.2	4.03	0.72	56.5	46.8	0.83
钙泥质粉砂岩	2.74	26.0	5.11	1.14	66.2	46.3	0.70
泥质粉砂岩	2.75	25.7	6.55	2.68	58.6	31.3	0.53
粉砂质页岩	2.76	25.5	7.61	3.10	33.3	14.8	0.44
黏土页岩	2.78	25.6	7.91		40.6		

(2)枢纽建筑物开挖料。枢纽建筑物开挖料主要来源于洞群进口、洞群、地下厂房、出口消力塘及尾水渠、正常溢洪道等的开挖。开挖总量约 2 596 万 m^3,根据开挖料利用规划,坝体回采利用量为 1 243 万 m^3。

C. 各区材料选择

堆石料的选择是根据料源的实际情况和各区所处的部位及运用条件确定的。

(1)4A 区。4A 区位于上游坝壳,绝大部分处于水下,采用石门沟料场的 T_1^4 岩组堆石料,饱和抗压强度小于 30MPa,软岩含量不大于 2%。

(2)4B 区。4B 区位于斜心墙下游坝壳水位以下和坝壳表面,要求具有较高的抗风化能力,因此要求采用石门沟的 T_1^3、T_1^4 岩组堆石料。T_1^3 岩组饱和抗压强度小于 30 MPa,软岩含量不大于 6.4%,满足 4B 区的运用条件要求。

(3)4C 区。4C 区位于下游坝壳水上部分,是专门为利用饱和抗压强度小于 30MPa 的软岩含量较高的枢纽建筑物开挖料而设置的。枢纽建筑物开挖料中除 T_1^6 岩组饱和抗压强度小于 30MPa 的粉砂岩、黏土岩含量超过 20% 的开挖料以外,均可用于填 4C 区。

D. 材料设计

根据 4A、4B、4C 三个分区选用的材料不同,4A、4B 区均采用岩性较好的堆石料,要求

粒径小于 5mm 的颗粒含量不超过 25%。4C 区对软岩含量要求较宽松,规定粒径小于 5mm 的颗粒含量不超过 30%。参照国内外工程经验,以及所选择的压实机械和填筑层厚度,规定最大粒径不大于层厚,即最大粒径不大于 1 000mm,用振动平碾碾压 6 遍。

对堆石抗剪强度影响较大的因素主要是粒径小于 5mm 的颗粒含量和含泥量。因此,国外的国际招标施工工程,为便于施工控制和管理,习惯上仅控制堆石料的最大粒径、细粒含量和含泥量,而不规定严格的级配,即国内所称的“三点控制法”。参照国内外已建工程经验,小浪底工程标书技术规范也采用这种方法控制堆石料的级配。

对于 4A、4B 区料,规定堆石料的最大粒径为 1 000mm,小于 5mm 含量小于 25%,含泥量小于 5%。4C 区料最大粒径与 4A 区相同,粒径小于 5mm 的颗粒含量不大于 30%,含泥量小于 5%。

8 区料的作用按部位不同分为两部分,河床部位主要是作为防止河床砂砾石地震液化的盖重和下游坝坡稳定而设,两岸部分主要以压重形式增加坝体(山体)稳定性。两个部位 8 区料的共同点是,均位于水上,材料内摩擦角为 30°。因此,可采用任何岩组的开挖料。

8 区料的最大粒径不大于 1 000mm。研究表明,含泥量达 10% 以上时,在粗颗粒表面形成黏膜,使堆石料的摩擦力明显降低。考虑对 8 区料仍有内摩擦角为 30° 的要求,因此规定含泥量不大于 10%。

6A 区位于上游水位以下和水位变动区,6B 位于下游坡面,要求护坡块石具有较高的抗风化能力,采用从石门沟料场开采的有棱角的砂岩岩块。

6A 区护坡位于坝上游坡,运用特点是易受风浪淘刷,要求粒径大于 700mm 的颗粒含量(质量比)不小于 50%,粒径小于 400mm 的颗粒含量(质量比)不大于 10%。

6B 区护坡位于坝下游坡,要求粒径大于 500mm 的颗粒含量(质量比)不小于 50%,粒径小于 80mm 的颗粒含量(质量比)不大于 10%。

7 区护坡位于围堰斜墙上游,工程投入正常运用后处于死水位和泥沙淤积面以下,只是在施工期起护坡作用。为使泥沙淤积与围堰斜墙能较好地连接,护坡中应有均匀且多的孔隙。要求最大粒径小于 500mm,大于 400mm 的颗粒含量不小于 50%,粒径小于 100mm 的含量不超过 10%。

3 区料主要填筑在 2B 区下游侧,有 2B 与坝壳堆石之间的过渡和作为斜心墙的支撑体两种作用。还有少部分填筑在 2C 区与堆石之间主要起材料粒径过渡的作用。

3 区料主要在马粪滩料场生产,设计要求的级配曲线如图 2-3-6 所示。填筑层厚不超过 0.5m,用振动平碾碾压 4 遍。

3.坝顶高程及坝顶预留超高

坝顶超高由以下几部分组成:

(1)地震附加沉陷。按坝高的 1%(包括坝基覆盖层)计,取 2.3m。

(2)地震涌浪高 1m。

(3)上游滑坡体复活在坝前引起的涌浪 0.88m。

(4)风浪爬高为 1.68m。

库水位为 275m 时,加上述各项高度,并加安全超高 0.7m,计为 281.56m,故坝顶高程定为281.0m,坝顶上游面加防浪墙1.2m高。

坝顶预留超高的目的是,确保大坝竣工后不因坝体沉降而使坝顶高程低于设计高程。综合分层总和法沉降计算、有限元计算和工程类比成果,预留最大沉陷超高确定为2.0m,坝顶填筑高程为283.0m。

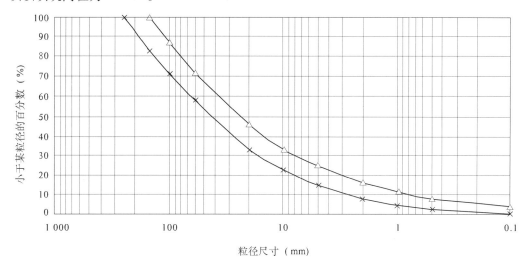

图2-3-6　3区料级配曲线

(二)坝基处理设计

1. 河床覆盖层防渗处理

大坝坝基有400多m坐落在砂卵石覆盖层上,覆盖层一般深30～40m,最深达80m。在覆盖层中夹有连续的、厚度大于20m的粉细砂层及粉细砂透镜体。河床深覆盖层的防渗处理是大坝防渗系统最为关键的技术问题之一。

在斜心墙下设厚1.2m的混凝土防渗墙,防渗墙底嵌入基岩1～2m,墙顶插入心墙12m,形成主防渗线,防渗面积约21 800m²。上游拦洪围堰最高达60m,其基础亦为强透水的砂砾石覆盖层,基础防渗采用塑性混凝土防渗墙、壤土铺盖、高压旋喷灌浆三种方式。

1)混凝土防渗墙设计

各设计阶段曾进行了多方案比较,包括:①双墙方案;②单墙顶设置廊道方案;③塑性墙两侧加灌浆方案;④单墙墙顶设置高塑性土区方案(采用方案)等。

混凝土防渗墙厚度的确定,主要考虑坝高、混凝土的抗渗比降及耐久性、施工技术水平、造孔机械设备能力和墙体应力等因素。小浪底主防渗墙与国内外典型工程的对比见表2-3-15和表2-3-16。

根据小浪底堆石坝二维有限元应力应变分析,混凝土防渗墙在坝体沉陷变形完成后,受上覆荷重及拖曳力联合作用下的最大压应力近50MPa。在混凝土防渗墙建成后相当长的一段时间后,坝体填筑才能够完成,因此考虑利用混凝土后期强度的增长,设计混凝土防渗墙28天强度为35MPa,一年后,混凝土强度可以达到50MPa,基本满足防渗墙应力的要求。

鉴于主坝防渗墙对大坝安全的极端重要性,水下浇筑混凝土的强度保证率要求不小于85%。

2）塑性混凝土防渗墙设计

拦洪围堰洪水标准按百年一遇设防，堰前水位177.3m，考虑基坑开挖，堰后最低水位约125.0m，围堰上、下游水位差约50m。根据有限元计算结果和已建工程经验，确定墙厚为0.8m，混凝土的设计强度确定为$R_{28}=2.0$MPa，抗渗比降为62.5。

表 2-3-15   国内外部分工程混凝土防渗墙统计

大坝名称	坝高 （m）	覆盖层深度 （m）	墙体厚 （m）	混凝土强度 （MPa）	渗透比降
密云	66	44	0.8	11.0	80
碧口	101	34	0.8,1.3	11.1	90
毛家村	80.5	32	0.8~10	8.5~10	83
南谷洞	77.5	51	0.8	10.0	91
马尼克-3	107	131	2×0.6	34.0	80
小浪底	160	80	1.2	35	92

表 2-3-16   国内部分已建混凝土防渗墙与土体的接触比降

大坝名称	坝高 （m）	坝体 防渗形式	墙体厚 （m）	墙深 （m）	插入深度 （m）	接触比降
毛家村	80.5	心墙	0.8~0.95	32	9.0	4.4
玉马	50	斜墙	0.8~1.0	24	4.5	5.5
月子口	26	斜墙	0.6	18	2.0	6.5
密云	66	斜墙	0.8	44	6.0	5.5
西斋堂	58	斜墙	0.8	48	5.0	5.8
安各庄	49	斜墙	0.8	19	2.8	2.8
南谷洞	77.5	斜墙	0.8	43.3	4.2	8.7
察尔森	40.8	厚斜墙	0.55	20	4.0	5.1
小浪底	160	斜心墙	1.2	80	12	5

注：由于上游防渗墙及水平铺盖可削减20%水头，故小浪底防渗墙与土体接触渗透比降实际上小于5。

2. F_1 断层处理设计

F_1断层为一顺河向压扭性断层，在坝基范围基本倾向北，倾角73°~85°，垂直断距220m左右。由于F_1断层发生过左旋扭动，其南北两盘都有一系列张扭性人字型分支断层，南盘有F_{230}、F_{231}、F_{232}、F_{233}、F_{235}，北盘有F_{252}、F_{257}、F_{258}等断层。

在坝址区，F_1断层包括断层带和两侧影响带，最大宽度约为30m，其中断层宽10m，两侧影响带各宽约10m。具有垂直断层方向渗透性小、顺断层方向大的渗透特性。

处理措施如下：

（1）上游围堰斜墙（1B区）下。上游围堰只是施工期临时挡水，时间相对较短，故处理相对简化。在1B区范围内的断层设厚0.3m的混凝土盖板，盖板嵌入基岩内，板内配置单层（Φ10，20cm×20cm）钢筋网。在断层带与影响带间的盖板之间设置沉降缝，缝间涂刷沥青。

(2)上游坝壳下。为防止初期运用时断层带中细小颗粒进入堆石体中,在断层及其影响带范围内,均铺设反滤料(2C区料)和过渡料(3区料),厚度均为1m。

(3)斜心墙下。采用了钢筋混凝土盖板、多排帷幕灌浆和加深固结灌浆的综合处理措施。断层及影响带范围设置厚1.0m混凝土盖板,嵌入基岩中。断层带与影响带盖板间设置永久纵(顺水流向)缝,以适应不均匀沉降,缝间设IGAS填料止水,上部用PVC封闭,缝下设置沥青麻片垫层。在断层及影响带,沿帷幕轴线布置5排帷幕,孔、排距均为2m,其中帷幕轴线上游3排,轴线1排,下游1排。孔底高程65m,固结灌浆孔加深至10m。

(4)下游坝壳下。该部位是顺断层方向坝基渗流的逸出段,是断层处理的又一重点部位。为防止断层带渗透破坏,其上设2A、2B两层反滤和3区过渡料予以保护,厚度均为1m,一直延伸至下游坝脚。

3. 灌浆帷幕设计

考虑小浪底工程是以防洪(防凌)、减淤为主要开发目标,结合小浪底工程的水文地质特点,确定防渗排水系统的设计思想为"上拦下排,拦排结合,以排为主",基岩相对不透水层边界标准为不大于5Lu。灌浆帷幕进入相对不透水层5~10m,灌浆帷幕的防渗标准不大于5Lu。

主帷幕灌浆孔一排(后期由于渗水量比预期的要大,在地表及灌浆洞内等具备补强条件的部位增加了1排),孔距均为2m。

为确保防渗效果,在灌浆帷幕与断层相交部位,灌浆孔排数局部增加。穿过F_{236}、F_{238}等断层及影响带时布置3~4排孔,F_1断层部位为5排。

为了保证左坝肩陡岸上部幕体的质量,在主帷幕两侧布置有深15m的副帷幕,由于左坝肩陡倾角裂隙十分发育,对地面灌浆部分,根据主导裂隙产状,灌浆孔向岸坡内倾斜12°,以便灌浆孔能穿过更多的裂隙,提高灌浆效果。

右岸F_1断层以南的坝体建基面随地形逐渐抬高,帷幕灌浆深度不可能达到相对不透水层,要求帷幕灌浆深度不小于50%水头。

小浪底水库蓄水运用后表明,水库渗漏以沿上下游方向展布的断裂构造而形成的带状渗水和沿裂隙发育的硅钙质砂岩层层状渗水为主要特征,渗水量比原估算的偏大。由于小浪底岩层的节理裂隙均呈80°左右的陡倾角,单排垂直孔帷幕灌浆效果不佳,难以封闭所有的裂隙。左岸灌浆深度不够,且受洞群交叉的影响;帷幕灌浆标准5Lu偏大,应以3Lu为宜。总之,尚有很多值得认真总结的地方。

4. 排水系统设计

小浪底坝址区的地层岩性和构造特点,使得坝址区的水文地质条件呈现明显的分区,渗水表现为层状(沿透水性相对较强的岩层)、壳状(沿风化卸荷带岩体)和带状(沿断层、节理裂隙密集带)三大特征。

排水幕布置除考虑常规的降低地下水位,提高山体稳定性要求外,根据本工程的实际情况主要考虑以下要求:

(1)软弱夹层的允许渗透比降。

(2)泄洪、引水建筑物布置要求。

(3)泄洪、引水隧洞结构要求:排水幕下游地下水位不应超过200m高程。

对左岸山体渗流进行了大量分析计算和研究工作,如水文地质分区、岩体裂隙渗流规律研究、分别按裂隙介质和多孔介质进行了三维渗流计算和模拟试验等。采用不同的设计参数,通过三维计算反复试算分析是确定左岸排水帷幕布置的主要手段。

排水幕一般采用与灌浆帷幕平行布置,排水幕距灌浆帷幕一般为30~80m。

根据左岸山体层状渗透结构的特点,排水幕体主要布置在透水性最强的砂岩类地层内。

右岸岩体以黏土岩、页岩为主,砂岩层较薄,设置排水的主要目的是释放承压水。

排水孔孔径有Φ130mm(断层带)和Φ110mm两种,孔距均为3.0m。

在坚硬岩石部位,钻孔即作为排水孔。在断层带、泥化夹层和黏土岩部位,为防止产生渗透破坏,避免碎石屑夹泥等淤堵排水孔,凡穿过上述部位的排水孔均埋设带过滤体的PVC管。

五、左岸山体加固处理设计

左坝肩及其左岸山体由于上、下游多条冲沟的切割比较单薄,岩层倾向下游,而且上部岩层中存在多层连续性较好的缓倾角泥化夹层;水库蓄水后,夹泥层性状等情况将会随之恶化,在水压力及地震力的作用下,山体上部存在稳定问题,为此需进行加固处理。

由于右岸地形、地质条件限制,不适宜布置泄水、发电建筑物,故所有的泄水、发电建筑物包括3条孔板泄洪洞、3条明流泄洪洞、3条排沙洞、6条发电洞和地下厂房、1条灌溉洞和正常溢洪道都集中布置在左岸。因此,左岸山体的整体稳定对于整个枢纽的安全至关重要。

鉴于左岸山体的重要性,设计中将左岸山体看成是主坝的延伸进行设计,设防地震烈度为8度。

稳定计算表明,当正常高水位275m遇8度地震时,不满足稳定要求,破坏形式为沿浅层泥化夹层的滑动。

经对各方案分析比较,初步设计推荐的综合处理方案为:沿山梁进行帷幕灌浆,灌浆帷幕后设置排水系统,以降低山体浸润线;在下游坡填石渣压戗,以承担剩余下滑力。

第四节　泄洪排沙方案研究及建筑物设计

按工程规划对枢纽的运用要求,枢纽总泄洪能力不小于17 000m³/s,非常死水位220m的泄流能力不小于7 000m³/s,据此形成了小浪底以洞群泄洪为主,且进口集中、洞线集中、出口消能集中布置的明显特点。小浪底泄洪方式的选择是枢纽布置的核心。经过大量方案的论证比选,设计推荐采用了3条直径为6.5m的压力式排沙洞、3条断面为(10~10.5)m×(11.5~13)m的明流泄流洞、3条前压后明式多级孔板消能泄洪洞和1座表面陡槽式溢洪道等10个泄洪排沙建筑物,另考虑修建1座泄洪能力为3 000m³/s的非常溢洪道。万年一遇校核洪水最大泄量13 990m³/s,隧洞总泄洪能力达13 480m³/s,枢纽总泄流能力17 327m³/s,留有一定的安全备用裕量。

一、集中布置的进水塔群

为了防止进水口泥沙淤堵,小浪底水利枢纽的进水口采用了集中布置的方式,如图 2-4-1 所示。9 条泄洪洞和 6 条发电引水洞以及 1 条灌溉洞共 16 条洞的进口布置在位于左岸风雨沟内一字形排列的 10 座进水塔内,形成了前缘宽度 276.4m、高 113m、总混凝土方量约 100 万 m^3 的进水塔群。其中 3 条由导流洞改建的多级孔板消能泄洪洞的进口高程为 175m,分别布置在 3 座进水塔内,以利于泄洪排沙,保持进口冲刷漏斗。3 条排沙洞的进口高程 175m 直接位于发电引水口的下方 15m(5 号和 6 号机组)和 20m(1~4 号机组),以利于减少过机沙量。3 条明流洞的进口分别布置在 195m、209m 和 225m,发挥其泄流能力大的特点,在系统中担任泄洪和排漂排污任务。16 个洞的进口高低错落,间隔排列,形成了上层泄洪排污、中层引水发电、下层泄洪排沙的有机整体。塔群与进口开挖高边坡之间回填堆石至 230m 高程,并上复反滤,进口高边坡的排水系统插入堆石体中,形成通畅的排水通道,保证在水位骤降时高边坡的稳定。

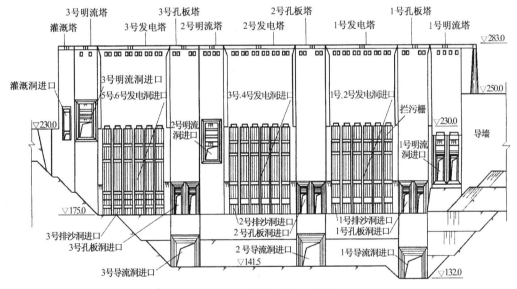

图 2-4-1 进水塔上游立视图

二、多级孔板消能泄洪洞

小浪底按施工期百年一遇洪水导流标准,设计围堰高程 185m,采用 3 条直径 14.5m 隧洞导流。1 号导流洞贴近河床布置,进口高程 132m,2 号和 3 号导流洞进口高程 141.5m。截流后第一年汛期百年一遇洪水位 177.3m,最大下泄流量 8 270m^3/s,截流后第二年汛期大坝填筑至 200m 高程以上,由 2 号、3 号导流洞及 3 条排沙洞泄洪,三百年一遇洪水最高洪水位 194.6m。这 3 条导流洞在左岸单薄山体中占据了很大的空间,如完成导流任务后废弃不用,则给以隧洞群泄洪为主要特点的枢纽建筑物总体布置带来巨大的难度。小浪底泄洪方式选择的核心就是如何将这 3 条大直径的临时导流洞有效地利用起来,改建为永久泄洪设施。设计者经过大量的科学试验论证,开创性地将 3 条导流洞分两期改建为永久的多级孔板消能泄洪洞,如图 2-4-2 所示。

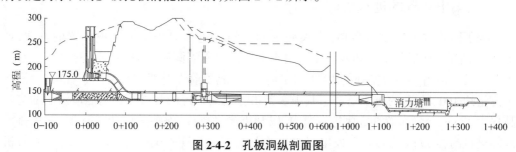

图 2-4-2　孔板洞纵剖面图

导流洞进口封堵后,在 175m 平台建进水塔,通过龙抬头弧段将进水口和原导流洞连接起来,按 3 倍洞径加设直径分别为 10m、10.5m 和 10.5m 的孔板环,在左岸排水幕线附近建中间工作闸门室。通过孔板环对水流的突然收缩和突然放大,在孔板后形成环状剪切涡流在洞内进行消能。三级孔板共可消煞 50 多 m 水头,消能后的水流通过闸孔射流形成壅水明流流态入下游消能水垫塘。这 3 条导流洞经过改建后,总泄流能力为 4 825m³/s,控制洞内最大流速(闸室出口)不超过 35m/s。1 号孔板洞经过两次放水原型观测试验进一步验证,孔板洞的设计是成功的。小浪底多级孔板消能泄洪洞的实践,为洞内消能开创了一条新路,为世界坝工发展做出了贡献。

三、明流泄洪洞

小浪底水利枢纽设有 3 条进口高程分别为 195m、209m 和 225m,断面分别为 10.5m×13m、10m×12m 及 10m×11.5m 城门洞形的明流泄洪洞。3 条洞分别与 3 个独立的进水塔相连,塔内设检修门、事故门和弧形工作闸门,出口挑射入消能水垫塘消能。1 号明流洞设计水头 80m,最大流速达 35m/s,在泄水流道上设有四级掺气坎用以掺气减蚀。在 3 条隧洞的高流速段采用 70MPa 的高强混凝土抗磨。3 条明流洞泄流能力分别为 2 680m³/s、1 973m³/s 和 1 796m³/s。

明流泄洪洞具有结构简单、泄洪能力大的特点,采用高位布置可以简化金属结构的设计荷载,除宣泄洪水外,还可兼顾排泄洪水期的漂浮物,对左岸单薄山体的稳定也不致造成不利的影响。根据左岸山体的地形特点,该明流泄洪设施由进水塔、明流泄洪洞、明渠、出口挑坎等组成,最后以挑射方式入消能水垫塘消能。

四、压力式排沙洞

为了保持进水口冲刷漏斗、减少过机沙量和调节径流,小浪底的泄洪设施中有 3 条低位排沙洞,如图 2-4-3 所示,分别布置在发电引水口的下方 15m(5 号和 6 号机)和 20m(1～4 号机),即 175m 高程。每条排沙洞有 6 个进口分别与两条发电洞的 6 个进口相对应,在进水塔内合并成由 2 个事故门控制的叉洞,然后以直径 6.5m 的压力式隧洞进入山体。在隧洞出口设可以局部开启的偏心铰弧形工作闸门。这 3 条排沙洞设计水头 122m,设计最大泄流能力 675m³/s。在一般运用情况下,泄流能力不超过 500m³/s,控制洞内最大流速15m/s,以减少高速含沙水流对流道的磨蚀。

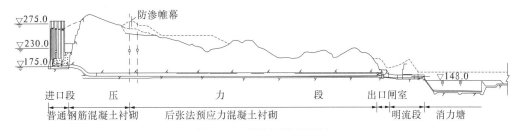

图 2-4-3 排沙洞纵剖面图

这种高水头压力隧洞布置在左岸单薄山体内,如有高压水外渗必将影响左岸山体的稳定。为此,对这 3 条压力隧洞的衬砌方式进行了认真的研究和论证。在防渗帷幕之前的压力洞段,由于内外水平压采用了普通 C40 钢筋混凝土衬砌,对于在帷幕后 3 条共长 2 000m 的洞段曾研究过钢板衬砌、高压灌浆预应力衬砌、复合衬砌等形式,最后选择了从意大利引进的有黏结的后张预应力混凝土衬砌结构,并作为设计推荐方案写入招标文件。承包商在投标文件中提出了用无黏结的预应力混凝土衬砌方案替代原设计方案,并在现场作了 1:1 的模型测验对比,在业主的主持下采纳了承包商的替代方案,由原设计单位黄委会设计院承担了变更设计,通过计算分析对承包商的方案进行了优化布置,并编制了施工技术规范。

小浪底排沙洞最终采用双圈缠绕的无黏结预应力混凝土衬砌填补了国内的空白。截至工程竣工初验时近三年来的运行,3 条排沙洞闸门启闭 985 次,累计运用 16 815h,实践证明是一项成功的设计。

五、进口导墙

小浪底工程所有的泄洪排沙和引水发电设施的进水口集中布置在左岸风雨沟内,10座进水塔成一字形排列,形成了侧向进流的布置方式。为了平顺地导引水流,保持进水口冲刷漏斗,防止泥沙淤堵,在挡水大坝和进水口之间设置了进口导墙。导墙顶高程 250m。在 200m 高程以下为开挖的岩石直立坡,平面上呈流线型布置。导墙上部结构以混凝土重力式为主,在与大坝衔接的南侧导墙上部填筑坡度 1:1.5 的堆石,坡面采用钢筋混凝土预制块防护,结合山势变化,扭曲渐变成混凝土直立坡,平顺引导水流至进口。

六、出口消能水垫塘

小浪底工程 9 条泄洪洞和正常溢洪道采用出口集中消能的布置方式,将施工导流洪水及正常运用期宣泄洪水的消能有机地结合起来。鉴于小浪底泄水建筑物出口的地层均为岩性较软弱的 T_1^6 黏土岩,岩层倾向下游,F_{236} 和 F_{238} 断层在出口区交会,且分支断层十分发育,如果近 14 000m^3/s 的宣泄水流不加以控制,必然会危及出口建筑物的安全。为此设计了钢筋混凝土衬护的大型水垫塘消能。这 10 个泄水建筑物除 1 号孔板洞出水坎低于下游水位呈面流消能外,其余均挑射入水垫塘消能。根据单体和整体水力学模型试验,并优化出口挑坎的角度及体型后,采用两级消能方式。确定一级消力塘底宽 319m,由两道中隔墙分成 3 个独立的消力塘,以便于检修。1 号和 2 号消力塘长 145m,3 号消力塘由于接纳挑射距离和能量均较大的 3 号明流洞及溢洪道宣泄的水流,要求塘长 165m,塘底高程 110m,导墙高 28m,一级消力塘直立尾坎顶高程 135m,二级消力塘长 45m,塘底高程 125m,水流经两级消能后再经护坦归入泄水渠归入下游河道。根据导截流水力学模型试验,在一号消力塘末端增加了防冲钢筋石笼,在泄水渠右岸护坡末端增设了控导工程,在泄水渠对岸东苗家滑坡体处采取了加固处理措施。

建筑物全部用钢筋混凝土结构衬砌,底板钢筋混凝土厚 2m,用锚筋和基岩相连,以抵抗检修时的底板扬压力作用。消力塘底部设排水廊道及排水系统,周边设高程 115m 排水廊道,可用以控制消力塘区的地下水位。

七、进出口岩石开挖高边坡

小浪底工程集中布置的进水塔群位于左岸风雨沟内,前缘宽 276.4m,上下游方向长达 70m,建基面高程 173m,进水塔顶高程 281m。在进水塔后形成了高 120m、平均坡度 1∶0.3 的岩石开挖高边坡。在该高边坡上布置有与进水塔分别相连的 10 条隧洞的进口。高边坡的稳定与进水塔的安全运用密切相关,作为设计条件,不允许高边坡由于变形失稳施加附加荷载作用于进水塔。故该高边坡不仅要保证施工期的稳定,还要保证在正常运用工况下,如地震、水位骤降等情况下的稳定。根据大量的分析论证,设计采用了以喷锚支护为主要手段的加固处理措施。对于 250m 以上卸荷裂隙发育及挤压破碎带的岩坡还施加了钢筋混凝土面板。在进口边坡加固处理中首次大规模采用了 100t 级和 200t 级双层保护的预应力锚索和钢纤维喷混凝土新技术。在进水塔与边坡相接的表面敷设了厚 10cm 的软垫层,以避免高边坡对进水塔产生不利的影响。在高边坡上设置了暗排水系统,在塔后与边坡之间回填高程至 230m、上部有反滤的堆石体,排水管直接进入堆石体,保证在水库水位降落时能通畅地排除山体的地下水,确保边坡的稳定。运行 3 年多来的实际观测资料表明,进口高边坡一直处于稳定的正常工作状态。

随着大型消能水垫塘的开挖,在泄水建筑物的出口形成了高 70m 的开挖高边坡。该区主要为岩性软弱的 T_1^6 黏土岩,岩层以 10° 左右的缓倾角倾向下游,并含有软弱泥化夹层。与洞群小角度斜交的 F_{236} 和 F_{238} 断层在出口区交会,加上十分发育的分支断层,形成了宽 80m 的破碎带,岩层倾角由 10° 左右变为 20° ~ 30°。最低开挖高程 105m,位于地下水位以下 30 多 m。设计消力塘的上游边坡 1∶0.75,坡高 80 余 m,施工期的边坡稳定条件十分复杂。针对出口边坡的工程地质条件,首先在消力塘开挖边坡内打了一条长 800 多 m 的排水廊道,廊道底高程 115m,用以降低坡内的地下水位;边坡上部采取了减载措施。按工程地质条件划分为三个亚区进行了稳定复核,在工程地质条件较好的 1 区和 3 区,采用以双层保护的 200t 级和 300t 级的预应力锚索为主要加固措施。在工程地质条件极差的 2 区,除采用预应力锚索外,根据施工期的边坡变形监测情况,先后施加了 6 个钢筋混凝土抗滑桩;局部取消了坡底脚的排水廊道,降低了开挖坡高;加大了 2 号中隔墙与边坡的接触面积,增加了抗滑能力,最终保证了施工期边坡的稳定。

第五节 引水发电建筑物设计

小浪底水电站安装 6 × 300MW 混流式机组,设计水头 112m,单机最大过流量300m³/s。

在小浪底轮廓设计和初步设计中曾分别推荐引水式地面厂房和半地下式厂房方案,在初步设计优化中推荐采用了以地下厂房为核心的引水式布置方案,如图 2-5-1 和图 2-5-2 所示。

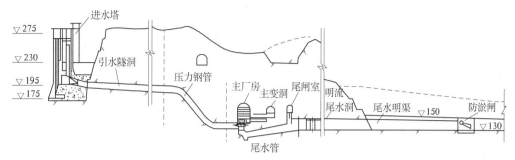

图 2-5-1　引水发电系统纵剖面图

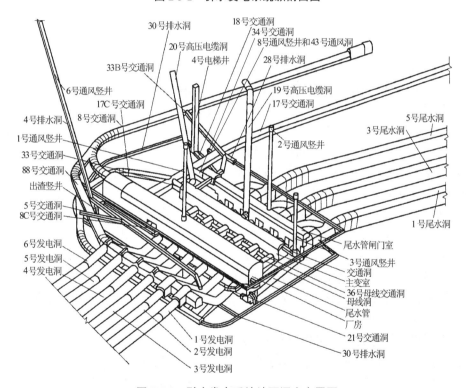

图 2-5-2　引水发电系统地下洞室布置图

一、发电进水塔

小浪底水电站采用一洞一机单元式布置。6 台机组有 3 个独立的、结构布置相同的进水塔。1~4 号机组的进水口高程 195m,根据电站初期发电的要求,5 号和 6 号机组的进口高程 190m。在同一进水塔内的 2 台机组采用通仓式布置 6 个宽 5m 的进水口,与 175m 高程布置的 6 个排沙洞进口相对应,以减少过机沙量。进口前设拦污栅和检修门槽,塔内每台机布置一个能快速启闭的事故门。为了适应黄河汛期高含沙及多污物的特点,除装设有清污机及拦污栅压差检测仪外,另设一道副拦污栅,必要时可提起主拦污栅清污,副拦污栅与检修门共槽。

二、发电引水洞和压力钢管

小浪底水电站单机额定引水流量 292m³/s。发电进水口与直径 7.5m 的发电引水洞相连。发电引水洞在左岸山体灌浆帷幕前为钢筋混凝土衬砌,帷幕后通过直径 7.5m 的洞埋式压力钢管进入地下厂房。压力钢管分上斜段、上弯段、斜管段、下弯段和下平段五部分,衬砌钢板厚 20～34mm,进入厂房前的下平段压力钢管按明管设计,并设有伸缩节,直径由 7.5m 收缩为 7.0m 后与蜗壳相连。6 台机组引水管长为 324～424m,根据调节保证计算可不设调压塔。在引水隧洞与灌浆帷幕交叉洞段内进行 3 排环行灌浆,以保证左岸灌浆帷幕体的整体性。

三、地下厂房

设计采用了典型的 3 洞室布置,如图 2-5-2 所示。厂房跨度 26.2m,长 251m,最大开挖深度 61.4m,主要围岩为 T_1^4 沉积砂岩。主厂房通过母线洞与主变压器室相连,主变室开挖跨度 15.7m,高 17.8m,主厂房与变压器室围岩厚 32m,根据有限元及模拟开挖支护的地质力学模型试验成果,并通过工程类比,设计采用了包括顶拱在内的喷锚柔性支护作为永久支护和岩壁吊车梁方案,选择了支护参数。鉴于主厂房跨度大,顶拱围岩存在有连续的泥化夹层,在顶拱部位除设置长 8m/6m、间距 3m、相间布置的系统张拉锚杆及厚 20cm 的挂网喷混凝土外,以排距 6m、间距 4.5m 布设了 324 根 1 500kN、长 25m 的双层保护预应力锚索。61m 高的开挖直立边墙采用长 10m/8m、间距 3m、相间布置的系统张拉锚杆和 20cm 厚喷混凝土,在泥化夹层部位设两排长 12m、500kN 的预应力锚杆。变压器室和尾水闸门室也分别采用喷锚柔性支护作为永久支护。施工期收敛计所测厂房顶拱最大位移 17mm,边墙最大位移 24mm。地下厂房的岩壁吊车梁的设计荷载 1 000t,经实际超静载 25％及超动载 10％的试验,证明工作状态良好。小浪底地下厂房是我国在沉积岩地层条件下最大的地下厂房,在如此地质条件下建造以柔性支护作为永久支护、采用岩壁吊车梁的大跨度地下厂房属国际先进水平。

地下厂房的发电机层和安装间通过进厂交通洞与外部相连,主变室顶部有两条母线廊道,通过高压电缆将 220kV 的高压电送至高程 230.0m 的开关站。在地下厂房的周围布置有分别位于高程 117m 和 163m 的 30 号和 28 号环行排水廊道,用于降低厂房周围的地下水位。在地下厂房设计有通过尾水洞自然进风、厂房顶竖井强迫抽排的通风系统。

四、尾水洞和出口防淤闸

小浪底水电站每两台机组合并成一条宽 12m、高 19m、长分别为 805m、856m 及 905m 的明流式尾水隧洞。这 3 条尾水隧洞的底板和边墙采用钢筋混凝土衬护,顶拱喷锚支护。在尾水洞的出口连接尾水明渠,尾水明渠的末端设 6 孔宽 4m、高 22.5m 的出口防淤闸。当汛期泄洪排沙而不发电时,相应关闭防淤闸,以防止泥沙倒灌淤堵尾水隧洞。采用高明流式尾水洞可以满足在水击情况下水位波动的要求,从而取消了尾水调压室。

第三章　工程机电设计

小浪底水电站是枢纽的重要组成部分,电站总装机容量 6×300MW,从开发目标看,发电处于从属地位,但其规模是迄今河南省内最大的水电站,在以火电为主的河南电网中将发挥重要作用,电站多年平均年发电量为 51 亿 kWh,其发电效益也是显著的。

黄河以多沙著称于世,小浪底水利枢纽控制黄河近 100% 的泥沙,工程泥沙问题十分突出。而解决电站的防沙问题是保证电站汛期发电、安全运行的关键。设计中借鉴了黄河上已建电站的运行经验,本着从严从难考虑,留有必要余地的原则,在大量科学试验的基础上,采取了综合防沙、抗磨蚀措施,以改善小浪底水电站的运行条件。

第一节　水轮机抗磨蚀技术措施

多泥沙河流水电站水轮机的抗磨蚀问题极为复杂,造成水轮机磨蚀的因素很多,包括水流速度、泥沙特性、水轮机参数、性能、结构、工艺、材质、抗磨蚀措施以及水库运行方式、水工建筑物布置等。根据小浪底水电站建设和进一步对多泥沙河流水力资源开发的需要,小浪底电站水轮机的研制被列入国家重大技术装备"八五"科技攻关项目,以集中国内有关设计、科研、制造、运行单位协同攻关,解决小浪底电站水轮机的抗磨蚀问题。黄河水利委员会勘测规划设计研究院经过大量深入细致的调查研究,借鉴国内外运行电站机组在抗泥沙磨蚀方面的成功经验,结合小浪底工程的实际情况,在水轮机设计和制造方面提出了有针对性的技术要求和措施。小浪底电站水轮机及其主要附属设备采用买方信贷方式从国外招标采购,吸收了国际水力机械行业抗泥沙磨蚀方面的先进技术。

一、水轮机的工作条件

在多泥沙抗磨水轮机的研究中,水轮机的参数水平直接影响到水轮机的性能,是保证水轮机正常安全运行的关键,也直接关系到电站的投资及综合效益。国内在多泥沙河流水电站水轮机的研究、设计、制造、运行诸方面虽已积累了许多经验,但因小浪底电站具有过机水流泥沙含量高和水头变化幅度大的双重技术难题,其汛期发电的安全性就显得更加重要。

(一)水轮机运行水头

小浪底水电站由于水库运用方式的特殊要求,其水轮机水头变化幅度较一般电站为大,其变化不仅随水库运用年限而不同,且同一年内汛期与非汛期水头差别也较大。小浪底水电站水轮机工作水头变化从最小水头 67.91m 至最大水头 141.67m,变化幅度达 2.9倍,超出了一般混流式水轮机水头的允许变化范围。

(二)过机泥沙特性

黄河小浪底河段多年平均含沙量 37.5kg/m³,泥沙中值粒径 d_{50} 为 0.023mm,泥沙矿物成分主要是石英和长石,其中石英占 90%,长石占 5%。根据建筑物布置条件及三门峡水库的运用方式,全年泥沙集中在汛期 7~9 月排放,因而汛期过机含沙量及粒径特性将随水库运用阶段的演变而不同。从 10 月到翌年 6 月的非汛期,水库为蓄水调节运用,电站引水基本为清水,对水轮机不构成危害。

(三)水轮机出力

在额定水头为 112m 时,水轮机额定出力为 306MW;为改善较高水头时水轮机的运行特性,确定当水轮机净水头大于或等于 117m 时,水轮机最大出力为 331MW。

(四)额定转速

为适应水头变幅大和含沙量高的特点,需从水轮机参数选择、过流部件水力设计、水轮机结构和工艺等方面考虑最大限度地减轻水轮机的泥沙磨损,特别要防止由于泥沙磨损和气蚀作用引起的水轮机破坏的可能性。在初期的机型研究中曾提出前、后期更换转轮方案及变速电机方案,因存在技术上的困难或经济方面的不合理而未采用。

由于含沙水流的磨蚀与流速关系密切,其磨蚀量与水轮机流道相对流速的三次方成正比,因此合理选择水轮机参数,降低水轮机流道内的相对流速是减少泥沙磨蚀的有效途径之一。提高水轮机过流部件的抗磨蚀性能,宜取用较低的机组参数,而参数(转速)的降低又受到工艺、价格、效率、运输条件等方面的制约。经长期研究论证,小浪底电站水轮机合理的转速范围为 107.1~115.4r/min,这样的参数水平较同水头清水条件下的机组参数低 15%~30%。

二、水力设计

小浪底水电站水轮机工作水头变幅大,水流含沙量高,为确保在整个水头变化范围内机组均具有优良的综合性能,考虑到国内外水轮机设计制造水平方面的差距,通过国际竞争性招标,选择美国 Voith 公司为小浪底水轮机制造厂家。经研究,对水轮机的水力设计提出了以下技术要求:

(1)为准确模拟真机的实际流态,水轮机的设计采用三元流理论进行计算机模拟。

(2)水轮机最优水头 H_0 的选取既要考虑汛期高含沙量的恶劣工作条件,又要兼顾电站大水头变幅的要求,经充分研究论证,最终确定的水轮机最优水头 H_0 为 110m。此水头接近正常运用期内电站汛期加权平均水头,从而使机组在汛期能处于较优工况区运行,对减轻过流部件的磨蚀破坏是十分有利的。同时,该水头还兼顾了运行初期的低水头区及正常运用时段非汛期高水头区的运行,这样可避免在整个运行区域内产生严重的气蚀破坏。

(3)水轮机过流部件表面相对流速的高低,直接关系到其磨蚀破坏程度,为此要合理选择水轮机参数和几何尺寸,使水轮机所有流道内的相对水流速度尽可能小。而小浪底水轮机过流部件中转轮叶片出口及下环表面将出现最高相对流速,该处的磨损必然是最严重的,其破坏的程度将成为控制机组大修周期的关键。研究认为转轮出口最大相对流速宜不大于 38m/s。

(4)对水轮机的气蚀性能作出规定。在额定工况下,电站装置气蚀系数不小于 1.7 倍的模型临界气蚀系数;在整个水头变化范围和水轮机各水头对应的最大预想出力的

80%~100%内,装置气蚀系数均大于初生气蚀系数。

三、水轮机结构措施

中、高水头多泥沙河流电站水轮机过流部件除转轮外,导水机构的磨蚀破坏往往也是非常严重的。经研究认为,通过适当增加导叶高度、加大导叶分布圆直径等措施,可有效降低导水机构区域的水流速度,从而对减轻导水机构的磨蚀破坏有一定的效果。小浪底水电站水轮机的结构设计,除满足混流式水轮机的一般结构性能外,主要侧重于提高过流部件的整体抗磨性能和方便易磨蚀部件的检修维护。小浪底水电站水轮机设计和制造中所采取的主要抗磨蚀结构措施有如下几个方面。

(一)选择合理的几何尺寸

小浪底水轮机与转速接近的常规水轮机相比,增加了导叶高度 b_0,以降低导叶区域的相对流速,减小了转轮出口直径 D_2,以降低转轮出口的最大相对流速。

(二)设置筒形阀

为了消除水轮机在停机状态下,因导叶关闭时导叶上、下端面及立面承受全压而产生的间隙气蚀和磨损破坏,在水轮机固定导叶与活动导叶之间设置筒形阀。同时,在事故情况下当调速系统失灵时,筒形阀兼有事故阀的作用。美国 Voith 公司为小浪底水轮机设计的筒形阀采用 5 个直缸接力器进行操作,筒形阀操作机构的同步靠计算机控制系统连续测量各液压接力器的位移来实现。

水轮机检修时,可利用筒形阀接力器提升顶盖,包括导叶及其操作机构、水导轴承支承和其他由顶盖支持的设备,最大提升高度达 874mm,以提供到达导水机构过流表面和转轮过流表面进行维修的通道,改善对导叶、导叶端部密封、抗磨板、导叶下轴套、转动和固定止漏环、固定导叶、顶盖下侧、上冠上部和转轮进口区域进行检查、修理或更换部件的工作条件,实现在机坑内进行易磨损部件的检修更换,以减少机组检修时间,延长大修周期。

(三)转轮的特殊工艺

为适应电站水头变幅大的特点,Voith 公司采用了加厚叶片技术,使转轮能在较宽的水头运行区内均获得良好的抗气蚀性能;为降低流道速度,采用了较小的转轮出口直径($D_2/D_1 = 0.929$);水轮机转轮采用不锈钢材料制造,叶片采用了材料致密性及抗磨性较好的钢板模压成型工艺进行制作。同时,为使转轮具有良好的整体性,且方便运输,转轮采用散件运输方式运至工地,在工地车间内进行组焊。

(四)取消推力释放装置

按常规设计,为减小轴向水推力,混流式水轮机常在转轮上冠设减压孔或另设均压管路系统。取消推力释放装置是小浪底电站水轮机采取的一项重要技术措施,同时也免去了常规机组中对推力释放系统的检修维护工作。由于不存在通过上冠的漏水,故减小了容积损失,提高了机组运行效率,也极大地减轻了转轮上止漏环的磨损。另外,由于减少了转轮上冠与顶盖之间空腔的泥沙循环运动,有效地防止了泥沙对顶盖和上冠外表面的磨损。

根据 Voith 公司提供的数据,虽然取消推力释放系统后将使小浪底水轮机轴间水推力大幅增加(水推力达 25 186kN)、机组推力轴承负荷近 39 200kN,但该推力值几乎与转轮上止漏环间隙的变化无关,即水推力值不会随着运行时间的延长和止漏环间隙的扩大而增加。而有推力释放的常规设计中,机组水推力将随止漏环间隙的扩大而增加,对于小浪底这样高含沙水流条件,如采用常规的设计方案,其转轮上止漏环的磨损必然是相当严重的。据测算,小浪底电站水轮机在经过一个汛期的运行之后,有推力释放装置的情况下,上止漏环间隙将由 2mm 扩大至 10mm,水推力值也将由 7 546kN 增至 10 920kN,增幅达35%。因此,推力轴承的设计必须充分考虑到泥沙对止漏环磨损的影响。

另外,取消推力释放装置还将增加推力轴承损失,但由于不存在上冠漏水所引起的容积损失,使得机组的效率水平有较大的提高。

(五)基础环周围设置环形廊道

为了便于易磨损部件的检修更换,在基础环周围设置了环形廊道,在不拆卸机组的情况下,能在此廊道内进行导水叶下轴套的检修更换。

四、主要过流部件材料

基于不锈钢材料在实际运行中所表现出的优良抗磨性能,并考虑到国外不锈钢材料与普通钢材料间的价差不大,小浪底电站水轮机主要过流部件如转轮、导水叶、抗磨板、底环、基础环、尾水锥管进口段等均选用了具有良好抗磨蚀性能的不锈钢材料。

五、抗磨防护涂层

水轮机主要过流部件除选用了不锈钢母材外,对预期磨蚀特别严重的部位,还采用了碳化钨/钴高速氧燃料(HVOF)火焰喷射涂层进行防护。虽然碳化钨涂层作为试验性项目以前也有运用,但大面积使用于水轮机过流部件尚属首次。防护部位包括:导叶上、下端面;导叶正、背面的进、出口边区域和接近上、下端部的区域;上、下抗磨板表面;转轮叶片进、出水边区域和靠近下环的高速水流区域;下环内表面;上、下止漏环表面等。每台机组总防护面积达 180m^2 以上,其中转轮部分约 125m^2。

大面积的涂层喷涂由机器人完成,过渡区域及焊缝区域由手工进行喷涂。涂层厚度为 0.35 ~ 0.40mm,分 3 ~ 4 遍实施。涂层与母材的结合强度为 60 ~ 70N/mm^2,涂层表面硬度达 72 ~ 75 洛氏硬度。

对流速相对较低的固定导叶表面和尾水管进口段采用涂刷聚胺酯弹性涂层的办法进行防护。涂层将沿水流方向进行涂刷,与母材的结合强度可达 25 ~ 29N/mm^2,涂层表面硬度达 90 邵氏硬度。

六、水轮机性能

(一)水轮机效率

为保证机组能获得优良的抗磨蚀性能,小浪底电站水轮机最终选用额定转速为107.1r/min 较低的机组参数方案,这是以增加投资和降低水轮机效率为代价的。在设备采购过程中,要求水轮机效率保证值较清水条件下降低约 1%。例如:水轮机额定工况点效率不低于 92%,最高效率不低于 94%,额定水头下的加权平均效率不低于 93%。Voith公司所提供的水轮机,经模型清水条件下的验收试验,各效率值较要求的数值高 2% 以上。

(二)材料损失

目前仅有适用于清水条件下的气蚀失重量考核标准,而浑水条件下影响材料损失的因素很多,制定标准是十分困难的。设计人员在对黄河及其他多泥沙河流上已运行电站进行广泛调研分析的基础上,提出了适合于小浪底电站特点的、便于实施的重量损失考核标准,提出在保证期内的重量损失要求如下:

(1)相对于正常磨损表面的最大磨蚀深度不超过 9mm,在任何部件上连续面积为 100cm^2 以内不应有平均深度大于 3mm 的沟槽或坑凹。

(2)如果在同一转轮的相似部位或区域上所产生的面积、沟槽或坑凹等损坏程度大 3 倍以上的,则被认为是异常破坏,由水轮机制造商无偿进行修复。

(3)在保证期内,由气蚀和磨损引起的转轮重量损失,相对于正常磨损表面测量和计算保证不大于 $4D_2^2$kg(其中 D_2 为转轮出口直径,单位为 m)。

上述要求是针对无防护涂层的情况下提出的,采用了防护涂层之后,Voith 公司做出的磨蚀保证如下:①在保证期 8 000h 内,由磨损引起的转轮重量损失保证不超过 50kg(相当于 $1.5D_2^2$)。②相对于正常磨损表面,由含沙水流造成的最大气蚀深度不超过 5mm,而在任何一个连续面积 100cm^2 之上集聚的凹坑或连续性沟槽的平均深度,对有涂层保护的区域不超过 1.5mm,对无涂层保护的区域和过渡带保证不超过 3mm。③在一个单独转轮叶片上的金属剥离量,保证不超过全部叶片剥离量平均值的 1.3 倍。④保证期内防护涂层的脱落量保证不超过总防护面积的 10%。

七、综合评价

小浪底电站水轮机从参数选择、水力设计、结构设计、加工工艺、材料选择、防护涂层的运用等方面采取了有针对性的综合治理措施,相信对机组的安全运行,特别是对汛期正常发电能起到积极的作用。尽管在运行初期发生了转轮裂纹的情况,但从原因查找和处理效果来看不会对今后水轮机的长期安全运行构成不良影响。当然,小浪底电站水轮机实际运行效果还有待进一步考验。

第二节　电气主接线

因受各种客观因素影响,小浪底电站电气主接线设计在初步设计审批以后又做了几次论证和优化。初次对电气主接线的论证在 1991 年 1~3 月,曾提出了 4 个方案,做了技术经济比较,并提请水利部水利水电规划设计总院审批。该报告经审批后确定的接线形式是:发电机-主变压器单元接线,出口不设断路器,每侧 3 台机组;220kV 双母线双分段,出线侧带旁路母线,右侧 6 回出线,左侧 2 回出线供给 500kV 升压变压器进行戴帽升压;500kV 双断路器并接后经 1 回线路送出。该方案的厂用电引接方式除由机端和外来引接外,还由 220kV 母线经 1 台 20MVA 厂用变反送。

1991~1993 年,在原定电气主接线基础上又作了进一步优化。这次方案变化其一是为便于主变压器运输,500kV 主变压器采用组合式三相自耦变压器,并在自耦变压器的第三线圈引接厂用电;其二是在 3 号、6 号发电机出口处装设发电机断路器,而在其他机组机端预留发电机断路器位置。经优化的电气主接线方案报送上级审批,1993 年 6 月水利部水利水电规划设计总院正式批复,作为技术设计阶段(招标设计)的电气主接线。

　　1997 年初,小浪底电站接入系统方案发生重大变化。为简化电站接线,节省电站升压站和电网总体投资,并兼顾河南 500kV 网架发展,决定电站内以 220kV 电压级与系统连接,6 台机组全部接入 220kV 母线。电站采用双母线双分段带旁路接线,出线 6 回,其中 4 回至洛北 500kV 升压站,1 回至豫北(运行中有 1 台机直送豫北),备用 1 回。接入系统条件的变化,对主接线设计有较大程度的影响:取消 500kV 配电装置,重新论证厂用电源的引接方式、分段开关的设置位置等技术问题。最终批准实施的电气主接线见图 3-2-1。

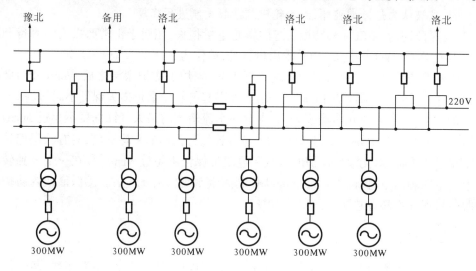

图 3-2-1　小浪底电站电气主接线

　　(1)取消 500kV 出线系统,电站全部以 220kV 线路出线。出线 6 回,其中 4 回至洛北升压站,1 回豫北,1 回备用。

　　(2)电气主接线采用双母线双分段带旁路的接线。

　　(3)原厂用电 6kV 系统改为 10kV。

　　(4)220kV 母线引接 1 台 20MVA 厂用变压器。另分别从 3 号、6 号机端引接和从地区 35kV 系统引接不变。变压器的二次电压等级均为 10kV。

　　(5)机组制动方式采用机械制动和电气制动联合方式。

第三节　电站计算机监控系统

一、系统结构及配置

　　小浪底电站计算机监控系统采用以计算机为主的监控方式。整个系统采用开放式分层分布结构。电站受河南省电网调度,执行来自河南省电力调度中心的调度命令。

　　电站计算机监控系统由电站控制中心系统和现地控制单元等组成。整个计算机监控系统采用冗余设计,厂级工作站、操作员工作站、网络及现地控制单元均为冗余方式。控制中心硬件设备采用 RISC 技术,软件适合开放系统环境下运行,操作系统、用户界面及网络接口均符合开放系统有关标准。

小浪底电站计算机监控系统控制中心设备包括 7 套工作站及其外围设备,其中厂级工作站 2 套,操作员工作站 2 套,培训工作站、工程师工作站和多媒体工作站各 1 套。外围设备有由计算机支持的模拟屏(包括模拟屏驱动器)1 套,大屏幕投影机 1 套,3 台打印机,1 台彩色硬拷贝机,4 套监视终端及服务器,控制中心设备用 UPS 电源 2 套,GPS 卫星时钟 1 套。

设置 8 套现地控制单元:6 台机组对应 6 套现地控制单元,公用设备设 1 套,220kV 开关站设 1 套。

2 套厂级工作站互为热备用,2 套操作员工作站同时工作但操作能相互闭锁。电站控制室设有模拟屏,屏上信号除开关站表计直接来自 CT 和 PT 外,其他均由计算机系统驱动。4 套监视终端通过服务器与监控系统连接,该监视终端仅具有监视功能而作为管理使用,其网络为办公室局域网。

现地控制单元包括控制部分和监视部分,控制部分采用冗余设计,正常运行时采用过程计算机进行控制,当该计算机出现故障时自动切换到冗余部件中进行控制。

监控系统框图见图 3-3-1。

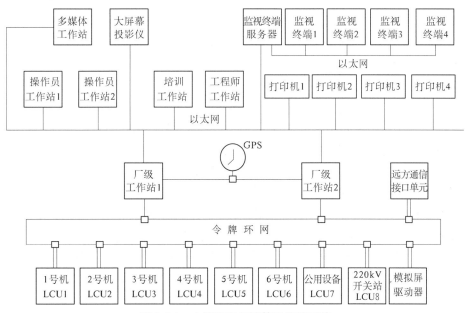

图 3-3-1　小浪底电站计算机监控系统

二、监控对象

小浪底电站计算机监控系统的监控对象包括:水轮发电机、主变压器、筒阀及辅助设备,进水口快速闸门及尾水防淤闸门,全厂公用油、气、水辅助系统,厂用交直流电源,220kV 开关站设备等,还包括火灾报警消防系统、通风及空调系统、水力测量系统等的监视。

现地控制单元、模拟屏控制单元等的输入、输出过程接口类型包括数字量输入(DI)和事件顺序记录输入(SOE)、脉冲量输入(PI)、模拟量输入(AI)、数字量输出(DO)、模拟量输出(AO)等,其数量按满足电站运行的需要,并留有 20% 备用裕量配置。小浪底电站各现地控制单元 I/O 数量见表 3-3-1。

表 3-3-1　小浪底电站各现地控制单元 I/O 数量

名称	每台机组 LCU1-LCU6	公用设备 LCU7	220kV 开关站 LCU8	模拟屏 驱动器
DI	360	151	394	0
SOE	35	49	212	0
PI	3		24	0
AI	44	37	16	0
DO	138	89	134	358
AO	5	0	0	48
RTD	144	14	2	0
CT、PT	6		66	

三、系统功能

电站计算机监控系统包括监控和数据采集(SCADA)、自动发电控制(AGC)、自动电压控制(AVC)和事故分析处理、趋势分析处理、培训仿真等。

(一)电站控制中心功能

电站控制中心设备分别布置在地面副厂房的计算机室、控制室、培训室等,并具有数据采集与处理、实时控制和调节、自动发电控制(AGC)和经济运行、运行监视、操作记录及报告、运行参数计算、通信控制、系统诊断、培训仿真、软件开发、运行管理及操作指导等功能,以使电站运行人员仅在中央控制室通过操作员工作站完成机组等设备的相应操作。

(二)现地控制单元功能

机组现地控制单元监控范围包括水轮发电机组及其附属设备、主变压器、主变压器高压侧断路器、进口快速闸门紧急关闭等,机组现地控制单元设备布置在机组旁。

公用设备现地控制单元布置在地下副厂房,其监控对象为:全厂公用的油、气、水辅助系统;厂用交流电源系统;地下副厂房直流电源系统;火灾报警消防系统;全厂通风及空调系统;上、下游水位;尾水防淤闸等。

220kV 开关站现地控制单元设备布置在地面副厂房继电保护室,控制对象包括 220kV 断路器、隔离开关、接地开关、地面副厂房直流电源系统等。

现地控制单元的功能包括数据采集和处理,安全运行监视、控制和调节,事件检测和发送,事故及故障音响报警,数据通信,设备自诊断,冗余和现地后备控制等。现地控制单元的软、硬件配置按在没有控制中心指令的情况下仍能完成所控设备的闭环控制设计。

四、系统软件

监控系统软件适合于开放系统环境下运行,整个系统采用分布式数据库,用户接口支持多窗口操作,具有友善的用户界面,网络接口采用符合国际标准化组织 ISO 的开放系统互连模型 OSI,采用 TCP/IP 协议组,执行 IEEE802 标准。监控系统软件包括基本软件和应用软件,以保证实现系统功能要求、操作要求和性能要求,基本软件主要包括操作系统、支持程序和实用程序、数据库、人机通信接口软件、系统通信软件、自诊断软件等。应用软件用于完成电站监控系统功能操作及其开发和维护,要求具备高效性、高可靠性和可维护性,电站控制中心所有的执行程序装在硬盘中,在系统启动时调入计算机的主存储器内,以提高系统可用性和响应速度。现地控制单元的固定程序驻留在 EPROM 或 EEPROM 里,顺控软件和数据库存放在带后备电池的 RAM 中。

五、系统的实施

根据国家计委关于小浪底电站工程借用国外出口信贷的批复,电站计算机监控系统利用商业贷款进行国际邀请招标。在有 6 家国际著名厂商的竞争中,奥地利 ELIN 公司以其先进的技术和合理的价格中标,系统设备的安装调试随机组安装同步进行,并保证了1999 年底电站首台机组发电。

第四节 保证汛期发电的综合措施

小浪底工程在黄河的多沙河段上,电站汛期能否正常发电,是许多人关心的问题。针对这些问题,在工程规划设计时认真总结了黄河已建电站的运行经验,在大量科学试验的基础上,采取综合措施,保证电站在汛期能安全运行。

一、泥沙对黄河干流已建水电站运行的影响和减免泥沙影响的措施

(一)泥沙对电站运行的影响

由于黄河含沙量大,特别是在汛期,泥沙多,并且挟带大量树草污物,给电站的运行带来一系列问题,主要是:

(1)水库淤积损失库容及翘尾巴的影响。兴建水库改变了原河道的输沙特性,大量泥沙沉积于库内,减少库容,降低了水库的防洪、兴利和调节径流泥沙的作用。如刘家峡水库近坝段洮河支流库容被淤满,增大了过机含沙量;青铜峡水库原始库容 6 亿 m^3,由于严重淤积仅余下 0.23 亿 m^3 库容,使水库丧失了调节能力。泥沙在水库末端落淤,使某些水库翘尾巴严重,形成二级水库。如三门峡水库初期运用时,由于水库淤积,抬高了潼关水位,致使渭河水位升高,影响关中平原。

(2)泥沙淤堵泄水建筑物。刘家峡、盐锅峡、青铜峡等水库均发生过泥沙淤堵泄水建筑物进口的事故,致使闸门难以开启,启闭机过载,甚至发生提门后不过水的现象。天桥水电站在汛期敞泄排沙过程中,还发生过泥沙淤塞尾水管、蜗壳的事故,致使蓄水后发生全部 4 台机导叶开启、机组不转动、尾水管不出水的现象。

(3)泥沙污物堵塞拦污栅。盐锅峡、天桥、青铜峡等低水头径流电站,均发生过泥沙污物堵塞拦污栅,致使拦污栅由于压差增大而被压断,甚至掉入蜗壳中造成停机的事故。

(4)含沙水流造成水轮机流道和泄水建筑物的严重磨蚀。多泥沙河流上的水电站,由于泥沙磨损和气蚀的双重作用,水轮机过流部件和泄水建筑物表面磨蚀破坏严重,这是黄河上已建电站存在的普遍问题。由于水轮机的严重磨蚀,降低了机组效率,增大了漏水量,造成开停机困难,缩短了大修周期,增大了检修工作量。泄水建筑物和金属结构的磨蚀破坏严重影响了电站的正常运行,并给电站安全带来威胁。

(5)泥沙影响机组技术供水和排水系统的正常运行。黄河汛期,不仅沙量大,且挟带污草,致使机组冷却水管路易于淤堵,造成机组温升过高,冷却水中断,严重时被迫停机。机组检修排水管路或廊道也易于淤堵,给机组检修排水造成困难。机组供排水系统出现的问题,在黄河已建电站中较为普遍。

(6)泥雾造成环境污染。黄河的含沙水流在泄洪时常常发生泥雾,造成环境污染,尤其是对电气设备的污染,影响供电可靠性。

由于存在上述问题,曾使人们对黄河上已建电站的运行质量产生怀疑,更延误了待建电站的建设时机,但事物总是在不断发展前进的,人们在治黄实践中不断吸取经验教训,逐步总结出较完整、系统的防沙措施,从而改善了已建电站的运行质量,为提高新建电站运行的可靠性提供了依据。

(二)减免泥沙影响的措施

针对黄河上已建电站存在的泥沙问题,人们不断总结经验,采取了许多行之有效的减免泥沙影响的措施,改善运行条件,提高发电效益。

1.通过"蓄清排浑"的运行方式保持有效库容

三门峡水库初期蓄水运用时,由于对泥沙淤积的严重性缺乏认识,致使水库淤积的速度非常快,有效库容很快消失。为了解决这一问题,对工程进行了改建,打开导流底孔,左岸增建两条泄洪洞,在汛期降低水位排沙运用,非汛期蓄水调节综合利用。水库采取"蓄清排浑"运用方式后,有效地控制了潼关高程,并长期保持了稳定的有效库容,发挥了防洪、防凌、发电、供水的综合效益。天桥水电站在枢纽设计中考虑了水库"蓄清排浑"的运用特点,在原始库容仅为 0.6 亿 m^3,而年平均沙量 3.51 亿 t 的情况下,长期保持有效库容 0.2 亿~0.3 亿 m^3,不仅水库具有一定的滞洪能力,而且保留了日调节库容,可使电站具有 23MW 的保证出力。

2.枢纽布置有利于防沙、排沙

早期建设的水电站,在枢纽布置中未能充分估计到泥沙问题的严重性,如盐锅峡水电站,泄水建筑物进口高程较发电引水口高程高,致使机组过机含沙量大,且颗粒较粗,造成水轮机的严重磨蚀。在吸取这些教训的基础上,一些已建电站增设了排沙底孔,如三门峡。一些后来建设的水电站在枢纽布置中比较全面地考虑了排沙问题,如将泄水建筑物集中布置,设置足够规模的泄洪排沙底孔,尽量抬高机组进水口高程或设置进口拦沙槛等等,这些措施对工程的防沙、排沙均发挥了较好的作用。天桥水电站沿左侧坝轴线集中布置了泄水建筑物并采用了双层过水的形式,使沙、污、冰的排放各行其道,对防止水库淤积,减少过机泥沙是有利的。

3.防止进水口和拦污栅淤堵

黄河已建电站防止进水口和拦污栅淤堵的主要措施有:

(1)利用低位排沙孔泄水,使进水口前形成冲刷漏斗,同时加强监测,及时清污。

(2)改进拦污栅结构型式并增强其强度,如适当增大栅距,栅条采用圆形钢管等。

(3)设置主、副拦污栅,轮换清污。

(4)利用压污设备通过底孔排污。采取这些措施后,电站在汛期一般均能正常发电运行。

4.采取综合措施减轻水轮机磨蚀

初期建设的水电站,水轮机系按照清水模型系列型谱选择,由于在浑水条件下运行,水轮机过流部件磨蚀破坏十分严重。水轮机磨蚀破坏程度主要与水轮机选用的参数、机型、制造工艺水平、材质、有无抗磨涂层保护、管理水平、运行工况等因素有关,合理选择水轮机参数以减轻水轮机磨蚀。

5.防止机组供排水系统淤堵

防止机组供排水系统淤塞的措施有:进水口设置拦污栅和吹扫设备;采用双滤水器切换使用(或自动切换滤水器);供水管路采用正反冲系统;设置水处理设备,如沉沙池;利用地下水供水。

防止检修排水管路淤堵的措施有:在排水管进水口设置拦污栅;采用盘形阀作排水管路的操作阀门;尽量缩短排水管路,增大坡度;设置清水冲淤管;排水泵采用泥浆泵等。

6.电气设备防泥雾措施

电气设备布置尽量避开泥雾区,增强绝缘,采用 SF_6 密闭式组合电器等。

7.其他措施

进水口合理配置闸门,并注意门型的选择,设计时考虑浑水容重对结构强度的影响,适当增大启闭机容量;限制检修门门槽的流速(如小于 10m/s),以减轻磨损,对流速较高的门槽采用抗气蚀磨损的特殊形式;闸门止水一般采用上游止水,以防淤堵;在泄水建筑物高流速区采用抗磨保护层,如硅粉混凝土、环氧砂浆、铸石板、钢纤维混凝土等。

二、保证小浪底水电站汛期安全发电的措施

小浪底工程是治理开发黄河的重大工程,尽管从开发目标来看,发电处于从属地位,但电站装机容量 1 800MW,是河南省境内可开发的最大水电站,在以火电为主的河南电网中将发挥重要作用。而且,从工程经济效益的角度看,发电效益也是显著的,是枢纽不可缺少的重要组成部分。

小浪底坝址处于控制黄河下游水沙的关键部位,要实现水利枢纽的综合效益,就必须解决好多沙水流造成的各种问题,尤其是水电站汛期发电问题。鉴于小浪底水电站泥沙问题的严重性,设计中认真总结了黄河已建水电站的运行经验,本着从严从难考虑,留有必要余地的精神,在大量科学试验的基础上,除了研究水轮机抗磨蚀措施外,还采取了相应的综合处理措施,力求汛期能安全运行发电。

(一)水库运用方式的防沙作用

电站在汛期能否正常发电,主要取决于过机沙量,而小浪底水库的过机沙量,不仅与水工建筑物的布置有关,而且与水库的运用方式关系密切。

1．水库初期拦沙运用

水库初期拦沙运用包括起调水位210m的蓄水拦沙阶段(2～3年)、逐步抬高汛期7～9月水位拦沙阶段(12～13年)及高滩深槽形成阶段(14～15年)，整个过程约30年。

蓄水拦沙期水库起调水位210m(210m以下库容约21亿m³)，可以尽量减少蓄水拦沙运用的库容并提前于截流后第三年水库正式运用时发电，使黄河下游具有较好的拦沙减淤效益且能满足发电要求。在此阶段，入库的泥沙大部分被拦在库内，平均排沙比约10%；坝前水流含沙量小，对电站汛期发电很有利。

逐步抬高汛期7～9月水位拦沙阶段是为满足黄河下游减淤要求而采取的有效措施。水库的汛期运用水位随着库区淤积面的抬高而抬高，在库区形成低壅水排沙状态，水库平均排沙比约70%，这样可使90%的细颗粒泥沙排出库外而使60%～70%以上的中、粗颗粒泥沙拦在库内。由于库区拦截了大部分对黄河下游产生严重淤积的中、粗颗粒泥沙，对黄河下游具有较大的拦沙减淤效益，同时也较大幅度地减少了粗颗粒泥沙过机。

高滩深槽形成阶段是指当坝前淤积面达到254m高程以后，水库调水调沙运用时，对3 000m³/s以上的大水降低水位冲刷，对2 000m³/s以下的小水蓄水淤积，在流量为2 000～3 000m³/s时微冲微淤，遇高含沙量水流时则调蓄拦沙。在该阶段，水位有升有降，库区有冲有淤，滩面逐步升高，河槽逐步降低。这种运用方式既有利于下游河道减淤，同时水库小水淤积的时间远大于大水冲刷的时间，又使总的过机沙量减少。当滩面淤高至254m、河槽下切至226.3m时，形成高滩深槽。这时库区总拦沙约100亿t，保持有效库容51亿m³，其中，防洪或兴利库容40.5亿m³，分布于254m高程以上；调水调沙库容10.5亿m³，分布于254m高程的槽库容内。此后，水库转入正常运用期。

2．水库正常运用

在汛期7～9月，利用10.5亿m³槽库容调水调沙，使调节后的出库水沙过程有利于黄河下游减淤。

在调水调沙过程中，当库区蓄水量大于3亿m³时放水至2亿m³，使库区保持一定的蓄水量。当因来水量太小而不能满足发电要求时，可利用库区的蓄水进行补水，同时水库的低壅水作用可有效地减少过机粗泥沙。

当调沙库容将被淤满时，转调水运用为敞泄排沙运用，当调沙库容恢复后，再恢复调水运用。这是使水库长期保持有效库容的有效措施。

调节期10月至翌年6月水库调蓄运用要满足防凌、供水、灌溉的要求，兼顾发电，发挥水库的兴利效益。

黄河汛期水流含沙量高，是影响水库汛期发电的主要原因。小浪底水库的调节作用可较大幅度地减少过机泥沙。计算结果表明，即使在水库正常运用期，坝前含沙量大于200kg/m³的水流，每年仅出现4～5天，对这些短时间出现的高含沙水流，适当避沙峰停机可有效地减轻水轮机磨损。

小浪底水库在前14年运用中，坝前含沙量低，是发电的有利时机，同时也为进一步研究小浪底水库正常运用期7～9月的防沙措施创造了条件。

(二)枢纽布置充分考虑了防沙排沙的要求

小浪底工程所有泄洪、排沙、引水建筑物进口均集中布置于左岸风雨沟内，共分10个进水塔,呈一字形排列,在平面上形成约 300m 宽的入流段,可以相互保护,灵活运用;在立面布置上又形成底孔、中孔、表孔多层进水口的布置形式。在底孔 175m 高程设有 3 条直径为 6.5m 的排沙洞和 3 条直径为 14.5m 的多级孔板消能泄洪洞。正对排沙洞进口的上面 195m 高程设置直径为 7.8m 的 6 条发电引水洞(考虑满足初期发电要求,其中 5 号、6 号发电洞进口高程为 190m,此后设置 5m 高的叠梁闸门,使进口高程抬高至 195m),这样发电引水洞进口较排沙洞进口高出 20m,且上下对应,对于减少过机泥沙(特别是粗沙)是非常有利的。此外于 195m、209m、225m 高程还分别设置了尺寸为 10.5m×13m、10m×12m、10m×12m 的 3 条明流洞。在靠上部 258m 高程设置了 3 孔 11.5m×17m 的正常溢洪道,并在 260m 高程预留了底宽为 100m 的自溃式非常溢洪道。以上布置形成了低位排沙、高位排污、中间取水的布局。枢纽总泄洪能力(不包括非常溢洪道和机组引水)可达 17 000m³/s,较设计洪水(P=0.1%)最大下泄量 13 369m³/s 和校核洪水(P=0.01%)最大下泄量 13 570m³/s 均有较大的裕度。同时考虑到排沙需要,低水位时也保持了较大的泄流能力,在非常死水位 220m 时,其泄量可达 7 000m³/s,使一般中常洪水可穿堂而过。这对满足"蓄清排浑"的运用方式,汛期降低水位排沙,保持预定的库容,在进水塔前形成冲刷漏斗,防止进水口被淤堵都是非常重要的。

(三)综合解决发电引水洞进口淤堵问题

小浪底工程泄洪、排沙、引水建筑物采用集中布置形式,这就为防止发电引水洞进口被淤堵创造了必要的条件。通常进水口被淤堵,是由于泥沙和污草共同作用形成的,因此在发电洞进水口设计中还采取了以下措施:

(1)设置双道拦污栅,当主栅被堵时可提出水面至塔顶清污,同时放入副拦污栅,这样可以轮换使用,防止因拦污栅堵塞而影响机组发电。

(2)适当加大拦污栅间距,增强拦污栅强度,拦污栅间距定为 20cm,拦污栅强度按 10m 水头设计,以防止拦污栅被压垮。

(3)利用电站进水口与排沙洞进水口上下对应布置的条件,在主拦污栅前设置压污清污导槽和压污齿耙,可将污物下压至排沙洞排至下游,必要时还可将较大的污物抓吊至塔顶清除。

(4)利用 2 台机组共用 1 个进水塔的条件,将 2 台机组共 6 个进水口采用通仓式布置。当部分拦污栅被淤堵时,2 台机组均可以通过其他未被淤堵的拦污栅取水,而不影响发电。

(5)加强拦污栅压差和塔前冲刷漏斗的监测,利用拦污栅前后水位测量监视拦污栅压差,利用超声波技术监测塔前冲刷漏斗形状,以便及时清污或打开排沙底孔冲沙。

(6)在塔前和排沙洞进口段设置高压水枪,当风雨沟进水塔对岸的淤积体,由于地震或库水位骤降等原因发生突然坍塌封堵闸门时,可在高压水枪的帮助下,从高到低提闸泄流排沙,防止进水口被淤死。

(四)保证技术供水水源和检修排水的可靠性

小浪底水电站采用地下水源供汛期发电冷却水;非汛期因过机水量基本为清水且污草极少,可从压力钢管取水,为增加可靠性,设置了自动切换滤水器,且冷却水管路设置了双向反冲装置。

为保证机组检修排水的可靠性,排水管进口设置拦污栅和盘形阀,防止机组运行时泥沙淤堵排水管道,每台机组的排水支管采用垂直布置,而且管道尽量缩短,排水总管则采用较大的坡度,以防止在排水过程中或有漏水时被泥沙淤堵,并将排水总管设置在廊道内,以便被淤堵时可进行检修。排水泵采用浑水泵,以适应排泄含沙水流的工况。

(五)防止泥雾的措施

水电站厂房尽量远离泄水建筑物出口,而且两者高差较大,并避开了夏季的主导风向,室外电气设备采用二级污秽下限进行设计。

(六)防止尾水淤积的措施

尾水出口尽量靠近泄水建筑物出口,利用泄洪水流冲刷尾水渠出口,防止淤积。同时,在尾水出口末端设置防淤闸,以防止停机时泥沙淤积尾水洞。

三、电站过机泥沙及汛期发电的可靠性分析

(一)电站过机泥沙分析

由于黄河为多沙河流,尤其是汛期,来水含沙量高且挟带大量的粗颗粒泥沙,因此汛期影响机组正常运行的主要原因是泥沙问题。

在多沙河流上修建水利枢纽,初期为拦沙运用,过机沙量少,一般情况下不会对水轮机产生较大影响,但当库区达到冲淤平衡后,出库沙量基本恢复到天然状态,如无相应的防沙措施,就会使过机含沙量增加,而且泥沙颗粒粗,对水轮机造成严重的磨损。

在枢纽工程布置上利用泥沙沿垂线分布"上稀下浓、上细下粗"的特点,把发电引水洞布置于较高的位置,便于引较清的水流发电。在电站进水口以下设置排沙底孔,既可使较粗泥沙通过排沙洞排往下游,又有利于在电站进水口前形成冲刷漏斗。这样,即使汛期来沙量大时短时段关闭排沙洞,所形成的冲刷漏斗也能起到截留粗沙的作用,还能有效地防止泥沙在孔前淤堵。冲刷漏斗的大小与排沙洞的高程和泄量有关,排沙洞越低,并且有较大的泄流规模,漏斗范围越大。

位于黄河上游的刘家峡水库的枢纽布置及排沙情况说明了上述特点。刘家峡水库的泄水道及排沙洞位置比机组进口高程低15m,开启泄水道及排沙洞可形成较大范围的冲刷漏斗。泄水道进口前的冲刷漏斗控制1号至3号机组进水口,排沙洞的开启可有效地减少5号机组的过机沙量。而4号机组则在泄水道及排沙洞所形成的漏斗的控制范围之外,其过机沙量明显高于其他机组。

小浪底枢纽布置充分考虑了防沙要求,所有泄洪、排沙、引水建筑物均集中布置,最低部位的排沙洞和孔板泄洪洞进口高程175m,20m以上处为发电引水洞及明流泄洪洞,其侧上方设有溢洪道,形成了一个低位排沙、高位排污、中间引水发电的布局。当死水位230m时,3条底孔排沙洞总泄量为1 608m³/s,3条孔板洞总泄量4 083m³/s。由于泄流规模大,有利于在坝前形成较大范围的冲刷漏斗,防止泄水建筑物进口淤堵并减少过机泥沙,尤其是减少粗颗粒泥沙过机。

(二)汛期发电的可靠性分析

小浪底水电站在设计中尽可能地考虑了运行中各种不利因素,采取了上述一系列防沙排沙措施。可以预见,在汛期一般水沙条件下,电站将能够安全发电。当然,在出现特

殊不利水沙条件时(如含沙量大于 200kg/m³),也可能会短时间停机(平均每年仅有 1~3 天),但在小浪底水电站投入运行时,河南电力系统总容量将达到 15 000MW 以上,这时小浪底水电站的工作容量将不会超过电力系统的事故备用容量(约占总容量的 10%),而且在汛期系统负荷处于一年中较低值,有较多的剩余容量可供利用;再者小浪底工程出现不利的水沙条件主要来自上游,由三门峡水库控制,可以提前预报,因此对电力系统将不至于造成大的影响。况且在可预见的将来,随着电力系统的发展,小浪底水电站的容量在系统中的比例将逐渐降低,同时随着黄河中游控制性水利枢纽相继建成,出现稀有不利水沙条件的机遇也将减少或消失,小浪底水电站汛期发电的可靠性将进一步得到保障。

第四章　金属结构设计

第一节　闸门设计

一、闸门孔口布置

为了在各级水位及流量情况下,塔前保持稳定的冲刷漏斗,使各进水口不被泥沙淤堵,并能在冲刷漏斗的上游坡滑塌时也可以分层冲开,各进水口在立面分层布置,形成低位洞排沙、高位洞排漂、中间引水发电的布局,以避免拦污栅被堵和减少粗颗粒泥沙进入水轮机,为汛期发电创造有利条件。为此将进水口高程分成3层,同时在平面布置上尽可能采取紧密排列,以便利用冲刷漏斗相互保护。由下而上第1层为孔板泄洪洞和排沙洞进水口,高程为175m;第2层为发电洞和1号、2号明流泄洪洞进水口,高程分别为190m、195m和209m;第3层为3号明流泄洪洞和灌溉洞进水口,高程分别为225m和223m。根据制造、运输和运行条件,孔板洞的工作门、事故门和检修门的闸门室以及1号明流洞的进口事故门和检修门的闸门室分为两孔。根据拦污栅前流速不大于1m/s的要求,每个发电塔布置6个进水口,设6扇拦污栅,孔口尺寸为4m×40m和4m×35m,过栅后会合集中进入两条发电洞内,每条洞设1扇事故检修闸门(简称事故闸门)。

为了使拦污栅前的污物能够顺利进入排沙洞内排向下游,借鉴天桥水电站的经验,采取上下孔口立面对照布置的方式,每个发电塔下层也布置6个排沙洞进水口,在发电塔内经两次会合(第一次会合成两孔,布置两个事故闸门孔口)进入排沙洞内,出口由1扇工作闸门控制。

二、闸门型式选择

(一)工作闸门的门型、止水型式及支承型式选择

1. 门型选择

水电工程中使用的高压闸门主要有平板门及弧形门两种。从闸门运行特点分析,由于水流通过闸门孔的流速大,高水头工作闸门最主要的是防止发生闸门振动和门框埋件的空蚀破坏。在黄河多泥沙的条件下,又增加一个磨损问题。因此,选择闸门型式,除了一般的技术经济指标外,还必须研究什么门型在解决这三个问题上最优越。从国内外大量的试验、运行资料来看,振动和空蚀的主要根源是泄水道、闸槽、闸门等的外轮廓形式选择不当,通气孔位置不妥或通气量不足,还有闸门止水的漏水以及门体刚度不够等。以国内外大孔口高压闸门常用的弧形门和平板门比较:平板门因门槽影响水流流态发生突然变化和通气不足等原因,在高水头局部开启条件下,常发生振动与空蚀破坏。弧形闸门无门槽,弧形面板过流平顺,局部开启时的初生空穴数低。在有突扩门槽的条件下,还可以

布置门后通气和设置伸缩式或压紧式止水,改善高水头下的门后流态,从而避免振动和空蚀现象的发生,因此在防振动、气蚀、磨损方面较平板门优越。从启闭机容量方面比较,不论采用何种支承,平板门的启闭力均比弧形门大得多。

从闸门运行实例来看,在当时收集到的国内资料中,设计水头大于 60m、孔口面积超过 $10m^2$ 的闸门有 40 例,有代表性的有 21 例,其中弧形门 18 例、平板门 3 例。弧形闸门中除个别在运行中发生漏水和严重振动等问题外,其余均能正常工作。平面闸门除一种未按设计水头运行外,其他两种不同程度地都发生过振动与空蚀现象。

在当时收集到的国外资料中,面积大于 $10m^2$、水头 80m 以上的 28 例闸门,以平面链轮门和弧形门为最多(链轮门多为事故闸门)。孔口面积大于 $20m^2$ 的工作闸门,几乎全为弧形闸门。国内外超百米水头的高压弧门的运行实践,更为高水头工作闸门提供了成功的经验。

根据以上分析,小浪底工程泄洪洞、排沙洞工作闸门,选用了弧形闸门型式。

2. 止水与支承型式选择

小浪底工程的高压弧门分为两个级别:一种是水头在 120m 以上的,如排沙洞和孔板洞的工作闸门;一种是水头在 80m 以下(包括 80m)的,如明流洞工作闸门。

1)孔板洞、排沙洞工作闸门止水与支承型式选择

A.主止水与支承

高水头弧门止水型式一般有 3 种,即预压式(无突扩门槽)、压紧式(偏心铰闸门带突扩门槽)和伸缩式(带突扩门槽)。根据小浪底工程孔板洞及排沙洞弧门结构受水压后的变形量,温差引起的变形量,制造、安装误差和满足止水要求需要的橡皮最小压缩量的计算,要求闸门止水有 25~30mm 的变形量。这个要求预压式止水不能满足。压紧式、伸缩式止水都有突扩门槽,可以布置连续成型的框形止水,能较好地解决顶止水与侧止水间接头部位的漏水问题,也能利用止水或者闸门的径向移动满足 25~30mm 的变形量,因此这两种止水被选为止水方案的比较形式。

偏心铰压紧式止水,是利用偏心原理,借助偏心铰操作机构,推动闸门压紧止水元件,达到止水的目的。液压伸缩式止水,是通过对止水背部充压,使止水元件膨胀外伸,压缩在闸门面板上,达到止水的目的。一般地说,两者的止水效果基本相同。但是伸缩式止水对止水的材质、外型尺寸、制造精度、安装误差、检修及维护等方面的要求较苛刻,一个止水断面的头部与尾部常常需要两种不同力学特性的橡胶组成。对止水要求外表整齐匀称、内部材料均一,以便保证止水能在充压时按设想的那样,沿法线方向均匀地外伸,达到规定的高度;卸压时又能均匀地沿法线方向缩回原位。要满足这些要求,涉及止水橡胶的力学性质、结构、外表和内腔的尺寸以及止水压板的体型、接触面的粗糙度等,参数很多,而且每一个数据都需要通过试验确定,制造安装复杂。

压紧式止水的压紧动力是机械力,可以根据闸门止水的需要控制闸门径向移动的行程,在多种工况下,都能得到可靠的密封,止水的密封性取决于止水件的压缩量,对止水橡胶的材质和制造精度没有过高的要求。因此,制造、安装简单,运行稳定可靠。

压紧式止水在高压闸门中已有很多成功的实例。国外的塔贝拉电站、努列克电站和国内的东江电站、龙羊峡电站的偏心铰弧门的成功运用,都为 100m 以上高水头的工作闸门使用压紧式止水提供了经验。

通过以上比较,确定主止水选用偏心铰支承压紧式止水方案。

B.辅助止水

对于有突扩门槽的弧形闸门,不论是采用伸缩式止水,还是采用偏心铰压紧式止水,在闸门开启过程中,闸门面板脱离止水,沿四周缝隙将有高压水流喷射,从而引起空化、空蚀现象或诱发闸门振动。为保证闸门任意开度运行时均能防止狭缝射水,偏心铰弧门两侧采用了预压式辅助止水,弧门顶采用了转铰式辅助止水。

转铰式止水在高水头弧门中运用较多,它是靠库水压力及弹簧板的弹性恢复力使止水与弧门面板压紧。止水元件采用橡皮,并设置限位支承轮,防止高水位时把止水压坏。由于偏心铰弧门在启闭过程中,支承轮及止水橡皮不能同时与弧面紧贴,达不到预想的止水目的,我们又做了止水压板兼作支承滑块方案和止水兼作限位支承的方案进行比较,最后选用聚乙烯止水方案作为门顶辅助止水。

经南京水利科学研究院(以下简称南科院)1∶1缝隙射流切片试验,在缝隙为5~35mm、库水压力为80~120m水头的条件下,门顶辅助止水未发生缝隙射流现象,止水作用十分明显。

2)明流洞工作闸门止水与支承型式选择

国内外已建、在建工程中,同类弧门采用的止水型式种类很多,美国、法国、日本、苏联等在设计水头大于50m时就开始用带突扩门槽的偏心铰压紧式止水或库压充水的伸缩式止水。我国多采用无突扩门槽的布置,其侧止水与底止水用预压式。顶止水型式有自重压紧式、转铰式、两道P型预压式、圆滚浮子式(鸭舌式)和Ω型充压式几种。其中后两种型式因为无法控制膨胀伸出的长度和止水背部进沙,易造成橡皮损坏或止水失效,在比较中被淘汰;其他3种型式不同程度地都有成功的实例。如乌江渡水电站8m×8m底孔弧门在97m水头下,闸门止水基本良好;故县水库3.5m×4.5m—80m底孔弧门、鲁布革水电站7.5m×7m—74m底孔弧门运行成功,说明80m水头以下的弧门采用转铰式止水和自重压紧式止水组合方案(以下简称转铰式止水)可以满足使用要求。因此,选定转铰式止水作为明流洞弧门顶止水方案。

(二)事故闸门的止水与支承型式选择

1.支承型式

高压事故门一般采用平板门,其支承型式有滑道式、链轮式、滚轮式三种。

滑道式结构简单、维修方便、自重轻、闸门轨道受力均匀,但其支承摩擦系数大。如采用上游面止水,启闭容量大,不经济,设备亦难以布置;如采用下游面止水,关门期间门槽及门顶被泥沙淤积,造成启闭机大量超荷,运行条件极为恶劣。

链轮式优点是摩擦系数小,轨道受力也较均匀;缺点是结构复杂,制造安装造价高,检修维护困难,特别在多泥沙水中运行的链轮,很容易因铰接部分进沙发生事故。

滚轮式的闸门轨道受力不如滑道及链轮支承均匀,启闭力大小及结构繁简程度介于以上两种支承之间,但其运行可靠性优于前两种支承。因为不论胶木滑道、复合材料滑道还是其他新材料的滑道,它们的摩擦系数都随摩擦面的不平度及接触面的流体介质特性的变化而改变。这对长期浸在黄河水中滑道尤为不利。链轮支承在含沙水流中运用也有类似的缺点,运行条件亦不及滚轮式稳定,加之结构复杂、维修条件差等缺点,从20世纪

60年代以后,美、法等国已逐渐以多滚轮式代替链轮式作为事故闸门的支承。综合以上分析,最后选用了多滚轮式支承。

小浪底枢纽有事故闸门23扇,共有滚轮292个。荷载主要为3 300kN、3 670kN、4 130kN三种。根据闸门结构布置,滚轮的支承方式采用了简支式和轴承箱式两种。滚轮轮体采用实体锻制合金钢材料。轮缘型式采用单曲率和双曲率两种。滚轮轴承型式比较了青铜滑动轴承、高分子复合材料滑动轴承和滚动轴承3个方案,最终选用了偏心轴、球面调心滚子轴承和特型密封的滚动轴承方案。

2. 止水型式

平板闸门常用的止水型式有预压式和充压伸缩式两种。

预压式止水的型式一般采用P型及Ω型两种,材料为橡胶。橡胶具有良好的弹性和一定的强度,可以配制加工至需要的硬度,在荷载长期作用下,应力松弛蠕变量小。特别是合成橡胶,在提高强度、耐磨性及抗老化系数等方面,国外已有较大发展,因此预压式止水至今仍是水工闸门的一种主要止水型式。但是,当闸门挡水水头提高至100m左右或更高的时候,由于密封要求的预压量很大,启闭中造成的磨损很大,目前国内材料在强度、弹性、耐磨性方面尚不能满足要求。

充压伸缩式止水型式在国外工程中已广泛应用。实践证明,该型式应用于清水河流100～120m水头止水是成功的。但小浪底闸门止水是在多沙的浑水中工作,如何防止泥沙进入止水伸缩间隙是个新问题。对于这个问题,国内外专家有两种不同的认识:一种认为止水处于门槽紊流区,在伸缩过程中泥沙可以被水带走;另一种认为间隙中进水即进泥沙哪怕是很少一点泥沙或很小颗粒的沙子夹在间隙中,都可能影响止水效果。为了解决这个问题,黄委会设计院配合中国水利水电科学研究院进行了止水型式的研究,选出了一种短压板无伸缩间隙的"山"字型止水。孔板洞、排沙洞事故门位置低,采用液控止水,利用坝顶清水箱、调节泵阀和输水软管等一套清水循环系统保证止水正常工作。明流洞、发电洞事故门位置高,采用库水液压式止水。

孔板洞、排沙洞事故闸门止水安装在门体上,清水供水箱和1号单向电磁阀设在启闭机平台上,闸门上设置1个换向充水阀,利用水的势能,通过高压软管,对止水背部压力腔充入约1MPa的压力,达到封水的目的。考虑到温度变化、橡胶性能差异、止水尺寸偏差等的影响,为了确保止水效果,增设了1套2号电磁阀控制的自动保压装置,使压力保持在1.3MPa。当第一套设备不能满足要求时,启动2号单向电磁阀,向压力腔输入1.3MPa的压力水,确保止水严密。当事故门静水启门时,上下水位差很小,影响压力腔内的水排向下游,同时库水中的泥沙又可能通过排水口进入阀内,影响止水效果,为此采用直角单向阀,连接在换向充水阀的排水口处,既能排出高压水,又能阻止库水进入阀体。

液压式止水采取止水座板上开槽引进库水的方式充水。

(三)检修闸门的门型、止水型式及支承型式的选择

小浪底工程泄洪排沙系统检修闸门的任务是:在定期检修事故闸门门槽及隧洞时,关门封闭隧洞进口。运行条件是静水启闭。由于检修闸门布置在隧洞最前端,门槽埋件没有检修条件,考虑到多沙河流泥沙磨蚀的影响,对于检修闸门孔口尺寸的选定,改变过去以几何曲线连接、选择孔口尺寸的传统方法,用不磨蚀流速控制(不磨蚀流速是根据三门

峡水电站底孔闸门导轨埋件磨蚀原型观测而得)选择孔口尺寸,以满足在汛期泄洪时过门流速不超过埋件磨蚀流速的要求。闸门型式选用滑动平面闸门。根据水工布置条件,孔板洞检修闸门采用上游面止水,明流洞、排沙洞检修闸门采用下游面止水。止水型式选用预压式 P 型橡皮。滑道材料曾研究过压合胶木、填充聚四氟乙烯板、钢基铜塑复合材料和油尼龙,最后选定油尼龙作为滑道材料。

三、启门机型式选择

根据国内外已建和在建工程的经验,结合小浪底工程闸门运行条件和启闭机械发展趋势,对各个闸门的启闭机型式进行了方案比较。根据弧形工作闸门动水启闭、局部开启的工作条件,从抑制振动、调节灵活、运行稳定、便于远控等方面考虑,全部工作闸门均选用液压启闭机。根据各个闸门不同的条件,对于明流洞工作闸门采用单吊点摆动式液压启闭机,以适应弧门起升过程中门顶吊点行走弧形轨迹的特点。对于孔板洞、排沙洞工作闸门,除起升闸门同样用单吊点摆动式液压启闭机外,在两支铰中间增设 1 台带滑槽的液压启闭机,操作弧门偏心机构,以便满足闸门径向位移的需要。溢洪道弧门和防淤闸弧门孔口宽度大,选用双吊点悬挂式液压启闭机。为满足快速闭门要求,发电洞事故闸门选用直立浮动式液压启闭机。

孔板洞、排沙洞、明流洞事故闸门,起升扬程 50～90m,无快速闭门要求,运用频繁,用高扬程固定卷扬式启闭机。

检修闸门、拦污栅、清污机均用门机起吊,以适应一套设备多孔口使用的要求。门机起吊各检修门和拦污栅时,均通过自动挂脱梁。

四、闸门平压充水方式选择

(一)方案选择

小浪底工程事故闸门和检修闸门的运行条件分别是动水闭门、静水启门和静水启闭。启门前均须先向门后充水平压。充水平压的方法很多,在清水河流上事故闸门和检修闸门多为下游面止水,充水平压宜采用在闸门上设充水阀的方式。在黄河干流工程的闸门上设置充水阀,阀芯与阀座间易受污物卡塞,使阀芯回落不到底,关不住阀;或者因泥沙淤积,使阀芯提不起来,造成开阀困难。因此,在黄河干流工程上搞平压措施,必须采取双道保险,以备一种失效后另一种措施仍能起作用。另外,由于各个闸门所处的位置、工作条件、启闭机容量的富裕程度等各不相同,应根据这些特点分门别类地进行处理。为此我们研究了充水阀充水、提门充水和旁通管充水 3 种方案。通过比较检修闸门(排沙洞检修闸门,由于位置低,受淤积影响严重,不能采用充水阀除外)采用充水阀方案,以旁通管方案作为备用措施。事故闸门和排沙洞检修闸门采用旁通管方案,以提门充水作为备用措施。

(二)旁通管方案的管路布置与防淤措施

1. 管路布置

为了保证引水同时又防止泥沙进入管道,充水管道的进口布置在正常死水位 230.0m 高程以下和闸门前最高淤积面 187.0m 高程以上。为了防止污物堵塞进口,主要进水口集中设在 3 个发电塔主、副拦污栅的下游。为了尽量保证充水的可靠性,将发电洞、排沙洞、孔板洞和明流洞的充水管道尽可能地在横向连接起来,形成一个上下左右的给水网络,以便互相补充、互为备用。

发电、排沙系统的充水平压管道的进口分上下两层,分别比排沙洞的进口高出25m和50m,比闸门前最高泥沙淤积面高程高出13m和38m。当库水位低于230m高程时,从下层(200.5m高程)进口引水;当库水位高于230m高程时,从上层(225.5m高程)进口引水。上下两层进口处设有阀门室及交通廊道,阀门室内的进口主阀采用电动平板阀。控制下游及左右两侧引水的3个分水阀均采用电动蝶阀。上下两层、左右两个进水口均互相连通。孔板洞、明流洞充水管道在各自的胸墙上另设有1组进水口,进口高程分别为200.5m、225.0m和239.0m。其控制阀门等的布置与发电洞、排沙洞的基本相似,仅高程、位置不同。

2. 防淤措施

为了防止充水平压管道进口被淤堵,在每个进口处均平行设立了1套高压水枪,水枪的管嘴从充水平压管道壁上专门预留的法兰盘孔接入,引高压清水射向管道进口,冲刷进口淤沙。高压清水引自290m高程的储水池,经专设的高压管道引到各进水口的阀门室,再经高压软管与水枪管嘴接通。

(三)提门充水方案的安全性论证

为确保在进口岸坡淤泥滑塌堵塞旁通管进口,旁通管无法充水及来洪水时上游通信设备故障,洪水信息推迟,旁通管充水来不及的特殊条件下仍能及时打开事故闸门,设计研究了事故门小开度提门充水方案。小开度泄流充水主要担心是在充水起始状态,由于门下流速高,事故门槽及其下游段或孔板洞龙抬头段是否产生负压、孔板洞的1号孔板能否承受高流速的冲击以及事故门本身的动力稳定问题。为此专门安排了事故门提门充水平压模型试验。经模型量测在库水位为250m、275m,事故门开度为0.12m、0.20m、0.28m泄流充水时,事故门槽处最大负压仅0.6m水柱,龙抬头段底曲线最大负压0.24m水柱。由于闸门开度很小,孔口出流局部损失很大,出流流速低,水深又浅,在门槽段及龙抬头段形成了一股低速薄层水流。因此,试验报告判定对事故门槽段、龙抬头段及1号孔板均没有安全问题。关于事故门动力稳定问题(即闸门振动或沿垂向跳动)试验报告结论:从充水起始状态的流态看,事故门下为自由流,闸门底缘压力在零压附近变化,稍有下吸力(−0.2m水柱),没有强振源。在充水后期,龙抬头段充水至179m高程时,进水口底板(175m高程)上产生水跃,水跃发生在中墩尾部,充水继续进行,水跃迅速向事故门推进,进而转变为淹没水跃和淹没射流,由于淹没水跃表面旋滚属低频大尺度横轴旋流,流激频率远离事故门自振频率,且作用时间短,不可能激起事故闸门的强烈振动,充水时避开了0.2开度的闸门振动不利区,因此认为事故门小开度充水是安全的。

通过初期运行检验,闸门、启闭机运行正常、操作灵活、止水效果良好。证明闸门、启闭机的布置、选型、止水、支承型式的选择是正确的。初期运行也发现孔板洞、排沙洞弧门门顶辅助止水件的材料硬度偏高,出现擦伤面板漆膜现象。

五、闸门结构设计

(一)闸门的结构布置与设计条件

闸门均为同层布置,主梁采用实腹式梁。考虑运输吊装要求,闸门采取分节制造。孔板洞弧门和明流洞弧门采用主纵梁结构,门叶按纵向分块。其余闸门为主横梁结构,全部沿高度方向分节。节(块)间的联接,根据各闸门的尺寸、结构、荷载、运行要求等条件,分别采取不同的联接方式。底孔与深孔弧门采用高强螺栓联接或铰制孔螺栓联接。露顶式弧门采用门叶对焊联接。事故门及排沙洞检修门采用节间联接板焊接,其余检修门采用销轴联接。节间止水方式:弧形闸门、事故闸门和排沙洞检修门采用节(块)间面板对接小焊缝密封。其余检修闸门采用 P 型橡胶止水。

闸门荷载按照钢闸门设计规范和小浪底工程运行工况选取。工作门、事故门设计水位选用最高蓄水位 275.0m。检修门设计水位选取水库检修水位 260.0m。相应水体密度 $\gamma = 1.05t/m^3$,并以几组汛期来洪水时的高含沙水(大密度)及配套水位值进行校核。底孔挡沙闸门考虑淤沙荷载包括泥沙对面板的摩阻力(摩阻力值根据仿真试验确定)。特殊工况下的启闭力值,考虑了受地震作用或水库水位突降影响,塔前淤泥滑塌填平冲沙漏斗,旁通管进口被堵的工况。工作闸门、事故闸门均考虑了动力系数。闸门门体材料采用 16Mn 钢,根据小浪底闸门的特点,综合考虑荷载取值、动力系数取值和计算假定等因素,工作门、事故门的钢材容许应力调整系数取 0.9。

(二)闸门结构的静力分析

闸门采用平面体系和容许应力方法进行静力结构计算。弧形闸门的面板和纵向梁系忽略曲率影响,近似按平板和直梁计算。主纵梁或主横梁与支臂构成的主框架按框架结构分析。面板按支承在水平次梁和纵隔板上的弹性薄板考虑,梁系采用结构力学的方法计算内力、变形,并按材料力学的方法进行强度、刚度和稳定性验算。

(三)闸门结构的动力分析

1. 排沙洞弧门的动力安全分析

为了摸清水流激起的闸门振动,按照水力相似、结构动力相似、弹性相似的不同要求,做了 5 个闸门模型,分别研究了不同的内容。再以数值模拟辅助,取长补短,相互印证,较全面地研究了作用于闸门结构上的时均压力(包括压力分布与水位关系、压力分布与开度关系、缝隙流对门体压力关系)、脉动压力、不同开度时的闸门支铰总荷载、启闭力及闸门的振动加速度和动应力。

(1)自振频率优化。通过试验模态分析研究弧门动特性,取得了原结构的振动模态参数。在动特性灵敏度分析的基础上,找到了结构薄弱环节和修改方向。应用有限元数值计算模型进行动力修改的方案比较和动态响应的计算机仿真分析验证。提出改进方案,使基频由 11Hz 提高到 15Hz。

(2)水流激起的闸门振动分析。闸门的水动力学分析,给出了泄流作用力及其有关随水位、开度变化的基本规律。结构的动特性及其优化,揭示和改善了结构的固有特性,以及抵抗动载作用的能力。但作为弹性体的闸门结构,在动水作用下,将激发振动,并使结构的受力状况随荷载的作用发生变化。为取得闸门结构弹性变形振动及其受力情况,专门制作了水弹性振动模型。在模型闸门体上,布置了径、侧、切三向加速度传感器,在不同库水位、不同开度下进行试验。

试验成果表明:①在 240m、275m 库水位下,原结构出现了两个振动峰值:0.2 开度时,峰值最大;0.6 开度时次之。②侧向振动最大,径向次之,切向最小(侧向振动的振源由缝隙流产生,径向振动系由作用于面板的脉动压力产生)。③振动量级随水位的增加而加大,当库水位275m时,最大振动发生在侧向,加速度的均方根值约为0.3g,说明闸门不会发生强烈振动。

(3)闸门结构的动应力。实腹梁弧形闸门的结构振动的主要形式为支臂变形振动。由测试数值看,闸门的动应力同脉动、振动类似,其量级随水位增加而加大,最大动应力值出现在0.6开度。但从总体看,动应力量级不大。当库水位275m时,最大动应力值约883kPa,在设计规范允许范围之内。

2.孔板洞弧门的动力安全分析

1号孔板洞弧门的动力安全分析,是在1:40比例尺减压模型试验的基础上,经水力设计、结构设计,提出的闸室段和闸门的体型、尺寸,进行整体模型常压水力学试验,确定闸室段的水力特性,包括闸室段压力分布、闸室段水面线、明流段水面线及流速分布、作用在弧门上的时均压力、脉动压力。然后,用弧形闸门流固耦合有限元方程分析,得出闸门流固耦合系统的自振频率、振型以及位移响应、应力响应值。试验了弧门的1/4、2/4和3/4三种开度,顶止水密封完好,与失效两种工况进行了分析。得出结论:在弧门顶止水密封完好情况下,闸门的主结构包括横梁、主纵梁、支臂、面板等均有不同程度的振动,1/2开度的振动响应最大,但动位移属中等振动程度,动应力均小于规范允许的20%应力水平。顶止水失效时,由于高速缝隙射流极易产生空化和振动,可能出现强烈振动,应尽量防范。

3.孔板洞事故闸门的动力安全分析

1)试验研究的项目

(1)测量不同水库水位、不同事故门开度及不同弧门工况(全开及1/2开度)组合情况下水流作用在闸门上的脉动压力,为用数学模型研究事故门动水下降时的动力响应提供荷载。

(2)采用流固耦合理论,分析事故门不同开度的自振频率和振型,在此基础上,根据测得的脉动压力数据,应用随机振动理论研究事故闸门动水下降过程中的动力响应,包括闸门动位移和动应力。

(3)进行事故门动水下降时,水弹性振动的模拟试验,对钢丝绳满足几何及水弹性相似,对门叶满足几何、质量及质量分布相似。量测事故门在不同开度、不同库水位下的振动加速度及钢丝绳在启闭过程中受到的动力荷载。

2)试验研究的内容与方法

(1)对6种库水位(220m、230m、240m、250m、260m和275m),9种开度(9/10、4/5、7/10、3/5、1/2、2/5、1/3、1/4和1/10)和弧门全开及1/2开度共计108种工况的各测点脉动压力进行量测,量测结果按重力相似准则和斯特劳哈(STROUHAL)准则转换原型。

(2)进行事故门有限元计算自振特性分析和用测得的脉动压力作为事故门动水下降的基本动荷载,计算库水位275m时,弧门开度1/2、事故门开度1/10及弧门全开、事故门开度1/2两种工况下的动位移和动应力。

(3)进行事故门的水弹性振动模拟试验,比例尺1:40,试验要求同时满足水力相似及动力(弹性)相似,包括钢丝绳的绕法及尺寸和原型相似。

试验量测了不同库水位(275m、250m、230m、220m)、事故门不同开度(9/10、4/5、7/10、3/5、1/2、1/3、1/4、3/20 和 1/10)及弧门全开和 1/2 开度组合情况下,门叶振动的加速度和钢丝绳的动荷载。

3)试验结果

(1)小浪底孔板洞进口事故门动水下降时,激励闸门系统振动的动力荷载主要来源于门叶上下游面及底缘部位的脉动压力。门叶下游存在的淹没水跃和下游面及底缘脉动压力是主要的激励源。

(2)用有限元和流固耦合理论对事故门不同开度下的模态特性(自振频率及振型)分析表明:第一振型为闸门的铅垂向的整体垂直振动,由于振动方向与门叶和流体接触边界相切,故无流固耦合现象,不同开度自振频率基本不变,其值为 3Hz 左右。从第二阶模态开始,振型主要是由于闸门的弹性变形振动引起的,频率骤增至 20Hz 以上。受流体附加质量的影响,开度越小,频率越低。

(3)用随机振动理论对事故门动水下降的两种典型工况中脉动压力最大的工况进行动力响应分析表明,最大动荷载引起的动力响应值沿闸门铅垂方向的整体振动位移为 1 486 ~ 1 501μm。主横梁、底横梁、纵梁等最大弹性变形振动位移为 600 ~ 800μm。面板部位最大动应力为 9MPa,主横梁部位最大动应力为 15MPa,纵梁部位最大动应力 7 ~ 8MPa,钢丝绳的最大动应力为 1.28MPa。

(4)通过事故门动水下降的水弹性试验量测得门叶振动加速度的趋势与有限元随机振动分析一致。在最危险工况下的最大加速度,三个方向均在 0.3 ~ 0.4m/s² 范围。量测钢丝绳脉动荷载最大值为 27.2kN,从现象观察各种工况下的钢丝绳均十分稳定,不发生肉眼可见的晃动现象。

试验研究判明:通过随机振动分析和水弹性振动模拟,事故门在各种工况下动水下门,门叶结构的动应力均可满足设计规范要求。钢丝绳系统在运行中整体保持稳定。

4. 1号明流洞弧门及事故闸门的动力安全分析

1号明流洞弧门及事故门的动力安全分析包括了事故门、工作门单独运行时的动力安全分析;工作门局部开启,事故门下降过程中动力安全分析;两门同时工作各种不同组合条件下水流对闸门产生的动力影响问题。共进行了四种组合工况:①工作门全开,事故门局部开启;②事故门全开,工作门局部开启;③事故门同步开启,工作门局部开启;④事故门不同步开启,与工作门组合工况。

通过水工模型、结构模型及水弹性模型对水流流态、动水作用力、弧门结构的动特性、灵敏度分析及水弹性振动,以及事故门的整体振动和水弹性振动等进行了全面的研究,对弧门结构的动特性进行了优化。

通过测试:①弧门振动较小,动应力均方根值不超过 0.2MPa,振动加速度均方根值不超过 0.1g(振动试验时未装止水,原型条件振动将会更小);②事故门弹性振动试验所有测试工况下,振动加速度均方根值均不超过 0.5g,最大动应力值为 0.1MPa。

事故门整体振动模拟了闸门外形、质量及质量分布相似,模拟钢丝绳弹性相似。试验显示:①对于同一工况,振动的大小与水头成正比;②止水作用有明显的抑振效果,止水工况对侧向振动的影响不太明显,对水流方向的振动影响较大,说明事故门整体振动主要激励源为止水不严而产生的缝隙水流。通过测试事故门在正常运行及止水条件良好的情况下,不会产生过大的整体振动。

(四)闸门支承设计

1.滚轮

小浪底事故闸门23扇全部采用滚轮支承,共有滚轮292个,荷载主要分为3 300kN、3 670kN、4 130kN三级。由于滚轮荷载超出了国内现有水平,设计、制造均缺乏经验,为了做出一个好的设计包括结构设计和工艺设计,我们首先进行了模型试验(包括电测、三维光弹、有限元计算),在模型试验的基础上,按照规范进行了定型设计(包括结构设计和工艺设计),然后按照定型设计图纸1∶1比例,制造了1套原型试验的滚轮和轨道,在12 000kN专用压力试验机上,进行承载力(包括轮轨接触应力、轮毂结构应力等)、滚轮阻力(包括轴承阻力、密封阻力、滚动阻力等)和密封条件原型试验,用来验证结构设计、工艺设计、制造、装配条件能否满足工程要求。原型试验的测试结果表明:定轮的承载力超过了5 000kN,综合摩擦系数(滚轮阻力与轮压之比)小于0.003 3。由于条件限制,没能对密封进行原型观测,但对密封间隙进行了测试,结果是满意的。动载试验中,定轮运行平稳,在4 000~5 000kN荷载下工作,踏面未出现明显的塑性变形,试验是成功的。证明结构设计、工艺设计、制造厂的制造、装配水平均能满足工程要求。在这个基础上最后完成了制造图设计。

2.滑道

设计中曾研究过国内常用的几种材料,如压合胶木、钢基铜塑复合板(SF或TSG)、铸造油尼龙和填充聚四氟乙烯板材。SF或TSG承载力高,残余变形小,在清水中的摩擦系数也小,但其摩擦系数随泥沙含量的增大有增大的趋势,且表层只有0.1~0.3mm的塑料层,遇到黄河水中的沙粒极易造成破坏,而使摩擦系数迅速变大,影响闸门启闭。压合胶木是一种从苏联引进的老材料,经过多年使用发现该种材料老化干裂,影响摩擦系数稳定。填充聚四氟乙烯板材,一般推荐的线压强在1~2kN/mm范围,满足不了小浪底检修门滑道线压强的要求。最后挑选了含油铸造尼龙(以下简称油尼龙),但该材料在国内尚缺乏运行经验,为此委托武汉水利电力大学对油尼龙材料进行承载力、摩擦系数和耐磨性的模拟试验。试验模拟了工程实际配套条件、运行工况和不同含沙量水的环境条件,试验成果又经丹江口水利枢纽的原型观测验证,证明油尼龙滑道的使用荷载可达$q=6~7kN/mm$,摩擦性能较好,特别在高含沙量的河水中摩擦系数稳定,并有抗泥沙磨损、抗气蚀的性能,适合于在黄河上使用。力学指标均可以满足小浪底闸门滑道的要求。夹槽采用武汉水利电力大学试验推荐的型式。

3.弧门支铰

(1)孔板洞、排沙洞弧门采用偏心铰支承。以孔板洞弧门为例,其单铰负荷为38 540kN,经技术经济比较,轴承选用瑞典SKF公司的240/1060CAF/W33型滚动轴承作为铰链轴承,240/800CA/W33型滚动轴承作为铰座轴承。为了使偏心轴上的花键具有优良的机械性能,以传递巨大的扭矩,偏心轴材料选用34CrNi3Mo;为了解决特大型轴承拆卸困难的问题,设计选用了SKF公司的注油法拆卸工艺。为避免闸门后退操作中,轴与轴承间相对运动和闸门在启升操作中发生轴座与轴承的相对运动,轴与轴承选用r_7级配合,

铰链与轴承选用 N_7 级配合。考虑安装调整的方便,铰座设计为剖分式,铰座与轴承的配合选用 K_7。

(2)明流洞、溢洪道、防淤闸弧门采用圆柱铰。轴承有两类:1号明流洞和溢洪道弧门采用进口球面滑动轴承,2号、3号明流洞弧门及防淤闸弧门采用进口自润滑轴套。

六、埋件设计

(一)闸室体型

闸门埋件是为保证闸门正常运行和维修的需要,安装在混凝土结构中的具有一定精度要求的支承、行走、止水的基础件,它担负着将闸门所承受的荷载包括闸门自重,安全地传送到混凝土结构中去,以及保护闸门孔口及闸室段免受水流和泥沙的磨蚀破坏。因此,埋件结构除满足工作条件下的强度要求外,埋件外形须具备良好的水力学条件和闸门运行条件。

小浪底闸门特别是孔板洞、排沙洞的工作闸门和事故闸门,由于水头高、流速大,闸室体型(包括偏心铰弧门埋件的突扩、跌坎和事故门门槽等)尤为重要。设计参考已建工程的闸室体型及其运行的经验,研究设计了各个闸门的闸室体型。对各主要闸门进行了闸室体型的水工模型试验。除水工专业对各洞闸室进行的水工模型试验外,闸门部分又进行了孔板泄洪洞工作门闸室水力特性与闸门动特性试验研究;孔板洞事故门闸室水力特性与闸门动态特性试验研究;排沙洞偏心铰弧形闸门水力学试验研究包括闸室体型与门顶缝隙流;1号明流洞闸门(工作门、事故门)水力学及流激振动研究;小浪底排沙洞事故闸门水力学试验及小浪底3号明流洞闸门稳定与门槽水力学试验。试验比例尺为1:40和1:20。通过试验,多次反复地修改优化,提出来招标设计阶段各闸门室的体型。以排沙洞工作门、事故门为例说明如下:

小浪底排沙洞出口设偏心铰弧门,孔口尺寸为 $4.4\text{m} \times 4.5\text{m}$。闸门槽段设侧部突扩和垂直跌坎。原突扩宽度0.4m,跌坎高度0.8m,孔口顶板压坡1:8.3,底坎挑角1:10斜坡。模型试验发现当库水位275m弧门全开泄洪时,底空腔长度为21.8m,随着库水位降低,底空腔长度逐渐缩短,但保持明显的侧部和底部空腔,水翅高度亦适宜。在弧门局部开启泄流时,底空腔长度突然明显减小,侧空腔接近消失,两侧墙出现较大负压区,同时水翅激高,冲在闸门支铰上和闸门室顶部,流态急剧恶化。经反复修改调整,最后将原定的0.4m侧突扩改为0.8m,将孔口两侧沿弧面按1:10的坡度收缩,将挑角改为 $i = 0.02066$ 缓坡。下游一级坡、二级坡亦做了适当调整后,才形成了一个稳定的侧空腔和底空腔,又采取增设导水压板的方法,解决了水翅的冲击问题。通过试验验证分析也得出了:①有局部开启工况的偏心铰弧门,闸室体型不能仅以全开过水条件确定,必须考虑局部开启工况,适当加大突扩尺寸和调整底坎挑角和孔口的收缩等措施。②挑流流态试验受模型比尺的影响很大,因此在试验研究时,应采用大比尺模型如1:20为宜。

小浪底平面闸门门槽设计按《钢闸门设计规范》规定,事故门选用带错距的矩形斜坡形门槽。检修闸门选用矩形门槽。为了安全起见,对泄洪洞、排沙洞的事故门槽做了动力安全分析,验证门槽体型的合理性。如:小浪底排沙洞事故门槽宽深比1.5,错距比为0.09,门槽初生空穴数约为0.45。当库水位为275m、弧门全开泄流时,计算门槽水流空穴数值为4.9。这表明,事故门槽在正常运行工况下不会发生空化。但当工作门发生事故,事故门在动水下降过程中,特别是在较小开度时,是否会产生空化,还须进一步论证。为此,做了排沙洞弧门在不同开度发生事故时,事故闸门在动水下降过程中,事故门槽段的流态和压力测量。通过常压和减压模型试验,测出门槽段无空化噪声谱的特征,说明门槽体型及闸门底缘型式是适当的。

(二)通气孔的设置

1. 泄洪排沙深孔、底孔工作闸门

根据水工布置,孔板洞工作门闸室顶部侧墙上开有 2.5m × 4.2m 的通气洞与山顶通气井相通。为了尽量将部分空气直接输入闸门泄流时形成的底空腔和侧空腔内,在闸室侧墙及中墩内埋设了 2 个 Φ900mm 和一个相当 Φ800mm 的通气孔与闸门跌坎内的通气道相连,保证紧靠闸门下游侧通气充足。排沙洞弧门闸室段从 168m 高程以上的启闭机室外墙上设有通气孔,顺侧墙内壁的通气孔将空气通入闸底板,然后分别送入闸门底坎通气道及闸门侧突扩部位,保证向水流侧空腔、底空腔内通气。1 号、2 号、3 号明流洞工作门均在进口塔架侧壁 275m 高程以上开通气孔,经专设的孔道,将空气输入闸门室。通气孔面积分别为 $14.25m^2$、$11.4m^2$、$12.48m^2$。通过《钢闸门设计规范》推荐的经验公式和半理论半经验公式验算及中国水科院、南京水科院、黄河水科院试验验证,以上各门的通气孔面积均满足要求并有富裕。

2. 泄洪排沙深孔、底孔事故门及检修门

小浪底事故门均为上游面止水,可以利用闸门后的门井通气。进口设在最高蓄水位275.0m 高程上的塔架壁上。检修门后的通气孔设在紧靠检修门槽下游孔口的顶部,通气孔顶端出口亦设在 275.0m 高程以上的塔架侧壁。事故门、检修门的通气孔面积均经验算满足要求并有富裕。

(三)埋件布置与结构

1. 弧门埋件

1)钢板衬砌的设置(排沙洞弧门)

由于排沙洞弧门在高速高含沙水流条件下工作,闸室出流及门楣缝隙射流,均属高速水流范畴,其磨蚀能力很强。流道的抗磨蚀性能与流道的外型、平整度、粗糙度和材料的耐磨性等因素有关,必须同时考虑抗空蚀与抗磨损两种工况。钢板成型性好,抗空蚀条件好,高强混凝土硬度高,抗磨损条件好,两者不可偏废。根据黄河三门峡枢纽运行经验,混凝土的破坏是首先被磨蚀掉表层胶结水泥,随着运行历时的增加,致使其粗糙度增加,空蚀和磨损交替作用,细骨料逐渐被磨掉,导致粗骨料裸露。此时水流扰动剧烈,带走更多的细骨料,最终使粗骨料剥落,并将很快被淘刷成坑,甚至造成大面积垮塌事故。而钢衬由于成型好,抗空蚀能力强,即使被磨,一般呈沟槽状磨损,且其过程极其缓慢。因此,排沙洞除在洞身压力段全部采用 C40 高强混凝土外,闸室出口段采用了 7m 长钢板衬砌及 C70 硅粉混凝土作为抗磨蚀材料。

偏心铰弧门突扩门槽段,是保证明流段流态的关键部位。下游两侧墙外的贴壁流流速较大,此区域水流空化数甚低,极易形成空化,故采用钢板衬砌严格控制该段的平整度,加强其抗空化能力。排沙洞钢衬是由 25mm 厚的钢板和 20 号工字钢焊接成的整体结构,

并通过 Φ30mm 的钢筋与后面的混凝土钢筋网焊接,整体刚度和强度较大,即使其前后混凝土被淘刷,钢衬仍能稳固站立,不至于突然倒塌。但钢板的抗磨流速较低,必须依靠表面抗磨涂料防止磨损。由于国内尚缺乏抗高速含沙水流表面防护实践经验,且弧门不可能提出检修,因此必须选择易修补的涂料,经调研分析,排沙洞钢衬抗磨涂料选用了环氧不锈钢鳞片漆,据有关资料显示,该漆的抗磨能力为一般涂料的 30 倍。但在高速含沙水流作用下的抗磨效果,还须经过实际运行的检验。

排沙洞弧门的钢衬沿垂直水流方向分成上下两个运输单元,上部钢衬由顶板与上段侧墙钢衬焊接而成,下部钢衬由底板与下段侧墙钢衬焊接而成。运到工地后,通过连接板将上下钢衬用螺栓连接成整体,待调整合格后焊接磨平。为保证底坎混凝土浇筑密实,底部钢衬每隔 2m 左右留有一道活动的盖板,待混凝土浇筑振捣后再封焊磨平。另外,在底部钢衬的每个区格中心,均设有灌浆孔,在浇筑混凝土时亦可作为排气孔使用。

孔板洞弧门相似不再叙述。

2)闸室布置(孔板洞弧门中闸室)

中闸室为地下闸室,结构分为上下两层,上层布置启闭机、电气设备及其附属设备,下层由中墩分为 2 孔,用于布置 2 套偏心铰弧门。为了启闭设备维护的需要,设置 1 台双梁桥机,布置在启闭机室顶部。

中闸室顶部设置了 1 个与地面相连的直径 3m 的吊物孔,作为施工、维修的吊运通道。1 条断面为 2.5m×4.2m 的通气井,用于闸室补气。在通气井的旁边,并列设置了楼梯井和电梯井,作为对外的垂直交通。另外,从外部公路进入中闸室的交通洞(断面为 2.5m×3.0m)通达启闭机平台。启闭机平台的爬梯孔可以通达胸墙顶平台,在需要维护或更换闸门侧向止水时,可由胸墙平台 1.8m×0.8m 的进人孔,进入侧墙的维修孔,进行维修作业。排沙洞弧门闸门室和启闭机室均为露天布置,明流洞弧门布置在进口塔架内,均相对简单,不另叙述。

3)闸门埋件(以 1 号明流洞为例)

闸门埋件分一期混凝土埋件和二期混凝土埋件。一期混凝土埋件由钢筋和钢板焊接而成;二期混凝土埋件由门楣、侧导板、底坎、支铰大梁、连接螺柱等组成。门楣上布置止水座板和转铰止水装置。止水座板面为不锈钢加工面。转铰止水共设 13 个同心转动的转铰和 13 个定位轮。侧导板分为上、下侧导板,下侧导板兼作止水座板和侧向支承轨道,其中止水座面为不锈钢加工面,上侧导板只作侧向支承轨道,止水座面后退 20mm,以释放侧止水的压缩量。为保证底坎的浇筑质量,在底坎焊接件上预留了活动板并在每个梁格中间设置灌浆孔。支铰大梁结构为厚钢板焊接而成的箱梁结构,梁的长度比闸室宽度小 400mm,以满足安装空间的要求。两铰座的支承面是机加工面,以保证两铰座的安装精度。在大梁的腹板、下翼缘和内部隔板上都开有较大的浇筑孔,以利于二期混凝土浇筑密实。二期混凝土埋件与一期混凝土埋件通过连接螺柱连接,连接螺柱可以现场调节和固定埋件,以保证埋件的安装精度。

2. 平面定轮闸门埋件

闸门埋件分一期混凝土埋件和二期混凝土埋件,一期混凝土埋件由钢筋和钢板焊接而成;二期混凝土埋件由门楣、主轨、副轨、侧轨、反轨、底坎、钢板衬砌和连接螺柱等组成。

门楣和反轨侧布置止水座板,止水座板面为不锈钢加工面。门楣止水座板下面水平布置了1条防射水橡皮,橡皮头与闸门面板的间隙为0,以便在闸门启闭过程中,阻止射水或减小射水水头。主轨由轨头和主轨焊接件组成。轨头为矩形断面合金结构钢,具有较高的强度和硬度,以适应轮轨踏面的接触应力。主轨焊接件断面为工字形断面,它将定轮集中荷载扩散到混凝土中。轨头与主轨焊接件之间采用不锈钢螺栓连接,当轨头出现磨损或气蚀破坏时,可以更换轨头。主轨长度为一倍半孔口高度,孔板洞、排沙洞、事故闸门上部接一段副轨。再往上门槽加宽,不再布置埋件,闸门依靠侧轨导向。明流洞、发电洞侧轨、反轨、副轨一直通到检修平台高程。侧轨的形式有两种,在主副轨工作段,轨道表面为平面;副轨以上部位,轨道为凹槽,以适应门体上的侧、反导向。为了抵抗门槽部位的高速高含沙水流,门槽的体型采用了带圆角和错距的斜坡式门槽,并在门槽及前后一段范围的侧墙、底坎、洞顶采用了钢板衬砌。

3. 平面滑动闸门埋件

闸门埋件分一期混凝土埋件和二期混凝土埋件,一期混凝土埋件由钢筋和钢板焊接而成;二期混凝土埋件由门楣、主轨、副轨、侧轨、反轨、底坎和连接螺柱等组成。上游止水时,门楣和反轨布置止水座板,下游止水时,止水座板布置在主轨侧,止水座板面为不锈钢加工面。孔板洞、排沙洞检修门的主轨长度为1.2倍孔口高度并上接副轨。反轨从底坎向上布置超过门楣一段高度与副轨一齐中断,再向上门槽变宽,不再布置埋件,闸门仅依靠侧轨导向。明流洞、发电洞检修门的导轨,一直布置到检修平台高程,主轨由轨头、底板和工字钢焊接组成。轨头为方钢,顶面贴焊不锈钢板,不锈钢顶面被加工成弧面,弧面半径300mm。底板为厚钢板,宽度、厚度以满足混凝土承压强度确定。轨头焊在底板上,底板下面为钢板组焊的倒T形梁结构,以提高主轨的刚度。孔板洞、排沙洞的侧轨形式有两种,在主副轨工作段,轨道表面为平面;副轨以上部位,轨道为凹槽,以适应门体上的侧、反导向。

(四)埋件的抗磨蚀

通过对三门峡枢纽观测资料分析看出:三门峡枢纽部分闸门导轨发生严重磨蚀,主要是由于导流底孔改作泄流底孔运用后,门槽体型不适合高速水流造成的。通过三门峡枢纽多年实践,目前已经积累了大量资料,并且初步摸索出一套规律。借鉴三门峡的经验,结合小浪底水库水沙条件、运用要求和工程布置特点,对解决门槽磨蚀问题提出以下几种措施:

(1)降低过门流速。泄洪洞、排沙洞的检修闸门位于隧洞进口最前端,没有维修条件。为了保证该门槽不发生磨蚀,改变过去以几何曲线连接选择孔口尺寸的传统方法,用不磨蚀流速控制,选择孔口尺寸,使之满足在汛期泄流时过门流速不大于12m/s的要求。

(2)改善门槽体型。泄洪洞事故门槽处的流速超过18m/s,采用适于高速水流条件的矩形斜坡型门槽。

(3)利用偏心铰弧门突扩部位掺气,消除气蚀磨损对门槽和止水的危害。

(4)采用抗磨蚀组合轨道。对事故闸门的滚轮轨道,根据轨顶和下部不同的荷载条件,做成不同材料和工艺的两个部件,以不锈钢螺栓连接,既加强了轨顶的抗磨蚀性能,又节省了优质材料。一旦轨顶因磨蚀而影响使用时,又可以拆换。

七、闸门及埋件的表面防护

(一)防护要求

小浪底工程有闸门孔口 117 个,闸门 62 扇,拦污栅 26 扇。多数孔口尺寸大,防护任务繁重,防护费用高。由于各种闸门工作的环境不同、任务不同、运行条件不同,因此必须有针对性地采取不同的防护措施才能达到安全、有效、经济合理的目的。为此按照各种闸门的工作特性和工作环境分类,对照水工金属结构防腐蚀规范做出不同的防护要求:

(1)检修闸门在静水中启闭,不受水流冲蚀,使用机会不多,可按一般水下钢结构对待,只考虑一般防腐。

(2)事故闸门运用条件为动水闭门、静水启门,担负经常挡水挡沙任务(静水启闭);拦污栅经常在水下受水流冲刷,但流速不高,均按重防腐条件对待。

(3)深孔工作弧门为动水启闭,有局部开启时,还要在高速含沙水流下工作,除按重防腐条件对待以外,还要考虑含沙水流的磨蚀及闸门不能提出孔口检修的条件。

(4)深孔弧门、平板门的埋件如底坎、胸墙、钢板衬砌,经常受水流冲刷,且没有拆换和提出检修的条件,工况与深孔弧门相同。

(5)电站尾水闸门、防淤闸门使用机会不多、流速低,按一般防腐蚀对待。

(二)防护方案

(1)检修闸门,采用三层涂料防护。由内向外分别用环氧富锌底漆、环氧云铁防锈漆、氯化橡胶面漆。导流洞封堵闸门是临时设备,使用期仅 2 年,而且无法回收,因此选用涂层薄、价格低廉的水性无机富锌漆一层。

(2)事故闸门及拦污栅采用底层热喷涂铝,考虑热喷金属表面多孔,用黏度较低的环氧云铁防锈漆封闭金属涂层的孔隙,降低金属腐蚀速度,面层加氯化橡胶漆。

(3)深孔工作弧门面板迎水面选择表面硬度较高的涂料。由于抗高速含沙水流表面防护国内外尚缺乏实践经验,且弧门不可能提出检修,因此必须选择易修补的涂层。根据以上要求,经调研选用了上海开林油漆厂的"七五"攻关新产品环氧不锈钢磷片漆。据厂家提供的试验资料,该涂料的耐磨性较一般涂料高几十倍,较环氧金钢砂耐磨漆和热喷金属也高得多。一旦局部损坏,在闸室内也可以维修。其具体配置是:弧面迎水面面板底漆用环氧富锌底漆,面漆用厚层环氧不锈钢鳞片漆。弧门的其他部位仍按一般防腐蚀要求以环氧富锌漆打底,环氧云铁作中间漆,氯化橡胶作面漆。

(4)深孔弧门、平板门的底坎、胸墙、钢板衬砌与深孔弧门面板迎水面同样对待,底漆用环氧富锌漆,面漆用厚层环氧不锈钢鳞片漆。

(5)电站尾水闸门与防淤闸门及其埋件均用检修闸门的防护方案。

八、闸门的防淤堵措施

在黄河干流枢纽和两岸引水闸工程上都发生过闸门被淤死的现象,使启闭机大量超荷,影响正常使用,甚至发生机械或拉杆破坏事故。总结过去工程的经验教训,分析造成淤堵的原因如下:一是从枢纽布置上没有充分考虑利用进口冲刷漏斗防淤;二是缺乏泥沙淤积的监测装置,不能事先了解淤积情况,及时采取措施;三是在闸门孔口附近没有设冲沙装置,不便于随时冲洗;四是闸门为下游面止水,泥沙淤积在门槽中,使整个闸门埋在淤沙之中。根据以上经验教训,采取以下几种措施:

(1)设置排沙洞。其进口高程最低,工作闸门能经常局部开启泄流,以便保证坝前长期保留冲刷漏斗。发电、泄洪、排沙洞的进口,按照冲刷漏斗的范围适当集中布置,可以用排沙洞或泄洪洞拉出的漏斗保护发电洞进口。泄洪洞与排沙洞也可相互保护。

(2)设立泥沙监测报警装置。当发现淤积面高度达到设计规定的高度时,可开门冲淤。

(3)在闸门附近闸墩内设高压冲沙系统,如发现闸门前淤堵,使启闭力超过限值时,利用高压喷嘴冲动淤沙,然后启门排沙。

(4)泄水底孔进口的挡沙闸门,采用上游面止水。电站机组尾水闸门的止水,亦布置在迎水面,防止在闸门关闭期间,泥沙回淤进入门槽。

九、启闭容量确定(孔板洞弧门)

(一)用于起升闸门的启闭机的容量计算
闸门位于不同开度时,起升容量均不一样,为了寻找其最大值,使用了 C 语言程序,闸门每提升 0.5m,计算一次启闭力,绘制出启闭力曲线。最大启闭力为 3 580kN,选用 3 800kN 液压启闭机。

(二)用于操作偏心铰的启闭机的容量计算
操作偏心铰的启闭机的容量包括两个内容:

(1)闸门压紧止水时,油压机所需容量。此时,油压机的操作需克服以下阻力矩:①水压力所产生的偏心矩;②止水橡皮所需压紧力矩;③支铰铰链在承受以上压力旋转时所产生的摩阻力矩;④拉杆和拐臂自重产生的力矩等。

综合考虑以上因素,在拐臂工作长度 3m 的条件下,计算 3 000kN 液压启闭机可满足要求。

(2)闸门后撤时水压力为有利因素,可帮助闸门后退,故计算时仅需考虑空载工况的阻力矩。经计算选用 1 000kN。

可以看出,工况(1)计算的容量较大。而油压机和拉杆是受压稳定控制,因此布置时,应使油压机拉杆在工况(1)的状态下处于受拉状态。

排沙洞弧门与孔板洞的弧门类似,其他闸门相对简单,不再详述。

十、科学研究

小浪底枢纽进水口有各种闸门 62 扇,其中包括国内水头最高的深孔弧门(4.8m×5.4m—140m)(宽×高—水头);经常在 100m 以上水头局部开启运用的高压弧门;水头 100m、在国内首次采用 4 000kN 以上轮压的大型平面定轮闸门;孔口面积 158m²、水头 51m

的大型平面滑动闸门;孔口面积 80m²、弧面半径 20m、挡水水头 80m 的大型弧门。这些闸门由于孔口尺寸大、水头高、长期局部开启运用,因而滚轮的轮压、滑道的单位承压力和闸门流激振动问题,均超过已建工程的水平。高水头、多泥沙条件下的闸门止水问题也是过去工程中未遇到的。黄河干流枢纽中的泥沙淤堵闸门、高速高含沙水流磨蚀闸门导轨以及泥沙摩阻力影响闸门开启,更是黄河工程独有的问题。为了解决这些难题,做出一个先进实用经济合理的设计,我们与中国水科院、南京水科院、河海大学(其中三维偏光弹性试验由上海交通大学承担)、武汉水利电力大学、西安理工大学、电力部西北水电设计院(简称西北设计院)、黄河水科院及黄河水资源保护科研所等单位,进行了闸门滚轮与轨道、闸门止水、闸门滑道、闸门流激振动和闸门泥沙问题的试验研究。

(一)重载闸门滚轮与轨道的试验研究

1. 重载定轮轨道、滚轮及基础混凝土结构的应力试验研究(模型试验)

模型试验的主要内容为:①轮轨之间接触应力的研究;②矩形轨道应力的研究;③基础混凝土应力的研究;④滚轮应力的研究;⑤轨道中心至门槽边缘最小距离的研究;⑥多轮闸门最小轮距的研究。

研究采用电阻应变计法、三维偏光弹性试验和有限元计算相互补充互相验证,取得了较好的结果。

2. 原型试验

试验用的两组试件由制造厂家中信重机公司和洛阳轴承公司提供。一组为单曲率滚轮,滚轮直径 $D = 1\,000$mm,轮缘宽 280mm,滚轮材料为 42CrMo;轨道为 40CrMnMo,长度为 4 600mm。另一组为双曲率滚轮,滚轮直径 $D = 1\,000$mm,踏面曲率半径 1 650mm,轮缘宽度 280mm,滚轮材料为 34CrNi3Mo;轨道材料为 34CrNi3Mo,长度 4 600mm。滚轮、轨道均经调质及整体淬火处理。试验荷载分为 1 000 ~ 5 000kN,5 级。试验内容包括静载试验和动载试验。

1)静载试验

静载试验包括:①定轮踏面接触应力;②定轮结构应力;③定轮与轨道接触区局部变形;④单曲率定轮内挡圈间隙变化。

2)动载试验——摩阻力测试

试验的试件系小浪底工程订货生产的实际产品,试验的设备、测试的手段和方法均属国内一流。成果经过了试验与理论、模型与原型对照分析,最后经专家审查认可。该项试验研究使我国水工闸门滚轮轮压第一次突破 4 000kN 大关,使闸门设计上了一个新台阶,也为设计 5 000kN 轮压的滚轮提供了全面、可靠的科学依据,也可以说为突破 5 000kN 大关做好了技术准备。

(二)闸门止水试验研究

小浪底枢纽 100m 水头的平面闸门止水和 140m 水头的偏心铰弧门止水,均是在高水头和多沙水流中工作,国内缺乏工程实践经验,为此配合西安理工大学、西北设计院和中国水科院进行了专项科研。

1. 高压平面闸门止水做了断面试验和整体试验

断面试验是在专用的断面试验装置上进行的。止水试件为原型断面。内容有止水的封水性能试验和止水的接触宽度、压缩变形及面压的测试。试验按液控、液压两种止水方式分别进行。通过图表显示了液压止水封水间隙与始漏水头关系;液控止水背压、封水间隙与始漏库压关系;止水接触宽度与背压关系。并探索了压缩空气代替水压的可能性,第一次对止水的各种特性进行了全面的研究。

为验证按断面试验开发的止水能否满足要求,又在试验台上进行了整体试验。试件为原型断面,800mm×800mm框形。为确保质量,试件由整体模具一次制成。

整体试验做了:①止水的封水特性试验;②闸门切向位移对止水封水性能的影响;③整体压缩变形试验;④整体面压测试。

这些试验特别是闸门切向位移对止水封水性能的影响试验在国内首次进行。

为考虑止水在受力或变形状态情况下,材料性能随时间的改变,研究了止水变形与面压等主要性能随时间变化的规律。试验在20℃恒温下进行,试件采用原型断面。共做了:①徐变特性观测分析;②应力松弛特性观测分析;③止水卸荷后的恢复变形。

由于试验是以整体试验确立的止水特性(瞬间性能)为基础,考虑闸门运动(动水闭门)和长期工作下(挡水挡沙)应力松弛等附加因素的影响以及小浪底水库多泥沙的特点,因此断面形式和尺寸等均有了较大的改进。

2. 高水头弧门压紧式止水做了力学试验和水密性试验

力学试验包括:①变形特性试验;②蠕变和应力松弛试验;③耐磨、切搓、抗撕裂试验。其中切搓试验为国内首次进行。

水密性试验的目的是提供在各级水头作用下,封闭型止水不漏水时的最小压缩量,为确定偏心弧门的偏心参数提供依据。试验对止水材料和止水型式进行了优选。该两部分的成果,不但已在小浪底工程中使用,并对高水头闸门特别是多沙河流上的高压闸门止水有较高的参考使用价值。

(三)闸门滑道试验研究

高水头滑动闸门的滑道在欧美国家多用金属材料。20世纪50年代我国从苏联引进了胶木材料,经过20多年的运用,许多工程均出现胶木浸水膨胀和遇干开裂现象,加大了摩擦系数,影响工程正常运用。为此从20世纪70年代末开始,国内各大设计院,纷纷开展了新型滑道材料的研究,先后提出了改性胶木、填充聚四氟乙烯板、钢基铜塑(聚四氟乙烯)复合板、钢基铜塑(聚甲醛)复合板等新材料。但用于气候干燥、河水多泥沙的黄河工程上,特别是用于大孔口高水头闸门上存在不少问题。主要是单位承载力偏小、耐磨层薄、耐磨强度低和摩擦系数不稳定等。对照以上情况,本着重载、低摩、耐用(包括表面耐磨和摩擦层厚度加大两个因素)、易维修的要求,与武汉水利电力大学合作,进行了新型滑道试验研究。经过调查研究选择了油尼龙作为试件材料。共做了承载力试验、摩擦特性试验和磨损试验三部分。试验依摩擦理论为指导,进行了夹槽的荷载(压入公盈量控制)与压缩变形关系、静载荷与弹性后效关系、动态承载力、承压力与接触宽度关系、滑道结构参数、材料质量对摩擦特性的影响、磨合过程摩擦系数的变化、含沙量对摩擦系数的影响、滑块厚度和运行速度对摩擦的影响、轨道半径对摩擦的影响,以及干磨、清水和浑水条件下的磨耗曲线等。取得了完整的油尼龙材料的特性资料,并在丹江口枢纽闸门上进行了原型试验。通过试验研究肯定了油尼龙重载低摩耐用的优越性,为水利水电工程闸门特别是多沙河流的闸门,探索到一种较好的滑道材料,突破了过去滑道线压 $q \leqslant 40kN/cm$ 的界限,使使用荷载可以达到 $60 \sim 70kN/cm$。

(四)闸门流激振动研究

小浪底深孔和底孔闸门水头高、流速大,其中排沙洞弧门调节流量、排沙、排污运用频繁,并有局部开启要求;1 号明流洞弧门孔口尺寸大、支臂长;孔板洞事故闸门水头高、孔口高度大、动水下降过程长等运行条件恶劣,水流激起的闸门振动问题突出。为了弄清闸门在水流动力作用下的安全性,我们配合中国水科院、南京水科院、长江科学院、黄河水科院、四川大学高速水力学国家重点实验室分别做了孔板洞工作门、事故门、排沙洞工作门、1 号明流洞工作门、事故门的动态特性研究和各级水位、各级开度条件下,各门的动力荷载、结构振动包括频率、动位移、动应力以及工作门不同开度条件下事故门动水下降过程中的动力荷载变化和钢丝绳动力稳定的试验研究。

各闸门流激振动研究情况在闸门动力安全分析一节已阐明,这里不再重述。

(五)闸门泥沙问题研究

黄河干流工程上出现的闸门导轨磨蚀破坏和闸门淤堵以及因泥沙摩阻使闸门无法开启等,都严重影响了工程的正常运行和效益的发挥。为了防止泥沙危害闸门的现象在小浪底工程中重演,开展了闸门泥沙问题的研究。闸门泥沙问题包括三部分:第一是多沙河流高水头闸门埋件的气蚀磨损问题;第二是闸门的淤堵问题;第三是闸门淤沙摩阻力问题。

研究分两个阶段:第一阶段为现场调查和收集观测资料,主要选择了黄河三门峡枢纽和黄河天桥水电站两工程为调查研究对象。第二阶段是对取得的大量现场观察和观测资料进行分析研究,从水流、建筑物体型、门槽导轨结构与材料、运行条件等几方面找出原因,提出解决办法。需要试验验证的进行了仿真试验。

关于闸门埋件抗磨蚀与闸门防淤堵问题在前面几节已阐述,下面仅介绍闸门淤沙摩阻力试验研究。

为摸清小浪底闸门由于泥沙淤积对启闭力的影响,安排了一项仿真试验研究。试验选用黄河小浪底坝址区泥沙作为试验沙;利用轧制钢板模拟闸门面板;利用浑水系统设备,模拟门前淤积;利用启闭机械配合测力装置,测试启门力。经分析研究提出不同淤积时间,淤沙对闸门面板的摩阻力(附着力)值。同时在同一位置采取淤沙试样测试容重、凝聚力和摩擦角等土力学配套参数。

试验按 15 天、30 天、60 天淤积期安排,共进行了三轮次的摩阻力测试和两轮次的土力学参数测试,获得了重要的资料数据。在国内首次以仿真试验的方式,找出了淤积高度、淤积时间、淤沙特性与淤沙摩阻力(附着力)的关系。

十一、金属结构运行的基本要求

(一)孔板洞

孔板洞共设三道闸门,顺水流方向依次为进口检修闸门、事故闸门和工作闸门,前两道闸门布置在进水塔内,工作闸门布置在隧洞的中间闸室。在正常运行期间,当隧洞停泄时,关闭工作闸门。为了防止泥沙淤入洞内,在河水含沙量多时,或长期停泄期间,关闭工作门后,在静水条件下关闭事故闸门,由事故门挡水挡沙。工作门前的积水根据不同情况,采取保留或者排空。一般汛期保留,以便保证来洪水时,及时开门泄洪。非汛期,为避免工作门长期承压,可及时排掉洞内积水。此时若隧洞泄水,须先关工作闸门,通过充水平压系统向门前充水,使事故闸门上下游水位差达到设计要求后,开启事故闸门,然后再开启工作闸门泄水。当工作闸门或隧洞发生事故时,事故闸门以动水关门的条件下落,切断隧洞水流,封闭孔口,防止工作闸门及隧洞的事故扩大。检修闸门的任务是在事故门槽或事故门前的一段隧洞进行定期检修时,关门封闭孔口,因此它的运行条件只是在静水条件下启闭。平时锁定在检修平台上。

1. 事故闸门

事故闸门孔口尺寸为 3.5m×12m(高×宽),设计水头为100m,使用 5 000kN 固定卷扬式启闭机操作。运行条件为动水闭门、静水启门。考虑到充水时间过长影响使用,允许在 10m 水头差及 187.0m 高程以下的淤沙条件下动水启门。

液控止水背压腔增压系统设在塔顶启闭机旁,由水箱和加压设备通过输水钢管及承压软管与门顶换向阀相连。当闸门关闭后打开电动闸阀,向止水背压腔充入压力水(在水库运行初期,打开与水箱连接的 1 号电动闸阀充压。随着库水位升高及止水件的老化,仅靠水箱势能产生的压力水已不能满足止水要求,此时应打开与加压设备连接的 2 号电动闸阀,向止水背压腔充入增压后的压力水)。闸门开启时,首先关闭电动闸阀,通过行程开关控制启闭机的行程,使门顶换向阀内柱塞头上升,止水背压腔与承压软管内的压力水通过换向阀底部的直角单向阀流向下游,使止水卸压,然后再提升闸门。

孔板洞充水管道取水口布置在进水塔 200.5m 高程,充水平压管道侧面与发电塔、2号明流塔充水平压管道相连,互为备用。并在该塔 200m 高程的交通廊道中设有充水管道阀门室。阀门设有远方和现地两种控制方式。

高压冲水管道在 203.5m 高程处分成两路,一路进入充水平压阀门室,解决平压管道引水口冲淤问题。另一路经加压泵房加压,进入布置在事故闸门前洞顶及两侧的 4 个高压冲水口,用高压水扰动板结的泥沙,减少门前泥沙摩阻力,防止启闭机超载。

当充水平压管道控制阀前的引水管被泥沙淤堵时,应将阀室内主阀后管道上的堵盖打开,装入高压水枪,枪口对准上游并拧紧水枪座上的法兰螺栓。然后开启平压管道的主阀及高压冲水管道出口的手动闸阀,使压力水进入水枪冲淤,待疏通后,关闭阀门、取出水枪,封闭堵盖。

加压泵的控制装置设在泵室,采用现地控制方式,远方可显示加压泵的工作状态。由于泥沙淤堵造成事故闸门启闭机超载时,先打开加压泵进出口手动闸阀,再启动加压泵。事故闸门前无泥沙淤积时,严禁使用该系统,防止高压水冲坏洞身。

每条孔板洞设有两扇事故闸门,两门的启闭机采用双机联合操作方式,动水闭门或动水启门时,两机必须同时操作,使两扇闸门同步启闭,以改善闸后的水流条件。

2．工作闸门

工作闸门采用偏心铰弧门,孔口尺寸及设计水头分别为 1 号洞 4.8m×5.4m—139.4m(宽×高—水头),2 号、3 号洞是 4.8m×4.8m—129.9m,提升机构采用 3 800kN/1 000kN 液压启闭机,偏心机构采用 3 000kN/1 000kN 液压启闭机。

工作闸门运行条件为动水启闭。当需要提升闸门时,先操作偏心机构使闸门处在后退位置,然后尽快操作提升机构将门提起。当需要闭门挡水时,同样先操作偏心机构,使闸门在后退状态下,操作提升机构将门放下,然后操作偏心机构使闸门处在压紧位置。不允许在闸门压紧状态下操作提升机构。每条孔板洞设有两扇工作闸门,正常运行时要求两门同步运行,且不允许局部开启运用。

(二)排沙洞

排沙洞共设三道闸门,由上游向下游依次排列为进口检修闸门、事故闸门和出口工作闸门。检修闸门与事故闸门布置在发电塔内。为防止隧洞停泄期间泥沙淤积洞身,在河水含沙量大时或长期停用时,工作闸门关闭后,须关闭进口事故闸门,由事故门挡水挡沙。事故闸门和检修闸门的任务、运行条件均与孔板洞相同。排沙洞担负着水库泄洪、排沙、排污的任务,为了调节下泄流量和保证进水塔前冲沙漏斗,需要工作闸门经常启闭和局部开启泄流,同时为避免排沙洞洞身磨损,控制洞内流速,也要求工作闸门局部开启控泄。因此,工作闸门具有运用频繁、经常局部开启泄流的特点。

1．事故闸门

事故闸门孔口尺寸为 3.7m×5m(高×宽),设计水头为 100m,使用 2 500kN 固定卷扬式启闭机操作。闸门的运行条件、液控止水及滚轮支承等部分均与孔板洞事故闸门相同。

排沙洞充水平压管道取水口分上下两层,分别布置在发电塔 225.5m、200.5m 高程,每层设两个进口。上下取水口相互连通、互为备用,并分别在该塔 225.5m、200m 高程的交通廊道中设有充水管道阀门室。阀门设有远方和现地两种控制方式。

高压冲水管道在 201.7m 高程处分成两路,一路进入充水平压阀门室,解决平压管道引水口冲淤问题。另一路经加压泵房加压,分别进入布置在事故闸门前洞顶的 2 个高压冲水口及排沙洞进口交会弯道处的 2 个高压冲水口,前者作用是用高压水扰动板结的淤沙,减少门前泥沙摩阻力,防止启闭机超载。后者的作用是当事故闸门开启后冲开弯道淤积所形成的泥沙栓塞,使水流及时畅通。运行条件与孔板洞事故闸门相同。

2．工作闸门

工作闸门采用偏心铰弧门,孔口尺寸为 4.4m×4.5m(宽×高),设计水头为 122.0m,提升机构采用 2 500kN/1 000kN 液压启闭机,偏心机构采用 3 000kN/1 000kN 液压启闭机。工作闸门运行条件为动水启闭。操作步骤与孔板洞相同,不允许在闸门压紧状态下操作提升机构。当局部开启运用时,应避开闸门振动开度。

(三)明流洞

明流洞三道闸门均在明流塔内,依次为检修闸门、事故闸门及工作闸门。由于事故闸门与工作闸门相距很近,正常运行期间,隧洞停泄时由工作闸门挡水。

1. 事故闸门

事故闸门的孔口尺寸及设计水头分别为 1 号洞是 4m×14m—80m(宽×高—水头)、2 号洞是 8m×11m—66m,3 号洞是 8m×11m—50m,均为 5 000kN 固定卷扬式启闭机操作。正常运行条件为动水闭门、静水启门,允许在 10m 水头差下动水启门。1 号洞设有两扇事故闸门,两门的启闭机采用双机联合操作方式,当动水闭门时两机必须同时操作,以改善闸后的水流条件。

2. 工作闸门

工作闸门采用圆柱铰弧门,孔口尺寸及设计水头分别为 1 号洞 8m×10m—80m(宽×高—水头)、2 号洞是 8m×9m—66m、3 号洞是 8m×9m—50m。提升机均为 4 500kN 液压启闭机。运行条件为动水启闭。工作闸门均不允许局部开启泄流。

(四)发电洞

每条发电洞进口设有两道拦污栅,孔口尺寸分别是 1～4 号洞为 4m×40m,5 号、6 号洞为 4m×35m。正常运行时,只下放第一道栅(简称主栅),第二道栅(简称副栅)悬挂在栅槽上方。拦污栅上下游设有水位测量装置,传输至主控室中的压差计,通过计算机显示各拦污栅的上下游压差。当达到设计规定清污压差时,计算机发出信号,值班人员应下放清污机清污。清污方式以压污排污为主,即将污物压至洞底,通过排沙洞排向下游。个别压不下去的粗大树干或动物尸体,可启动清污机的抓斗,将污物抓至塔顶外运。由于泥沙污物来量集中,主栅堵塞面积过大,致使机械清污无法进行时,应及时下放副栅,然后将主栅提至塔顶进行人工清污。主栅清污完毕,应认真检查栅体结构的几何尺寸和结构变形,包括栅条是否平直、间距是否正确、上下节栅条是否对正等,进行维修检查合格,再放入栅槽继续运行,同时将副栅提至塔顶清污后,继续悬挂孔口以上备用。启吊副栅要尽量平稳,防止因振动摇摆使悬挂在副栅面和底部弯钩上的污物落入孔口被水流带进水轮机。

每条发电洞设有一扇事故闸门,孔口尺寸为 5m×9m,设计水头:1～4 号洞为 85m,5 号、6 号洞为 80m。运行条件为动水闭门、静水启门。在 10m 水头差下允许动水启门,由 4 000kN 液压启闭机操作。充水平压及高压冲水管路系统与排沙洞闸门相同。闸门平时悬挂在孔口上方,只有当下列情况出现时才使用闸门:①当机组发生事故,机组导叶和筒阀又同时出现故障无法关闭时,闸门须动水下降封闭进口;②隧洞、机组、筒阀定期检修时,为了排空隧洞,闸门静水关门;③机组停机时,为了防止泥沙淤入洞内,闸门亦要静水关闭。闸门本身需要检修时,可逐节摘掉拉杆,将闸门提至检修平台检修。摘掉的拉杆通过拉杆吊运架,悬吊在检修平台上方。

十二、闸门及启闭机特征表

小浪底各闸门及启闭机特征见表 4-1-1。

表 4-1-1 小浪底各闸门及启闭机特征

序号	工程部位	设备名称	孔口尺寸(m)	设计水头(m)	闸门型式	运行条件	数量		启闭机	
							孔口	闸门	型式	数量
1		孔板洞事故门	3.5×12	100.0	平面定轮闸门	动水闭门 静水启门	6	6	固定卷扬	6
2		孔板洞检修门	4.5×15.5	85.0	平面滑动闸门	静水启闭	6	2	门机	1
3		1号明流洞工作门	8×10	80.0	弧形闸门	动力启闭	1	1	液压启闭机	1
4		1号明流洞事故门	4×14	80.0	平面定轮闸门	动水闭门 静水启门	2	2	固定卷扬	2
5		1号明流洞检修门	5.6×18	65.0	平面滑动闸门	静水启闭	2	2	门机	共用
6		2号明流洞工作门	8×9	66.0	弧形闸门	动水启闭	1	1	液压启闭机	1
7		2号明流洞事故门	8×11	66.0	平面定轮闸门	动水闭门 静水启门	1	1	固定卷扬	1
8		2号明流洞检修门	9×17.5	51.0	平面滑动闸门	静水启闭	1	1	门机	共用
9		3号明流洞工作门	8×9	50.0	弧形闸门	动水启闭	1	1	液压启闭机	1
10	进水塔	3号明流洞事故门	8×11	50.0	平面定轮闸门	动水闭门 静水启门	1	1	固定卷扬	1
11		3号明流洞检修门	9×14.5	35.0	平面滑动闸门	静水启闭	1	1	门机	共用
12		排沙洞事故门	3.7×5	100.0	平面定轮闸门	动水闭门 静水启门	6	6	固定卷扬	6
13		排沙洞检修门	3.5×6.3	85.0	平面滑动闸门	静水启闭	18	6	门机	共用
14		发电洞主拦污栅	4×35 4×40	10.0	直立滑动式		18	18	门机	1
15		发电洞副拦污栅	4×35 4×40	10.0	直立滑动式		18	6	门机	共用
16		发电洞事故门	5×9	85.0	平面定轮闸门	动水闭门 静水启门	6	6	液压启闭机	6
17		发电洞备用检修门	4×40	70.0	平面滑动闸门	静水启闭	18	6	门机	共用
18		灌溉洞主拦污栅	3×10	10.0	直立滑动式		1	1	门机	共用
19		灌溉洞工作门	2×2	54.0	弧门	动水启闭 局部开启	1	1	液压启闭机	1
20		灌溉洞事故门	3×3.5	52.0	平面定轮门	动水闭门 静水启门	1	1	固定卷扬机	1
21		灌溉洞检修门	3×6.5	37.0	平面滑动闸门	静水启闭	1	1	门机	共用
22	导流洞	1号导流洞封堵门	12×4.5	28.0	平面滑动闸门	18.7m水头下 动水启闭	1	1	固定卷扬机	1
23		2号、3号导流洞封堵门	12×4.5	72.5	平面滑动闸门	14.5m水头下动水启闭	2	2	固定卷扬机	2
24	孔板洞	1号孔板洞工作门	4.8×5.4	139.4	偏心铰弧门	动水启闭	2	2	液压启闭机	4
25		2号、3号孔板洞工作门	4.8×4.8	129.9	偏心铰弧门	动水启闭	4	4	液压启闭机	8
26		1号孔板洞出口检修门	13×9	9	浮箱式叠梁门	静水启闭	1	1		
27	排沙洞	排沙洞工作门	4.4×4.5	122.0	偏心铰弧门	动水启闭 局部开启	3	3	液压启闭机	6
28	溢洪道	溢洪道工作门	11.5×17	17.0	露顶弧门	动水启闭	3	3	液压启闭机	3
29	地下厂房	机组尾水检修门	10.5×10.58	13.6	平面滑动闸门	静水启闭	6	2	台车启闭机	1
30	防淤闸	防淤闸工作门	14×11	10.3	露顶弧门	动水启闭	6	6	液压启闭机	6

第二节　启闭机设计

一、主要启闭机械

小浪底工程用以操作各种闸门、拦污栅的启闭机械和电站进水口清污用的机械设备共分三种类型,即卷扬启闭机(包括移动式和固定式)、液压启闭机(包括单作用式和双作用式)和液压式全跨清污机。上述机械设备,包括主机配置的附属设备(液压自动抓梁)共计 79 台(套)均属非标准机械设备,由黄委会设计院负责包括初步设计、招标设计和制作详图设计等各个阶段的设计工作。由于小浪底工程特殊的水沙条件和运行方式所使然的独特的水工布置格局,决定了本工程闸门启闭机械的总体布置条件,使启闭机械设计具有品种上的多样性和技术上的复杂性。

(一)卷扬启闭机

孔板洞和明流洞进口设有 10 扇事故闸门,配备 10 台起升容量为 5 000kN 的高扬程固定卷扬启闭机。

排沙洞进口设有 6 扇事故门,配备 6 台起升容量为 2 500kN 的高扬程固定卷扬启闭机操作。

发电洞尾水闸门室设有 1 台起升容量为 2×2 500kN 的台车式启闭机,并配备有液压自动抓梁,供各检修闸门操作之用。

灌溉洞进口设有事故闸门,配备起升容量为 1 250kN 的固定卷扬启闭机。

进水塔顶设有两台起升容量为 4 000kN/6 000kN/400kN 的多功能双向门式启闭机,供所有进口检修闸门、拦污栅和清污抓斗的升降操作以及设备的吊运、安装之用,是小浪底工程启闭机械中功能最多、技术最为复杂的大型机械设备。

小浪底共有 3 条导流隧洞,1 号洞为低位洞,2 号洞和 3 号洞为高位洞。1 号洞进水塔顶装有 1 台起升容量为 2×4 000kN 的固定卷扬启闭机,2 号洞和 3 号洞进水塔顶各装有 1 台起升容量为 2×3 200kN 的固定卷扬启闭机,供导流洞工作闸门下闸封孔之用。此外,该机尚具有必要时在一定水头下动水提门之功能以增加封孔操作的机动性和可靠性。

(二)液压启闭机

1.孔板洞中闸室液压启闭机

孔板泄洪洞中闸室偏心铰弧形闸门采用具有突扩门槽的压紧式封水,以带有主、副油缸的双作用液压启闭机操作。主缸用以操作闸门升降;副缸用以操作闸门的偏心铰轴旋转,使闸门压紧或脱开封水。无论提升或下降闸门,均按闸门后退→升(降)→前进的程序对主、副机进行顺序操作。同时,由于孔板泄洪洞中闸室为一洞双孔结构,要求两扇弧形闸门的两套液压启闭机同时投入升、降操作,以避免两扇闸门产生过大的开度差,从而改善闸后的水力学条件。

2.排沙洞出口闸室液压启闭机

排沙洞出口闸室的偏心铰弧形闸门,采用带有主、副油缸的双作用液压启闭机操作。

3.明流洞进口闸室液压启闭机

明流泄洪洞进水塔的工作闸门为圆柱铰弧形闸门,采用摇摆式双作用液压启闭机操作,液压泵站与缸室采用上、下分层布置方案。

4. 防淤闸液压启闭机

电站尾水渠设有 6 扇表孔弧形闸门,当水轮发电机停机时,用以关闭尾水渠,防止泄洪排沙洞下泄水流或大河回水所挟带的泥沙造成尾水渠淤积,影响发电。6 扇弧形闸门配备有 6 套双缸单作用液压启闭机。

5. 发电洞液压启闭机

发电洞进水塔设有平面定轮事故闸门,当水轮机发生事故时,可在 2min 内快速下闸关闭孔口,以防止发生飞逸事故。为此,配备有单作用快速液压启闭机。

6. 溢洪道液压启闭机

溢洪道设有 3 扇表孔弧形闸门,配备有 3 套双缸单作用液压启闭机。

(三)液压清污机

发电引水系统的三座进水塔共设有 18 孔直立式拦污栅,为了清除拦污栅面的污物,保证水轮发电机组的正常运行,装备有可沿拦污栅全跨度同时进行清污的液压式全跨清污机。清污机上机械抓斗的张开和闭合操作由机身配置的油缸驱动。清污机沿清污导槽的升、降则由塔顶门式启闭机控制。

二、设计标准和设计原则

小浪底工程启闭机械设计遵循我国国家标准、行业标准,并参照国外相关标准、规范。机械设计的原则是技术先进、操作可靠、运行安全、经济合理,并力求机械设备与水工布置的景观协调。

启闭机械设计在其标准和原则的各项要求之间求得协调和统一,以期获得最大的工程效益。

三、设备选型和设计特点

(一)卷扬启闭机

1. 设备选型

本工程各进水塔的检修闸门和主、副拦污栅,共用塔顶两台门式启闭机进行操作,以简化塔面布置;同时,利用门机还可完成电站进口的清污和坝面各种设备的吊装和运移等多项作业。各事故闸门均采用固定卷扬启闭机操作,以提高工作闸门和泄水道在高速含沙水流条件下事故保护的机动性和可靠性。门机和固定卷扬机均采用多层缠绕的高扬程启闭机。采用高扬程启闭机布置方案的优点是可以免除多次装卸拉杆的繁重操作,简化运行管理,提高设备使用的可靠性。另外,由于启闭机可以布置在塔顶,因而便于维护和管理。同时,自 20 世纪 70 年代以来,随着高扬程启闭机设计和投入运行数量的增多,我国已具备了数十米乃至百余米的高扬程启闭机的设计和制造能力。因此,上述设备选型是基于我国水工启闭机械的设计和运行经验以及不断提高的机械制造水平所做出的方案选择。水工闸门和启闭机的运行经验表明,只要闸门段的流道体形和通气条件设计合理,采用卷扬启闭机操作事故检修闸门是可行的。

世界银行官员和加拿大黄河联营公司(CYJV)曾以采用卷扬启闭机操作动水中下放

的事故闸门有可能引起闸门振动而提出改用低位布置液压启闭机的建议,这是欧美一些国家的坝内小型深孔习惯使用的一种布置方案。本工程为塔式进水口,且闸孔尺寸大,如果采用这种方案,将使进水塔体下部结构的设计变得十分复杂,同时,紧靠塔体前沿的低位液压启闭室的环境条件以及设备的操作和维修条件也将急剧恶化,从而有可能直接影响闸门的运行安全。最终 CYJV 同意采用卷扬启闭机的布置方案。为了检验动水下门的运行可靠性,黄委会设计院安排进行了室内模型试验。通过随机振动分析和水弹性振动模拟试验,结果表明,事故闸门在各种工况下动水下门,闸门和启闭机均具有足够的安全度,卷扬绳索系统在运行中是稳定的。

2. 设计特点

1)卷扬机构设计

高扬程卷扬启闭机是近年来随着我国高坝建设的发展而开发的一种新型非标准水工起重机械。本工程的塔顶门机和操作事故闸门用的固定卷扬启闭机均采用了多层卷绕方案,以满足 90～120m 高扬程提升闸门的需要。该方案的技术特点是采用折线绳槽卷筒和与之匹配的变高、变宽返回垫环结构。

所谓"折线"绳槽,是相对于普通的"连续"螺旋曲线绳槽而言的。这种折线绳槽卷筒,在每一个螺旋导程内,绳槽中心线不是一条连续的曲线,而是由两个不同斜率的四条线段相间排列而形成的折线。采用折线绳槽和具有特殊体形的返回垫环,其作用是防止钢丝绳返回卷绕时在相互挤压中的爬高、跌落和多层卷绕中的层间滑动,以及伴随而来的绳索的严重磨损。同时,由于钢丝绳的返回点具有确定的位置,因而有助于实现有规律的多层缠绕,从而提高运行质量,延长设备使用寿命。折线绳槽卷筒在国外称之为莱伯斯(Lebus)卷筒,多用于矿井提升机械。在国内,折线绳槽卷筒应用于大容量启闭机作为永久性闸门的启闭设备,本工程尚属首次采用。

多层卷绕卷筒设计的一个要点在于各层返回角的控制和返回垫环的体形设计。本工程卷扬机,根据缠绕层数的不同,钢丝绳最大返回角控制在 1.3°～2.0°范围内。塔顶门机的 4 000kN 主起升机构采用四层卷绕,最大返回角 1°16′22″,最小返回角(第一层至第二层)0°15′55″。运行情况表明,返回角的选择是合理的。塔顶 5 000kN 固定卷扬启闭机由于受水工布置平面尺寸的限制,使卷筒长度和钢丝绳返回角的选择受到了制约,设计中采用了规范允许的最大值 2°。由于该机仅为两层缠绕,所以,虽然返回角稍嫌偏大,但仍能满足运行要求。

由于 5 000kN 固定卷扬启闭机设计、制造技术先进,布置合理,是目前国内同类产品中卷筒容绳量最大、启闭力最大、卷筒直径最大的固定卷扬式启闭机。河南省机械电子工业厅于 1998 年 8 月主持召开了新产品鉴定会,确认"该产品在同类启闭机中达到国际先进水平"。该产品于 1999 年获河南省机械工业科技进步一等奖。

对于双吊点卷扬启闭机,我国还缺乏采用折线绳槽卷筒的成功运行经验。1 号导流洞 2×4 000kN 双吊点卷扬启闭机,考虑到封孔下闸时同步运行的特殊要求,采用了带排绳机构的双层卷绕方案以策安全。方案的设计要点在于双旋线排绳螺杆返回角的大小和返回线型的选择以及导绳螺母的体形和包角设计。以前设计的故县水库 3 600kN 高扬程启闭机运行经验表明,采用大返回半径的单一曲线和不大于 135°的月牙螺母包角设计是可行的。至于月牙螺母的磨损问题，由于导流洞启闭机运行历时很短，月牙螺母的滑行距离不大，不可能产生严重的磨损，而且，通过改善螺母的工艺技术条件还可提高其耐磨性能。因此，该方案将提供足够的安全性。施工期间导流洞闸门启闭机的多次运行和封孔下闸的顺利实施，表明带排绳机构的启闭机设计是成功的。

2)门架结构设计

进水塔顶门式启闭机是用于完成所有进水口检修闸门、拦污栅及清污机的操作，以及进水塔闸门、启闭机械的吊装等多项作业的大型移动式启闭机。门机装有起升力分别为4 000kN、600kN 和 400kN 的 3 套起升机构，分别布置在主小车和偏轨小车内，最大起升高度 120m(其中轨上扬程 22m)。根据进水塔总体布置要求和完成多项启吊作业的需要，门机大车轨距选定为 20m，并装有横跨轨道、长度达 41m 的偏轨小车行车大梁，门机总体高度近 40m。该门机不仅是小浪底工程的启闭机械中，机构和功能最多、技术条件和运行工况最为复杂的启闭机械，也是当时国内水电站中体形尺寸最为庞大的门式启闭机。由于门架空间尺寸大，受力条件复杂，在结构设计中进行了三维有限元电算分析。根据 7 种不同的荷载组合，建立了结构计算的数学模型，将门架结构的梁、板组合体进行了离散化和单元划分。根据结构所承受的载荷，支腿以承受轴向载荷和绕支腿轴线方向的弯曲变形为主。两个主梁以弯曲变形和扭转变形为主，并承受较大的剪切荷载。偏轨大梁除有弯曲变形外，还存在较大的约束扭转变形。根据上述受力特点，分别将各构件离散化为梁单元和板壳单元。共划分有 1 405 个节点，1 815 个单元(其中板单元 1 420 个、梁单元 395个)，利用 Super – SAP 软件完成了应力和变位的电算分析。

A.门架结构分析中的整体坐标系

在对门架结构进行有限元单元划分和计算中，选用以下形式的右手整体坐标系：以大车行走轨道面为基准水平面，门架四根支腿的纵向横向对称面与水平基准面的交点为原点；X 坐标轴在门架纵向对称面内，与纵向对称面和水平基准面的交线重合；Z 坐标轴洞纵向、横向对称面的交线，正方向向上；Y 坐标轴沿横向对称面和水平基准面的交线，正方向指向偏轨梁方向。

B.计算单元

门架结构是一由不同厚度的板焊接而成的箱形结构所组成的空间结构，并有加筋板及用于主小车和偏轨小车行走的轨道，且机构多，起重量大，结构庞大。根据结构所承受的荷载，支腿以承受轴向载荷和绕支腿横截面的两个主轴方向的弯曲变形为主。两主梁以弯曲变形和扭转变形为主，并承受较大的剪切载荷，偏轨梁除有弯曲变形外，还存在较大的约束扭转变形。因此，门架的两根主梁及偏轨梁的上下盖板在不同的工况下分别承受压、拉应力，以及由扭转产生的应力；腹板沿截面高度应力变化急剧，特别是在小车轮压作用处。而主梁与支腿的连接部位、偏轨与牛腿的连接部位以及牛腿与支腿的连接处等均存在局部的应力集中，并出现梯度较大的应力场。因此，全面了解这类结构中的应力及其分布，比较合适的单元是板单元。根据一般工程问题有限元分析方法和门架结构的组成特点及预估的应力分布特点，选出板单元对门架结构中的箱形梁进行单元的离散化。考虑到主梁及偏轨梁上有供小车行走的轨道，将其离散化为梁单元。主梁、偏轨梁箱形截面的翼缘部分也划分为梁单元。因此，门架结构为板壳单元和梁单元组合而成的离散化模型。

C.计算荷载和荷载组合

门架结构的有限元分析中,计算荷载包括:结构的重力荷载,主、副小车的车轮压力,风荷载,大车歪斜运行时的侧偏荷载,惯性荷载和地震荷载。上述荷载,按规范的规定,进行了 7 种不同的荷载组合计算。

D.结构的约束

有限元分析的目的在于了解 7 种荷载工况下,每一工况门架的应力分布、最大应力值及其位置。有关门机的整体稳定问题,在门机的稳定分析中已经得到了确认,因此认为在 7 种载荷工况下,大车行走轮不会离开大车行走轨道。因而在大车运行机构平衡梁的铰点处施加支铰约束。

E.计算结果

在以上计算模型和约束条件下,分别对 7 种荷载组合进行了应力和变位分析。各种荷载组合下的最大应力见表 4-2-1。各种荷载组合下主梁跨中部位在垂直方向的最大位移量见表 4-2-2。

表 4-2-1 各种荷载组合下的最大应力

	荷载组合	最大应力(N/mm^2)	应力发生部位
Ⅰ	设备自重、主钩额定起升力、风压力	167.51	支腿上部
Ⅱ	设备自重、主钩带闸门运行、小车惯性力、风压力	108.33	支腿上部
Ⅲ	设备自重、主钩带闸门自重、大车惯性力、风压力	126.10	下横梁支座处
Ⅳ	设备自重、副小车带安装荷载、大车惯性力、风压力	197.10	偏轨大梁支座上翼缘
Ⅴ	设备自重、副小车额定起升力、大车惯性力、风压力	59.24	支腿上部
Ⅵ	设备自重、主钩试验荷载、风压力	149.40	支腿上部
		160.80	主梁跨中
Ⅶ	设备自重、地震荷载、风压力	66.49	支腿上部

表 4-2-2 各种荷载组合下的最大位移

荷载组合	主梁 1 最大位移量(mm)	主梁 2 最大位移量(mm)
Ⅰ	−14.16	−15.17
Ⅱ	−11.98	−12.74
Ⅲ	−13.25	−13.39
Ⅳ	−4.43	−5.30
Ⅴ	−9.04	−8.40
Ⅵ	−17.74	−18.83

F.对计算结果的评价

门架结构的有限元分析采用 Super-SAP91 程序。根据门架结构的组成特点,在将其离散化为板梁组合体之后,在不同载荷工况及约束条件下,选用线弹性静力分析模块分析计算结构中的应力、节点位移。为使计算结果能较真实地反映门架结构在各工况下的应力分布及位移量,对门架结构进行单元划分过程中,选用板单元以期真实地模拟实际结构,同时,将行走轨道等按梁单元计入有限单元法的分析计算中。因此,所建立的计算模型比较真实地反映了原结构的组成。计算出的结构中的应力分布及结构的位移比以往选用杆系结构有更高的准确度,计算结果是可信的。

计算结果表明,门架结构在各种工况下的强度和刚度符合规范要求,结构设计具有足够的安全度。同时,现场负荷试验(额定负荷 4 000kN,超负荷 5 000kN)结果证实了上述结论。

(二)液压启闭机

1.设备选型

近代欧美诸国水工闸门的启闭机械已趋向于液压化,通航船闸已实现了全液压化。俄罗斯等国的液压启闭机更兼有大型化的特点。我国近十余年来,随着液压元件制造水平的不断提高,液压启闭机在水工建设中的应用已日渐增多。这一方面是由于油缸内的油液具有缓冲和减振作用,适宜于控制工作闸门在高水头、不同开度下的无振安全运行;另一方面,较之卷扬式机械传动方案更易于实现集中控制和远方自动化控制。因此,本工程的所有工作闸门均采用液压启闭机操作。根据闸门操作的需要,所有深孔弧门均采用具有下压力的双作用液压启闭机,防淤闸、溢洪道工作闸门和电站事故闸门采用单作用液压启闭机。

2.设计特点

本工程启闭机的设计原则是:技术先进、操作可靠、运行安全、经济合理。根据这一原则,在液压启闭机设计中采用了若干项先进技术,使本工程的启闭机械具有更好的总体性能。

1)液压系统的保压设计

近年来我国在大型水电工程中,液压启闭机的应用日渐增多,然而,对于如何实现液压缸的自动补泄和下腔保压,防止闸门下沉的问题,迄今尚未见有行之有效的技术措施。本工程液压启闭机系统设计中,借鉴国外水工启闭机械的设计经验引入了液压蓄能保压装置,并配以专用小型充压泵组。采用蓄能器保压系统,可以做到在油缸泄漏、降压、活塞杆下沉的同时,蓄能器以其蓄积的有压油液,自动向油缸下腔补油,从而起到保压和锁定的作用。这一功能对于采用机械压紧式封水的偏心铰弧形闸门的安全运行,具有特别重要的意义。这是由于油缸活塞杆下沉将导致压紧式封水的脱开或切搓破坏,引起止水失封和高速缝隙射流,进而导致闸门的振动,危及泄水建筑物的运行安全。设计中所采用的液压蓄能保压系统将为泄洪闸门的安全运行提供可靠的保证。蓄能器作为液压启闭机的保压装置,国内尚缺乏运行经验,需要在运行中加强观测,并进行必要的调试,使液压系统的功能不断完善,从而获得更好的运行效果。

2)双缸同步技术

采用双缸液压启闭机操作双吊点弧形闸门时,如果闸门具有足够的横向扭转刚度,则依靠闸门支铰可以约束闸门在升降过程中的左右摆动,一般不采用特别复杂的同步装置也可实现液压启闭机的双缸同步运行,这已为国外的设计和运行经验所证实。考虑到防淤闸弧形闸门主要用于电站停机时关门挡水,以防止大河含沙水流回淤尾水渠,具有检修闸门的性质,同时鉴于目前国内的自动纠偏技术尚未成熟,故在防淤闸双缸液压启闭机设计中,未采用同步自动纠偏技术。设计中采用了常规的行程测量、同步控制和超差报警、手动调节的设计方案。一般说,只要严格控制安装质量,数据采集可靠,上述设计方案也是可行的。在防淤闸双缸液压启闭机设计中,除采用四单向阀桥路和可调节流阀外,还采用了双缸行程电子监测装置,对双缸同步差进行监测和显示,并可预先设定同步允差,进行同步超差控制,以确保设备的安全运行。

在溢洪道弧形闸门的双缸液压启闭机设计中,引进了国外的高精度行程检测技术和数据采集系统,采用了以换向滑阀控制旁路泄油的同步纠偏回路,取得了较好的试运行效果。试运行情况表明,双缸同步差可控制在 10mm 以内,符合设计要求。

3)液压系统的插装技术

20 世纪 70 年代以来,国外广泛采用了插装技术,它与传统的滑阀在密封原理上有着根本的区别。近年来,我国的插装元件制造工艺水平已有明显提高,达到了实用水平。本工程液压启闭机的液压系统设计,均采用了插装元件。由于插装阀组具有体积小、噪声低、基本无泄漏和动作响应快等优点,因而可以改善和提高液压驱动的运行性能。

4)陶瓷活塞杆油缸和集成行程测量技术

陶瓷活塞杆油缸和集成行程测量技术是近年来德国厂商推出的两项新技术。其技术特点是:活塞杆陶瓷镀层具有优越的耐磨、抗弯性能和非导磁性;行程测量精度高且不受行程大小的限制;因无任何机械传动机构,故适用于任何型式的油缸。溢洪道液压启闭机引进的这两项新技术将使正常溢洪道机械设备的运行更为安全可靠,从而确保大坝的安全。

5)油缸密封元件的选择

油缸密封元件的型式和材料关系到液压启闭机的运行性能和闸门的安全运行。如果密封元件选择不当,可能会发生内泄,从而使油缸有杆腔和无杆腔不能形成设计油压差,导致闸门不能正常启闭;如果密封不良引起外泄,则使闸门不能保持在所需高度,可能导致闸门从开启位置下落,酿成事故。因此,选择合适的密封形式尤为重要。经过对国内外水利水电工程液压启闭机密封元件的调查分析,本工程液压启闭机设计中,油缸动密封采用了德国 MERKEL 公司和意大利 CARCO 公司的 V 型组合密封圈和新型 TEX/UG 型密封圈。其特点是密封性能好,耐磨损、抗老化,材质优良,寿命可达 10 年以上。

6)油缸安全锁定阀组设计

为保证运行安全可靠,在油缸下腔出口处装有安全锁定阀组,以防止油管破裂时油缸下腔油液泄漏、闸门跌落造成事故。常规的安全阀由溢流阀、液控单向阀和截止阀组成。根据本工程启闭机的运行特点和环境条件,在液压启闭机设计中,对安全阀组的结构进行了适当的简化,采用了由液控单向阀和截止阀组成的安全锁定阀,使阀体结构更加紧凑。

(三)液压清污机

1.设备选型

根据小浪底工程的来沙来污特点,在总结国内外水电站运行经验的基础上,确定了本工程电站清污系统的设计原则:以排为主,综合治理。

上述原则体现在水工布置上,首先是在电站进水口的下部设有排沙排污洞,借助水流的作用力可将被机械压污设备沿栅面下压至底槛前沿的污物排至下游;其次,在机组正常运行允许的条件下,适当增大栅条间距,增加过机排污量。体现在清污设备的选型上,是清污设备应具备压污、切污和抓污的综合功能。本工程采用的液压全跨清污抓斗即具备这些功能。它主要由液压驱动装置、清污抓斗、机械铲刀、钢质框架和支承导向装置组成。抓斗的转动叶片沿跨度方向分为两组,由两个可以单独操作的油缸驱动,两组叶片可以同步动作,也可单独操作,以适应污物沿跨度方向分布的不均匀性,增加运行操作的机动性。

在正常情况下,清污机运行以压污为主,抓污为辅。当污物聚集多,清污抓斗下压受阻时,门机上的欠载限制器动作,发出松绳信号,随之切断下降电路,闭合抓斗,提升至塔顶卸污。

利用抓斗固定叶片上的压污铲刀,可将贴附在栅面上的污物切断,使之过机下泄。

由此可见,本工程所采用的清污机是一种兼有压污、抓污和切污等多种功能的新型清污设备。

2. 设计特点

液压式全跨清污机不同于国内应用较多的绳索式机械抓斗和回转式清污机,在结构和功能设计上具有以下特点。

1)结构设计

清污机主要由抓斗、液压传动装置和压重框三部分组成。

(1)抓斗是清污机的主体,是清污机进行清污及容纳污物的主要构件。抓斗由固定叶片和转动叶片组成。固定叶片与拦污栅面贴合,并与压重框采用刚性连接。转动叶片放的叶条形体呈半圆形,与固定叶片一起形成容纳污物的抓斗。叶片的叶条间距与拦污栅条间距相同,但与拦污栅条交错布置。转动叶片可围绕固定叶片回转,并在拦污栅孔口宽度方向设两组,两组转动叶片可同步开合,也可单独开合。

在抓斗的固定叶片上还设有水平放置的双刃刀,沿孔口宽度全跨布置,可像梳子一样梳理拦污栅的栅条。

(2)液压传动装置是清污机抓斗开合的驱动机构。它主要由电动机、油泵、油缸、油箱、阀组和管路组成。由于这些部件要随清污机一起进入水下工作,因此在油箱上盖上设有密封罩,密封罩与油箱上盖的法兰间设有防水密封条。液压泵站的动力及信号控制电缆采用的是耐水强力多芯护套软电缆,并通过特制的防水密封插头与罩内的电器元件连接。

油缸采用悬挂式安装。在抓斗开合过程中,油缸有一定的摆动,因此与油缸上、下腔连接的油管采用高强度柔性胶管,其他部位采用钢管或铜管。为防止硬性污物在高速水流的作用下撞击缸体,在油缸的迎水面设置了防护罩。

(3)压重框的主要作用是使清污机能将栅面聚积的污物下压至底槛,使之经泄洪排沙洞排至下游。因此,压重框应具有必要的下压力。

2)运行方式

清污机的清污运行方式主要包括压污、切污和抓污,以压污为主。

清污机的"压污"工作方式是利用清污机将污物下压到拦污栅底槛以下的泄洪排沙洞口附近,再利用水流将污物吸入洞中排至下游,因此压污作业也只有在排沙洞泄洪拉沙的情况下才能进行。在清污机下压的同时,利用抓斗固定叶片的铲刀将贴附在栅条间的污物切断使之过机下泄排至下游。清污机的"抓污"工作方式,主要用于清除漂浮在水面或浅水层中的污物。一般情况,只要排沙洞投入运用,电站进水口的清污应以压污方式为主,以简化操作,并获得最佳的清污效果。

3)安全保护

A.位置保护

清污机是靠塔顶门机主小车的副钩操作的,并靠自重沿拦污栅前的导槽上下移动。为控制清污机的中间位置和上、下极限位置,在门机主小车副钩的起升机构上分别设置了高度传感器和主令控制器。高度传感器配有电子数字显示屏,可动态显示清污机的位置。主令控制器控制清污机的上下极限位置。主令控制器和高度传感器可作为清污机位置的双重保护。当清污机到达预定的位置时,高度传感器(主令控制器)可自动切断起升机构的电路,使清污机停止升降。

B.欠载保护

在清污机的升降机构上除装有超载保护装置外,设置欠载保护功能主要是防止清污机在压污过程中因栅面积污过多而导致下压受阻,从而造成钢丝绳"松绳"和脱槽事故。设置负荷欠载保护功能后,当出现松绳欠载时,负荷限制器的压力传感器立即切断升降机的电路,发出欠载的声、光报警信号。

C.液压系统保护

液压系统保护主要是对清污机抓斗开度极限及系统最高压力进行控制。根据清污抓斗深水工作的特点(工作水深达 80m 以上),系统内设有压力继电器和时间继电器,以便对液压抓斗的张开与闭合开度极限和液压系统的压力进行控制,保护设备的安全。

鉴于小浪底工程所采用的液压式全跨清污机,在国内大型水利工程中系首次采用,目前尚缺乏运行经验,现阶段首先制作 1 台,投入试运行。根据运行情况总结经验,进一步完善设计,再制作计划中的其余 3 台设备,以期获得更好的使用效果。

第五章　环境保护与环境影响预测

第一节　施工区环境污染防治

一、施工区总体布置及污染源分布

小浪底工程施工区占地总面积 $23.7km^2$，涉及河南省孟津县、济源市 4 个乡镇。工程施工过程中产生的污染源包括生活污水、生产废水、粉尘和有毒有害气体、噪声和固体废弃物，产生的地点集中在生活营地、施工现场和施工辅助企业、工作场地、施工道路等。

生活营地主要分布在桥沟河两岸、东山、桐树岭、西河清、连地等地。其中外籍人员营地集中分布在桥沟河西岸，与业主生活区隔河相望。生活营地产生的污染物主要是生活污水和生活垃圾。

小浪底主体工程由大坝（Ⅰ标）、泄洪建筑物（Ⅱ标）、发电（Ⅲ标）等 3 个标段组成。Ⅰ标施工现场包括大坝填筑现场、石门沟石料场、寺院坡土料场和马粪滩反滤料场，工地办公室、修理车间、保养车间集中在马粪滩工作场地；Ⅱ标施工现场包括进/出水口、洞群和连地砂石料场，工地办公室、出口混凝土拌和楼、模板加工车间、机械保养修理车间等集中在蓼坞工作场地；Ⅲ标施工现场包括地下厂房、发电尾水洞，工地办公室、机械维修、混凝土拌和楼、压力钢管加工车间等布置在蓼坞工作场地。工作场地和施工现场主要污染源类型见表 5-1-1。

表 5-1-1　工作场地和施工现场主要污染源类型

地点	场地名称	主要污染物类型
马粪滩	马粪滩反滤料场	噪声、生产废水
	马粪滩工作场地	垃圾、废水废油等
大坝	大坝填筑施工现场	噪声、粉尘等
连地	连地骨料场	噪声、生产废水
	连地工作场地	垃圾、污水、废油等
蓼坞	蓼坞Ⅱ标工作场地	垃圾、废水废油等
	蓼坞Ⅲ标工作场地	垃圾、废水废油等
地下工程	洞群、地下厂房	有害气体、噪声等

施工区共规划了 10 个渣场，其中弃渣场 4 个，分别是赤河滩、小南庄、上岭渣场和槐树庄渣场。回采上坝的堆料场均位于大坝下游，包括桥沟口堆渣场等。

施工区外线公路为水泥路面，内线公路因施工车辆多、载重量大，为便于维护采用柔性泥结石路面。其中南岸施工道路由Ⅰ标承包商管理，北岸施工道路由Ⅱ标承包商管理。

施工道路主要污染源类型为道路扬尘、机械车辆尾气产生的大气污染和交通噪声污染。

二、环境污染控制

(一)生活污水处理

施工区生活污水主要来源于业主、承包商、分包商营地及其办公场地。生活污水采用生物处理法进行处理,包括厌氧处理和好氧处理两种方式。

厌氧处理是目前施工区使用最多的一种处理方式,处理设施为化粪池。施工区除Ⅱ标采用好氧生物处理系统(简称 BTS)外,其他均经过化粪池处理后排放。生活营地建设过程中,根据给排水技术规范,依据每个生活区的人口多少、人均用水指标,确定化粪池的规格尺寸。使用过程中根据化粪池的设计参数,每 3 个月或 6 个月对化粪池清挖一次。清挖工作由当地环卫部门负责,污物运送至处理场进行暴晒消毒处理。

Ⅱ标分别在外商营地和蓼坞工作场地设置了 2 套生活污水处理装置,采用好氧生物处理,日处理能力分别为 $120m^3$、$360m^3$。该处理系统首先通过水泵中的叶片对污水中固体物质进行粉碎,然后通过鼓风机对污水进行充分曝气、混合,给好氧微生物提供一个富氧环境,利用活性污泥对生活污水中有机物进行分解。最后经过沉淀分离后,进行加氯消毒除臭,然后排出。

从生活污水排放监测结果看,各排污口均能做到达标排放。BTS 处理系统处理效果明显好于一般的厌氧处理,尤其是对 BOD_5 和 COD。

(二)生产废水处理

施工区生产废水主要来源于砂石料洗料废水、机械车辆维修及冲洗废水和混凝土拌和系统冲洗废水等。

Ⅰ标马粪滩和Ⅱ标连地砂石料场分别位于小浪底下游黄河右岸和左岸。砂石料分选过程中,洗料用水量很大,洗料废水除含有大量泥沙外,不含其他有毒有害成分。承包商对洗料废水均采取循环利用方式,充分利用料场开挖过程中形成的深坑做沉淀池,对生产废水进行逐级沉淀。生产用水由黄河水侧渗补给,经沉淀后循环利用。待第一个料坑淤满后,再转入第二个,依次类推,循序渐进。这不仅减少了供水成本,节约了水资源,而且减少了料坑回填费用。

工作场地的生产废水主要来自机械车辆检修、保养和洗车产生的废水,废水中除含有泥沙等悬浮物外,还含有大量的油污,对于这些生产废水一般采取沉淀池和油水分离系统进行处理。为了处理马粪滩工作场地的生产废水,Ⅰ标承包商在场地东北角洗车场附近修建了多级沉淀池,场地内重型车间、轻型车间和保养车间的生产废水通过暗管排入沉淀池统一进行处理。为了保证处理效果,还在保养车间后面修建了油水分离池,对保养车间的生产废水(水量小,含油量高)进行预处理。处理过的生产废水含油量一般在 5mg/L 以下,符合国家一级排放标准。

Ⅱ标和Ⅲ标担负着洞群和地下厂房混凝土浇筑任务,承包商分别在进口和蓼坞工作场地设立了 3 台混凝土拌和系统。混凝土拌和冲洗废水属碱性废水,不仅悬浮物含量高,而且 pH 值高达 11 以上,通过沉淀池进行处理后,pH 值仍明显超标,由于水量较小,对黄河干流水质影响甚小。

三、大气粉尘控制

(一)道路扬尘控制

施工区内线公路共有 8 条,总长 71km。洒水除尘是控制道路扬尘的重要措施之一,洒水范围除施工道路外,还包括承包商管辖范围内的施工现场、工作场地、生活营地等。其中南岸道路和施工现场由Ⅰ标承包商负责,北岸道路和施工现场由Ⅱ标承包商负责。承包商配备了大型洒水车,定期对施工道路和工作现场进行洒水。施工高峰期共有洒水车辆 12 台(累计容量 262 000L),轮流对施工期道路进行洒水。洒水频率以控制道路扬尘为原则,具体根据天气情况和车流量确定,一般情况下为每小时一次,天气干燥的季节,缩短至 20～30min 一次。冬季为防止洒水后路面结冰,适当减少洒水次数。

(二)粉尘、有害气体控制

施工期粉尘、有害气体主要来自炸药爆破和施工机械设备、车辆排放的尾气。施工道路沿线的污染属于线源污染,污染程度相对较轻。进水口和消力塘开挖高峰期,由于施工机械车辆集中,加上地形条件的限制,静风天气较多,曾出现过局部大气污染现象。

泄洪洞群和地下厂房开挖过程中,虽然采取了钻孔注水的施工方法,对进入洞内的车辆进行了控制(非柴油车禁止入内),但粉尘和有害气体浓度仍然较高,除加强通风外,还定期对洞内有害气体如 CO、NOx、乙醛等进行监测。同时加强现场工人的劳动防护,如发放防尘口罩等。在开挖高峰期,洞内粉尘和 CO、NOx 超标现象时有发生。

Ⅰ标石料场爆破过程中产生扬尘和震动对料场周围的居民点产生了不良影响。为了降低爆破粉尘和震动,工程师对爆破的最大装药量进行了规定,并要求在爆破前对爆破面进行洒水处理,以降低爆破扬尘。同时,对受影响较大的刘庄村进行了提前搬迁。

四、噪声污染控制

施工区噪声污染源主要有Ⅰ标马粪滩反滤料场和石门沟石料场、Ⅱ标连地砂石料场及主要施工道路两侧。施工现场的噪声污染防治除改进施工工艺外,主要是加强工人劳动保护,如适当缩短劳动时间、佩戴耳塞等。

Ⅰ标马粪滩反滤料场和Ⅱ标连地砂石料场的噪声主要来自于石块破碎、筛分。破碎系统采取了隔音措施,将钢筛换成塑料筛,通过合理安排工作时间,尽可能降低噪声污染产生的危害。

由于施工征地过程中主要考虑占地影响,对噪声影响几乎没有考虑,使得Ⅰ标马粪滩石料筛分场场界距河清小学不足 50m。1996 年 1 月噪声监测结果表明:二级筛分区东界噪声高达 96dB(A),河清小学院内西北角噪声 72dB(A),远远高于《工业企业厂界噪声标准》和《城市区域环境噪声标准》,噪声严重干扰了河清小学的教学环境。为了保证正常的教学环境,河清小学进行了整体搬迁。

五、固体废弃物处理

固体废弃物主要包括生活垃圾和生产废弃物两大类。施工区固体废弃物主要通过掩埋方式进行处理,生活营地周围均设有垃圾桶或垃圾池,承包商每天收集辖区内生活垃圾,用封闭垃圾车运往小南庄渣场进行掩埋处理。

第二节　水土流失防治

小浪底大坝填筑量达 5 574 万 m³,进水口和出口消力塘、地下厂房等施工过程中还产生大量弃渣,主体工程土石方开挖总量约为 4 903 万 m³(松方),临时工程土石方开挖量约为 920 万 m³。如果防护措施不到位,在暴雨季节,将产生严重的水土流失。产生水土流失的因素主要有以下几个方面:一是工程开挖产生的植被破坏和地表剥离,使土壤的抗侵蚀能力减弱,造成水土流失强度加大;二是工程堆弃渣,抗侵蚀能力弱,极易产生水土流失;三是工程建设产生的不稳定边坡,引起的山体滑塌等重力侵蚀。针对不同的水土流失产生原因,设计部门分别制定了不同的水土流失防治措施。

一、水土流失防治分区

根据水土流失防治责任范围区域、施工区总体布局、土地使用功能、造成水土流失的特点、地形地貌,按照集中连片、便于水土保持措施体系布置的原则,将施工区分为工程占压区、桥沟东山区、小南庄区、蓼坞区、槐树庄渣场区、连地区、马粪滩区、右坝肩区、土石料场区和主要交通道路占地区。

不同的区域,针对地形地貌、地表植被破坏情况,在水土流失预测的基础上,采用不同的水土流失防治体系。对原地貌扰动程度较大、植被破坏和水土流失严重的区域,采取以工程为先导,以生物措施为主体的水土流失防治体系;对原地貌扰动程度不大、植被破坏较轻、产生水土流失不严重的区域,采取以生物措施为主体、适当配置工程措施的水土流失防治体系;弃土弃渣区和料场开挖区采取以地表整治为主体,适当配置工程措施和生物措施的水土流失防治体系。

二、分区防治措施布局

工程施工区水土保持措施主要包括工程护坡、挡土墙、排水设施、削坡开级、防渗处理、场地平整和硬化、覆土复垦和造林种草等。

(一)永久占压区

永久占压区为枢纽建筑物集中布置区,包括大坝占压区、泄洪建筑物占压区、溢洪道左侧山梁、地面副厂房、开关站区、西沟水库、清水池和出口区等。工程占压区是施工区内地形地貌改变最大的区域,也是地表植被破坏最为严重的区域,该区域结合地表整治,采用地面防护、工程护坡、植物护坡、修建雨水排放系统和造林种草绿化等综合水土保持防治措施,达到保证工程安全运行和保护水土资源的要求。

(二)桥沟东山区

该区位于桥沟河两岸和东山上,为小浪底水利枢纽建设管理局(简称小浪底建管局)办公生活区、公共服务区、承包商营地、堆渣场迹地等。该区域采用以造林绿化、浆砌石护坡、渣面平整覆土绿化为主的水土流失防治体系。措施布置区域包括小浪底建管局后山坡、外商营地山坡、东山营区及山坡、东沟坡地、桥沟大桥堆渣场迹地和桥沟河岸等。

(三)小南庄渣场区

小南庄区包括小南庄弃渣场、机电安装标基地、劳务营地占地区、非常溢洪道占地区和炸药库占地等。小南庄弃渣场临库坡面采取抛石护坡和干砌石护坡,292m 高程渣场坡面采取削坡和干砌石护坡措施,渣场表面采取平整和覆土措施,部分场地用于维修场地,部分场地进行造林绿化,渣场区域结合厂区建设布设排水系统。其他区域进行造林绿化,部分开挖边坡进行砌石护坡和植物护坡。

(四)蓼坞工厂区

蓼坞造地区是指桥沟河右岸的蓼坞滩区,场地平整,为Ⅱ、Ⅲ标承包商加工车间和砂石料场,规划部分区域用于服务设施的建设用地。考虑到泄洪雾化影响,水土流失防治措施布局时,结合雾化防护,在西区采用地被植物、生态防护林及硬化措施进行防护,中部和东部区结合服务区建设采取场地绿化和硬化措施。蓼坞水源井到黄河大桥之间河道北岸边坡为堆渣形成的坡面,采取浆砌石护坡措施。

(五)槐树庄渣场区

槐树庄渣场位于小浪底黄河大桥下游 9 号公路和河道间的滩地上,堆存料为回采料,由于石料的质量不能满足要求,基本没有回采,现存弃渣量大,堆渣高度不一,且高程相差较大。由于渣场紧邻黄河,堆渣高度大,邻河渣坡应采取削坡开级和石笼护坡措施,其他渣坡采取削坡措施,渣面进行平整后,覆土复耕。

(六)连地砂石料开采加工区

连地为砂石料开采加工区,由于砂石料开挖形成了很多料坑。鉴于此,区域大部分属于西霞院库区,西霞院水库蓄水后该区将被淹没,因此仅对 135m 高程以上的区域进行平整,覆土后植树种草。

(七)马粪滩砂石料开采加工区

马粪滩区包括马粪滩砂石料开采加工区和东西河清占地区。东西河清占地区位于小浪底黄河大桥上下游,部分为黄河滩地,部分为弃渣迹地,对此区域采取的措施有场地平整、覆土造林绿化、对沿河岸坡进行砌石护坡等。

马粪滩施工期为大坝的反滤场,工程管理期此区域除部分为砂石备料场外,其余为生产预留用地及苗圃。结合施工围堰改建,临水坡采取防渗处理,背水坡设置排水沟。场区平整后,覆土造林绿化,对部分由于开挖造成的边坡设置挡土墙和浆砌石护坡进行防护。

(八)右坝肩渣场区

右坝肩区包括神树山包及其东南侧的弃渣场、右坝头、观景台占地区等。对神树山包周边坡面采取植草护坡措施,渣面进行平整覆土绿化,渣坡采取抛石护坡和砌石护坡措施。其他区域采取清理平整和覆土绿化措施。

(九)石门沟、寺院坡土石料场区

该区包括石门沟石料场、寺院坡土料场、前苇园土料场、会缠沟黏土料场和弃土场占地区等。土料开采结束后,形成了大面积的土面挖掘平台,石料场开采后形成了若干裸露的岩石台阶和大面积上有薄层黄土覆盖的缓坡台地。对土料场表面采取平整措施后进行复耕,对形成的边坡采取削坡措施。石料场缓坡台地上有黄土覆盖,具有耕作条件,采取平整措施后,进行复耕。

(十)主要交通公路占地区

此区域包括场内外公路占地区,结合公路改建,在路边栽植行道树。对沿途土质边坡进行造林绿化,部分石质边坡种植攀缘植物护坡,部分边坡采用浆砌石格栅护坡绿化措施。

第三节　人群健康保护

一、环境医学背景情况

根据环境医学本底调查,小浪底库区、库周(含施工区)共发现蚊类6属10种,其中以中华按蚊、淡色库蚊、白纹伊蚊为优势种。发现鼠形动物2科7属16种,室内以褐家鼠、小家鼠为主,室内平均鼠密度为24.5%;室外以大仓鼠、褐家鼠为主,平均鼠密度为14.7%。

历史上该区域曾多次流行过霍乱、痢疾、疟疾、炭疽病、黑热病等,并存在乙型脑炎、流行性出血热局部地区的流行史。1981～1984年发病情况见表5-3-1。

表5-3-1　小浪底库周主要流行病基本情况（1981～1984年）

病名		发病乡数 （个）	发病率范围 （1/10万）	平均发病率 （1/10万）	较高发病区
虫媒传染病	疟疾	32	1.5～33.7	8.51	沿水系分布
	乙脑	28	0.5～4.8	1.31	沿水系分布
自然疫源性疾病	出血热	42	0.7～460.1	47.38	北岸高于南岸
	布氏病	4	6.39～42.67	21.30	水库两头牧区
	肺吸虫	6个村		2.16	支流中上游
介水传染病	痢疾	52	9.0～1 613.3	217.36	无差别
	肝炎	45	1.5～43.5	13.81	无差别
	伤寒	29	0.6～468.6	9.46	库周高于库区

1985～1995年报告法定传染病21种,报告病例78 636例,死亡340例,总平均发病率为234.86/10万,总平均病死率为0.34/10万。发病率最高的1986年,发病率为526.45/10万;最低的1993年,发病率为143.41/10万。

1985～1995年在传染病的构成中,肠道传染病占89.0%,自然疫源性疾病占5.86%,呼吸道传染病及其他疾病占5.32%。肠道传染病中,肝炎、痢疾发病人数分别占总发病人数的32.04%和54.94%。

二、施工活动对人群健康的影响

工程施工区属于丘陵山区,当地群众居住环境以窑洞为主,工程开工后,移民外迁,大量废弃的窑洞为鼠类生活和繁殖提供了合适的场所,工程开工前期的1995年平均鼠密度高达 30.8%,较开工前增加了 13.8%。大量施工人员的进入,饮用水安全也难以得到保证。当地还是乙脑、出血热、伤寒等疾病的散在发生区,来自非疫区的大量易感人群这些传染病免疫能力低下,增加了这些疾病流行的风险。

三、卫生防疫

为了保障施工人员和当地群众的身体健康,工程建设过程中,结合水利工程施工特点,组建了相应的卫生防疫体系,对传染性疾病进行了积极的预防和控制。卫生防疫工作由黄河中心医院、河南省卫生防疫站、小浪底建管局职工医院共同承担,主要任务是对施工区生活营地、办公场所及周边地区进行定期的鼠密度和蚊虫密度监测和老鼠、蚊蝇消杀,预防和控制法定急性传染病。

(一)灭鼠灭蚊蝇

改善生活营地环境状况,控制鼠虫密度是预防流行性出血热及鼠伤寒等鼠媒传染病流行的重要途径。在施工区定期开展鼠蚊密度监测和消杀工作,平均鼠密度维持在 1%以下。灭鼠主要集中在每年春季鼠类繁殖季节,每年 7~8 月对蚊蝇密度加强监测和消杀。主要采取滞留药物的方法,在施工区各营地室内滞留喷洒、室外速杀,喷洒重点为室内墙壁、走廊、洗手间、垃圾箱等,室外喷洒重点为花坛、杂草丛生地、残留污水地沟、水沟、食堂周围和露天垃圾等蚊蝇滋生处。

(二)生活饮用水监测

为预防介水传染病流行,保证生活饮用水的安全,对施工区各生活饮用水取水点进行定期监测,平均每月取样监测一次,监测内容主要是细菌总数、大肠菌群和余氯等。

(三)计划免疫接种

为保护易感人群,预防疾病流行,定期对施工区部分施工人员进行计划免疫接种。实施过程中,首先筛选出对某种疾病易感的易感人群,然后接种乙肝、霍乱等预防疫苗。

由于卫生防疫保证体系的建立和有效运转,施工期没有发生国家法定甲、乙类传染病流行,仅有乙类传染病病毒性肝炎、细菌性痢疾、乙型脑炎等散在发生并得到了及时治疗控制,为工程顺利施工创造了良好的卫生环境。

第四节　施工区环境监理

施工区环境保护工作由项目业主负责组织实施,小浪底建管局资源环境处负责组织协调与日常事务工作,黄委会设计院、黄河水资源保护局、小浪底建管局职工医院为协作单位,分别承担了环境监理、环境监测、卫生防疫等工作。环境保护工作的实施机构为承包商及他们的分包商。根据环境监理工程师的要求,各承包商均组建了自己的环保机构。

由国内外知名专家组成的小浪底工程环境移民国际咨询专家组为业主聘请的咨询机构,每半年对环境保护工作实施情况进行咨询检查一次,帮助解决实际工作中存在的问题,提出下一步的工作重点。咨询专家组为小浪底施工区环保工作提供了必要的技术支持,促进了环保工作的开展和深化,对提高施工区环境保护工作的管理水平起到了积极作用。

为了保证施工期环境保护措施的顺利实施,工程建设过程中,在开展工程监理的同时,首次引入了环境监理机制,组建了环境监理机构,开展了环境监理工作。

一、环境监理机构设置

受业主委托,黄委会设计院承担了施工区环境监理工作,监理人员1995年9月正式进驻现场。环境监理挂靠咨询公司安全部,通过安全部收文、发文。1995年10月小浪底工程咨询公司向承包商下发了"关于施工区环境监理工作的实施意见"的通知,要求承包商选派合格的专职人员,负责本单位的环境保护工作,从而初步建立了施工区环境保护管理体系。

二、环境监理的范围与内容

施工区开展环境监理的主要目的就是保证环境影响报告书提出的环保设施落到实处,将施工活动产生的不利影响降低到可接受的程度。监理工作贯穿于施工全过程,涵盖施工区的方方面面。环境监理的工作范围包括Ⅰ、Ⅱ、Ⅲ标承包商及其分包商施工现场、工作场地、生活营地、施工区道路、业主办公区和业主营地、蓼坞水厂等所有可能造成环境污染的区域。环境监理内容主要包括生活饮用水处理、生活污水处理、生产废水处理、大气/粉尘控制、噪声污染控制、固体废弃物处理、卫生防疫等。

三、环境监理岗位职责

环境监理在我国大中型水利工程建设中属于全新的工作,环境监理的任务尚处于探索之中。小浪底工程在实施阶段的监理任务,通过工程监理总工程师向承包商下发的"关于施工区环境监理工作的实施意见",对环境监理工程师的责任与义务做出了明确的规定,赋予了环境监理工程师参与工程管理的权力。环境监理工程师的职责包括:审查承包商提交的施工设计方案,就承包商提出的施工组织设计、施工技术方案和施工进度计划提出环保方面的意见,保证环保措施的落实和工程的顺利进行;审查承包商进场施工机械设备的环保指标,同工程监理一道参加工程的验收;规定工程质量认可包括环境质量认可,凡与环保有关的单元工程验收必须有环境监理工程师签字。

环境监理工程师的岗位职责可以概括为以下几个方面:①受业主委托,监督、检查工程区的环境保护工作;②审查承包商提出的可能造成污染的材料和设备清单及其所列的环保指标,审查承包商提交的环境月报告;③协调业主和承包商的关系,处理合同中有关环保部分的违约事件;④对承包商施工过程及竣工后的现场就环境保护内容进行监督与检查;⑤对检查中发现的环境问题,以问题通知单的形式下发给承包商,要求限期处理;⑥环境监理工程师每月向业主提交一份月报告,半年提交一份进度评估报告,并整理归档有关资料。

四、环境监理的组织保障体系

根据施工区环境监理机构设置,环境监理挂靠小浪底工程咨询有限公司总监办安全部,环境监理工程师与承包商之间的文件来往,如下发问题通知单、接收对方来文等,全部通过安全部进行传递。施工区环境监理工作既是工程监理的重要组成部分,又具有一定的独立性。同时,要求承包商组建了自己的环保机构,每个标段都成立了环保办公室,由环保员专职负责标内环保工作。

五、环境监理工作程序

施工区环境监理工作是工程监理的重要组成部分,是工程监理的延伸。日常巡视是环境监理的主要工作方式之一,根据施工区污染源分布情况,环境监理工程师定期对施工区进行巡视,巡视过程中如发现环境污染问题,口头通知承包商环境管理员限期处理,然后以书面函件形式予以确认。对要求限期处理的环境问题,环境监理工程师按期进行检查验收,并将检查结果形成检查纪要下发承包商。

六、例会制度和报告制度

根据环境监理工程师的要求,每月召开一次环境例会,对本月各标的环境保护工作进行总结,提出存在的问题及整改要求。通过环境例会加强了工程师与承包商的联系,对促进施工区环境保护工作起到了积极的作用。

承包商每月提交一份环境报告对本月环境保护工作实施情况进行全面的总结。环境监理工程师根据日常巡视情况对承包商提交的环境报告进行评议,并提出下一步的整改方向。环境监理工程师每天根据工作情况做出工作记录(监理日记),每月向资源环境处提交一份环境月报,对本月环境监理工作进行全面的总结。每半年提交一份阶段评估报告,供世界银行咨询专家审议。

第五节　移民安置区环境保护

一、环境保护设施

在移民新村建设过程中,把环境保护工程纳入新村建设规划,改善移民生活环境,保障移民的身体健康,对促进移民安居乐业具有重要意义。小浪底水库移民新村建设过程中环境保护设施主要包括供水、排水、厕所及粪便管理和垃圾收集与处理。

(一)供水

为移民提供安全合格的饮用水是移民点规划设计的主要内容,供水包括水量和水质两个方面。在移民安置规划中,生活饮用水全部采用地下水,通过深井—水塔—用户的方式集中供水。移民用水标准按 60L/d 考虑,供水水塔或水池容量按 12h 计算,水塔容量一般为 30~50m³,大的安置点为 75~150m³。

生活饮用水除满足水量要求外,还必须满足《生活饮用水卫生标准》(GB 5749—85)要求。为了保证饮用水的卫生安全,必须定期进行消毒处理。为了保护地下水源不受污染,在水源井周围 30m 范围内不得建房和饲养家畜,不得修建厕所、堆放垃圾;水源井上方修建井房,防止雨水、污水注入。

(二)排水

移民新村排水工程包括村内排水和村外排水两部分。居民点排水系统采用雨污合流制,为减免居民点排水对周围农田和村庄的影响,根据居民点大小和地形条件,采用砖砌明排水沟,将雨、污水排至村外附近的河、沟或排水沟内。

(三)生活粪便管理

为改善移民村环境卫生状况,在移民安置区大力推广双瓮厕所。双瓮厕所由大小相同、口小肚大的前后两个瓮体组成,前瓮高 1.5m,最大直径 0.8m,有效体积为 0.3m³,后瓮比前瓮体积略大。前瓮上口坐一漏斗形便池,后瓮口由预制板盖严,前后瓮之间由斜置过粪管连接。粪便在前瓮中经过 30 天以上的厌氧发酵、自溶液化、氨化、沉淀虫卵和杀灭细菌的过程后,腐熟的粪液经过粪管流入后瓮储存。

双瓮厕所具有结构简单、造价低廉、管理方便、保肥效果好、防蝇灭菌效果显著等优点,对改善农村环境卫生状况,提高农民的生活质量具有重要意义。

(四)生活垃圾处理

为防止垃圾随意倾倒,在村庄周围修建了垃圾池。垃圾池的设计容量根据使用人数、日产垃圾量、清运周期等要素进行估算。结合小浪底移民新村的布局情况,本着方便居民和保护环境的原则,单个垃圾池控制户数按 20 户考虑,垃圾池有效容积按 1.69m³ 进行设计。

小浪底移民村分布较广,部分移民安置点分布在城市郊区,距城市垃圾处理场较近,这部分移民村可将垃圾运往城市垃圾处理场进行处理。远离市区的移民村,在村外选择合适的地点对垃圾进行填埋处理。垃圾场选在村庄夏季主导风向的下风向,最好设在背风处,距村庄距离 500m 外。为了防止儿童进入垃圾场,垃圾场四周要设置围墙,村内还要派专人对垃圾场进行管理,定期用覆土进行填埋处理,维护垃圾场四周的环境卫生。垃圾场填满后要进行压实,覆土后种植草坪或树木,改善环境,以利于垃圾的降解。

二、环境监理

(一)环境监理工作内容

小浪底水库移民安置过程中开展移民工程监理的同时,开展了环境监理。环境监理主要是检查监督移民安置过程中环境保护措施的落实情况,指导帮助移民村环保员搞好移民村环境保护工作。对于移民新村建设和后期生产开发,不同阶段环境保护工作重点不同,环境监理内容也不相同。

1.新村建设期

在移民新村迁建伊始,普及提高移民村干部、环保员的环境保护意识,将环保设施(如加氯消毒系统、双瓮厕所、排水沟加盖、学校洗手池、垃圾池等)建设纳入新村建设规划,与新村建设同步规划、同步实施,可以起到事半功倍的效果。而环保设施普及程度的高低对移民新村环境保护工作至关重要。

环境监理工作贯穿于移民新村建设的全过程,从村镇选址、建设到搬迁,进展阶段不同,环境监理重点也有所不同。结合小浪底移民新村建设的实际情况,新村建设一般包括以下几个阶段:选址(A)—征地(B)—建房(C)—建房结束(D)—硬化路面(E)—修排水沟(F)—完建(G)。

村镇选址过程中,应充分关注环境地质、文物保护、环境医学、村外排水、环境本底状况等。环境监理工程师参与到村镇选址过程中,根据环境影响报告书的有关内容对村址环境现状进行简单的评价,给出评价结论。

B～C阶段,环境监理的工作重点在于环保知识培训方面,通过对村干部和环保员培训,提高他们的环保意识和环境保护工作技能,使他们认识到环境保护工作的重要性,在新村建设规划用地时,充分考虑垃圾堆放等环保设施用地等。C～E阶段,重点检查双瓮厕所和学校厕所化粪池的建造和安装质量是否满足设计要求,并给予必要的技术指导。E～F阶段,重点检查路面硬化、村内排水沟加盖、村外排水沟修建、学校洗手设施建设。F～G阶段,重点检查村内垃圾池和村外垃圾堆放场建设情况。

新村建设阶段是环境监理的工作重点,监理人员平均每两周到移民安置村检查一次,检查内容包括质量和进度两个方面,对检查过程中发现的问题,积极督促有关方面予以解决。移民新村搬迁后,环境监理人员平均三个月或半年对移民新村检查一次,对环境保护工作进行检查和指导。

2.后期生产开发

移民搬迁安置后,为了帮助移民尽快脱贫致富,移民部门将对移民进行后期扶持,如兴建企业、发展养殖业和种植业等,提高农民的经济收入。在后期扶持过程中,环境监理的工作重点是:①对移民村办企业进行宏观指导,帮助移民村干部了解国家产业政策和环保政策,预防国家明令禁止的污染企业进入移民安置区。②对于养殖业,从环保角度指导帮助移民选择场址,搞好污水处理等,如场址应位于村庄下风向,避免空气污染。牲畜粪便和圈舍冲洗污水应经过发酵处理后,用于肥田。③库周后靠安置点均位于丘陵山区,土地贫脊,水利条件较差,如果划拔耕地面积达不到规划指标,很可能造成陡坡垦荒,产生新的水土流失。对于后靠安置点,除督促县移民局给移民划拔足够的土地外,还应向移民宣传水土保持方面的法律法规,结合地方的退耕还林还草规划,编制移民村生产发展规划。

(二)环境监理工作方式

根据移民安置工作的特点,环境监理定期深入移民安置点,通过座谈、观察了解移民村环境保护工作进展情况,发现实际工作中存在的问题,提出解决问题的办法,并督促问题的解决。移民新村存在的问题有些是移民村自身能够解决的,有些还需要通过县移民局或省移民局解决。监理工作主要程序如下:

(1)在移民安置区,首先与县移民局接触,了解移民安置区的整体环保工作情况。对将要建设及正在建设的移民安置点,以县为单位,举办移民村环境保护工作培训班,参加人员为村环保员和县环保员。由环境监理工程师担任主讲,讲解有关世界银行和我国现行环保政策对移民村环境保护工作的要求,通过座谈了解环保员实际工作中存在的问题和建议。

(2)对移民安置点进行现场监理,协助环保员填写环境月报表,对环保工作进行指导和宣传。根据现场监理情况,向环保员提出工作中存在的问题和解决问题的方法与建议。

(3)现场监理工作结束后,与县移民局进行座谈,全面详细地说明移民新村环境保护设施建设情况及工作中存在的问题,对于需要县移民局解决的问题,要求限期予以整改。对于涉及面广的问题提交省移民局协商解决。

(4)以环境例会的形式与小浪底建管局移民局,河南、山西两省移民局定期进行座谈,协调解决环保工作中存在的问题。

(5)每季度向小浪底建管局移民局提交一份环境监理工作报告,全面反映本阶段移民安置区环境保护工作实施情况。

(三)环境月报制度

为了促进移民新村环境保护工作,建立环境月报制度。环境月报由移民村环保员负责填写,对村内环保工作进行全面系统的总结,向上级主管部门反映环保工作中存在的问题。环境监理和各级移民部门通过审阅环境月报,提出审查意见和解决问题的方法,在帮助移民村解决实际工作中存在的问题的同时,也帮助环保员提高了工作水平,对环保员的工作也是一种检查和督促。

环境月报内容包括:①环境附图,包括移民村平面布置图和移民村周围环境现状图两部分;②供水系统;③厕所;④排水系统;⑤垃圾清理;⑥卫生健康;⑦学校;⑧休闲娱乐设施;⑨防风林带;⑩道路;⑪电力;⑫灭鼠;⑬移民收入水平;⑭公众参与;⑮技能培训;⑯安置区群众;⑰移民的满意程度;⑱移民对各级移民机关工作的看法;⑲其他单位的工作;⑳其他环境问题;㉑意见反馈,环保员应对实际工作中存在的问题和建议进行详细的说明。

第六节　水库蓄水后环境影响预测

水库蓄水后,水面面积扩大,下垫面由陆面变成水面,下垫面的改变将对水库局地气候产生一定的影响。水库拦蓄泥沙,下泄清水,下游河道将发生冲刷,水沙情势变化将对库区支流沟口和下游河道及河口生态环境产生一系列影响。与天然河道相比,水库水深增大,流速减缓,水体自净能力降低。热力状况的改变将使水库产生温度分层现象,水库水温分层将直接影响水库水质、水产养殖和下游农田灌溉和防凌。水库蓄水后陆生生物被淹没,陆生动物将失去原来的栖息环境而被迫迁徙。水库静水环境为水禽、鱼类等水生生物提供了良好的栖息环境。总之,水库蓄水后将对库区库周和下游、河口地区自然、社会、生态环境产生一系列的影响。

一、水库气候效应

(一)库区气候特征

小浪底库区在全国气候区划中属暖温带半湿润区,夏季暖热多雨,冬季寒冷干燥,四季分明。区域内地势起伏,沟壑纵横,北部中条山、王屋山海拔在1 000m以上,南岸为崤山余脉,海拔在700m左右,南北高山呈西南—东北走向,地形对区域气候的影响较为明显。全年除夏季外,主要表现为大陆性气候特点。库区年平均气温13.6℃,年平均降水量616mm,年平均蒸发量为2 072mm。除孟津站冬季盛行偏西风外,区内全年盛行偏东风,年平均风速为2.8m/s。全年平均无霜期216~235天,雷暴日数在24天左右,库区平均雾日和大风日数分别为 8 天和 10 天。

(二)水库气候效应预测

水库蓄水后，水面面积增大，下垫面由原来的陆面变为水面，下垫面的改变，蓄水容量的增大，将对水库周围的气候产生一系列的影响。选择已经建成的三门峡水库作为类比水库，利用线性回归的方法，对小浪底水库气候效应进行预测。

预测结果表明:小浪底水库对气温影响不大，水库蓄水后变化幅度为 $-0.3 \sim 0.1℃$。冬夏两季升温在 $0.1 \sim 0.2℃$ 之间，春季变化不大，秋季下降 $0.2℃$。极端最高气温有所下降，7 月份降低 $0.7℃$;极端最低气温则普遍上升，冬季增加 $0.4℃$，夏季增加 $0.6℃$。小浪底库区上段，河道狭窄，风速将增加 $0.1m/s$ 左右;下段河道宽浅，风速可能减小 $0.1m/s$ 左右。库区平均风速无大变化，全年大风日数有所减少。

库区板涧河口以上，全年平均南岸降水约减少 19%，北岸增加 6% ~ 38%;板涧河以下，南岸降水增加 4% ~ 21%，北岸约减少 10%。全年库区降水量略有增加，冬春季节库区降水量有所增加;夏季板涧河以上北岸和以下南岸降水量增加，其他地方反而减少。秋季降水量较建库前减少 10% ~ 30%。全年降水日数将有所增加。库区平均相对湿度增加 1% 以上，绝对湿度增加 40Pa，而库区陆面蒸发量将明显减少，减少量在 6% 以上。库区出现霜的日数减少，初霜日期推迟，尤其在坝前南岸变化较为明显。库区雷暴的日数有所减少，雾日数变化不大。

(三)局地气候变化对库周农业生产的影响

水库蓄水后，库区库周小气候发生了一系列的变化，局地气候的变化对库周农业生产将产生一定的影响。春夏季节降水量有所增加，将减少春旱和伏旱，缓解干热风的危害，有利于库周农业生产和林木生长。库周冬季温度升高，夏季温度降低，温度年较差变小。由于温度年较差的改变，日平均气温稳定通过各界限的初日提前，终日推后，这将有利于农作物及林木的光合作用。最低气温升高，使果树免遭冻害侵袭，将有利于果树的生长和发展。春季气温升高，可促进林木打破休眠及早萌芽，有利于育苗和造林。蒸发量有所减少，相对湿度及绝对湿度略有增加，有利于农田保墒、缓和旱情。同时可以减弱干热风的危害，对小麦及玉米增产有利，并有利于果树及各种林木的生长发育。大风日数及最大风速减小，将减少农作物倒伏和水果刮落。霜日数减少，初霜推迟，库周霜冻减轻，有利于晚秋作物(如玉米)及小麦增产。

二、对水库和下游水质影响

(一)水库水质影响分析

小浪底和三门峡水库是黄河干流上两个相互衔接的梯极水库，小浪底水库的来水主要承接三门峡水库的下泄水量，三门峡出库径流量约占小浪底来水量的 98%，区间来水量仅占 2%。三门峡水库的下泄水质将决定小浪底水库的水质，而三门峡水库的水质主要受控于黄河中游来水量和主要排污河流渭河的污染物质浓度。三门峡至小浪底区间流域面积 5 730km²，较大的支流有 15 条，其中流域面积大于 400km² 的支流有畛水河、东洋河、西洋河、东河、亳清河等 5 条，亳清河流域面积最大，为 647km²。汇流区内除少部分河滩地外，大部分属于丘陵山区，经济发展相对滞后。汇流区内最大的城镇为垣曲县城，人口约 2.5 万人(1999 年底),生活污水量很小。

　　小浪底水库淹没区动迁人口近 20 万人,根据移民安置规划,河南省新安、渑池外迁移民达 5 万多人,分别安置在小浪底水库下游的温县、孟州、原阳、中牟和开封,除外迁安置外,本县安置点也大部分位于汇流区外。从整个库区移民安置情况看,除垣曲县外,其他各县后靠安置点大部分位于汇流区内。移民外迁安置减轻了库周的环境压力,对库区水环境保护将起到积极的作用。

　　汇流区内最大的污染企业为中条山有色金属公司,公司生产过程中选矿废水集中排放于十八里河尾矿坝内。尾矿坝曾于 1982 年 11 月溃决过一次,造成亳清河沿岸牲畜死亡的恶性水污染事故。尾矿坝安全与否对水库水质安全有着举足轻重的影响,有色金属公司应定期对尾矿坝进行加高加固,消除安全隐患,防止尾矿坝溃决的事件再度发生。

　　硫磺矿主要分布于新安县仓头狂口至西沃的黄河沿岸,硫磺矿开采在新安县已有近百年的历史。据不完全统计,水库淹没矿渣堆渣面积 0.45km^2,堆渣体积 650 万 m^3。硫磺矿渣大部分堆积于黄河沿岸,清理难度较大。水库蓄水后硫磺矿渣、硫磺炉将全部淹没于水库中,对水库水质将产生潜在的不利影响。浸泡试验表明,水库蓄水后对水质影响最大的是硫磺炉的内壁,需要运出库区进行掩埋处理。

　　水库初期蓄水,因淹没部分土地或农田、村庄、矿藏、植被和各种可释放有机废物的场所,使大量有机物进入水体,向富营养化方向发展。但库底经过清理后,一经蓄水,大量泥沙即沉积覆盖,不会造成水质的恶化。

　　水库蓄水后,非汛期透明度将会进一步增大,汛期与天然来水差不多,溶解氧在 7 月~次年 3 月含量较高,升温期(3~6 月)可能会有所下降,但时间很短。生物营养盐类蓄水初期会骤然升高,后随水库交换次数增多趋于稳定。蓄水后,汛期营养盐类较高,非汛期由于水生物的消耗,营养盐类会有所下降。

　　由于水流在库区停留时间延长,耗氧物在库区降解量增加,水库水质将好于建库前。水库经蓄水调节、泥沙沉淀等过程,可达到水体净化、减轻污染的目的。

(二)对下游河道水质影响分析

　　黄河在花园口以下成为"地上悬河",河床高于两岸地面,花园口以下只有大汶河汇入。小浪底至花园口区间(简称小花间)汇入黄河的主要支流有伊洛河、沁河。小浪底水库蓄水后对下游河道水质的影响主要集中在小浪底至花园口河段。

　　小花间沿岸经济比较发达,区间工业污染源主要来自化工、冶金、机械、采矿、造纸、印染和纺织等行业,主要污染物为 COD_{Cr}、氨氮、挥发酚、石油类、氰化物、六价铬、铅、砷、汞、铜、镉等。采用等标污染负荷法对污染源进行评价,评价标准采用《污水综合排放标准》(GB 8978—1996)中一级标准。在入河污染物中,COD_{Cr} 的等标污染负荷最大,污染负荷比为 45.3%;其次是氨氮,污染负荷比为 37.7%;居第三位的是挥发酚,负荷比为 7.3%;其他的等标污染负荷较小。这表明黄河小花间河流纳入的污染物以有机污染物为主,尤其是 COD_{Cr} 和氨氮。

　　小浪底水库下泄水质按现状年平均浓度考虑,小花间污染类型为有机污染,选择 BOD_5 作为控制指标,利用费-罗衰减模型对小花间 BOD_5 变化进行了演算。

　　预测结果表明,当小浪底水库下泄水质的 BOD_5 为 2.9mg/L,小浪底水库以调峰运用进行控制下泄流量时,枯水年花园口断面 BOD$_5$ 将达到 4.6mg/L,孟津公路大桥到花园口河段水质均超过Ⅳ类标准,孟津公路大桥到伊洛河口河段超过Ⅴ类水质标准,已完全不能满足河段用水需要。所以,在西霞院反调节水库建成生效以前,为了保证下游河段用水要求,小浪底水电站不能完全参加调峰运行。

小浪底水库水质主要受控于三门峡水库水质,三门峡水库的入库污染源又涉及到陕西、河南、山西等省,国家有关部门应尽快制定黄河水源保护规划,强化污染源的管理,加大治理力度,尽快建设各城市的污水集中处理设施,降低污染负荷,是保证小浪底水库水质的关键。严格控制污染物入河量,尤其要控制小花间支流污染物入黄量,各支流入黄水质尽可能控制在功能区要求的水质类别以上,保证小浪底水库下游的水环境功能。

三、水库水温分布及下泄水温影响

(一)水库水温分布

天然河道水流湍急,水体表面吸收的热量通过水体紊动迅速传向整个过流断面,故天然河道水温呈混合型,水温变化滞后于气温,呈周期性变化。水库蓄水后,水深增大,水体交换速度减缓,从而改变了水气交界面的热交换和水体内部的热传导过程,水库水温往往呈现出垂直热分层现象。

小浪底坝址多年平均径流量 405.5 亿 m^3(1919 年 7 月～1995 年 6 月),水库原始库容 126.5 亿 m^3,水库运用 30～50 年后,275m 以下有效库容为 51 亿 m^3。其水体交换系数 α 值(年入库水量与库容的比值)分别为 3.2 和 7.95,均小于 10。由于小浪底水库采取"蓄清排浑"运用方式,汛期低水位控制运用,调蓄库容很小。同时,汛期入库水流含沙量每立方米高达上百千克,水体混掺强烈。结合三门峡水库水温分布实测资料分析认为,小浪底水库水温结构呈季节性热分层,3～6 月份随着气温的回升,水库垂向热分层逐渐加强,水温梯度到 6 月上中旬达到最大值;6 月下旬水库逐步降低水位,汛期 7～9 月份,水库调水调沙控制运用,水温结构呈混合型;9 月下旬水库逐步蓄水,抬高运用水位,9 月份以后气温已开始降低,水面净热通量为负值,入库水温也开始降低,重力对流和风力混合作用加强,水库水温呈混合型。冬季入库水温低于 4℃,可能出现逆温分布。

根据热量平衡原理对小浪底水库不同运用阶段水库水温垂向分布进行预测,水库运用 1～3 年,库区泥沙淤积较少,坝前水深近 100m,水库水温结构呈稳定分层型,年平均表层水温 14.2℃,年较差 24.9℃,年平均库底水温 6.4℃,年较差 7.5℃。4～8 月,水库具有明显的热分层现象,表底层温差 7.1～20.2℃,温跃层温度梯度达 1.1～2.7℃/m;9 月份以后,随着气温降低,表层水体首先降温,产生重力对流,混合层厚度增大;至 12 月份,水库热分层现象消失,水温趋于均一;1、2 月份,月平均气温 -0.5～1.6℃,库区可能出现岸冰或封冰现象,水库水温呈逆温分布,表层水温 0～4℃,库底水温保持在 4℃左右;3 月份,随着气温的升高,水库再次进入混合状态,开始了下一年内的变化。

水库运用 10 年后,坝前段淤积高程达到 225m,库区原来窄深的"U"字形或"V"字形断面被宽浅的"U"字形断面所代替,坝前水深降低,汛期水库低水位控制运用。水库水温垂向分布逐渐由稳定分层型转变为季节性热分层,年平均表层水温 13.7℃,年较差 25.6℃,年平均底层水温 11.0℃,年较差 21.8℃。4～6 月,水库水温呈分层型结构,水库表层水温

12.8～22.8℃,库底水温 7.0～7.3℃,表底层温差 5.8～15.5℃,温跃层温度梯度 0.9～2.0℃/m;7～12 月,水库处于混合状态,仅 7、10 月份有微弱的热分层,表底层温差 0.5～1.0℃;1、2 月份水温呈逆温分布。

(二)水库下泄水温及其沿程变化

水库下泄水温取决于坝前水温垂直分布、出库流速垂直分布、出库流量、泄水口高程等因素。水库运用初期,属于中层取水,出流流速分布按正态分布计算。水库发电引水洞进口高程 195m,非汛期以发电为主,坝前淤积高程超过 195m 高程后出流按底孔出流考虑。小浪底水库运行 10 年后水温垂直分布情况见表 5-6-1。

表 5-6-1　小浪底水库水温垂直分布(运行 10 年后)　　　　　　(单位:℃)

高程 (m)	月　　　　　份												年平均
	1	2	3	4	5	6	7	8	9	10	11	12	
表层	1.2	2.1	5.5	12.8	19.3	22.8	26.8	25.6	20.0	15.7	8.0	4.8	13.7
255.0			5.5	9.1	14.7								
250.0	3.0	3.5	5.5	7.4	7.5	20.3						4.8	
245.0	4.0	4.0	5.5	7.0	7.3	11.2					8.0	4.8	
240.0	4.0	4.0	5.5	7.0	7.3	7.6				15.7	8.0	4.8	
235.0	4.0	4.0	5.5	7.0	7.3	7.3	26.8			15.7	8.0	4.8	
230.0	4.0	4.0	5.5	7.0	7.3	7.3	26.0	25.6	20.0	15.2	8.0	4.8	
225.0	4.0	4.0	5.5	7.0	7.3	7.3	25.8	25.6	20.0	15.2	8.0	4.8	11.2
坝前水位 (m)	253.0	256.6	259.5	259.0	258.1	251.6	238.6	232.0	232.0	241.7	248.3	250.3	

下泄水温沿程变化与下泄水温、流量以及沿程气象条件、河道特征、支流汇入情况等因素有关。小浪底坝址天然河道平均水温 14.3℃,建库后年平均下泄水温较天然河道降低 2.2～3.5℃,水库运用初期,年平均下泄水温 10.8℃,4～7 月较天然河道水温降低7.7～14.0℃,12 月至翌年 2 月较天然河道水温升高 0.8～2.8℃。

水库运用 10 年后,下泄水温变化比较接近。3～6 月下泄水温较天然河道降低 2.6～11.9℃;7～10 月下泄水温接近于天然河道水温;12 月～翌年 2 月,下泄水温较天然河道水温高 0.8～3.0℃。

小浪底水库担负着向下游河南、山东两省的供水任务,水温变化将对下游工农业用水产生一定的影响。小浪底下游河道逐渐由窄变宽,"宽、浅、散、乱"的下游河道对水库水温的沿程恢复起到了积极的作用,小浪底以下注入黄河的支流有伊洛河、沁河,支流的加入也有助于河道水温的恢复。但由于非汛期支流入黄流量小,支流加入对水库下泄水温的恢复作用微弱,小浪底水库蓄水前后下游河道水温变化见表 5-6-2。

表 5-6-2　小浪底水库蓄水前后下游河道水温变化　　　　　　　　（单位：℃）

站名	坝下距离(km)	时段	月份											
			1	2	3	4	5	6	7	8	9	10	11	12
小浪底	0	(1)	1.0	3.2	8.1	14.5	19.2	24.1	26.5	26.0	21.4	15.7	9.1	2.8
		(2)	4.0	4.0	6.2	10.7	13.2	15.5	26.4	25.6	20.7	15.8	9.1	4.8
花园口	128.0	(1)			7.7	13.4	18.8	23.5	26.5	26.1	21.1	15.4	9.0	3.3
		(2)	2.5	3.0	7.7	12.5	16.2	19.0	26.5	26.1	21.1	15.4	9.0	3.3
夹河滩	234.1	(1)	0.8	2.5	7.2	13.1	18.5	23.2	26.7	26.1	21.4	15.3	8.6	2.8
		(2)	1.5	2.5	7.2	13.1	16.7	21.0	26.7	26.1	21.4	15.3	8.6	2.8
高村	312.6	(1)	0.8	2.9	7.2	13.3	18.8	23.0	26.9	26.1	21.5	15.4	8.6	2.7
		(2)	1.0	2.9	7.2	13.3	18.8	22.4	26.9	26.1	21.5	15.4	8.6	2.7

注：(1)表示建小浪底水库以前，(2)表示建小浪底水库以后。

水库下泄低温冷水影响范围主要在花园口（距坝址 128km）以上河段，水库运用期，4～6月份较天然河道水温低 0.9～4.5℃。最近的取水口在坝址以下 120km 处，取水口经过引水干渠到达田间的距离一般在几十千米以上，长距离的输送和沉沙池的停滞作用，都将对灌溉水温起到增温作用。分析认为，小浪底水库运用初期下泄水温对下游灌区农田灌溉有一定影响，但影响程度有限，影响范围主要在花园口以上河段。随着水库泥沙淤积，水库水温分层效应减弱，下泄水温影响程度和范围将逐步减小。

冬季下泄水温高于天然河道水温，水温影响距离在坝址以下 188～317km。河南段零温出现天数减少，从而减少了河道流凌量，对减缓山东河段凌情将起到间接的作用，但影响有限，下游凌汛主要靠小浪底水库水量调度来解决。

四、对陆生植物的影响

(一)淹没区陆生植物特征

小浪底库区植被属于伏牛山北坡、太行山丘陵台地落叶阔叶植被区。库区除果园、农田林网、农林间作及农业植被外，植物种类共有 79 科 271 种。

华北区系的代表植物有侧柏、毛白杨、旱柳、榆、臭椿、棠梨、荆条、枣、酸枣、地榆、白羊草、蒲公英、地黄、委陵菜、胡枝子、苹果、桃、李、杏等；西北区系代表种有砂蓬、黄刺玫、阿尔泰狗哇花、草木樨状黄芪等，主要分布在河滩边沿。华中区系的代表植物有黄连木、杜仲、黄栌、五加皮、华中五味子、狼尾草，多分布在岸侧溪旁；黄土高原区系的代表植物有野皂荚、锦鸡儿、黑榆、草麻黄、白刺花、长芝草、秃疮花，干旱山坡及河边台地均有分布。

植被类型有人工阔叶林、针叶林、丘陵灌丛、丘陵草丛等四种类型。阔叶林主要是刺槐，由于干燥贫瘠的土壤条件及人为活动的影响，呈零星片状分布，群落结构比较简单，伴生草类有蒿类、白草等。针叶林主要是天然侧柏林，也呈零星片状分布，伴生植物主要有荆条、白草、地柏枝、委陵菜等。丘陵灌丛分布很广，主要有荆条群系、酸枣群系、杠柳群系、野皂荚群系等。伴生植物主要有蒿类、紫苑、莨草、白草、委陵菜等。荆条群系分布很广，峡谷两侧、岸边阶地均有分布；杠柳群系在岸边缓坡及沟壑处均有分布；野皂荚群系主要分布在石质山坡及峡谷两侧，如渑池县陈村乡白浪一带的山坡上有茂密的野皂荚灌丛分布。丘陵草丛分布也很广泛，贯穿全区，以白草草丛、蒿类草丛、莨草草丛、狗牙根＋鸡眼草草丛等为主，也有营草草丛、莎草草丛、燕麦草草丛等。白草草丛主要分布于人畜活动频繁的缓坡及居民区附近山坡;蒿类草丛在峡谷两侧均有分布,岸边台地及撂荒地也可构成单纯群落,紫苑群系多分布于岸边缓坡;荩草群系常分布于缓坡及沟壑处;狗牙根 + 鸡眼草草丛则分布在河岸沙荒地或撂荒地。

农田林网主要树种有箭杆杨、毛白杨、泡桐等,果园以苹果、枣、桃、李为主,也有杏、核桃、梨、山楂、葡萄等,其他经济林主要是竹子和桑园,农作物以小麦、玉米、谷子、豆类、红薯等为主,经济作物有棉花、芝麻、花生、烟草、麻类、油菜等;蔬菜有白菜、萝卜、葱、蒜、辣椒等。

淹没区少量分布有属于国家重点保护的植物银杏和杜仲。这两种植物普遍分布于库区和库周,人工栽培较多。

(二)水库蓄水影响分析

水库蓄水后,随着水体面积的加大,库周局地气候的变化,将有利于植被的发育和植物种类的发展。库区蓄水后,原有植物种类将不复存在,深水区有可能生长一些藻类及浮游植物,如浮萍、槐叶萍类;也会出现一些沉水植物,如眼子菜、水毛茛等,而水深在 2m 以内的浅水区会出现芦苇、莎草、香蒲、水芹等。

库周也将出现更多的湿地种类和中生种类,如灰灰菜、节节草、燕麦、鸡眼草、狗芽草、白茅、蒿类、飞蓬、小蓟、茜草、马唐、星星草、狗尾草、龙葵、画眉草、地黄、扁茜、羊胡子草、牵牛花和蓼科、蒺藜科的一些植物。随着湿生植物、中生植物比重的增大,旱生植物比重会有所减小,受库周复杂的地形条件的限制,种类和数量不会有明显增加或减少。在库岸 1~2km 范围内,可能会发生植物群落的演替。

由于库周生态系统非生物因子的变化,引起植物群落内部环境的变化,原来的优势种可能沦为附属种,或者完全从群落中消失。而原来的一些附属种和伴生种可能上升为优势种、主要建群种。在一些特殊群落环境条件下,在原有群落组成的基础上可能产生一些新种、新亚种和新生态型。

在距库岸 2km 的影响范围内,对于较平坦的弃耕地,在不受人为干扰的情况下,将会侵入蒿类、灰灰菜、狗牙根、鸡眼草等植物,山坡弃耕地会侵入小蓟、马唐、蒿类等。在一个生长期内就可形成结构单纯、种类单调、生长繁茂的植物群落。黄土丘陵上目前多为白草群落、荆条—白草群落,蓄水后可能会侵入红柳、紫苑、蒿类、荩草等,渐渐形成杠柳—蒿类、紫苑 + 蒿类、荩草等群落类型。这类演替主要出现在水面宽阔的济源、新安、孟津等县。而峡谷区段属石质性山坡或悬崖,目前多为荆条、蒿类和山皂角等群落,将会逐渐侵入胡枝子、多花木兰、大果榆、扁担格子、土兰条、羊胡子草、黄背草等,形成以胡枝子、土兰条为主的灌丛。经过一定时间,栾树、黄楝木、大果榉等乔木侵入后将会形成杂木林。

距库岸 2km 以外的气候影响区域,水库气候影响效应微弱,对植被的影响主要表现在物候相位和植物种类组成比例上的变化,对植物群落演替的影响极其微弱。

五、对陆生动物的影响

(一)陆生动物特征

小浪底库区在动物地理区划中属于古北界,在中国动物地理区划中属于华北区的黄土高原亚区,库区位于该亚区的东部边缘,与黄淮平原亚区交界,该区所处的地理位置决定了动物区系组成的复杂性。库区主要陆栖脊椎动物有 172 种,隶属于 27 目 39 科,约占全国陆栖脊椎动物总数的 8.1%。其中两栖类 7 种,隶属于 2 目 4 科,约占全国两栖类总数的 3.6%;爬行类 13 种,分属于 2 目 6 科,约占全国爬行类总数的 4.1%;鸟类 122 种,分属于 17 目 37 科,约占全国总数的 10.4%;兽类 30 种,分属于 6 目 14 科,约占全国兽类总数的 7%。

本地区动物种类按自然环境和动物组成可划分为以下四个生态类群区,各类群主要组成动物见表 5-6-3。

表 5-6-3　小浪底水库库周各生态类群主要组成动物

生态类群	环境特点	种别	两栖类	爬行类	鸟类	兽类
低山丘陵森林动物	库区人工刺槐林小面积零星片状分布,林相简单,无灌木层,库周有一定面积天然林,植物繁多,呈复层林结构,地形复杂,人为活动较少	代表种	蟾蜍	蝮蛇、白条锦蛇、菜花烙铁头、麻蜥	环颈雉、石鸡、啄木鸟、杜鹃、斑鸠、长尾兰鹊、柳莺、山雀、灰喜鹊、灰椋鸟、红尾伯劳、寿带	豹猫、野猪、狼、獾、普通刺猬、蒙古兔、花松鼠、岩松鼠、鼩鼱
		珍稀种			金雕等猛禽类	金钱豹、麝
黄土台地草灌丛动物群	草灌丛植被条件,覆盖度小,紧靠耕作区,但坡度较陡,有许多绝壁,有一定人为活动	代表种	蟾蜍	麻蜥、虎斑游蛇、乌梢蛇、黑眉锦蛇、红点锦蛇、菜花烙铁头、黄脊游蛇	环颈雉、石鸡、柳莺、金翅、凤头百灵、乌鸫、兰矶鸫、红嘴山鸦、斑鸠、噪鹛、秃鼻乌鸦、大嘴乌鸦、星鸦、鹌鹑	蒙古兔、岩松鼠、花鼠、狐狸、青鼬、狗獾、黄胸鼠、社鼠、花面狸、鼬獾、黄鼬
		珍稀种			雀、鹰等猛禽类、大鸨	
居民农垦栽培作物区动物群	地形为梯台状,植被为栽培作物,人为活动频繁	代表种	蟾蜍、黑斑蛙	麻蜥、乌梢蛇、虎斑游蛇、壁虎	家燕、金腰燕、灰沙燕、金翅、柳莺、麻雀、喜鹊、灰喜鹊、灰椋鸟、黄鹂、黑卷尾、楼燕	蒙古兔、岩松鼠、花鼠、狐狸、黑线姬鼠、黄胸鼠、社鼠、褐家鼠、小家鼠、蝙蝠、大仓鼠、黑线仓鼠
		珍稀种			隼、猫头鹰等猛禽类	
河滩水域动物群	黄河干流水流湍急,支流雨季水大流急,雨季后河道多为乱石滩,水量很小	代表种	黑斑蛙、泽蛙、中国林蛙、北方狭口蛙、蟾蜍	鳖、金龟	金眶鸻、白腰草鹬、大沙锥、白鹤鸰、灰鹤鸰、北红尾鸲、褐河乌、白顶溪鸲、普通翠鸟、兰翡翠、冠鱼狗、苍鹭、豆雁、鸭、鹈鹕、鸥、普通燕鸻	水獭
		珍稀种	大鲵	鸳鸯、天鹅		

注:表中金钱豹、麝、大天鹅、小天鹅、鸳鸯、大鲵为国家二类保护动物;大鸨和名录中隼形目与鸮形目的鸟类均为国家三类保护动物。

在低山丘陵森林动物群中,属古北界的动物有金雕、灰喜鹊、斑啄木鸟、红尾伯劳、灰椋鸟、野猪、麝、普通刺猬、蝮蛇、白条锦蛇等,属东洋界的动物有星头啄木鸟、长尾兰鹊、寿带、猪獾、豹猫、菜花烙铁头等。

在黄土台草灌丛动物群中,属古北界的动物有红嘴山鸦、星鸦、大嘴乌鸦、寒鸦、石鸡、环颈雉、三道眉草鸡、花鼠、狗獾、黄背游蛇、华北麻虫等,属东洋界的动物有珠颈斑鸠、火斑鸠、黑脸噪鹛、花面狸、鼠獾、青鼠、红点锦蛇等。

在居民农垦栽培作物区动物群中,属古北界的动物有楼燕、灰沙燕、大仓鼠、黑线姬鼠等,属东洋界的动物有黑枕黄鹂、黑卷尾、社鼠等。

在河滩水域动物群中,属古北界的动物有普通燕鸥、豆雁、中华大蟾蜍、花背蟾蜍、中国林蛙、北方狭口蛙等,属东洋界的动物有兰翡翠、褐河鸟、泽蛙、金龟等。

在区系组成上具有南北方动物相互渗透,以古北界华北区动物占优势的特点。该区动物种类相对贫乏,缺少大型森林动物和特有动物。而适合于当地生态环境的小型啮齿动物如褐家鼠、小家鼠、黑线姬鼠、大仓鼠、岩松鼠等,数量多,分布广。草兔在该区也相当普遍。黄河干支流小型水禽如白腰草鹬、金眶行鸟数量很多,大型水禽如大天鹅、苍鹭、豆雁、野鸭等在库区虽有分布,但数量不多。本区鼠类天敌种类较多,如黄鼬、鸢金雕、红脚隼、燕隼、长耳鸮、领角鸮、休鸟、留鸟及爬行类中的蝮蛇、菜花烙铁头、虎斑游蛇、黑眉锦蛇等。食谷鸟种类多,数量大,常见种类有石鸡、环颈雉、鹌鹑、多种斑鸠和乌鸦、麻雀和多种巫鸟类等。

在库区库周分布有国家保护的珍稀濒危动物10余种,属于国家二类保护的动物有金钱豹、麝、大天鹅、小天鹅、鸳鸯、大鲵等,属于国家三类保护动物的有大鸨、金雕及各种猛禽类,还有一些像啄木鸟、燕子、林蛙、青鼬等省级保护动物。主要珍稀动物分布见表5-6-4。

表 5-6-4　主要珍稀濒危动物分布

种类	济源	孟津	渑池	陕县	新安	平陆
金钱豹	+	+	+		+	
麝	+		+		+	+
大天鹅	+					
鸳鸯			+			
大鲵					+	
大鸨	+					
金雕	+	+	+	+	+	

(二)水库蓄水对陆生动物的影响

水库蓄水对陆生动物的影响主要表现在以下三个方面:①动物丧失原有的栖息地而被迫迁移;②失去原有的取食基地与活动场所,取食范围受到限制;③环境剧变,动物失去隐蔽场所,易遭受敌害或被水淹死。水库蓄水后淹没了一些动物赖以生存的栖息地和取食基地,使这些动物被迫迁移,但蓄水也为其他动物创造了良好的栖息与取食场所,使其种群数量得到发展。

1. 兽类

水库蓄水后各种兽类将纷纷逃往丘陵高地和库周无水地带,使库周的密度增大。鼠类和草兔是库区兽类中的优势种,这些啮齿类动物繁殖周期短,孕仔率高,大量迁逃和繁殖会使库周啮齿类动物密度急剧增加,水库蓄水后 3～6 个月将形成一个高峰期。啮齿类密度的大量增加,可能会给局部地区的农业生产带来危害。另外,有些鼠类如褐家鼠、黑线姬鼠还会传播疾病,是流行性出血热病毒的携带者,因此库周鼠类密度的增加,会增加出血热的传播几率,对库周人群健康带来不利影响。

库周啮齿类动物数量的增多,还会吸引更多的肉食动物在库周活动,尤其是以捕食鼠类和草兔为主的猛禽类的数量会随之增多,像红脚隼、燕隼、鹰、猫头鹰等,这些猛禽在控制鼠类、草兔数量上将起主要作用。

2. 鸟类

库区的陆栖鸟类因具有飞翔能力,水库蓄水淹没了取食栖息地后向库周逃去,水库蓄水使库区鸟类迁往库周,使库周鸟类密度相对增加,与人类关系比较密切的常在农作区灌草地带活动的鸟类将是农林益鸟和食谷鸟类,它们种群数量增加也会给农作物造成一定影响。

3. 水禽及两栖类

水库蓄水后水域面积的扩大,为水禽特别是游禽创造了良好的栖息与取食场所,水禽的种类和数量都将增加。库区两栖爬行动物(除鳖外)相继逃往高地和库周,但水域的扩大将有利于两栖爬行类(如蜥蜴、蛇等)的生长繁衍。

人类的生产活动也将对动物的生存环境产生一系列的影响,如水面捕鱼会影响水禽正常生活,库周开荒种田将破坏动物的生存环境,乱捕滥猎,可使该区动物资源发生枯竭,库区旅游业的兴起,也将对动物的栖息产生一定的影响。

水库蓄水后周围地下水位上升,土壤含水量增加,水库产生的局地气候效应将促使植物群落的演替,进而影响到动物群落的变化。但这种变化是很缓慢的,需要很长时间才能体现出来。

(三)水库蓄水对珍稀动物的影响

水库蓄水后对库区库周的珍稀动物也将产生不同程度的影响,影响程度因动物生态习性不同而不同。

大鲵主要生活在山间溪流里,在垣曲县亳清河上游和其他支流上游均有分布。这些栖息地均远离库区,水库蓄水后对大鲵的生存环境不会产生影响。

金钱豹和麝生活在库周中山地带的次生梢林中,水库蓄水淹没的仅是一些荒坡灌丛,对这些林栖大型兽类来说,影响非常微小。但库周人口密度的增加,将破坏它们的栖息环境,致使兽类遭受猎捕机会增多,间接或直接地影响到它们的生存。因此,建库后应尽可能减少人为活动的干扰。

大天鹅、小天鹅、鸳鸯等珍稀水禽的种群数量将随着水库水面面积的增大而增多。对猛禽类来说,蓄水淹没了它们的部分取食基地,活动范围受到了限制,但猛禽类多栖息在人迹罕至的悬崖陡壁或古树上。活动范围又大,而且水库蓄水后库周啮齿类动物增多,为猛禽类提供了充足的食物来源,水库蓄水初期,库周猛禽数量可能有所增加。

陆生珍稀保护动物活动栖息场所主要分布在库周,水库蓄水后对其生存环境影响很小。移民后靠安置后,人们活动频度的增加将对野生动物的安全带来不利影响。大力宣传野生动物保护的法律法规,提高群众的野生动物保护意识,禁猎禁捕是保护野生动物的最主要措施。

水库蓄水后宽阔的水面,丰富的饵料为大天鹅、小天鹅、鸳鸯等珍稀水禽提供了广阔的生存空间。水库旅游业的发展将会对水禽的栖息生活产生一定的不利影响,旅游部门在制定规划时,应充分考虑水禽的生活习性,在生育繁殖期应严格控制下水船只的数量,特别是噪音大的船舶;严禁猎杀、投毒,为水禽、鸟类提供良好的栖息环境。

六、对水生生物的影响

(一)建库前水生生物现状

建库前小浪底库区浮游植物有 4 门 26 属,其中,硅藻门 15 个属,绿藻门 8 个属,蓝藻门 2 个属,裸藻门 1 个属。硅藻占较强优势,其次是绿藻。支流的藻类除干流河段外,还有硅藻门的菱形藻、双菱藻;绿藻门的水绵、盘星藻、鼓藻、栅藻、胶毛支藻;蓝藻门的平裂藻、颤藻;裸藻门的裸藻属。从浮游植物组成看,硅藻无论在支流和干流都占有较强优势,硅藻占藻类组成的 53.9% ~ 87.5%,硅藻在干流所占比例大于支流。

库区两岸为土石山区,人烟稀少,有机物来源不多,浮游动物含量为 0 ~ 3 个/L,而且主要是原生动物。支流多属季节性河流,径流主要由汛期降水形成,因此枯水季节水少而清;汛期暴雨过后,水量、沙量猛增,暴涨暴落。河床多为岩石及砾石,浮游动物非常缺乏,每升 3 ~ 5 个。三小区间没有湖泊,浮游动物区系除河道原有种类外,唯一的来源就是支流和小溪。

小浪底库区干、支流的底栖动物种类主要是摇蚊幼虫、水生昆虫及幼虫、蛭类、寡毛类。由于干流比降大,水流湍急,不利于底栖动物的生长,而且底质又多为泥沙、石砾,其间缺乏腐殖质,故干流中底栖动物无论在数量和种类上都较缺乏。

黄河水系渔业不发达,三小区间水流湍急,捕鱼困难,渔业更为落后。即使季节性捕鱼的人也寥寥无几。根据调查,三小区间栖息的鱼类主要有:鲷鱼(鸽子鱼)、鲤鱼、鲶鱼、鲫鱼、赤眼鳟、草鱼、红鳍鱼白、短尾鱼白、船钉鱼、雅罗鱼、黄鳝鱼。在静水产卵的鱼类有鲤鱼、鲫鱼、雅罗鱼、红鳍鱼、黄鳝鱼等;在流水环境中产卵的有铜鱼、船钉鱼、草鱼。由于缺乏静水产卵场所,因此未发现鲤鱼、鲫鱼产卵场。三小区间水流湍急,为流水产卵的鱼类提供了较好的条件。铜鱼、船钉鱼是此区域的主要鱼类,在新安县峪里乡太涧村的一条支流河口处,发现有较大铜鱼产卵场,长约 1 000m,宽 70 ~ 80m,所获铜鱼性腺已成熟,多已发育到四期,怀卵量很大,在 10 万 ~ 20 万粒之间,只要水温适宜,即可产卵。三门峡到小浪底区间,由于特定的水文条件,使得铜鱼成为主要的经济鱼类。

(二)水库蓄水后对水生生物的影响

1. 对饵料生物的影响

水库蓄水后,流速变缓,部分水域几乎成为静止的水体,为浮游植物的生长提供了良好的环境。流速减缓,泥沙沉降后,水体透明度提高,将有利于浮游植物的光合作用;大量农田被淹后,营养盐类和分解后的有机物大量溶于水中,大量营养物质在库区蓄积,为浮游植物的生长提供了丰富的物质条件,浮游植物将普遍增加。建库前常见的种类仍将是库区的主要种类,同时一些喜温藻类如蓝绿藻将比现在有所增加。

库区浮游动物贫乏,共发现16种,以原生动物为主,其次是轮虫、枝角类、桡足类动物。水库蓄水后,浮游动物种类和数量都将会有明显的增加。水库蓄水初期,由于有机质和无机盐类大量溶解于水中,使生物营养成分增加。库区内的浮游动物将会形成一个高峰阶段。随着时间的推移,水库的物理化学因子与环境因子逐渐达到动态平衡,浮游动物的数量将趋于相对稳定。

底质、流速和水体深度对底栖动物影响最大,小浪底水库不同运用期底质、流速和深度的变化,对底栖动物的分布和生长繁殖将产生相应的影响。水库运用初期,采取蓄水拦沙运用方式,大量泥沙沉积于库底,抑制了底栖动物的生长。水库进入正常运行期后,采取"蓄清排浑"运用方式,库盆相对比较稳定,特别是非汛期水体变清,水体透明度加大,将有利于底栖动物的生长繁殖。

库区悬浮物沉降量与水库回水距离成反比,即距离越远,底层泥沙的营养度就越低。以原河道为中心库中区,底栖生物区系仍由摇蚊幼虫和寡毛类组成,生物量将会有一定程度的增加。在库面狭窄、两岸陡立又无支流汇入的区域,因有机物来源少,生物量将比库中区少。

在库湾区如大峪河、畛水河、亳清河等入汇处,由于有机质的大量流入,将形成较丰富的底栖生物区系,如摇蚊幼虫、水生寡毛类、水生昆虫以及蛭类和少量的软体动物。库水位的频繁变动,不利于软体动物的生存繁殖。在底质贫瘠的库湾地区,缺乏生物及有机质。水库环境为摇蚊在库内产卵创造了合适的条件,摇蚊不仅在岸边地带产卵,而且也可能产卵于水库较深的地方。摇蚊幼虫是鲤科鱼类的饵料,摇蚊幼虫在库区繁殖后,将会改善鱼类的营养条件。

2. 对鱼类的影响

水库建成后,鲤鱼、鲶鱼、鲫鱼、红鳍鱼白、翘嘴鱼白、赤眼鱼尊、花鱼骨等可能在库区大量繁殖,鲤、鲫、鲶可能成为库区中数量最多的鱼类,建库对这些鱼类无不利影响。水库建成后水流相对静止,对铜鱼现有产卵场影响较大。铜鱼有可能上游至库尾和支流上游产卵;建坝后在坝下可能寻得其适宜的场所,而成为下游河道中的优势鱼类。黄河下游洄游性鱼类主要是鯮鱼,产卵场位于伊洛河口,其产卵环境不受小浪底水库的影响。

第六章　施工规划

第一节　概　述

施工规划是为了适应水利水电工程实行竞争性招标而进行的施工组织设计,是水利水电工程项目招标准备工作的重要组成部分,是编制标书、标底和工程师概算的依据。施工规划的主要任务是在已经批准的初步设计阶段施工组织设计的基础上,根据水工优化设计提供的详细资料和市场信息,进一步优化与加深施工组织设计,落实选定的施工方案,并根据项目实施与管理要求,提出工程分标方案,对工程实施的具体问题做出全面规划与详细安排。

小浪底水利枢纽工程规模巨大,建筑物布置复杂,施工任务繁重。枢纽工程由 1 座土质斜心墙堆石坝、3 条由导流洞改建成的孔板泄洪洞、3 条明流泄洪洞、3 条排沙洞、6 条引水发电洞和 1 座地下厂房,以及开敞式溢洪道、非常溢洪道、副坝和开关站等建筑物组成。除拦河大坝外,主要建筑物布置在左岸。主要工程量见表 6-1-1。

表 6-1-1　主要工程量

序号	项目	单位	主体工程	临建工程	合计
1	土方开挖	万 m³	1 601.35	640.29	2 241.64
2	石方明挖	万 m³	1 324.49	270.59	1 595.08
3	石方洞挖	万 m³	280	16.35	296.35
4	土方填筑	万 m³	909.02	510.16	1 419.18
5	石方填筑	万 m³	4 130.41	490.69	4 621.10
6	混凝土浇筑	万 m³	270.40	41.95	312.35
7	金属结构	万 t	3.49	0.20	3.69
8	发电设备	台	6		6
9	回填灌浆	万 m²	20.26		20.26
10	固结灌浆	万 m	27.51		27.51
11	帷幕灌浆	万 m	25.34		25.34

第二节　外资利用及分标方案

一、外资的投向及额度分析

小浪底水利枢纽规模巨大,工程施工技术复杂,主体工程施工期 8 年,施工强度高。土石坝填筑高峰月均强度 122 万 m³,混凝土浇筑高峰月均强度达 8.5 万 m³,土、石方开挖高峰月均强度分别为 113 万 m^3 和 82 万 m^3,开挖断面 220m^2 隧洞平均月进尺 85m,其强度指标虽然只相当于国际平均先进水平,但已超出当时的国内水利水电工程施工实践经验的范围。为加快工程施工进度,促使工程顺利实施,水利部领导于 1988 年提出部分利用世界银行贷款的指示。遵照有关部门的意见,结合工程的特点,初步确定了外资的投向,并基于中美联合轮廓设计概算及初步设计优化方案,按照主体土建工程进行国际招标的指示精神编制了工程投资估算。

1989 年以后,由于人民币与美元的汇率变化,主要建筑材料、油料、机械设备等价格上调,工程投资有较大幅度上升,且利用外资的投向和额度需要结合工程实施方案进行相应的分析与决策。为此在施工规划中对工程实施的外资投向提出三个方案进行比较。即:方案①主体土建工程和部分永久机电设备国际招标采购;方案②部分主体土建工程和部分永久机电设备国际采购;方案③部分永久机电设备和大型施工机械设备国际采购。经过方案比较论证,推荐方案①作为工程实施方案。该方案外资额度大,但主体土建工程进行国际招标,有利于引进国外的先进施工技术、施工机械和管理经验,能保证工期和工程质量,使工程尽早发挥效益。

二、工程分标方案

根据工程的特点和水电工程建设经验,小浪底水利枢纽主体工程按土建工程施工、机电设备制造、金属结构制造、机电设备安装、金属结构安装等几个方面考虑分标方案。

金属结构和机电设备制造由专门的制造厂家完成,另行单独招标采购。金属结构安装与土建工程施工关系密切,且参与土建投标的承包商均有金属结构安装能力,故金属结构安装纳入相应的土建标。因此,主体工程分标方案主要是对土建工程施工和机电设备安装进行统筹考虑。

(一)分标原则

根据小浪底水利枢纽的特性及建设资金来源情况,枢纽土建工程宜采用分标施工。经对工程布置、建筑物规模和施工条件等进行分析,分标时主要考虑如下原则:

(1)既能使业主减少风险,又能吸引一定数量的承包商参与投标竞争,降低报价,因此单标规模不宜过大;

(2)泄洪发电建筑物集中布置在左岸,施工道路、场地等交叉联系,为避免矛盾,减少施工干扰和纠纷,分标数量不宜过多;

(3)尽可能将内容相似的工程项目放在同一个标,避免一个标过多地跨专业施工引起施工机械设备重复购置;

(4)分标应有利于使用先进的施工机械和先进的施工技术,加快工程建设进度,保证工程质量;

(5)金属结构安装随土建标,机电设备安装与土建标分开,而一些独立性较强的小施工项目,从国际标中分离出来进行国内招标施工。

(二)分标方案

基于上述原则,结合小浪底水利枢纽的特点,在研究主体土建工程分标方案时曾研究过多种分标方案。经对各种分标方案比较,从便于工程管理、减少施工干扰、节约附属设施以及减少业主风险和有利于竞争的原则考虑,确定小浪底水利枢纽主体土建工程分为3个土建国际标,即第Ⅰ标,大坝标;第Ⅱ标,泄洪排沙系统标;第Ⅲ标,发电系统标。

三、分标方案实施情况

(一)分标方案实施

按照施工规划的分标方案,小浪底水利枢纽主体工程3个土建国际标通过竞争招标,分别由意大利英波吉洛公司(Impregilo.S.P.A)为责任方的黄河承包商(YRC)、德国旭普林公司(Zublin A.G)为责任方的中德意联营体(CGIC)和法国杜美思公司(Dumez)为责任方的小浪底联营体(XJV)中标承包。此外,部分小型土建工程如交通洞、灌溉洞、排水洞、隧洞内的帷幕灌浆和排水孔等工程,以及机电设备安装等为国内标,通过招标由国内承包商承包。3个国际标的合同文件统一采用国际咨询工程师联合会(FIDIC)土木工程合同条款,该合同条款是国际上通用和权威的合同条款,按照合同条款规定,要求有独立的监理工程师对工程建设进行全面监理。小浪底工程咨询有限公司,受小浪底水利枢纽项目业主的委托,作为独立的监理工程师单位,按照业主和承包商签订的工程承包合同,对小浪底水利枢纽建设进行施工进度、质量和投资控制,严格进行合同管理、信息管理和现场协调。施工期间国际承包商和国内承包商按照与业主签订的合同,在相邻的施工场区进行各自承包的工程项目施工。由于各承包商承担的工程项目、工作范围、工作内容和施工场地的使用时间等,在招标文件中都有明确的界限和规定,加上监理工程师的有效协调,避免了由于多个承包商同时施工的相互干扰而引起的争议和索赔。从小浪底水利枢纽主体土建工程实施情况看,主体土建工程分标方案是符合小浪底水利枢纽的工程特点和国内外水电工程承包市场条件的,分标方案是合理的并取得成功的经验,可供水利水电工程研究分标方案时借鉴。但是分标方案也不是完美无缺,如在工程实施过程中也曾发生过由于工程分标方案考虑不周而引起局部的合同变更,值得在以后研究工程分标方案时引起注意,以避免类似事件的发生,减少工程实施过程中工程师的协调工作和索赔。

(二)分标方案实施情况分析

工程的分标方案是大、中型水利水电工程施工规划必须重点研究经充分论证加以解决的重大问题。小浪底水利枢纽施工规划在研究分标方案时,对工程的规模、技术特性和施工难点以及建设资金来源等作了充分而又详细的研究,并对国内外的承包市场和当地的社会经济条件作了大量的调查、分析和研究,通过对多种分标方案的分析论证和比较后提出主体土建工程的分标方案。主体土建工程分标方案以及标段的划分充分考虑了工程的特点,国内外承包市场的条件,标段与标段之间施工的先后顺序,作业衔接时间的规定和质量责任划分。

通过施工实践,从总体上看工程分标方案符合小浪底水利枢纽的工程实际和国内外承包市场的客观条件。各项工程施工按合同文件规定的控制性计划进度进行并于1997年10月底顺利截流,Ⅲ标承包商按时提交电站机组安装工作面,由国内安装承包商按计划完成发电机组安装,并于2000年初首台机组投入发电。大坝填筑按期达到或超过各年规定的拦洪高程,并提前一年完建。全部工程于 2001 年底按期完成。在工程实施过程中,未发生因为分标方案的原因而引起大的合同纠纷和索赔,但也曾发生过由于标与标之间有的地段因工序与作业衔接的责任划分考虑不周而导致工序与作业变更的事例。如泄洪排沙系统为Ⅱ标,引水发电系统属Ⅲ标,由于地形和地质的原因泄洪排沙系统消力塘和引水发电系统的尾水渠汇合在一处,而从工程的总工期安排消力塘和尾水渠必须在工程开工后即进行开挖才能满足 8 年施工期的要求。因此,很难找到一个既能明确划分两个建筑物明挖界限而又不发生施工干扰的分标方案。研究分标方案时,只是从防止两个标同时施工干扰考虑,把消力塘和尾水渠的开挖都划给Ⅱ标完成,而尾水渠的混凝土由Ⅲ标浇筑。并规定Ⅱ标承包商于 1995 年 9 月 30 日前将开挖合格的工作面交Ⅲ标承包商浇筑混凝土。但是Ⅲ标承包商从Ⅱ标承包商接过工作面后要利用尾水渠作为交通道路,先完成尾水洞等有关建筑物施工后再浇筑尾水渠底板混凝土。因此,尾水渠开挖后要经过长时间的暴露并受施工机械长期在其上面来回工作的影响,本已开挖合格的工作面仍需进行重新开挖处理后,才能保证混凝土板坐落在新鲜的岩石面上,工程质量才有保证。为了不进行二次开挖和保证工程质量,在工程实施过程中工程师对合同进行了变更,改为Ⅱ标承包商在 1995 年 9 月 30 日前提交开挖至离基础面 2m 的开挖面交给Ⅲ标承包商,剩余的 2m 岩石由Ⅲ标承包商完成。这样Ⅲ标承包商可在尾水洞等工程完成施工后,再进行 2m 岩石开挖和底板混凝土浇筑,有利于开挖和混凝土浇筑的衔接。另外,导流洞中部上导洞开挖由国内承包商施工完成后,交给Ⅱ标国际承包商完成剩余部分的开挖和混凝土衬砌。国内承包商的超挖引起的Ⅱ标承包商需超填混凝土的合同纠纷,则是由于处理标与标之间工序与作业衔接时,对国内承包商超挖控制不严而造成的。因此,在今后研究工程分标方案时,对于有工序与作业衔接的工程分标应特别注意,要把衔接工序与作业内容和在交接工作面时的有关质量责任划分清楚。

(三)对分标方案的认识

从小浪底水利枢纽施工实施的情况看,作为工程规模特别巨大、地质条件十分复杂和工程布置相对集中的水利水电工程,结合工程的具体情况和资金来源,采用分国内标和 3 个国际标,并通过竞争性招标选择承包商施工,由独立的工程监理单位参加工程监理进行工程建设是可行的,不会产生大的合同纠纷和索赔。小浪底水利枢纽的泄洪排沙和引水发电系统集中布置在左岸山体不同的高程上,各建筑物施工时的施工道路、施工场地等交叉联系多,相互干扰大,按照工程分标方案施工时左岸山体施工区内将有Ⅰ标、Ⅱ标和Ⅲ标等 3 个国际承包商以及两个以上的国内承包商同时进行各自承包的工程施工。多标在同一施工场地相互干扰产生矛盾和纠纷很容易发生,而且需要做大量的协调工作,通常情况应尽量少分标或不分标,以免产生标与标之间的矛盾和纠纷。但是小浪底水利枢纽在施工期间,因为施工道路和场地交叉使用而发生标与标之间的矛盾和纠纷很少,工程施工也未受到影响。这主要是在编制工程招标文件时,根据小浪底水利枢纽施工规划的分标方案论述的相关问题,对工程分标方案中各标承担的工作任务,对每一个标的承包商明确规定了其在施工区承担的责任、工作范围、工作质量和工作时间,加上施工期间监理工程师的现场协调,避免了可能发生的施工干扰和纠纷的发生,达到了分标施工完成工程建设的目的。

第三节 施工导截流

根据小浪底水利枢纽排沙和防淤堵的要求,地形和地质条件限制,所有泄洪、排沙和引水建筑物只能布置在左岸山体内,这给泄洪和导流建筑物的布置和施工带来很大的困难。为减少泄洪排沙和导流洞的数量采取了相应措施。小浪底水利枢纽距三门峡水库较近,为减少导流流量,在进行施工洪水频率流量计算时,考虑了三门峡水库可能调节控泄流量的作用;在导流任务完成后,将导流洞改建成带中间闸室的孔板泄洪洞,此种将导流洞改建成带中间闸室的孔板泄洪洞的消能结构在世界上尚属首创。导流洞改建的施工通道布置、施工技术、工期安排等难度大。通过进行精心的施工设计,认真组织施工,在2个非汛期内分2批将3条导流洞改建成带中间闸室的孔板泄洪洞,满足施工导流度汛要求。

一、导流标准

小浪底水利枢纽为一等一级工程,围堰高度大于50m,相应库容大于1.0亿 m^3,导流建筑物按规范规定应为Ⅳ级,应按30~50年洪水重现期设计。鉴于围堰与坝体结合,围堰失事不仅延误工期,而且还严重威胁到下游焦枝、京广两条铁路和两岸人民生产和生活的安全。参照规范经研究将截流后第一年(1998年)的导流标准提高到百年一遇。

二、导流方案和导流程序

根据地形、地质特点和水文特性,经比较采用隧洞导流方案。坝体施工时分两期导流,第一期束窄河床到250m宽,进行右岸滩地的坝基开挖、处理和坝体填筑。第二期截断左岸河床,由左岸导流隧洞过流,进行左岸坝基开挖、处理和全坝段的坝体填筑。

导流程序:工程开工第一年(1994年),进行左岸3条导流洞的施工,同时利用右岸滩地进行坝基开挖、处理和坝体填筑。第四年(1997年)10月底导流洞具备导流条件,11月中旬截流,河水由3条导流洞下泄。第五年(1998年)汛前,与坝体结合的上游拦洪围堰做到185m高程,以防百年一遇洪水,汛后改建1号导流洞为带中间闸室的孔板泄洪洞。第六年(1999年)汛前,大坝填筑到200m高程,挡500年一遇洪水,汛后改建2号、3号导流洞为带中间闸室的孔板泄洪洞。第七年(2000年)汛前,大坝填筑到236m高程,挡千年一遇洪水。第八年(2001年)7月,大坝填筑到281m高程,枢纽投入正常运用。各年参加导流的泄水建筑物、不同洪水频率的调洪计算成果见表6-3-1。

表 6-3-1　调洪计算成果表

项目	1997 年	1998 年		1999 年	2000 年
导流度汛标准	全年20 年一遇	枯水期20 年一遇	全年百年一遇	全年500 年一遇	全年千年一遇
洪峰流量(m³/s)	16 170	2 210	18 010	21 530	24 520
泄水建筑物	束窄后的左岸河床	3 条导流洞	3 条导流洞	3 条排沙洞、2 条141.5m 高程导流洞	3 条排沙洞、3 条孔板洞、3 条明流洞
滞洪水位(m)	145.00	150.00	177.30	194.56	233.57
滞洪蓄水量(亿 m³)		0.5	4.16	8.96	45.00
最大泄流量(m³/s)	16 170	2 210	8 270	7 620	8 584
挡水建筑物	一期围堰	枯水围堰	拦洪围堰	坝体	坝体

三、导流建筑物

结合水工布置,左岸设 3 条直径 14.5m 导流洞,其中 1 号导流洞进口高程 132m,出口高程 126m;2 号、3 号导流洞进口高程 141.5m,出口高程 135.5m。导流洞进口设 12m×14.5m 的封堵闸门,启闭机平台高程 175m,3 条导流洞完成导流任务后均改建成带中间闸室的孔板泄洪洞,泄洪洞进口高程为 175m。

上游拦洪围堰为土质斜墙堆石围堰,围堰与大坝相结合,按百年一遇洪水设计,堰高 57m,堰顶高程 185m,堰顶宽 20m。坝内设短铺盖使坝体斜心墙与围堰斜墙相接,以充分利用黄河天然淤积形成铺盖。

上游枯水围堰为Ⅳ级建筑物,为上游围堰的组成部分。枯水围堰的任务是挡枯水期 11 月至次年 6 月来水,按挡水时段 20 年一遇(洪峰流量 3 660m³/s)经三门峡水库控泄后加区间流量之和 2 210m³/s 设计围堰。堰顶高程 152.5m,最大堰高 24.5m,堰顶宽 27.5m,基础采用混凝土防渗墙和高压旋喷灌浆联合防渗,龙口部分为高压旋喷灌浆防渗。

下游围堰按百年一遇洪水时导流洞最大下泄流量 9 460m³/s 设计,考虑施工交通要求,拟定堰顶高程为 145m,堰顶宽 15m,最大堰高 19m,采用土质斜墙堆石断面,基础采用黏土水平铺盖防渗。

四、截流设计

根据水文资料分析,选定 11 月中旬截流,截流设计流量按 11 月中旬,旬平均流量为 1 820m³/s。为减少截流流量,降低截流难度,经分析要求截流时由三门峡水库控泄流量到 200m³/s,加三门峡至小浪底区间来水 143m³/s,截流流量按 343m³/s 设计。根据河床地形和地质条件,采用从右岸向左岸进占立堵截流。龙口位置选在左岸 130m 高程基岩平台处,计算截流最大设计流速为 5.19m/s,最大落差 3.73m,最大单宽动能 89.71t/s。

五、导截流设计特点

小浪底水利枢纽导截流设计,结合枢纽的工程特点、地形、地质和水文气象条件,经过多方案设计比较和水工模型试验论证,所设计导截流方案和标准是可行和合理的,其最大的特点是:

(1)结合坝区的地形和地质条件,采用分期和隧洞导流相结合的导流方式,截流前束窄左岸河流,使右岸滩地坝体填筑与导流洞同时施工,以缩短截流后大坝施工工期,并降低坝体施工强度;

(2)上游枯水围堰是拦洪围堰的一部分,拦洪围堰与坝体相结合,以节省导流挡水建筑物工程量;

(3)3条导流洞完成导流任务后改建成孔板泄洪洞,不但节省工程费用,而且缓解了左岸泄水建筑物布置困难的矛盾;

(4)上游围堰采用高压旋喷灌浆防渗新工艺,为围堰施工争取了工期,采用高压旋喷灌浆造墙工艺后,10 220m^2 的防渗墙可在一个月内完成;

(5)充分利用上游三门峡水库的调节库容,使截流设计流量由 1 820m^3/s 降至 343 m^3/s,降低了截流设计和施工的难度,减少了截流工程量。

第四节　主体工程施工

主体工程施工方案的拟定,在施工规划阶段进行了大量的施工方案技术经济比较,通过比较选择技术经济指标最优的方案作为推荐的施工方案。现就推荐的施工方案简述如下。

一、大坝施工

大坝为壤土斜心墙堆石坝,设计坝高 154m,坝体填筑量 5 185 万 m^3,其中土方 900 万 m^3,反滤 260 万 m^3,堆石 4 025 万 m^3。坝基采用混凝土防渗墙防渗,最大造墙深 82m,是当前国内最高、坝体填筑量最大、坝基防渗墙最深的心墙堆石坝。根据施工总进度安排,大坝施工期短,填筑强度高,特别是工程截流后,大坝填筑是关键路线上的关键工程,能否保证设计的施工强度和形象进度,关系到大坝安全度汛的重大问题。

(一)大坝施工最主要的问题

(1)坝基 70 余 m 深的覆盖层采用 1.2m 厚、C35 的混凝土防渗墙,其深度、厚度和混凝土标号都超出了国内现有的施工经验,施工难度大。

(2)按照施工导流要求,截流后第一年(1998 年)汛前,与坝体结合的上游拦洪围堰要填筑到 185m 高程,以防百年一遇洪水;1999 年汛前坝体填筑到 200m 高程,以防 500 年一遇洪水。本阶段施工工期短,工程内容多,工程量大,必须精心组织,精心施工,才能达到拦洪高程,为大坝施工的关键时段。

(二)混凝土防渗墙施工

混凝土防渗墙施工是大坝施工中难度最大的工程。为了保证混凝土防渗墙的施工质量和进度,在施工规划中对造墙的施工机械作了详细的比较。通过分析比较,结合小浪底的具体地质情况,造孔施工方案选定为上部 30m 采用"两钻一抓"法施工,即主孔采用 CZ－30 冲击钻造孔,副孔由抓斗开挖。30m 以下主、副孔均采用 CZ－30 冲击钻造孔。

(三)大坝填筑施工

1.料场开采

寺院坡土料场位于右坝肩四级阶地上,高程 380～400m,运距 6.8km,土层厚 20～30m,储量约 2 640 万 m³,天然含水量 19%～20%,料场开采条件较好,施工规划选择以立采为主、平采为辅的开采方式。采用 12m³ 液压挖掘机和 9m³ 装载机挖装,239kW 和 306kW 推土机集料,90t 底卸汽车运输上坝。

石门沟石料场位于右岸,东与寺院坡土料场相邻,其上覆土料为寺院坡土料场一部分,勘探储量约 3 750 万 m³。为控制石料合理的级配和创造多个工作面,采用深孔台阶爆破开采石料。料场分 4 个台阶,每个台阶高 14m,开采高程 324～380m,开采范围长 800m、宽 500m 左右,考虑钻孔、爆破、装料及汽车运输要求,每个台阶最小工作面宽 56m。经比较选用履带式液压钻机钻孔,12m³ 液压挖掘机和 9m³ 装载机挖装,306kW 推土机集料,77t 和 45t 自卸汽车运输上坝。

2.运输道路

寺院坡土料场和石门沟石料场均位于右岸台地上,可共用 1 条道路通到右坝肩。沿右岸岸坡上下游布置有支线道路,每 20m 高差引出 1 条支线至坝面,上下游分别进料,汽车不穿越心墙。沿河右岸上下游各布置 1 条上坝干线道路供上游土料和下游马粪滩反滤料运输用,坝的左岸也布置 1 条上坝道路,运输左岸堆渣场回采料。南北岸交通经下游大桥和下游围堰连接,这样可保证场内干线道路相互连通,运输畅通,上坝料分流合理。右岸料场至右坝肩 2 号道路土石料运输共用,车流量最大,单向流量达 73 辆/h,大坝施工道路按矿Ⅱ级道路设计,泥结石路面,路面宽 16.5m,最大纵坡 8%,最小转弯半径 30m。

3.坝面铺料与碾压

坝面采用分区流水作业施工,填筑料分卸料、平料、碾压和质检四道工序,各工序流水分段,平行坝轴布置,采用前进后退法碾压。

为了保证碾压质量,提高效率,需合理选择碾压设备和参数。土料采用 13.5t 振动凸块碾,铺土厚 35cm,碾压 6 遍,压实厚度 25cm。采用 134kW 推土机散料,F155A 型平地机刮平;堆石采用 239kW 推土机平料,14t 振动平碾压实,铺料厚度 1.2m,碾压 6 遍,压实厚 1.0m。反滤料用 134kW 推土机平料,14t 振动平碾压实,铺料厚度 0.6m,碾压 6 遍,压实厚 0.5m。整个坝面尽可能平起上升,即两层土料一层反滤,两层反滤一层堆石料。

4.大坝施工分期和坝体填筑强度

坝址区河道平直,主流靠左岸,常水位 135m 左右。右岸有宽 350～400m 滩地,高程 135～150m。大坝分两期施工。截流前为一期工程,将右岸坝体填筑到 200m 高程,由左岸河床过流,河床束窄到 250m 左右。截流后为二期工程,先填筑左侧河床部分坝体到 200m 高程后,整个坝体再一起填筑到 281m 坝顶高程。

截流后第一年和第二年坝体填筑工程量大,施工强度高,而且基础开挖处理、混凝土防渗墙施工、坝体填筑等工程同时施工,相互干扰大,为大坝施工最困难阶段。为保证按

计划达到拦洪高程,降低填筑强度,均衡生产,采取以下几项措施:

(1)截流后基坑抽完水即开始坝下左岸河床混凝土防渗墙施工,与上游拦洪围堰同时进行;

(2)围堰基础开挖后,进行坝下基础开挖,在混凝土防渗墙施工的同时,把下游堆石和压戗填筑到 140m 高程;

(3)采用临时断面挡水,1999 年前坝体填筑到 200m 高程,下游坝壳部分填筑到 185m 高程,这样可以减少填筑 120 万 m^3 堆石料。

采用上述措施后,坝体填筑强度由高峰期的月强度 140 万 m^3 降低到 122 万 m^3,日强度由 6.2 万 m^3 降低到 5.6 万 m^3。

二、泄水建筑物施工

泄水建筑物包括进口明渠、10 个进水塔组成的塔群 1 座、3 条由导流洞改建成的孔板泄洪洞、3 条明流洞、3 条排沙洞、正常和非常溢洪道各 1 条、出口消力塘和尾水渠等。

泄水建筑物均布置在左岸,进口位于风雨沟,出口在桥沟,进出口间的距离约 1 200m,泄水建筑物分 5 层布置,进口高程为 258m、225m、209m、195m、175m(导流时为 141.5m 和 132m),隧洞穿过层状砂页岩,岩石中有软弱岩层,并有 F_{236}、F_{238} 两条较大的断层与 1 号和 2 号导流洞相交,围岩 III、IV、V 类都有。进水塔群位于 F_{28} 断层以东,塔群长 281m、宽 48m、高 112m。

进出口为大量土石方开挖,开挖高差大,开挖后形成高边坡。进口天然地形平均坡度约 35°,个别地段 70°,最大开挖深度达 180m。出口地形比较平缓,天然地形平均坡度约 20°,开挖高差近 100m。

由于建筑物集中布置在左岸,结合小浪底坝址处的地形和地质条件,泄水建筑物的施工困难很大,其主要表现在以下几个方面:

(1)进、出口明挖高差达 158m 和 100m,且岩石受节理裂隙切割严重,要保证高边坡开挖快速安全地进行是很困难的,必须按照一定的施工程序进行施工,在施工中必须采用适于本地区条件的施工工艺。

(2)在左岸长 300m、宽 1 000m、高 100m 的山体内,除布置 3 条直径 14.5m 孔板泄洪洞,3 条直径 6.5m 排沙洞,3 条 10m×12m 的明流泄洪洞和 6 条直径 7.8m 引水发电洞等 15 条大断面泄洪、引水和排沙洞外,还布置有多条断面不等的灌溉洞、排水洞、交通洞以及各种竖井、地下洞室。洞子多,间距小,施工干扰大,需要很好地协调隧洞的施工程序,避免干扰。

(3)导流洞完成导流任务后要改建成带中闸室的孔板泄洪洞,按导流程序安排,3 条导流洞分两批,必须在两个枯水期完成改建工程,工期紧,任务重。

(4)有 10 个进水塔组成的进水塔群,轴线长 281m、高 112m,其混凝土浇筑量达 86 万 m^3。其工程量大、结构复杂、孔洞多、施工难度大,对混凝土温度控制要求高。

(5)排沙洞采用后张法预应力混凝土衬砌,国内尚无成熟的施工经验(仅清江隔河岩水电站采用过预应力混凝土衬砌),施工有一定的难度。

根据总进度安排,导流洞于第一年(1994 年)开工,第四年(1997 年)11 月截流,第五年

(1998 年)汛后封堵并改建 1 号导流洞为孔板泄洪洞,第六年(1999 年)汛后改建 2 号、3 号导流洞为孔板泄洪洞。泄水建筑物的施工程序是:在进出口土石方开挖的同时,利用施工支洞进行导流洞身施工;进水塔和消力塘混凝土浇筑,应在基础开挖好后立即进行施工;排沙洞和明流泄洪洞,应在导流洞开挖完成后立即进行施工;为减少导流洞的改建任务,保证导流洞改建成带中闸室的孔板泄洪洞能在一个枯水季完成,在截流前必须完成导流洞龙抬头部分和中闸室的土建工程。209m 高程明流洞施工时应与引水发电洞施工紧密配合,减少干扰。

进口明挖土石方约 540 万 m^3,石方开挖采用深孔台阶爆破法,台阶高 10m,沿边坡设计开挖线进行预裂爆破,以确保边坡稳定和减少超挖。开挖使用 TROC712H 型液压钻车钻孔,5.5m^3 液压挖掘机和装载机装渣,32t 自卸汽车出渣的施工方法。进口边坡的喷锚支护和排水孔的施工,随石方开挖逐台阶进行,即每开挖一层随即进行喷锚支护和排水孔施工。喷混凝土采用集中拌和供料,汽车式机械手喷射;锚杆采用全液压台车钻孔,人工安装;钻排水孔采用液压式岩心钻机钻孔。出口土石方明挖 1 153 万 m^3,开挖和喷锚支护方法基本与进口相同,但其挖装容量较大,使用 TROC12H 型液压钻车钻孔,7.5m^3 液压挖掘机和装载机装渣,45t 自卸汽车出渣,喷锚支护和排水孔的施工方法与进口工程一样。

10 座进水塔连续排列在进口部位组成进水塔群,其中 7 座塔进水口高程为 175m,另 3 座塔进水口高程分别为 195m、209m 和 225m,塔顶高程为 283m。进水塔的混凝土量约 87.5 万 m^3,混凝土浇筑方法采用机械吊运法。混凝土用 10t 自卸汽车由拌和厂运送到进水塔前,卸入卧式混凝土罐内,再由自升式塔机吊入仓内,插入式振捣器振动密实。钢筋、模板等主要材料也由塔机吊运。

每一条导流洞长约 1 200m,因进出口土石方和混凝土工程量大、工期长,导流洞施工不能利用进出口工作面,所以必须设施工支洞。经比较,导流洞共布置两条施工支洞,其断面为 9.1m×7.1m 的城门洞,采用喷混凝土、锚杆、钢筋网联合支护。

隧洞的开挖采用常规的钻孔爆破法。开挖设备选用轮胎式,以便于充分发挥施工机械的效率,钻孔机械选用多臂全液压凿岩台车,装渣机械选用 5m^3 轮胎式装载机,运输机械选用 35t 自卸汽车。由于导流洞开挖跨度 17m 左右,围岩属于Ⅲ、Ⅳ、Ⅴ类,为了保证围岩的稳定,必须实行分部开挖和控制爆破。

导流洞作为控制工期的关键工程,提前于 1992 年由国内工程局施工,并于 1994 年 3 月完成 1 号、2 号施工支洞以及 3 条导流洞的上半部(宽 8m)、3 条泄洪洞中闸室吊物孔的开挖和支护,为国际承包商进场施工创造了极好的工作条件。

导流洞混凝土衬砌在全洞开挖完成后,先进行底拱混凝土衬砌,在底拱混凝土达到 40%的强度后,再浇筑边顶拱混凝土。

明流泄洪洞和排沙洞等的施工均由进出口工作面完成,明流洞采用分部开挖和衬砌,排沙洞采用全断面开挖和衬砌。

三、地下厂房施工

地下厂房为三洞室布置,主厂房跨度 26.2m、长 251.5m,最大高度 61.44m;主变室跨度 15.2m、长 174.7m、高 17.8m;尾水闸门室跨度 10.6m、长 175.8m、高 8.47m。

根据电站厂房和尾水闸门室施工的需要,设置 8 号施工支洞作为地下厂房和尾水闸门室顶部开挖的通道,其进口高程 165m,断面尺寸为 9.2m×10.7m。

地下厂房顶拱开挖分三部分,即先开挖中间部分,并及时喷锚支护,然后再挖除两边部分和完成全部顶拱喷锚支护。中下部的施工拟分五层向下开挖,每层开挖后立即进行边墙的喷锚支护。每层开挖高度 10m 左右,但应根据建筑物施工需要而定。地下厂房使用的施工机械设备基本与导流洞开挖设备相同。

四、主体工程施工设计评价

小浪底水利枢纽已完工,国际承包商承担的主体工程的施工程序、施工方法和使用的主要施工机械设备,基本上与施工规划主体工程施工设计相同。但是水电工程施工是一项十分复杂的系统工程,它受工程的地形、地质、水文和气象等自然条件的影响,另外,不同的承包商有不同的工程经验、工作习惯、机械设备。因此,对于同一个工程不同的承包商尽管他们的施工程序、施工方法相同,使用的施工机械设备可能不尽相同,但其性能和容量应相近。对照三个国际承包商的工程施工实施情况,小浪底水利枢纽主体工程施工设计总体来看已接近当时国际水电工程的施工技术水平。

在工程施工中也反映出主体工程施工设计与国际承包商在工程实际施工的施工布置、施工方法、施工机械设备、施工进度都有许多不同。现结合小浪底水利枢纽大坝、泄洪排沙系统、引水发电系统工程施工实践对施工规划的主体工程施工设计中有关问题进行分析研究和评价。

(一)大坝工程施工

小浪底水利枢纽大坝工程由意大利英波吉洛(Impregilo.S.P.A)公司为责任方的黄河承包商联营体承建。该联营体由意大利英波吉洛(Impregilo.S.P.A)公司、德国的霍克蒂夫(Hochtief)公司、意大利贸易(Italstrada S.P.A)公司和中国水电十四局组成。意大利英波吉洛(Impregilo.S.p.A)公司是一家国际性总承包公司,在世界水电建设行业有较高声誉。从 1994 年 6 月 4 日进场,至 2001 年 5 月大坝工程提前完工的施工情况看,黄河承包商联营体实现了高速度、高强度、高效率、高效益,各项施工技术指标均达到了国际先进水平,在大坝工程施工组织及现场施工管理方面有较高技术水平和丰富的经验,值得我们在今后的土石坝工程施工设计中参考和借鉴。

1. 现代化的施工管理

黄河承包商联营体是由四家具有独立法人资格国内外工程公司组成的经济实体,以最少的投入获得最大的经济效益和良好的声誉是其承包工程的根本目的。为保证工程的施工进度和质量,黄河承包商联营体组建了高度集中而严密的组织机构,施工现场最高领导部门为现场经理,下设技术、生产、机电和行政等部门经理,各部门经理下设相应的分支机构。现场经理权力高度集中,拥有管理联营体的财政和合同事务的权力,在一定条件下,还负责订货、与银行财务往来及工程师商讨财务问题。现场经理下属的部门经理的职责是全权负责管理各自部门的人事、机械设备和材料。

黄河承包商联营体全部实现办公自动化,各部门均配备有计算机,日常工作中的文件处理、施工进度控制、车间图绘制和试验资料统计分析等均由计算机完成;对人员、机械设

备和材料等的数据统计也由计算机进行动态管理。承包商采用目前国际上较为流行的
P3 管理软件编制施工进度计划,可以快速、准确地反馈实际施工信息并进行分析,能及时
对进度计划进行调整、修改,并在复杂的施工进度计划中找出关键路线和主要控制点,控
制施工进度。

承包商除在办公区、生活区及生产工区有电话联系外,还在工区内建立了功能强大、
多频道的无线对讲机通信网,各部门负责人、工程师和现场工长均配备有对讲机,便于互
相联系。

2. 先进的机械设备,科学的配套使用

Ⅰ标承包商为保证小浪底水利枢纽大坝的施工进度,选用了当时国际上先进的施工
机械设备,如用于大坝土石料场开挖、运输和加工,坝基处理,坝体面作业的推土机、装载
机、平地机为美国 CAT 产品,钻孔机械为芬兰 TAMROCK 产品,液压挖掘机为日本 HI-
TACHI 产品,凸块振动碾和振动平碾是英国产品;自卸汽车、混凝土防渗墙成槽机械的双
轮铣,高压旋喷灌浆防渗墙的钻孔机械,砂石料加工系统的破碎、筛分、冲洗及运输设备均
为意大利产品。

为合理利用机械设备资源,充分发挥各类机械设备的生产效率,加快施工进度,承包
商对选用的各类施工机械设备进行了科学的配套。如坝基土方开挖选用 CATD8N/D9N
推土机集料,EX400/1100 型液压挖掘机或 CAT988F/992D 型轮式装载机挖装,DP755/366
型自卸汽车运输;坝基石方开挖采用 TAMROCK CHA660 型液压履带自行式钻机钻孔爆
破,CATD8N/D9N 推土机集料,EX1100/400 型液压挖掘机挖装,DP755/366 型自卸汽车运
输;坝体土方填筑的机械配套为土料场采用 CATD8N/D9N 推土机集料,CAT988F/992D 型
轮式装载机挖装,DP755/366 型自卸汽车运输上坝,坝面用 CATD8N 推土机初步平料,
CAT14H 型平地机平料,17t 凸块振动碾碾压;坝体堆石料填筑在石料场采用 TAMROCK
CHA1100C 型液压履带自行式钻机钻孔台阶爆破开采石料,CAT D9N 推土机辅助集料,
EX1800 型液压挖掘机挖装,DP755 型自卸汽车运输上坝,坝面由 CAT D9N 推土机平料,
17t 振动平碾碾压。

3. 采用高效、方便、快捷的检测手段

为准确控制施工区的位置,承包商除布置了大地测量控制网点外,还选用了德国
ZEISS 公司生产的 EITA 3 型电子全站速测仪,该仪器配有便携式微型计算机,能储存系统
信息,储存能力强,并能自动、快速、准确地处理各种测量信息。如测量一个样桩仅需
3min 左右。

土料压实密度的检测方法有环刀法、气囊法、灌砂法和核子湿度－密度仪法等。过去
常采用环刀法、气囊法、灌砂法等进行检测,环刀法所需时间长,试验时人为影响因素大,
相应测试结果的误差大,不能及时提供测试结果用于现场质量控制;灌砂法的检测数据可
靠,需要比环刀法更长的试验时间才能得到试验结果;核子湿度－密度仪法最大的优点是
检测速度快,测试一组试验成果仅需 2～3min,检测数据准确,便于施工现场质量控制,有
利于加快填筑进度;基于核子湿度－密度仪法的优越性,大坝土料填筑压实密度的检测广
泛采用核子湿度－密度仪法。但考虑到土料的矿物组成、使用时间和周围环境等因素的
影响,需定期进行灌砂法或标准槽的现场试验,并用其结果对核子湿度－密度仪进行率

定,以保证试验结果的可靠性。

4. 优化施工组织设计,加快施工进度,降低工程造价

在充分研究坝区的地形、地质和料场条件的基础上,结合坝基开挖和坝体填筑材料特点,从保证工程质量、施工进度和降低工程造价出发组织工程施工。利用右坝肩开挖区附近冲沟自然地形,增设 3 个小弃渣场,就近堆弃右坝肩上部开挖的不分类料 90 万 m^3,运距比合同指定的赤河滩弃料场近 5km,这样不仅加快了开挖进度,为提前完成右岸坝肩开挖起到积极作用,且这些小弃料场又可作为施工场地,也为承包商带来可观的经济效益。

承包商在马粪滩砂石料场开采前,对该料场进行验证勘探,较详细地核查了料场的储量和天然级配,根据料场天然级配中超径石约占一半,承包商提出利用超径石,经过简单加工,可以替代石门沟用钻爆开采的 3 区过渡料,并经监理工程师批准后用于 3 区过渡料的填筑,满足工程进度和质量要求。不仅解决了马粪滩料场超径石的堆弃难题,同时也可减少工程造价。

5. 注重施工机械维修、保养和公路养护

承包商除制定有严格的施工机械设备管理制度外,还特别重视对施工机械设备的维修、保养。承包商与施工机械设备的供应商合作在工地建立配件库,施工机械达到规定运行时间后强制进行检修、养护。施工机械由设置在现场的 IVECO135E18 流动服务车快速检修,IVECO135E18 流动服务车载有直流发电机、小型空压机、电焊机、悬臂吊杆和绞车等。油料由加油车运到现场,工地一般实行两班作业,每班 12h,每班有 1.5h 的工间休息,休息时各种机械停放有序,此时流动服务车、加油车开始服务。由于承包商重视施工机械的维修、保养,因此施工机械的完好率始终保持在 90% 以上,保证了施工机械高效运转。

场内运输干线公路均为泥结碎石路面,公路的维修和养护直接影响到运输机械的运行安全和效率。因此,承包商非常重视工区内施工道路的维修,安排专门的推土机、平地机、振动平碾和洒水车等施工机械设备全天候进行施工道路的维修和养护,始终保持施工道路平整和畅通无阻,减少了施工机械损坏及事故发生,为高强度、高效率施工提供条件。

(二)泄洪排沙系统施工

小浪底水利枢纽泄洪排沙系统工程规模大,且集中布置在左岸,结合小浪底水利枢纽坝址区的地形和地质条件,泄洪排沙系统施工难度大,而泄洪排沙系统的进口、导流洞、出口等项目均在工程施工的关键路线上。由于利用世界银行贷款的原因国际招标工作进程变化,原定 1993 年 1 月国际承包商进场改为 1994 年 4 月 15 日发布开工令,从施工进度分析,需将关键路线上的进口、导流洞和出口工程分两期施工,一期工程进口 230m 高程、出口 165m 高程以上的开挖和支护,1 号、2 号施工支洞,3 条导流洞的上部中导洞以及吊物井的开挖和支护在国际承包商进场前由国内承包商完成,其余部分由国际承包商完成。关键工程提前施工是确保小浪底水利枢纽按期截流发电的有效措施之一。

小浪底水利枢纽泄洪系统由德国旭普林公司(Zublin A.G)为责任公司的中德意联营体(CGIC)中标承建,在工程的建设过程中,承包商同样也把国际上适应小浪底水利枢纽的泄洪排沙系统工程施工先进的施工管理机构、先进的施工方法以及先进的施工机械设备应用于工程施工并取得成功,有许多先进的经验值得国内水电工程施工设计借鉴,其中

最主要有如下几个方面。

1. 采用先进的施工技术和施工方法

在泄洪排沙系统的进水塔基础开挖中,承包商采用大孔径、小药卷、履带钻机钻斜孔爆破的开挖方法进行基础开挖,并取得成功。该方法突破了我国水工建筑物岩石基础开挖工程施工技术规范有关规定;使用履带式钻机钻孔提高了钻孔的生产率,加快了施工进度,同时也减轻了工人的劳动强度。

导流洞断层带开挖采用了"短进尺、弱爆破、强支护、勤检测"施工方法进行开挖和支护。在 2 号导流洞 0 + 789 ~ 0 + 085 段的断层带的支护采用双层网,喷混凝土 15cm,半机械化开挖,超前锚杆支护的施工方法,为大断面断层带开挖取得成功经验。

Ⅱ标承包商在小浪底水利枢纽的排沙洞工程的实施过程中采用无黏结预应力混凝土衬砌的先进技术。该技术成功地解决了薄覆盖岩层地下洞室密集分布与高水头压力对地下洞室承压要求的矛盾,最大限度地缩小了开挖洞径,减少了洞身衬砌钢筋安装量与混凝土浇筑量,简化了施工程序,降低了施工难度,改善了工人的施工作业条件,提高了施工生产率。无黏结预应力混凝土的钢绞线有聚乙烯保护层及油脂保护,具有防腐性能好、摩擦损失小、预应力损失小等性能,同等条件下增加了工程的安全性和使用寿命。

2. 把先进的施工机械设备用于工程施工

采用 Φ36 钢管(壁厚 4mm)制成的冲击式锚杆,有一长约 7cm 的尖端,其前部 1/3 的长度内每隔 10cm 设一对孔径 6mm 出浆孔,在尾部 15cm 为螺纹段,以便安装垫板和螺帽。冲击式锚杆除拥有一般锚杆的对围岩的支护锚固作用外,还有以下特点:在不良地质段发生塌方情况下还能保持支护作用;用水泥浆作为黏结剂,一方面能使锚杆起到砂浆锚杆的作用,另一方面通过封孔加压,在断层破碎带、节理、裂隙和层理发育的岩体中起到固结围岩的作用;冲击式锚杆可就地取材,易于施工,经济方便,在施工中取得了较好经济效益。

泄洪排沙系统进出口混凝土浇筑采用国际先进的 ROTEC 系统设备,它和国内常规的门机、塔机和履带起重机配合吊罐入仓或皮带机栈桥配溜槽浇筑混凝土相比,具有浇筑强度高、保证工程进度、覆盖范围广、提升高度大等特点,如 CC200 - 24 型胎带机最大水平覆盖半径达 61m,即使在 30°倾角时仍可达 53.2m,最大提升高度达 33.5m;TC1875 塔带机最大覆盖半径 85m,最大提升高度达 108.8m;此外,利用塔带机浇筑混凝土可节约设备、减少干扰,塔带机、胎带机都是用皮带机送混凝土直接入仓,节约了吊罐、栈桥和溜槽等设备和材料,同时布料均匀不需平仓,节约了平仓设备,减少了施工人员,提高了工作效率,能自动控制卸料位置,入仓准确、均匀,不需平仓。一般情况下,用塔带机或胎带机浇筑混凝土只需 5 ~ 8 人振捣,2 ~ 4 人操作设备。

ROTEC 混凝土浇筑系统应用在小浪底泄洪排沙系统的进、出口混凝土浇筑,减少了施工过程中的干扰,提高了生产率,加快了混凝土施工进度,确保了小浪底水利枢纽顺利截流。但是,受建筑物结构复杂、仓面较小、钢筋含量大,以及人工振捣、混凝土供应不足等多方面的影响,ROTEC 系统在小浪底施工的实际生产率远低于其设计生产率,没有发挥 ROTEC 系统的生产能力。如 CC200 - 24 型胎带机由 AM40 - 10 型胎带式喂料机喂料的设计最大浇筑强度为 4.5m³/min,由于进水塔混凝土含钢量大,不易振捣,胎带机实际浇筑强度仅为 0.75 ~ 0.83m³/min,最大为 1.17m³/min,远没有达到其设计生产率。

Ⅱ标承包商在泄洪排沙系统的进口、出口、中闸室、溢洪道、隧洞明渠段和进出口渐变段等部位的混凝土浇筑普遍采用澳大利亚 DOKA 公司生产的定型和异型"多卡"模板,该模板安装简便,安全性好,减少了模板制作和安装工作量,节约木材和加工场地,在小浪底水利枢纽混凝土浇筑中发挥了巨大的作用。

(三)引水发电系统施工

小浪底水利枢纽的引水发电系统,由于受地形地质条件、泥沙条件的限制和运用要求,整个枢纽建筑物全部集中于左岸,整个洞室群呈立体交叉。引水发电系统包括进水塔、发电洞、主厂房、主变室、尾闸室、防淤闸等主要建筑物,由法国的杜美思(Dumez)为责任公司,联合德国菲利蒲霍尔兹曼(Philipp Holzmann)和中国水电六局组成的小浪底联营体(XJV)中标并负责施工。引水发电系统洞室多,而且布置集中,施工通道的布置是工程施工的关键。承包商在引水发电系统施工中根据工程地质而引起的设计和施工条件变化,不断地优化和完善施工交通通道的布置,在原有 17 号、8 号、33 号、34 号和 35 号等永久和施工交通洞的基础上,又相继开挖了 8B、17C、33B 和 8C 等临时交通洞,使引水洞、压力钢管道、主厂房、主变室和尾闸室的施工得以顺利进行,保证了施工进度按计划完成。

在尾水洞施工中,根据 3 条尾水洞为平行布置,而且长度都为900m左右,为了解决施工设备调配、提高工效和加快施工进度,承包商在 3 条尾水洞之间增加了 2 条连接洞,并取得良好的效果。此外,承包商还根据尾水洞开挖高度为20m、宽为13m的特点,将尾水洞分顶拱、中部台阶和下部台阶三步开挖,有利于控制开挖质量,加快工程施工进度。

3 个国际标在小浪底水利枢纽主体工程施工中,从国外采购运用于工程施工的连地滩砂石混凝土骨料加工系统,马粪滩反滤料加工系统,大坝左岸深覆盖层混凝土防渗墙的"双轮铣"造孔机,泄洪建筑物进出口混凝土浇筑用的"罗太克"混凝土浇筑系统,以及"多卡"模板等先进的施工机械设备,在工程施工中得到成功的运用,并取得很好的效果。其与主体工程施工设计选用的施工机械设备相比,性能先进,更适应工程的施工条件。今后,在进行主体工程施工设计时,应进一步结合工程施工任务,在充分收集、了解、研究工程施工机械设备性能的基础上,结合到具体工程的地形、地质条件,建筑物的组成和工程的规模,选择最适于工程特性的施工机械设备和施工方法,提高主体工程施工设计水平。

第五节　施工总布置

一、施工布置总体规划

(一)规划的原则

(1)在保证现场施工需要的基础上,要贯彻少而精的原则,尽量少占耕地。

(2)充分利用社会潜力,最大限度地压缩设在工区的生产和生活设施。

(3)场地划分应根据工程分标确定各标的责任区范围,为方便各标的管理,生产、生活营地尽量集中。

(4)在保证生产、生活的前提下,做好"三废"处理,保护施工环境,做到文明生产、安全施工。

(5)在工程土石方堆弃渣场研究时,首先要多利用开挖料作为大坝填筑料,堆弃渣以不影响环境和抬高下游水位为前提,并尽可能填沟造地。

(二)分区规划布置

根据枢纽布置、料场位置、地形条件等结合进场公路、工程分标情况和施工总进度确定的各标生产规模,对全区施工场地规划布置为8个区。

(1)蓼坞区:分滩区和山岭区,根据工程布置、分标方案,滩区计划安排Ⅱ标、Ⅲ标生产营地。生活营地除Ⅱ标在左坝肩山顶小南庄至桐树岭安排一部分外,其余部分同Ⅲ标的生活营地均布置在山岭区。

(2)乔沟滩区:左右岸各有两块滩地可供布置,自上而下分别叫东Ⅰ区、东Ⅱ区、西Ⅰ区、西Ⅱ区。东Ⅰ区为业主管理区,主要布置有综合办公楼、宾馆、宿舍区、食堂及多功能厅、供冷暖系统、文化及体育等生活配套设施,工程完建后作为枢纽现场管理中心;东Ⅱ区布置汽车队、实验室等;西Ⅰ区布置3个国际标外籍人员营地,自上而下分别为Ⅱ标、Ⅰ标、Ⅲ标外籍人员营地;西Ⅱ区主要布置有社会服务设施,包括公安、银行、邮局、医院等公共基础设施。

(3)小南庄至桐树岭区:主要布置Ⅱ标生活区,在小南庄以南风雨沟左岸布置进口混凝土生产系统,钢筋、模板、预应力锚索加工车间。

(4)小浪底区:在前期工程施工时曾作为小浪底建管局指挥部,主体工程施工期主要布置Ⅰ标劳务生活营地,混凝土拌和厂,混凝土防渗墙施工的生产设施。

(5)寺院坡区:位于右岸阶地上,大坝填筑的主要土石料场,Ⅰ标的生活、生产设施,除小浪底区、东西河清区布置一部分外,料场的生活营地,主要的仓库、油库、机械停放维修场等均布置在寺院坡以南,炸药库位于毛沟北侧。

(6)东西河清区:位于坝址下游右岸阶地,主要布置反滤料生产系统,110kV变电站和Ⅰ标部分生产和生活营地。

(7)Ⅱ、Ⅲ标炸药库区:Ⅱ、Ⅲ标炸药库布置在荒山脚下,远离工程生产、生活区。

(8)其他场区:除以上论述各分区布置外,还有槐树庄滩区堆渣场、连地滩混凝土骨料开采及加工场、留庄转运站等。

二、施工交通运输

(一)对外交通运输

小浪底水利枢纽附近有陇海、焦枝两条干线铁路在洛阳交会,南岸洛阳、北岸留庄火车站到工地均有公路相连。根据计算,施工期对外物资总运量约300万t,年平均运量约40万t。经比较,对外运输采用铁路和公路运输相结合方案,南北岸各设一条外线公路,铁路转运站设在北岸留庄火车站。

北岸外线公路蓼坞经连地在焦枝铁路黄河桥下穿过,至留庄转运站全长13km。根据公路运输量分析,北岸对外公路分为两段,蓼坞至连地为9号公路,连地至留庄转运站为10号公路。9号公路按矿山Ⅱ级标准设计,泥结石路面,宽14m,公路、桥涵按85t车队设计,挂车—236t校核;10号公路为国标Ⅲ级,路基宽12m,混凝土路面宽9m,公路、桥涵按超汽—20t设计,挂车—236t校核。

南岸对外公路主要承担铁门水泥、洛阳油料、宜阳炸药、建筑材料及经洛阳转运的施工机械等,从洛阳西站柿园村 310 国道经麻屯、常袋至东官庄进入施工区,全长 24.14km,称 1 号公路,1 号公路为国标Ⅲ级,路基宽 12m,混凝土路面宽 9m,公路、桥涵按超汽—20t 设计,挂车—150t 校核。

(二)对外物资转运站

施工期间主要外来建筑材料、机电设备、施工机械等由铁路运到留庄转运站,再用汽车运到工地。经计算,最高年平均转运量 25 万 t,最大日转运量 1 500t。转运站铁路专用线由焦枝铁路留庄站西端牵入,站内有五股道。一股道包含联络线、调车线、业主货场线,全长 1 593m,货场面积 27 375m²。二股道为Ⅲ标货场,全长 602m,道北侧为卸货场,面积 13 620m²。三股道为Ⅱ标货场线,长 755m,南侧为一般物资卸货场,北侧为水泥卸货场,总面积 30 990m²。四股道为Ⅰ标货场,线长 708m,南侧东端为卸货场,面积 8 925m²。五股道为机车整备线,长 205m,为机车检修、保养进出用。

(三)场内交通运输

根据工程规模和布置、施工方法、机械运行及场外交通采用公路运输等,按照前期工程施工与主体工程施工、临时与永久、施工与运行管理三结合的原则对场内公路进行规划设计。

南岸公路主要承担大坝工程开挖出渣,土料、石料及反滤料的开采上坝等项运输任务,同时兼顾进场材料运输,规划有 2 号、3 号、4 号、5 号四条公路,通行最大车型为 77t 自卸汽车,公路为矿山Ⅱ级,泥结石路面,宽 16.5m,公路、桥涵按汽—136t 设计。

北岸公路主要承担导流洞、泄洪洞、排沙洞、引水发电洞、溢洪道、电站厂房等的开挖出渣、混凝土浇筑、金属结构安装、发电机组安装等运输任务,有 6 号、7 号、8 号 3 条公路。公路为矿山Ⅱ级,泥结石路面,宽 14m,公路、桥涵按汽—86t 设计,挂—236t 校核。

(四)过河交通桥

因南岸不设转运站,工程使用水泥大部分从铁门水泥厂来(计划水泥 60% 从铁门水泥厂来,日高峰运量为 1 500t),用 15t 自卸汽车运输水泥,单向日运输过河运量为 100 车次,木材、钢材、油料、施工设备、生活等零星物资用车单向日运输过河运量为 40 车次,合计过河单向日运输强度为 140 车次;大坝填筑的石料有 500 多万 m³ 从左岸槐树庄渣场回采,其回采日高峰强度达 1 万 m³,用 45t 自卸汽车运输,单向日过河交通量为 400 车次;泄水建筑物进口开挖石料计划有 395 万 m³,用 45t 自卸汽车运到南岸西河清堆渣场,日高峰强度 1.5 万 m³,日单向交通量 956 车次;过河桥位于泄水建筑物出口下游约 2.0km 的西河清,河面宽约 500m,连接南岸 4 号公路北和北岸 9 号公路,按汽—85t 设计,挂车—120t 校核,采用钢筋混凝土结构,桥面宽 16m(路面宽 14m,人行道 2×1m)。

三、主要施工工厂设施

(一)砂石骨料系统

连地料场由连地滩、杏园滩、王道滩组成,位于黄河北岸连地河口以东,距坝址约 10km。滩面高程 130~133m,汛期遇大水易被淹没。料场表面有 0.5~2.8m 厚的细砂、极细砂、砂壤土和粉质壤土,局部夹有中砂。砂砾石层厚度大于 15m,无胶结现象,局部夹有长度小于 200m、厚度小于 2m 的粉细砂透镜体。砾石主要成分为:玄武岩、硅质石英砂岩、石英岩及石灰岩等。砂子主要矿物成分为:石英岩、玄武岩、石英砂岩碎屑,此外还有长石和其他岩石碎屑。连地滩砂石料场总储量 1 673.26 万 m³,料场计划开采长度 2.5km,宽 1.0km,面积约 230 万 m²。连地滩砂石料场天然颗粒级配见表 6-5-1。

表 6-5-1　连地滩砂石料场天然颗粒级配

粒径(mm)	> 150	150 ~ 80	80 ~ 40	40 ~ 20	20 ~ 10	10 ~ 5	5 ~ 2.5
含量(%)	11.1	21.2	21.5	12.4	5.8	2.9	1.1
粒径(mm)	2.5 ~ 1.2	1.2 ~ 0.6	0.6 ~ 0.3	0.3 ~ 0.15	0.15 ~ 0.05	< 0.05	合计
含量(%)	1.5	2.7	9.0	5.5	3.3	2.0	100

料场开采顺序为自上游至下游,由心滩至边滩。先用推土机清除覆盖层,然后用 H85 (4m³)液压反铲挖掘砂砾石,最大开挖深 7m,挖出的砂砾石料装入 32t 自卸汽车运至加工厂。料场开采主要在非汛期,汛期所用骨料依靠毛料堆的储存料和边滩洪水侵袭不到的料区开采,料场设计防洪标准为 2 500m³/s。

连地滩砂石厂位于连地村西的滩地和阶地上,场地高程为 134 ~ 140m,生产能力按满足混凝土月浇筑强度 8.57 万 m³ 设计,生产规模为月生产成品料 19 万 t。砂石厂由破碎、筛分、制砂、堆料场等组成。砂石料的生产流程为:首先将毛料中粒径大于 300mm 的蛮石剔除,将粒径小于 300mm 的砂砾石破碎,筛分成所需的,并把多余的砾石机制成砂,替代颗粒偏细的天然砂。

(二)马粪滩反滤料系统

大坝、围堰、副坝设计反滤料填筑量约 249.33 万 m³,混凝土浇筑量 10.6 万 m³,需要成品碎石 184 万 m³(其中混凝土需 9 万 m³),砂子 185 万 m³(其中混凝土需 5 万 m³),共需毛料 437 万 m³。马粪滩料场位于坝下游南岸,滩面高程 135 ~ 137.5m,料区地下水埋深 2 ~ 3.5m,料场表层为轻粉质壤土、粉细砂;下层为砂砾石层,厚度一般大于 15m。砂砾石矿物成分为坚硬或比较坚硬的石英岩、石英砂岩、玄武岩、安山岩及钙质砂岩。

料场上距黄河公路大桥 1.2km,北临黄河,南有通往王良的简易公路。滩地东西长 2.4km,宽 550m,可开采面积为 100 万 m²,砂砾石储量约 766 万 m³。料场为高滩,滩面高程比正常河水位高 3 ~ 4.5m,汛期开采较为有利。马粪滩砂砾石天然颗粒级配见表 6-5-2。

表 6-5-2　马粪滩砂砾石天然颗粒级配

粒径(mm)	> 150	150 ~ 80	80 ~ 40	40 ~ 20	20 ~ 10	10 ~ 5	5 ~ 2.5
含量(%)	22	22.9	17	9.9	6	3.4	1.3
粒径(mm)	2.5 ~ 1.2	1.2 ~ 0.6	0.6 ~ 0.3	0.3 ~ 0.15	0.15 ~ 0.05	< 0.05	合计
含量(%)	0.6	1.3	3.6	7.1	3.5	1.4	100

料场的开采顺序为自下游向上游进行。料场开采先用推土机清除表层覆盖,然后用 4m³(H121 型)液压反铲挖掘砂砾石,最大开挖深 9m。施工时,可分两层开采,第一层 3m,

第二层为6m,也可一次开挖。挖出的砂砾石料直接装入32t自卸汽车,运往马粪滩反滤料加工厂。马粪滩反滤料加工厂位于东河清村西的滩地上,高程138.5~147m。反滤料高峰填筑强度为7.37万 m³/月,加工厂的设计生产能力为21.5万 t/月。反滤料设计粒径分别为20~0.1mm、60~5mm 两种,为了简化筛分工艺,先将砂砾石筛分成0.1~5mm、5~20mm、20~40mm、40~60mm 的不同粒径,然后通过配料混合成为要求的反滤料。因设计的反滤料要求的小石和砂子用量大,而天然料中小石和砂子含量偏少。为此,将粒径300~20mm的剩余料进行破碎和制砂,以减少开采量和弃料量,降低成本。

(三)混凝土拌和系统

主体工程混凝土量287.61万 m³,临建工程混凝土量37.46万 m³,合计325.07万 m³,其中一级配喷混凝土21.65万 m³,二级配混凝土97万 m³,三级配混凝土169.42万 m³,四级配混凝土37万 m³。根据工程分标和混凝土工程分布情况,在工地设置四个混凝土拌和系统,其中南岸混凝土系统负担5.65万 m³,进口混凝土系统103.83万 m³,洞群混凝土系统152.48万 m³,发电系统混凝土25.65万 m³。

各混凝土系统内都设有成品骨料堆存场、散装水泥库、袋装水泥库、粉煤灰库、空气压缩机站、供热站、制冷厂、外加剂加工间、骨料输送、粉煤灰输送、混凝土拌和楼等,从材料供应到混凝土拌和,全部采用机械化的工艺流程。

四、堆弃渣场规划

主体工程土石方开挖总量约3 426万 m³,其中左岸土方开挖约1 543万 m³,石方开挖约1 239万 m³,石方洞挖约262万 m³;右岸土方开挖(包括河床砂砾石开挖)约292万 m³,石方明挖约85万 m³,石方洞挖约3万 m³。

渣场位置,根据坝址区地形,枢纽布置,主体工程施工程序,大坝填筑计划及填筑质量要求等,将渣场划分为弃渣场和堆渣场。弃渣场除弃入库区外,应尽量为填沟造地创造条件,堆渣场要考虑回采方便,共布置9个渣场,其中左岸有上岭弃渣场、小南庄弃渣场、桥沟口堆渣场、桥沟堆渣场、槐树庄堆渣场、下游围堰后弃渣场等6个堆弃渣场,此外,有部分开挖料直接用于进口混凝土系统、蓼坞滩的场地平整,左岸堆弃渣场总容积约3 948万 m³。右岸有赤河滩弃渣场、大西沟堆渣场、东西河清堆渣场等3个堆弃渣场,右岸堆弃渣场容量约1 591万 m³。

五、施工总布置设计评价

小浪底水利枢纽1991年9月开始进行前期工程施工,1994年6月3个国际承包商开始进行主体工程施工,可以说小浪底水利枢纽施工正处于我国从计划经济到市场经济的过渡时期,加上主体工程采用国际招标,因此小浪底水利枢纽施工总布置设计结合地形和地质条件以及市场供应条件,并按照分标布置、方便生产的原则进行设计。由于主体工程施工期各标的施工工厂、生活营地,是由承包商根据其施工进度安排、确定的规模而进行建造,这样就给黄委会设计院做施工总体布置规划增加了难度。因此,我们在进行总体布置规划时,采用国际上比较先进的施工技术和施工机械设备,来计算确定施工进度,以此为基础计算出各标施工工厂规模和人数,然后进行总体规划,划定各标的场地范围,并确定各标占地转点坐标。对于施工期间相互交叉的工作面,划定了各标使用的时段限制,加上现场施工时及时协调,避免了施工干扰。

从3个国际承包商进场后的施工布置及施工情况看,各标都是在设计指定的场区内进行生产、生活设施的建设,符合设计总体布置构想。在工程实施过程中,没有发生因为施工总布置设计不当而引起施工干扰和纠纷。因此,可以说小浪底水利枢纽施工总体布置设计是合理的,符合工程的实际条件。但结合工程实施情况分析,承包商的施工布置尚有一些与原施工总布置设计不同之处。

(一)场内外施工交通道路

小浪底工程场内外交通干线道路共10条。其中场外交通干线2条,为国3标准,混凝土路面;场内交通干线8条,采用矿Ⅱ标准,泥结碎石路面。从施工期间场内外交通干线与施工支线连接情况看,施工道路布置合理,满足小浪底工程施工要求。特别是场内干线路面结构的设计,采用国内水利水电工程施工很少使用的泥结石路面结构,较好地解决了施工期间,由于大型施工机械对路面产生破坏,需要经常维修而影响工程施工的难题。

对于场内交通干线的维护,为了充分利用承包商的施工机械和资源优势,各交通干线采取由主要使用的承包商分别负责维修和养护,避免了由于交通道路损坏不能及时修复引起的纠纷和索赔,降低了业主的风险。

从场内交通道路使用的情况看,除Ⅰ标承包商对2号交通道路进行部分扩建外,其他交通道路均满足施工运输要求。2号交通道路从东官庄至右坝肩,贯穿大坝主要土石料场,由于大坝填筑高峰时土石料主要来自寺院坡土石料场,施工规划时选用77t和45t自卸汽车运输石料,CW-100底卸汽车运输土料。在工程施工中,Ⅰ标承包商使用的土石料运输车辆为68t和32t自卸汽车,汽车吨位较施工规划的汽车吨位小,在确保大坝填筑强度的条件下,2号交通道路车辆的行车密度比施工规划运输高峰时的行车密度增加,将影响汽车运输效率。为此,Ⅰ标承包商在保持2号交通道路全线畅通的条件下,又局部取直改线,并修建了通向石料场的专线道路,从而降低了2号交通道路的行车密度,提高了行车速度和运输效率,保证和提高了大坝的填筑强度。Ⅰ标承包商从小浪底水利枢纽的施工条件、工期要求出发,结合其采用的运输机械容量,从减少运输车辆密度、提高车辆运行速度和运输效率方面看,对2号交通道路进行改建是符合承包商的施工实际条件的,也是合理的。但不能说2号交通道路不能满足施工运输要求,而是Ⅰ标承包商根据其施工机械设备情况,对小浪底大坝施工运输方案的一种选择,改建2号交通道路的费用由Ⅰ标承包商自己承担。

在场内交通道路线路选择设计中曾出现一些问题。主要体现在4号交通道路的线路走向问题上,该线路部分路段位于滑坡体上,施工过程中局部地段发生塌方、滑坡等问题,造成4号交通道路施工进度滞后并引起费用的增加。

(二)施工工厂设施

在小浪底工程施工规划时,虽然考虑了洛阳、新乡、焦作、郑州等附近工业城市可以为小浪底水利枢纽施工提供生产、生活供应和技术服务,特别是洛阳市距小浪底水利枢纽较近,又是工业城市,施工规划通过市场调查认为洛阳市可以为工程提供食品、油料、氧气等供应,医疗卫生、施工机械维修、金属结构加工等项服务。因此,小浪底水利枢纽工地不设医院、机械修配厂、制氧厂等临时生产生活设施,减少了临时设施的规模。但与承包商利用这些城市提供的生产生活供应和技术服务相比,就显得我们对这些城市资源利用考虑不足。承包商在工程实施过程中,从生活物资、生产材料供应,医疗卫生服务,钢筋、钢材、金属结构加工,汽车、施工机械设备维修,材料实验等,都与洛阳市相关的行业部门、工矿企业签订供应和服务合同,较施工规划考虑的供应和服务内容更广,进一步减少施工临时设施的规模。

小浪底水利枢纽主体工程采用国际招标选择承包商,国际承包商在工程实施过程中,带来了进口的工程施工机械设备。如Ⅰ标承包商的马粪滩反滤料加工系统,布置在右坝肩下游的小型拌和系统;Ⅱ标承包商的连地滩混凝土砂石骨料加工系统,位于泄洪排沙系统进口的混凝土拌和系统,以及位于蓼坞的混凝土拌和系统;Ⅲ标承包商的混凝土拌和系统等。其设计生产能力与施工规划选用的相同,但设备的规模和占地面积明显减小。再如木材加工厂的规模,因承包商隧洞混凝土浇筑施工主要采用钢模台车,洞群的进出口混凝土比较集中的部位采用澳大利亚多卡(DOKA)公司生产的"多卡"组合模板,这样,混凝土浇筑使用现场加工木模板的部位仅为一些零星的浇筑区。与施工规划计划木材加工厂的生产规模相比,承包商在工程实施过程中,其模板制作加工量较小,木材用量也少,在工地现场没有设置规模庞大的木材加工厂。

在工程施工过程中,承包商非常注重对施工机械的维护保养,对损坏的施工机械配件及时更换,在工地不设机械修配厂,但施工机械的设备完好率较高。

现场仓库系统,在20世纪90年代初期小浪底水利枢纽施工规划阶段,我国还处在从计划经济向市场经济过渡时期。因此,在进行小浪底水利枢纽使用的钢筋、钢材、木材、水泥、油料及火工材料等建筑材料的来源分析时,考虑部分材料由国家调配,运距考虑相对较远,相应各种材料工地应设有一定规模的仓库容量,保证有一定储量。到承包商进场准备工程施工时,国内的建筑材料市场已经全部放开,各种各样的材料供应公司相继成立并提出多种供货服务。这样,承包商可以在工地设置较少仓库就能满足工程施工需要。因此,承包商在工地除国家专控物资雷管、炸药等火工材料外,其他建筑材料在工地的仓库容量都较小,故在工程实施中除炸药库外其他各种仓库的规模均较施工规划计算的小。

(三)施工营地的建设

小浪底水利枢纽3个国际承包商,外商的生活营地集中布置在桥沟区,较好地解决了外籍人员的安全管理。施工营地建设主要是承包商根据招标文件指定的位置,由承包商自行修建。为了承包商进场初期有一定的居住条件,在3个国际标的当地劳务营地内,业主在前期施工时为承包商修建了一部分住房,以租赁的方式供承包商使用,这样较好地解决了国际承包商初期进场时的住宿问题,为承包商进场和主体工程尽快施工创造条件。随着工程施工进展,承包商根据人员雇佣情况适时在指定的劳务营地内修建住房和施工生产用房,为工程按期完工打下良好的开端,这一成功经验值得大型水电工程建设借鉴。

在枢纽施工中,Ⅰ标承包商的机械化配套程度较高,使用劳务人员较少,高峰期施工人数不足1 500人,远低于施工规划计算的高峰人数,因此当地劳务营地集中布置在东西河清指定的营地,而寺院坡土料场南的毛沟营地没有利用。Ⅱ标、Ⅲ标承包商施工高峰人数与施工规划设计计算的施工高峰人数接近,各区施工营地基本得到充分利用。由于Ⅱ

标连地滩混凝土砂石骨料加工厂的生产加工机械较施工规划选用的加工机械性能好、生产能力高,因此连地滩砂石加工系统的生产人员比施工规划设计计算的人员少。为了充分利用连地滩业主提供的施工营地,Ⅱ标承包商把当地管理人员的生活营地安排在连地滩营地,而施工规划时是把当地管理人员的营地放在蓼坞生活区,这是承包商根据具体情况做适当的调整,没有本质的区别。与3个国际标承包商的生产和生活营地相比,国内标的承包和各国际标中的当地分包商的生活营地建设就比较零乱,没有在施工规划和招标文件规定的国内承包商营地区修建住房。按规划,国内标生活营地集中布置在桥沟区业主营地后面的北山坡上,而国内标的施工单位为了靠近施工工作面,节约交通费用,围绕所承担的施工工作面附近布置生产和生活营地,有些生活住房就紧靠施工工作面,这样做本身就不符合施工安全管理条例要求。另外,国内标的一些施工单位把生活区设在小南庄堆渣场上,随着渣场的沉陷,很多房屋出现了裂缝,有的成为危房,尽管节约了一些交通费用,但给工作和生活带来很大的影响,不利于工程的建设管理。

(四)现场办公室

承担小浪底水利枢纽建设的3个国际标的承包商在施工现场均有一个以现场经理负责制的管理部,包括技术部、合同部、施工部、采购部、机械部、行政部、财务部等,各部按照授权进行工作。由于小浪底水利枢纽的施工管理完全按照国际咨询工程师联合会(FIDIC)土木工程施工条款规定运行,所有的通知、纪要、记录、索赔、计量支付等都以文字来往为准,因此来往函件很多。小浪底水利枢纽招标文件规定3个国际标以英文为法定语言,翻译工作量很大,加上所有的车间图由承包商负责完成,这也增加了承包商现场办公室规模。因此,小浪底水利枢纽国际承包商现场办公室的规模比国内招标施工的同类工程办公规模要大很多,这是施工规划时没有考虑到的。国际承包商除在各工作面附近修建一定数量的施工和监理人员值班室外,还在主要施工工厂区修建现场办公室,并且采取现场办公室与生活区完全分开布置,这与国内常用的办公室与生活区连在一起的布置完全不同,明确划分生活区与生产区的范围,便于管理,提高了工作效率。

(五)铁路转运站

施工规划经过对小浪底水利枢纽外来物资分析计算,确定留庄转运站的物资转运总量为90万t,其中水泥转运总量为50万t,占转运总量的55%。为此,在留庄转运站规划了6个1 000t的水泥罐和布置场地,设计水泥转运强度为22 460t/月。留庄转运站按3个国际土建标的各自转运量分别设置专用铁路线和场地。但在工程实施过程中,工程所用水泥几乎全部由铁门水泥厂供应,因公路运输方便,水泥全部采用公路运输。因此,Ⅰ、Ⅱ、Ⅲ标的国际承包商均未在留庄转运站兴建水泥罐,仅在各自的混凝土拌和系统内兴建水泥储存罐。造成这种情况的原因与小浪底水利枢纽开工初期国家压缩基建投资规模有关,铁门水泥厂可供小浪底工程建设使用的水泥较施工规划调查分析时的供应能力增加。

另外,施工规划设计时受所处年代物资供应条件的影响,当时考虑木材、钢筋、钢材都是从外地采购经留庄铁路转运站转运到工地。在工程实施过程中,由于市场供应条件变化,这些材料大部分由承包商在洛阳采购经公路直接运到工地。

由于上述原因,留庄转运站实际承担的转运量不足设计转运量的40%,发生这种情况的原因是,小浪底水利枢纽建设初期正好处在我国从计划经济向市场经济转轨的时期,同时国内公路运输业迅速发展,改变了市场供应和运输条件。这给我们在今后的水利水电工程对外运输和铁路转运站规模设计提供了经验,特别是由过去以铁路运输为主的长途运输,如今有公路、铁路、航空多种运输方案可供选择,转运站规模的确定应充分结合市场供应和当地的运输条件,使转运站的规模控制在最小限度以至不设转运站,以节约工程建设资金。

(六)堆渣场利用

小浪底水利枢纽堆弃渣场的规划是根据工程总开挖量,结合大坝设计断面、开挖料的质量、堆弃渣场位置、运输线路和施工总进度等综合分析,开挖出来的石渣一部分将填筑到大坝下游的盖重和压戗等部位,因大坝填筑时间落后于建筑物的开挖时间,因此必须将开挖石渣先行堆存,然后二次回采上坝。在工程实施中,从整个工区的堆弃渣场情况看,施工时的堆弃渣的范围是按设计规定的堆弃渣场控制的,但局部也存在一些差别。在工程实施过程中,三个国际承包商开挖料堆弃是由监理工程师控制的,监理工程师对堆弃渣的控制是根据批准的承包商施工方案中的堆弃渣规划进行的,控制往往是在开挖工作面而不是在堆弃渣场。在施工中曾出现过承包商没有把开挖料运到指定堆弃渣场的现象。另外,经业主和监理工程师批准,有些开挖料被运到蓼坞东沟为地方做场地平整,工程实际堆渣情况与施工规划有一定差别,运距最远的东西河清渣场没有达到设计的堆存量,而运距较近的小南庄渣场的堆存量较原设计堆存量多。Ⅰ标承包商利用左坝肩附近山沟作为弃渣场代替运距较远的赤河滩弃渣场,减少弃渣运距,节约工程投资,同时还在右坝肩形成可以用于施工的场地。

(七)社会服务系统的建立

大型水利枢纽工程在施工过程中建立一定数量及规模的社会服务系统是十分必要的。在小浪底水利枢纽业主营地桥沟右岸专门规划一块场地,供地方在小浪底水利枢纽施工期,设立驻小浪底工地的公安处、建设银行、邮电局等,为小浪底水利枢纽建设提供了必不可少的安全保障、投资以及对外通信服务;另外,还有国际国内的大型机械设备公司在小浪底工地设立办事处,为小浪底水利枢纽施工机械的正常运行和维修提供及时服务;水利教学实习及爱国主义教育基地也取得预期的社会效益。

在小浪底水利枢纽工地设置的所有社会服务系统,对工程建设起着积极的作用,但有的服务设施位置选择不尽合理。如施工初期曾在小浪底水利枢纽施工区黄河北岸蓼坞滩区东部设置集贸市场,此处位于9号交通道路旁,紧靠连接两岸交通的黄河大桥,来往车辆多,在此设立集贸市场影响施工交通运输,容易引起交通事故,经过一段时间使用,因为影响施工而改变了集贸市场的位置。

第六节　施工总进度

一、施工总进度设计

按照1988年水利部审查通过的小浪底水利枢纽初步设计,小浪底水利枢纽主体工程施工期为8年。1994年初主体工程开始施工,1997年汛后截流;2000年初2台机组投入运行,2001 年初 4 台机组投入运行,2001 年底工程全部完工。

在设计枢纽施工总进度时,收集了当时国际上大型水利水电工程的施工设计和施工实际的资料,结合小浪底工程特点和施工条件,通过多方案的分析、研究和比较,最后拟定各主要建筑物的施工方法和使用的施工机械设备。对所选用的施工机械设备的性能、生产率及定额进行了分析研究,并计算了各种施工机械设备的生产效率,以此作为安排各项工程施工进度计划的依据。

施工总进度按关键路线法编制。首先,根据各项工程的施工方法及所配的施工机械设备的生产率,分析计算其施工进度,并分析出关键路线。其次,在分析计算出各分项工程关键路线的前提下,分别编制 3 个国际土建标和国内机电安装标的施工进度计划。最后,按控制性工程项目的要求及 3 个国际土建标和国内机电安装标的衔接关系,将 3 个国际土建标和国内机电安装标的网络进度合并成整个工程的网络进度,并计算出整个工程的关键路线和工期,据此分别计算出 3 个国际土建标和国内机电安装标的关键路线和工期。

枢纽按截流前后分两期施工。第一期为截流前进行的导流洞、排沙洞、右岸坝基处理和坝体填筑、地下厂房开挖和泄洪发电系统进出口等项工程施工;第二期为截流后进行大坝、副坝、明流泄洪洞、溢洪道、电站厂房、开关站等工程施工,以及机电设备的安装。施工进度的形象过程是:导流洞施工、截流、大坝施工每年度汛,以第一台机组发电为主线,考虑均衡施工和施工机械设备连续使用等因素,计划 8 年内工程完工。施工总进度指标见表 6-6-1。

表 6-6-1 小浪底水利枢纽施工总进度指标

序号	项 目 名 称		指 标	备 注
1	总工期(年)		8	
2	截流日期		1997 年 11 月中旬	
3	第一台机组发电时间		2000 年初	两台机组发电
4	拦洪标准	$P = 1.0\%$	第 5 年汛期	
		$P = 0.2\%$	第 6 年汛期	
		$P = 0.1\%$	第 7 年汛期	
		$P = 0.1\%$	第 8 年汛期	
5	坝体填筑	最高月均强度(万 m³)	122.44	第 6 年 1~3 月
		最高年均填筑量(万 m³)	1 418.79	第 6 年
6	混凝土浇筑	最高月均强度(万 m³)	8.53	第 3 年 1~3 月
		最高年均强度(万 m³)	85.44	第 3 年
7	土方开挖	最高月均强度(万 m³)	113.03	第 2 年底
		最高年开挖量(万 m³)	618.99	第 1 年
8	石方明挖	最高月均强度(万 m³)	82.1	第 2 年 1~3 月
		最高年开挖量(万 m³)	624.36	第 2 年
9	石方洞挖	最高月均强度(万 m³)	10.07	第 3 年上半年
		最高年开挖量(万 m³)	99.59	第 3 年

二、施工总进度计划实施情况分析

在施工过程中,3个国际土建标和国内机电安装标的承包商,都按照控制性进度计划的要求安排他们的施工进度,以满足控制性进度计划的要求按计划完成工程建设。由于3个国际土建标的工程规模、建筑物形式、地形条件、地质条件以及承包商的工程经验不同,在工程实施过程中3个国际土建标的施工进度计划完成情况亦不相同。

(一)Ⅰ标施工进度

Ⅰ标的主要施工任务是斜心墙土石坝的基础处理和坝体填筑,地质条件比较简单,施工条件较好。Ⅰ标承包商为保证大坝的施工进度选用了当时国际上先进的施工机械设备,用于大坝土石料场的土石料的开挖、加工和运输,坝基混凝土防渗墙以及坝基处理,坝面铺料、平料和碾压等作业。

为合理利用机械设备资源,充分发挥各类机械设备的生产效率,加快施工进度,承包商对选用的各类施工机械设备进行了科学的配套。Ⅰ标的黄河承包商在大坝标的施工中实现了高速度、高强度、高效率、高效益,坝体填筑月最高上坝强度为157.98万 m^3,月平均强度为106.11万 m^3,日最高上坝强度为6.7万 m^3,日平均强度3.85万 m^3,在大坝施工组织及现场施工管理有较高技术水平和丰富的经验。工程施工进度完全满足要求,大坝工程于2001年5月完工。

(二)Ⅱ标施工进度

Ⅱ标承包商主要承担进口、消力塘及尾水渠、导流洞、泄洪洞、排沙洞、溢洪道、灌溉洞、灌浆洞、排水洞和交通洞等工程的施工,以及引水发电洞进口50m的开挖。泄洪排沙系统涉及建筑物多,有地下洞群和结构复杂的混凝土建筑物,而且所有建筑物都集中布置在左岸,施工难度大。左岸山体由三叠系下统刘家沟组及和尚沟组的 T_1^3、T_1^4、T_1^5 和 T_1^6 砂岩和粉砂岩组成,岩层一般产状为 NW350°~NE10°。进口有 F_{28}、F_{421} 近南北向和北东向断层,F_{236}、F_{238} 两条近东西向的断层穿过导流洞和消力塘,另外还有4组比较发育的陡倾角节理。洞群通过层状砂页岩且普遍发育泥化夹层的岩体。地下洞室围岩以Ⅱ、Ⅲ类为主,断层带为Ⅳ、Ⅴ类围岩。F_{236}、F_{238}、F_{240} 三条断层走向北东80°~95°,倾向南东,倾角75°~85°,与导流洞轴线交角20°~30°。在泄洪排沙系统施工中存在有泄洪建筑物进出口高边坡和大洞室群等稳定性的地质问题。另外,Ⅱ标最低评标价为以法国SPIE公司为责任公司的联营体,该联营体的投标文件中有偏离招标文件的要求,经过大量的谈判工作,该联营体仍不放弃偏离条件,导致业主拒标。1994年5月初,业主与第二评标价的以德国旭普林公司(Zublin A.G)为责任公司的中德意联营体(CGIC)进行谈判。1994年6月8日业主与中德意联营体(CGIC)签订合同协议备忘录,1994年6月30日工程师发布Ⅱ标开工令。由于中德意联营体(CGIC)是第二评标价中标,他们对可能中标的思想准备不足,从人员到施工机械设备都没有做好承担泄洪排沙系统工程施工的准备。因此,在工程师发布开工令后中德意联营体的施工人员和机械设备不能及时进场,导致开工初期的一段时间内仅有联营体中国内伙伴的施工机械设备投入工程施工,在一定程度上影响了开工初期的施工进度。另外,由于地质条件复杂,围岩稳定性差,在导流洞开挖过程中,先后发生大小塌方16次,塌方量约7 780m³,塌方处理费工费时,是影响导流洞开挖进度的主要原因;在出口工程开挖过程中,由于地质的原因,施工过程中边坡加固增加锚索 347 根,总长 10 738m;在导流洞和排沙洞出口的边坡增加 5 根抗滑桩。这些工程项目的增加都对施工进度造成一定影响。由于上述原因,致使Ⅱ标承包商的施工进度无法满足招标文件控制性进度要求 1997 年 10 月底前导流洞具备过水条件的中间完工日期的要求,将影响 1997 年 11 月初截流。

为使枢纽按期截流,业主经过认真研究于 1995 年底与Ⅱ标承包商达成引进以水电一局、三局、四局和十四局组成 OTFF 联营体,对导流洞工程采取成建制的劳务总分包,由 OTFF 联营体承担部分导流洞工程的施工。联营体在施工中采取有力的工程措施,有效地加快导流洞的施工进度,抢回了拖延的工期,为保证工程按期截流、按期完工做出了贡献。

(三)Ⅲ标施工进度

Ⅲ标承包商主要承担引水发电系统工程。包括跨度 26.2m、长 251.5m、最大高度 61.44m 的地下主厂房;跨度 15.2m、长 174.7m、高 17.8m 的地下主变室;跨度 10.6m、长 175.8m、高 8.47m 的地下尾水闸门室;3 条尾水管洞以及其他附属洞室 60 余条。洞室多、布置集中,施工交通布置困难,施工难度大。工程师于 1994 年 5 月 30 日发布Ⅲ标工程开工令,1994 年 6 月 2 日Ⅲ标承包商小浪底联营体(XJV)现场经理到工地,1994 年 9 月 19 日开始施工。

地下厂房布置在左岸 T 形山梁交会处腹部,由于地下主厂房顶部存在软弱夹层,需对主厂房顶拱部位加强支护,增加 1 500kN 预应力锚索 325 根。经计算,预应力锚索的施工需占用直线工期 4.5 个月,如不采取有效工程措施解决地下主厂房与相邻洞室施工通道相互占用的施工干扰问题,Ⅲ标承包商将无法按照招标文件施工进度要求的中间完工日期,提交机组安装工作面给机组安装承包商进行机电安装和按最终完工日期完成地下厂房施工。为此,承包商在引水发电系统施工中根据工程地质条件变化而引起的设计和施工条件变化,不断地优化和完善施工交通通道的布置,在原有 17 号、33 号、34 号、35 号永久交通洞和 8 号施工交通洞的基础上,又相继开挖了 8B、17C、33B 和 8C 等临时交通洞,有效地解决了厂房施工的干扰,使引水洞、压力钢管道、主厂房、主变室和尾闸室的施工得以顺利进行,保证了施工进度按计划完成。

(四)施工总进度

在水利水电工程建设过程中,由于受众多不确定因素(特别是地质条件)和外部环境条件的影响,在施工进度计划实施过程中很难与预期的计划完全一致,如合同预估的工程量与实际完成的工程量往往会有差异,施工规划选用的施工机械设备与施工时承包商实际使用的机械设备不可能完全相同,设计计算采用的机械设备生产率与工程施工时机械设备的实际生产率也会有差别,还有变更等的影响,这些因素的变化都会不同程度地影响工程实际施工进度偏离设计进度,这也是工程实际施工进度与施工规划设计进度差别的原因。但在工程施工过程中要不断调整施工进度,以适应合同文件规定的中间完工日期和最终完工日期的要求,保证工程按期完工。

在工程施工过程中,施工进度必须满足中间完工日期和总工期的要求,3 个国际标的施工进度在施工过程中受许多外来因素影响,曾发生过某一时段施工进度滞后施工规划进度的现象,由于合同文件中有中间完工日期和总工期的要求,承包商均采用了补救赶工措施,使工程施工进度满足中间完工日期和总工期的要求。

第七章　水库淹没处理及移民安置规划

水库淹没处理及移民安置规划是水利水电工程规划设计的重要组成部分,是妥善安置移民的基础。黄河小浪底水库淹没处理及移民安置规划,是按照水利部 1995 年颁发的《黄河小浪底水利枢纽淹没处理及移民安置技施设计阶段设计大纲》要求,同时结合《国务院大中型水利水电工程建设征地补偿和移民安置条例》以及国家其他有关法规、规定等,并在河南、山西两省库区 8 个县(市)规划的基础上编制完成的,为枢纽工程建设提供了必要保障,为河南、山西两省实施移民搬迁安置提供了必备的科学依据。由于水库移民涉及面广,项目多,为使同行能对小浪底水库移民有一概括性了解,本章对水库移民规划设计工作历程、库区基本情况、淹没实物指标、移民安置规划、移民补偿投资总概算等方面的规划设计成果进行概括总结。

第一节　库区概况

黄河小浪底水库正常蓄水位 275m,淹没涉及河南省济源市、孟津县、新安县、渑池县、陕县 5 个县(市)及山西省垣曲县、夏县和平陆县 3 个县,共计涉及 8 个县(市)。水库正常运用阶段,20 年一遇洪水回水长度自坝址起沿黄河干流共计 126.97km,回水末端距三门峡坝址 4.13km。

小浪底库区各县幅员面积共计 10 997km²,人口 296.1 万人(其中农业人口 247.38 万人),人口密度 269 人/km²。据统计资料,1994 年小浪底库区各县工农业生产总值 162.8 亿元,粮食总产量 9.66 亿 t,人均占有粮食 391kg,基本上自给有余。农民经济收入以粮食、油料、烤烟、瓜果及副业为主要来源,农村人口人均纯收入 773 元。库区经济除河南新安县、济源市等具有一定的工业基础外,大多数县仍以农业为主,相当一部分县是国家财政补贴的贫困地区。

水库蓄水 275m 水位时,淹没库区总土地面积 279.6km²,其中陆地面积 251.35km²,水域面积 28.25km²。水库淹没特性主要表现在五个方面:一是淹房淹地同时出现,且规模大并较集中;二是淹没损失大,移民安置任务重;三是受淹区土地肥沃、矿产资源丰富,库区移民生活水平相对来说比库外高;四是淹没区位于山区,移民科技、文化、技能等综合素质不高;五是库区县(市)总体上受资源条件限制,社会经济发展缓慢,经济基础薄弱。

小浪底水库淹没特性,决定水库移民安置难度较大,为此,必须做好淹没实物指标调查、环境容量的分析论证和移民安置规划设计工作。

第二节　水库移民工作历程与成就

小浪底水库移民各阶段规划设计工作均由黄委会设计院承担。移民规划设计经历了工程选址、可行性研究、初步设计、世界银行评估和技施设计等阶段工作,各阶段工作的任务、内容和工作深度不同。

1985年前为工程选址和可行性研究阶段,该阶段水库移民分别在1959年、1970年、1980年、1982年、1985年进行过几次深度不同的淹没损失调查和相应的移民安置规划方案编制、移民投资概(估)算,为工程方案论证和实施提供了依据。

1985～1991年为初步设计阶段,该阶段工作是根据原水电部[84]水电规字第125号文《关于黄河小浪底水利枢纽工程设计任务书》的要求进行的,自1985年3月至1991年9月,用了6年多的时间全部完成。其中,1985～1986年对水库淹没损失进行了全面调查;1986年4月、1987年7月、1988年3月分别向水利部水规总院作了小浪底水库淹没及移民安置规划工作阶段性汇报,并对库区部分实物指标进行了复查和核对工作。1989年12月完成了《黄河小浪底水利枢纽初步设计阶段水库淹没及移民安置规划总报告》,并正式报水利部审查;1991年9月根据水利部审查意见,编制了《黄河小浪底水利枢纽初步设计阶段水库淹没及移民安置规划修订报告》。

1990年7月开始进行小浪底大坝施工区征地移民规划。黄委会设计院会同河南省各级地方政府主管部门进行了实物指标调查核实,1991年8月和12月,又先后对大坝施工区占地做了必要的补充调查;1992年5月正式提出了《黄河小浪底水利枢纽初步设计阶段施工占地及移民安置规划报告》,当年6月由水规总院组织审查,8月水利部审批。

1993年6月,世界银行选定小浪底移民项目进行独立贷款,同年10月对小浪底移民项目进行并通过了专项评估。期间世界银行先后14次组团对小浪底工程和移民项目进行考察、评估,每次提交备忘录,其工作深度要求总体相当于我国初步设计阶段,但对施工区和库区180m高程以下的移民安置则要求做出详细设计。为此,黄委会设计院为世界银行评估做了大量工作,向世界银行提供了移民安置简明报告及20多个专题附件和规划设计图集。1994年3月世界银行提出《小浪底移民项目评估报告》,1994年4月,世界银行执行董事会通过了对小浪底工程4.6亿美元的硬贷款和移民项目1.1亿美元的软贷款,1994年6月我国政府和国际开发协会正式签订了小浪底移民项目的开发信贷协议。

1994年后,小浪底水库库区移民正式进入技施设计阶段,由于初步设计阶段与技施设计阶段工作时间相距较长,原调查库区内实物指标发生了较大变化,根据水利部指示精神,1994年3月始,共利用8个月时间对库区8个县(市)的水库淹没影响实物指标进行了全面复查,并编制了技施设计阶段小浪底水利枢纽库区实物指标复查报告。1995～1998年分别编制了技施设计阶段小浪底水库库区分县移民安置规划报告,小浪底库区第一期水库淹没及移民安置规划设计报告,小浪底库区第二、三期水库淹没及移民安置规划设计报告,小浪底库区第二、三期水库淹没及移民安置规划设计修改补充报告。报告完成后,河南、山西两省人民政府、小浪底水利枢纽建管局移民局、水利部、国家发展计划委员会多次组织专家对小浪底库区实物指标复查报告,库区分县移民安置总体规划报告,库区第一、二、三期移民安置规划设计报告及道路、电力工程单项设计分别进行了咨询、预审、审查。其中,1995年水利部审查通过库区实物指标复查报告;1996年10月,河南省人民政府移民工作领导小组组织专家召开小浪底工程库区移民温孟滩安置总体规划咨询论证会;1997年2月,山西省移民办委托中国江河水利水电咨询中心组织专家对小浪底工程库区山西省垣曲县移民安置总体规划方案进行咨询审查;1997年8、11月水利部分别组织专家对库区第二、三期移民安置规划报告进行预审和审查；1998年年底国家发展计划委员会对小浪底水库库区移民安置规划进行了批复。

　　技施设计阶段所进行的小浪底库区移民安置规划设计，是制定移民实施搬迁进度计划和投资流程的基础，是编制水库移民工程实施计划和移民工程监理、移民工程验收的依据。面对政策性强、涉及面广、难度大、问题复杂、时间紧、要求高的形势和任务，在进行水库移民规划设计时，黄委会设计院采取统一领导、专业分工负责的传统做法，由经验丰富的老专家把关，运用先进的技术和管理方法，提高工作效率和质量，加快工作进度。在上级领导和库区各级政府的支持和配合下，通过各方面艰苦努力和奋力拼搏，从1995年起，历时3年，完成了库区8个县(市)分县移民安置规划设计报告，并组织专业技术力量对各县和各单项规划设计进行了大量协调平衡工作，并加强了对各附件编制单位的技术咨询工作。为加快工作进度，黄委会设计院采取边抓分县规划设计和单项规划设计成果的修改、边评审、边协调平衡、边汇总的作业方式，大量运用计算机技术，实行标准化作业，最终完成库区第一期和库区第二、三期移民安置规划设计报告的汇总编制、修改补充任务。

　　1995年以来，在小浪底工程移民规划设计工作中，共计编制完成规划设计及专题研究报告等86余册，其中分县移民安置规划设计报告12册；库区分期移民安置规划设计总报告3册；单项工程设计及典型设计报告58册(包括道路工程31册、南村大桥工程1册、电力工程16册、中条山水源恢复工程1册、移民人畜吃水工程4册、库周提水站恢复工程5册)，专题研究报告4册；企业评估报告13册；库区移民安置规划图集5册，其中库区一期移民安置规划设计图集1册，库区第二、三期移民安置规划设计图集4册。

第三节　水库淹没处理范围与淹没实物指标

一、水库淹没处理范围

　　水库淹没范围与水库淹没处理范围不是同一概念。前者是水库蓄水而淹没的地区，后者还包括因水库蓄水而引起局部自然环境改变的影响区域。因此，水库淹没处理范围包括直接淹没区及因蓄水淹没而引起的浸没、塌岸、滑坡等影响的地区。

(一)水库淹没处理设计标准选择

1.洪水标准选择

1)洪水标准

　　目前水库淹没处理范围的设计洪水标准，是以一定频率即重现期洪水及其沿库长度的洪水回水位而确定的。在选定的回水位以内，要作征地、移民等的处理，其费用列入工程建设投资概算内。出现超标准洪水造成的损失，一般按自然灾害处理。

　　根据水利部《水利水电工程水库淹没处理设计规范》(SD130—84)规定，在安全、经济的原则下，不同淹没对象设计洪水标准应因地制宜地在表7-3-1所列设计洪水标准范围内选择。如所选标准需高于表7-3-1所列范围时，应作专门论证。

表 7-3-1　　不同淹没对象设计洪水标准

淹没对象	洪水标准(%)	重现期(年)
耕地、园地、牧区牧草地	50 ~ 20	2 ~ 5
农村居民点、一般城镇和一般工矿区	10 ~ 5	10 ~ 20
中等城市、中等工矿区	5 ~ 2	20 ~ 50
重要城市、重要工矿区	2 ~ 1	50 ~ 100

　　表 7-3-1 中未列的林地,采用正常蓄水位,非牧区的草地及荒山、荒坡可按正常蓄水位;其他淹没对象如铁路、公路、电力及电信线路、文物古迹、水利设施等,其设计洪水标准参照专业规范的规定同有关部门协商确定。

　　为减少水库淹没损失而采取的防护工程措施,其设计洪水标准应根据防护对象的重要性,参照水工建筑物设计规范和工矿企业及专业项目的相应设计规范合理选用。

　　2)洪水标准选择考虑的因素

　　上述淹没处理范围的设计洪水标准,是根据受淹对象的重要性而区分的,同一类受淹对象的设计洪水标准有一定的幅度。水库淹没处理设计洪水标准的选择,需考虑如下因素:

　　(1)受淹对象的原有防洪标准。原有防洪标准低的,淹没处理设计洪水标准不宜过高。

　　(2)水库调节性能。调节性能高的水库(如多年调节水库),淹没处理设计洪水标准宜低;反之,调节性能低的水库(如日调节水库、季调节水库),标准宜高。

　　小浪底水库的淹没对象主要是耕地、林地、农村居民点、乡(镇)政府所在地和中、小型工矿区,以及公路、输电、电信、广播工程,小型水利水电设施,文物古迹等。根据上述规定和有关专业技术规范,结合小浪底水库淹没的实际情况,拟定了水库淹没设计洪水标准。

　　3)小浪底水库淹没处理设计洪水标准

　　(1)农村居民点、乡(镇)政府所在地:采用 20 年一遇洪水标准。

　　(2)耕地、园地:采用五年一遇洪水标准。

　　(3)林地:采用正常蓄水位。

　　(4)工矿企业:中、小型企业(包括乡村企业)采用 20 年一遇洪水标准。

　　(5)公路、输电、电信、广播工程,文物古迹,小型水利水电设施等采用 20 年一遇洪水标准。

　　2.其他标准

　　1)泥沙淤积

　　泥沙淤积会引起洪水回水位的抬高,特别是在库尾更加明显,但它是个漫长的动态过程。按照设计规范,对于多沙河流,在确定水库淹没范围时,一般按工程投入后 10 ~ 30 年的淤积情况考虑,实践中通常采取 20 年。

　　2)浸没影响

　　对因水库兴建引起库岸地下水位升高的预测和能否产生浸没影响及对不同对象的影响程度,要由水文地质专业人员进行勘测并提出意见。预测浸没影响范围所依据的水库水位一般是正常蓄水位或一年之内持续水位在两个月以上的运行水位;浸没影响性质与影响程度的确定,则是依据不同经济对象所允许的地下水位埋深。

3)塌岸、滑坡

由工程地质部门预测,分近期(如水库蓄水后 5～10 年)和远期(一般考虑 50 年以内),其近期塌岸区要列入处理范围。

4)孤岛

需要结合安全、经济、方便等条件进行综合分析,决定是否征地或移民。

5)坝前段

水库回水位外包线,自坝前开始逐渐高于正常蓄水位,由于正常蓄水位持续时间较长,考虑风浪爬高影响,在确定居民迁移线时,对于洪水回水位在正常蓄水位以上的升高值不足 0.5～1.0m 的地段,可以考虑增加到 0.5～1.0m,以策安全。

(二)水库回水范围

1.干流水库回水

水库兴建后入库洪水造成库区水位壅高,在正常蓄水位以上,其壅高水位高于同频率天然洪水水位而引起的淹没,称为水库回水淹没。由于水沙运动规律的改变和河流特性的制约,洪水由于天然河道向水库过渡,库区沿程的壅水情况是不同的,且处于变动状态。为了确定各种设计情况下的库区沿程回水范围,必须进行水库回水计算。

小浪底水库汛期降低水库水位运行,洪水回水淹没范围的确定,是以坝址以上天然洪水与建库后的同一频率洪水(分汛期和非汛期)分别计算出各种回水水面线,因汛期降低水库水位运行,库前段回水位低于正常蓄水位,则采用正常蓄水位,然后采用上包线,以两者的外包线作为征地、移民线,并以此确定为回水淹没范围。干流水库末端的设计终点位置,按回水曲线高于同频率天然水面线 0.1～0.3m 范围分析确定。但是,是采取垂直斩断还是水平延伸,应结合当地地形、壅水历时分析确定,如有淹没对象,以采取水平延伸为宜。同时洪水回水位的确定,考虑了 20 年的泥沙淤积影响。小浪底水库干流回水末端位置情况见表 7-3-2。

表 7-3-2　小浪底水库干流回水末端位置情况

项目	前 10 年运用		正常运用	
	$P = 5\%$	$P = 20\%$	$P = 5\%$	$P = 20\%$
天然水面线水位(m)	280.1	278.3	283.3	281.8
回水末端水位(m)	280.3	278.5	283.6	282.0
高出天然水面线(m)	0.2	0.2	0.3	0.2
回水末端距大坝距离(km)	124.57	124.57	126.97	126.97
回水末端距上游三门峡大坝距离(km)	6.53	6.53	4.13	4.13

2.支流回水

支流回水计算原理同干流,只是设计洪水标准和支流河口起始水位的区别。小浪底水库支流回水设计洪水标准也是根据受淹对象的重要性而区分和选择,起调水位是按照干流回水外包线在支流河口的水位。

(三)塌岸、滑坡影响区

小浪底水库蓄水至最高水位 275m 时,库岸总长 905km,其中基岩岸坡长 742km,占总长的 82%;土质岸坡长 149km,占 16.5%;基岩土质岸坡长 14km,占 1.5%。土质岸坡主要分布在库区的中部到大坝间,最严重的塌岸区在库区中部山西省垣曲县境内的沇西河、亳清河两岸,河堤、寨里附近和河南省渑池县南村乡附近。根据塌岸、滑坡预测,库区土质岸坡塌岸宽度多在 100～400m 之间,初步预测,全库区塌岸影响地段 11 处,影响面积 5.61km²,需迁移村庄 17 个,全部集中在垣曲县和渑池县境内。

二、水库淹没主要实物指标

初步设计阶段小浪底水库库区淹没实物指标于 1986 年已全面调查。进入技施设计阶段后,于 1994 年 3～12 月又进行了小浪底水库淹没实物指标全面复查。根据复查成果,小浪底水库共计淹没总土地面积 279.6km²,淹没 8 个县(市)、29 乡(镇)、174 个行政村、986 个居民组;淹没建制乡(镇)政府 12 个;淹没工矿企业单位 790 家;淹没县属乡(镇)外事业单位 44 家,县以上企事业管理单位 7 家。移民迁移线以下居住人口 17.87 万人,其中农村人口 16.27 万人。水库淹没房窑 747.23 万 m²,淹没耕地 13 398hm²,园地 1 788hm²,林地 2 182hm²,河滩地 2 180hm²,塘地 71hm²,牧草地 1 562hm²。淹没专业设施主要有 35kV 变电站 2 座,输电线 2 759.56km,公路 1 424.00km,邮电通信线路 790.03km,广播线路 898.74 杆·km,库周小型提水站 614 处,文物古迹 170 处。

第四节　移民安置规划

一、规划设计中几个基本概念

(1)基准年:库区实物指标调查所在年份为基准年(也叫基年)。

(2)搬迁安置期:是自库区移民搬迁的当年起,到移民搬迁安置到位的年限。

(3)恢复完善阶段:是指自移民搬迁到位到生产生活水平恢复到原有水平时期。

(4)设计水平年:就是移民搬迁安置期搬迁重心所在的年份;有的水库以移民搬迁期末所在的年份为移民安置规划的设计水平年。移民安置规划任务、安置目标就是以设计水平年为准进行预测分析的。

(5)校核水平年:是指工程完工时所在的年份。与设计水平年的时间间隔视工程情况有所不同,为工作方便,一般以当地社会经济发展规划的相应年份作为规划校核水平年。规划校核水平年主要是分析移民生活水平是否达到或者超过搬迁前原有水平。一般也作为预测需对移民扶持的年限。

(6)库区:本义上的库区是指坝址以上,水库淹没线以下的地区(即直接淹没区),但移民工作所指的库区是指水库淹没影响所涉及征地和移民的区域(包括直接淹没区、影响区)。

(7)安置区:指安置移民的地区。若全部移民后靠安置,则安置区是紧邻水库的狭长贯通区;若有一部分外迁,则可能有部分安置区与库区不连通,成为非连通区。

(8)生活安置人口:建房人口是指因水库淹没需搬迁建房的人口,含农业人口和非农业人口,即因水库淹没、影响需要从现在住址迁往别处重建房屋的人口,有的水库称生活安置人口为建房人口。常说的水库移民人口就是指生活安置人口。

(9)生产安置人口:生产安置人口指农村移民中由于水库淹没影响耕地等而丧失基本生产生活条件或劳动对象后,需要重新安排劳动对象的那部分人口(包括赡养人口)。

二、规划设计的指导思想、原则和内容

一是全面考虑,统筹兼顾,正确处理国家、集体、个人三者之间的关系,以及国家与地方、部门与部门之间的关系;二是实行开发性移民方针,采取前期补偿、补助与后期生产扶持相结合的办法,逐步使移民生活达到或者超过原有水平;三是农村移民坚持以土地为依托,大农业安置为主,同时适当考虑农转非安置或工业安置;四是农村居民点迁建,乡(镇)迁建,工矿企业迁、改建,专业项目复建等规划建设规模和标准,以恢复其原规模、原标准和原功能为基本原则,若扩大规模或标准而增加投资由地方有关部门解决;五是贯彻投资包干,限额规划原则;六是移民安置规划要与库区社会经济发展、环境保护规划紧密结合。

小浪底库区移民安置规划主要内容包括移民安置任务计算、移民安置目标或规划设计标准体系的建立、移民环境容量分析、农村移民规划、乡镇迁建规划、工矿企业迁建规划、专业项目复建规划及投资总概算等内容。

三、移民安置任务

移民安置人口是衡量水库工程规模的重要参数之一,更是做好移民安置规划的基础。移民安置人口包括水库淹没影响的农村移民人口、受淹的乡(镇)迁移人口、受淹的乡(镇)外事业单位人口以及工矿企业单位人口等。

移民安置任务就是根据现状调查人口规模(称基准年),计算到设计水平年移民搬迁结束时人口规模。由于安置对象的不同,移民安置人口的计算方法也不尽相同。

(一)农村移民安置人口

农村移民安置任务主要是移民搬迁和劳动力的生产再安置。根据其安置性质不同,可分为生产安置人口和建房安置人口两类。

1.生产安置人口计算

生产安置人口指农村移民中由于水库淹没影响耕地等而丧失基本生产条件或劳动对象后,需要重新安排劳动对象的那部分农业人口。由于小浪底库区的经济结构是以农业经济为主,耕地和粮食是库区人民的主要劳动对象和生活必需物质,因此生产安置人口计算是以行政村组为单位,根据各受淹行政村组的淹没影响耕地面积及本村组的人均占有总耕地面积数量或者以淹没损失的粮食产量和人均产粮来推算被淹或被占用耕地上承载的农业人口数,即为进行生产安置的人口。以淹没耕地和人均占有耕地指标推算生产安置人口,方法简单直观,但不能反映出被淹没耕地和剩余耕地在土、肥、水、气等生产条件和生产水平等方面的差异;以淹没损失粮食和人均产粮指标推算生产安置人口,符合目前库区社会经济结构的客观实际,又能反映被淹没耕地和剩余耕地在土、肥、水、气等生产条

件和生产水平等方面的差异,但是淹没损失的粮食产量难以确定。

小浪底水库农村移民生产安置人口的推算是按前者进行的。为能更精确地反映耕地所承载的人口能力,在进行计算时对不同类的耕地根据产粮关系折算在同一个水准上(例如1亩水浇地按相当于2亩旱地折算)。在计算移民生产安置人口时,主要考虑以下四种情况:

(1)耕地全部淹没的村组,则计算人口(即全村总农业人口)均为生产安置人口。

(2)耕地部分淹没而房屋也淹没(全部或部分)的村组,如果库周剩余耕地较少且分布零散、耕种条件很差、环境容量有限,不具备后靠安置条件,论证后剩余人口需外迁安置,则外迁的农业人口也为生产安置人口;如果水库淹没后剩余耕地较多、耕作条件较好,当地有环境容量,则计算人口为需做生产安置的人口。

(3)仅淹没耕地而不淹没房屋的村组,如果少部分耕地淹没,当地有条件安置移民,计算人口为生产安置人口,进行后靠安置;如果大部分耕地淹没,当地(周围村组)无条件安置移民的,全村组人口需外迁,则迁移的农业人口为生产安置人口。

(4)耕地和房屋均不受淹没或耕地及房屋受淹没而后靠有土地容量,但因水库蓄水后交通、电力中断或位于孤岛失去对外联系的村或居民组,要严谨对待,需做外迁或就地安置经济对比论证,并结合县情确定安置方案,若论证后需外迁的农业人口可作为生产安置人口。

2.建房安置人口计算

建房安置人口包括水库迁移线以下的人口、水库迁移线以上住在由于水库蓄水后引起的塌岸和滑坡上以及失去生产生活条件的孤岛上的人口、水库迁移线以上除非滑坡和塌岸地区但因生产生活需要而必须迁移的人口。前两类人口可以通过实地调查和查勘确定,第三类人口与移民生产安置情况有关。这是反映农村移民安置任务大小的主要指标。

3.注意事项

无论是生产安置人口和建房安置人口,都必须根据基准年人口数量计算设计水平年人口数量,作为移民安置的任务。计算方法之一就是建立简单趋势外推模型,依据规划基准年人口数量和人口自然增长率计算。

小浪底水库规划设计的基准年为1994年,第一期移民设计水平年为1996年,第二期移民设计水平年为2000年,第三期移民设计水平年为2003年,人口自然增长率按国家下达给河南、山西两省的指标控制。按照上述计算方法计算,小浪底水库设计水平年农村移民生产、建房安置人口分别为16.82万人和17.17万人。

(二)乡(镇)人口

乡(镇)移民规划人口是决定乡(镇)迁建用地、基础设施配置、生产建筑等规模大小的重要指标,是确定集镇建设和发展的依据。在计算和预测乡(镇)迁建人口规模时,除根据现状进行实物调查统计的国家正式职工及其家属(非农业人口)、合同工、临时工、口粮自理户、市民外,还要考虑学校寄宿学生及新址规划范围内的农业户人口以及临时参与集镇活动的流动人口。乡(镇)迁建人口预测方法同农村移民安置人口预测方法一致,只不过有关基础资料和参数区别而异。

小浪底水库淹没影响乡(镇)政府所在地共有12处,其中第一期迁建1处,第二期迁建 10 处,第三期迁建 1 处。规划(设计)的基准年人口规模为 12 712 人。规划水平年人口为 14 531 人,其中人口增长考虑 30‰机械增长。

(三)其他人口

其他人口主要有工矿企业、乡(镇)外事业单位人口。这些单位的人口统计以国家正式职工及家属计列水库移民。人口规模通过调查多年来几乎没有变化,因此在小浪底水库移民安置时不再考虑人口增长因素。

四、移民安置目标和规划设计标准

移民安置目标是指移民搬迁安置后,移民系统在一定时期内要求能够达到的总体水平。安置目标体系包括经济发展目标、社会发展目标、生态环境目标。经济发展目标主要指人均收入、人均粮食占有量两项;社会发展目标包括移民应达到的文化素质、科学技术水平,交通、电力、水利、通信、广播等社会公用事业和基础设施的发展目标;生态环境目标包括森林覆盖率、水土流失治理、环境保护、疾病防治等。这些目标体系的制定不但要与移民安置前的水平相结合,还要与安置区、全县的社会经济发展水平相结合,但至少不低于移民安置前的水平,这是最基本的安置目标。

根据各县移民现状(设计基准年)生活水平调查和各县的经济发展计划,制定的小浪底水库移民在恢复完善期末具体发展目标:①保证基本口粮,人均占有粮食 400kg 以上;②恢复原有经济收入水平;③移民公用事业、基础设施、文教卫生、文化素质、科技水平等较淹没前有较大改善;④移民安置区生态环境建设达标。

规划设计需标准是实现移民安置目标的基本保障。规划设计标准是根据库区现状情况和国家有关法规规定及移民安置的有关原则综合分析确定的。小浪底水库移民主要规划设计部分标准指标见表 7-4-1。

五、移民环境容量分析

移民环境容量,指所划定区域(移民安置区)内在一定时期内对人口的容纳能力或承载能力,目前多指土地承载能力或资源承载能力。它是一变量,与经济活动和自然环境相关,经济越发达,一般环境容量越大。环境容量分析是安置好移民的关键和前提,所以水库移民的安置规划首先要论证环境容量,以环境容量的够与不够来制约和指导移民安置规划,指导安置区的开发建设,同时又通过安置区的开发建设来改善和扩大移民环境容量,使移民安置规划建立在环境容量允许的基础上,使移民的就业安置有可靠的物质基础保障。

环境容量分析的具体计算方法比较多,目前尚无统一的规定和标准。农村环境容量,主要是结合各地的实际情况,按人均占有生产资料的数量或人均占有实物量的指标,估算人口容量;城市环境容量,可分析为宏观人口容量和二、三产业就业劳力容量两个方面的内容。

表 7-4-1　小浪底水库移民主要规划设计部分标准指标

类别	内容	单位	标准		备注
			平原区	山丘区	
一、农村	生产用地	亩/人	1.7	1.7	全旱地,水:旱 = 2:1
	村庄占地	m²/人	80	90	
	宅基地	亩/户	0.25 ~ 0.3	0.25 ~ 0.3	
	人畜吃水标准	L/(人·日)	60	60	
	农村用电标准	W/户	300	300	
	村内道路建设标准				
	主街	m	≤6	≤6	
	支街	m	3.5	3.5	
二、乡镇	占地规模	m²/人	90	90	
	基础设施标准				
	主街	m	6 ~ 7	6 ~ 7	车行道
	支街	m	4	4	车行道
	用电标准	W/人	150	150	
	生活用水标准	L/(人·日)	60	60	
	公共建筑用水	%	12.5	12.5	占生活用水量
	消防用水	L/s	5	5	
	不可预见水量	%	25	25	占以上三项用水量
三、专业项目	县级公路	m	8.5/7	7.5/6	路基/路面
	县乡公路	m	7/6	7/6	路基/路面
	乡村公路	m	4.5	4.5	路面
	机耕路	m	2	2	路面
	临时搬迁路	m	2	2	路面
	电力、通信		原标准恢复		

常采用的方法有单因子分析法、资源综合平衡法、土地资源分析法、系统动力学法。其中,单因子分析法主要依据农业生产所提供的粮食或某种资源的食物生产能力或以某种资源对食物生产的主导限制进行人口容量的定量分析估算。由于依据粮食生产情况进行人口容量估算考虑的因子少,方法简单易行,因此该方法已成为目前进行区域人口容量分析的常用方法。当然,在进行粮食容量定量分析的同时,水环境容量也是确定区域人口容量的重要指标。

初步选定移民安置区域是进行环境容量分析的前提。选择移民安置区遵循的原则就是先考虑本乡范围,本乡安置不下的,再考虑本县其他乡范围内,本县范围内仍安置不下的,再考虑县外其他地区。安置区初步拟定后,设计单位要搜集安置区有关自然资源、社会经济以及发展计划等资料,从人口、社会、经济、资源、环境各种关系协调发展的角度出发,定性定量分析安置区可安置移民人口的数量。

在小浪底水库移民安置规划中,进行农村移民环境容量分析时主要是利用该方法分析安置区内的土地、粮食、人口容量和水资源环境容量。城市安置移民,主要以工业固定资产值测算移民环境容量及以第三产业项目规模和发展趋势计算其所需就业劳力,依照就业劳力与抚养人口的比例,即可预测第三产业的人口容量。

初步设计阶段,对小浪底水库淹没各县均从宏观上进行了环境容量的分析工作,提出了河南省新安县在县内无论是耕地资源还是水资源都是限制安置移民的因素,在全县范围内进行农业安置移民有一定难度,工业上虽然该县有一定的基础但工业安置移民风险很大,为此,提出了新安县不宜进行大规模工业安置,提出了出县外迁一部分移民的安置方案;山西省垣曲县主要限制因素是水资源条件,其次是耕地资源;库区其他6县移民在本县内安置是基本可行的。在此基础上,初步形成了河南省开发黄河下游温孟滩安置新安县部分移民和山西省垣曲县扩建后河水库新建7.5万亩灌区配套工程扩大土地容量安置该县移民的安置方案,以分别安置两县部分移民,解决新安县、垣曲县移民安置的困难。同时,也形成了河南省义马市工业安置部分移民和黄河下游受益区农业安置部分移民的备用方案。

技施设计阶段主要是对初步设计阶段安置方案进行环境容量复核,按照库区移民分期情况,分别对移民安置区从微观上进行环境容量分析,根据地方人民政府意见和环境容量复核结果,河南省新安县移民安置在温孟滩区安置移民的基础上启用了初步设计阶段的备用方案。所选安置区只要注重加强技术和资金投入,严格控制人口增长,环境容量不会成为移民安置制约因素。

六、农村移民安置规划

农村移民安置规划包括移民安置去向、生产安置规划和居民点迁建规划。

(一)移民安置去向

移民安置去向是移民安置规划设计的首要任务。在确定移民安置去向中,采取"由近及远、容量优先"、"低远高近、移民接受"的原则开展工作。在环境容量分析的基础上,由近到远选择安置区,移民安置去向上根据各村原有条件,居住较低、条件较好、搬迁较早的村组一般考虑外迁到条件好的地区安置,居住较高、条件较差、搬迁较晚的村组一般考虑后靠安置。移民安置去向由移民和安置区群众代表参与确定,并签订土地划拨有关协议。小浪底水库库区移民最终选择的安置区涉及河南省和山西省14个县(市),共规划建立居民点257个,后靠点84个,近迁点138个,外迁点35个。后靠安置2.43万人,占农村移民安置任务的14.1%,县内近迁移民9.21万人,占53.6%,外迁移民5.54万人,占32.3%;外迁区主要为温孟滩安置区,安置人口4.2万人,占农村移民总人口的2.5%。

(二)农村移民生产安置规划

农村移民中有农业人口和非农业人口,对农村非农业移民人口安置,不存在重新安排工作和改变职业的问题,相对比较简单,重点和难点是农村农业移民人口的生产开发就业,农村移民生产安置就是解决农村农业移民人口(或者说农业劳动力)的再就业问题。

小浪底库区农村农业安置人口共计16.83万人,通过环境容量分析和移民安置意向选择,经人口平衡分析后,规划在库区县(市)内安置农业人口11.31万人,占67.2%;其余5.52万人(占32.8%)外迁安置,分别安置在河南省义马市及黄河下游受益区的温县、孟州市、原阳县、中牟县、开封市等6市(县)区内。

小浪底水库移民主要有大农业安置、工业安置和农转非安置三种途径。大农业是移民生产开发优先开发的产业,同时也是其他产业赖以发展的基础,因此,以土地为依托,以大农业为主进行安置是小浪底水库移民的主要生产安置方式。

在本县(市)内安置移民中,规划从事大农业安置 10.68 万人,农转非等安置 0.63 万人,大农业安置划拨耕地面积 15.18 万亩,人均 1.42 亩;在出县外迁移民安置中,规划从事大农业安置 4.97 万人,工业安置 0.55 万人,大农业安置划拨耕地 5.59 万亩,人均 1.12 亩。

全库区用于安置大农村移民的耕地共计 20.78 万亩,人均 1.33 亩,全旱地村组人均耕地不少于 1.7 亩;根据划拨土地质量,对农耕地进行不同措施改造,总计改造面积 16.63 万亩,其中坡改梯面积 6.95 万亩,主要是县内移民安置区;规划控制发展水浇地 13.53 万亩,人均水浇地面积 0.5~1.0 亩;另外,规划开发林果业 1.24 万亩,规划开发二、三产业项目 129 个,同时规划养殖业等项目作为农村移民生产开发经济收入补充项目。

农村移民生产安置的目标是保证移民搬迁后劳力都能得到妥善安置,移民口粮和现金收入不低于搬迁前原有水平,因此进行农村移民生产开发的关键是选好生产开发项目和做好生产开发的投资控制。因为生产开发投资的来源为库区原有生产体系内生产资料的补偿及补助费,其构成有受淹土地补偿费及安置补助费、淹没区小型水利工程设施补偿费、村办企业淹没补偿费及农村集体农副业补偿费等四项,这些项目的补偿费经国家审定后是一个定数,所以移民安置所进行的生产开发项目投资要依据上述几项补偿费进行限额规划。小浪底水库移民生产开发项目就是根据其限额投资数量,并结合口粮和收入水平恢复情况规划种植业开发、林果业开发、畜牧业开发及"短、平、快"劳动密集型村办企业项目的开发四类。经计算,为保证移民安置后恢复原有生活水平,生产开发规划措施共需投资 158 358 万元,而用于生产开发的所有补偿费共计 197 564 万元,占生产开发补偿费的 80%,总的来讲,投资基本平衡。

(三)农村居民点迁建规划

农村居民点迁建规划设计,采取移民房屋、公共建筑物等根据库区实物调查数量及补偿费,按规划布局自建;新址移民征地、场地平整、基础设施(包括街道、供水供电、排水等)或防护工程按规划设计所需投资列入移民概算。

农村居民点迁建是根据生产布局而定。即在做好农村移民土地划拨后,进行农村居民点的选点布局。居民点选择的基本原则是要做到利于生产、方便生活,不占或少占耕地、节约投资。

农村居民点迁建规划的基本内容是包括居民点选点规划、合理确定人口规模和占地规模、新村布局规划、基础设施建设规划及投资。

人口是水库移民迁建规划设计的基础,是确定居民点建设规模及投资的重要依据。小浪底库区动迁水平年农村居民点迁建总任务是 50 288 户、171 771 人。

1. 选点布局

移民安置点选点布局,应根据生产布局方案进行,既要考虑移民耕作半径,还要考虑安置区地形、地貌、地质条件,交通、电力条件,水资源条件等,经综合分析最终选定安置点位置,做到有利生产,方便生活,同时也倡导农村集镇化建设。

小浪底水库农村移民新居民点初选 438 个,其中就地后靠点 170 个,县内外迁点 194

个,出县远迁点 74 个;优化筛选后最终确定 257 个安置点,其中就地后靠点 84 个,县内外迁点 138 个,出县远迁点 35 个;出县远迁居民点中温孟滩建立 27 个,义马 1 个。移民安置情况为后靠点安置移民 6 798 户 24 251 人,县内外迁点安置移民 27 292 户 92 124 人,出县远迁安置 16 200 户 55 396 人,其中温孟滩安置 12 278 户 42 088 人,义马安置 1 734 户 5 549 人。

居民点布局既有大集中,又有小分散,也有分散插迁,总体上是以采取大集中小分散为主。其中外迁区的温孟滩、义马市为大集中布局。

居民点耕作半径控制标准,平原区一般为 2 ~ 4km,丘陵地区为 1.0 ~ 1.5km,山区在 1.0km 之内。

2．新村用地与布局

按照规划设计标准,小浪底库区移民新村总规划用地面积为 1 511.94hm²。新村用地包括住宅、街道及公共建筑、基础设施用地等。小浪底水库移民新村规划布局一般按照以"十"字主街为中心骨架,支街采用方格式,在方格网内居住建筑尽量座北朝(面)南,分前后出口;公用设施如商店、卫生所、村委、文化娱乐等居中布置;学校在就读半径适宜的前提下,尽量避开街心喧闹地带,靠村侧布置。对于后靠移民安置点,因地形条件的限制,在规划时采取了因地制宜,依山就势的自由式布置。

新村内各类建筑的具体位置,既要考虑节约用地、紧凑布局,又必须注意它们的朝向、间距以及与自然地形、道路、绿化的配合,也要注意卫生、防火、防震上的合理,还要注意创造统一、生动的建筑群体空间。在新村建设中居民住宅的建筑量占绝大部分,因此住宅建筑的造型、布局等,是能否创造良好的移民新村居住环境的关键。对移民住宅建筑群的布置根据当地地形,可选择行列式布置、混合式布置或自由式布置;住宅造型的设计,根据移民的居住习惯和自身的经济承受能力,选择适当的建筑类型。在房屋施工建设上,实行统一规划布局,以自建为主。

3．竖向规划

村镇建设用地的竖向规划在满足建筑规划、道路的布局、排水等要求的前提下,进行土方平衡及挖方、填方的合理调配。竖向规划要充分利用自然地形、利于地面水排除,符合道路设计坡度要求,尽可能减少土方工程量。

小浪底水库县内安置移民村大多建在丘陵和旱坡地上,地形起伏较大,在进行竖向规划时,主要考虑建设场地的平整和新村护坡工程;县外黄河滩区部分安置村由于当地浅层地下水埋藏较浅,在进行竖向规划时主要考虑居民点的排水、防涝和防潮问题,其措施就是进行必要的村台建设。

小浪底移民新村的场地平整和村台建设共需挖填方总量 445.23 万 m³,其中场地平整土方量 437.13 万 m³;砌石护坡工程 32.68km,浆砌石量 17.22 万 m³。

4．新村主要基础设施规划

(1)街道。根据受淹移民村现状和安置区的情况,在小浪底移民新村街道规划设计时,主街道宽度按 6m 设计,支街道宽度按 3.5m 设计。对人口规模较大移民新村,布设巷道,宽度按 2m 设计,对小于 200 人的居民点,其主、支街的规模、标准给予适当降低。路面按原有标准,主要为砂石材料。但对安置区土壤为砂土质地区的移民新村,规划时主、支街道的路面材料采用柏油路面。小浪底水库移民新村共规划主、支街道长 721.5km,巷道 10.0km。

(2)供水。水源以地下水为主。共规划机井 221 眼,中小型提水站 50 处,水塔(水池) 10 695m³,供水管道总长 791.2km,其中主供水管 127.3km,支供水管 663.9km。

(3)排水。居民点排水工程考虑村内、村外排水,排水方式采用雨、污合流制。排水沟设计为矩形砖砌明排沟,排水沟断面根据居民点规模分别按 0.96m × 0.84m ~ 0.2m × 0.4m设置,布局方式为主排水沟沿主街两侧设置,支排水沟沿支街一侧设置。共计规划排水沟总长度为 830.39km,其中主排水沟 238.09km,支排水沟 592.3km。

(4)供电。居民点供电工程只考虑变压器及以下的低压供电线路,10kV 高压线在专业项目中考虑。移民新村供电范围包括生活用电和生产用电。变压器根据预测农村移民新村用电负荷选配,并合理分设台区。供电线路的布置,380V 线路沿主街单侧架设,220V 线路沿主街双向架设,为节约投资可采用同杆并架的架设方式。小浪底库区移民新村规划变压器 313 台,变压器的容量有 50kVA、100kVA、200kVA 和 315kVA 等,变压器总容量 18 590kVA。供电线路共计规划 853.66km,其中 380V 线路 115.6km,220V 线路 738.06km。

小浪底水库移民新村基础设施建设规划主要指标见表 7-4-2。

表 7-4-2　小浪底水库移民新村基础设施建设规划主要指标

搬迁期	新村用地 (hm²)	土石方量 (万 m³)	护坡工程 (万 m³)	街道长度 (km)	供电线路 (km)	供水管道 (km)	排水管道 (km)
第 1 期	351.27	95.74	3.89	169.38	221.62	188.83	195.04
第 2、3 期	1 160.67	349.49	13.33	552.12	632.04	602.37	635.35
总计	1 511.94	445.23	17.22	721.50	853.66	791.20	830.39

5. 迁建投资

移民新村建设投资费用的构成,包括新村规划项目中的新址征地、场地平整、新村防护、街道、供排水工程投资、电力工程投资等内容。各类概算标准的确定,由概算编制人员深入库区及移民安置区,收集、分析、测算各种建设项目的标准及定额,合理进行测算,较大项目的投资应由专业部门设计。居民点建设投资列入水库移民总概算。小浪底水库移民新村建设总投资为 36 197.8 万元,其中征地投资占 29.97%,场地平整及村台建设投资占 12.08%,基础设施建设工程投资 57.95%。详见表 7-4-3。

七、乡镇迁建规划

乡(镇)是指县城以外建制乡或镇人民政府所在地,乡(镇)迁建规划同农村居民点一样,采取移民房屋、公共建筑物等根据库区实物调查数量及补偿费,按规划布局自建;新址移民征地、场地平整、基础设施或防护工程按规划设计所需投资列入移民概算。

(一)乡镇迁建规划程序

(1)建制确定。库区的受淹没影响乡(镇)政府所在地建制确定,要根据水库淹没和移民安置后经济腹地的变化情况区别对待。一般来说,建制确定有四种情况,即迁移重建、工程防护、与其他建制乡镇合并和撤销建制。

表 7-4-3 小浪底水库移民新村基础设施建设规划投资及构成

项目	单位	第 1 期	第 2、3 期	合计	投资比重(%)
合计	万元	7 969.07	28 228.74	36 197.81	100
一、征地投资	万元	3 262.43	7 585.89	10 848.32	29.97
二、土石方工程	万元	668.38	3 705.24	4 373.62	12.08
场地平整	万元	427.01	2 518.98	2 945.99	8.14
新村防护	万元	241.37	1 186.26	1 427.63	3.94
三、基础设施建设	万元	4 038.26	16 937.61	20 975.87	57.95
街道	万元	496.47	1 520.88	2 017.35	5.57
供水工程	万元	1 832.68	10 257.31	12 089.99	33.40
排水工程	万元	835.27	2 346.24	3 181.51	8.79
电力工程	万元	852.39	2 673.78	3 526.17	9.74
通信工程	万元		10.73	10.73	0.03
其他	万元	21.45	128.67	150.12	0.42

(2)选址。经踏勘初选若干新址并进行地质初勘,通过比选确定新址。新址选择的原则是:地理位置要适宜,供电、交通、通信方便,有利于发挥一定区域范围内的政治、经济、文化中心的作用;地质、地形、水文、气象、环境等条件要符合城镇建设的要求,并有充分的水源保证;尽可能靠近水源、交通干线和用电方便的地方;能够满足乡(镇)建设的用地要求,又能不占或少占耕地。

(3)编制乡镇迁建总体规划,经评审及审批后,对新址进行 1/1 000～1/2 000 地形测量和地质详勘。

(4)编制乡镇迁建详细规划,确定迁建人口规模,确定用地规模,选择用地范围,进行规划布局,计算基础设施工程量和补偿投资。

乡镇总体规划是宏观的、指导性的,既有近期建设规划,又有远期发展规划。详细规划是以移民迁建为主要目标,兼顾近期发展,是移民补偿投资计算的基础。

(二)小浪底乡镇迁建规划设计

1. 建制确定

小浪底水库共淹没乡(镇)12 处。根据建制确定原则和地方政府意见,库区 12 个乡(镇)全部需要搬迁新建,建制全部保留。

2. 乡镇迁建人口规模

乡镇迁建人口规模是以直接受淹人口、随迁人口、新址占地人口三种人口之和为基础,按人口年增长率(含自然增长和机械增长两部分)计算到动迁水平年,再加上常住无户籍人口,即为乡镇迁建的人口规模。小浪底受淹 12 个乡(镇)动迁年人口规模为 14 531 人。

3．迁建用地规模

迁建用地规模是迁建人口与人均用地标准之积,小浪底水库受淹乡镇迁建人均用地标准为 90m²/人。规划乡镇迁建用地共计 1 967.35 亩。

4．平面布局与竖向规划

平面布局与竖向规划相结合,尽可能采取小台地法,即建设场地沿垂直于等高线方向的台地尽可能取小值,同时又要满足布置建筑物的要求。建筑物可采取退层、错层、吊脚楼和爬坡式等形式。住宅建筑布局应结合地形,兼顾朝阳与通风,南北坡向以布置条式住宅为主,西北坡向以布置点式住宅为主。住宅间距、楼层及住宅净密度等指标应符合城市居住区规范的规定。最后做出平面布置图。竖向规划要充分利用地形,对一些需要采取工程措施后才能用于建设的地段,提出工程措施方案。合理确定乡镇规划用地的各项控制标高,如建筑基底、防洪堤、排水干管出口、桥梁和道路交叉口等,使乡镇道路的纵向坡度能配合地形满足交通上的要求,合理布置乡镇用地的地面排水;土石方工程要考虑到挖填方的平衡和运距,同时要控制单位面积的挖填方,避免大挖大填,减少土石方量和深基础。12 个迁建乡镇场地平整挖填土方总计 280.17 万 m³,其中以河南省济源市大峪镇和山西省垣曲县古城镇亩均方量较大。规划台地护坡工程和浆砌石挡土墙工程量 7.48 万 m³。

5．主要基础设施规划

(1)道路规划。街道是乡(镇)的骨架,是影响规划布局的重要因素,合理选择道路走向与线型,对减少工程量、降低投资是十分重要的。同时,乡(镇)内部道路的布局应与对外的等级公路相衔接,使各项技术指标经济合理。街道规划的内容主要包括:主、支街道和巷道。小浪底库区各迁建乡(镇)主街红线宽度控制在 7～10m,其中车行道 6～7m,两边人行道不超过 2m,支街车行道宽 4.5m,巷道宽 2m。各乡(镇)内道路规划,基本上呈网格式的格局,主、支街的搭配依地形各有不同。各乡(镇)共规划街道长 32.97km,主街10.87km,支街 17.60km,巷道 4.50km。

(2)供水规划。供水分生活用水、公共建筑用水、消防用水和不可预见用水四部分。生活用水人均 60L;公共建筑用水量按生活用水量的 12.5% 计算;消防用水量按一次同时开启 2 个直径为 50mm 的消防栓或给水阀门,流量为 5L/s,火灾延续时间按 2h 计算;不可预见用水量按上述 3 项用水量的 25% 计算。规划提水站 3 处,机电井 11 眼,水塔(池)27个 2 850m³,供水管道长 79.02km。

(3)排水规划。排水系统一般采用雨、污合流制。生活污水按用水量的 80% 估算;雨水按当地 $P = 5\%$ 的降雨强度及新址汇流面积计算确定,排水时间按各乡(镇)设计坡度不同而有所不同,大多按在 3～5 个小时内排完。排水系统布置按照乡址地形确定排水区域,根据道路走向确定排水沟的坡度,并选择出水口的位置,布设形式为主排水沟沿主街两侧布置,支排水沟沿支街单侧布置,结构采用砖结构,主排水沟在道路交叉口加混凝土盖板,支排水沟不加盖。排水沟尺寸:主排为 0.4m × 0.5m～0.5m × 0.7m;支排一般为 0.3m ×0.4m。规划排水沟总长 38.58km,其中主排水沟长 22.05km,支排水沟长 16.53km。

(4)供电规划。供电负荷标准生活用电为 150W/人,企业用电已按实物补偿,规划用电自行解决。配电设备和变压器选型应适当考虑输变电的电力损耗,变压器功率因数一般取0.8。工业用变压器应与民用变压器分置。电力线只考虑从乡(镇)内变电所出线,根据负荷情况分台区布设动力线路(380V),照明线路就近从动力线上接线,入户线按每单位100m考虑。共规划变压器21台,容量3 865kVA,低压线路74.62km,其中380V电力线路11.90km,220V电力线路62.72km。

(5)邮电、广播及电视规划。以恢复乡镇原有邮电、广播及电视的规模、标准和功能为原则,并留有发展余地。规划通信交换机12部,容量按原有规模考虑,投资全部按新置考虑,规划通信线路总长49.08km,其中通信电缆长12.28km;规划广播线路11.21km,广播站和电视差转台按原标准恢复,各规划12处。河南省渑池县南村乡新址紧临桓王山,由于高山的阻隔,该处形成盲区,差转台迁到新址后无法正常工作,为恢复原功能,需在桓王山上建一转播塔,在新址建一接收塔。

6. 防洪工程规划

乡(镇)的防洪工程主要是指大峪乡、煤窑乡、南村乡和古城镇,现分述如下:

乡(镇)的防洪标准按防护对象的性质和重要性进行选择,集镇一般为5~10年一遇标准,城镇可按20~50年一遇洪水标准;暴雨历时和排涝时间根据防护对象可能承受淹没的状况分析确定。小浪底库区各乡(镇)的防洪工程规划,大多按20年一遇防洪标准计算,工程措施多选用的是排水管、防洪渠、防护墙等。

大峪乡由于将一山包进行了平台采挖,破坏了原有山体正常的排泄形式,因此在乡址周围修建0.4m×0.5m的排水沟,长4 159m。结合地形条件,规划了直径1 000mm的防洪排水管390m。

煤窑乡新址地形呈马鞍形,北部有一山丘地势向乡址倾斜。北部的基岩山地,具有一定的汇流条件,且基岩山地的表部为松散的黄土状土、风化残坡积块石及土夹石等坡积物,如遇高强度降水时,有产生稀性泥石流的可能,规划修筑防洪排水沟,断面尺寸0.6m×1.2m,长330m。

南村乡新址位于鲤鱼山和桓王山的连接部,为防止山洪对乡(镇)的影响,在两山山体坡脚处各建一条防洪渠,按$P = 5\%$标准测算雨量,计算防洪渠的断面采用0.5m×0.6m(鲤鱼山),长474m;0.6m×1.2m(桓王山),长654m。另外,由于桓王山山体较为破碎,为防止坡积物的下滚危及乡(镇)居民及建筑物的安全,规划沿防洪渠走向外侧各修一条防护墙,断面采用直角梯形,上宽0.5m,下宽0.8m,高1.2m,用石头浆砌而成,长1 098m。

古城镇防洪规划主要是排除镇域西部丘陵区汇流雨水及镇域内部分雨污水。据计算,总控制面积0.8km²,其中大沟控制0.6km²,小沟控制0.2km²,按20年一遇防洪标准计算,防洪措施采用拱形廊道,构造基础用30cm厚混凝土,两边墙体用50cm厚浆砌石,按街道位置分设3条,总长1 060m。

7. 乡镇迁建补偿投资

乡镇迁建补偿投资计算项目由淹没实物补偿费、规划投资和特殊项目补助三部分组成。淹没实物补偿费包括乡(镇)房窑、附属物、零星树、生产用地、搬迁运输费、商业单位损失、乡(镇)内工矿企业补偿费等;规划投资包括新址征地和基础设施规划投资、防洪工程投资;特殊项目补助包括新址青苗补偿、地面附着物补偿和征地拆迁费。

小浪底水库库区 12 个乡(镇)迁建规划设计总投资为 20 331.04 万元,其中淹没实物补偿费 12 911.81 万元,占总投资的 63.51%;规划投资 5 217.22 万元,占总投资的 25.66%;特殊项目补助 102.23 万元,占总投资的 0.50%;乡(镇)内工矿企业补偿费 2 099.78 万元,占总投资的 10.33%。见表 7-4-4。

表 7-4-4　小浪底库区乡(镇)迁建规划设计投资概算简表

项目	总计	比重(%)
总计	20 331.04	100
一、实物补偿部分	12 911.81	63.51
二、新址征地及基础设施投资	5 217.22	25.66
新址征地	839.54	4.13
场地平整及防护工程	1 515.66	7.46
道路工程	585.74	2.88
供排水及防洪工程	1 601.03	7.87
电力、电信、广播电视专项工程	675.25	3.32
三、特殊项目补助	102.23	0.50
四、乡镇企业补偿	2 099.78	10.33

八、专业项目处理规划

专业项目主要包括受淹公路、码头、电力设施、电信设施、广播电视设施,县级以上单位管理的提水站、水电站、水库、水文站、灌溉渠道等,以及县级以上单位管理的有关事业单位等项目。

对受淹的交通、码头、电力、电信、广播电视设施,需要复建或改建的,按"三原"提出复建或改建规划,对已失去原有功能不需要恢复重建的设施,不再进行规划;对需要恢复原功能但又难以复建的项目,经主管部门同意后,根据淹没影响的具体情况,给予合理补偿。

对受淹的县级以上单位管理的提水站、水电站、水库、水文站、灌溉渠道等设施,应根据淹没影响的程度和受益地区的具体情况,提出复建方案,对已失去作用的不予规划和补偿,对难于复建的项目,经主管部门同意后,给予合理的补偿。

对县级以上单位管理的有关事业单位等,需复建的,需新选地点,并提出经济合理的复建规划,对没有必要复建的应按淹没情况给予合理的补偿。

(一)公路

小浪底库区淹没等级公路 295.6km,等外公路 1 128.4km,规划复建等级公路 299.88km,等外公路 679.41km。在复建公路中,对县级公路、主要的县乡公路及地形比较复杂的乡村公路均根据规划布局情况进行了初步设计和施工详图设计,其中等级公路设计 11 条长 222.29km,等外公路典型设计 20 条长 171.71km。核算公路复建总投资 53 524.11 万元。

(二)渡口、码头

小浪底水库水位 275m 时,淹没影响沿黄河渡口 64 座,其中南村、关家渡口为中型轮渡,其他为小型渡口码头。规划复建小型渡口码头 41 座,适当补偿撤建小型渡口码头 22 座,核算补偿投资 550.04 万元;规划 1 座中型轮渡码头改建为黄河大桥 1 座,桥长 1 456m,两岸连接路 15.9km,核算总投资 4 800 万元。

(三)电力设施复建规划

小浪底水库库区淹没影响 220kV 高压输电线路 5.87km,35kV 变电站 2 座,总容量 8 550kVA,35kV 供电线路 50.3km,10kV 供电线路 1 053.19km,低压线路 1 650.2km。

规划复建 220kV 高压输电线路 20.7km,核算补偿投资 1 400 万元;新建 35kV 供电线路 9 条 77.56km,核算补偿投资 1 413.65 万元;新建和扩建 35kV 变电站 11 座,总容量 32 700kVA,核算补偿投资 4 256.27 万元;规划复建 10kV 供电线路 338 条 852.14km,核算补偿投资 5 230.33 万元。电力设施复建规划总投资 12 300.25 万元。

(四)电信线路及设施复建规划

小浪底水库淹没影响国防通信专用线 1 条,长 49.08 杆·km,淹没影响邮电支局(所) 12 处,淹没县乡中继线路 282.8km,其中架空电缆 43.2 杆·km,地埋电缆 38km,淹没乡村电信线路 458.2 杆·km。

规划改建国防通信专用线 43km,核算补偿投资 370.59 万元;规划复建中继线 15 条,长 198.3km,其中包括架空电缆 4 条 47 杆·km,4 芯光缆 72.31 线·km,8 芯光缆 1 条 45 线·km,核算补偿投资 625.77 万元;复建乡村电信线路 354 条,规划线路 873.31km。乡村线路复建规划主干线采用架空电缆,型号有 HYA10×2×0.5、HYA20×2×0.5、HYA30×2×0.5,支线采用水泥杆架挂 1—2 对明线,总投资 1 390.48 万元。淹没影响邮电支局(所)在乡镇迁建规划中处理。

(五)广播线路及设施复建规划

水库淹没广播电视线路共计 888.74 杆·km,广播电视机构 14 处,电视差转台 13 处。规划新建广播电视电缆线路 347 条 1 100.93 杆·km,核算补偿投资 1 246.63 万元。广播电视机构 14 处,电视差转台 13 处在乡镇迁建规划中处理。

(六)中条山有色金属公司供水工程水源地改建规划

黄河小浪底水利枢纽的建设,蓄水淹没中条山有色金属公司目前正在使用的两处黄河水源地工程和 3 号加压泵站以下的附属设施(如 17.5km 的输水管线和 1 号、2 号加压泵站,17km 的 35kV 高压输电线路、通信线路及相应的检修便道等),使中条山有色金属公司失去了可靠的水源,需择址重建水源工程。

规划新建水源地 2 处,输水隧洞 13.0km,桥式倒虹吸 2 座、渡槽 3 座,35kV 变电站 1 座,35kV 输电线路全长 13km,设计审批工程总投资 1.1 亿元。

(七)小型水利水电设施复建规划

1. 库周小型提水站

小浪底水库淹没影响小型提水站共计 614 处。提水站均为黄河阶地居住群众人畜吃水或灌溉的水源工程。其中有 561 处为提水站和受益区共同淹没,有 53 处为提水站受淹而受益区位于 275m 以上不受水库影响。根据其功能分析,规划 53 处提水站另择新址重建,恢复 275m 以上受益区水源工程;其他 561 处提水站功能丧失不需复建,可视提水站作用分别给予适当的补偿或不予补偿。核算补偿投资共计 3 326.45 万元。

2．小水电站、小水库处理规划

小浪底水库淹没小水电工程 9 处，装机容量 1 392kW，小水库工程 3 处。水库淹没后其功能丧失，根据《水利水电工程水库淹没处理设计规范》规定给予适当补偿。小水电补偿依据我国 20 世纪 90 年代初期农村小水电建设千瓦投资标准，考虑一定的折旧按 3 680 元/kW 给予补偿；水库工程按调查的土石方工程量补偿。

3．其他水利设施

其他水利设施系指水库淹没的机电井、灌区、防洪堤、提灌站(指提灌站和受益区均受淹没部分)、蓄水池、倒虹吸、渡槽等工程。这些工程为农田基本建设工程，因水库淹没后均失去作用，在进行移民安置时，应对这些水利工程给予合理的补偿。

(八)县以上企事业单位处理规划

水库淹没县以上事业单位 45 家，其中较大的单位为河南省第四监狱。规划迁建 8 家，合并 21 家，撤销 16 家。核算总补偿投资 10 295.84 万元，其中河南省第四监狱迁建总投资 7 416 万元。

(九)其他专业项目处理

1．文物古迹

库区淹没文物古迹共有 170 处，其中地上文物 56 处，地下文物 114 处。地下文物古迹处理采取全面钻探，重点发掘收藏。地上文物多为明清古建筑、碑刻等，根据其历史研究价值，采取对主要构件搬迁，少数有价值的采取拆迁重建的办法处理，有些无法搬走的，则应进行考察、测绘、制作标本，加以保存。审批文物古迹处理投资共计 3 526.25 万元。

2．库区测量标志移测实施规划

测量标志是国家大地测量控制网的重要组成部分，小浪底水库淹没测量标志主要有三角控制点 80 个，水准点 74 个，水准线路 14 条 1 406km。为保持原大地测量控制网的完整性，以满足国民经济建设各项工程的长期需要，库区的测量标志必须移测至安全、稳固可靠并符合规范要求的地方；三角控制点和水准点移测按照原标准、原规模、原功能的原则进行。Ⅱ、Ⅲ等水准点属国家高程基本控制点，由于移测时引测线路加长，需增加水准点 15 个，共计规划移测三角控制点 80 个，移测水准点 89 个，引测水准线路共计 1 538km，核算移测总投资 242.7 万元。

3．库区水文站处理规划

水库淹没黄河水文站三处，规划选址迁建。迁建费包括受淹房窑及附属物的补偿费，新址征地费，水、电、路、通信等基础设施建设费。核算迁建投资总计 400 万元，其中房屋、附属物等补偿投资 89.43 万元，征地及基础设施建设费 212.3 万元，专业基础设备投资 87.6 万元，其他费 10.67 万元。

九、工矿企业处理规划

受淹工矿企业是指水库淹没处理范围内具有一定规模的机器设备，并直接从事机械、化工、冶金、电子、食品、造纸、采矿等工业化生产的独立核算企业，以及在内部财务和固定资产与上级单位划开的直接从事工业化生产活动的非独立核算企业。

水库淹没企业处理方式有迁建、转产、撤项等。受淹工矿企业应由设计单位会同地方政府或主管部门根据水库淹没企业调查的实物指标和受淹程度,结合地区经济的产业结构和产品结构调整发展规划及环境保护要求,按技术可行、经济合理的原则,提出妥善的处理方案及迁、改建规划设计。

小浪底水库淹没工矿企业共计 790 家,其中县办企业 14 家,乡办企业 118 家,村办企业 435 家,个体企业 223 家,职工人数约 4 万人,需安置的正式职工及家属共计 5 683 人。根据地方政府意见,库区淹没企业规划迁建 144 家,转产 438 家,撤项 208 家。

为合理确定受淹工矿企业补偿投资,1997 年黄委会设计院依据 1994 年初步调查成果,对库区第二、三期的 556 家工矿企业进行了评估、抽查和复核,其中评估企业 13 家、抽样核查企业 147 家,对评估和抽样以外的企业进行了复查,核实了企业的实物指标数量,完善补充了补偿投资测算所需要的分项实物技术指标,为测算企业的补偿投资提供了比较可靠的依据。

受淹企业补偿投资系根据评估、核查资料结果计算。补偿项目内容包括占地及场地平整补偿费、房屋及附属建筑物补偿费、机器设备补偿费、基础设施补偿费、生产设施补偿费、井巷工程补偿费、停产损失补偿费、搬迁运输费等,各类补偿费计算处理方法各不相同。根据受淹企业补偿投资核算成果,国家计委最终核定库区 790 家工矿企业补偿投资66 930 万元。

十、水库库底清理

库底清理内容包括卫生防疫清理、林木清理和建筑物清理等。清理范围一般为居民迁移线以下全部水域内的污染源与污染物,如医院、卫生所、屠宰场、兽医院、厕所、粪坑(池)、畜养圈、污水池(坑)、坟墓、有毒物质、垃圾、各种林地、迹地以及地面上各种易漂物、大体积建筑残留物(如桥墩、电线杆、牌坊等)和房屋等。国家批复小浪底水库库底清理总投资 1 485.0 万元,按淹没陆地面积计算为 59 081 元/km²。其中建筑物清理 155.3 万元,占10.46%;卫生清理 1 136.2 万元,占 76.51%;林地清理 193.5 万元,占 13.03%。

第五节　移民补偿投资总概算及移民迁建进度计划

水库淹没处理投资概算包括农村移民安置补偿费、乡镇迁建费、工矿企业补偿费、专业项目复建费、库底清理费以及其他费用(包括实施管理费、勘测规划设计费、科研费、监理监测费、技术培训费、配合世界银行经费、环保费用等)、预备费和其他税费等。

国家批复小浪底水利枢纽水库淹没处理及移民安置规划总投资为 86.75 亿元,其中移民静态投资 64.54 亿元(不含特殊专项工程费 8.77 亿元)。

小浪底水利枢纽工程建设前期准备工作于 1991 年 9 月 1 日开始,枢纽主体工程于1994 年 9 月 12 日正式开工,计划建设周期 8 年,至 2002 年 9 月全部工程建成生效,期间移民迁建与枢纽工程进度相衔接。

小浪底枢纽主体工程施工进度和水库调度运用的计划为:1997 年围堰截流,坝前蓄水位不超过 180m;2001 年大坝建成,根据水库调度运用要求,坝前初期运用不超过 265m;工程建成运用 10 年后,水库蓄水坝前水位可达到正常蓄水位 275m。考虑到移民迁建强度的均衡性、连续性需要,库区移民搬迁实施共分三期。第一期,实施大坝截流前坝前蓄水位 180m 以下及受 180m 水位影响的移民搬迁,1996 年年底完成;第二期,实施 180~265m 水位区间及受 265m 水位影响的移民搬迁,1997~2000 年年底完成;第三期,实施265~275m 水位区间及受 275m 水位影响的移民搬迁,考虑移民迁建连续性,2001 年至2003 年完成。

小浪底库区移民总人口为 18.97 万人,其中农村人口 17.23 万人。根据上述搬迁实施分期计划,规划 1995~1996 年迁移 4.61 万人,其中农村人口 4.24 万人;1997~2000 年迁移 12.65 万人,其中农村人口 11.42 万人;2001~2003 年迁移 1.71 万人,其中农村人口1.57 万人。

根据移民搬迁实施计划,并考虑移民超前投资因素,第一期移民投资年度计划为1995 年 60%,1996 年 40%;第二、三期除基本预备费从 1998 年起至 2003 年平均摊入外,其余项目投资年度计划为:库区第二期移民,1992~1997 年按实际发生计列,1998~2000年按二期剩余投资的 37.5%、37.5%、25% 计算;库区第三期 2001~2003 年各为 35%、35%、30%。经计算,1992~2003 年各年投资分别为 0.07 亿元、0.18 亿元、0.22 亿元、9.41亿元、9.24 亿元、7.16 亿元、11.46 亿元、11.46 亿元、7.81 亿元、2.61 亿元、2.61 亿元和2.31亿元。

第二篇
工程重大问题研究与实践

第八章 斜心墙堆石坝动力稳定性评价

第一节 概 述

经国家地震局审定,坝址区地震基本烈度为Ⅶ度。本工程为特大型水利枢纽工程,其大坝为建在70m深砂卵石覆盖层上的斜心墙堆石坝,根据《水工建筑物抗震设计规范》(SDJ10—78)的规定,大坝设计烈度在基本烈度的基础上提高一度,即按Ⅷ度设防。其抗震设计的基本原则为:在发生设计地震烈度情况下,坝体发生较小的变形或破坏,但经一般性处理后,应不影响坝体的正常运用。

根据坝体结构特点和坝基地震地质条件,即深厚砂卵石覆盖层、高坝大库和坝体结构复杂、筑坝材料种类多等特点,在设计中重点对以下三个课题进行了研究:

(1)坝基砂卵石覆盖层抗液化性能研究。坝基砂卵石覆盖层最大深度约70m,密实程度不均,且在上部、中部和底部均分布有细砂和粉细砂层,最大含砂量达47%。研究坝基不同含砂量条件下砂卵石在循环荷载作用下的动强度、孔隙水压力增长规律、动应力和动应变关系等,以确定在Ⅷ度地震烈度下坝基砂卵石的抗液化性能。

(2)筑坝材料抗震性能研究。提高筑坝材料(主要是土料和含细颗粒的反滤料)的抗震性能是提高坝体抗震能力的有效途径。针对筑坝材料在坝体中分布及特性的研究,选择满足抗震要求,并具有较好抗震性能的筑坝材料。

(3)坝体抗震的工程措施和结构措施研究。根据对坝基砂卵石以及筑坝材料的抗震性能研究,针对坝型特点,参照完建工程经验,采取相应措施提高大坝的抗震能力,并采用动力分析和模型试验研究验证。

研究结果表明,采取一定工程措施后,坝体在设计地震荷载作用下,虽然下游坝踵的砂卵石基础以及上游淤积土(对于无淤积土情况为上游坝趾的砂卵石基础)表层均有一定范围的液化区,但由于下游坝踵液化区离主坝坝体较远,只影响压戗的局部。而压戗是根据已建工程经验,专为防止下游坝踵液化而设置的工程措施,在破坏后还可修复,不会影响大坝本身的安全。上游水库淤积形成后,上游坝趾砂卵石不会产生液化。上游反滤层局部区域也有液化破坏的可能,但由于区域较小,与渗透性能极好的堆石体相邻,对坝体不会构成威胁。现设计坝体能确保在设计地震烈度(Ⅷ度)作用下的稳定性。

根据小浪底工程世界银行特别咨询团专家 I.M. Idriss 的建议,小浪底水库诱发地震震级为6.25级,震中距10km时,基岩峰值加速度为$0.5g$,该地震是大坝抗震稳定的控制工况。大坝的抗震研究用此参数进行了地震稳定性校核,研究分析表明,虽坝基及坝体的液化区都要比设计地震(Ⅷ度烈度)作用下的范围大,但仍具有良好的整体抗震稳定性。

第二节 地震动工程参数的确定

根据坝址附近地质构造和历史发震情况,对设计地震动工程参数等曾进行多次研究。自1960年开始,先后由国家地震局、中国科学院、北京大学、河南省地震局、江苏省地震局以及黄委会设计院等单位对坝址区的潜在地震进行了专题研究,采用 10^{-4} 年超越概率为坝址地震危险性评定准则,确定坝址场地地面峰值加速度为 $0.215g$。1985 年中美联合设计时,根据美国柏克德公司的建议,曾用 1971 年 San Fernando 地震时 Griffith 公园的地震记录进行过分析研究。1991 年世界银行咨询专家审查小浪底大坝动力分析时建议了远震和近震不同特性的新的地震动参数。世界银行咨询专家 I. M. Idriss 还针对水库诱发地震进行分析研究,并提出建议。

小浪底水库最大抬高水头 140m,总库容达 126.5 亿 m^3,受库水位淹没或回水影响,在库区内延伸长度大于 10km 的断层有石井河、塔底、城崖地、石家沟等。第四纪以来,这些断层大都有过不同程度的活动。通过历史地震法、破裂长度法和断层长度法等三种方法的研究,得出水库诱发地震的最大震级一般不超过 5.5～5.6 级,小于本区构造地震考虑的最大可能震级,引起的地震烈度在设防烈度以内。1991 年 8 月 29 日世界银行特别咨询团专家在第 2 号咨询报告的补充意见中谈到,虽然水库诱发地震发生 6 级震级的可能性要比 5.5～6 级震级要小,但也不是不可能的。他们坚信推荐采用 6.25 级震级,震中距 10km 的地震是保守的,但是比较合适的。因此还针对大坝在水库诱发地震震级 6.25 级、震中距 10km,最大峰值加速度 $0.5g$ 的地震作用下进行了动力稳定性复核。表 8-2-1 列出历次曾采用过的地震动工程参数。而控制大坝稳定的地震为里氏 6.25 级水库诱发地震。

表 8-2-1　小浪底工程历次曾采用的地震动工程参数

时间	提出单位	远震或近震		最大加速度 a	卓越周期 $T(s)$	地震运动历时 $t(s)$	采用地震运动记录
1981 年	中国科学院工程力学所	远　震		$0.05g$	0.7	35	1976 年唐山地震,6.3 级,迁安记录
		近　震		$0.20g$	0.3	25	
1984 年	中美联合设计			$0.25g$	0.4	20	1971 年 San Fernando 6.4 级,Griffith 公园记录,S90W
1985 年	河南、江苏地震局与国家地震局工程力学所	远　震		$0.215g$		38	根据统计、概化和计算提出了近震、远震各 10 条地震运动时程曲线。远震为 8 级,震中距 90km;近震为 6.5 级,震中距为 30km
		近　震		$0.215g$		15	
1991 年	小浪底工程世界银行咨询专家 I. M. Idriss	远　震		$0.16g$		34	原方案为地震反应谱远震,震中距 90km,8 级;近震,震中距 29km,7 级;水库诱发地震,震中距 10km,6.25 级
		近　震		$0.25g$		19	
		水库诱发地震		$0.50g$		15	

第三节　河床覆盖层土层划分及工程性质

一、覆盖层土层划分

河床覆盖层一般厚约30m,深槽部位厚50~80m,属深厚覆盖层。

坝基以下覆盖层大体可以划分成下述四层:

(1)上部砂卵石层:顶面高程125~135m,厚度30~45m,含砂率一般为20%~30%,大于30%的含砂率主要分布在深槽两岸边。

(2)夹砂层:分布于上部砂卵石中间,厚度为1~4m;坝基下游侧夹砂层分布高程在101~120m,最大厚度达20m。粒径成分以极细砂为主,细砂与中砂次之。

(3)底砂层:分布在河床深槽内,层顶高程在80~100m,在坝轴线以上厚20~25m;坝轴线以下厚4~12m。以细砂为主,占50%~60%,下部夹少量的中细砂、中粗砂。

(4)底部砂卵石层:分布在深槽底部,顶部高程在73~80m之间,一般厚5~10m,最厚可达30m以上。

此外还有洪积砂卵石、岸边坡积堆积物等,具有代表性的土层分布见图8-3-1。

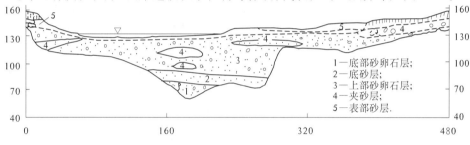

图8-3-1　河床覆盖层示意图　(高程、桩号单位:m)

二、覆盖层工程性质

(一)各层颗粒级配

表8-3-1为河床砂卵石颗分代表性成果,表中含砂率指小于5mm粒径的含量。表中可见不少部位的含砂率在30%左右,也有小部分达40%以上。

表8-3-2列出夹砂层的颗粒级配综合统计,表中示出粉砂的平均粒径为0.052mm,不均匀系数平均为10;细砂的平均粒径为0.082mm,不均匀系数平均为2.4。

表8-3-3列出底砂层的颗粒级配综合统计,该层粉砂的平均粒径为0.114mm,不均匀系数平均为20.38;细砂的平均粒径为0.154mm,不均匀系数平均为1.9。

(二)密度

砂卵石的干容重主要与含砂率有关,当含砂率小于30%时,常见值为21.5~23kN/m³,相对密度平均值为0.75;当含砂率大于30%时,干容重在21kN/m³左右,相对密度平均值为0.63。

根据33次原状砂测定,夹砂层干容重一般为15.5~16.5kN/m³,平均为16.3kN/m³,最大值18.7kN/m³,最小值15.1kN/m³,相对密度平均为0.68。

根据66次原状取样测定,底砂层平均干容重为16.9kN/m³,最大值在18.8~18.9kN/m³之间,最小值在14.8~15.2kN/m³之间,相对密度平均为0.75。

表 8-3-1　河床砂卵石颗分代表性成果

部 位	代表高程（m）	粒 径（mm）									修正后含砂率（%）
		>100	100~80	80~60	60~40	40~20	20~10	10~5	5~2	<2	
		含 量（%）									
坝轴线与上辅线间	139.56~117.43	5.86	5.48	7.54	11.11	15.5	9.72	7.59	6.53	30.67	22.39
	119.92~101.80	2.11	5.68	6.24	8.0	11.91	8.97	7.83	8.58	40.66	26.04
左岸高含砂率带	136.76~118.46	7.42	5.18	5.04	7.63	11.36	7.77	6.05	4.79	44.76	32.67
	125.77~106.52	0.91	2.32	3.15	3.73	7.16	6.85	6.46	6.08	63.34	40.54
左侧滩地	136.46~128.75	14.06	4.78	5.89	8.66	13.57	10.54	7.94	6.68	27.88	20.35
	128.97~120.20	4.87	4.78	5.44	9.14	14.49	10.57	7.35	7.64	25.72	26.08
	112.17~94.96	2.39	4.20	6.87	8.57	15.63	11.22	8.02	8.62	34.48	22.07
右岸东坡洪积前沿高含砂带	135.16~131.89	10.78	3.48	4.13	8.19	10.96	7.65	5.63	5.36	43.82	31.99
	131.89~126.94	10.49	1.51	5.0	4.46	5.16	4.19	3.76	3.12	62.31	
	126.94~118.87	11.41	4.69	3.39	3.90	9.12	7.15	5.40	4.72	50.23	36.67
坝轴线下游	136.29~125.10	4.81	2.92	4.50	5.81	9.83	6.91	5.75	5.03	54.44	
	126.61~120.36	9.50	6.88	9.38	8.81	12.59	6.64	6.14	7.15	32.91	24.02
	123.84~119.41	0.78	2.80	4.59	6.23	7.83	4.53	3.56	2.70	66.98	
	120.02~113.25	5.59	6.98	12.62	9.24	11.74	5.35	5.10	7.32	36.07	26.33

表 8-3-2　夹砂层颗粒级配综合统计

岩 性	颗粒级配（%）						粒径（mm）　范围值/平均值			不均匀系数
	2~0.5	0.5~0.25	0.25~0.1	0.1~0.05	0.05~0.005	<0.005	d_{10}	d_{50}	d_{60}	
中轻壤土（1次）	1	4	32	26	21	15				
砂壤土（3次）			5~0/2	63~30/41	65~27/51	8~5/6				
粉砂（12次）	10~0/3	34~0/15	51~0/34	83~15/28	37~6/14	11~2/6	0.006	0.052	0.062	10
细砂（1次）	13	26	40	16	3	2	0.042	0.082	0.1	2.4
中砂（5次）	15~9/10	61~43/48	38~26/29	8~2/6	45~0/4	7~0/3	0.042	0.115	0.135	3.2

表 8-3-3　底砂层颗粒级配综合统计

岩 性	颗粒级配(%)　粒径(mm)　范围值/平均值								d_{50}	不均匀系数
	10~5	5~2	2~0.5	0.5~0.25	0.25~0.1	0.1~0.05	0.05~0.005	<0.005		
砂壤土 (1次)			9~0 /4	11~8 /10	50~15 /32	33~12 /23	27~24 /25	6~5 /6	0.12	22.31
粉砂 (19次)			2~0	18~0 /5	57~5 /38	88~14 /39	19~3 /12	12~1 /6	0.114	20.38
细砂 (44次)		2~0	24~0 /5	32~0 /14	84~44 /70	15~0 /7	5~0 /2	4~0 /1	0.154	1.90
中砂 (14次)	6~0 /2	10~1 /4	47~11 /29	64~12 /32	38~12 /24	11~0 /5	9~0 /3	4~0 /1	0.36	5.20
粗砂 (8次)	8~0 /2	18~4 /10	60~39 /49	21~11 /18	26~6 /16	9~0 /4	2~0 /1		0.65	6.75

(三)砂层的贯入击数

分别对夹砂层和底砂层进行标准贯入试验。

在对夹砂层进行的 14 组试验中有 7 组试验击数 50 次，未达 0.3m 深；对底砂层进行的 12 组试验中有 9 组试验击数 50 次未达 0.3m 深。说明夹砂层和底砂层均属紧密、极紧密的土层。表 8-3-4 示出夹砂层和底砂层标准贯入试验的结果。表中 N_1、N、σ_v 分别为标准贯入击数、实际贯入击数和贯入深度处的上覆有效压力，它们之间有如下关系：

$$N_1 = N + 3.3 - 34\sigma_v \tag{8-3-1}$$

式中：σ_v 单位为($\times 10$)MPa。

与细砂相比，粉细砂层不易液化，因此粉细砂采用细砂的标准贯入击数时增加 7 击，表内有"+"者为粉细砂层增加后的击数。

表 8-3-4　夹砂层和底砂层标准贯入击数

土 层	顺序	试验底高程 (m)	深度(m)	σ_v (MPa)	N	实际贯入深度(m)	N_1	岩性
夹砂层	1	124.68	12.61~12.85		50	0.24		粉细砂
	2	123.31	13.97~14.22		50	0.25		
	3	122.06	15.27~15.47		50	0.20		
	4	119.54	17.40~17.70	0.254	30	0.30	25	细砂
	5	118.44	18.55~18.80		50	0.25		
	6	117.30	19.64~19.94	0.287	46	0.30	40	
	7	115.45	21.44~27.79	0.357	37	0.30	28	
	8	118.12	19.70~19.77		50	0.07		
	9	115.78	21.98~22.11		50	0.13		
	10	114.58	23.23~23.31		50	0.08		
	11	112.25	32.97~33.42		48	0.30	35	
	12	113.32	31.12~31.42		38	0.30	23(30)+	细砂夹粉砂
	13	112.90	31.64~31.84		30	0.30	15(22)+	
	14	112.01	32.47~32.73		30	0.30	14(21)+	

续表 8-3-4

土层	顺序	试验底高程(m)	深度(m)	σ_v(MPa)	N	实际贯入深度(m)	N_1	岩性
底砂层	1	90.70	44.62 ~ 44.92		50	0.10		粉细砂
	2	89.38	45.94 ~ 46.24		50	0.21		
	3	88.38	46.94 ~ 47.24		50	0.11		
	4	105.76	29.92 ~ 30.22	0.439	37	0.30	25(32) +	
	5	104.79	31.07 ~ 31.19		60	0.12		
	6	101.03	34.85 ~ 34.95		32	0.10		
	7	103.99	38.18 ~ 38.37		50	0.16		
	8	102.55	39.65 ~ 39.81		50	0.13		
	9	101.10	41.13 ~ 41.26		50	0.13		
	10	100.17	45.73 ~ 45.85		60	0.12		
	11	86.33	48.99 ~ 49.29	0.714	83	0.30	32(39) +	
	12	84.73	50.59 ~ 50.89	0.738	90	0.30	68(75) +	

第四节 坝基、坝体材料动力特性试验研究

一、概述

大坝为带内铺盖的壤土斜心墙堆石坝,设计坝高 154m,坝顶高程 281m。坝顶宽 15m,坝顶长 1 667m。大坝共由 17 种材料组成,坝基采用混凝土防渗墙防渗,坝体填筑总方量 5 185 万 m³,大坝典型断面详见第二章图 2-3-3。大坝动力分析时,要求对大坝所有材料进行动力特性试验,重点研究饱和反滤料、饱和黏土、饱和掺砾土的土动力学性质,为进一步开展地震反应分析提供依据。

针对心墙土料、坝基砂卵石、夹砂、底砂层、反滤料、掺砾土等土料进行动力特性试验,以得到上述材料的如下参数:①动应力比值 $\sigma_{ad}/2\sigma_3$ 与破坏振次 N_L 的关系;②动强度指标;③动剪应变 γ 与动模量和阻尼的关系。

试验资料分别按轴向应变为 2.5% 和 5% 两种破坏标准进行整理。对于可液化土料固结比为 1 时,当孔压等于围压时也认为试样达到破坏,但试验成果表明,按孔压作为破坏标准,基本与按轴向应变 5% 来控制所得成果相当。

二、初步设计阶段试验用土料的基本物理力学指标

初步设计阶段曾对心墙土料、坝基夹砂层、底砂层和砂卵石层、坝壳堆石料和反滤料等进行大量基本物理力学指标研究。

试验用心墙土料取自西河清和寺院坡两个料场,最大干容重分别为 17.6kN/m³ 和 16.7kN/m³,分别为中粉质壤土和重粉质壤土。

坝基夹砂层主要分布于河床两侧,高程在 120m 左右,成透镜状,一般层厚 2 ~ 8m,最厚达 10m 左右,为重粉质砂壤土,试验干容重为 16.2kN/m³。

坝基底砂层分布于河床深槽底部砂卵石层之上,层顶高程86~106m,靠上游及岸边较厚,试验干容重为16.1kN/m³,相对密度75.8%。

试验用反滤料粒径为5~0.1mm,试验干容重为18.4kN/m³,相对密度为80%。

以上所述五种材料的颗粒级配曲线见图8-4-1。这五种材料及坝基砂卵石和坝体堆石的主要物理力学指标见表8-4-1。其中堆石料试验材料取自小浪底坝址处岩洞的炮渣中筛选出来的红色砂岩,块体呈棱角状,颜色新鲜,质地坚硬,取样最大粒径为500mm,大于60mm的粒径约占65%。由于试样直径为300mm,最大允许粒径为60mm,采用等量替代法把原型级配替换为试验级配(见图8-4-2),试验干容重为20.8kN/m³。坝基砂卵石取自上部冲积砂卵石层,由于含砂量不同,试样物理力学性质差别很大,相应表8-4-1砂卵石料的颗粒级配见图8-4-3,图中可见,细料占47%。试样干容重为21.34kN/m³。

三、试验设备和试验方法

试验用仪器设备为DSZ-100型电磁式小型动力三轴仪、GZ-1型共振柱三轴仪和大型电液伺服粗粒土动静三轴试验机。按有关规程规范进行试样的制备、饱和和固结。各类土初步动力试验的组合条件见表8-4-2。

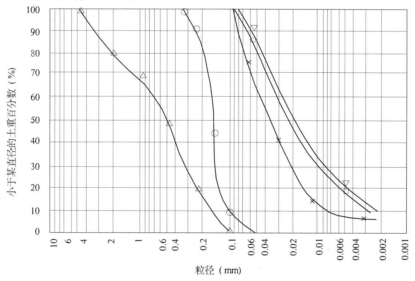

室内编号	代表符号	土的定名
底砂层	O	细砂
夹砂层	×	重粉质砂壤土
寺院坡土料	▽	重粉质壤土
西河清土料	□	中粉质壤土
反滤料	△	中砂

图8-4-1　五种材料的颗粒级配曲线

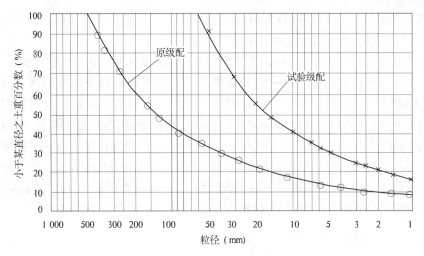

图 8-4-2 堆石料颗粒级配曲线

表 8-4-1 坝体、坝基材料的物理力学指标

材料部位	土的定名	平均粒径 d_{50} (mm)	不均匀系数 d_{60}/d_{10}	比重 Δ_S	流限 (%)	塑限 (%)	塑性指数 I_P	最大干密度 (g/cm³)
心墙	中粉质壤土			2.73	27.5	19.2	8	
心墙	重粉质壤土			2.74	35.0	24	11	
坝基	重粉质砂壤土	0.036	4.8	2.685	27.3	15.0	12.3	
坝基	细砂	0.151	1.6	2.69				1.735
坝体	中砂	0.59	4.9	2.68				1.951
坝基	砂卵石	5.8	375	2.60				2.309
坝体	堆石	16	59	2.66				2.180

材料部位	土的定名	最小干密度 (g/cm³)	振前干密度 (g/cm³)	相对密度 D_r(%)	有效抗剪强度 C' (kPa)	有效抗剪强度 φ' (°)	备注
心墙	中粉质壤土		1.771		30	29.0	西河清土料
心墙	重粉质壤土		1.680		5	26.2	寺院坡土料
坝基	重粉质砂壤土		1.620		0	33.02	夹砂层
坝基	细砂	1.320	1.612	75.8	0	38.65	底砂
坝体	中砂	1.510	1.841	80.0	0	42.50	反滤
坝基	砂卵石	1.991	2.134	49.0	93.8	36.93	
坝体	堆石	1.760	2.080	80.0	132.3	39.57	

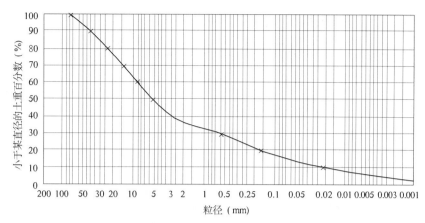

图 8-4-3 砂卵石料颗粒大小原型级配曲线

表 8-4-2 各类试验的组合条件

材料名称	试验项目	固结比 K_c	周围压力(kPa)
砂卵石	静力强度		200,400,600,800,1 200
堆石	静力强度		200,400,600,800,1 200
砂卵石	动力强度	1,1.5,2	600,800,1 200
	动模量-阻尼	1	600,800,1 200
夹砂层	动力强度	1,1.5,2	100,200
	动模量-阻尼	1	100,200,400,600
底砂层	动力强度	1,1.5,2,2.5	100,200
	动模量-阻尼	1	100,200,400,600
反滤料	动力强度	1,1.5,2,2.5	100,200
	动模量-阻尼	1	100,150,200,300,600
堆石	动模量-阻尼	1	100,150,200,300,600
西河清土料	动模量-阻尼	1	100,200,400,600
寺院坡土料	动模量-阻尼	1	100,200,400,600

四、各种土初步动力试验成果

(一)各种土在不同动应变和不同振次下的动应力比值

表 8-4-3 列出各种土在轴向应变 2.5% 和 5% 时动应力比值 $\sigma_{ad}/2\sigma_3 \sim N_L$(破坏振次)的关系曲线。每种土的振动应力比值均随振次的增加而降低;同一固结比下动应力比值随围压 σ_3 增大而降低;固结比增大,动应力比值增大。在相同条件下(破坏标准、振次、固结比均相同),砂卵石料的振动应力比值低于底砂的动应力比值,主要是砂卵石料中细料(粒径小于 5mm)的成分占 47%,粗料不起骨架作用。

(二)各种土的动强度和动总强度指标

土石坝抗震稳定分析,需求出一定初始有效法向应力 σ'_{fc} 和初始剪应力 τ_{fc} 组合下的抗地震剪应力。

在等向固结条件下,初始法向有效应力 $\sigma'_{fc} = \sigma'_1 = \sigma'_3$,初始剪应力 $\tau_{fc} = 0$,抗震剪应力 $\tau_d = \sigma_{ad}/2$。

表 8-4-3 坝体坝基土的动应力比值与破坏振次的关系

土层类别	固结比 K_c	固结压力 σ_3 (kPa)	固结干密度 (g/cm³)	动应力比值 $\sigma_{ad}/2\sigma_3$					
				$N_L = 10$ 次		$N_L = 20$ 次		$N_L = 30$ 次	
				2.5%	5%	2.5%	5%	2.5%	5%
西河清土料	1	70	1.771	0.69	0.73	0.66	0.67	0.64	0.64
	1	100	1.771	0.61	0.64	0.58	0.60	0.56	0.58
	1	150	1.771	0.48	0.50	0.46	0.48	0.45	0.47
	1.5	70	1.771	0.72	0.76	0.70	0.73	0.68	0.71
	1.5	100	1.771	0.76	0.82	0.73	0.78	0.71	0.76
	1.5	150	1.771	0.66	0.67	0.63	0.65	0.60	0.64
	2.0	70	1.771	0.90	0.93	0.84	0.87	0.80	0.83
	2.0	100	1.771	0.82	0.86	0.77	0.80	0.74	0.76
	2.0	150	1.771	0.74	0.82	0.70	0.76	0.67	0.72
	2.5	70	1.771	0.98	1.08	0.95	1.01	0.93	0.97
	2.5	100	1.771	0.84	0.98	0.80	0.92	0.78	0.88
	2.5	150	1.771	0.69	0.78	0.66	0.73	0.64	0.70
寺院坡土料	1	100	1.680	0.59	0.90	0.56	0.72	0.54	0.64
	1	200	1.680	0.41	0.52	0.39	0.46	0.38	0.42
	1.5	100	1.680	0.51	0.71	0.49	0.58	0.48	0.51
	1.5	200	1.680	0.37	0.44	0.36	0.38	0.35	0.35
	2.5	100	1.680	0.44	0.50	0.41	0.45	0.40	0.42
	2.5	150	1.680	0.40	0.43	0.37	0.39	0.36	0.37
夹砂层	1	100	1.633	0.31	0.32	0.308	0.31	0.305	0.303
	1	200	1.629	0.26	0.27	0.26	0.26	0.258	0.256
	1.5	100	1.612	0.41	0.422	0.394	0.405	0.388	0.398
	1.5	200	1.629	0.355	0.37	0.34	0.36	0.335	0.352
	2.0	100	1.616	0.47	0.519	0.45	0.49	0.437	0.479
	2.0	200	1.629	0.40	0.452	0.38	0.432	0.37	0.42
底砂层	1	100	1.612	0.332	0.342	0.315	0.321	0.303	0.311
	1.5	100	1.612	0.52	0.54	0.5	0.53	0.485	0.5
	2	100	1.612	0.64	0.67	0.62	0.64	0.6	0.63
	2.5	100	1.612	0.805	0.862	0.765	0.822	0.74	0.806
反滤料	1	100	1.838	0.46	0.48	0.44	0.465	0.425	0.46
	1.5	100	1.843	0.62	0.74	0.57	0.68	0.54	0.64
	2	100	1.85	0.83	0.96	0.77	0.88	0.73	0.83
	2.5	100	1.847	0.94	1.06	0.86	0.98	0.81	0.92
砂卵石	1	600	2.134	0.23	0.232	0.218	0.22	0.21	0.218
	1.5	800	2.134	0.354	0.353	0.318	0.33	0.298	0.32
	2	1 200	2.134	0.501	0.53	0.471	0.50	0.458	0.48

注:表中 2.5%、5% 为破坏应变。

对于非等向固结的试样,可以以试样 $45° + \varphi'/2$ 斜面来近似比拟有建筑物荷载土体单元的破坏面,其应力状态

$$\sigma'_{fc} = \sigma'_3 [(K_c + 1) - (K_c - 1)\sin\varphi']/2 \tag{8-4-1}$$

$$\tau_{fc} = \sigma'_3 [(K_c - 1)\cos\varphi']/2 \tag{8-4-2}$$

式中:σ'_3 为固结侧压力,K_c 为固结比,$\alpha = \sigma'_{fc}/\tau_{fc}$ 为初始剪应力比。

这样动剪强度值可表达为

$$\tau_d = C_d + \sigma'_{fc}\tan\varphi_d \tag{8-4-3}$$

各种土料的动剪强度指标见表 8-4-4。将破坏面上的静强度 τ_{fc} 和动剪强度 τ_d 叠加,可得动总剪切强度指标,见表 8-4-5。

表 8-4-4 坝体、坝基土的动剪强度指标

土层名称	初始剪应力比 α	动剪强度指标 $C_d(\times 100\text{kPa})$，$\varphi_d(°)$											
		$N_L=10$ 次				$N_L=20$ 次				$N_L=30$ 次			
		2.5%		5%		2.5%		5%		2.5%		5%	
		C_d	φ_d	C_d	φ_d	C_d	φ_d	C_d	φ_d	C_d	φ_d	C_d	φ_d
西河清土料	0	0.12	10.7	0.14	11.5	0.12	9.8	0.13	10.7	0.12	8.6	0.13	9.8
	0.20	0.26	17.2	0.26	18.5	0.26	15.9	0.26	17.1	0.26	14.9	0.26	15.9
	0.354	0.27	18.3	0.30	19.5	0.27	17.0	0.28	18.2	0.27	16.0	0.30	16.7
	0.476	0.27	19.1	0.32	20.1	0.27	18.1	0.30	19.2	0.27	17.0	0.32	17.7
寺院坡土料	0	0.15	8.3	0.30	9.6	0.15	7.1	0.20	19.3	0.18	6.8	0.17	8.9
	0.193	0.26	10.4	0.38	11.4	0.26	9.3	0.30	10.5	0.26	9.0	0.23	10.2
	0.478	0.20	9.1	0.20	9.7	0.20	7.7	0.17	8.5	0.20	7.2	0.16	8.4
夹砂层	0	0.04	7.2	0.04	7.6	0.04	7.2	0.04	7.2	0.04	7.1	0.04	7.0
	0.188	0.19	7.2	0.12	12.8	0.16	8.4	0.12	10.2	0.16	8.5	0.12	10.9
	0.347	0.25	7.2	0.16	12.9	0.24	8.4	0.16	10.4	0.20	8.6	0.19	11.0
底砂层	0	0	10.2	0	10.5	0	10.1	0	9.8	0	9.3	0	9.7
	0.182	0	20.8	0	20.9	0	20.4	0	20.4	0	20.0	0	20.0
	0.333	0	22.2	0	23.8	0	22.0	0	21.8	0	21.8	0	22.2
	0.461	0	25.4	0	26.2	0	25.1	0	25.5	0	24.1	0	24.8
反滤料	0	0	13.9	0	14.5	0	13.4	0	14.1	0	13.0	0	13.9
	0.167	0	22.2	0	26.6	0	21.3	0	25.7	0	20.3	0	22.1
	0.310	0	27.3	0	31.3	0	26.6	0	29.3	0	25.8	0	27.3
	0.435	0	29.4	0	32.2	0	26.9	0	30.1	0	25.8	0	29.1
砂卵石	0	0	7.1	0	7.1	0	6.7	0	6.8	0	6.5	0	6.7
	0.184	0	13.3	0	14.6	0	12.7	0	13.7	0	12.5	0	12.9
	0.338	0	18.2	0	19.2	0	17.0	0	18.7	0	16.8	0	17.6

注：表中 2.5%、5% 为破坏应变。

表 8-4-5 坝体、坝基土的动总剪强度指标

土层名称	初始剪应力比 α	动总剪强度指标 C_D(×100kPa), φ_D(°)											
		N_L=10次				N_L=20次				N_L=30次			
		2.5%		5%		2.5%		5%		2.5%		5%	
		C_D	φ_D	C_D	φ_D	C_D	φ_D	C_D	φ_D	C_D	φ_D	C_D	φ_D
西河清土料	0	0.12	10.7	0.14	11.5	0.12	9.8	0.13	10.7	0.12	8.6	0.13	9.8
	0.20	0.20	29.2	0.20	31.0	0.17	28.8	0.20	30.5	0.17	28.5	0.18	30.0
	0.354	0.17	37.5	0.18	38.2	0.18	36.3	0.18	37.0	0.18	35.0	0.18	36.5
	0.476	0.44	36.8	0.44	37.5	0.43	35.5	0.44	36.0	0.43	35.0	0.43	35.5
寺院坡土料	0	0.15	8.30	0.30	9.6	0.15	7.1	0.20	9.3	0.15	6.8	0.17	8.9
	0.193	0.28	19.8	0.40	21.0	0.28	19.0	0.36	19.5	0.28	19.0	0.30	19.0
	0.478	0.20	31.8	0.13	34.5	0.20	31.5	0.13	33.0	0.19	31.0	0.13	32.5
夹砂层	0	0.04	7.20	0.04	7.6	0.04	7.2	0.04	7.2	0.04	7.1	0.04	7.0
	0.188	0.08	22.8	0.105	22.5	0.10	21.1	0.07	22.7	0.10	20.9	0.09	21.8
	0.347	0.15	27.6	0.153	30.0	0.145	27.7	0.14	29.5	0.14	27.7	0.10	30.0
底砂层	0	0	10.2	0	10.5	0	9.7	0	9.8	0	9.3	0	9.7
	0.182	0	28.6	0	28.9	0	28.4	0	28.7	0	27.8	0	28.6
	0.333	0	36.3	0	37.3	0	36.1	0	36.6	0	36.1	0	36.6
	0.461	0	43.0	0	43.2	0	42.8	0	42.9	0	42.3	0	42.7
反滤料	0	0	13.9	0	14.5	0	13.4	0	14.1	0	13.0	0	13.9
	0.167	0	30.0	0	33.5	0	29.0	0	33.0	0	28.2	0	30.0
	0.310	0	39.5	0	42.0	0	38.6	0	41.5	0	38.5	0	39.0
	0.435	0	45.0	0	46.6	0	42.6	0	45.4	0	38.3	0	45.0
坝基砂卵石	0	0	7.10	0	7.1	0	6.7	0	6.7	0	6.5	0	6.7
	0.184	0	22.9	0	24.1	0	22.3	0	23.1	0	22.1	0	22.5
	0.338	0	34.1	0	34.4	0	32.8	0	34.1	0	32.7	0	33.3

(三)各种土的动剪模量和阻尼比

土体的动剪模量比和阻尼比随土体的动剪应变的变化而变化,试验得到各种土体动剪模量比(G_d/G_{dmax})及阻尼比(λ)同动剪应变的关系见表 8-4-6。土体的最大剪切模量与土体的性质和围压有关,可按下式表示:

$$G_{dmax} = KP_a(\sigma'_0/P_a)^n \qquad (8-4-4)$$

式中:K、n 为两个参数,由试验确定,见表 8-4-7;σ'_0 为平均有效主应力;P_a 为 1 个大气压力。

表 8-4-6　各类土料 G_d/G_{dmax}、$\lambda \sim \gamma_d$ 关系数值

土类名称	γ_d	5×10^{-6}	1×10^{-5}	5×10^{-5}	1×10^{-4}	5×10^{-4}	1×10^{-3}	5×10^{-3}	1×10^{-2}
坝基砂卵石	G_d/G_{dmax}	1.0	0.99	0.91	0.82	0.545	0.42	0.24	0.175
	λ	0.01	0.01	0.02	0.025	0.04	0.05	0.085	0.11
坝基夹砂层	G_d/G_{dmax}	0.988	0.978	0.912	0.845	0.386	0.205	0.07	0.06
	λ	0.019	0.019	0.024	0.028	0.046	0.064	0.174	0.242
坝基底砂层	G_d/G_{dmax}	0.99	0.98	0.916	0.857	0.516	0.342	0.11	0.07
	λ	0.02	0.02	0.024	0.026	0.042	0.056	0.126	0.18
坝体反滤料	G_d/G_{dmax}	0.99	0.98	0.9	0.813	0.35	0.205	0.063	0.04
	λ	0.02	0.02	0.025	0.026	0.045	0.057	0.105	0.180
坝壳堆石	G_d/G_{dmax}	1.0	0.99	0.92	0.84	0.59	0.45	0.158	0.08
	λ	0.018	0.02	0.035	0.04	0.065	0.08	0.145	0.20
寺院坡土料	G_d/G_{dmax}	0.97	0.958	0.908	0.86	0.588	0.40	0.182	0.08
	λ	0.035	0.035	0.04	0.043	0.055	0.065	0.115	0.16
西河清土料	G_d/G_{dmax}	0.99	0.978	0.93	0.884	0.59	0.37	0.09	0.052
	λ	0.04	0.04	0.042	0.049	0.068	0.08	0.12	0.17

表 8-4-7　各种土的最大动剪切模量参数和泊松比

土料	K	n	μ
西河清土料	551	0.548	0.5
寺院坡土料	467	0.500	0.5
坝基夹砂层	604	0.571	0.35
坝基底砂层	755	0.523	0.35
坝体反滤料	1 053	0.550	0.35
坝基砂卵石	920	0.640	0.42
坝壳堆石	1 952	0.540	0.42

五、砂卵石和掺砾土动力试验成果

自初步设计以来,随着设计工作的深入,对选定的大坝材料及坝基砂卵石有了更深的了解,为进一步深入研究坝基砂卵石和掺砾土的动力特性,"小浪底高土石坝砂砾石及掺砾土抗震特性研究"课题被列入"八五"国家重点攻关项目"高土石坝坝料及地基土动力工程性质研究"进行专题研究。

(一)主要物理静力学指标

根据试验分析,坝基砂卵石按级配曲线形式划分,有含砂量大、填料多的高缓坡型(含砂量占 53%),缺乏 5~0.5mm 颗粒的高平台型(含砂量占 19%),含砂率低的低缓坡型(含砂量占 14%)及低平台型(含砂量占 14%)等四类典型颗分曲线,详见图 8-4-4。根据这四种典型级配,按 192 组有代表性砂卵石级配,概化出 3 种试验用砂卵石级配,即粒径小于

5mm 含量分别为 47%、35% 和 25% 的基-1、基-2、基-3,级配曲线见图 8-4-5。

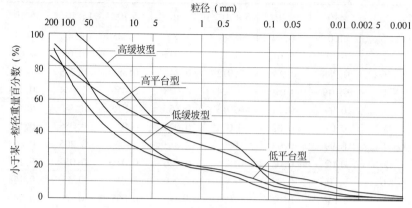

图 8-4-4 砂卵石现场颗分曲线分类

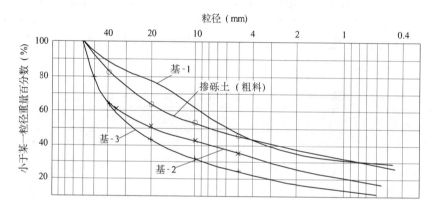

图 8-4-5 砂卵石试验颗分曲线

掺砾土(即 5 区料)是由砂卵石和寺院坡土料按 7:3 的比例配制而成的,其试验用料的粗料级配见图 8-4-5。

砂卵石、掺砾土及寺院坡土料的主要物理静力学指标见表 8-4-8。

表 8-4-8 坝基砂卵石主要物理静力学指标

土 名	平均粒径 d_{50} (mm)	不均匀系数 d_{60}/d_{10}	比重	试验干密度 (g/cm³)	最大孔隙比	最小孔隙比	相对密度	有效强度 C' (kPa)	有效强度 φ' (°)
基-1	5.8	387.6	2.67	2.134	0.341	0.156	0.49	93.8	36.93
基-2	18.5	375	2.67	2.290	0.296	0.101	0.67	92.6	38.07
基-3	2.70	124.1	2.67	2.322	0.322	0.104	0.79		
掺砾土	0.845	684.21		2.03				22.0	28.05
寺院坡土料	0.017	12.22	2.72	1.69				21.7	28.3

(二)试验组合

动力试验均在不排水条件下进行,为将掺砾土的动强度与寺院坡土料的动强度相比较,还进行了寺院坡土料的动强度试验,试验组合和起始应力条件见表8-4-9。

表8-4-9　试验组合和起始应力条件

试料名称	试验项目	固结比 K_c	周围压力(kPa)
基-1	动力强度	1,1.5	600,800,1 200
	动模量-阻尼	1	600,800,1 200
基-2	动力强度	1,1.5,2	400,800,1 200
	动模量-阻尼	1	400,600,800
基-3	动力强度	1,1.5,2	400,800,1 200
	动模量-阻尼	1	400,600,800
掺砾土	动力强度	1,1.5,2	200,600,1 000
寺院坡土料(小三轴)	动力强度	1,1.5,2	50,100,200,300

(三)试验成果分析

1.破坏振次与动应力的关系

破坏振次(N_L)与动应力比($\sigma_{ad}/2\sigma_3$)可以用 A、B 两个试验参数,采用幂函数表示

$$\alpha_d = \frac{\sigma_{ad}}{2\sigma_3} = AN_L^{-B} \qquad (8\text{-}4\text{-}5)$$

各种土的破坏振次与动应力比关系见表8-4-10。为比较坝基砂卵石之间的破坏动应力,以 $K_c = 1$ 为例,并列入小浪底坝基夹砂、底砂的相应试验指标,表8-4-11示出坝基砂卵石、夹砂、底砂的破坏动应力对比表。表中可见,破坏动应力与相对密度关系很大,但砂卵石相对密度在50%~70%时,破坏动应力没有明显的增大。含砂量47%的基-1材料的破坏动应力最小,低于坝基夹砂和底砂的破坏动应力。

表8-4-10(1)　三种不同含砂量坝基砂卵石的动应力比和 A、B 参数

砂卵石	含砂率 (%)	固结比 K_c	动应力比值($\sigma_{ad}/2\sigma_3$)						A		B		固结压力 σ_3 (kPa)
			$N_L=$ 10 次		$N_L=$ 20 次		$N_L=$ 30 次		2.5%	5%	2.5%	5%	
			2.5%	5%	2.5%	5%	2.5%	5%					
基-1	47	1.0	0.230	0.232	0.218	0.220	0.210	0.218	0.276	0.280	0.095	0.071	600
		1.5	0.354	0.358	0.318	0.330	0.298	0.320	0.433	0.440	0.125	0.087	800
		2.0	0.501	0.530	0.471	0.500	0.458	0.480	0.640	0.660	0.107	0.078	1 200
基-2	35	1.0	0.270	0.278	0.243	0.250	0.230	0.233	0.372	0.410	0.139	0.166	400
		1.5	0.435	0.472	0.395	0.430	0.372	0.407	0.590	0.657	0.134	0.145	800
		2.0	0.645	0.770	0.580	0.690	0.545	0.650	0.893	1.110	0.145	0.159	1 200
基-3	25	1.0	0.345	0.460	0.325	0.420	0.310	0.300	0.460	0.640	0.119	0.143	400
		1.5	0.560	0.660	0.498	0.570	0.460	0.525	0.860	1.05	0.186	0.202	800
		2.0	0.840	0.910	0.740	0.790	0.680	0.720	1.24	1.45	0.169	0.202	1 200

表 8-4-10(2)　掺砾土和寺院坡土料动应力比值和 A、B 参数($\varepsilon_f = 5\%$)

土名	固结比 K_c	固结压力 σ_3 (kPa)	动应力比($\sigma_{ad}/2\sigma_3$)			计算参数	
			$N_L = 10$	$N_L = 20$	$N_L = 30$	A	B
掺砾土	1.0	200	0.364	0.345	0.340	0.438	0.078
		600	0.250	0.224	0.210	0.360	0.158
		1 000	0.215	0.202	0.195	0.262	0.087
	1.5	200	0.270	0.251	0.240	0.346	0.107
		600	0.221	0.200	0.188	0.315	0.152
		1 000	0.191	0.176	0.167	0.259	0.129
	2.0	200	0.248	0.228	0.217	0.322	0.116
		600	0.198	0.179	0.169	0.263	0.128
		1 000	0.170	0.158	0.150	0.221	0.113
寺院坡土料	1.0	100	0.705	0.680	0.670	0.780	0.044
		200	0.540	0.520	0.515	0.600	0.046
		300	0.435	0.420	0.415	0.480	0.043
	1.5	100	0.900	0.880	0.860	1.010	0.050
		200	0.505	0.485	0.475	0.580	0.060
		300	0.368	0.355	0.345	0.420	0.057
	2.0	100	0.910	0.890	0.870	1.000	0.041
		200	0.520	0.505	0.495	0.580	0.047
		300	0.375	0.365	0.355	0.420	0.049

表 8-4-11　砂卵石、夹砂、底砂指标对比

土名	平均粒径 d_{50}(mm)	含砂量 (%)	相对密度 (%)	A	B	$N_L = 10$ 时 ($\sigma_{ad}/2\sigma_3$)
基-3 砂卵石	27.0	25	79	0.64	0.143	0.460
基-2 砂卵石	18.5	35	67	0.41	0.166	0.280
基-1 砂卵石	5.8	47	49	0.28	0.071	0.238
夹砂	0.036			0.30	0.045 8	0.267
底砂	0.151		75.8	0.43	0.081 0	0.357

表 8-4-10 中还显示掺砾土的破坏动应力比并不比寺院坡土料高。坝基砂卵石的动剪强度和动总剪强度指标见表 8-4-12。

2. 动剪切模量与阻尼比

坝基 3 种不同含砂量砂卵石的动剪模量比 G_d/G_{dmax}、阻尼比 λ 与动剪应变关系,及动剪模量关系式(8-4-4)中参数 K、n 值见表 8-4-13。

3. 振动孔隙水压力模型及参数

坝基砂卵石不排水动三轴试验所测得孔压增长规律表明:

(1)孔压与振次不成正比。在小动应力作用下,振动初始孔压增长缓慢,振动中后期则明显加快,至接近破坏又变缓慢,并趋向一个定值;在大动应力作用下,一般第一周振动

所产生的孔压即达一个很大的数值。

表 8-4-12　坝基砂卵石的动剪强度和动总剪强度指标

坝基砂卵石	初始剪应力比	动 剪 强 度 指 标 (φ_d)						C_d(kPa)
		$N_L = 10$		$N_L = 20$		$N_L = 30$		
		2.5%	5%	2.5%	5%	2.5%	5%	
基-1	0	7.10	7.10	6.70	6.80	6.50	6.70	0
	0.184	13.30	14.60	12.70	13.70	12.50	12.90	0
	0.338	18.20	19.20	17.00	18.70	16.80	17.60	0
基-2	0	8.29	8.59	7.47	7.69	7.08	7.15	0
	0.180	17.36	18.73	15.84	17.17	14.96	16.30	0
	0.330	22.91	26.96	20.96	24.51	19.80	23.24	0
基-3	0	10.55	13.95	9.55	12.78	9.50	11.89	0
	0.180	21.92	25.37	19.68	22.27	18.29	20.66	0
	0.330	29.02	31.01	26.05	27.56	24.19	25.44	0

坝基砂卵石	动 总 剪 强 度 指 标 (φ_D)						C_D(kPa)
	$N_L = 10$		$N_L = 20$		$N_L = 30$		
	2.5%	5%	2.5%	5%	2.5%	5%	
基-1	7.10	7.10	6.70	6.70	6.50	6.70	0
	22.90	24.10	22.30	23.10	22.10	22.50	0
	34.10	34.40	32.80	34.10	32.70	33.30	0
基-2	8.290	8.590	7.470	7.690	7.080	7.150	0
	26.20	27.42	24.86	26.03	24.08	25.27	0
	36.98	39.99	35.51	38.17	34.62	37.22	0
基-3	10.55	13.95	9.55	12.78	9.50	11.89	0
	30.19	33.17	28.25	30.50	27.03	29.11	0
	41.51	42.97	39.32	40.44	37.94	38.87	0

表 8-4-13　小浪底坝基砂卵石 G_d/G_{dmax}、$\lambda \sim \gamma_d$ 关系数值

土类名称		1×10^{-5}	5×10^{-5}	1×10^{-4}	5×10^{-4}	1×10^{-3}	5×10^{-3}	1×10^{-2}	K	n
基-1	G_d/G_{dmax}	0.99	0.91	0.82	0.55	0.42	0.24	0.18	920	0.64
	λ	0.010	0.020	0.025	0.040	0.050	0.085	0.110		
基-2	G_d/G_{dmax}	0.98	0.89	0.82	0.56	0.44	0.13	0.08	1 260	0.532
	λ	0.010	0.018	0.020	0.040	0.050	0.100	0.130		
基-3	G_d/G_{dmax}	0.980	0.88	0.79	0.46	0.31	0.09	0.02	2 800	0.605
	λ	0.011	0.020	0.025	0.045	0.055	0.110	0.150		

(2)坝基砂卵石孔压增长过程不能用西特的反正弦及其他修正模型来描述。

为此,根据坝基砂卵石的动力三轴试验结果,经回归分析得到振动孔隙水压力增长的指数模型:

$$(1 - U) = C \cdot 10^{-K(1-\xi)} \tag{8-4-6}$$

式中 ξ——对数破坏振次比,$\xi = \lg N / \lg N_L$;

   N ——振次;

   N_L——破坏振次;

   U——相对孔压比,$U = u_N / u_L$;

   u_N——振动 N 次产生的孔压比;

   u_L——破坏时的孔压比;

   $C = (1 - U_0)10^K$

   U_0——第一振次产生的相对孔压比,$U_0 = u_1 / u_L$。

以上关系式中,K、U_0 都可以用 N_L 的幂函数表示:

$$K = \alpha N_L^{-\beta} \tag{8-4-7}$$

$$U_0 = \gamma N_L^{-\theta} \tag{8-4-8}$$

式中 α、β、γ、θ——试验常数。

因此,确定 A、B、α、β、γ、θ、u_L 这 7 个试验常数后,就可以根据实际动剪应力时程关系确定砂卵石在振动过程中不排水条件下孔压增长时程。

坝基砂卵石及坝料超静孔压增长模型参数值见表 8-4-14,其中淤积土的模型参数引用了相近材料试验成果。

4. 残余应变模型及参数

在振动荷载作用下,如果仅考虑由于孔压消散产生的体积应变,对于各向不等压固结土样,在不排水振动三轴试验中试样不仅产生孔压,而且产生剪切残余应变。试样在破坏前(轴向应变达 5% 前)由于振动荷载产生的残余剪切应变可以用如下指数函数模型来描述:

$$\gamma = C_1 10^{b(C_2 - \xi C_3)} \tag{8-4-9}$$

式中 γ——相对剪应变,$\gamma = \gamma_N / \gamma_L$;

   γ_N——振动 N 次产生的残余应变;

   γ_L——破坏时产生的残余应变;

   ξ——意义同孔压模型(式 8-4-6),$\xi = \lg N / \lg N_L$;

   b 可以用 N_L 的幂函数表示:

$$b = \alpha_0 N_L^{-\beta_0} \tag{8-4-10}$$

在等向固结情况下,$C_1 = C_2 = 0$,$C_3 = 10/\alpha_0$;

在非等向固结情况下,$C_1 = C_2 = C_3 = 1$。

因此,α_0、β_0 确定后,就可以根据振动应变及应力状态来计算残余剪切应变。坝基砂卵石及各种土料残余应变试验参数见表 8-4-15。

由于饱和土体在振动荷载作用下颗粒移动后,土体体积有缩小的趋势而产生孔隙压

力,当振动停止、孔压消散后,土体就会发生体积残余应变,并可用下式表示:

$$\Delta\varepsilon_V = \Delta p / B_U \qquad (8\text{-}4\text{-}11)$$

式中　Δp——孔隙水压增量;

　　　B_U——土体回弹体积模量。

表 8-4-14　坝基砂卵石及坝料超静孔压增长模型计算参数

材料 名称	静剪 应力比	静正应力 (kPa)	A	B	γ	θ	α	β	u_L
基-1	0	600	0.151	0.1	0.815	0.862	0.292	0.58	1.0
		800	0.151	0.1	0.815	0.862	0.520	0.644	1.0
		1 200	0.151	0.1	0.815	0.862	0.84	0.84	1.0
	0.182	1 318.0	0.320	0.100	2.540	0.773	0.82	0.432	0.870
	0.293	719.7	0.440	0.100	2.100	0.710	2.300	0.642	0.760
		959.6	0.440	0.100	2.100	0.710	2.300	0.642	0.760
		1 439.0	0.440	0.100	2.100	0.710	2.300	0.642	1.00
基-2	0	800	0.221	0.166	1.88	0.667	0.315	0.569	1.00
	0.188	877	0.495	0.145	1.66	0.519	0.743	0.621	0.85
	0.341	954	0.758	0.159	1.33	0.236	1.21	0.643	0.71
反滤料	0	100.0	0.289	0.100	0.779	0.290	0.352	0.134	0.88
	0.196	108.0	0.660	0.122	0.679	0.292	0.372	0.133	0.68
	0.323	116.0	0.810	0.120	1.140	0.315	0.600	0.208	1.00
	0.412	124.3	0.890	0.143	1.200	0.370	0.450	0.363	1.00
淤积土	0	100.0	0.270	0.135	1.260	0.778	0.190	0.306	0.744
		300.0	0.270	0.135	0.160	0.463	0.190	0.306	0.744
	0.192	112.0	0.284	0.136	1.040	0.552	0.330	0.331	0.527
		336.7	0.284	0.136	0.113	0.163	0.330	0.331	0.527
	0.345	124.5	0.280	0.130	0.970	0.419	0.550	0.366	0.5
		373.4	0.280	0.130	0.940	0.128	0.500	0.366	0.5
黏土	0	100.0	0.718	0.249	0.440	0.434	0.178	0.157	0.5
		200.0	0.450	0.249	0.440	0.434	0.178	0.157	0.5
		10 000.0	0.167	0.249	0.440	0.434	0.178	0.157	0.5
	0.193	100.0	1.060	0.287	0.440	0.434	0.178	0.157	0.5
		200.0	0.763	0.287	0.440	0.434	0.178	0.157	0.5
		10 000.0	0.360	0.287	0.440	0.434	0.178	0.157	0.5
	0.478	100.0	0.423	0.105	0.440	0.434	0.178	0.157	0.5
		200.0	0.368	0.105	0.440	0.434	0.178	0.157	0.5
		10 000.0	0.200	0.105	0.440	0.434	0.178	0.157	0.5

表 8-4-15　坝基和坝料残余剪切变形计算参数

材料名称	固结应力比 K_c	固结应力 $\sigma_3(kPa)$	计算模型参数	
			α_0	β_0
基-1	1.5	800	0.62	0.37
	2.0	800	0.36	0.403
基-2	1.5	800	0.53	0.349
	2.0	400	0.44	0.424
		800	0.2	0.477
掺砾土	1.5	600	0.44	0.436
	2.0	600	0.62	0.53
寺院坡心墙料	1.5	100	1.0	0.312
		200	0.61	0.318
		300	0.51	0.310
	2.0	100	0.80	0.176
		200	0.36	0.279
		300	0.50	0.274
	2.5	100	0.29	0.261
		200	0.40	0.301
		300	0.60	0.269

第五节　抗震稳定分析研究

一、模型坝振动台试验

按与原型剖面 1:200～1:350 的比例在 2m×2.8m 台面尺寸的六自由度振动台上进行试验研究,以探讨模型坝的动力特性和破坏机理。

在振动台上共进行均质和斜墙两种坝型、八个模型的试验,坝体为碎石或中砂,坝基为细砂或标准砂。采用随机波、地震波和正弦波三种激振波作为激励输入。模型坝试验工况见表 8-5-1,部分模型断面测点布置见图 8-5-1。

(一)模型坝的自振特性

模型坝的第一共振频率在 32～42.5Hz 之间,比一般地震法的主震频率大很多,不会发生共振现象。

(二)模型坝的加速度反应

模型坝的动力反应试验表明,同一频率激振,随着振动量的增大,坝顶加速度放大率逐渐减小,表现了坝体材料明显的非线性特征;采用较高激振频率(略高于模型的共振频率),与低频激励的反应相比,坝顶的加速度放大率较高;在同一高程,模型表面的加速度放大率比坝内的加速度放大率要大;土石坝的陡坡有着与其缓坡相近的加速度分布规律,因此适度放缓边坡可增强坝坡的抗震稳定性。

表 8-5-1   模型坝试验工况

模型编号	坝高 (cm)	坝型	坝体 材料	地基 材料	蓄水 情况	地基饱和 情况	坝面含水 状况	试验槽 编号
A	42	斜墙坝	碎石	标准砂	空库	饱和	湿	甲
B	42	均质坝	中砂	标准砂	空库	饱和	湿	甲
C1	42	斜墙坝	中砂	粉细砂	空库	饱和	湿	甲
C2	42	斜墙坝	中砂	粉细砂	空库	饱和	湿	甲
C3	42	斜墙坝	中砂	粉细砂	满库	饱和	湿	甲
D	75	均质坝	中砂	粉细砂	空库	饱和	湿	甲
E	80	均质坝	中砂	粉细砂	空库	不饱和	干	乙
F	60	斜墙坝	中砂	粉细砂	空库	饱和	较干	乙

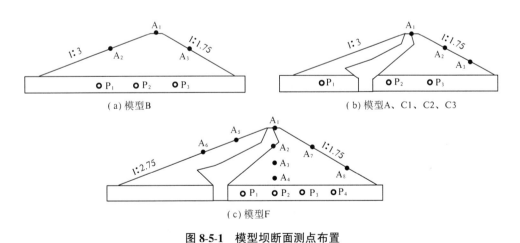

图 8-5-1   模型坝断面测点布置

(三)坝基的振动孔隙水压力反应

坝基材料为粉细砂,在循环荷载作用下,会产生较大的振动孔隙水压力。振动量级较小时,坝基的振动孔隙水压力很小;当台面激励加速度幅值超过 $0.3g$ 时,坝基中产生较大的振动孔隙压力;同一振动量级下,坝坡附近基础中振动孔隙压力与上覆有效应力之比大于坝顶下方基础中的振动孔隙压力与上覆有效应力之比;当地震波激振时,坝基的振动孔隙压力开始增长较快,然后在较长时间内保持较大的数值至振动完成,接着振动孔隙压力几乎直线下降,至一定程度后下降速度明显减慢。

(四)振动破坏试验

由于坝脚附近孔压 u_d 与有效竖向应力 σ_v' 相比最大,坝脚处最易液化,破坏试验中坝坡变形相当大,并有隆起现象。

模型 C2 的破坏性状见图 8-5-2。由于坝脚附近基础液化而发生较大变形,在不均匀沉降作用下,上、下游坝坡均出现了纵向裂缝,但下游坡较陡,产生的纵向裂缝多且宽,以下游坝脚处的纵向裂缝最宽,坝顶附近次之,两裂缝之间可能会形成滑动块体。模型 C1、C2 和 C3 的振动破坏现象见表 8-5-2。

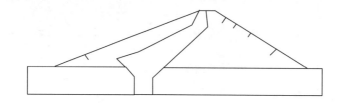

图 8-5-2　模型 C2 的破坏性状(剖面图)

表 8-5-2　模型振动破坏现象

模型编号	坝型	振动量级	振动频率(Hz)	振动时间(s)	破坏现象	
					坝体及坝基	坝脚附近地基
C1	斜墙坝	$1.4g$	60	30	裂缝	喷砂冒水
C2	斜墙坝	$1.7g$	60	60	裂缝	喷砂冒水
C3	斜墙坝	$1.7g$	60	30	裂缝	喷砂冒水

二、经验判别坝基覆盖层的抗液化性能

在大坝基础设计中已将覆盖层上部的表砂层及全新统(Q4)沉积物全部挖除,因此研究液化的对象主要是含砂量较大的砂卵石层和夹砂层。

(一)按地层所处的地质年代判别

1966 年邢台、1975 年海城、1976 年唐山地震中发生液化的土层在地质年代上都属于第四纪全新世及新全新世土层,而没有在第四纪更新世晚期和更早的土层中出现过。坝基覆盖层 130m 高程以下为上更新世(Q3)地层,即在夹砂层顶面以上 5m,因此按照地质年代判断,夹砂层不会液化。

(二)根据颗粒级配判别

由海城、新疆西克尔和邢台地震液化分析得出,液化地层的平均粒径为 0.02 ~ 0.145mm,不均匀系数小于 10。若以这样的经验来判别,夹砂层的粉细砂和底砂层中的细砂均属可能液化材料。另外,经深入试验研究,砂卵石中含砾量大于 70%,砾石已起骨架作用,砂只起填充作用,此时,其渗流和力学性质由砾石起主导作用,所以含砾量 70% 为判别是否存在液化可能性的界限。

(三)根据相对密度判别

当土料相对密度在 0.75 以上时,按照《水工建筑物抗震设计规范》(SDJ 10—78),8 度地震情况产生液化的可能性较小。据此可认为夹砂层和含砂量大于 30% 的砂卵石层可能会液化,而底砂层和含砂量小于 30% 的砂卵石层不易液化。

(四)根据上覆有效自重应力判别

地基上覆有效应力越大,抗液化能力越强。根据海城地震的大量统计资料,当有效上覆压力分别为 60kPa、100kPa 和 120kPa 时,相应在 7、8 和 9 度烈度地震区产生液化的可能性较小。按此判断,夹砂层有可能液化,坝基深度 8m 以内的含砂率超过 30% 的砂卵石层有液化可能,而 8m 以下的砂卵石层和底砂层液化的可能性较小。

(五)根据标准贯入击数判断

按照《水工建筑物抗震设计规范》(SDJ 10—78),在 8 度地震情况下,埋深 5m、10m、15m 的标准贯入击数达到 11 击、20 击、26 击时,砂层即不会液化,而夹砂层的贯入击数平均为 24 击,小于 26 击,有液化的可能。底砂层击数较高,液化的可能性较小。

因此,根据以上 5 种经验法来判别,坝基 8m 深度内的夹砂层和含砂率大于 30% 的砂卵石层有液化的可能,而底砂层由于埋藏较深,液化的可能性较小。

三、按简化的剪应力对比法判别坝基覆盖层的抗液化性能

简化的剪应力对比法以西特(Seed)简化法为主,也曾采用与西特简化法相似的剪切波速法、输入地震波法等判断坝基液化可能性。

(一)砂卵石层中细料相对密度的估算

在砂卵石层中细粒料(粒径小于 5mm)以粉砂(或极细砂)为主,最大含量占全级配的 47%,其动力特性是由细料决定的。在液化分析中,往往采用相对密度作为判别砂土是否液化的一项重要指标。直接测定砂卵石层中细料的相对密度是相当困难的,但可用下式计算砂卵石中细料的干密度:

$$\rho_{d_0} = \rho_d(1-P)/(1-\rho_d P/\triangle_S) \tag{8-5-1}$$

式中　ρ_{d_0}——砂卵石料中细料的干密度,g/cm³;

ρ_d——砂卵石料的现场干密度,根据试验值 $\rho_d = 2.134 \text{g/cm}^3$;

P——砂卵石料中粗粒(粒径大于 5mm)的含量,$P = 53\%$;

$\triangle_S$——砂卵石料中细料的比重,$\triangle_S = 2.6$。

根据式(8-5-1)求得细料的干密度 $\rho_{d_0} = 1.775 \text{g/cm}^3$。而细料 $e_{max} = 0.628$,$e_{min} = 0.233$,$e_0 = 0.465$,由此求得砂卵石层中细料含量为 47% 时的细料相对密度 $D_r = 0.41$。

(二)覆盖层液化可能性分析

根据坝基砂卵石的埋藏条件,分析上游坝趾 30m 深度以内均质砂卵石层液化的可能性。根据勘探资料,典型河床横剖面土层的组成情况如下:

深度(m)	土层
0 ~ 5	表砂层
5 ~ 40	表层砂砾层
40 ~ 61	夹砂层
61 ~ 70	底层砂卵石
70 +	河床基岩

用下式计算地震剪应力:

$$\tau_c = 0.65(a_{max}/g)\gamma_c\sum\rho\Delta h \tag{8-5-2}$$

用下式计算抗震剪应力:

$$\tau_s = C_r C_d(\tau_d/\sigma'_0)\sum\rho'\Delta h \tag{8-5-3}$$

用下式计算安全系数:

$$F_s = \tau_s/\tau_c \tag{8-5-4}$$

若 $F_s \geq 1$,则认为是不可能液化的,否则是可能液化的。

式中　　a_{max}——地面运动的最大加速度,小浪底大坝设防烈度为 8 度,分两种情况,即 a_{max} 分别等于 $0.2g$ 和 $0.215g$;

　　　　g——重力加速度;

　　　　γ_c——深度折减系数,深度为 2m、4m、6m、8m、10m、12m、14m、16m、18m、21m、24m、27m、30m 时为 0.98、0.97、0.96、0.93、0.91、0.87、0.83、0.78、0.68、0.61、0.56、0.53、0.50;

　　　　ρ——地层的实际密度,在地下水位以下采用饱和密度,$\rho = 2.313g/cm^3$;

　　　　Δh——土层的分层厚度,m;

　　　　C_r——三轴试验的校正系数,根据土层的相对密度选取,$C_r \approx 0.6$;

　　　　C_d——干密度校正系数,试验密度和计算密度一致,$C_d = 1$;

　　　　τ_d/σ'_0——试样的动剪应力比;

　　　　ρ'——土层的有效密度,$\rho' = 1.313g/cm^3$。

根据三轴试验结果,在式(8-5-3)中采用动剪应力比值 $\tau_d/\sigma'_0 = 0.218$。

分析表明,含砂量 47% 的砂卵石,其细料的相对密度为 0.41,在 8 度地震烈度条件下属可液化土层。采用地面加速度 $a_{max} = 0.2g$ 时,在 24m 深度内存在液化的可能;在地面加速度 $a_{max} = 0.215g$ 时,可能液化深度达 27m。

四、总应力法和有效应力法地震反应分析

有效应力法地震反应分析,是了解地震作用下坝基砂层、砂卵石层和坝体反滤层液化的可能性,了解包括防渗土体在内的各种饱和坝体材料和坝基材料的振动孔隙水压力的增长、扩散和消散规律,了解坝体地震加速度分布规律,确定坝体的地震稳定性和变形规律,验证抗震措施的合理性的最有效和最直接的方法。这种分析方法基于对坝基和坝体材料的大量静动力三轴试验研究的资料之上,是大坝抗震设计的主要依据。

小浪底大坝初步设计及优化设计阶段曾就斜墙坝型进行过多次以二维为主的动力有

限元计算;1990年进入招标设计,坝型改为斜心墙坝(即最终设计坝型),并分别于1992年和1994年进行了该坝型的二维和三维有效应力地震反应计算。

(一)斜墙坝总应力法动力有限元分析

作为"七五"国家科技攻关项目,对斜墙坝型进行了计算地震作用下永久变形为主的动力有限元分析研究。

1. 基本动力分析方法

采用粘弹性动力计算的方法,考虑材料的动力非线性,动力平衡方程如下:

$$[M]\{a\} + [C]\{v\} + [K]\{\delta\} = -[M]\{a_g\} \tag{8-5-5}$$

式中　$[M]$、$[C]$、$[K]$——整体质量矩阵、阻尼矩阵和劲度矩阵;

　　　$\{a\}$、$\{v\}$、$\{\delta\}$——整体结点加速度、速度和位移列阵;

　　　$\{a_g\}$——整体结点地震加速度列阵。

动力平衡方程采用 wilson-θ 逐步积分法在时域内求解,取 $\theta = 1.4$。

整体阻尼矩阵$[C]$由各单元阻尼矩阵$[c]^e$组成,单元阻尼矩阵$[c]^e$按下式计算:

$$[c]^e = \lambda\omega[m]^e + \lambda[k]^e/\omega \tag{8-5-6}$$

式中　λ——阻尼比;

　　　ω——系统基频;

　　　$[m]^e$、$[k]^e$——单元质量矩阵和劲度矩阵。

$[k]^e$ 与单元材料的动剪切模量 G 有关,而 G 和 λ 均为动剪应变 γ_d 的函数,分别采用如下两种方法来求得。

(1)试验曲线输入法。非黏性土的动剪模量 G 采用如下公式:

$$G = 22K_{2max}(P_a\sigma'_m)^{1/2}(G/G_{max}) \tag{8-5-7}$$

式中　K_{2max}——试验常数,见表8-5-3;

　　　σ'_m——平均有效应力;

　　　P_a——大气压力。

表 8-5-3　各种坝体坝基材料的 K_{2max}

材料	堆石	反滤料	坝基砂	砂卵石
K_{2max}	120	65	60	120

黏性土动剪模量 G 采用如下经验公式:

$$G = 0.184\sigma'_y(G/S_u) \tag{8-5-8}$$

式中　σ'_y——竖向有效正应力;

　　　S_u——不排水强度。

G/G_{max}、G/S_u 以及阻力尼比 λ 均与动剪应变 γ_d 有关,各种材料的试验数据见表8-5-4。

表 8-5-4 G/G_{max}、G/S_u 和阻尼比 λ 与动剪应变 γ_d 的关系

土类名称		γ_d									
		0	1×10^{-5}	2×10^{-5}	4×10^{-5}	1×10^{-4}	6×10^{-4}	1×10^{-3}	2×10^{-3}	3×10^{-3}	1×10^{-2}
黏土	G/S_u	1 980	1 980	1 750	1 500	1 000	650	300	275	250	83
	λ	0.015	0.015	0.025	0.035	0.045	0.065	0.090	0.140	0.200	0.295
堆石	G/G_{max}	1.00	0.96	0.94	0.91	0.81	0.55	0.36	0.29	0.20	0.08
	λ	0.010	0.010	0.016	0.032	0.054	0.096	0.154	0.192	0.246	0.325
反滤料	G/G_{max}	1.00	1.00	0.94	0.89	0.64	0.33	0.18	0.15	0.09	0.05
	λ	0.010	0.010	0.016	0.032	0.054	0.096	0.154	0.192	0.246	0.325
坝基砂	G/G_{max}	1.00	1.00	0.92	0.84	0.54	0.024	0.12	0.10	0.06	0.06
	λ	0.010	0.010	0.016	0.032	0.054	0.096	0.154	0.192	0.246	0.325
砂卵石	G/G_{max}	1.00	0.96	0.94	0.91	0.80	0.55	0.36	0.29	0.20	0.08
	λ	0.010	0.010	0.016	0.032	0.054	0.096	0.154	0.192	0.246	0.325

(2)修正的 H-D 模型法。各种材料的动剪切模量以及阻尼比,按以下修正的 Hardin-Drnevich 模型:

$$G = G_{max}/[1 + (\gamma/\gamma_R)^B] \tag{8-5-9}$$

$$\lambda = \lambda_{max}(1 - G/G_{max}) \tag{8-5-10}$$

式中　　γ_R——参考剪应变,$\gamma_R = \tau_{max}/G_{max}$;

λ_{max}——对应于最大剪应变的阻尼比,由表 8-5-4 查得;

B——试验常数,见表 8-5-5。

τ_{max} 和 G_{max} 近似地由下式计算:

$$\tau_{max} = \{[(1 + K_0)\sigma'_y \sin\varphi'/2 + c'\cos\varphi']^2 - [(1 - K_0)\sigma'_y/2]^2\}^{1/2} \tag{8-5-11}$$

$$G_{max} = A(P_a\sigma'_y)^{1/2} \tag{8-5-12}$$

式中　　K_0——静止侧压力系数;

c'、φ'——有效应力强度指标;

A——试验常数,见表 8-5-5。

表 8-5-5 各种坝体材料的修正 H-D 模型试验常数

试验常数	坝体材料				
	砂卵石	坝基砂	反滤料	块石	黏土
A	2 200	730	1 050	2 200	450
B	1.00	0.70	1.20	1.00	0.70

2. 液化判别

根据动力分析结果,按 Seed 和 Idriss 提出的剪应力对比法,判别砂土是否发生液化。

判断某单元 t 时刻是否液化,先确定 $0 \sim t$ 之间产生的最大剪应力 $|\tau_{max}|$,剪应力峰值 $\tau_1, \tau_2, \cdots, \tau_n$ 及对应的出现次数 $n_1, n_2, \cdots, n_n$;计算各剪应力峰值与最大剪应力之比,根据表8-5-6查得相应的转换系数 $\alpha_1, \alpha_2, \cdots, \alpha_n$;求该单元 t 时刻的等效循环周数 $N_f = \sum \alpha_i n_i$;由 N_f 和初始应力比 $\alpha = \tau \sigma_{xy}/\sigma_y$,查液化试验结果表8-5-7得液化剪应力 τ_L 随 σ_y 变化直线的斜率和截距,计算 τ_L;代入下式得该单元 t 时刻的抗液化安全度 F。

$$F = \tau_L/(0.65|\tau_{max}|) \tag{8-5-13}$$

若 $F > 1$,则可认为该单元没有液化;若 $F \leqslant 1$,则认为该单元已液化,应修改单元材料动力参数模拟液化区的实际情况。

表 8-5-6 转换系数

τ/τ_{max}	0.35	0.40	0.45	0.50	0.55	0.60	0.65	0.70	0.75	0.80	0.85	0.90	0.95	1.00
α	0.02	0.04	0.10	0.20	0.40	0.70	1.00	1.20	1.40	1.70	2.05	2.40	2.70	3.00

表 8-5-7 液化剪应力试验结果

材料	α	斜率(τ_L/σ_y)			截距(τ_{L0})		
		5 周	10 周	20 周	5 周	10 周	20 周
反滤料	0	0.293	0.255	0.213	19.0	17.1	15.2
	0.1	0.363	0.313	0.263	36.0	32.4	28.2
	0.2	0.415	0.362	0.304	40.0	36.0	32.0
	0.3	0.468	0.402	0.352	57.5	51.8	46.0
坝基砂	0	0.292	0.250	0.200	19.0	17.1	15.2
	0.1	0.360	0.300	0.260	36.0	32.4	28.2
	0.2	0.410	0.400	0.300	40.0	36.0	32.0
	0.3	0.460	0.400	0.300	57.5	51.8	46.0

3. 动力稳定计算成果

把坝体和坝基离散成图8-5-3。假设基岩为绝对刚性,对于垂直边界,动力计算时作为自由边界,以避免反射波的干扰。

考虑到坝址的实际情况,取近震时基岩最大水平加速度为 $0.2g$,卓越周期为0.35s,持续时间14s,输入地震波采用1978年唐山地震时在迁安实测的里氏6.3级强余震记录作为原始地震记录(其水平最大加速度为 $0.11g$,卓越周期为0.14s),调整为符合设计要求的加速度时程曲线,作为动力分析的输入地震波。

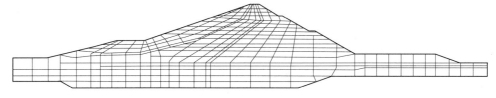

图 8-5-3 斜墙坝单元网格划分

分别对一道防渗墙和两道防渗墙两种方案进行动力分析,求出了坝基细砂层、夹砂层、表砂层和斜墙上下游反滤层在地震结束时的抗液化安全度。对这两种方案的分析表明,坝基底砂层、斜心墙下游反滤层的抗液化安全度均较大,表砂层接近坝轴线部位的安全度也较大,这几部分砂土层的抗液化性能较好;但坝基下游夹砂层抗液化安全度分别只有1.17和1.24,均出现在靠近下游平台尾部处;斜心墙上游面反滤层抗液化安全度较小,一道防渗墙方案最小安全度为1.05,出现在上游平台下面的反滤层中,两道防渗墙最小安全度为1.07,出现在上游反滤层中坝顶部位。

可见,设计断面下游平台(压戗)对坝基抗液化能力有很大的作用。

4. 地震永久变形分析方法

地震作用以水平剪切为主,水平动剪应力可在有限元中用等效结点力来代替。动剪应力随时间的变化,可用某一时段的均匀等效应力 $\tau_{av} = 0.65\tau_{max}$ 和等效液化周数 N_{eq} 来表示。求出等效周次后,采用 Taniguchi 建议的动应力幅值与残余应变 γ_R 间的经验关系,将等效结点力作用于坝体结点上,所求得位移即为地震作用下的永久变形:

$$q_d / p'_0 = \gamma_R / (a + b\gamma_R)$$
$$q_d = \tau_d = \sigma_d / 2$$
$$p'_0 = (\sigma'_{10} + \sigma'_{30}) / 2 \tag{8-5-14}$$

式中　　σ_d——动应力幅值;

σ'_{10}、σ'_{30}——初始大、小有效主应力;

a、b——试验常数,均与主应力比 $K_c = \sigma'_{10} / \sigma'_{30}$ 和循环周数 N 有关。

永久变形计算中,动剪切模量 G 与残余剪应变 γ_R 有关,需迭代求解。

永久变形计算参数试验在振动三轴试验仪上进行,主应力比 $K_c = 1.5, 2.0, 2.5$,小主应力 $\sigma'_{30} = 98kPa、123kPa、147kPa$。试验结果为某一振动周数 N 和主应力比 K_c 下的 a、b 值,见表8-5-8。

表8-5-8　各种材料的永久变形参数

材　料	K_c	a			b		
		5周	10周	20周	5周	10周	20周
坝基砂	1.5	0.052	0.061	0.069	3.380	4.290	5.230
	2.0	0.042	0.050	0.060	3.320	4.233	5.211
	2.5	0.310	0.039	0.049	3.260	4.176	5.192
砂卵石	1.5	0.013	0.015	0.017	2.068	2.117	2.221
	2.0	0.011	0.012	0.014	2.057	2.102	2.217
	2.5	0.010	0.011	0.013	2.040	2.085	2.124
反滤料堆石	1.5	0.012	0.014	0.016	2.065	2.113	2.190
	2.0	0.010	0.011	0.013	2.020	2.080	2.121
	2.5	0.010	0.010	0.012	2.010	2.080	2.120
黏土	1.5	0.364	0.573	0.782	4.001	3.923	3.823
	2.0	0.291	0.474	0.657	3.932	3.871	3.809
	2.5	0.218	0.375	0.553	3.863	3.819	3.795

5．二维永久变形计算成果分析

根据计算结果,坝顶水平和竖向永久位移分别为 1.65m 和 1.41m,约占坝高的 0.89% 和 0.79%;水平永久位移绝大部分指向下游,只在坝基上游靠基岩处水平永久位移指向上游,数值相对较小,竖向永久位移绝大多数向下,但在上游平台靠坡角处,部分结点竖向永久位移向上,数值不大;防渗墙竖向永久位移向下,而水平永久位移在上部指向下游,约 1/3 深度后指向上游,永久位移方向和大小见图 8-5-4。

6．三维地震永久变形成果分析

采用与二维同样的计算方法及参数,取坝体右半部分作对称计算,离散成 327 个单元,549 个结点。计算结果与二维一致,但水平永久位移约增大 12%,竖向位移约减少 12%。

（二）最终坝型有效应力法动力有限元分析

有效应力法动力有限元分析的基本平衡方程仍根据式(8-5-5)和式(8-5-6)进行有限元离散,并按 Wilson-θ 法在时域内逐步积分求解。

各种材料的最大剪切模量按下式计算:

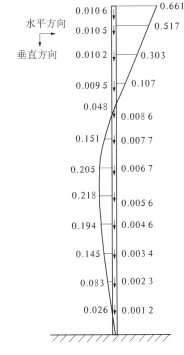

防渗墙深 70m,厚 1m,$E = 15GN/m^2$,$\mu = 0.167$

图 8-5-4　防渗墙永久位移　（单位:m）

$$G_{max} = KP_a(\sigma'_0 / P_a)^n \tag{8-5-15}$$

式中　K、n——试验常数;

σ'_0——平均有效主应力;

P_a——大气压力。

孔隙水压增长按式(8-4-6)～式(8-4-8)进行计算,对于三维分析,孔压引起残余变形计算按式(8-4-9)～式(8-4-10)计算。

1．二维地震反应分析

对小浪底大坝的最大断面、次大断面和最小断面,针对如下三种地震进行了有效应力分析:

远震:震级 8 级,震中距 90km,基岩峰值加速度 0.16g,历时 30s;

近震:震级 7 级,震中距 29km,基岩峰值加速度 0.25g,历时 19s;

水库诱发地震:震级 6.25 级,震源距 10km,基岩峰值加速度 0.5g,历时 15.7s。

根据不同地震的反应谱及相应包络曲线特征值,按非平衡随机过程模型推求相应的地震加速度时程作为基岩输入地震波。

计算采用的各种坝料的基本非线性性质以及 $G/G_{max} \sim \gamma_d$、λ（阻尼比）$\sim \gamma_d$ 的关系分别见表 8-5-9 和表 8-5-10;孔隙水压增长计算有关的参数见表 8-4-14;孔压扩散与消散计算参数见表 8-5-11;残余剪切变形参数见表 8-4-15。

表 8-5-9　各种坝料最大剪切模量计算参数和泊松比

项目		砂卵石	夹砂层	反滤料	堆石	寺院坡黏土	混凝土	基岩
K	试验值	920	604	1 053	1 952	467	150 000	10 000
	采用值	1 400	1 100	1 500	2 000	470		
n	试验值	0.649	0.571	0.550	0.540	0.500		
	采用值	0.50	0.50	0.50	0.50	0.60		
μ	经验值	0.42	0.42	0.42	0.42	0.48	0.167	0.20

表 8-5-10　G/G_{max}、λ 与 γ_d 关系

土料名称		γ_d							
		5×10^{-6}	1×10^{-5}	5×10^{-5}	1×10^{-4}	5×10^{-4}	1×10^{-3}	5×10^{-3}	1×10^{-2}
砂卵石（含砂率47%）	G/G_{max}	1.0	0.99	0.91	0.82	0.545	0.42	0.24	0.175
	λ	0.02	0.02	0.02	0.025	0.04	0.05	0.085	0.11
砂卵石（含砂率35%）	G/G_{max}	1.0	0.98	0.89	0.82	0.56	0.44	0.13	0.08
	λ	0.01	0.01	0.018	0.02	0.04	0.05	0.10	0.13
夹砂层	G/G_{max}	0.99	0.98	0.916	0.857	0.516	0.342	0.11	0.07
	λ	0.02	0.02	0.024	0.026	0.042	0.056	0.126	0.18
反滤料	G/G_{max}	0.99	0.98	0.90	0.813	0.350	0.205	0.063	0.04
	λ	0.02	0.02	0.025	0.026	0.045	0.057	0.105	0.18
堆石	G/G_{max}	1.0	0.99	0.92	0.84	0.59	0.45	0.158	0.08
	λ	0.018	0.02	0.035	0.04	0.065	0.08	0.08	0.20
寺院坡黏土	G/G_{max}	0.97	0.958	0.908	0.86	0.588	0.40	0.182	0.08
	λ	0.035	0.035	0.04	0.043	0.055	0.065	0.115	0.16

表 8-5-11　孔压扩散与消散计算参数

材料名称	摩擦角 φ'（°）	凝聚力 C'（t/m^2）	破坏比 R_f	K	n	泊松比 μ	渗透系数（m/s）
砂卵石（含砂量35%）	38	0	0.669	960	0.412	0.42	2×10^{-5}
夹砂	28	0	0.77	625	0.40	0.42	6×10^{-6}
反滤料	35	0	0.78	750	0.50	0.42	2×10^{-5}
心墙土料	22	5.0	0.95	555	0.31	0.42	2×10^{-8}
堆石	42	0	0.93	1 000	0.57	0.42	
堆石过渡区	38	0	0.78	750	0.78	0.42	
淤积土	18	0.8	0.78	250	0.40	0.42	10^{-6}

计算结果表明,对大坝的稳定最为不利、起控制作用的地震是水库诱发地震。大坝整体稳定,但局部稳定是有条件的。

对于上游坝坡的稳定性,在不考虑淤积土作用时,围堰的稳定没有保障,围堰的上游防渗体将沿接触面滑动;在考虑淤积土作用时,大坝上游的边坡稳定没有问题。对于下游压戗,只要保持下游砂卵石地基表面排水通畅,其稳定是有保障的,而实际上,由于含沙水流不可能接近下游坝基部位,地基表面排水将通行无阻。

通过计算分析表明,斜心墙坝型的抗震性能优于斜墙坝型,斜心墙有较大的安全度,孔压数值较小,在进行整体抗震稳定验算时,斜心墙内孔压比可取 0.02。

2. 三维地震反应分析

小浪底大坝三维有效应力法动力分析是作为“八五”国家科技攻关“高土石坝动力分析及抗震工程措施研究”的一个子专题进行研究,该子专题针对小浪底坝基可能地震中峰值地震加速度最大的水库诱发地震来进行研究,坝基材料采用含砂量 47% 的砂砾石这样的极端情况来考虑。考虑坝上游淤积土达到 254m 高程情况下,把坝体、坝基和淤积土剖分为 2 524 个单元、3 113 个结点的三维有限元模型。

评价饱和土料液化的标准,主要采用孔压值与静竖向有效应力之比(称为孔压水平)判断:当孔压水平大于 0.9 时,认为该处已液化;当孔压水平介于 0.5 ~ 0.9 时,认为该单元破坏。用孔压水平评价单元破坏的低值取 0.5,主要是式(8-4-6)中土体液化破坏时孔压比的最低试验值为 0.5(见表 8-4-14)。

为将有效应力法动力分析计算结果评价标准与总应力法评价标准比较,还引入西特安全系数法评价土体的抗震性能。两种评价标准相比较可得出,若取西特安全系数小于 1.3 的区域为液化区,小于 1.5 的区域为破坏区,那么,两种评价标准基本是一致的。

动力分析结果表明,有、无淤积土情况下,坝顶最大地震加速度反应值达 $7.11 m/s^2$ 和 $7.36 m/s^2$。

无淤积土情况下,大坝最大剖面孔压等值线图和孔压与上覆压力之比示意图分别见图 8-5-5 和图 8-5-6。有淤积土情况下,大坝最大剖面孔压等值线图和孔压与上覆压力之比示意图分别见图 8-5-7 和图 8-5-8。图中可见,水库淤积对上游坝趾处的坝基液化破坏影响很大,没有淤积土情况下,在围堰旋喷防渗墙上游的坝基绝大部分处于液化状态,上游围堰会部分破坏;考虑淤积土情况,上游坝基液化状态有较大的改善,而且不会导致上游围堰的破坏。下游坝踵液化破坏严重,会危及整个大坝下游压戗的稳定,但对大坝坝体不会造成危害。

另外,在大坝上游反滤层上部出现较大孔隙水压。在黏土心墙出现较小孔隙水压增长。由于上游反滤层排水条件好,强度储备高,经分析不影响坝体的稳定性。

无淤积情况下,大坝由于孔隙水压消散产生水平及竖向永久位移等值线图见图 8-5-9 和图 8-5-10;考虑水库淤积情况,大坝由于孔隙水压消散产生水平及竖向永久位移等值线图见图 8-5-11 和图 8-5-12。

对计算成果的分析表明,小浪底斜心墙堆石坝坐落在 70m 深的砂卵石覆盖层上,由于覆盖层部分含砂量最高达到 47%,因此覆盖层存在液化可能性,使大坝抗震安全性评价非常重要。分析中采用可能发生的最大地震烈度,并假设坝基全部由最高含砂量砂卵石组成的情况,大坝仅有局部破坏,说明其整体稳定是有保证的。

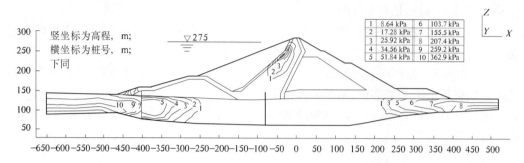

图 8-5-5　无淤积土情况大坝最大剖面孔压等值线图

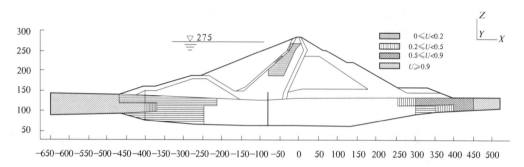

图 8-5-6　无淤积土情况最大剖面孔压与上覆压力之比示意图

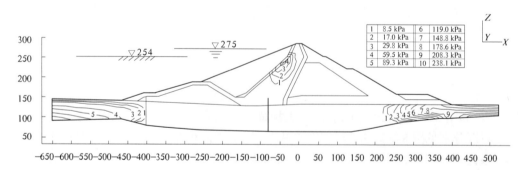

图 8-5-7　考虑淤积土情况大坝最大剖面孔压等值线图

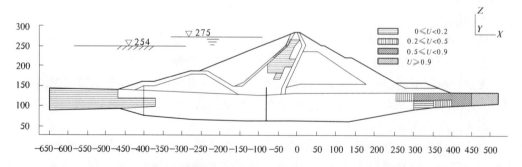

图 8-5-8　考虑淤积土情况大坝最大剖面孔压与上覆压力之比示意图

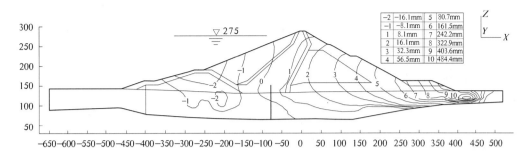

图 8-5-9　无淤积土情况地震后坝体最大剖面孔压消散引起 X 向永久变形等值线图

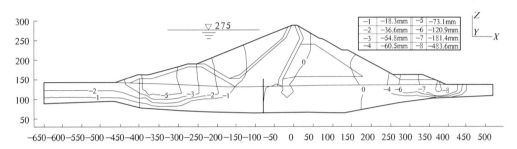

图 8-5-10　无淤积土情况地震后坝体最大剖面孔压消散引起 Z 向永久变形等值线图

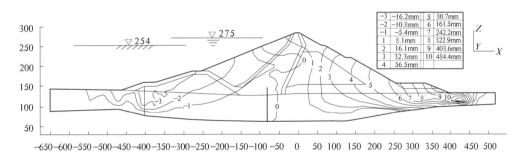

图 8-5-11　考虑淤积土情况地震后坝体最大剖面孔压消散引起 X 向永久变形等值线图

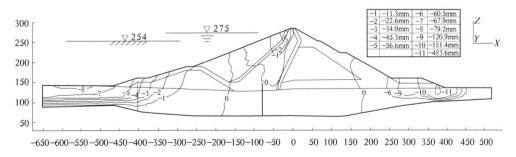

图 8-5-12　考虑淤积土情况地震后坝体最大剖面孔压消散引起 Z 向永久变形等值线图

第六节　结　语

小浪底斜心墙堆石坝坐落在 70m 深的砂卵石覆盖层上,大坝设计地震烈度为Ⅷ度。为此,对大坝抗震安全性评价进行长期研究。除各设计阶段进行的大量设计研究外,在"七五"国家科技攻关中,进行了"小浪底土石坝地震作用下永久变形分析研究",在"八五"国家重点攻关项目"高土石坝动力分析及抗震工程措施研究"和"高土石坝坝料及地基土动力工程性质研究"中进行了试验和分析的专题研究。

在对大坝地震危险性评价中,采用震级为里氏 6.25 级的水库诱发地震,其震中距 10km,基岩峰值地震加速度为 0.5g,历时 15.7s,是大坝动力稳定的控制性地震。对坝基砂卵石进行详尽的动力特性试验研究表明,坝基砂卵石最大含砂量 47% 时,存在液化破坏的可能性。

对大坝进行了二维和三维总应力法和有效应力法地震反应分析,研究表明,大坝在水库诱发地震作用下,上游坝趾和下游坝踵会有液化破坏,上游反滤料的上部会出现较大孔隙水压,经有关研究表明,不会影响大坝整体稳定,只会发生可修复的局部破坏。地震永久变形也是大坝抗震的重要指标,研究表明,在设计地震作用下,坝顶沉陷约 1.41m,在设计控制范围之内。

综上所述,小浪底斜心墙堆石坝在各种工况条件下,具有良好的抗震稳定性。

第九章　泄水建筑物进口防泥沙淤堵措施

第一节　概　述

一、小浪底枢纽设计水平年入库水沙系列

主要依据 1919～1975 年系列的 2000 年设计水平年的来水来沙条件,考虑小浪底水库运用的不同丰、平、枯水段的敏感性影响,选定了 1919～1969 年、1933～1975 年＋1919～1927 年、1941～1975 年＋1919～1935 年、1950～1975 年＋1919～1944 年、1950～1975 年＋1950～1975 年、1958 年＋1977 年＋1960～1975 年＋1919～1952 年等 6 个 50 年代表系列。6 个 50 年代表系列的设计水平年小浪底入库水沙量见表 9-1-1。

表 9-1-1　2000 年设计水平年各代表系列三门峡入库和小浪底入库水沙量

代表系列年 (水文年)	三门峡入库水量 (亿 m³)			三门峡入库沙量 (亿 t)			小浪底入库水量 (亿 m³)			小浪底入库沙量 (亿 t)		
	汛期	非汛期	年	汛期	非汛期	年	汛期	非汛期	年	汛期	非汛期	年
1919～1969	172.4	136.9	309.3	12.72	1.40	14.12	165.4	123.9	289.3	12.30	0.54	12.84
1933～1975＋ 1919～1927	177.3	141.3	318.6	12.99	1.43	14.42	170.3	128.3	298.6	12.57	0.50	13.07
1941～1975＋ 1919～1935	158.6	135.6	294.2	12.47	1.34	13.81	151.6	122.5	274.1	11.81	0.49	12.30
1958＋1977＋ 1960～1975＋ 1919～1952	162.4	132.4	294.8	12.44	1.31	13.75	157.1	124.5	281.6	12.32	0.23	12.55
1950～1975＋ 1919～1944	161.9	134.5	296.4	12.46	1.36	13.82	155.0	121.5	276.5	11.81	0.51	12.32
1950～1975＋ 1950～1975	181.5	154.0	335.5	13.23	1.53	14.76	174.5	140.5	315.0	12.76	0.59	13.35
6 个 50 年代表 系列年平均	169.0	139.1	308.1	12.72	1.40	14.12	162.3	126.9	289.2	12.26	0.48	12.74
1919～1975	166.3	135.9	302.2	12.55	1.36	13.91	159.4	122.9	282.3	12.00	0.51	12.51

注:因小浪底水库入库沙量与三门峡水库密切相关,所以表 9-1-1 也列入了三门峡水库入库水沙量。

二、进水口水流含沙量

进水口水流含沙量与水库运用方式有关。水库运用方式详见本篇第十四章。

小浪底水库运用分初期(即拦沙运用时期)"拦沙、调水调沙"运用和后期(即正常运用

时期)"蓄清排浑、调水调沙"运用两时期。

与上述水库运用方式相应的,水库各运用阶段主汛期(7～9月)坝前(即进水口前)断面平均含沙量见表9-1-2。

表 9-1-2　水库各运用阶段主汛期坝前断面平均含沙量

运用阶段(年)	1～3	4～10	11～14	15～28	29～50
坝前断面平均含沙量(kg/m³)	17.1	45.4	54.9	91.2	95.7

表9-1-2中,当水库运用到第4年及以后,坝前(即进水口前)断面平均含沙量较高,达到45.4～95.7kg/m³,这就要求进水口设计必须采取严格的防沙措施,才能保证泄、输水建筑物正常运用。

三、枢纽泄洪排沙建筑物泄流规模

泄洪排沙规模体现在水库各级特征水位的泄流能力,包括水库最高水位泄流能力、死水位泄流能力、主汛期限制水位泄流能力、水库初始运用起调水位泄流能力等四级特征水位的泄流能力。分述于下。

(一)最高水位泄流能力

按照小浪底水库与三门峡、陆浑、故县水库联合防洪的调度运用方式,对各等级洪水小浪底水库调节控制下泄流量为:①50年一遇洪水,天然洪水为23 600m³/s,三门峡水库调节后为17 000m³/s,小浪底水库调节下泄9 910m³/s;②百年一遇洪水,天然洪水为27 500m³/s,三门峡水库调节后为19 400m³/s,小浪底水库调节下泄为9 860m³/s;③千年一遇洪水,天然洪水为40 000m³/s,三门峡水库调节后为28 000m³/s,小浪底水库调节下泄为13 480m³/s;④万年一遇洪水,天然洪水为52 300m³/s,三门峡水库调节后为37 600m³/s,小浪底水库调节后为13 990m³/s。由此可见,小浪底水库防洪运用的最大下泄流量为14 000m³/s。

三门峡水库现状泄流能力(不含机组)在防洪最高水位335m泄量约14 000m³/s。考虑三门峡工程可能再增建泄流设施扩大泄流能力,并考虑三门峡至小浪底区间洪水和非常情况泄洪洞可能出现故障,为安全计,确定小浪底水库最高水位275m泄流能力为17 000m³/s。

(二)死水位泄流能力

水库死水位是水库重要的一级水位,是水库淤积平衡的侵蚀基准面水位,是水库正常运用期的最低水位,死水位的泄流规模决定水库排沙能力和下游输沙减淤的能力。为了满足水库排沙,保持有效库容和调水调沙对下游减淤的要求,死水位泄流规模应该考虑:①水库利用冲刷能力大的5 000～6 000m³/s流量冲刷排沙和在下游平滩流量5 000～6 000m³/s输沙能力最大,可以输沙减淤。②鉴于小浪底水库建成运用前下游河道平滩流量已减小为4 000m³/s左右,需要有洪水淤滩刷槽产生"大水出好河"的效应。为此小浪底水利枢纽的泄流规模要使下游有漫滩洪水淤滩刷槽的条件。对来水为6 000～8 000m³/s的一般洪水来沙大时,水库不滞洪削峰,在库区"穿堂过",在下游低漫滩,淤滩刷槽,增大滩槽高差和平滩流量,改善河床形态。③对来水大于 8 000m³/s 的洪水滞洪削峰,以利下游防洪安全。因此,选定水库正常死水位 230m 的泄流能力为 8 000m³/s,非常死水位 220m 的泄流能力为 7 000m³/s。

(三)水库主汛期限制水位的泄流能力

小浪底水库拦沙和调水调沙运用减少下游河道淤积,要尽量淤高库区滩地,争取更大拦沙库容多拦泥沙;同时要求在库区滩地以上保持 41 亿 m³ 滩库容供防洪和调节期兴利调蓄运用。因此,在水库淤积不影响三门峡坝下正常水位的条件下,经淤积形态分析确定小浪底水库主汛期拦沙和调水调沙运用最高水位为 254m,即主汛期限制水位 254m,也是水库防洪限制水位,即水库特大洪水防洪运用起调水位。要求水位 254m 的泄流能力为 11 000m³/s,经计算,在此条件下,在相当长时期内将控制坝前滩面高程 254m,控制一般洪水和大洪水不上滩淤积。在与三门峡水库联合运用条件下,仅 50 年一遇以上洪水有一定程度的上滩淤积。调节期蓄水上滩,但泥沙不上滩淤积。

(四)水库初始运用起调水位泄流能力

为了满足水库在初始运用起调水位 205m 蓄水拦沙运用阶段的下游调水要求,选定初始运用起调水位 205m 的泄量为 5 000m³/s,与三门峡水库汛期排沙运用水位 305m 的泄流规模相适应,可以进行调水运用。

小浪底水利枢纽泄水建筑物设计必须满足上述各级特征水位的泄流能力要求。此外,小浪底水电站装机 6 台,每台机组额定引水流量 296m³/s,不包括在水库泄流规模条件内。

第二节　进水口防沙措施

在多泥沙河流上兴建水利枢纽,不管是低水头引水枢纽,还是高坝大库枢纽,对泄水和输水建筑物的进水口,不论是开敞式和浅孔式进水口,还是深孔式进水口,都应认真处理好进水口防沙问题。若处理不当就会给工程带来危害。

黄河干流上已建的刘家峡、盐锅峡、八盘峡、青铜峡、天桥、三门峡等水利水电枢纽工程,工程泥沙问题直接影响枢纽的正常运用。这些工程发生的与进水口防沙措施有关的泥沙问题,归纳为以下方面:

(1)泥沙淤积损失库容,丧失调节性能,降低防洪能力,威胁度汛安全。

(2)泥沙淤堵泄水孔口,开闸后不能泄流。

(3)泥沙淤积闸门,使启闭机过载,发生拉杆被拉断,影响闸门的调度运用。

(4)泥沙水草等污物堵塞拦污栅,致使拦污栅前后压差急剧增大,甚至压弯、压断拦污栅,有的压断拦污栅掉入蜗壳,造成长时间停机事故。

(5)泥沙对泄水建筑物流道造成严重磨损,威胁工程安全。

(6)泥沙对水轮机的磨损,造成开停机困难、漏水量增大、机组效率降低、大修周期缩短、检修工程量增大、检修时间增加和检修难度增大等,甚至不能正常运行。

小浪底工程地处多沙河流黄河中游最后一处峡谷的出口段,几乎控制了黄河全部泥沙,泥沙问题更加严重。枢纽建成后,大量泥沙势必淤积在水库内,为了满足水库长期保持 51 亿 m³ 有效库容和调水调沙对下游减淤的要求,泄洪排沙建筑物规模必须满足非常死水位 220m 的泄流能力为 7 000m³/s 的要求,这就意味着只有采用深式进水口隧洞才能适应。经过多种方案比较,最终采用 3 条排沙排污洞进口底板高程为 175m;3 条明流泄洪洞进口底板高程分别为 195m、209m、225m;3 条孔板泄洪洞进口底板高程均为 175m。此外,为了满足遇特大洪水水库防洪需要,还有一座进口高程为 258m 的正常溢洪道和一座泄流能力为 3 000m³/s 的非常溢洪道(缓建)。建筑物各级库水位泄流能力见表 9-2-1。

表 9-2-1　小浪底水库泄洪排沙建筑物各级库水位泄流能力(试验值)

库水位 (m)	泄流能力(m³/s)									
	明流洞			排沙洞			孔板洞			溢洪道
	1 号	2 号	3 号	1 号	2 号	3 号	1 号	2 号	3 号	
275	2 680	1 973	1 780	680	680	680	1 727	1 654	1 654	4 050 (3 764)
250	2 174	1 510*	1 105	602	602	602	1 557	1 489	1 489	0
230	1 624	951	145	536	536	536	1 407	1 338	1 338	0
220	1 280	481	0	501	501	501	1 326	1 255	1 255	0

注:1.表中数字摘自《设计报告》中所列试验值,括号内为计算值。

　　2.带 * 号的数字为内插得到。

　　3.排沙洞为了控制洞内流速不超过 15m/s,以减轻泥沙磨损,实际运用时在库水位 220 ～ 275m 时尽可能控制泄流量不超过 500m³/s。

　　4.1 号孔板泄洪洞的最高运用水位暂时限制在 250m,若要在 250 ～ 275m 水位运用,应慎重。其原因详见设计报告及枢纽运行规定。

　　发电引水洞及灌溉引水洞进口高程根据各自的技术要求,确定 1 ～ 4 号发电洞进口底板高程为 195m,5、6 号发电洞为满足初期发电需要进口底板高程为 190m,灌溉引水洞进口底板高程为 223m。

　　水库滩面和进水口前泥沙淤积高程最终将达到 254m,高出隧洞进口底板高程 79m 到 29m。此外,根据坝址地形地质条件,进水口只能布置在大坝上游左岸风雨沟内,风雨沟与黄河几乎垂直,水流至坝前折转进入风雨沟,然后流入进水口,在进水口前形成大回流,这种流态对进水口防淤积非常不利,对发电洞进沙也很不利。如何解决进水口泥沙带来的问题,包括进水口被泥沙淤堵、水道磨损、发电洞进沙问题,还有各种管路被淤堵问题等。这是小浪底枢纽设计中最突出、最难解决的问题。综合黄河干流上已建工程防沙经验,结合小浪底枢纽具体情况,设计采取了多种措施综合解决,并经浑水模型试验验证,效果较好。

一、进水口合理布置

(一)进水口布置

　　进水口布置有两种基本形式:一是发电洞进水口与排沙洞进水口采用集中布置方式,而泄洪洞和灌溉洞进水口因地制宜地分散布置;二是泄洪、排沙、发电、灌溉进水口全部集中布置。前一种布置方式属常规布置,其优点是选择进水口位置的自由度比较大,而且可以避免隧洞进出口两处大的高边坡。主要缺点是:分散布置的泄洪、灌溉进水口必须有配套的防淤堵措施,否则进水口及其前的引水渠容易被泥沙淤堵,很难维持通畅的水道。后一种布置方案的优点很明显,它克服了前者的缺点,只要各进水口在平面和立面上安排合理并协调各进水口的运用程序,经合理调度,可以保证在汛期塔前经常不断水,因此各进水口不会被泥沙淤堵,任何时候都能保证通畅过水。此方案虽然存在隧洞进出口两处大的高边坡,但它解决了隧洞进水口的关键问题,即泥沙淤堵问题。所以采用了各进水口集中布置方案。这就是小浪底枢纽进水口布置与一般清水河流上修建土石坝枢纽的进水口布置的根本不同点。

小浪底工程进水口集中布置不是一件简单的事,它涉及许多方面的问题:①首先遇到的问题是集中布置在左岸呢,还是布置在右岸?②16条隧洞的进水口集中布置在一处,因受地形地质条件的制约,能够提供布置的范围有限,出口也因受地形地质条件的制约,无法分散布置,这就意味着各条隧洞也必须集中布置,因此隧洞间距、更严重的是16条隧洞穿过进出口高边坡的间距无法满足常规要求,由此涉及高边坡稳定和隧洞群的稳定问题和结构设计问题。③进水口的布置要与出口消能布置相匹配。④更重要的问题是16条隧洞的进水口的相对关系要满足进水口防沙要求。要解决以上诸问题,矛盾重重,过分强调某一方面因素就会造成整体方案不合理。最终选定的方案是经过多种方案研究,逐步统一各种矛盾,得到整体上比较合理的方案。方案如下:

根据坝址地形地质条件,左岸比右岸适合于泄水建筑物集中布置。其进水口布置在风雨沟内。风雨沟与黄河干流几乎正交,当水库水位为245m或低于245m时,水流行进至坝前折转约90°进入风雨沟,在进水口前必然形成环流,对进流不利,这是不足之处,但很难避免,即使将泄水建筑物布置到右岸也同样存在此问题。只能因势利导,让水流在进水塔群前形成逆时针方向环流,使超过水流挟沙能力的泥沙沉积在冲刷漏斗的西侧而不淤堵进水口,要做到这一点需要有配套的工程措施,将在后面说明。

(二)进水口布置需要解决的问题

进水口位置和集中布置格式定下来了,还有一连串的问题要研究解决:

(1)泄洪洞型式及条数与进水口布置密切相关,经过多种方案比较,大量科学试验论证,最后决定采用3条由导流洞改建的孔板消能泄洪洞,3条明流泄洪洞,3条排沙洞。

(2)发电洞条数及其进水口高程问题,曾研究过3洞6机方案和6洞6机方案。前者,即1条洞分为2条叉洞与2台机组连接。此方案的缺点是,当1台机运转,另一台机停机时,则不过水的叉洞可能会被泥沙淤塞。此外,当隧洞检修时,必须停止2台机组运行。6洞6机方案不存在这些缺点,所以决定采用6洞6机方案。其进水口高程,根据水库非常死水位220m,进水孔口淹没深度不小于要求的深度;保证发电洞沿线有适当的岩层覆盖厚度;合理安排发电引水口与排沙排污洞进水口的高程差以尽量减少过机粗沙对水轮机的磨蚀和便于排除从拦污栅压下来的污物等条件综合考虑确定4台机组的引水口高程为195m,另2台机组为适应初期水位205m发电的需要定为190m。此2洞的进水口将来根据防沙要求,可以在拦污栅槽内设置叠梁形成顶高程为195m的拦沙坎。

(3)排沙排污洞条数和进水口高程问题的研究。排沙排污洞的主要任务是:在汛期适时排泄流量不少于50m³/s,保持进水塔群前形成稳定的冲刷漏斗,以保证各进水口前泥沙淤积不影响闸门开启和正常泄水；排泄底沙，尽量减少进入发电引水洞的泥沙，以减轻泥沙对水轮机的磨蚀。其次，还担负排除从发电引水口拦污栅压下来的污物和调节水库下泄流量。由以上任务可知排沙排污洞的布置和设计是相当复杂的。首先遇到的问题是排沙洞进水口高程如何确定，而高程又由排沙洞所保护的范围、排沙洞与发电洞的分沙比要求、进水口前的流态、它所担负的排沙排污任务等因素所决定。多数工程的发电、排沙洞为正向进水，而且排沙洞担负的任务比较单纯，只需保护发电洞进水口"门前清"，所以排沙洞的条数及高程比较容易确定。其进水口与被保护的发电洞进水口高程差，可根据冲刷漏斗的边坡系数及所要求保护的范围，通过简单的计算得出。小浪底枢纽排沙洞的条数及高程的确定要比一般工程复杂得多。因为各泄水口在库水位低于 245m 时均为侧向进流，排沙洞进水口不单是保护发电洞进水口"门前清"，还要保护泄洪洞、灌溉洞进水口"门前清"，同时还要求排沙洞尽量多排底沙，以减少过机沙量。除此以外，还要求排沙洞排除从发电进水口拦污栅压下来的污物。关于排底沙问题，不单是受排沙洞进水口与发电洞进水口高程差影响，还受塔前浑水流态控制，如果来流为异重流，则泥沙沿水深分布梯度较明显，排沙洞排底沙的效果较好，如果来流为明渠流，则泥沙沿水深分布比较均匀，排沙洞排底沙效果就较差。如何形成异重流的问题，另有专题论述。如何实现排除从拦污栅压下来的污物，这就需要将排沙排污洞进水口设置在发电洞进水口的下部，并且两者的进水口要做到上下对齐、宽度一致才能起到排污的作用，由此决定了排沙洞进水口必须跟随发电洞进水口布置。两者的高程差根据工程类比和小浪底枢纽的具体情况定为 20m，即排沙排污洞进水口底部高程为 175m。如果高程再放低一些，虽然对排沙有利，但对排污不利，况且从进水口总体布置考虑也不宜更低。因为，前面已讲到泄洪排沙、发电、灌溉所有进水口从防沙角度考虑采用集中布置，还要求塔群中部的进水口前平台高程取一致（见图 2-4-1 进水塔上游立视图），如果进水口前平台高程再低一些，就会增加其下部导流洞的施工难度。

排沙洞进水口的布置还与排沙洞的条数有关，曾作过几种方案比较，根据地形地质条件和泄水建筑物总体安排，最后选定 3 条排沙洞方案。

(4)闸门和启闭机。隧洞的进水塔是专为闸门和启闭机或拦污栅和清污机而设置的。因此研究进水塔的布置，首先要研究确定设置几道闸门、闸门型式及规模、启闭机型式及容量，或拦污栅型式及清污方式，并在进水塔布置过程中进行调整，与进水塔结构协调。小浪底枢纽泄洪排沙隧洞，为了满足水库排沙、冲沙要求，设置高程比较低，因此泄洪排沙时，洞内流速较高，最高库水位 275m 时，最大流速达到 30～36m/s，常遇库水位时的流速约 25m/s，因此含沙水流将对过水边界产生磨损。为了保证隧洞能及时正常泄洪排沙，每条泄洪排沙隧洞都在工作闸门之前设置事故闸门及检修闸门。这与在清水河流上做工程有所不同，在清水河流或水流含沙量较低的河流上修建泄洪排沙隧洞时，一般是将事故闸门和检修闸门合二为一。小浪底枢纽泄洪隧洞的事故闸门若与检修闸门合并，设在喇叭段前部低流速处，则闸门孔口面积太大，启闭机容量大大超出常规，无法实现。若设置在喇叭段的末端孔口面积较小处，则孔口流速较大，存在含沙水流对门框磨损问题，不便检修，所以事故闸门与检修闸门不能合并。工作闸门之前设事故闸门。为了保证事故闸门门框具备检修条件，在其前面设检修闸门，但检修闸门因处在进水口前端，闸门门框不具备检修条件,因此只能控制孔口流速低于混凝土及闸门门框的抗磨流速。借鉴上游水沙条件相同的三门峡水库运行经验,并从安全考虑,控制小浪底枢纽泄洪洞检修闸门孔口流速在含沙量相对较高的库水位250m情况下不超过12m/s,据此确定检修闸门孔口尺寸及喇叭段的体型。对1号明流泄洪洞的事故闸门和检修闸门,因受事故闸门轮压及启闭机容量的限制,只好设置2孔,但其后的工作闸门仍做成1孔,事故闸门与工作闸门之间用渐变段连接。对于孔板泄洪洞的事故闸门和检修闸门也因同样原因而设置2孔,其后用渐变段与隧洞连接,工作闸门设在隧洞中部。排沙洞的检修闸门,因排沙洞还担负排泄从发电进水口拦污栅上压下来的污物,所以其进水口的孔数必须与拦污栅的孔数同样采用6孔。然后逐渐合并为2孔设置事故闸门。为什么要采用2孔事故闸门呢? 不是因为闸门和启闭机设计问题需要做成2孔,而是考虑若做成1孔事故闸门,则从6个进水口渐变合并为1孔所需渐变段较长,一旦当事故闸门关闭时,泥沙淤堵较长的渐变段不易冲开。所以为了尽量缩短渐变段长度采用2孔事故闸门,然后逐渐合并与隧洞连接。每条发电引水隧洞的进水口设1孔事故闸门,考虑到事故闸门孔口流速及闸门前流道流速均低于材料的抗磨流速,其检修几率很小,故不设专用检修闸门槽,检修闸门与发电进水口的主拦污栅共槽,这样做,既节省土建工程量,更重要的是缩短了事故闸门前的流道长度,一旦事故闸门关闭时,门前淤沙较容易冲开。灌溉洞进水口设置事故闸门和检修闸门各一道,检修闸门与主拦污栅共槽。考虑到灌溉洞尾部将来有可能建发电站,同时也为了减少污物进入灌溉渠道,故需在进水口设置主副拦污栅各一道。

以上3条明流泄洪洞的工作闸门采用弧形闸门,用油压启闭机操作。3条明流泄洪洞、3条孔板泄洪洞、3条排沙洞以及灌溉洞的事故闸门均采用定轮平面闸门,用固定卷扬机操作,检修闸门均采用滑动平面闸门,用塔顶门机操作。发电引水洞事故闸门用液压机操作,以适应快速闭门的要求。所有闸门及启闭机的检修吊装、拦污栅启闭及清污均用塔顶门机操作。

(5)拦污栅布置及清污问题。拦污栅的布置直接关系到发电洞进水塔的布置。污物带来的突出问题是堵塞拦污栅影响正常发电,这是当前我国水电站进水口运行中最普遍存在的问题。据不完全统计,48座水电站中,有26座即半数以上电站的进水口曾发生过不同程度的拦污栅堵塞。轻者,加大拦污栅的水头损失,减少引水流量,拦污栅压差最大的达到11~12m;堵塞严重者,栅条受压变形或压断、机组减荷,直至被迫停机。黄河上游盐锅峡水电站,年总污物量达3 000m³以上,一次洪水挟带污物可达全年总量的40%。1964年汛期洪峰大,污物多,停机清污十分频繁,7~8月,仅3号机因污物堵塞而停机29次,8月12日,污物来势很猛,先是污物堵塞拦污栅,接着泥沙受阻淤积,致使栅后呈明流状态,栅体压差剧增,最终将拦污栅压垮,被迫停机600h之多。1966~1967年汛期,盐锅峡电站停机总时数达到2 971h,直接经济损失1 569万元。还有黄坛口水电站、龙亭水电站、绿水河水电站等也都发生过拦污栅被压垮的事故。小浪底枢纽的污物问题更加严重,况且因为进水塔受种种条件的限制只能布置在几乎与黄河正交的风雨沟内,当汛期库水位低于245m时,洪水主流到达坝前折转进入风雨沟,在进水塔前形成逆时针向的大回流。洪水带来的大量污物将涌入沟内,而且泥污混杂,造成水面以下某一水深范围内都存在污物,给拦污栅设计及清污带来较大的难度。在总结国内已建水电站拦污栅设计和运

行的经验教训的基础上,结合小浪底枢纽的特点,经多年的研究,决定采用综合治理措施,包括:

①将泄洪洞进水口在平面和立面上作合理安排,使大量漂浮物通过泄洪洞排走,试验证明其效果很好。

②合理设计排沙洞进水口体型和安排排沙洞进水口与发电洞进水口的关系,尽量排除从拦污栅上压下来的污物。观察水工模型试验,发现排沙排污洞进水口水力排污作用的范围可达孔口以上 10m 左右,即只要将栅面上的污物往下压至这一范围,污物就会被水流带进排沙排污洞冲走。

③设置主副两道拦污栅,万一遇上主拦污栅上的污物在水下无法清除时,便放下副栅,同时将主栅提至进水塔顶平台用人工清除污物。

④根据黄河污物特点,设计合理的清污机。目前,国内已建水电站采用的清污机械有耙式、抓斗式、铲耙式、压耙式,以及回转式等。以上这些清污机都在一定的条件下为水电站的正常运行发挥了作用。在全面总结上述清污机运行经验的基础上,结合小浪底工程特点及污物特点,研制出一种新型清污机,即全跨液压式压、抓、切兼备的清污机。

⑤加强拦污栅的刚度及强度,即拦污栅结构按 10m 压差水头设计。

⑥6 台机组每 2 台机组的进水口采用通仓布置,增大拦污栅的总面积,而且可以互相补充引水流量。

⑦在水轮机正常运行所允许的条件下,适当加大栅条间距,增加过机排污量。

⑧将来根据实际的来污及清污情况,必要时还可以增设拦污排。

(6)进水塔塔顶高程。根据检修平台高程和塔群中尺寸最高的事故闸门被提到检修平台进行检修时所需的净空尺寸,确定塔顶平台高程为283m。为了共用门机和塔顶交通的需要,10 座进水塔塔顶平台高程一律采用 283m。

(三)进水塔的组合与排列

进水口采取集中布置格式,进水口的位置以及各进水口结构布置的基本要素已定,最后一个难题是 9 条泄洪排沙洞、6 条发电洞及 1 条灌溉洞总共 16 个进水口如何组合和组合后的进水塔如何排列。

1.进水塔组合与排列的基本原则和要求

(1)确保各进水口在任何情况下实现"门前清"。

(2)尽量减少粗颗粒泥沙进入发电洞,以减轻含沙水流对水轮机的磨损。

(3)尽可能使塔群前漂浮物通过泄洪排漂洞排走,以减轻发电进水口的清污工作量。

(4)发电进水口前的污物清除以水力排污为主,机械清污为辅。

(5)3 条导流洞进水口的位置既要方便施工导流,又要便于完成导流任务后改建为孔板泄洪洞。

(6)进水塔的排列要与泄洪排沙建筑物出口消力塘布置协调。

(7)进水塔排列要满足各泄水隧洞的最小安全间距。

(8)进水塔群基础应尽量避开 F_{28} 大断层的影响,同时还应使 3 条导流洞进水口也尽量避开 F_{28} 断层的影响。

(9)导流洞完成施工期导流任务后需改建为孔板泄洪洞,因受地形地质条件及总体布置的限制,导流洞轴线必须正对孔板泄洪洞进水塔。导流洞进水口高程为 132m 和 141.5m,而泄水建筑物底孔进水口高程为 175m,两者高程差为 33.5～43m,因此在泄水建筑物进水塔之前势必形成陡坎与导流洞引水渠连接。为了保证泄水建筑物进水塔地基的稳定,泄水建筑物进水塔基前缘与陡坎顶线距离不得小于 20m。

(10)在选择进水塔群位置时,应尽量减小塔后高边坡的工程量。并且使高边坡的走向与控制高边坡稳定的构造线有一定的交角。

(11)在选择进水塔位置时,应保证孔板泄洪洞龙抬头的下平段起点至大坝帷幕的距离满足在该段布置不少于 3 道孔板消能环的要求。

2.进水塔布置

从以上原则和要求可知,进水塔布置是非常复杂的,经过大量方案研究和科学试验,最终选定方案如下:

3 条排沙洞担负的任务之一是排除从 6 条发电洞进水口拦污栅上压下来的污物。因此,将 3 条排沙洞的进水口与 6 条发电洞的进水口组成 3 座发电排沙排污进水塔。上层为 2 条发电洞进水口,其高程为 190m 或 195m。下层为 1 条排沙排污洞进水口,其高程为 175m。一座进水塔内总共有发电洞的 6 孔拦污栅及 2 孔事故检修闸门、排沙排污洞的 6 孔检修闸门及 2 孔事故闸门。经合理布置后,整个塔宽(垂直流向)为 48.3m,塔长度为 60m。

3 条孔板消能泄洪洞的进水塔均为单独的进水塔,进水口高程为 175m,塔内设置 2 孔事故闸门及 2 孔检修闸门,塔宽(垂直流向)为 20m,塔长为 60m。

3 条明流泄洪洞的进水塔也都采用单独布置,根据库水位 220m 与其他泄洪建筑物共同满足总泄流能力为 7 000m³/s 的要求、排漂要求以及地形地质条件,确定 3 条明流泄洪洞进水口高程分别为 195m、209m、225m。1 号明流洞进水塔内设 1 孔工作闸门,事故闸门及检修闸门各 2 孔,垂直流向塔宽度为 20m。2、3 号明流洞进水塔内分别设工作闸门、事故闸门及检修闸门各 1 孔,垂直流向塔宽为 16m。塔长:1、2、3 号明流洞进水塔依次为 70m、60.4m 及 56.8m。

灌溉洞进水塔也是单独的进水塔,根据库水位 230m,引水流量为 30m³/s 的要求,确定进水口高程为 223m。内设事故检修闸门和拦污栅。垂直流向宽度为 15.5m,塔长为 56.8m。

以上共 10 座进水塔,其排列方式曾研究过两种,一种为错开排列,另一种为"一"字形排列。前者的主要优点为开挖工程量相对较少,主要缺点是塔群错台处有旋涡,既影响进流流态,也影响塔前实现"门前清"。后者的主要优点是克服了前方案的缺点,但开挖量相对增大。经综合比较,考虑到实现"门前清"是发挥工程效益的基本要求,故选择"一"字形排列方案。但 10 座进水塔不能简单地拼凑成"一"字形排列,必须遵循前述的基本原则和要求。

曾研究过多种排列方案,最后选定将塔群设置在 F_{28} 大断层的东侧。为了避免 1 号明流泄洪洞与发电引水洞交叉,将 1 号明流泄洪洞进水塔布置在南端。3 号明流泄洪洞担负主要排漂任务,所以其进水塔布置在北边,排漂效果最好。2 号明流泄洪洞的位置,根据各泄洪排沙建筑物进入 3 个消力塘的挑流流量应尽量分配均匀和保证 2 号、3 号明流泄洪洞有足够大的间距的原则,将其布置在 2 号发电进水塔与 3 号孔板泄洪洞进水塔之间。

为了方便大坝截流,1 号导流洞位置应尽可能靠近河边,所以由导流洞改建成的 1 号孔板洞进水塔布置在紧靠 1 号明流泄洪洞进水塔的左侧。但 1 号孔板洞进水塔与 1 号明流泄洪洞进水塔的位置不能互换,否则高程相同的 1 号明流洞与 1 号发电洞相距太近,两洞间洞壁厚度仅 9.5m,不足一倍开挖洞径。

3 条由导流洞改建的孔板洞开挖洞径较大,一般为 16.5m,尤其是中间闸室开挖跨度达到 24.3m,隧洞间距应尽可能拉大。此外,2 号及 3 号导流洞要同时改建成孔板泄洪洞,为了改建方便,其出水口应布置在同一消力塘内,而且应尽可能对称布置,以减轻消力塘内的回流影响。根据以上原则,确定将 2 号孔板洞进水塔布置在 1 号、2 号发电进水塔之间,3 号孔板洞进水塔布置在 2 号明流泄洪洞进水塔与 3 号发电进水塔之间。根据灌溉洞洞线布置,同时考虑避免与 3 号明流洞交叉,将灌溉洞进水塔布置在北端。

此外,为确保 10 座进水塔的抗震稳定安全,各进水塔在 230m 高程以下靠紧,做无宽度缝,并做接缝灌浆。为了减少塔群背后的泥沙淤积量,在 3 座发电进水塔 230m 高程以上的两侧与邻塔之间留有 2m 宽缝,当水库洪水消落时,部分泥沙通过宽缝流出来。至于 1 号明流洞进水塔与 1 号孔板洞进水塔之间在 230m 高程以上留 3m 宽缝,其原因是为了增大 1 号明流洞与 1 号孔板洞进口段之间的岩壁厚度。在各塔顶部,塔间留 20cm 宽缝,缝上覆盖可伸缩的钢板以防地震时因相邻两塔碰撞而增加塔体结构应力。塔群南端在 230m 高程以下紧靠山体,塔群北端因基岩高程较低,不足以抵抗塔体因地震作用往北方向的倾覆稳定,故在塔群北端做混凝土墙予以加强。各塔塔背 230m 高程以下与塔后高边坡接触,但大部分接触面铺设了软垫层,以此减小或消除高边坡蠕变对进水塔产生的推力。

如此排列的进水塔群,总宽度为 285.5m,较好地实现了前述基本要求:

(1)3 条排沙排污洞的进水口分布在 16 个(组)进水口之中的合适位置,而且每条排沙洞可调节 500m³/s 流量以下的各级流量,为保证进水口"门前清"创造了良好的条件。若来沙量过大或塔前淤沙高程超过警界线时,还可以开启另外的泄量较大的底孔(孔板泄洪洞)进行冲沙。若塔前冲刷漏斗边坡因地震或库水位降落过程中突然坍塌堵住进水口时,可自上而下相继开启各层次的进水口逐步冲开淤堵的泥沙,恢复正常运用。

(2)从进水塔群上游立面来看,16 个(组)进水口大体分为 3 层,下层为孔板泄洪洞和排沙排污洞的进水口,上层为明流泄洪洞的进水口,中间为发电引水洞的进水口。即底层有排沙排污口,上层有排漂口,中层取水发电,为发电引水创造了较好的条件。

(3)3 条导流洞出口分配在 2 个消力池内,1 号导流洞出口与南池相连,2、3 号导流洞出口与中池相连,刚好与导流洞分两批改建为孔板消能泄洪洞的次序相匹配,为改建创造了有利条件。

(4)如此排列的进水塔,与其相应的泄洪建筑物出口挑入消力塘的流量合理分配在消力塘内,消力塘用两道隔墩分为 3 个池,进入南池的流量为 5 010m³/s,中池为 6 102m³/s,北池为 6 235m³/s。

当然,当发生小于设计标准洪水时,不需启用全部泄洪建筑物,此时,进入消力塘的流量仍然存在不均匀的问题,这种现象,任何方案都可能发生,非布置所能克服的问题,只能采用合理的调度运行方式来解决,而合理布置只是为合理调度提供方便。

(5)塔群后隧洞间距一般满足 2~3 倍开挖洞径,个别部位只有 8.8m,可通过施工方法和采取结构措施解决。如果在这些局部处也要满足常规要求,势必加大进水塔群总宽度,使得北端的进水塔基础压在 F_{28} 断层上,由此处理塔基的难度更大。若将进水塔后退使塔基不压 F_{28} 断层,一则将增大塔后高边坡的工程量,更大的问题是孔板泄洪洞在大坝帷幕前的压力洞段长度满足不了布置三级孔板消能环的要求,乃至影响泄水建筑物整体布置方案。

(6)所选进水塔群的位置基本避开了 F_{28} 大断层,而且塔前缘与 F_{28} 的最小距离有 20m,能满足地基稳定要求。

二、进水口防沙的辅助工程措施

前面已经讲到,因进水塔群坐落在与黄河几乎正交的风雨沟东侧,当库水位低于245m 时,坝前水流折转将近 90°进入风雨沟,加之沿程山势凸凹不平顺,使得水流在塔群前形成多股回流。在此情况下,为了使回流归顺为单一逆时针方向的大回流,以确保在塔群前形成稳定的冲刷漏斗,实现各进水塔"门前清",单纯依赖调整进水塔的布置,还不足以实现预期目的,所以,经整体浑水水工模型试验反复验证,必须在塔群南侧修建导流墙,使水流按照在进水塔前形成单一逆时针方向回流的要求平顺地流向进水塔。导流墙顶高程为 250m,可保证库水位低于 245m 或稍高一点都能实现上述目的。当库水位高于 245m时,各进水口为正向进流,不需要导流墙导流,所以导流墙顶高程为 250m 已足够。在浑水水工模型试验中曾研究过长、中、短 3 种长度的导流墙,试验表明只有长导流墙才能圆满地实现前述目的。中、短长度的导流墙无济于事。所谓长导流墙,即导流墙从进水塔的南端一直延伸到大坝上游坡。墙体结构根据地形地质条件分为 3 种类型,一类是喷锚结构,即第一段和最后一段,但第一段在 230m 高程以上按导流墙所要求的体型做钢筋混凝土轻型结构,以补齐导流墙高度。一类是堆石体加混凝土块护坡,即第 3 段,此段正好跨越冲沟,因墙高达 80m,若采用混凝土重力墙,很不经济,所以用堆石结构较合适。在施工时因填筑材料的内摩擦角达不到设计要求,只好临时改变设计,经计算分析,在填筑体内铺设 Φ28 钢筋网,其层距为 2m,网眼尺寸为 1.0m×0.9m,为防止钢筋锈蚀失效,所有钢筋涂环氧树脂保护,钢筋网从堆石体坡面往里深入 12m,钢筋外端牢固地连接坡面混凝土块。因工程施工合同分标的关系,堆石体 200m 高程以下做混凝土基座。若不做混凝土基座,则堆石体的迎流坡脚伸至河床与大坝上游坡搭接在一起,给施工合同分标带来很大困难,如果是一家承包商集团来承担大坝及导流墙的施工,导流墙当然不需做混凝土基座,这就是导流墙为什么要做混凝土基座的原因。堆石体迎流坡度采用了较缓的坡度(1∶1.5),其原因主要是,当库水位降落时,堆石体内的水朝坡外渗出,产生对堆石体稳定不利的渗透压力。第 3 类为混凝土重力墙,即第 2 段,此段为第 1 段喷混凝土结构过渡到堆石结构,因第 1 段坡度较陡,其末端坡度即在第 2 段起点处的坡度大概是 1∶0.3,堆石结构的坡度为 1∶1.5,而且此段山势及基岩逐渐远离导墙轴线,不具备做喷锚结构的条件,同时因导流墙迎流面坡度陡于堆石体的稳定坡,也不具备做堆石结构的条件,因此只能做混凝土重力式结构,其迎流面坡度由 1∶0.3 逐渐扭曲到 1∶1.5,与第 3 段堆石体相连。导流墙至背面山坡之间的空当处用石渣回填,以替代将来的泥沙淤积体,达到减小土推力的目的。回填石渣顶面做过滤层,防止泥沙进入回填体内影响排水效果。

三、其他措施

其他防沙措施主要是水库运用与进水口防沙有关的措施,归纳如下:

(1)水库调水调沙运用,改变水沙关系,为进水口防沙创造了有利条件。

(2)主汛期,调蓄 2 000m³/s 以下的流量,保持低壅水拦沙,调节形成异重流,利用排沙洞排泄异重流,以减少泥沙过水轮机尤其减少粗沙过水轮机。

(3)主汛期来水流量为 2 000～8 000m³/s 时,按来水流量泄流排沙,此时,若水库有前期蓄水,水库仍拦沙淤积,来到进水口前的泥沙减少;若水库无前期蓄水,即使对库区泥沙有冲刷,将是缓慢进行的,不会导致水流含沙量急剧增大。

(4)避免水库水位急剧降落泄流排沙引起进水口冲刷漏斗边坡坍塌导致进水口被泥沙淤堵而影响进流。

(5)合理分配发电流量与排沙洞流量,以减少过机沙量。

(6)合理调度泄洪排沙建筑物泄流排沙,形成并保持进水口前必要的冲刷漏斗,实现各进水口"门前清"。

(7)在水库遇大水流量降低水位冲刷排沙时,坝前含沙量大,为避免高含沙水流过机,适时停机避沙峰,可以避免严重问题发生。

(8)加强闸前泥沙淤积高程监测,制订开闸冲沙的淤积高程标准、开闸冲沙的历时标准,切实执行,并在进水口闸门前设有高压水枪冲沙措施,以防进水口淤堵或即使被淤堵也能冲开。

本节主要论述了进水口防沙措施,这是各种水道防泥沙危害的第一道也是最重要的一道防线。除此之外,泄洪排沙建筑物的选型、抗磨措施的采用和水电站流道系统的防沙措施等都是防沙措施的重要组成部分,另有专题论述。

第三节　水工模型试验

枢纽由黄委会设计院与不同科研单位分别对选定方案平行进行了 3 个整体浑水模型试验和 3 个整体清水水工模型试验。此外,还做了泄洪、发电建筑物单体水工模型试验(清水)。清水水工模型试验属常规试验,此处不作介绍,这里只介绍浑水模型试验。坝区浑水模型试验按设计水沙过程进行了水库初期拦沙运用和后期正常运用的全过程试验。试验主要目的是了解水库在不同运用阶段的泥沙运动规律、冲淤变化以及在坝区和进水塔前形成的大漏斗段、过渡段和小漏斗段的河床形态,泄洪、排沙、发电引水等建筑物进水口前的河势、流态、流速分布、含沙量分布以及各进水口防淤堵和电站防沙问题,特别是利用形成坝区异重流进行排沙和防止底孔淤堵及电站防沙的可能性。试验主要结论如下:

(1)当库水位低于 245m 时,可以保证在进水塔前形成稳定的右侧向进水的小漏斗,在小漏斗的上游形成一条相对稳定的深槽,可以顺畅地泄流排沙。当蓄水位升高时,可以形成异重流,通过底孔用较少的流量排除更多的泥沙。试验表明,在底孔(主要是排沙洞)合理调度的情况下,即使在来水流量很小时,底孔最小泄流 50m³/s,也可以通过轮流开启排沙洞防止各进水口淤堵。

(2)水库初期拦沙运用,起调水位为 205m。在拦沙运用第一阶段,控制低水位 205m 运用,首先将水位 205m 以下库容淤满,然后由水位 205m 逐步抬高主汛期水位至汛限水位 254m,控制主汛期低壅水拦沙,拦粗沙排细沙和调水调沙运用,直至形成库区高滩(坝前滩面高程 254m)高槽(坝前河底高程 250m),然后利用较大流量逐步降低水位冲刷下切河槽并进行调水调沙运用,只在来流量大于 2 000m³/s 时,进行敞泄排沙和冲刷排沙,在来流量小于 2 000m³/s 时进行蓄水拦沙,仍控制主汛期低壅水拦粗沙排细沙,直至形成高滩深槽(相应死水位 230m)。所以,照此运用方式,水库在形成高滩高槽的全过程中和在形成高滩深槽的大多数年份,主汛期的全部时间或大多数时间,都是控制低壅水拦沙和调水调沙运用,水库主汛期以低壅水异重流排沙和壅水明流排沙为主。在此水库运用方式下,对泄洪排沙洞和发电引水洞进行合理调度就可以为进水口防淤堵和电站防沙创造有利的条件。试验表明,在水库起调水位 205m 蓄水拦沙和调水的初始运用期,坝区水面呈静止状态,泥沙不到坝前,随后以异重流形式到达坝前由排沙洞下泄,发电引水洞引清水发电。当水库逐步淤积,坝前淤高至 190m 高程的过程中,水流由散乱的多股流逐步形成单一河槽,并逐步形成坝区大漏斗和进水塔前小漏斗河槽形态,进水塔群从小漏斗河槽的右侧进水,在进水口前形成沿进水塔群前沿流动的逆时针向大回流。进水塔前小漏斗河槽紧靠进水塔前沿,河槽方向平行于进水塔群,其长度大于进水塔总宽度,河槽平面形态呈喇叭形,其宽度由右向左逐步变小。小漏斗河槽纵坡形态,由于各底孔位置和开启时间不同,分别有顺水流向正坡和逆水流向急坡,呈起伏不平形态,也有基本呈本底地形的平底形态等复合型纵坡。由小漏斗向上游则为坝区漏斗段,此段由下而上分为三段,即第一段为陡坡段,长 160～180m;第二段为过渡段,长 600～800m;第三段为大漏斗缓坡段,距进水塔 1 000m以上。通过水库拦沙和调水调沙运用以及泄水底孔的轮流调度运行,底孔前淤积一般不严重,淤沙高程一般在 185m 以下,不超过 190m,凡在主汛期轮流开过的底孔,再次开启时,均未发生淤堵现象。

(3)水库形成高滩深槽过程的试验研究。试验是在空库条件下开始的,如上所述按照水库运用要求,由起调水位 205m 逐步抬高主汛期起调水位至 254m,拦沙和调水调沙形成坝前滩面高程 254m、河底高程 250m 的高滩高槽的淤积形态,其后利用较大流量下切河槽形成高滩深槽平衡形态。试验中,复演了 2000 年设计水平 1950～1975 年水沙系列年的 21 个汛期水沙条件。试验表明,当蓄水位低于 245m 时,进水塔群从小漏斗河槽的右侧进流,塔前有一沿进水塔前沿流动的逆时针向大回流。当蓄水位高于 245m 时,进水塔群逐渐转为正向进流。当蓄水位低于 245m 后进水塔群又恢复右侧向进流。当蓄水位再次升高至 245m 以上,如相隔时间不长或流量较大能将进水塔群对岸淤滩冲开时,将再次形成正向进流,否则仍将保持为右侧向进流的流态。蓄水位刚刚升高后,进水塔前流速和含沙量沿垂线分布具有异重流的鲜明特征。随着蓄水位稳定时间的延长,河床淤积抬高至一定高程后,坝区异重流逐渐消失,含沙量沿垂线分布相对均匀。但在 190m 高程以下含沙量梯度大,在 180m 高程以下含沙量急剧增大,底孔泄流的含沙浓度高,机组引水含沙量相对较低。蓄水位下降过程中,在敞泄排沙时,进水塔前含沙量沿垂线分布亦相对均匀。

当蓄水位在 230m 以上时,若底孔关闭时间较长,底孔前淤沙高程将超过 190m,试验中发生不同程度的淤堵。这一现象,可以通过进水塔前设置的淤沙高程监测设备自动报警,适时开启排沙洞来克服。当蓄水位低于 230m 时,底孔前淤沙高程均低于 190m,一般不会发生淤堵。进水塔前小漏斗的横断面基本呈三角形,左侧边滩高程随蓄水位升高而升高,一直淤到水面,蓄水位下降时滩面很少冲刷,但断面有一定扩大。蓄水位高时,小漏斗下部边坡较陡,在 220m 高程以下的平均坡度为 1:1 左右,对淤堵底孔是潜在的威胁,但这一问题已在枢纽总布置中注意到了,将泄水建筑物的进水口高程从 175m 至 225m 大体上分三层布置,万一出现小漏斗边坡坍塌淤堵进水口的现象,可以自上而下逐步开启泄洪进水口冲开淤沙恢复正常运行。此外,水库总泄流能力可达 17 000m³/s,即使有部分泄水口发生短时间淤堵事故,将不致危及大坝的安全。

(4)水库形成高滩深槽后转入后期正常运用的试验。此期间,水库主汛期在滩面以下的槽库容(10 亿 m³)内调水调沙运用,库水位在 230~254m 间变化,平均水位 245m,泥沙在槽库容内冲淤变化,在调沙周期内冲淤相对平衡。坝区形成相对稳定的单一主流,当库水位低于 245m 时,进水塔群形成比较稳定的自小漏斗河槽的右侧引水,在进水塔群前伴有一沿进水塔前沿流动的逆时针大回流。从水流流态、进水塔群前淤积高程以及排漂效果来看,在进水塔群右侧设置导流墙是非常必要的。进水塔前的流速和含沙量的垂直分布,则视水位、流量及含沙量的变化,有时呈现类同异重流的特性,有时呈现明渠流的特性。流量小于 2 000m³/s 时,水库低壅水拦沙,坝区水流类同异重流的特性,当流量较大或水位较低时,进水塔前流速及含沙量分布则完全呈明渠流的分布规律。进水塔前小漏斗的顶部宽度在 150~250m 之间变化。在进水塔群的右侧,小漏斗宽度较大,向左侧逐渐变窄。小漏斗的顶部滩面高程接近 254m,其水下边坡的平均值约 0.35,小漏斗的底部平均高程约为 180m。

(5)防底孔淤堵专题试验。为了进一步了解排沙洞和孔板泄洪洞进水口的淤堵问题,专门进行此项试验。试验是在模型已形成相对平衡的高滩深槽的地形上进行的。试验采用库水位为 230m 和 245m,水流含沙量为 60kg/m³ 和 100kg/m³,总流量为 1 000m³/s,其中发电流量分别为 700m³/s、800m³/s、850m³/s、950m³/s 和 1 000m³/s,相应底孔流量为 300m³/s、200m³/s、150m³/s、50m³/s 和 0,发电流量由 3 条发电洞或 4 条发电洞均匀分配,底孔流量由 1 条或 2 条或 3 条排沙洞均匀分配,总共作了 25 组不同组合的试验,每组试验的持续时间为 5 天或 10 天。试验结果:进水塔自小漏斗河槽的右侧进水,塔群前水面有一逆时针回流;底孔含沙量比发电洞含沙量大,底孔泥沙颗粒明显粗于发电洞的泥沙颗粒,排沙洞排粗沙的效果比孔板泄洪洞好;底孔前淤沙高程低于 190m 时,洞口不发生淤堵,高于 190m 时,则发生一定程度的淤堵,当洞口淤沙高程接近 200m 时,只靠水流已不能冲开,需辅以其他措施。有关措施在设计中都已考虑了。

总之,试验表明,泄、输水建筑物进水口所采取的防沙措施是满意的,防沙效果较好。

第四节　结　语

小浪底枢纽泄洪、排沙、发电、灌溉洞进水口因黄河泥沙问题以及因泥沙问题采用集中布置所带来的地质问题使得进水口设计异常复杂。自 1976 年以来对进水口布置做了大量的研究工作,从多种布置方案中选择了集中、分层布置方案。该方案以进水口防沙、防污为主体,合理地协调了进水口布置中的各种矛盾,从而较满意地实现了对进水口布置的各项基本要求。10 组进水口虽处在水库预计淤积面以下 29～79m,从浑水模型试验来看,在各级库水位泄流情况下均能实现"门前清",同时还能减小过机含沙量和减少过机粗颗粒泥沙。但由于泥沙问题太复杂,模型试验能否完全反映泥沙实际的运动规律,有待水库运行实践考验。将来还可根据实际运行情况分析,必要时调整水库运用方式,逐步完善。

第十章　进出口高边坡施工期
稳定性研究及加固技术

　　小浪底水利枢纽由于采用土石坝挡水,且由于地形、地质条件限制及总布置和水库运用要求,所有泄洪排沙及引水发电建筑物集中布置在左岸相对单薄的山体中,形成了进水口集中、洞群布置集中、出口消能集中的突出特点。截流后,洞群成为黄河的唯一通道。

　　进口高 120m 的边坡上共布置 15 条大断面隧洞的进口:3 条直径 14.5m 的孔板泄洪洞;3 条直径 6.5m 的泄洪排沙洞;6 条直径 7.8m 的引水发电洞和 3 条 10.5m×13m、10m×12m、10m×11.5m 的明流泄洪洞。出口高 50~80m 的边坡上布置 9 条泄洪洞出口和一座正常溢洪道出口,10 座泄洪建筑物的最大泄量达 17 000m³/s。由上可知,进出口高边坡的稳定事关整个工程的顺利进展和整个枢纽的安全。由于进出口高边坡,特别是出口边坡的工程地质条件更为复杂,因而,进出口高边坡的稳定问题成为本工程最具挑战性的课题之一。自初步设计直至进出口高边坡的整个施工过程,对高边坡的稳定问题开展了认真的研究。

第一节　工程地质条件

一、进口边坡

　　位于 F_{28} 断层以东、F_{236}~F_{238} 断层以北,走向 NE23°、倾向 NW,前缘宽约 280m。出露地层为三叠系下统刘家沟组 T_1^3~T_1^5,以硅质、钙硅质、钙质胶结的细砂岩及粉砂质黏土岩地层组成,其平均饱和抗压强度大于 60MPa,软岩含量仅占 5.6%。岩层走向近南北向,倾向下游,倾角 8°~12°,属反向坡。进口边坡范围内发育的断层主要为东西走向,与边坡走向近于正交,对边坡稳定影响不大,仅位于边坡北端的 F_{421} 断层,平行于边坡展布,对边坡稳定有一定影响。该区发育 4 组节理:

　　(1)335°~355°,SW,∠75°以上;

　　(2)270°~290°,SW,∠80°~85°;

　　(3)10°~20°,NW 或 SE,∠80°以上;

　　(4)50°~60°,NW,∠80°以上。

　　在上述 4 组节理中,第(1)、(2)两组的切层性及延展性差,且与边坡近于正交;后两组特别是第(3)组节理在走向及切层方向上均具有较好的延展性,节理面上多附有泥膜或被泥质充填,它对塔后坡的稳定起控制作用。

　　进口边坡采用 1:0.2 开挖坡,除考虑满足进水塔布置要求外,同时考虑到控制边坡稳定的 NE 走向两组节理的倾角均大于 80°,1:0.2 边坡(78.6°)缓于 80°,可以避免该组节理在坡面上出露、形成许多不稳定分离体的条件,有利于边坡的稳定和施工安全。

　　边坡开挖后揭露显示,250m 高程以上,泥化夹层有 20 层,但连续率差,出露最长的仅

43.6m,一般仅数米;250m 高程以下,共发现 10 层泥化夹层,最大出露长度 53.6m,且主要为泥膜型和角砾夹泥型,它们对边坡的整体稳定影响不大。

二、出口边坡

该坡位于葱沟与西沟之间山梁的腹部,开挖高程以上出露地层为三叠系刘家沟组 T_1^{5-3}、T_1^{6-1}、T_1^{6-2}、T_1^{6-3} 地层,其中 T_1^6 地层总厚 93.2m,而软岩地层占 61%。岩层倾向下游,倾角大多 8°~14°,最大达 21°,为顺向坡。出口边坡前缘宽 319m,走向 NE23°,F_{236}(F_{238})断层在此交汇并发生偏转,同时 F_{244}、F_{245} 及其分支断层也在边坡附近交会出露,因而构成了出口边坡极为复杂的工程地质条件,并据此将其分成三个亚区:2 号明流洞中心线以南为 Ⅰ区;2、3 号明流洞中心线之间为 Ⅱ区;3 号明流洞中心线以北为 Ⅲ区。由于地质条件差,在满足出口最小挑距条件下,尽量放缓边坡,所以开挖坡为 1:0.85。

出口区域主要发育 3 组节理:
(1)270°,倾向 N,平均倾角 85°;
(2)335°,倾向 SW,平均倾角 79°;
(3)17°,倾向 NWW,平均倾角 71°。

第(3)组节理走向与边坡走向近于平行,且其延展性及切层性好,对边坡稳定起控制作用。

出口边坡泥化夹层发育,且连续性好,特别是 Ⅱ区边坡,由于 F_{236}(F_{238})及 F_{244}、F_{245} 及其分支断层均在该区展布,所以泥化夹层更为发育。

出口边坡的稳定问题主要是 Ⅱ区边坡的稳定问题。

第二节　节理岩体的抗剪强度研究

一、岩层层面剪切试验

试件尺寸 20cm×20cm×20cm,为现场不扰动样,共做 2 组,20 个点,试验成果见表 10-2-1。

表 10-2-1　层面中型剪试验成果

项　目		主洞各试件				2 支洞各试件			
		抗剪断			抗剪	抗剪断			抗剪
		峰值强度	屈服强度	残余强度	峰值强度	峰值强度	屈服强度	残余强度	峰值强度
图解法	C(MPa)	0.400	0.277	0.275	0.150	0.164	0.224	0.025	0.025
	φ(°)	17.90	18.15	19.03	17.20	33.10	28.14	30.00	26.20
最小二乘法	C(MPa)	0.426	0.277	—	0.214	0.114	0.199	—	—
	φ(°)	16.22	18.15	—	15.30	33.10	28.10	—	—
层面情况描述		剪面为泥质粉砂岩岩片组,厚 1~10mm,部分泡水受压呈泥化状,仅 1、2、7、8 件夹层较薄,其成果略高				剪面由粉砂质黏土岩岩片组成,厚度 1~5mm。2、4、7 各件岩片较厚,10~20mm,但剪面略欠平整,5 号件剪面不平整,且有部分被剪断,使成果偏高			

二、节理面抗剪强度

节理面的抗剪强度与其产状、连通性、节理面间距、节理面平整度及充填物的性状均有直接关系。

节理面倾斜试验成果见表 10-2-2,剪切试验成果见表 10-2-3。

表 10-2-2　节理面倾斜试验成果

结构面类型	岩性	次数	$\varphi(°)$		试样长度(cm)		类型百分数(%)
			范围值	平均值	范围值	平均值	
平直粗糙	钙硅、硅钙质细砂岩 钙质细砂岩 钙质粉细砂岩	9 162	43～77 40～77 45～46	55.3 52.4 45.5	12～30 12～30 13～24	21 18.75 18.50	42.2
波状粗糙	钙质粉细砂岩		38～72	58.6	12～35	22.69	20.3
阶状粗糙	硅质细砂岩 钙质中细砂岩 钙质粉细砂岩	1 473	51～71 47～72 47～52	61.1 58.9 49.7	5～30 13～30 15～23	19.29 19.72 19.33	37.5

表 10-2-3　节理面剪切试验成果(中型剪)

项目	钙质粉细砂岩	钙质细砂岩	建议值
C(MPa)	0.35	0.26	0.05
$\varphi(°)$	40.36	46.12	36.87

三、节理岩体抗剪强度指标的确定

在小浪底工程中主要采用以下两种方法确定节理岩体的抗剪强度:

(1)以节理连通率为权值的岩体抗剪强度取值方法。用动态规划方法确定节理的连通率,计算结果详见表 10-2-4 和图 10-2-1。

表 10-2-4　连通率计算成果

剪切方向(°)	10	20	30	40	50	60	70	80	90
连通率均值(%)	0.840 9	0.834 3	0.821 8	0.824 6	0.824 0	0.321 3	0.458 7	0.561 9	0.606 2
标准差	0.101 1	0.078 1	0.053 8	0.039 9	0.028 9	0.027 7	0.032 2	0.037 4	0.047 2
剪切方向(°)	100	110	120	130	140	150	160	170	180
连通率均值(%)	0.635 2	0.602 0	0.473 2	0.308 7	0.091 1	0.205 1	0.443 6	0.715 4	0.822 4
标准差	0.045 2	0.045 6	0.082 3	0.090 5	0.077 4	0.013 3	0.029 9	0.126 0	0.217 4

按下式计算岩体的抗剪强度：

$$f_i = a[f_j \cdot k + f_0(1 - k)] \quad (10\text{-}2\text{-}1)$$

$$C_i = b[C_j \cdot k + C_0(1 - k)] \quad (10\text{-}2\text{-}2)$$

式中　f_i、C_i——岩体的摩擦系数、凝聚力；

　　　f_j、C_j——节理面的摩擦系数、凝聚力；

　　　f_0、C_0——岩桥部分的摩擦系数、凝聚力；

　　　a、b——折减系数；

　　　k——节理的连通率。

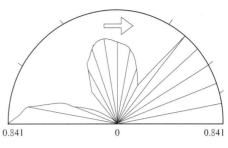

图 10-2-1　不同方向连通率玫瑰图

　　根据地质力学模型试验和计算结果,取节理面的连通率为 50%,按节理连通率为权值分配,用节理面抗剪强度与岩桥部分岩石抗剪(断)强度,求其加权平均值,此值视为瞬时峰值抗剪强度。考虑到岩体的破坏是力的长期作用下的渐进过程,且抗剪强度指标中凝聚力会有很大的削弱,为此将求得的 f_i 取其 0.8 倍,C_i 取其 0.1 倍作为建议值。

　　(2)用 Hoek-Brown 经验准则确定抗剪强度。将岩体质量分类指标 RMR 的估算值乘 0.8 倍,作为采用值,求与岩体特性有关的两个材料参数 m、s 值,进而求抗剪强度指标。

　　上述两种方法求得的节理岩体的抗剪强度指标见表 10-2-5。

表 10-2-5　各岩组岩体的抗剪强度指标

地 层	以节理连通率为权值法		Hoek-Brown 经验法	
	建议指标		$C(\text{MPa})$	$\varphi(°)$
	$C(\text{MPa})$	$\varphi(°)$		
$T_1^{6\text{-}1}$	—	—	0.65	17.0
$T_1^{5\text{-}3}$	1.0	42.3	1.20	40.0
$T_1^{5\text{-}2}$	1.22	43.8	1.80	45.0
$T_1^{5\text{-}1}$	0.44	35.0	0.55	15.0
T_1^4	1.27	45.6	3.05	49.0
$T_1^{3\text{-}2}$	0.95	41.0	1.40	41.0
$T_1^{3\text{-}1}$	0.99	42.6	1.95	45.5
T_1^4 剪切破碎带	0.10	35.0	0.55	15.0

　　采用两种方法求得的各岩组岩体的抗剪强度指标对大多数岩组而言,两者的结果是相当吻合的。

四、泥化夹层抗剪强度的试验研究

　　坝址区左、右两岸二叠系、三叠系地层中普遍发育由于构造作用形成的泥化夹层,它的性状和抗剪强度指标直接关系到大坝、地下洞室围岩、进出口高边坡及左岸单薄山体的稳定。因此,在小浪底枢纽的各个设计阶段,特别是招标设计以来,对泥化夹层的性状、发育规律、抗剪强度等进行了大量的勘探、测绘、追踪调查和试验研究工作,并将该项目列为“七五”国家科技攻关项目,与中国水利水电科学研究院合作,开展了广泛而深入的研究,主要有矿化分析、颗粒组成、物性、水理性、变形特性、渗透特性、力学强度等的室内和现场试验研究。以上各项共完成抗剪试验 5 批、62 组 416 个试件试验;其他各项试验共 348 个试件。

(一)类型

按其泥化程度、颗粒组成和厚度变化,大致可分为 5 种类型:

(1)全泥型(a)。多发育在 0.3~1.0cm 的黏土岩中。

(2)泥夹角砾型(b)。多发育在厚度大于 3cm 的粉砂质黏土岩和砂质黏土岩中。

(3)泥夹粉砂、粉砂夹泥型(c)。仅发育在泥质或钙质粉砂岩中。

(4)泥膜型(d)。多发育在厚度小于 0.3cm 的黏土岩中。

(5)角砾夹泥型(e)。多发育在薄层砂岩的软弱夹层中。

(二)抗剪强度试验研究

(1)中型剪固结快剪试验。在 II_{25}、II_{29}、II_{30} 平洞中取原状样,试件尺寸 20cm×20cm,试验成果见表 10-2-6。

表 10-2-6　泥化夹层中型固结快剪试验成果

序号	试样编号	试件所在岩组代号	泥化夹层类型	泥化夹层厚度(cm)	各组泥化夹层抗剪试验成果				各类抗剪参数			
					摩擦系数		凝聚力(MPa)		摩擦系数		凝聚力(MPa)	
					f(峰)	f(残)	C(峰)	C(残)	f(峰)	f(残)	C(峰)	C(残)
1	29洞-5	T_1^{5-1}	全泥	0.4	0.270	0.260	0.013	0.013	0.176~	0.176~	0.004~	0.004~
2	29洞-31	T_1^{5-2}	全泥	0.5~2.0	0.176	0.176	0.015	0.015	0.384	0.325	0.022	0.025
3	29洞-38	T_1^{5-2}	全泥	0.3~1.0	0.294	0.294	0.022	0.022	(0.265)	(0.247)	(0.013 6)	(0.013)
4	30洞-10		全泥	0.1~0.4	0.325	0.325	0.004	0.004				
5	30洞-25		全泥	0.1~0.25	0.384	0.268	0.019	0.025				
6	30洞-36	T_1^{6-2}	全泥	0.1~1.0	0.194	0.194	0.012	0.002				
7	25洞-23	T_1^{5-1}	全泥	0.8~1.7	0.213	0.213	0.010	0.010				
8	29洞-17	T_1^{5-2}	含少量角砾(泥包角砾)	0.8~1.5	0.330	0.330	0	0	0.230~	0.230~	(0.011)	(0.011)
9	29洞-19	T_1^{5-1}		1.0~2.0	0.230	0.230	0.020	0.02	0.330	0.330		
10	29洞-36	T_1^{5-2}		1.5~2.0	0.249	0.249	0.013	0.013	(0.270)	(0.270)		
11	29洞-41	T_1^{5-3}	粉质壤土(泥夹粉砂、粉砂夹泥)	0.8~1.5	0.325	0.325	0.014	0.014	0.194~	0.194~	0.005~	0.005~
12	39洞-45	T_1^{5-3}			0.488	0.364	0.014	0.014	0.488	0.435	0.014	0.014
13	30洞-32	T_1^{5-3}		0.1~1.5	0.194	0.194	0.007	0.007	(0.357)	(0.332)	(0.010 4)	(0.009)
14	25洞-6-R			0.2	0.435	0.435	0.005	0.005				
15	25洞-12	T_1^{5-1}		0.7~1.0	0.344	0.344	0.012	0.012				
16	29洞-14		泥膜	0.1~0.18	0.490	0.420	0.002	0	0.222~	0.141~	0.002~	(0.012 7)
17	30洞-8	T_1^{5-2}	泥膜	<0.1	0.222	0.141	0.014	0.025	0.049 6	0.420	0.014	
18	25洞-26		泥膜	<0.1	0.335	0.335	0.013	0.013	(0.349)	(0.299)	(0.010)	
19	29沿-29		角砾夹泥	0.1~0.8	0.340	0.320	0.015	0.015	(0.350)	(0.304)	(0.014 5)	(0.014 5)
20	30洞-38			0.3~1.0	0.360	0.287	0.014	0.014				

注:括号内数为平均值。

（2）中型剪固结慢剪试验。为研究孔隙水压力对泥化夹层抗剪强度的影响，用中国水利水电科学研究院研制的伺服控制直剪仪与刚性试验机配合，做固结慢剪试验，剪切速率 0.02～0.002mm/min，使泥化夹层在剪切过程中充分排水，其试验成果见图 10-2-2。

（3）现场大型直剪试验。试件尺寸 50cm×50cm、70cm×70cm，个别为 100cm×100cm。现场大型直剪试验主要研究了两种工况：①试件侧向膨胀对抗剪强度指标的影响试验，见表 10-2-7；②孔隙水压力对抗剪强度指标的影响试验。

黄委会设计院专门研制了"岩体软弱夹层慢剪试验设备"，以测定夹泥层的有效强度指标，控制剪切速率为 0.076mm/min，固结稳定标准为 0.005mm/h，试验成果见图 10-2-3。

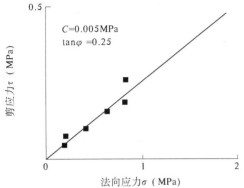

图 10-2-2　20 洞 4 支洞 T_1^4 泥夹碎屑型饱和固结慢剪试验（控制膨胀，1988）τ—σ 曲线（峰值强度）

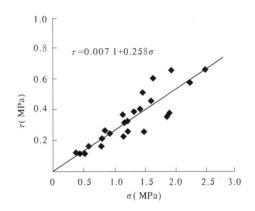

图 10-2-3　29 洞全泥型泥化夹层固结慢剪抗剪强度 τ—σ 关系曲线

（4）以上不同试验条件下的成果对比详见图 10-2-4。

图 10-2-4 的对比可以明显看出，慢剪和快剪的抗剪强度指标，C 值相差甚微，而 f 值相差较大，达 0.06，由此引起的对抗滑稳定安全系数和加固工程量的影响是不容忽视的。

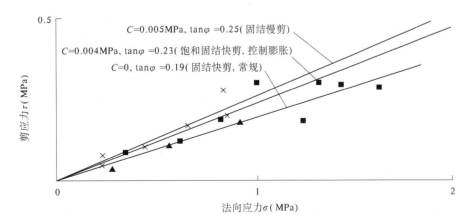

图 10-2-4　20 洞 4 支洞 T_1^4 泥夹碎屑型泥化夹层不同试验条件抗剪强度 τ—σ 曲线比较

表 10-2-7　泥化夹层现场直剪试验成果

序号	试验地点	岩组代号	试件 组数	试件 件数	泥化夹层类型	室内岩性定名	泥化夹层厚度(cm)	试件尺寸(cm)	剪切方式	饱和方法	有无限制膨胀	饱和含水量(%)	峰值 f	峰值 C(MPa)	残余值 f	残余值 C(MPa)
1	20洞1支洞		1	6	泥膜(含页岩片及岩粉)	含少量角砾的中壤土、粉质黏土	0.1~4.5	50×50	斜推	四周浸水14天	无	6.8~11	0.27	0		
2	20洞2支洞	T_1^4	1	3	泥夹角砾	含少量角砾粉质黏土	1~4.5	70×70	斜推	中心注水	无	14~15.9	0.19	0		
3	20洞2支洞	T_1^4	2	9	泥夹角砾	含少量角砾粉质黏土	1~4.5	70×70	斜推	中心注水7~21天	有	7.4~13.2	0.22	0.003	0.19	0
4	20洞3支洞		2	10	泥膜	部分碎屑泥或泥片	0.2~1	70×70	斜推	四周浸水30~45天	有		0.28	0.020		
5	20洞4支洞	T_1^4	2	7	夹泥	粉质黏土	1.0~4.5	100×100	平推	四周浸水5~6个月	有		0.25	0.005		
6	29洞1支洞	T_1^{5-1}	1	4	全泥	粉质黏土	1.3~2.6	70×70	斜推	中心注水30~45天	无		0.19	0.013		
7	29洞1支洞	T_1^{5-1}	2	9	泥夹角砾	含少量角砾的粉质黏土	1.3~2.6	70×70	斜推	中心注水30~45天	有		0.23	0.011		
8	29洞2支洞	T_1^5	2	11	可塑夹泥	含少量粉砂和岩屑	0.5~4	70×70	斜推	四周浸水30~45天	有		0.23	0.005	0.21	0
9	29洞	T_1^5	2	8	黏泥	粉砂质黏土	0.5~3.0	20×20	平推	真空抽气饱和	有	6~28	0.24	0.022		
10	29洞	T_1^5	5	19	黏泥	粉砂质黏土岩	0.5~3.0	20×20	平推	真空抽气饱和	有		0.26	0.040		
11	11洞2支洞	T_1^2	1	5	粉砂夹泥	粉质壤土	0.05~2.5	50×50	斜推	四周浸水	无		0.28	0.003		
12	11洞2支洞	T_1^2	1	4	碎屑局部夹泥	泥质粉砂岩	0.05~1	50×50	斜推	四周浸水15天	无		0.38	0.033		
13	36洞(加深)	T_1^3	2	10	全泥	构造夹泥	0.02~2	70×70		四周浸水48天	有	12~19	0.21	0.017		
14	6洞第1组	T_1^3	2	8	泥膜(含页岩片)	薄层泥化夹层	0.2~0.3	50×50		15天	无		0.47	0.020		
15	6洞第2组	T_1^3	2	8	全泥	泥化夹层	2~6	50×50		15天	无		0.18	0.003		
16	6洞第3组	T_1^3	1		全泥		0.5~2	50×50			无		0.24	0.045		
17	1坝线左岸基岩露头	T_1^2	1		泥膜		0.1	50×50	斜推	四周浸水	无		0.31	0		

第三节 稳定性研究

一、设计标准

(1)建筑物等级：Ⅰ级。

(2)设计地震：施工期 7 度，水平地震加速度 0.10g；运用期 8 度，水平地震加速度 0.215g。

(3)抗滑稳定最小安全系数标准见表 10-3-1。

表 10-3-1　最小安全系数

工况(进口边坡/出口边坡)	抗剪强度指标	抗剪断强度指标
正常运用/正常运用	1.30	3.0
非常运用/施工期	1.20	2.5
特殊运用/正常运用+7度地震	1.10	2.3

注：1.对于进口边坡，正常运用条件指库水位处于正常高水位与死水位之间的各种水位下的稳定渗流情况。对于出口边坡，正常运用条件为消力塘水位 135.0m。

2.非常运用条件指施工期和库水位骤降情况。

3.特殊运用条件指施工期+7度地震和不利水位+8度地震。

二、破坏模式

(一)进口边坡

根据进口边坡出露地层岩性、岩层及节理裂隙产状，其可能的破坏模式有以下三种：

(1)NNE 一组结构面的卸荷板裂和节理的不利组合。

(2)T_1^{5-1}岩层下部 6m 厚的泥质粉砂岩和 T_1^4 上部的层间剪切破碎带。

(3)坡脚下部 T_1^{3-2} 的局部塑性区。

边坡的破坏形式为局部碎裂岩体的崩塌和卸荷板裂。

(二)出口边坡

主要有两种可能的破坏模式：

(1)Ⅰ区、Ⅲ区边坡因无断层通过，其破坏形式为以 NNE 向节理为后缘与岩层层面或泥化夹层组成的顺层滑动。

(2)Ⅱ区边坡由于断层发育、岩体破碎，除上述以 NNE 向节理或断层为后缘的顺层滑动破坏外，另一种破坏形式为通过破碎岩体的圆弧滑动。

三、分析方法

进口边坡主要采用三种方法：用刚体极限平衡方法确定稳定安全系数和需要施加的锚固力；用考虑岩体的弹塑性、不抗拉、节理的非线性有限元法，分析整个边坡的应力、变形状态及塑性区的范围，据此确定加固的范围、重点及锚索长度；用单一岩体(T_1^{5-1}岩层，为进口边坡软岩含量最大的岩层)指标，用二维边界元法(2D Boundary element program for calculation stress around underground exeavation in rock)分析边坡内安全系数的分布情况(见图 10-3-1)，以验证加固设计的合理性。

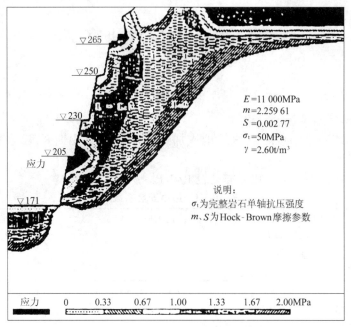

图 10-3-1　进口边坡安全系数分区

出口边坡稳定分析主要采用两种方法。对于Ⅰ、Ⅲ区边坡，主要为顺层滑动的失稳模式，故采用传统的刚体极限平衡分析方法；Ⅱ区边坡为断层交会带，岩体破碎，采用改进的 Sarma 法和相应的 EMU 计算程序。该程序是我国学者陈祖煜近年与澳大利亚 Donald 教授在塑性力学上限定理基础上开发的边坡稳定极限分析法，对 Sarma 法的理论基础和数值分析方法提出了全面的更新和提高，其特点和主要功能为：

（1）采用能较好模拟节理岩体结构面的斜分条块，自动计算由折线或曲线组成的临界滑裂面及最小安全系数。

（2）应用最优化方法确定临界滑裂面时，引入随机搜索，避免了丢失安全系数整体极值的可能性。

（3）主要功能：①坡外有水时，采用土石坝规范建议的等效处理方法；②孔隙水压力的处理采用等势线铅直和输入孔隙压力系数两种方法；③自动输入 Hoek-Brown 参数；④可以分析具有锚索、抗滑桩、表面荷载等的边坡稳定问题。

出口边坡采用 EMU 程序的典型计算剖面如图 10-3-2 所示。

出口边坡采用的抗剪强度指标如表 10-3-2 所列。

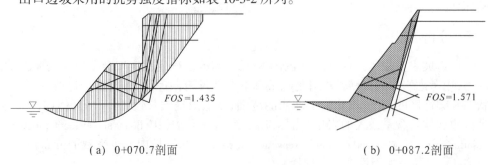

（a）0+070.7剖面　　　　　　　　　　　（b）0+087.2剖面

图 10-3-2　出口边坡Ⅱ区典型计算剖面

表 10-3-2　出口边坡采用的抗剪强度指标

抗剪强度指标	节理岩体	断层影响带	断层带	夹泥层	岩层层面
$C(\text{MPa})$	0.05	0	0	0	0
$\varphi(°)$	30.96	15.64	11.31	11.31	24.23

第四节　加固设计

一、进口边坡加固

根据边坡可能的破坏形式,主要采取以下几项加固措施。

(一)系统砂浆锚杆

250m 高程以上使用 Φ32 锚杆,长 8m、10m 相间布置,间、排距均为 3m;250m 高程以下使用 Φ32 锚杆,长 10m、12m 相间布置,间、排距均为 3m。

(二)喷混凝土

210m 高程以上为裸露岩坡,喷钢纤维混凝土,厚 10cm,钢纤维含量 60kg/m³,相当于喷混凝土体积的 0.77%。分三层施喷。垫层厚 3cm,以减少下层的回弹量,喷素混凝土;中层喷钢纤维混凝土厚 4cm;面层喷素混凝土厚 3cm,以防止钢纤维外露伤人和钢纤维的锈蚀。

钢纤维长度 20~50mm,长径比 25~100,抗拉强度大于 500MPa。钢纤维喷混凝土的质量要求:水灰比小于 0.40,根据美国 ASTM C1018 标准要求,7 天龄期的韧度指标 $I_5 \geqslant$ 3.5MPa,$I_{10} \geqslant$ 5MPa,抗折强度 $\geqslant$ 3MPa。

210m 高程以下边坡与进水塔之间将用混凝土回填,故喷素混凝土,厚 10cm。

系统砂浆锚杆和喷混凝土联合作用加强了边坡浅层岩体的整体性。

(三)排水

为保证边坡在库水位降落条件下的稳定性,在 210m 高程以上的边坡内均布置直径 100mm 的排水孔,间、排距均为 3m。250m 高程以上孔深 7m,250m 高程以下孔深 12m,并上仰 10°。

为防止泥沙淤堵排水孔,250m 高程以下的排水孔均用暗管予以保护。

(四)预应力锚索

根据稳定计算确定不稳定岩体深度及需要施加的锚固力,根据有限元计算得到的边坡应力状态和塑性变形区范围,确定锚索的布置和长度。

进口边坡锚索布置大致可分成三个区:

第一区为 250m 高程以上,为防止开挖卸荷后边坡岩体沿 NNE 一组节理的卸荷板裂,主要布置 600kN、800kN 级锚索,长 20~30m。但在 1 号桥台下面的 T_1^4 层间剪切破碎带及为防止 T_1^{5-1} 软岩岩层的蠕变变形,分别布置 1 200kN、1 500kN 级锚索,锚索长度 30~35m,锚索间、排距均为 6m。

第二区为 250~210m 高程间,该区位于边坡的腰部,1 000kN 级锚索长 30m、35m,相间布置,间、排距均为 6m。250~230m 高程间,因 PVC 波纹管未到货,并为满足施工进度要求,采用二次注浆的全长粘结式锚索;230m高程以下全部采用一次注浆的双层保护锚索。

第三区为210m高程以下,该区位于边坡的坡脚部位,且大部分隧洞进口位于该区,压应力大。根据有限元计算结果,坡脚处向临空方向的水平位移达8cm,塑性变形区范围达25m深之多。由于该区位置重要,从稳定和限制边坡向坡外的变形、稳住坡脚考虑,该区布设2 000kN级双层保护锚索,为避开洞口及与引水发电隧洞的交叉,锚索间、排距6~9m,长35~40m,相间布置,锚索倾角大多数为上仰15°。

进口塔后边坡共布设各种吨位锚索581根。

进口塔后边坡预应力锚索、系统砂浆锚杆布置详见图10-4-1。

二、出口边坡加固

出口边坡的稳定,施工期是控制工况,且出口边坡的稳定问题主要是Ⅱ区边坡的稳定。出口边坡及锚索布置立视图如图10-4-2所示。根据出口边坡的工程地质条件和运用条件,主要采取以下加固措施。

(一)排水

在消力塘周边的边坡内约115m高程布置一条贯通性排水隧洞,断面2.1m×2.8m,排水洞两端与消力塘的永久排水竖井相连。排水洞内一般在三个方向上(向上游、向上、向下)布设直径100mm排水孔,孔深10~15m。位于节理密集带、断层带内的排水孔,孔内设置组合过滤体。

排水洞平面布置如图10-4-3所示。由于在消力塘开挖前其周边的排水系统已形成并投入运用,因此消力塘边坡内的地下水位由135m左右降到120m以下,由于其排水效果显著,大大降低了消力塘施工的难度,并对边坡施工期的稳定起到至关重要的作用。

(二)挂网喷混凝土

出口边坡上出露地层主要为T_1^6黏土质粉砂岩,易风化、崩解。为此,边坡开挖后,立即用挂钢筋网喷混凝土予以封闭处理。钢筋网为6@20cm×20cm,喷混凝土厚10cm。

(三)系统砂浆锚杆

出口边坡为顺向坡,NNE向一组节理与岩层层面或泥化夹层组合,形成很多潜在的不稳定楔形体,为此设置Φ32,长10m、12m相间布置的系统砂浆锚杆,Ⅰ区、Ⅲ区间距2m,Ⅱ区锚杆间距1.0~1.75m。

(四)预应力锚索

采用锚索作为出口边坡的主要加固措施,其优点是,随着边坡由上向下分台阶开挖,预应力锚索可随即加上,发挥其锚固作用,确保了该坡施工期的稳定,并作为永久加固措施之一。

Ⅰ区共布置2 000kN级锚索125根,最大长度35m,锚索在高程方向间距为5m,水平方向间距7.5m,锚索方向为下倾25°。

Ⅱ区共布置锚索155根,其中3 000kN级107根,2 000kN级48根,高程方向间距3.5~6.0m,水平方向4.0~7.0m,最大长度55m,锚索方向为下倾10°~20°。

Ⅲ区共布置锚索71根,其中3 000kN级12根,2 000kN级59根,最大长度50m,高程方向间距5m,水平方向6m,锚索方向大多下倾20°。

(五)抗滑桩

Ⅱ区边坡由于断层交会,岩体破碎,泥化夹层发育,岩层倾角变陡(由正常岩层倾角9°

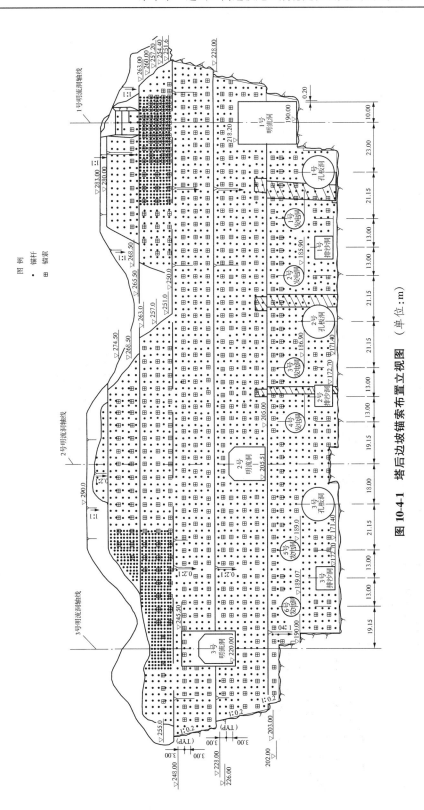

图 10-4-1　塔后边坡锚索布置立视图 （单位：m）

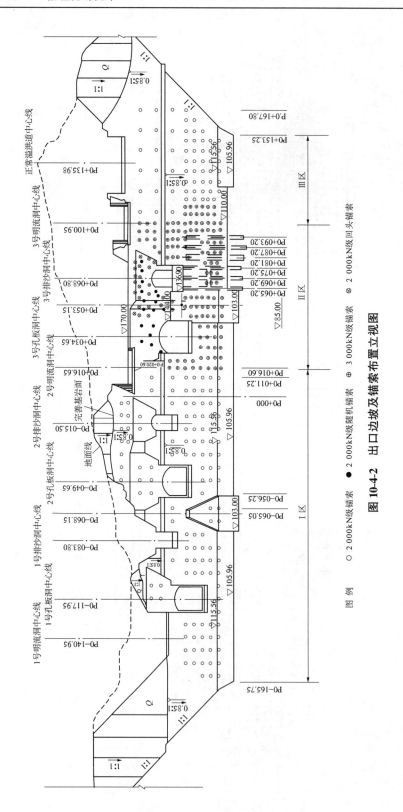

图例　○ 2 000kN级锚索　● 2 000kN级随机锚索　⊕ 3 000kN级锚索　⊗ 2 000kN级回头锚索

图 10-4-2　出口边坡及锚索布置立视图

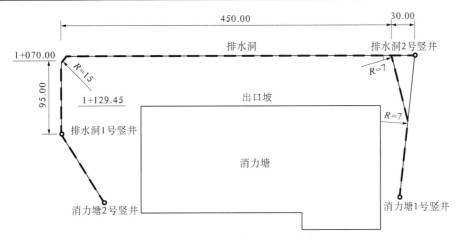

图 10-4-3　排水洞平面布置图　（单位:m）

变为 14° ～ 21°),恶化了该区边坡的稳定条件,虽布置了大吨位系统预应力锚索,但边坡的稳定仍处在临界状态。考虑到仅采用锚索加固软弱破碎岩体,存在锚索的预应力松弛问题,由此引起边坡的稳定安全系数会进一步降低。经综合分析比较,最终选定在 3 号排沙洞出口 F_{236}(F_{238})断层交会带部位的 144m 高程平台上,增加 5 根抗滑桩,采用锚索和抗滑桩等综合加固措施提高 Ⅱ 区边坡的整体稳定性。

原设计桩的断面为 3.0m×3.0m,施工初期因采用直径 2.0m 的大口径钻机成井,故改为 2.0m×5.5m 的椭圆形断面,桩的平面布置如图 10-4-4 所示。

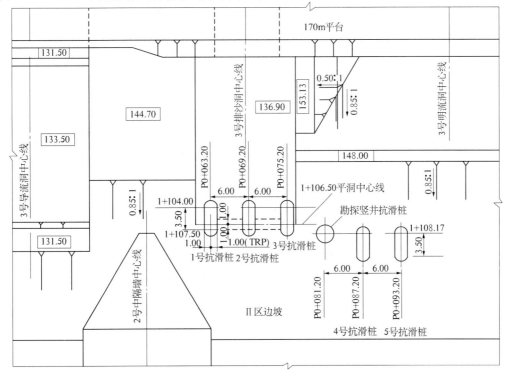

图 10-4-4　抗滑桩平面布置　（单位:m）

桩身混凝土标号为40MPa,一级配,桩的钢筋布置如图10-4-5所示。

(六)其他加固措施

Ⅱ区边坡还采取以下几项加固措施:

(1)减载。

(2)加大、加高消力塘2号中隔墙上游端断面,顶宽由3m加宽到12.5m;墙顶由138.0m加高到145.3m高程,以加强对边坡的支撑作用。

(3)加强3号排沙洞出口洞段混凝土衬砌的整体性,分块间加连接钢筋和键槽。加大挑流鼻坎基础混凝土块尺寸,并优化其体型。

(4)在3号孔板洞和3号排沙洞出口间的144m高程基岩平台上增加三道钢筋混凝土支挡墙,墙厚2m,墙顶高程165.0m。观测资料表明,该项措施显著改善了该段直立边坡的稳定性。

(5)用混凝土盖板封闭坡顶170m高程平台,防止施工用水及大气降水入渗恶化边坡的稳定条件。

通过上述综合加固工程措施,水平变位速率由最大1.5mm/d逐渐趋于0,说明边坡的稳定状况良好。

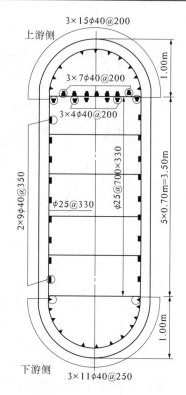

图 10-4-5 抗滑桩配筋图

第五节 预应力锚索设计

一、技术标准

美国材料试验学会 ASTM A416-87A 标准,270 级。每股钢绞线由 7 根 $\phi5$ 低松弛高强钢丝组成,公称直径 15.24mm,单股钢绞线最小破断力 260.7kN。

二、材料保证强度利用系数

进、出口边坡双层保护预应力锚索材料保证强度利用系数如表10-5-1所示。

表 10-5-1 材料保证强度保证利用系数

工程部位	设计荷载(kN)	钢绞线股数	材料强度利用系数(%)
进口边坡	1 000	714	54.8
	2 000		54.8
出口边坡	2 000	1 219	63.9
	3 000		60.6

三、内锚固段长度设计

内锚固段长度由以下三个条件确定：

(1)保证水泥凝固体不沿孔壁产生剪切破坏；

(2)保证水泥凝固体与钢绞线有足够的握裹力；

(3)对双层保护锚索，PVC 波纹管内、外壁与水泥凝固体不产生剪切破坏。

满足上述三个条件裸露的钢绞线长度分别为 L_1、L_2、L_3，并取其大者。L_i 由下式计算

$$L_i = \frac{kP}{\pi d_i c_i} \quad (i = 1,2,3) \tag{10-5-1}$$

式中　k——安全系数，取 2.0；

　　　P——锚索的最大张拉荷载；

　　　d_i——计算滑移面直径，对于钢绞线 $d_i = n \cdot d$，n 为钢绞线股数，d 为钢绞线的公称直径；

　　　c_i——计算滑移面上粘结力，对于砂岩、黏土岩，$c_1 = 1.0$ MPa；水泥凝固体与钢绞线，$c_2 = 2.0$MPa；水泥凝固体与 PVC 波纹管，$c_3 = 5.0$MPa。

进、出口边坡双层保护锚索内锚固段长度、钻孔直径详见表 10-5-2。

表 10-5-2　双层保护锚索施工参数

工程部位	设计工作荷载(kN)	最大张拉荷载(kN)	钻孔直径(mm)	波纹管直径(mm)(最小)		内锚固段长度(m)
				内径	外径	
进口边坡	1 000	1 250	150			8.00
	2 000	2 500	180	103	117	10.00
出口边坡	2 000	2 500	180	103	117	10.00
	3 000	3 750	220	114	125	12.00

内锚固段长度范围内钢绞线外的 PE 套管应剥除，并应进行除油处理。

四、张拉与锁定

小浪底工程对锚索张拉提出以下要求：

(1)以压力计或荷载仪控制，均匀加载至设计荷载的 1.25 倍，加载速率 40kN/min。

(2)保持荷载 20min，并测量该时段内锚索的徐变位移量，如果位移量小于 2mm，即认为此根锚索合格，可进行第(4)步工作，否则进行第(3)步工作。

(3)继续保持荷载 45min，并测量锚索的徐变位移量。如果在荷载峰值时，锚索的弹性变形在下述两个限值之内，锚索合格，否则为不合格。

上限对应于锚索的伸长值等于自由长度加 50％黏结长度时的理论弹性伸长值。

下限对应于锚索的伸长值等于 80％自由长度的理论弹性伸长值。

(4)将荷载降到要求值锁定。为保证预应力锚索长期有效地工作，并留有足够的安全度，进、出口边坡工程锚索的锁定荷载规定为：①进口边坡按设计荷载的 70％锁定；②出

口边坡按设计荷载的 80%锁定。

五、锚固角选择

为充分发挥锚索的锚固作用,锚固角选择是十分重要的。根据出口边坡的破坏模式(见图 10-5-1),锚固角确定如下:

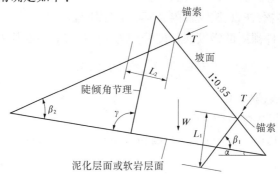

β_1、β_2—锚索轴线与滑动面夹角;γ—拉裂面与滑动面延长线夹角;L_1、L_2—锚索张拉段长度在拉裂面和滑动面方向上的投影长度;T—锚索张拉力;W—滑体重量

图 10-5-1 滑体几何模型

穿过滑动面锚索的最优化锚固角为:

$$\beta_1 = 45° + \frac{\varphi}{2} \tag{10-5-2}$$

式中 φ——滑动面的内摩擦角。

穿过节理面锚索的最优化锚固角为:

$$\beta_2 = 45° + \frac{\varphi - \gamma}{2} \tag{10-5-3}$$

当 $L_2 < \xi L_1$ 时,应优先向节理面打锚索,反之优先向滑动面打锚索。

$$\xi = \frac{\sin[45° + (\varphi + \gamma)/2]\{\cos[45° + (\varphi - \gamma)/2] + \sin[45° + (\varphi - \gamma)/2]\tan\varphi\}}{\frac{1}{2}\cos\varphi + \sin^2(45° + \varphi/2)\tan\varphi}$$

$$\tag{10-5-4}$$

组成小浪底出口边坡潜在滑体的两组节理发育,泥化夹层有多层,潜在滑体也有多个,为使锚索尽量多穿过滑动面和节理面,因而采用的锚固角一般为下倾 $20° \sim 25°$,介于 β_1 和 β_2 之间。

六、双层保护预应力锚索的结构

近年来在欧洲许多国家的加固工程中,对于临时工程加固一般采用二次注浆的全长黏结式锚索,对于永久工程的加固多采用一次注浆的双层保护预应力锚索。

所谓双层保护是对锚索的内锚固段而言的,它具有双层防腐保护措施:PVC 波纹管和水泥浆凝固体;而对于自由张拉段而言,该段为三层防腐保护:PVC 波纹管(或 PVC 管)、水泥浆凝固体和钢绞线外的 PE 套管。双层保护锚索典型结构详见图 10-5-2。

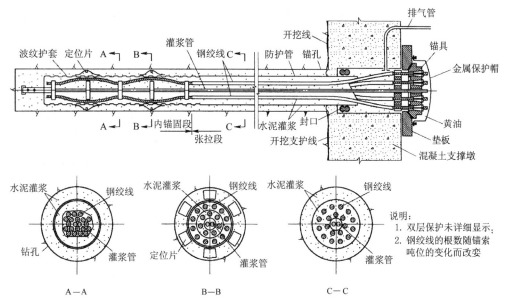

图 10-5-2　进口边坡 2 000kN 级双层保护锚索典型结构图

双层保护锚索的优点是:寿命长,一次注浆工艺简单,由于每股钢绞线外有 PE 管保护,当需要时可以重复张拉,张拉段内锚索体受力均匀。由于有上述优点,整个小浪底工程共安装双层保护预应力锚索 1 118 根。

第六节　ROTEC 混凝土运输、浇筑设备

小浪底进、出口混凝土工程施工是我国首次采用 ROTEC 混凝土运输、浇筑系统设备的工程。该系统由美国 ROTEC 公司生产,其特点是操作灵活方便,覆盖范围广,入仓准确,能适用于各种级配、不同坍落度的混凝土,生产效率高等,对混凝土工程量大、工期紧的工程,ROTEC 系统可以充分发挥工效高这一突出优点。

小浪底工程使用的 ROTEC 系统设备可分为两大类:运输设备和浇筑设备。

一、运输设备

主要有三种,用于从拌和站运输到混凝土浇筑现场。

(1)混凝土搅拌运输车(滚筒式),型号为 ROTEC RO-MAX,容量 10.7m³,功率 300HP(英制马力,1kW = 1.34HP,下同)。

(2)混凝土运输车(滚轴卸料式),型号为 ROTEC BIG DOG EM7-300,容量 15m³,功率 300HP。

(3)皮带输送机,长度约 300m,最大输送能力 6.67m³/min。

二、浇筑设备

主要有两种:ROTEC 胎带机和塔带机。

（1）ROTEC 胎带机。CC200－24 型胎带机为轮胎式皮带机，由 1 台 Rt990 型汽车吊、伸缩式皮带机和进料皮带组成，主要技术参数见表 10-6-1。

（2）ROTEC 塔带机。型号为 TC1875，主要由塔带和塔吊两部分组成，其结构如图10-6-1所示，技术参数如表 10-6-2 所列。

表 10-6-1　CC200－24 型胎带机技术参数

项　目	参　数	项　目	参　数
功　效	7.6m³/min	进料皮带机	609.6mm×19.8m
最大水平覆盖范围	61m（从转动中心起算，下同）	主皮带机驱动装置	1 台大型 75HP（55.93kW）驱动器
最小水平覆盖范围	22.6m	断电保护器	200A
30°最大水平覆盖范围	53.19m	总操作重量	100 680kg
30°时最大高度	33.53m	电动机型号	底特律柴油机 6-71 T
最大上倾角度	30°	气缸	6 个
最大下倾角度	－15°	燃料容量	946.3L
转动范围	360°	标准输出	200kW

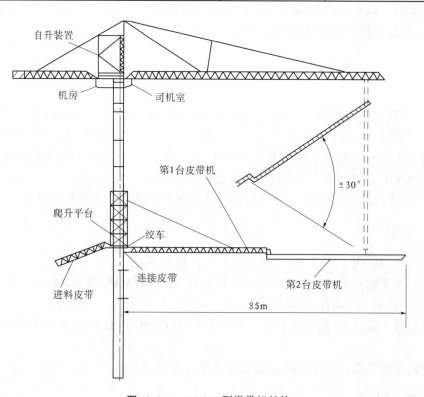

图 10-6-1　TC1875 型塔带机结构

表 10-6-2   TC1875 型塔带机主要技术参数

项　目		参　数
塔吊	塔吊臂半径(m)	79
	最大工作半径(m)	75
	最大吊钩高度(m)	108.8
	最大起吊重量(t)	25
	塔身(每截)(m)	3.5(直径)×9.3(长)
	最大起吊速度(m/min)	75
	最大转动速度(r/min)	0.6
	小车最大行走速度(m/min)	100
	总功率(kW)	300
塔带	最大覆盖范围(m)	85
	最大倾角(°)	±30
	皮带宽	30 英寸(76.20cm)
	最大骨料	6 英寸(15.24cm)
	最大强度(0°和直径 6 英寸骨料时,m³/min)	6.5

第七节　结　语

　　小浪底水利枢纽进出口高边坡投入运用以来,根据埋设在进出口高边坡上的多点位移计、锚索测力计、测斜管及外部变形观测等观测设备的观测,结果显示运行稳定。

　　进口边坡共布设锚索测力计 25 支,自水库蓄水以来,绝大部分锚索测力计测值保持稳定,锚固力变化范围在 2% 以内;孔口高程位于 280m 的 3 支测斜管自蓄水以来测值也比较稳定,朝边坡临空方向的累计位移值一直在 40mm 以内摆动;安装在 205m 高程上的 3 支多点位移计的位移测值在 2mm 以内变化。

　　出口边坡的稳定主要是位于 F_{236}(F_{238})及 F_{244}、F_{245} 断层交会带上的 Ⅱ 区边坡的稳定问题。Ⅱ 区边坡上共埋设 8 支锚索测力计、6 支多点位移计和 2 根测斜管。自水库蓄水以来,锚索测力计的测值几乎没有变化,多点位移计及测斜管的测值均稳定在某一测值上。

　　以上各种原观仪器的监测结果充分说明:对于进口高 120m 的边坡,采用系统砂浆锚杆、系统预应力锚索、排水及喷钢纤维混凝土等综合加固措施,对于地质条件十分复杂的 60～80m 的出口边坡,采用系统砂浆锚杆、2 000kN 及 3 000kN 级大吨位预应力锚索、完善的排水、抗滑桩、支撑墙等综合加固措施,成功地解决了进出口高边坡施工期和运用期的稳定问题,保证了小浪底水利枢纽的正常、安全运行。

第十一章　进水塔群动力稳定性研究

第一节　概况及研究任务

一、进水塔概况

小浪底工程进水塔群位于大坝上游左岸风雨沟内东侧,设置了3座明流洞进水塔、3座孔板洞进水塔、3座发电排沙洞进水塔和1座灌溉洞进水塔(见表11-1-1,后文中分别简称为明流塔、孔板塔、发电塔、灌溉塔),10座塔呈一字形集中布置,距河道230m。建基面高程,左、中、右部位分别为200m、170m、190m。开挖深40~120m。塔前175m高程平台顺流向长度为20~82m。175m平台上游为141.5m高程引渠和132.0m高程引渠。孔板洞进水塔基下有开挖洞径19.8m的导流洞,距洞顶11.35m和20.85m。塔基部位主要为三叠纪 T_1^4、T_1^{3-2}、T_1^{3-1} 钙硅质细中砂岩、泥质粉砂岩、钙硅质细砂岩夹粉砂质黏土岩地层,地层倾向东,倾角10°左右。进口和塔基主要有 F_{28}、F_{28-1}、F_{236}、F_{238} 等断层11条。F_{28} 断层斜切导流洞引渠和两侧岸坡,F_{28-1} 分支断层斜穿灌溉洞进水塔上游北侧角,F_{28} 主断层一般宽8~10m,由泥和角砾混合充填,为垂直断距300m的正断层,F_{28} 断层带及其上盘岩体破碎。进水塔高93~113m,塔长52.8~70m,塔宽15.5~48.3m,前缘总宽275.4m。塔体下部40m大体积混凝土内设有孔口尺寸3.0m×5.0m到5.6m×18m或直径12.5m的孔道和六合一叉管(见图11-1-1~图11-1-6),结构和体形十分复杂,塔群作为泄洪、排沙、排漂、发电、灌溉引水的咽喉,关系着水库运用方式的实现、大坝和下游的安全,进水塔群动力稳定性研究任务非常艰巨。

二、进水塔群动力稳定性研究任务

进水塔群动力稳定性研究任务是:
(1)了解进水塔静动力特性,选择有利于安全泄流、防淤堵、防泥沙磨损和静动力稳定的塔型结构和塔群布置。
(2)评价进水塔整体静动力稳定性。
(3)进行结构静动力分析和设计。

第二节　抗震设防标准

一、坝址场地地震基本烈度和设防烈度

1971年中国科学院测地所鉴定小浪底场址基本烈度为7度。1985年河南省地震局、江苏省地震局和中国科学院工程力学研究所对以小浪底坝址为中心320km半径内的地区

表 11-1-1　进水塔群主要技术参数

塔名	1号明流塔	2号明流塔	3号明流塔	1号、2号、3号孔板塔	1号、2号发电塔		3号发电塔		灌溉塔
					发电洞	排沙洞	发电洞	排沙洞	
塔体高×长×宽(m×m×m)	93×70×20	108×52.8×16	83×54×16	113×60×20	112.3×60×48.3		112.3×60×48.3		83×56.9×15.5
进口高程(m)	195.0	209.0	225.0	175.0	195.0	175.0	190.0	175.0	223.0
检修门孔尺寸(m×m)	2-5.6×18	1-9×17.5	1-9×14.5	2-4.5×15.50	6-4×35(栅或门)	6-3.5×6.3	6-4×40(栅或门)	6-3.5×6.3	3×6
事故门尺寸、水头(m×m,m)	2-4×14-80	1-8×11-66	1-8×11-50	2-3.5×12-100	2-5×9-80	2-3.7×5-100.17	2-5×9-85	2-3.7×5-100.17	3×3.5-52
工作门孔尺寸、水头(m×m,m)	8×10-80	8×9-66	8×9-50		洞身 D=7.8	洞身 D=6.5	洞身 D=7.8	洞身 D=6.5	洞身 D=3.5
工作门室高度(m)	24	19.5	20.63	洞身 D=12.5					
最大总水压力(kN)	75 950	57 510	41 620	45 000			42 000	19 630	
底板厚度(m)	5.0	4.0	5	4	4.0		4.0		4.0
流道侧墙厚度(m)	6.0	4.0、5.5	4	2.95、3.45、3.75	4.9、8.65、7.25、5.15、18.5		同1号、2号发电塔		4.0
泄量(m³/s) 275m水位	2 680	2 119	1 796	1 727　1 560	500		500		30(230m水位)
泄量(m³/s) 250m水位	2 174	1 587	1 122	1 549　1 400	296		296		

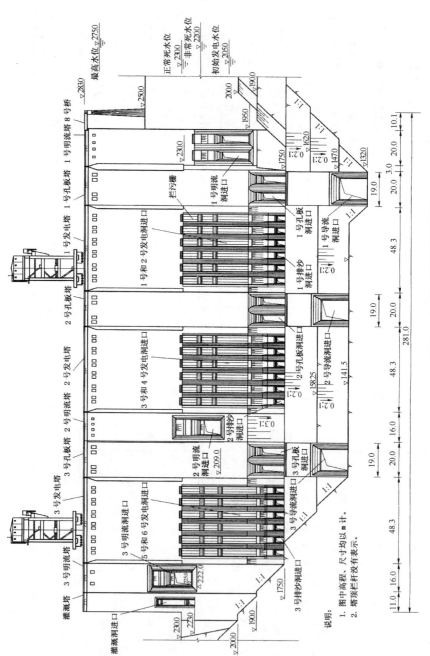

图 11-1-1　进水塔上游立视图

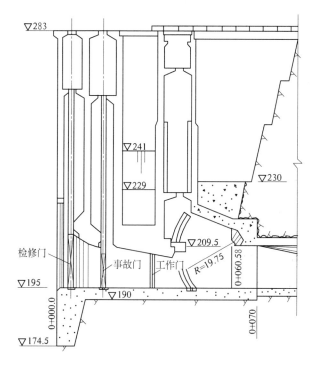

图 11-1-2 1 号明流塔纵剖面图 （单位:m）

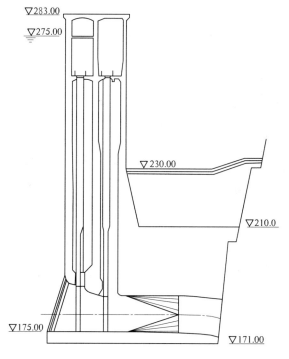

图 11-1-3 孔板塔纵剖面图 （单位:m）

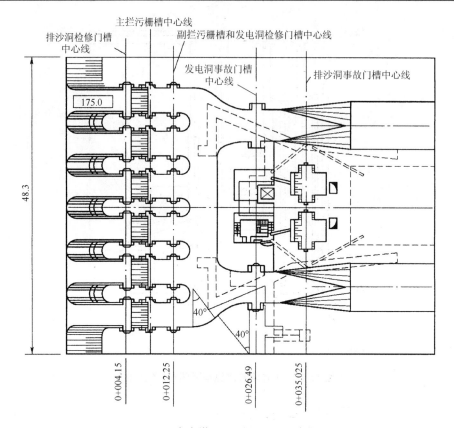

图 11-1-4　发电塔 B—B 剖面图 （单位:m）

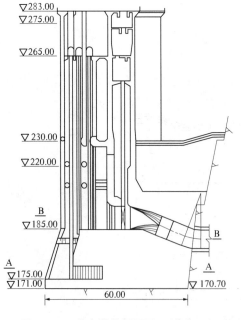

图 11-1-5　发电塔纵剖面图 （单位:m）

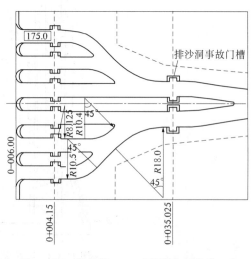

图 11-1-6　发电塔 A—A 剖面图 （单位:m）

进行综合研究认为,未来 100 年内坝址的基本烈度为 7 度。考虑到工程重要性,根据抗震设计规范,在基本烈度基础上提高 1 度,即按 8 度地震烈度作为设防烈度。100 年基准期超越概率为 10%,相应的重现期为 950 年。

二、坝址地震危险性分析及其地震动设计参数

鉴于确定性方法确定基本烈度后,由烈度确定地面峰值加速度存在不足,并考虑到小浪底工程是坝高大于 150m 的大(1)型工程,是黄河下游的关键性控制工程,地震部门又采用基于综合概率法的地震危险性分析方法确定地震动设计参数。采用 10^{-4} 年超越概率作为坝址地震危险性评定准则,确定了坝址场地地面峰值加速度为 $0.215g$(已考虑不确定性校正),并且提出小浪底坝址场地的设计反应谱见表 11-2-1,选定地震动时程曲线的形状函数及其参数为:

近场
$$\Phi(t) = \left(\frac{t}{2}\right)^2 \qquad 0 \leqslant t \leqslant 2\mathrm{s}$$
$$\Phi(t) = 1 \qquad 2\mathrm{s} < t \leqslant 10\mathrm{s}$$
$$\Phi(t) = \mathrm{e}^{-0.46(t-10)} \qquad 10\mathrm{s} < t \leqslant 15\mathrm{s}$$

远场
$$\Phi(t) = \left(\frac{t}{4}\right)^2 \qquad 0 \leqslant t \leqslant 4\mathrm{s}$$
$$\Phi(t) = 1 \qquad 4\mathrm{s} < t \leqslant 20\mathrm{s}$$
$$\Phi(t) = \mathrm{e}^{-0.13(t-20)} \qquad 20\mathrm{s} < t \leqslant 38\mathrm{s}$$

表 11-2-1　小浪底坝址场地的设计反应谱

$T(\mathrm{s})$	0.03	0.07	0.1	0.3	0.6	10.0
β(近震)	1.0	2.5	2.5	2.5	1.2	0.08
β(远震)	1.0	1.9	2.5	2.5	2.5	0.2

根据阻尼比为 0.05 的远震(或近震)反应谱生成人工地震波的时程曲线见图11-2-1。

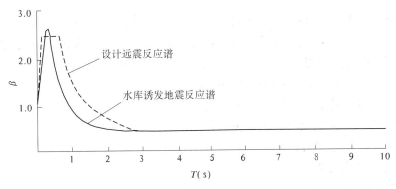

图 11-2-1　设计地震反应谱

三、水库诱发地震反应谱

1991 年 1 月国内地震专家会议研究,确定小浪底水库诱发地震按震级 6.0 级,震中距 10km,震源深 8km,坝址地面峰值加速度 0.313g,持时 12s,所得的修改水库诱发地震反应谱和相应人工震波作为进水塔抗震试算和试验的依据之一,其反应谱和人工地震波见表 11-2-2、图 11-2-2。

表 11-2-2 水库诱发地震反应谱

T(s)	0.01	0.03	0.10	0.25	0.3	0.4	0.5	0.6	0.7	0.8	0.9	1.0
β	1.0	1.0	2.11	2.63	2.612	2.36	2.002	1.686	1.430	1.212	1.04	0.912

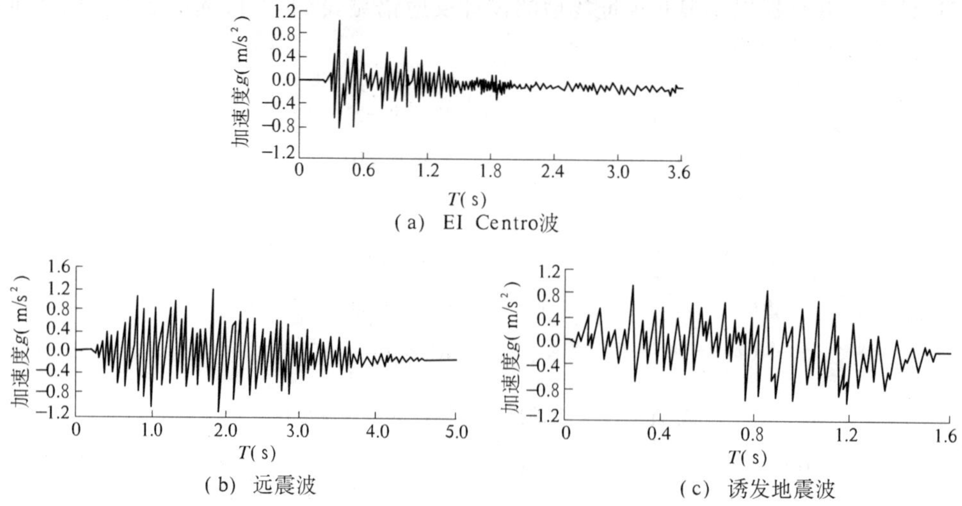

(a) El Centro 波

(b) 远震波

(c) 诱发地震波

图 11-2-2 输入地震波形

四、结构稳定性准则

进水塔在设计基准期内,在任何设计工况下,具有规定的功能,能正常运用。在遭遇设计地震作用时,进水塔能够抗御或虽有轻微损坏,经一般处理后,仍可正常运用。

(一)塔体稳定性准则

根据计算方法的不同,其稳定性标准也不同。

(1)拟静力法稳定分析准则见表 11-2-3。

(2)考虑基础变形的拟静力法抗倾稳定分析。

倾覆力矩 < 基底的极限抵抗力矩。

(3)非线性稳定分析。

抗倾稳定准则:转角 $\theta_{max} < \theta_{临界}$。

抗滑稳定准则:无滑动位移反应。

(二)静动力分析强度准则

静力分析时按静强度控制;动力分析时,塔体动弹模可较静弹模提高 30%,塔体动强度可较静强度提高 30%。塔身允许开裂,最大裂缝宽度 ≤0.20~0.25mm,但不允许有贯穿性裂缝。

表 11-2-3 拟静力法稳定分析准则

荷载组合		基本组合	特殊组合(1) (0.215g, 或校核水位)	特殊组合(2) (0.313g)	特殊组合(3) (0.215g + 岸坡影响)
抗倾稳定安全系数 k_0		1.35	1.20	1.15	1.10
沿塔基接触面或沿塔基混凝土垫层面抗滑稳定安全系数	不计 C	1.10	1.05	1.00	1.00
	计 C	3.0	2.5	2.3	2.3
沿基岩层面抗滑稳定安全系数	不计 C	1.3	1.20	1.10	1.0
	计 C	3.0	2.5	2.3	2.3
基础强度准则	压应力状态		最大拉应力 <0.3MPa	最大拉应力 <0.5MPa	
			地震时最大压应力 <5.12MPa T_1^{3-2}		
			地震时最大压应力 <6.50MPa T_1^{3-1}		
			地震时最大压应力 <7.20MPa T_1^4		

第三节 进水塔塔型优化和塔群抗震布置

一、塔型

进水塔动力稳定性问题是和进水塔型和塔群的总体布置密切相联的,进水塔型和布置又是和小浪底工程的任务、坝址地形、地质、水文泥沙条件紧密联系的,是和枢纽总布置、泄洪方式、降低流速、减免气蚀磨损、防止进口淤堵、保证泄流引水建筑物及时顺畅安全运用和抗震等重要问题密切相联的。经初步设计审查批准的六个组合式进水塔突出的优点在于不同泄流孔口的集中,它存在的一系列问题也在于集中:要解决泥沙磨损、降低流速、增加泄洪孔口层次,增强运用灵活性和安全度,解决高漏斗淤积的滑塌对进口的淤堵和排污等问题,都必须从组合塔的上下重叠布置中,把压在发电洞进口下面高程很低的明流洞或孔板洞和排漂洞解放分离出来,设计成双进口合一的单塔身孔板塔,双进口合一的前后双塔身的明流塔,发电排沙排污两层进口、上下重叠、带六合一叉管的发电塔这三类新塔型,即高程 210~230m 以下大体积部位布置大泄量孔口,整个塔群形成 175m、195m、209m、225m 四层孔口,底层泄流排沙,表层泄流排污,中间引水发电;实现进口泥沙滑坍淤堵进口时可分层拉沙,清除进口淤堵;使孔口流速在库水位 250m 以下降低至 25m/s 以下;排沙进洞口由原来的 12 个减为 3 个,减少 75%,解决了多进口进洞的施工期和运用期的山体和结构的安全问题。高程 210~230m 以上塔身为封闭组合筒体,整个塔体重心低、断面刚度大,上部惯性力小,抗倾稳定性好,承载能力大。特别是上游墙尽量封闭,有利于改善地震时的应力状态。塔身上部井壁厚度在满足强度、抗渗等要求前提下尽量减薄。

二、塔体结构

塔体结构在满足闸门、启闭机布置运用等要求情况下,力求体形对称,断面、刚度、强度变化平缓,避免突变,减少应力集中。沿塔高加强平台的横向连接刚度,增加高拦污栅墩墙的纵向和横向支撑,加强前后塔之间的连接刚度,增强塔体整体性。放缓孔板塔身下游侧的过渡连接,加厚明流塔弧门闸室侧墙厚度,降低塔身和侧墙的动态拉应力。

三、自振周期

使各塔主周期与地基的主周期错开、相邻塔的主周期错开,避免各塔同向同步振动及同地基共振。

四、一字形布置

由于塔型优化缩短了前缘总宽度,使初步设计的 6 个组合塔错台布置,改为在 F_{236}、F_{238} 断层和 F_{28} 断层之间十座塔一字形布置,两岸高程 230m 以下,下游高程 205~210m 与山体相靠,灌溉塔北侧上游山体较低部位设置了北侧支撑墙,塔身下游侧高程 210~230m 之间有回填石渣,后期淤沙至高程 250m,从而构成整体抗震耗能体系,不仅节省 10 余万 m^3 混凝土,有利塔背山体地下水的排渗,有效降低塔背扬压力,改善塔前进口水流条件,同时大大增强塔群下部顺流向和横向刚度,大大改善了地震时塔群的抗滑动、抗倾覆稳定性及地基和结构的应力状态。

五、跨缝结构

塔间顶部设跨缝结构,保证地震时塔体高程 230m 以上自由变形和保持塔顶交通。交通桥与塔体之间采取简支连接,以改善连接部位的应力状态。交通桥梁板与支座搭接长度不少于 1.0m,并设置纵向和横向挡块,防止梁板震落。

六、断层和基础处理

为了尽可能避开或少压 F_{28} 等断层,进水塔群经多方案布置,避开了 F_{236}、F_{238} 和 F_{28} 断层,灌溉塔上游左侧角压住了 F_{28} 的分支断层 F_{28-1},北侧支撑墙基础压住 F_{28} 断层,经混凝土桩方案、深挖加混凝土塞方案和化学灌浆方案等多种方案比较后,采用灌溉塔上游角和北侧支撑墙基础下,F_{28} 和 F_{28-1} 断层顶部设混凝土塞,同时塔基采取固结灌浆等措施以增强基础整体性和适应不均匀沉陷的能力。

七、软垫层设置

为避免和减小长期荷载下岩体的蠕变、蓄水淹没岩体的膨胀变形及地震时塔体和山体相互作用的不利影响,塔体和岸坡下部高程 205~170m 之间设软垫层,从而减小山体下部可能产生的水平向塔方向变位对塔体产生的附加水平作用力对抗滑抗倾覆稳定的不利影响,并结合岸坡加固要求,对下游岸坡采取了喷混凝土、锚杆、预应力锚索的综合加固措施。有限元分析表明,锚固后向塔方向的水平位移比锚固前减少50%～75%。

八、排水系统

为减轻水库泄洪运用库水降落过程中,岸坡渗透水流对岸坡稳定的不利影响,减轻岸坡山体浸润线滞后库水位降落产生的附加水平渗透水压力对塔体稳定的不利影响,并考虑塔后泥沙淤积和含沙水流可能对排水管出口的淤堵,岸坡山体和塔体设置了暗排水系统,即岸坡内设排水孔,由岸坡表面的竖向排水管汇集流入塔后回填石渣透水体内,再流入塔前。

进水塔型和塔群总体布置的上述优化,从总体上大大提高和改善了塔群结构的静动力稳定性,同时有利于进口水流流态和进口工程泥沙问题的解决。

第四节　进水塔抗震稳定分析

一、研究内容和方法

(一)研究内容
(1) 整体抗倾覆稳定;
(2) 沿基岩接触面的抗滑稳定;
(3) 沿基岩层面的深层抗滑稳定;
(4) 沿塔基混凝土垫层面的抗滑稳定;
(5) 地基的极限承载能力校核;
(6) 岸坡岩体对塔体稳定的影响。

(二)整体稳定分析方法
(1) 拟静力法;
(2) 考虑基础变形的拟静力法抗倾覆稳定分析;
(3) 非线性稳定分析;
(4) 动力分析;
(5) 孔板塔震动试验。

二、拟静力法稳定分析

假定塔体和地基为刚体,顺河向地震时不考虑与临塔或下游山体的相互作用,横河向地震时考虑临塔的弹性抗力影响。

控制滑动面的抗剪强度指标为:
(1)塔基基岩接触面。
抗剪断　$f' = 0.87, C' = 0.95\text{MPa}$。
抗剪　$f = 0.65, C = 0$。
(2)塔基下基岩层面。
抗剪断　$f' = 0.70, C' = 0.2\text{MPa}$。

抗剪 $f = 0.65, C = 0$。

(3)塔基混凝土垫层面。

抗剪断 $f' = 0.60, C' = 0.2\text{MPa}$。

抗剪 $f = 0.60, C = 0$。

地震作用时,自重惯性力的计算,当发生 $0.215g$ 地震时,只考虑水平方向地震惯性力,不与竖向地震作用组合。$0.313g$ 地震时,不仅计算水平向地震惯性力,还同时计算竖向地震惯性力,竖向地震加速度取 $(2/3) \times 0.313g$,同时考虑竖向与水平的遭遇系数 $1/2$,则竖向加速度为 $(2/3) \times 0.313g \times (1/2) = (1/3) \times 0.313g$。

地震综合影响系数 C_Z 或地震作用效应系数取 0.25。

地震加速度分布系数,计算整体稳定按图 11-4-1(a)选取;计算塔身上部竖向应力时,顺河向按图 11-4-1(b)选取,横河向按图 11-4-1(c)选取。

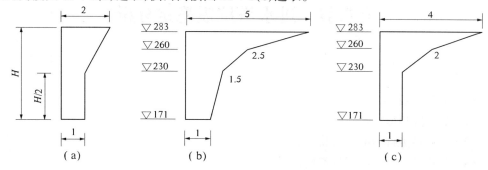

图 11-4-1 地震加速度分布系数计算图

位于第二破裂面与塔身之间的石渣,按自重惯性力计算土体惯性力。

动水压力分塔外动水压力和塔内动水压力。

塔外动水压力,沿水流方向按混凝土重力坝的动水压力计算,沿垂直水流方向按塔的动水压力计算。塔内动水压力按地震惯性力方向的水体惯性力计算。

塔外动水压力计算深度:上游算至 175m,下游算至 230m,横向算至 230m;塔体下游水面长度 $L < 3H$ 时,乘以修正系数 C:

$$C = 0.5 + 0.5\frac{L}{3H}$$

泥沙压力,根据库水位情况分别考虑,水位以下按浮容重 8.0kN/m^3,静态时内摩擦角 $\varphi = 10°$;水位以上按湿容重 16.0kN/m^3,静态时 $\varphi = 10°$;地震时 $\varphi = 0°$(水位以下)。

石渣压力按第二破裂面方法计算。水位以下石渣容重按浮容重 12.0kN/m^3。水位以上按湿容重 19.6kN/m^3,石渣(内)摩擦角 $\varphi = 30°$。

按混凝土重力坝沿坝基的抗剪、抗剪断等公式,各进水塔稳定成果见表 11-4-1。

由表 11-4-1 可以看出:

(1)抗倾抗滑稳定分析中,抗倾稳定是控制工况。各种水位工况中,275m 水位事故门关门遇顺河向上倾地震是抗倾稳定的控制工况。$0.215g$ 地震时,k_0(抗倾稳定安全系数)最小值为 1.20,k_f(抗滑稳定安全系数)最小值为 2.921 6($f = 0.65, C = 0$)、2.696 8($f = 0.6, C = 0$),$k_{f,c}$ 最小值为 4.278 4($f' = 0.70, C' = 0.20\text{MPa}$)、3.828 7($f' = 0.60, C' = $

0.2 MPa)。它们均满足设计要求。

表 11-4-1　进水塔抗震稳定安全系数(不计塔背岸坡影响 $C_z = 0.25$)

序号	塔名	沿塔基面或层面抗滑 k_{f1}			沿塔基混凝土垫层接触面 k_{f2}		抗倾稳定安全系数 k_0
		$f' = 0.87$ $C' = 0.95$	$f' = 0.70$ $C' = 0.20$	$f = 0.65$ $C = 0$	$f = 0.60$ $C' = 0.20$	$f = 0.60$ $C = 0$	
1	1号明流塔	22.52	9.980	6.590	9.102	6.083	1.254
2	2号明流塔	13.721 7	6.380 1	4.390 5	5.704 3	4.052 7	1.192 7
3	3号明流塔	27.279 0	11.892	7.769 1	10.725 3	7.171 5	1.251 3
4	2号发电塔	9.186 7	4.278 4	2.921 6 2.311 0	3.828 7	2.696 8 2.133 2	1.232 8 1.167 0
5	3号发电塔	9.347 3	4.304 0	2.937 6	3.851 7	2.711 7	1.230 6
6	3号孔板塔	14.411 1	6.737 2	4.657 0 3.579 0	6.020 5	4.298 8 3.303 7	1.228 0 1.181 0
7	灌溉塔	13.002 9	5.648 9	3.662 0	5.085 9	3.380 3	1.195 9

注:表中分式如 $\frac{2.921\,6}{2.311\,0}$,分子为275m水位事故门关门遇顺河向 0.215g 地震,分母为275m水位事故门关门遇顺河向 0.313g 地震。

(2)库水位275m、0.215g 地震抗倾稳定安全系数比库水位275m工况时降低 12% ~ 16%。

(3)地面峰值加速度由 0.215g 到 0.313g 增大 46%,抗倾稳定安全系数降低 4% ~ 6%,抗滑安全系数 k 降低 20% 左右。

(4)塔顶动力放大系数由 2 增大到 4,抗倾安全系数降低 3% ~ 4%。

(5)塔体动水压力与塔体惯性力之比,孔板塔为 $\frac{8\,280}{8\,306} = 0.997$,发电塔为 $\frac{12\,677}{12\,092.4} = 1.048$,它们对塔基的力矩之比分别为 1.184 和 1.244,即对塔体稳定,动水压力具有和塔体惯性力近乎相等的影响。

三、考虑基础变形的拟静力法抗倾覆稳定分析

实际的岩基并非刚体,岩基上的进水塔受荷载作用后,随着荷载的增大,塔体将经过稳定、转动(基底发生变形)至倾覆(基底变形加剧),塔基应力将依次出现小于极限承载能力(状态 a);局部提离,但最大压应力小于极限承载能力(状态 b);或最大压应力局部达到极限承载能力而局部屈服(状态 b');相当大范围内局部提离和最大压应力较大范围内屈服(状态 c)(见图 11-4-2),此时塔体因地基过大变形和丧失承载能力而倾覆。

在塔底板为平面截面和文克尔地基假定下,且引入符号:

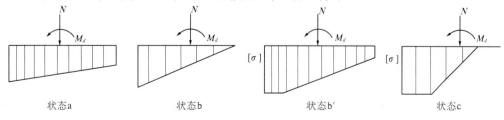

图 11-4-2　基底应力分布变化图

$$\sigma_0 = \frac{N}{BL}, \theta_c = [\sigma]/KB, M_c = [\sigma]B^2 L/12, \alpha = \sigma_0/[\sigma], \beta = \theta/\theta_c$$

后,可得:

状态 a　　　　$M_d = \beta M_c$

界限(a－b)　　$M_d = 2\alpha M_c, \beta = 2\alpha$

状态 b　　　　$M_d = 6\alpha\left(1 - \frac{2}{3}\sqrt{\frac{2\alpha}{\beta}}\right)M_c$

界限(b－c)　　$M_d = 2\alpha(3 - 4\alpha)M_c, \beta = \frac{1}{2\alpha}$

状态 c　　　　$M_d = 6\left[\alpha(1-\alpha) - \frac{1}{12\beta^2}\right]M_c$　　　　　　　(11-4-1)

界限(a－b′)　$M_d = 2(1-\alpha)M_c, \beta = 2(1-\alpha)$

状态 b′　　　$M_d = 6(1-\alpha)\left[1 - \frac{2}{3}\sqrt{\frac{2(1-\alpha)}{\beta}}\right]M_c$

界限(b′－c)　$M_d = 2(1-\alpha)(4\alpha-1)M_c, \beta = \frac{1}{2(1-\alpha)}$

极限状态　　$M_{\max} = 6\alpha(1-\alpha)M_c, \beta = 0, \theta = \infty$

当 $\alpha < 0.5$ 时,基底应力变化过程为 a→b→c;

$\alpha > 0.5$ 时,基底应力变化过程为 a→b′→c。见图 11-4-3。

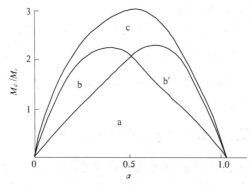

图 11-4-3　$M_d/M_c \sim \alpha$ 关系图

将有关数据代入式(11-4-1)中,0.215g 地震时计算结果见表 11-4-2。

表 11-4-2 表明:$C_Z = 0.25$ 时,孔板洞进水塔和发电排沙洞进水塔抗倾覆均是安全的。

四、非线性稳定分析

鉴于常规拟静力法稳定分析不能反映塔体动力稳定的瞬时往复发展过程,孔板洞进水塔是塔高 113m 的单薄高耸的复杂结构,因此对孔板洞进水塔进行了非线性稳定分析。

(一)非线性稳定分析方法

1. 塔体动力反应

由前述地震危险性分析给出的远震反应谱和诱发地震反应谱(见图 11-2-1)生成的人工模拟地震波(见图 11-2-2(b)、(c))进行输入,采用威尔逊-θ 法(Welson-θ)求解结构的强迫振动方程

表 11-4-2　0.215g 地震时计算结果

塔　名		孔板洞进水塔	发电排沙洞进水塔
力矩	$C_Z = 0.25$　$M\frac{B}{2}$	13 401 460kN·m	18 404 171kN·m
	$C_Z = 0.50$　$M\frac{B}{2}$	22 320 150kN·m	46 143 755kN·m
	$C_Z = 1.0$　$M\frac{B}{2}$	40 157 530kN·m	101 622 925kN·m
	$M_{a\text{-}b}$	10 383 360kN·m	22 998 520kN·m
	$M_{b\text{-}c}$	24 130 930kN·m	54 736 500kN·m
	M_{max}	25 885 720kN·m	58 301 268kN·m
α		0.169 < 0.5	0.155 < 0.5
应力过程		a→b→c	a→b→c
判别	$C_Z = 1.0$	$M\frac{B}{2} > M_{max}$,塔体倾覆	$M\frac{B}{2} > M_{max}$,塔体倾覆
	$C_Z = 0.5$	$M_{a\text{-}b} < M\frac{B}{2} < M_{b\text{-}c}$ 为 b 状态,接近 c 状态,塔体尚未倾覆	$M_{a\text{-}b} < M\frac{B}{2} < M_{b\text{-}c}$ 为 b 状态,接近 c 状态,塔体尚未倾覆
	$C_Z = 0.25$	$M_{a\text{-}b} < M\frac{B}{2} < M_{b\text{-}c}$ 为 b 状态,塔体抗倾覆是安全的	$M\frac{B}{2} < M_{a\text{-}b}$ 为 a 状态,塔体抗倾覆是安全的

注:表中 $M_{a\text{-}b}$、$M_{b\text{-}c}$、M_{max}分别表示界限 a-b、界限 b-c 及极限状态下的地基抵抗力矩。

$$(m + M)\ddot{X} + C\dot{X} + KX = (m + M) a_g \qquad (11\text{-}4\text{-}2)$$

式中　X、$\dot{X}$、$\ddot{X}$——节点位移、速度、加速度列阵;

$\quad\quad m$、K——结构质量阵、刚度阵;

$\quad\quad M$——水体、土体、设备等附加质量阵;

$\quad\quad a_g$——地面加速度列阵;

$\quad\quad C$——阻尼矩阵,按下式计算

$$C = \alpha(m + M) + \beta K \qquad (11\text{-}4\text{-}3)$$

其中　α、β——常数,按下式计算

$$\alpha = \frac{2\xi\omega_1\omega_2}{\omega_1 + \omega_2}$$

$$\beta = \frac{2\xi}{\omega_1 + \omega_2}$$

其中　ξ——阻尼比,取 0.05～0.07;

$\quad\quad \omega_1$、ω_2——体系的第 1、2 阶圆频率。

由上可求得结构各点的加速度反应时程。

2. 塔体稳定运动方程

假定塔体底板、基岩为刚体,它们不联结,只发生刚性转动和滑移;塔体与下游山体不联结,不计塔体向下游转动和滑动及其与山体发生碰撞所产生的抗力影响;滑动时摩擦系数为常数。

1)塔体转动方程

塔体转动时的受力如图11-4-4所示,考虑对 o 点转动的力矩平衡得塔体转动平衡

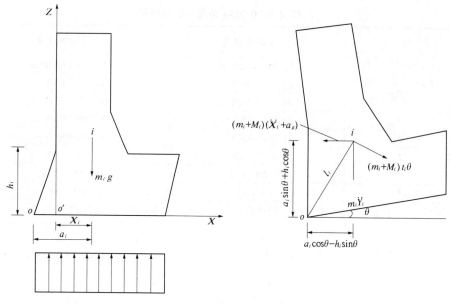

图 11-4-4　塔体转动受力示意图

$$\sum_i(m_i + M_i)\,l_i^2\ddot{\theta} + \sum_i m_i\ddot{Y}_i(a_i\cos\theta - h_i\sin\theta) + R_i = \qquad (11\text{-}4\text{-}4)$$
$$\sum_i(m_i + M_i)(\ddot{X}_i + a_g)(h_i\cos\theta + a_i\sin\theta)$$

经整理后得

$$\ddot{\theta} = (H_2 - A_1)\cos\theta + (H_1 + A_2)\sin\theta + \bar{R} \qquad (11\text{-}4\text{-}5)$$

式中　H_1、H_2、A_1、A_2、$\bar{R}$——与参数 m_i、M_i、$\ddot{Y}_i$、$\ddot{X}_i$、a_i、h_i、a_g 有关的表达式；

R_i——静水压力、泥沙压力、石渣压力、塔基扬压力等静载对转动点的恢复力矩，a_i 取值：

$$a_i = \begin{cases} X_i - X_U & \text{向上游转动} \\ X_i - X_D & \text{向下游转动} \end{cases}$$

　其中　X_U、X_D——以塔基上游、下游角点为转动点的 X 坐标。

2)临界转动条件

随着地面加速度和结构加速度反应的不断变化，当倾覆力矩大于恢复力矩时塔体发生转动。

令

$$\sum_i(m_i + M_i)(\ddot{X}_i + a_g)h_i - \sum_i m_i\ddot{Y}_i a_i - R = \Delta M \qquad (11\text{-}4\text{-}6)$$

则

$$\Delta M \begin{cases} <0 & \text{塔体未发生转动} \\ =0 & \text{处于转动临界状态} \\ >0 & \text{塔体转动} \end{cases} \qquad (11\text{-}4\text{-}7)$$

3)塔体滑动方程

$$\sum_i(m_i + M_i)\ddot{X}_s + \sum_i m_i\ddot{Y}_i f\delta + P_V f\delta + P_H = \sum_i(m_i + M_i)(\ddot{X}_i + a_g) \qquad (11\text{-}4\text{-}8)$$

式中　$\ddot{X}_s$——结构滑动相对加速度；

　　　f——塔基摩擦系数；

　　　P_V、P_H——静载竖向分量和水平分量；

δ——计算符号,按下式取值

$$\delta = \begin{cases} 1 & \ddot{X}_s > 0 \\ 0 & \sum_i m_i \ddot{Y}_i + P_V \leqslant 0 \\ -1 & \ddot{X}_s < 0 \end{cases}$$

4)结构起始滑动条件

水平滑动力 > 水平阻滑力时,塔体发生滑动。

令　　　$\Delta F = \sum_i (m_i + M_i)(\ddot{X}_i - a_g) - \sum_i m_i \ddot{Y}_i f \delta - P_V f \delta - P_H$　　(11-4-9)

当　　　　　　$\Delta F \begin{cases} < 0 & 不滑动 \\ = 0 & 滑动临界状态 \\ > 0 & 滑动 \end{cases}$

对于转动方程(11-4-5)、滑动方程(11-4-8),用四阶龙格—库塔法(RUNGE-KUTTA)可求得塔体的转动或滑动反应。并根据转动和滑动的临界条件,可求得塔体开始转动和滑动的时刻。

由于方程式(11-4-5)中存在 θ 的三角函数,塔体绕上游或下游转动时 a_i 的取值不同;对于方程式(11-4-8),由于塔体向上、下游方向来回滑动,δ 在 -1 和 1 之间来回跳动;当塔体转动以后,再次回到平衡位置将发生碰撞,且有能量损耗。塔体向下游转动或滑动,将与下游岸坡约束面碰撞,且将产生能量损耗。分析中不考虑碰撞时的能量损耗,也不考虑塔体向下游的转动或滑动。以上三个方面构成了塔体动力稳定的非线性问题。

(二)计算模型

以三维 11～21 节点等参单元模拟塔体结构,共 304 个单元,620 个节点,总自由度数 1 674。0.215g 地震波只考虑水平向地震作用,0.313g 地震波同时考虑水平和竖向地震作用。计算工况为库水位 275m 事故门关门遇 0.215g 或 0.313g 顺河向地震。

计算荷载:静荷载与拟静力法同,动荷载如动水压力和第二破裂面内的土体惯性力均转化为等效附加质量叠加到相应节点上。

(三)计算结果和结论

(1)不同的人工地震波的塔顶动力放大系数为 3.9～4.0。

(2)设计远震地震波 0.215g 时,塔体不转动,抗倾覆是稳定的。

(3)诱发地震波 0.313g 时,塔体仅发生间隔性持续时间很短转动角为 -0.49×10^{-3} 弧度的提离转动,见图 11-4-5,但远小于临界倾角(0.52 弧度),塔体仍不会倾覆。

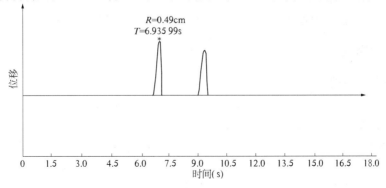

图 11-4-5　设计地震(0.313g) 作用下塔体转动时程曲线(计入竖向地震)

(4)设计远震波8度,塔基摩擦系数 $f = 0.65$ 时,塔体抗滑动是稳定的。

(5)塔体遇诱发地震 $0.313g$ 和 $f = 0.65$ 时,产生 $0.52 \sim 0.82$cm 的最大滑移,见图 11-4-6,滑动稳定不能满足,这是由于基础刚性假定使基频提高20%左右,相应结构加速度反应近乎同等提高,故导致塔体滑移计算值偏大。计算中略去塔体边界面的黏结力、剪切力等,从而得到偏大的结果。

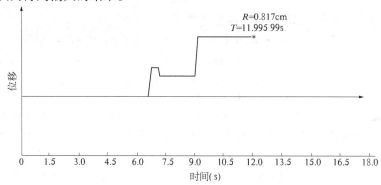

图 11-4-6 设计地震($0.313g$)作用下塔体滑动时程曲线(计入竖向地震)

五、三维有限元振型分解反应谱法的稳定分析成果

沿塔基面计入浮托力后的抗滑稳定安全系数为

孔板塔 $0.215g$,$K_f = 3.16$;$0.313g$,$K_f = 2.51$。

发电塔 $0.215g$,$K_f = 2.43$。

1 号明流塔 $0.215g$,$K_f = 3.57$。

反应谱动力法抗滑稳定安全系数较拟静力法小,主要是塔身动力放大系数比拟静力法大所致(动力分析的塔身动力放大系数见表 11-8-1)。

六、孔板塔抗震模型试验的稳定评价

孔板塔震动试验(详见本章第六节)实测的孔板塔塔顶加速度放大系数为 $3.5 \sim 4.5$,较用反应谱求得的塔顶顺河向加速度放大系数 $\beta = 5.0$ 为小。试验实测的动水压力与按水工抗震规范重力坝动水压力公式计算的塔面动水压力,在塔体下部比较接近,上部受宽缝影响,动水压力计算值偏大。试验的宏观观测和实测表明孔板塔的抗震稳定是安全的。

七、塔背岸坡岩体对进水塔体稳定的影响

(一)进口高边坡工程地质问题对塔体的影响

小浪底工程进水塔群一字形布置于大坝上游左岸风雨沟内东侧,塔背岸坡开挖坡度 $1:0.1 \sim 1:0.2$,最大坡高120m,坡脚宽277.3m,岸坡走向北东23°,高程 $230 \sim 210$m 以下和塔背接触,主要为 T_1^3、T_1^4、T_1^5、T_1^6 地层,其中 T_1^{3-2} 钙泥质厚层粉砂岩、粉细砂岩,顶部 6m 软岩达45%(施工开挖软岩比例有所减小),该层位于应力最大的坡脚部位,对塔后边坡影响较大;上部 T_1^{5-1} 为钙质细砂岩与泥质粉砂岩、粉砂质泥岩互层,其下部 6m 软岩占22.32%,经过平硐的压缩蠕变试验,其蠕变量达总变形量的29%,在开挖卸荷后可能造成

其上部岩体的松弛张裂,对上部岩体稳定不利。但岸坡岩体为7°~10°的逆向坡,陡倾角节理多在砂岩中发育,各种分析计算表明,在地震作用工况下,不存在整体或深层层面滑动问题。岸坡岩体主要为NNE向节理,其切层延伸较长,且每隔15~20m形成一节理密集带,卸荷后易张裂,它与NW走向节理交互切割形成分离体,极易穿过地层T_1^{3-2}塑性剪切区,或沿层间剪切破碎带滑出。分析计算表明,上述切割体不稳定,设计上已采用喷锚和预应力锚索系统对岸坡进行了加固处理,因此不再存在岸坡岩体滑坍造成的对塔体的冲击推动作用,但是存在着塔体完建、蓄水、地震过程中岸坡岩体产生的水平向塔方向的变位,这种变位将对塔体产生附加水平推力;T_1^{3-2}等地层在长期荷载作用下蠕变和岩体淹没的体积膨胀对塔体也会产生附加水平推力。所有这些作用将对塔体稳定产生影响。

（二）地震变位和蠕变膨胀对塔体稳定影响的分析

岸坡岩体在开挖、完建、蓄水、地震作用过程中的变位情况,经委托武汉水利电力大学、中国地质大学等单位进行了进水塔群岸坡和地基的三维有限元非线性分析。岩体作用于塔体的地震变位,考虑岩体裂隙影响的系数1.5,锚索锚固对变位的削减系数0.5,岩体变位对塔体作用的抗力系数K取800 000kN/m³,岩体蠕变膨胀力根据试验取400 kN/m²,蠕变膨胀力作用范围在T_1^{3-2}地层顶面10m范围内。岸坡岩体地震变位和蠕变膨胀作用于塔体的水平推力、倾覆力矩对塔体稳定的影响见表11-4-3。

表11-4-3　塔背岸坡岩体对塔体稳定的影响（$C_Z = 0.25$,设软垫层）

序号	塔名	抗倾覆安全系数 K_0	$K_{f \cdot c}$ 或 K_f			
			沿塔基面或层面		沿塔基混凝土垫层接触面	
			$f' = 0.70$ $C' = 0.20\text{MPa}$	$f = 0.65$ $C = 0$	$f' = 0.60$ $C' = 0.20\text{MPa}$	$f = 0.60$ $C = 0$
1	1号明流塔	1.120	2.998	1.979	2.694	1.827
2	2号明流塔	1.141 6	2.674 2	1.840 4	2.391 1	1.698 8
3	3号明流塔	1.144 8	3.620 6	2.361 0	3.259 4	2.179 4
4	2号发电塔	1.209 0	3.495 2	2.386 1	3.128 0	2.203 0
5	3号发电塔	1.187 0	3.004 8	2.050 5	2.688 3	1.892 0
6	3号孔板塔	1.180 0	4.518 5	3.123 5	4.038 2	2.883 2
7	灌溉塔	1.176 5	4.063 8	2.634 3	3.658 6	2.431 7

上述计算成果表明:

(1)计塔背岸坡影响,稳定安全系数减小:抗倾减小9%~22%,抗滑减小70%~88%。塔背设软垫层后,稳定安全系数提高:抗倾提高2%~22%,抗滑提高28%~300%。

(2)抗倾稳定安全系数的最小值,不计岸坡影响,2号明流塔最低为1.192 7,计岸坡影响,设软垫层,1号明流塔最低为1.12。

(3)抗滑稳定安全系数最小值。

不计岸坡影响 2 号发电塔最低，$K_{f \cdot c}$ 与 K_f 分别为：基岩面 9.186 7、2.921 6；层面 4.278 4、2.921 6；混凝土垫层 3.828 7、2.696 8。

计岸坡影响设软垫层，2 号明流塔最低，$K_{f \cdot c}$ 与 K_f 分别为：层面 2.674 2、1.840 4；混凝土垫层 2.391 1、1.698 8。

(4)考虑岸坡地震变位和蠕变膨胀影响，设软垫层后抗倾抗滑安全系数均能满足规定要求。

(5)岸坡锚固的变位观测表明，80% ~ 90% 的岸坡位移发生在岸坡 25m 深度以内，至深度 35m 处岸坡位移仅 20% 左右，为控制岸坡位移锚索深度应在 35 ~ 40m 范围。

(三)塔背软垫层设计

鉴于岸坡地震变位的最大值在高程 205m 以下，发生蠕变膨胀的地层主要是 T_1^{3-2}，而 T_1^{3-2} 地层开挖出露的高程在 205m 以下；岸坡山体的抗力对维持塔体下倾地震稳定、减小地基应力、减小塔顶的位移是有利的。因此，孔板塔、发电塔仅在岸坡高程 205 ~ 170m 和明流塔的下部设置软垫层，孔板塔、发电塔高程 205 ~ 210m，明流塔弧门牛腿传力于岸坡山体部位均不设软垫层，详见图 11-4-7。

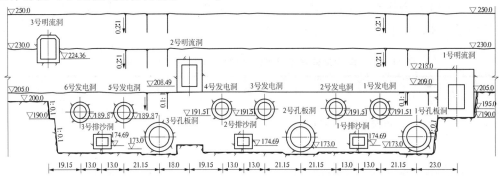

图 11-4-7 软垫层层面立视图 (单位：m)

塔背软垫层的厚度，根据中国地质大学平面有限元计算，孔板塔背岸坡在水库蓄水 275m 降落至 250m 和地震作用下，岸坡水平最大位移为 70 ~ 80mm，考虑锚固作用对位移的削减系数 0.5 ~ 0.75，再计入蠕变膨胀，最后选定软垫层厚度为 50mm，并分三层放置。

软垫层材料采用聚苯乙烯封闭型泡沫塑料，压力为 30kPa、56kPa、113kPa 时，压缩率分别为 10%、25%、50%，容重为 140N/m³，耐热性 80℃，耐寒性 –40℃，不透水。

八、稳定分析结论

综合稳定分析的上述六个方面的结果，孔板塔遭遇设计地震 $0.215g$ 和诱发地震 $0.313g$ 作用时，或其他设计工况作用下，其抗倾覆抗滑动稳定是安全的。鉴于地震变位、蠕变膨胀对稳定的影响，在塔背岸坡高程 205 ~ 170m 范围设置了软垫层。考虑到 $0.313g$ 地震情况下尚有 0.82cm 的滑动反应和 0.49×10^{-3} 弧度的间隔性转动，虽然塔体的实际抗滑抗倾能力比计算结果要好，为了确保塔体稳定安全，在塔基面上布置了锚筋，并加强了塔基固结灌浆。

第五节　进水塔振型分解反应谱法三维有限元分析

小浪底工程三类塔群规模大、水头高、水位变幅大,结构体形、受力情况和边界条件都很复杂。因此,对地震作用下塔内外水体与塔体的动力耦联作用对塔体的地震反应,塔与地基的相互作用,塔体截面与刚度突变对塔体自振特性、地震反应和应力的影响等,进行了孔板塔、发电塔和三种明流塔、三种反应谱、三种水位共 43 种工况的动力分析。

一、计算模型

(一)结构动力方程

采用振型叠加反应谱法求解方程

$$[m + M]\{\ddot{\varphi}\} + [c]\{\dot{\varphi}\} + [k]\{\varphi\} = \{m + M\}a_g \tag{11-5-1}$$

(二)计算范围

塔和地基的相互作用对塔体的自振特性和地震反应有不可忽视的影响,应予以考虑。为避免地基质量引起的共振干扰塔体的自振特性和地震波在地基中的传播,取无质量地基,即只计入地基的弹性而不考虑其惯性作用。地基的计算范围不仅考虑进水塔运用引起的应力影响范围,而且应使地基的网格数至少能保证两倍对结构有影响的振动频率分量能量的通过,还应考虑布置、地下结构和断层影响。因此,地基计算范围一般取上下游方向、两侧和深度为 0.7 倍塔高。即计算范围分别为:

孔板塔体,地基:深 80m,上游至 F_{28} 断层 53m,下游 95m,两侧各 80m;

发电塔体的一半,地基:深 80m,上游 75m,下游 80m,两侧各 80m;

1 号明流塔体,地基各个方向为 65m;

2 号明流塔体,地基各个方向为 76m;

3 号明流塔体,地基各个方向为 50m。

(三)边界条件

除孔板塔、发电塔上游边界为自由边界外,其余边界均为水平约束,竖向可移动,地基底部为固定边界。为反映塔群下游及 1 号明流塔右侧山体对塔体结构的影响,在相应地基基础表面加竖向弹簧,塔背与山体接触部位考虑了自由边界和水平弹簧两种情况。塔体与邻塔接触部位,在顺河向地震时不加水平约束,在横向地震时加水平链杆。发电塔取一半塔体,在对称面上分别施加正、反对称条件。

(四)有限元离散化

采用 8～21 节点块体等参单元将孔板塔、发电塔、3 个明流塔及计算地基范围分别离散为 1 267、1 206、1 087、355、633 个单元和 2 214、2 388、2 210、1 394、1 798 个节点,剖分图见图 11-5-1。

(五)计算工况

库水位:275m、260m、220m。

闸门:事故门挡水、工作门挡水。

地面峰值加速度:$0.215g$、$0.313g$。

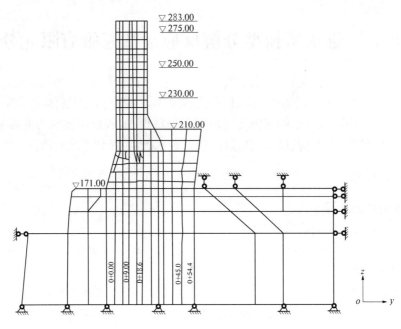

图 11-5-1　3 号孔板塔网格剖分图

地震作用方向：顺流水平向、横流水平向；水平向 + 竖向。

总工况数 43 个，其中孔板塔 12 个，发电塔 6 个，1 号明流塔 6 个，2 号明流塔 15 个，3 号明流塔 4 个。

（六）计算荷载

静荷载与拟静力法相同。

地震动荷载按下述情况考虑：

（1）反应谱的阻尼比 ξ，原型工况为 0.05，模型电算为 0.07。

（2）综合影响系数 $C_Z = 0.25$、0.35，按平方和开方组合各振型的频谱响应，计算塔体的动力反应。

（3）塔内外动水压力按拟静力法的计算原则转化为附加质量。

（4）第二破裂面内的回填石渣按附加质量计入其影响，第二破裂面外按水工抗震设计规范计算动土压力。

（七）材料参数

塔体混凝土 C25，弹模 $E = 2.85 \times 10^4$MPa，容重 $\gamma = 24$kN/m^3，泊松比 $\mu = 0.167$；

大体积混凝土 C15，弹模 $E = 2.3 \times 10^4$MPa，容重 $\gamma = 24$kN/m^3，泊松比 $\mu = 0.167$；

塔基砂岩，弹模 $E_0 = 8 \times 10^3$MPa，容重 $\gamma = 26.0$kN/m^3，泊松比 $\mu = 0.25$。

动力分析时动弹模较静弹模提高 30%。

基岩弹性抗力系数水平向 800 000kN/m^3，竖向 700 000kN/m^3。

二、计算成果分析

（一）塔体自振特性

分别计算孔板塔，发电塔，1 号、2 号、3 号明流塔各阶的周期，见表 11-5-1 及图 11-5-2。

表 11-5-1　进水塔塔体自振周期

编号	塔名	塔高(m)	三维有限元动力分析 $T_1(s)$	
			顺河向	横河向
1	孔板塔	113	0.764	0.501
2	发电塔	112	0.663	0.302
3	2 号明流塔	108	0.442	0.457
4	1 号明流塔	93	0.453	0.303
5	3 号明流塔	83	0.397	0.214

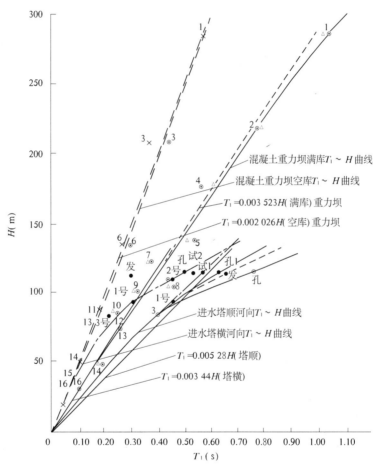

图 11-5-2　进水塔自振特性 $T_1 \sim H$ 曲线

分析进水塔自振特性有关资料可以得出:

(1)顺河向自振周期 T_1 或 T_2,除 2 号明流塔体形特殊,引起自振周期有所偏离外,均随塔高减小而减小。T_1 与塔高的经验关系:顺河向为 $T_1 = 0.005\,28H$,横河向为 $T_1 = 0.003\,44H$。

分析了国内外坝高 33.4 ~ 285m 的 16 个混凝土重力坝满库和空库时 T_1 的计算成果资料,得出 $T_1 \sim H$ 关系,见图 11-5-2,即满库 $T_1 = 0.003\,523H$,空库 $T_1 = 0.002\,026H$。

比较同高度的满库塔和坝的自振周期,塔的自振周期 T_1 比坝的自振周期 T_1 长 27% ~ 90%,高度大自振周期增加也越大。这主要是塔的刚度比混凝土重力坝小,动水压力对塔的影响比对重力坝大所致。

进水塔 T_1 与塔高和截面的关系可由 $T_1 = c \dfrac{H^2}{B} \sqrt{\dfrac{r}{gE}}$ 来表示,系数 c 顺河向为 7.345,横河向为 2.448。

(2)每个塔的横河向自振周期 T_1 由于侧向动水压力的减小和横向约束作用,比顺河向自振周期 T_1 减小 1/3 ~ 1/2。

(3)进水塔前三阶振型,各振型周期间的平均关系比为(满库)顺河向平均值 1:0.36:0.23,横河向 1:0.44:0.31;220m 水位为 1:0.41:0.24。混凝土重力坝前五阶振型,各振型周期间的平均关系比为满库 1:0.43:0.23:0.15:0.11,空库 1:0.45:0.25:0.16:0.12,它们之间有一定的相似关系。

(4)库水位由 220m 升高至 275m,水深升高 120%,进水塔顺河向前三阶振型周期分别增加 55%、23%、2%。重力坝前五阶振型周期,满库比空库分别延长了 17%、11%、7%、5% 和 4%。说明动水压力对进水塔前二阶振型的影响比对混凝土重力坝前二阶振型的影响大得多。

(5)进水塔振型参与系数,顺河向:$\eta_1 > 1.78$,$\eta_2 > 0.56$;横河向:$\eta_1 > 1.58$,$\eta_2 > 0.15$。振型参与系数表明,进水塔动力反应中起主要作用的为前 2 ~ 3 阶振型。

(二)加速度沿塔高的分布

孔板塔、发电塔加速度沿塔高的分布见图 11-5-3,塔顶加速度顺河向放大 5 倍左右,横河向放大 4 倍左右。

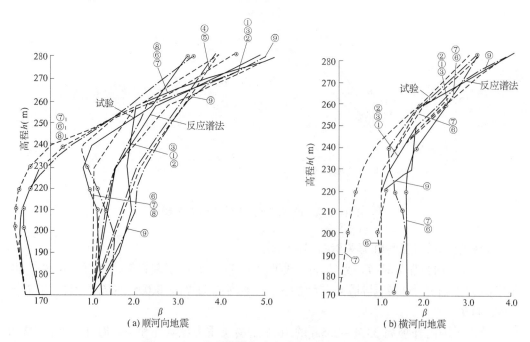

图 11-5-3 进水塔塔身动力放大系数 $\beta \sim h$ 曲线

(三)进水塔位移

进水塔顶的最大静动位移见表11-5-2。

进水塔闸门槽顺河向最大相对位移见表11-5-3。

表 11-5-2　进水塔顶最大静动位移 （单位：cm）

塔名		孔板塔	发电塔	1号明流塔	2号明流塔
静位移	U_X	-0.12	0.09	-2.01	-0.20
	U_Y	-0.75	-0.81	-0.45	-0.25
	U_Z	-1.25	-1.29	-1.04	-0.35
动位移	U_X	1.39	0.48	2.81	1.31
	U_Y	3.29	2.39	1.51	1.22
	U_Z	0.65	0.60	0.44	0.33

表 11-5-3　进水塔闸门槽顺河向最大相对位移 （单位：mm）

塔名	孔板塔				发电塔			1号明流塔			
闸名	检修门 4.5m×15.5m		事故门 3.5m×12m		排沙洞检修门 3.5m×6.3m	发电洞事故门 5m×9m		检修门 5.6m×18m		事故门 4m×14m	
高程 (m)	190.5~175	202~175	187~175	202~175	195~175	204~195	212~195	213~195	231~195	209~195	223~195
静位移	0.75	1.25	0.75	1.25	0.80	0.75	1.25	0.75	1.25	0.75	1.25
动位移	1.20	2.50	0.90	2.50	1.30	2.38	2.50	1.10	2.80	0.80	2.00
静+动	1.95	3.75	1.65	3.75	2.10	3.13	3.75	1.85	4.05	1.55	3.25

(四)塔体应力

孔板塔、发电塔竖向动应力见表11-5-4和表11-5-5。孔板塔、发电塔竖向组合应力见表11-5-6和表11-5-7。进水塔最大最小静应力、动应力见表11-5-8。1号、2号、3号明流塔最大主应力(组合应力)见表11-5-9。分析上述成果可得：

表 11-5-4　孔板塔竖向动应力 （单位：MPa）

高程 (m)	水位275m+顺河向地震0.215g				水位275m+横河向0.215g		水位275m+顺河向0.313g	
	$C_Z=0.25$		$C_Z=0.35$		$C_Z=0.25$		$C_Z=0.25$	
	σ_u	σ_D	σ_u	σ_D	σ_u	σ_D	σ_u	σ_D
240	2.081	1.986	2.913	2.780		1.141	2.222	2.153
235	2.493	2.615	3.490	3.661		1.507	2.606	2.756
230	2.852	3.262	3.993	4.570		1.825	2.897	3.372
220	3.268	3.490	4.575	4.885		1.974	3.120	3.345
210	3.130	2.496	4.382	3.494		0.788	2.928	2.218
202	2.685	1.174	3.759	1.644		1.202	2.487	0.897

表 11-5-5　发电塔竖向动应力 （单位：MPa）

高程（m）	水位 275m + 顺河向地震 0.215g				水位 275m + 顺河向地震 0.313g	
	$C_Z = 0.25$		$C_Z = 0.35$		$C_Z = 0.25$	
	σ_u	σ_D	σ_u	σ_D	σ_u	σ_D
240	1.065	1.084	1.491	1.518	1.172	1.251
230	1.318	1.545	1.845	2.163	1.635	1.918
220	2.068	3.261	2.895	4.565	2.333	3.512
210	2.707	3.338	3.790	4.673	2.857	3.438
208	3.077		4.308		3.077	
204	3.665		5.131		3.725	
199.5	4.541		6.357		4.558	
195	3.927		5.498		3.980	

表 11-5-6　孔板塔竖向组合应力 （单位：MPa）

高程（m）	水位 275m + 顺河向地震 0.215g				水位 275m + 横河向 0.215g		水位 275m + 顺河向 0.313g	
	$C_Z = 0.25$		$C_Z = 0.35$		$C_Z = 0.25$		$C_Z = 0.25$	
	σ_u	σ_D	σ_u	σ_D	σ_u	σ_D	σ_u	σ_D
240	1.138	1.063	1.970	1.857		0.226	1.297	1.352
235	1.389	1.604	2.386	2.650		0.507	1.501	1.886
230	1.556	2.411	2.697	3.590		0.870	1.603	2.522
220	1.468	2.912	2.775	4.307		1.300	1.349	2.744
210	1.079	1.638	2.331	2.636		0.166	0.822	1.469
202	0.488	0.211	1.382	0.470		− 1.279	0.291	− 0.387

表 11-5-7　发电塔竖向组合应力 （单位：MPa）

高程（m）	水位 275m + 顺河向地震 0.215g				水位 275m + 顺河向地震 0.313g	
	$C_Z = 0.25$		$C_Z = 0.35$		$C_Z = 0.25$	
	σ_u	σ_D	σ_u	σ_D	σ_u	σ_D
240	0.152	− 0.023	0.578	0.411	0.258	0.144
230	0.281	0.486	0.808	1.104	0.599	0.855
220	0.581	2.058	1.408	3.362	0.950	2.312
210	0.851	2.196	1.934	3.531	1.001	2.296
208	0.858		2.089		0.858	
204	1.014		2.510		1.074	
199.5	1.277		3.093		1.294	
195	0.284		1.855		0.337	

表 11-5-8 进水塔最大最小静应力、动应力

(单位：MPa)

塔名		孔板塔 位置及高程	应力值	发电塔 位置及高程	应力值	1号明流塔 位置及高程	应力值	2号明流塔 位置及高程	应力值	3号明流塔 位置及高程	应力值
静应力	σ_x	1 340点 187m 中墙尾部	1.66	1 427点 199.5m,0+25.74轴上	0.98	689点后塔塔背内壁 245m	1.91	上游墙 434点 I	1.96	1 287点 228m 弧门 I段门内侧	1.82
		1 410点 175m 流道底 0+23.9中部	-4.50	1 087点 212.5m,排沙洞门1#井前墙跨中	-3.01	666点后塔塔背外壁 245m	-4.30	上游墙 325点 II	-7.14	902点 237.7m 弧门1#大梁底	-5.65
	σ_y	1 591点 171m塔底下游角	0.62	2 167点 171m,塔底下游墙	0.99	46点前塔塔顶下游墙	0.93	642点 内边墙 I	1.46	947点 235.7m 弧门 I段门内侧	1.69
		1 224点 187m 事故门顶	-2.17	1 908点 175m,底板右墙内壁	-3.55	578点后塔右墙内壁 250m	-3.74	483点 外边墙 II	-2.85	754点 240m 弧门 I段内侧	-2.47
	σ_z	1 591点 171m,底板角点	1.16	2 167点 171m,底板角后墙	1.23	1 331点支铰大梁底 209m	1.66	763点 内边墙 I	1.58	1 063点 233.7m 弧门 I段内侧	1.87
		1 443点 175m 底板下游角点	-9.77	1 903点 175m 底板下游角点	-8.03	1 557点底板右侧上游角 195m	-5.80	794点 外边墙 II	-4.93	1 092点 233.7m 弧门 I段外侧	-4.11
0.215g	σ_x	1 268点塔背 187m	0.583	胸墙底前侧 228m	1.92	后塔塔顶右角角缘	1.98	756点内边墙III横河向	1.33	1 287点 228m 弧门 I段门内侧	2.26
		左边墩与中墩之梁上 210m 952点	-0.497	0+42台 3.9～212.5	-1.052	后塔塔顶左角角缘	-1.81	688点外边墙 III	-0.92	710点 240m 检门门槽内侧	-4.91
	σ_y	塔背斜面角点 210m 989点	0.874	底板左前角 171m	1.086	(顺)前塔塔下游左角 241m	3.13	1 186点IV顺河向	0.64	948点 235.7m 弧门 I段门内侧	1.40
		塔背斜面角点 210m 989点(顺河向弹簧)	-1.828	距 1 110点 10.3m,212.5m	-2.369	(顺)前塔顶下游左角 283m	-2.96	395点 下游墙 IV	-1.18	1 061点 235.7m 弧门 I段门内侧	-2.73
	σ_z	迎水面 220m 857点 上游角	3.445	中墙 220m 上游角	4.541	(顺)后塔上游左角 245m	3.50	981点外侧墙横河向IV	2.53	1 090点 233.7m 弧门 I段内侧	2.49
		塔背角点 220m 919点	-5.011	底板左角后墙顶 175m	-4.486	(顺)底板顶上游右角 195m	-2.79	1 189点顺河向IV	-2.28	1 055点 233.7m 弧门 I段外侧	-5.62
0.313g	σ_x	左边墩与中墩梁上 210m	0.569	发电洞门1#井左边墩265m	2.665						
		右侧检修门 220m	-0.570	发电洞左前缘 171m	-0.974						
	σ_y	底板下游角 171m	0.807	0+42Y 轴处 212.5m	1.087						
		塔背斜面角点 171m	-1.381	中墙前缘 199.5m	-1.615						
	σ_z	迎水面对称轴 225m	3.178	迎水面对称轴 225m	4.394						
		底板下游右角 175m	-4.129	底板下游右角 175m	-4.369						

表 11-5-9　1号、2号、3号明流塔最大主应力(组合应力)

(单位:MPa)

塔名	1号明流塔			2号明流塔				3号明流塔			
	拉应力	压应力	位置及高程	拉应力	位置及高程	压应力	位置及高程	拉应力	位置及高程	压应力	位置及高程
工作门挡水(1)	2.08	-5.12	弧门门段内侧	1.91	642 闸室边墙内侧中部	-4.96	794 闸室边墙末端内侧	2.52	1090 墙内侧 (4,53.4,237.7)	-4.26	957 墙外侧 (8,40.4,235.7)
事故门挡水(2)		-4.23		1.59	762 墙内侧中部	-5.02	794 闸室边墙末端外侧中部	2.11	953 墙内侧 (4,38.4,235.7)	-4.16	951 墙外侧 (8,38.4,235.7)
组合应力(3) 工作门挡水+顺河向地震	2.73	-5.5		2.58	762 墙内侧中部	-6.09	558 墙外侧				
工作门挡水(4)+横河向地震	2.95	-5.7		2.69	985 墙外侧与底板交界处	-5.98	558 墙外侧				
事故门挡水(5)+顺河向地震				2.24	762 墙内侧中部	-5.87	558 墙外侧	2.12	953 墙内侧 (4,38.4,235.7)	-4.18	951 墙外侧 (8,38.4,235.7)
事故门挡水(6)+横河向地震				2.53	985 墙外侧与底板交界处	-5.94	794 墙外侧	2.98	953 墙内侧 (4,38.4,235.7)	-6.42	1252 墙外侧 (-8,50,229.7)
主拉应力:静力时弧门挡水控制,动静组合时,横向地震控制 985(-1.5,33.8,209.0) 762(4.0,39.65,218) 558(-1.5,28.6,209.0)				仅有弧门推力无水				0.64	779 内侧 (4,45.4,240.0)	-1.37	1368 外侧 (-8,34.40,225.0)

(1)塔体结构在静力作用下,各构件的轴力远大于弯矩或剪力,结构以轴向压缩变形为主。在地震作用下,结构的动弯矩及剪力一般比轴力大得多,塔体结构以弯曲变形为主。地震作用对塔体拉应力影响较大,对塔体压应力影响要小些。

(2)除1号明流塔外,顺河向地震对塔井水平剖面内力或应力的影响大于横河向地震,即竖向动应力 $\sigma_{z顺}$ 比 $\sigma_{z横}$ 大60%~300%,甚至更多,竖向动应力 σ_z 明显大于水平向动应力 σ_x、σ_y,一般大70%~300%,甚至更多。横河向地震对塔体流道竖向截面,特别是明流塔弧门闸室段竖向截面内力或应力的影响大于顺河向地震,即横河向地震时弧门闸室段主拉应力大于顺河向地震时的主拉应力,弧门段工作门挡水主拉应力大于事故门挡水主拉应力,且横河向地震对闸室侧墙主应力提高幅率与水头成反比,主拉应力提高40%~66%,主压应力提高10%~58%。见表11-5-10。

表11-5-10　明流塔弧门闸室段横流向或顺流向地震最大主应力增长与水头的关系

地震方向	主应力提高率%	3号明流塔 $H=50m$	2号明流塔 $H=66m$	1号明流塔 $H=80m$
横流向	$(\Delta\sigma_1/\sigma_1)\%$（拉）	41.4~66.4	40.8~59.0	41.0
	$(\Delta\sigma_2/\sigma_2)\%$（压）	38.2~57.6	18.3~20.8	11.0
顺流向	$(\Delta\sigma_1/\sigma_1)\%$（拉）	0.7~1.2	35.0~40.8	31.0
	$(\Delta\sigma_2/\sigma_2)\%$（压）	0~0.5	17.0~23.0	7.0

(3)竖向最大动应力都发生在塔身中部断面突变部位附近或其他断面薄弱部位及明流塔弧门闸室侧墙内侧。如孔板塔、发电塔高程210~230m,1号明流塔高程241~245m,上下游部位承受了较大的动应力,且下游侧动应力大于上游侧动应力,孔板塔动应力大于相应部位发电塔动应力。

(4)断面体形突变程度对动应力反应 σ_z 影响十分明显,如孔板塔原设计断面高程220~210m,坡度为1:0.5,后修改为高程230~210m,坡度为1:0.25,$C_Z=0.25$ 时最大动应力由5.011MPa降低到3.373MPa,组合应力由4.538MPa降到2.844MPa,分别降低32.7%、37.3%。

(5)增加明流塔弧门闸室侧墙厚度能有效降低侧墙的主拉应力值,如2号明流塔侧墙厚度由4.0m加厚到5.5m,加厚37.5%,无论是工作门或事故门关闭,静力或静力动力组合,还是顺河向地震或横河向地震,主拉应力由3.12~4.7MPa降低到1.59~2.69MPa,降低40%~49%,主压应力由6.38~7.5MPa降低到4.96~6.01MPa,降低20%左右。

(6)1号明流塔前后塔体与交通桥的连接条件对应力影响十分显著,当前后塔体与交通桥为刚性连接,横河向地震时 σ_x 动应力达5.5MPa;改为简支连接,σ_x 动应力仅为1.98MPa,应力大为改善。

(7)流道边墙底部外侧角是全塔压应力最大部位,其次是塔底面角点。如边墙底部外侧角:孔板塔 $\sigma_z=9.77MPa$,发电塔8.03MPa,1号明流塔5.80MPa;塔底面角点:孔板塔 $\sigma_{z底}=6.52MPa$,发电塔4.66MPa,1号明流塔3.74MPa;即塔基底角应力比塔底板顶面角点应力小33%~42%。

最大压应力的强度安全系数为1.28~2.16。

(8)静力作用下,塔群最大拉应力小于 2.0MPa,明流塔弧门闸室段最大主拉应力为 2.5MPa。在地震作用下,塔群的最大动拉应力($C_Z = 0.25$)除发电塔拦污栅墩上游为 4.5MPa 外,其余为 2.5~3.5MPa。

塔身组合应力、地震作用效应系数分别为 0.25、0.35 时,塔身最大拉应力 σ_z,孔板塔分别为 2.912MPa、4.307MPa,发电塔分别为 2.196MPa、3.531MPa,孔板塔最大拉应力发生在高程 220m 下游侧,发电塔则在高程 210m 下游侧。

地震作用效应系数为 0.25 时,明流塔闸室段侧墙的最大主拉应力分别为 2.95MPa (1 号)、2.69MPa(2 号)、2.98MPa(3 号),最大主压应力分别为 −5.70MPa(1 号)、−6.09MPa (2 号)、−6.42MPa(3 号),主压应力比主拉应力大 70%~230%。主拉应力主要发生在侧墙内侧中部及侧墙外侧与底板的交界处。主压应力发生在侧墙外侧。最大剪应力集中于侧墙与顶板、底板相交附近,与光弹试验成果一致,也是施工期温度应力集中区,有可能产生裂缝。

(9)分析研究表明,外水作用、横向地震、顺流向的地震、弧门推力、事故门推力分别作用,它们在弧门闸室段侧墙上产生的最大主拉应力比为 1:0.45~0.65:0.30~0.45:0.33: 0.11,即外水压力是明流塔弧门闸室段的主要荷载,其次是地震作用,弧门推力产生的主拉应力相对较小,主要集中在大梁支座附近,如 3 号明流塔在弧门推力和外水压力共同作用(工作门挡水)、仅有外水压力和事故门推力没有弧门推力作用(事故门挡水)、仅有弧门推力没有外水作用这三种工况下,在工作门闸室侧墙上分别产生了 2.517MPa、2.108MPa、 0.641MPa 的最大主拉应力,说明工作门闸室侧墙的最大主拉应力主要由外水压力引起,1 号、2 号明流塔结构应力状态具有相同特点。

(五)塔基应力

拟静力法静动组合蓄水加 0.215g 地震最大压应力发生在 2 号明流塔,为 2.29MPa。三维有限元动力分析,塔基上、下游端角点处由于角缘应力集中效应,产生了很大的组合应力,0.215g 地震时,孔板塔、发电塔、1 号明流塔上游侧最大压应力分别为 6.60MPa、 7.47MPa、5.59MPa。距角缘 4~5m 处的应力则下降 1/3 左右,为 3.5~5.0MPa,即小于地基极限承载能力 5.12MPa。按动力分析地基应力转换为内力用材料力学方法求得的角缘应力为 2.3~3.4MPa,均小于地基极限承载力,由此也可判断进水塔的抗倾覆是稳定安全的。

第六节 孔板塔抗震动力模型试验研究

鉴于塔体结构的复杂性和有限元计算中作出的某些简化和假定,为验证分析计算的数学模型、动水压力和加速度沿塔高的分布、塔体主要部位的应力反应及塔顶位移,确保塔体结构的抗震安全,依据 1990 年 7 月小浪底工程咨询报告意见,选定 2 号孔板塔,由中国水利水电科学研究院和黄委会勘测规划设计研究院通过振动台模型试验进一步进行研究论证。

一、模型试验及测试

模型包括塔体及其下部,上、下游地基各 50m,左右各 77m,并模拟邻塔边界轮廓及缝宽,塔身下游高程 210 ~ 230m 以小颗粒碎石模拟回填石渣,库水上游取 3 倍塔高长度(见图 11-6-1)。

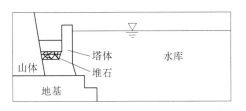

图 11-6-1　模型槽纵剖面图

根据模型相似律要求、试验对象及其范围、振动台面尺寸(5m × 5m)及最大载重量(200kN),确定模型比尺 1∶100,即 $C_l = 100$,模型槽尺寸为 4.8m × 1.9m × 2.0m。库水采用天然水,塔体混凝土采用特制加重橡胶模拟,弹模为 170MPa,阻尼比 0.07,选用特制硬泡沫塑料板模拟无质量地基。

试验用大型振动台为世界上最先进的设备之一,可按三个方向平动及绕三个主轴转动,工作频率 0.1 ~ 120Hz,最大加速度水平向可达 1.0g,竖向可达 0.7g,并配有完善的 100 通道的数据采集和自动处理系统。

地震波输入:远震波(1)、诱发地震波(2)、EI Centro 波(3)(见图 11-2-2)。

二、试验模型的有限元分析

为与试验结果相互验证,对试验模型按试验条件进行了人工波(1)和(2)的反应谱的顺河向、横河向 4 种工况计算。考虑到邻塔缝宽存在和实测动水压力比按抗震规范计算的重力坝面动水压力小,计算时塔面附加质量折减 25%。

三、试验和计算结果及分析

(一)塔体自振特性

试验及计算结果见表 11-6-1。对比试验值和计算值,后者比前者大 11%(顺河向),小 8%(横河向);当阻尼比由 0.05 增加到 0.07 时,顺河向 T_1 减小 16%。孔板塔振型图见图 11-6-2。

表 11-6-1　固有周期比较　　　　　　　(单位:s)

地震方向	阶　次	试验值	计算值
顺河向	1	0.575	0.637
	2	0.190	0.188
	3		0.098
横河向	1	0.538	0.493
	2		0.108

(二)塔体加速度反应

塔体加速度反应见图 11-6-3 及图 11-5-3。综合试验和计算结果,塔顶动力放大系数 β:模型试验为 3.5 ~ 4.5;反应谱法计算,顺河向为 5.0,横河向为 3 ~ 4;非线性稳定分析为 4.0。反应谱法的 β 值一般为各高程可能的最大反应,多数大于模型实测值,但它们一般不会同时出现。试验时塔顶最大 β 值时刻实际瞬间地震作用对塔体的效应比计算值要小。

(三)塔顶动位移反应

综合各种情况,塔顶最大动位移见表 11-6-2。

塔间最大相对位移,横河向为 6.24cm,顺河向为 5.68cm,考虑塑性变形增大后,均小于塔顶缝宽 20cm。

(四)动水压力反应

动水压力反应见图 11-6-4。

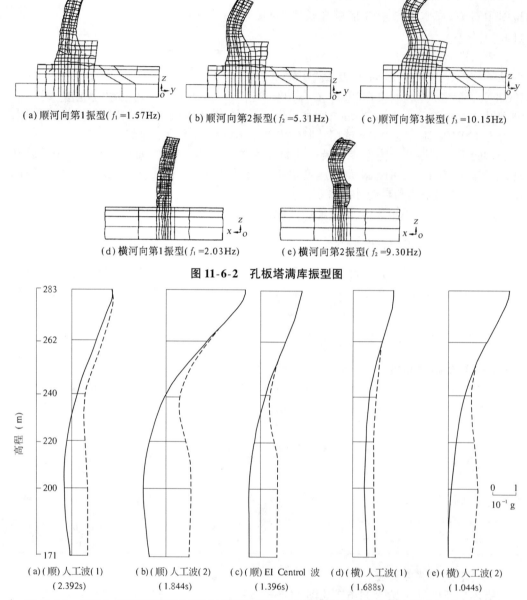

(a) 顺河向第1振型(f_1=1.57Hz)   (b) 顺河向第2振型(f_2=5.31Hz)   (c) 顺河向第3振型(f_3=10.15Hz)

(d) 横河向第1振型(f_1=2.03Hz)   (e) 横河向第2振型(f_2=9.30Hz)

图 11-6-2   孔板塔满库振型图

(a)(顺)人工波(1)   (b)(顺)人工波(2)   (c)(顺)EI Centrol 波   (d)(横)人工波(1)   (e)(横)人工波(2)
　(2.392s)   　(1.844s)   　(1.396s)   　(1.688s)   　(1.044s)

图 11-6-3   各输入工况的塔顶反应最大时刻的塔体加速度分布(虚线为各测点最大加速度绝对值)

表 11-6-2   塔顶最大动位移   (单位:cm)

项目	孔板塔	发电塔	1号明流塔
横河向	3.43	0.73	2.81
顺河向	3.29	2.39	1.51
竖向	0.65	0.60	0.44

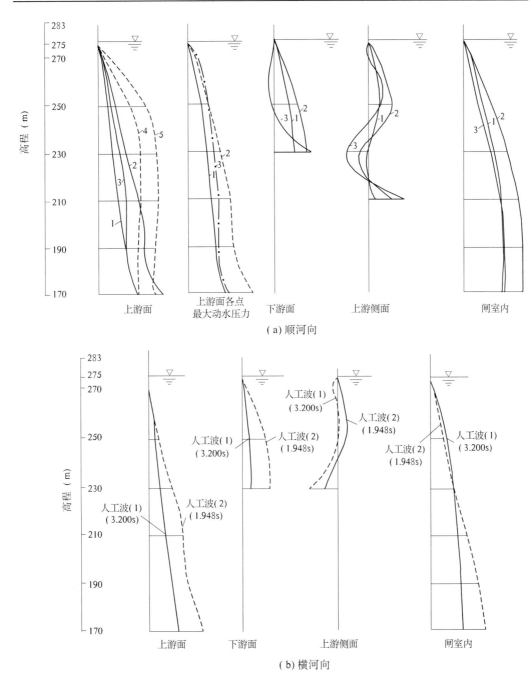

(a) 顺河向

(b) 横河向

1—人工波(1)(2.404s);2—人工波(2)(2.144s);3—EI Centro 波(1.492s);
4—水工抗震规范(0.215g);5—水工抗震规范(0.313g)

图11-6-4 塔面动水压力达最大值时刻的部位动水压力分布(顺河向地震)

(五)塔身动应力反应

塔身最大竖向动应力见表11-6-3,塔体动应力 σ_z 沿高程分布见图11-6-5。

表 11-6-3　最大竖向动应力 σ_z

输入情况		试验		计算	
		最大值(MPa)	部位	最大值(MPa)	部位
顺河向	人工波(1)	2.09	下游面,230m 高程中部	2.33	下游面,225m 高程中部
	人工波(2)	2.91	下游面,230m 高程中部	2.71	下游面,225m 高程中部
横河向	人工波(1)	1.69	侧面,210m 高程下游边	1.16	侧面,220m 高程下游边
	人工波(2)	2.42	侧面,210m 高程下游边	2.22	侧面,220m 高程下游边

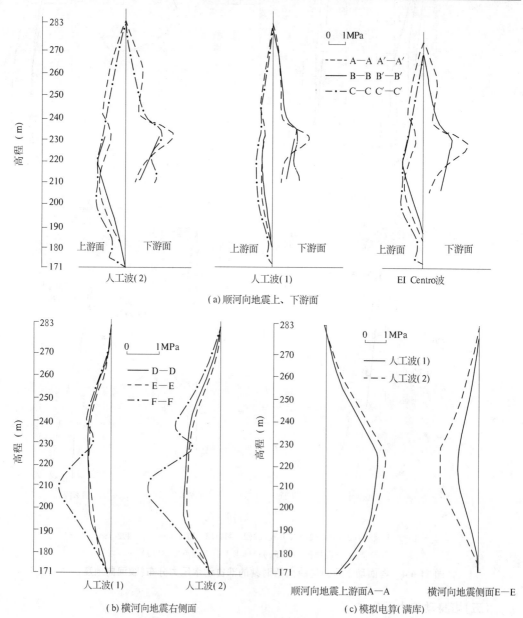

(a) 顺河向地震上、下游面

(b) 横河向地震右侧面　　　　(c) 模拟电算(满库)

图 11-6-5　塔体动应力 σ_z 沿高程分布

第七节　进水塔结构设计

一、塔身竖向配筋

(一)按材料力学方法进行竖向应力计算

竖向悬臂井筒塔身加速度分布按图 11-4-1 所示,对孔板塔等塔身 210~230m 高程剖面进行了计算,其竖向应力见表 11-7-1。

表 11-7-1　与三维有限元动力成果拉应力对比($C_Z = 0.25$)

高程 (m)	孔 板 塔							
	上 游 侧				下 游 侧			
	①	②	③	④	①	②	③	④
230	0.152	0.993	1.556		0.414	1.229	2.411	$\dfrac{1.239}{2.061}$
220	−0.299	0.516	1.468	−0.589	0.995	1.829	2.912	
210	−0.687	0.086	1.079	−0.799	1.528	2.361	1.628	

注:− 为压应力,其他为拉应力;①材料力学法图 11-4-1(a);②材料力学法图 11-4-1(b);③动力法;④试验。

(二)竖向内力、竖向应力配筋

按水工钢筋混凝土结构设计规范 SDJ20—78 和按 DL/T5057—1996、SL203—97 规范进行了配筋计算,见表 11-7-2,配筋是满足要求的。

表 11-7-2　孔板塔高程 210~230m 配筋

高程 (m)	材料力学方法					动力法	$C_Z = 0.25$ $\alpha = 0.75$ SDJ20—78 $[R_e] = 0.876$ $A_g(\text{cm}^2)$	$C_Z = 0.35$ $\alpha = 0.75$ DL/T5057 —1996 $F_t = 1.69\text{MPa}$ $A_g(\text{cm}^2)$	$C_Z = 0.25$ $\alpha = 0.75$ DL/T5057 —1996 $F_t = 0.876\text{MPa}$ $A_g(\text{cm}^2)$	实际 配筋 A_g (cm²)
	M (kN·m)	N (kN)	Q (kN)	σ (MPa)	A_g (cm²)	σ (MPa)				
230	3 007 238	356 392	135 394	1.229	59	2.411	96.8	198.6		上游 $A_{g计} = 94.5$, 实配 129.5;下游 实配 203.6
220	5 140 218	435 621	167 220	1.829	72	2.912	223.5	300.3	185.4	
210	7 744 646	526 848	207 560	2.361	201	1.638	19.3	47.5		

二、塔身水平截面的抗剪验算

取混凝土层面抗剪试验资料,抗剪断指标 $f' = 1.05$, $C' = 0.95\text{MPa}$,抗剪 $f = 0.75$(C不计)。抗剪断面积不计下游墙,则孔板塔塔身高程 230m、220m、210m 抗剪安全系数 K_f分别为 1.356、1.219、1.086,$K_{f,c}$ 分别为 3.64、3.12、2.66,满足大于 1.0 和 2.3 的要求。

由于渗透力是按浮托力扣除,实际抗剪安全系数比计算的还要大些。

三、明流塔弧门闸室段结构设计

三维有限元计算得到的内力分布规律与用结构力学方法算得的内力分布规律一致，结构力学方法算得的内力值比三维有限元方法内力值大得多（见表11-7-3、表11-7-4），这是把三维应力状态简化为平面杆系和作的某些假定产生的。按三维有限元之主拉应力图形的计算配筋量，比按其应力换算为内力计算的配筋量要多，用结构力学方法计算的配筋量最多（见表11-7-5）。三维有限元的应力转换的内力值，计算的裂缝宽度均在允许范围内，结构力学方法内力值计算的裂缝开展宽度，3号明流塔弧门段侧墙外侧底部裂缝宽度达0.30mm，侧墙内侧中部裂缝宽度达0.27mm，超过规范规定的0.25mm，尽管外荷载比1号、2号明流塔小，裂缝宽度却比1号、2号塔大，这是由于3号明流塔侧墙厚度相对较小所致。

表11-7-3 平面结构计算内力

塔　名	计算工况	弯　矩(kN·m)	轴　力(kN)	裂缝宽(mm)	侧墙厚度(m)
1号明流塔	Ⅰ	29 937	5 089	0.23	6.0
	Ⅲ	29 712	3 596	0.30	6.0
	Ⅳ	29 200	5 924	0.237	6.0
2号明流塔	Ⅰ	−30 188(外墙)	5 290	0.272	5.5
	Ⅰ	14 284(内侧)	3 861	0.223	5.5
3号明流塔	Ⅰ	−19 300(外墙)	3 350	0.30	4.0
	Ⅰ	8 170(内墙)	2 473	0.27	4.0

表11-7-4 三维有限元应力换算的内力

塔　名	计算工况	弯　矩(kN·m)	轴　力(kN)	裂缝宽(mm)	侧墙厚度(m)
1号明流塔	Ⅰ	17 129	8 889		6.0
	Ⅲ	17 810	8 082	0	6.0
	Ⅳ	14 025	7 561		6.0
2号明流塔	Ⅰ	14 144	6 750		5.5
	Ⅱ	11 467	6 376	0	5.5
	Ⅲ	14 040	5 856		5.5
	Ⅳ	13 473	7 887		5.5
3号明流塔	Ⅰ	7 953	3 154	0.136	4.0
	Ⅱ	7 995	4 002	0.063	4.0
	Ⅲ	10 437	4 986	0.144	4.0
	Ⅳ	8 027	3 994	0.14	4.0

注：工况Ⅰ：275m水位关工作门。

工况Ⅱ：275m水位关事故门。

工况Ⅲ：275m水位关事故门＋横流向地震。

工况Ⅳ：275m水位关事故门＋顺流向地震。

表 11-7-5　弧门闸室段结构配筋量

塔名	部 位		按拉应力计算配筋量（cm²）	拉应力换算为内力配筋量（cm²）	结构力学计算配筋量（cm²）	实际配筋量（cm²）	钢筋层数、根数、直径
一号明流塔	侧墙内侧中部		144.3	117.0	158.0	160.9	3×6Φ32
	侧墙外侧底部				117.0	107.3	2×6Φ32
	顶板	跨中		76.7	75.2	70.7	2×5Φ30
		端部			94.8	70.7	2×5Φ30
	底板	跨中		98.4	104.0	101.8	2×5Φ36
		端部			125.0	135.8	2×6.5Φ36
二号明流塔	侧墙内侧中部		127.0	110.0	107.0	101.8	2×5Φ36
	侧墙外侧底部		145.0	110.0	255.0	121.6	5Φ36＋2×5Φ30
	顶 板			66.0	67.0	101.8	2×5Φ36
	底 板					50.9	5Φ36
三号明流塔	侧墙内侧中部		120.0	80.0	77.0/83.3	120.6	3×5Φ32
	侧墙外侧底部		150.0	80.0	209.3/240.9	152.7	3×5Φ36
	顶板	跨中		66.0	72.4	40.2	5Φ32
		端部				80.4	2×5Φ32
	底板					50.89	5Φ36

第八节　进水塔群动力稳定性结论

一、设计标准

小浪底工程为一等工程,进水塔群为 1 级建筑物,千年一遇洪水设计,万年一遇洪水校核。坝址场地基本烈度为 7 度,进水塔按甲类水工建筑物,其设防烈度为 8 度,远震震级为 8 级,震中距 80 ~ 100km,震源深 17km。近震震级为 6.5 级,震中距 30km,震源深17km。采用 10^{-4} 年超越概率作为地震危险性评定准则。坝址场地峰值加速度为 $0.215g$。远震持时 38s,近震持时 15s。进水塔按上述标准及相应的反应谱和相应的人工地震波进行设计。

水库诱发地震可能的最高震级小于 6 级。根据震中 6 级、震中距 10km、震源深 8km、地面峰值加速度 $0.313g$、持时 12s 所确定的诱发地震反应谱和人工地震波对进水塔进行计算和试验是严格的。

二、塔型和塔群总体布置

三类新塔型的成立,使塔群一字形和孔口分层布置成为可能。孔口分层设置,分层泄流和高压水冲淤系统,综合排污清污系统,从水工上解决了工程成败关键的进水塔防淤堵问题。塔群的一字形、集中、间隔、上下重叠布置,孔口分层泄流,把浑水流速降低至 20 ~ 25m/s 以下,流道表面设环氧砂浆保护层,并控制流道表面不平整度,从水工上解决了关系枢纽工程安全的头等重要问题:泄水建筑物及时通畅泄水问题。发电塔排沙洞六进口合一解决了多孔进洞山体和衬砌的施工和运用期安全问题。三类新塔型和塔群的一字形布置、灌溉塔北侧支撑墙系统、塔背软垫层和塔背岸坡排水系统的设置,为解决塔型抗震和塔群的横向和顺流向抗震问题和静力稳定性问题提供了基础。

三、试验分析研究的总体评价

综合试验和计算中各种情况下各座塔的静动力稳定性研究,试验和分析结果表明两者基本上得到相互验证,计算结果可信。

四、稳定性结论

根据震动试验、拟静力法及考虑基础变形的拟静力法抗倾覆稳定分析、非线性稳定分析、反应谱动力分析、考虑塔背岸坡岩体影响等的综合结果,进水塔静动力抗倾覆和抗滑动稳定是有保障的,但沿塔基混凝土垫层面的安全条件比塔基岩接触面的安全条件有所降低。

五、地基承载能力

反应谱法有限元动力分析,由于角缘效应,进水塔底板角缘基础产生较大的竖向压应力,局部范围超过了地基的极限承载能力,其余部位由材料力学方法计算得出的最大竖向压应力均小于地基极限承载能力,不会导致地基失稳。施工中已对 F_{28} 断层和塔基其余断层进行了混凝土塞处理,塔基采取了固结灌浆和锚筋措施,提高了地基的强度和整体性。鉴于灌溉塔和北侧支撑墙基础分别压在 F_{28-1} 和 F_{28} 断层上,F_{28} 断层含黏泥较多,在水库蓄水或遇地震时,北侧支撑墙有可能发生不均匀沉陷,使支撑墙与灌溉塔之间的接缝有可能脱开,不紧靠,影响塔群的横向稳定性。需要加强原型观测,并根据接缝张开度,可能需要重新进行接缝灌浆。

六、塔体动力放大系数

孔板塔动力模型试验实测塔顶动力放大系数为 3.5 ~ 4.5,反应谱法求得塔顶动力放大系数,顺河向地震为 5 左右,横向地震为 3 ~ 4。综合上述成果,塔身动力放大系数如表 11-8-1。

七、动水压力

动水压力是进水塔的重要荷载,孔板塔试验实测的动水压力与设计中按抗震规范计算混凝土重力坝动水压力相比,在塔体下部比较接近,上部受宽缝影响,计算结果稍偏大,设计采用的动水压力稍偏于安全。

表 11-8-1　进水塔塔身动力放大系数建议值

高　程 （m）	顺河向地震		横河向地震	
	塔身竖向应力计算	整体稳定计算	塔身竖向应力计算	整体稳定计算
283	5.0	4.0	4.0	3.0
260	2.5	2.0	2.0	2.0
230	1.5	1.0	1.0	1.0
170	1.0	1.0	1.0	1.0

八、塔顶位移

分析得到塔顶的最大相对位移均小于塔顶缝宽 20cm,地震时塔顶不致相互碰撞。地震作用下进水塔闸门门槽两倍门高范围内最大相对静动组合位移为 3～4mm,超过规定的轨道允许安装误差 3mm,应在运用中加强观测。

九、塔身薄弱部位

各种地震作用下,试验和动力分析求得的塔体应力分布规律基本接近,各座进水塔在地震作用下在下部大体积向塔井过渡的部位竖向拉应力最大,是抗震薄弱部位,设计中已采取适当放缓体形变化、提高混凝土标号、适当加强配筋等措施,可保证结构抗震安全。

十、塔体动力特性

塔体的自振周期与塔高成正比,与断面刚度成反比。塔体结构在静力作用下结构以压缩变形为主,在地震作用下结构以弯曲变形为主。进水塔动力反应中起主要作用的为前 2～3 阶振型。一般情况下,顺河向地震对塔井水平剖面内力或应力的影响大于横河向地震,即竖向动应力 $\sigma_{z顺}$ 比 $\sigma_{z横}$ 大得多,竖向动应力 σ_z 明显大于水平向动应力 σ_x、σ_y。横河向地震对塔体流道竖向截面,特别是明流塔弧门闸室段竖向截面内力或应力的影响大于顺流向地震,即横河向地震时弧门闸室段主拉应力大于顺河向地震时的主拉应力,弧门段工作门挡水时的主拉应力大于事故门挡水时的主拉应力。弧门闸室段侧墙的主拉应力主要由外水压力产生,其次是地震作用,弧门推力产生的主拉应力相对较小,主要集中在大梁支座附近。

明流塔弧门闸室段是结构的关键部位,发电塔排沙洞叉管层及交叉孔口是体形和结构最复杂的部位。设计上采用结构力学方法、平面有限元、三维有限元和动力分析成果进行设计。尽管这些部位经受了施工期十分不利的温度应力条件的考验,裂缝很少(这在国内外工程实践中很少见),但仍有待于高水位和地震的检验,应在运用中加强检查观测。

第十二章 多级孔板消能泄洪洞的试验研究与设计

从可行性研究开始,小浪底枢纽建筑物总体布置方案比选时一直在研究导流洞的重复利用问题。永久泄洪洞的形式和导流洞的重复利用成了枢纽建筑物总体布置的核心。1984年10月,黄委会设计院和美国柏克德(BECHTEL)工程咨询公司一起进行了为期一年的小浪底联合轮廓设计。美方专家根据小浪底导流洞重复利用存在的问题,提出了利用孔板环在洞内逐级消能的设想,并针对大圆塔方案提出了小圆塔五级孔板环的布置方案。在此后的十多年中,黄委会设计院就孔板消能技术以及相关问题完成了大量的科学试验研究及方案的布置和论证工作。1988年,利用碧口水电站直径4.4m排沙洞装设两级孔板环进行的中间试验和模型对比试验,在孔板洞的研究论证过程中起了十分关键的作用,成功地解决了高含沙水流孔板消能及模型相似率问题,确证小浪底导流洞改建为孔板消能泄洪洞是可行的,并作为初步设计推荐方案得到国家计委的批准。3条由导流洞改建的孔板泄洪洞纵剖面图见图12-0-1。

第一节 最初提出的多级孔板消能泄洪洞方案及其初步试验研究

一、概述

最初提出的多级孔板消能措施,是利用四条直径为15m的导流洞和位于洞内的一系列孔板逐步消煞水库水头的方法进行消能的。这四条导流洞将能承受坝体灌浆帷幕上游的外部静水压力,导流任务完成后,通过洞内改建设置多级孔板,形成一系列的水流扩散室。

这种布置条件下,在进水口、各个孔板及扩散室(初步要求五个)、中间弧形闸室出口以及隧洞出口出现能量消散,每一级孔板的消能都很低,在210m水库水位时,各孔板水头落差为8~9m,使中闸室出口控制处的流速相当低,通过的流量仅为1 000m³/s左右。这样的建筑物就像在鱼梯中,通过一定数量的低的梯级,而每一级都只具有很小的能量梯度。

进水口建筑物是一内径15m的垂直进水塔,并通过一直径为15m的肘洞与相应导流洞相接。进水塔中均在180m高程设置两个进口相对的8m×6.6m的平板闸门,在215m高程设置两个同样进口相对、同样尺寸的闸门,进口方向与180m高程闸门错开布置。闸门均由位于280m高程上的启闭机控制。

水流的能量消散由布置在肘洞与中间闸室之间的五个内直径为10.3m的孔板环及五个相应的突扩消能室来完成,每个突扩消能室的长度均为三倍洞径,即45m。在五级孔板

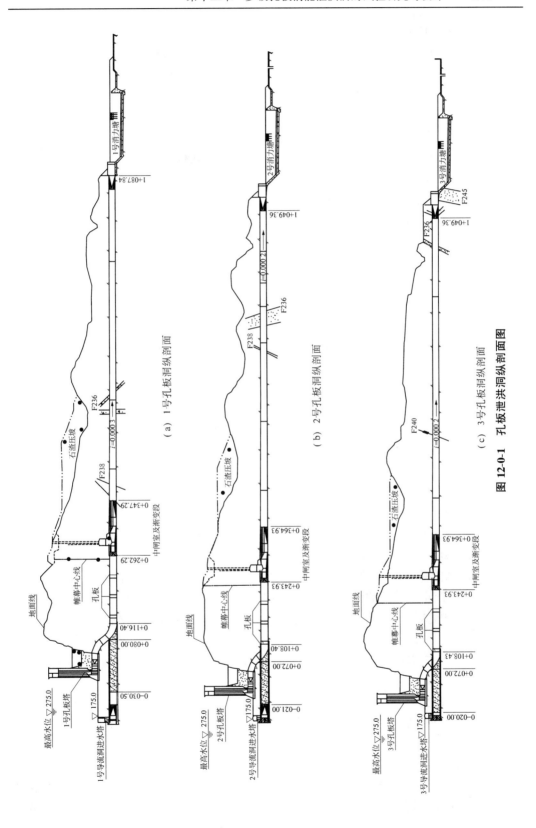

（a）1号孔板洞纵剖面

（b）2号孔板洞纵剖面

（c）3号孔板泄洪洞纵剖面

图 12-0-1 孔板泄洪洞洞纵剖面图

后设置 $12m \times 6.95m$ 中间弧形工作门。在泄洪洞出口，设置一个断面积与其他五个圆形孔板相当的孔板(孔板孔口面积为 $83.3m^2$)，该出口孔板的孔口位于洞顶，并将其作为消能全过程的最后一级。在出口孔板环上设置一些小圆孔，以便于泥沙沿隧洞底板推移，出口还设置叠梁门槽，使隧洞具备检修条件。

二、初次模型试验研究及其成果

为尽量减小左岸防渗帷幕后压力洞段的长度，选取孔板洞间距 L 为隧洞直径 D 的 3 倍，孔板孔口直径 d_0 为 $0.687D$。为证实采用建议的孔板间距以及消煞水头的可行性，在美国科罗拉多州龙门特水工试验公司进行了比例尺为 $1:73.8$ 的模型试验。共进行了 23 次试验。根据模型比例，用弗劳德比例定律确定原型泄流量。

初步试验研究成果表明，当多级孔板的间距与隧洞洞径之比 L/D 较大时，试验数据和观察到的现象与已有单孔板(或孔口)的试验成果是一致的；采用 $d_0/D = 0.687$、$L/D = 3$ 时，消能量以及孔板后压力值均不再随 L/D 的增加而有明显变化。进水塔应布置成水流能从两个相对的进水口进入塔内的型式，直径 12m 的塔是可取的，直径 15m 的塔会出现表面强烈回流的现象；塔和隧洞间应设置流线型过渡段，以防止发生分离水流，或在连接段附近的隧洞内产生高冲蚀流速。作为新型的消能泄水建筑物，尚有多方面需进行深入研究。

三、清、浑水模型初步试验研究及其成果

围绕这种新型消能泄水建筑物，在国内开展了大量的试验研究，对五级孔板方案、三级孔板方案进行了 $1:100$、$1:70$、$1:60$ 和 $1:30$ 等多种比例的局部和整体清、浑水模型试验。试验结果表明，高流速仅发生在隧洞的中心部位，并且消能效果显著。对清、浑水条件下消能率、脉动压力及抗磨措施有如下结论性意见。

(一)消能系数

在含沙量为 $64kg/m^3$、$102kg/m^3$、$176kg/m^3$、$190kg/m^3$ 以及 $204kg/m^3$ 情况下，孔板处在水位 220m、250m、275m 时的雷诺数均大于 2×10^4，水流开始进入紊流区。在高水位条件下，清、浑水消能系数吻合较好；在低水位条件下，Ⅰ级孔板浑水的消能系数比清水高 $10\% \sim 20\%$，Ⅱ、Ⅲ级孔板的清、浑水消能系数无明显区别，主要是由于Ⅰ级孔板受弯管段进流条件影响较大。总的来说，在紊流条件下，清水和浑水的消能系数基本相同。这是由于高含沙水流进入充分紊流状态后，对水流特性影响最大的初始切应力 τ_B 值已不起作用，浆体特性与牛顿体相同。在充分紊流区，黏性对阻力也不起作用，因此含沙量对阻力的影响亦不明显。

(二)脉动压力

在试验的五种含沙量条件下，清、浑水的水位流量关系基本相同。在各种水位下，时均压力均无负值，在第Ⅲ级孔板后出现全洞最小压力值，在 220m 水位时第Ⅲ级孔板后压力为 8m 左右。

脉动压力幅值以二倍标准差表示。最大值一般在 $7 \sim 10m$，个别在 15m 左右。但由于各段时均压力水头较高，一般都在 $40 \sim 100m$，因此脉动压力对结构荷载的增减没有起主

导作用。但在第Ⅲ级孔板后的洞壁时均压力偏低(只有19m),对于这一点,脉动压力的影响不能忽视。脉动压力在孔板前后较大,其中在消能洞段的后部更大。这一特征是由孔板前后的特殊流态造成的,水流经过孔板时,孔板前后均为有分离的漩涡回流区,在回流区内,大涡体的紊动性作用所造成较大幅度的脉动是形成隧洞洞壁脉动压力的主要原因。脉动压力频率属宽带低频,模型试验中优势频率为0~20Hz。如按重力相似准则计算,原型中优势频率将为0~2.5Hz,清浑水频率相同。

(三)抗磨蚀试验研究

采用多级孔板消能技术,把高程相对较低的泄洪洞平均流速降到非磨蚀流速。但在一些特殊部位如孔板锐缘就不可避免地出现相对高流速,而孔板为消能的敏感部位,孔板锐缘横断面为半径2cm左右的圆弧,稍有磨损,可能诱发空化,因此孔板锐缘需要进行磨蚀防护。通过试验研究,推荐采用氧化铝陶瓷材料作为磨蚀防护。氧化铝陶瓷较我国工程上采用过的铸石材料具有更高的硬度及抗压抗弯强度,相对于C60混凝土的抗磨性能还要高出22.7倍。

在实际使用中,只需将氧化铝陶瓷预制成可拼件(如100mm×100mm×25mm),现场定位后浇二期混凝土。当氧化铝陶瓷件磨损后,可取下螺栓及瓷片重新更换。

第二节　不设中闸室的多级孔板消能泄洪洞方案的试验研究

通过小浪底多级孔板泄洪洞所做的大量清浑水模型试验,基本摸清了多级孔板泄洪洞在清、浑水中的消能机理,对空蚀问题也进行了一定深度的研究。大量模型试验结果表明,所提出的多级孔板泄洪洞是可行的,在消能中产生的突出问题,如局部高流速问题也可采用适当的工程措施予以解决,但泄洪洞需要在山体中间开挖很大的闸室以设置启闭机房。由于泄洪洞是利用导流洞改建而成的,所处位置高程较低,中间闸室弧形门推力非常大,要求采用双孔弧形门。为减少工程量,并适应当时提出的工程总体布局,采取单薄分水岭的包山方案,进行了一系列不设置中间闸室的模型试验研究。

一、试验方案

小圆塔方案整体布置动床模型试验结果表明,整体水流条件、淤积情况及单塔水力学条件都不理想。由于黄河平均流量不大,泄洪洞在运用期一般都处于关闭状态,泄洪洞前的"门前清"全靠排沙洞来保证,因此采用排沙洞既要紧靠电站,又要紧靠泄洪洞的集中布置方式,泄洪洞的进水口工程为常规进水塔,即进水方式改为龙抬头。

龙抬头方案进口高程175m,进口设两孔平板闸门(事故闸门),洞内采用四级(或五级)孔板消能的压力洞方案。主要进行两个方案的试验,即原布置方案和洞身降低方案(即在原布置方案基础上降低洞身高程的方案)。

二、原布置方案的试验研究及其成果

原布置方案,即在距进口反弧末端25m处设第一道孔板,孔板将14.5m洞径缩小为

10m 直径的孔口,即 $d_0/D = 0.689\,7$;孔板顺水流向厚度为 2m,孔板洞间距为 $3D$,即 43.5m;除洞身设四道孔板外,距隧洞出口 40m 处另设一道同样孔径的偏心孔板,自该孔板下游 20m 开始,洞径由 14.5m 渐变为边长 14.5m 的方形出口,洞底坡 $i = 0.007\,91$,出口高程 125m。

原布置方案的特点在于孔板洞运行前,隧洞内水位在洞顶以下。试验发现,在龙抬头和扩散消能室内气泡尚未排除掉时,泄洪洞不能形成稳定的有压流,而且持续时间较长。这种长时间不稳定的流态,也使洞内水流的动水压力、流速和流量等水力因素发生周期性变化,造成出洞前水流脱离洞顶,在洞顶处产生极大负压,洞后产生水跃,使流态更加恶化。因此,这种方案不可取。

三、洞身降低方案的试验研究及其成果

在原布置方案的基础上,降低洞身的高程,并在出口设置高堰(堰顶高程达 143m),并适当对出口体型进行了修改。试验成果表明:

(1)泄洪洞降低方案较原布置方案的突出优点在于低水位运用时,由于闸门开启前洞内已充满水,从而大大缩短全洞形成压力流所需的时间;工作闸门开启过程中,洞内不再发生长时间明满流过渡的不稳定流态。

(2)在最高库水位时,落差近 140m,若不设置消能措施,洞内流速为 50m/s 左右。为解决高流速磨蚀问题,在龙抬头下游设五级孔板,利用突扩产生漩涡进行消能。在 274m 水库水位时,水流经过五级孔板的水头损失达 100m,孔口处最大流速为 20m/s 左右,因此利用多级孔板突扩消能效果十分明显。

(3)出口修改后的龙抬头降低方案,无论是洞内流态、泄量、压力和流速分布,还是出口状况等,水力学条件都较好,说明体型比较合理。但考虑施工条件和经济效益,这种方案还存在问题。这种布置的洞底高程不仅低于下游尾水,还低于河床,出口需设 33.65m 高的翼墙和近 18m 高的实用堰,堰下游需设置 85m 长的消力池及 5m 高尾坎,在多沙河流上能否保证施工期安全运行需慎重考虑。

经对多级孔板泄洪洞方案进行的大量试验研究,特别是对适应于当时单薄分水岭包山方案的无中间闸室方案作了较深入的研究工作。根据对中美联合轮廓设计的审查意见,工程总体布局取消了单薄分水岭的包山方案。之后经过反复比较论证,于 1987 年提出设中闸室的多级孔板泄洪洞方案。

第三节　设中闸室的四级孔板消能泄洪洞方案的试验研究

经反复方案比较提出四级孔板设中间闸室后接明流泄洪洞方案。该方案用中间闸室代替尾压提高的防蚀措施,并利用闸室与坝体帷幕防渗相结合,将泄洪洞明确分为有压洞与明流洞,使设计条件更加明确,因此要求对该方案孔板的工作特性及中间闸室作体型研究,验证四级孔板的消能空化和布置可行性,并提出改进措施。

一、初步体型

该方案进口剖面见图 12-3-1。桩号 0+0.000 m 至 0+56.147m 为龙抬头段，从 0+56.147m 至 0+249.147m 为泄洪洞四级孔板段，洞底高程 134m，为平底坡，洞径 14.5m，孔径比为 0.689 7。从桩号 0+249.147m 至 0+324.347m 为中间闸室段，中闸室段布置见图 12-3-2。其上游与由直径为 14.5m 的圆洞变为 14m×14.5m 的长方形断面的渐变段相接，下游与由 15.2m×14.5m 的长方形断面变为圆洞的渐变段相接，设有两扇 5m×5.8m（宽×高）的偏心铰弧形门，总泄流面积为 58m²，两孔中间由闸墩分隔。从 0+324.347m 至 1+240.1m 为泄洪洞明流段，明流洞为直径 14.5m 的圆形断面，出口洞底高程为 122m，洞底坡度 $i=0.008\ 35$，其后接消力池。

二、常压模型试验及其成果分析

对该方案进行了 1:30 和 1:60 常压模型试验研究，结果表明，该布置方案的四级孔板最高库水位的水头损失约 75m，孔板消能效果很明显。但该方案还存在较严重的问题，即第Ⅳ级孔板后的压力偏低，水流空化数小，孔板后产生空化；中间闸室突扩空腔通气较好，但突跌较小，通气不畅，跌坎后不能形成完整空腔，临界通气水位高，闸墩尾部有负压，水流在尾部交汇形成很高的水翅，方变圆的渐变段长度偏短等。

试验表明，可采用修改第Ⅳ级孔板体型、修改中闸室进口收缩段体型和出口面积、抬高跌坎高程、修改出口跌坎坡度以及修改中墩长度和体型等综合措施，改善孔板洞内的流态。主要的具体措施有：

(1)为了提高水流空化数以避免孔板压力段发生空蚀，压力段出口渐变段采用了顶板压坡型式，闸孔尺寸改为 2—5.0m×5.5m，第Ⅳ级孔板的孔径比改为 0.72（其余孔板的孔径比仍为 0.69）。此时，第Ⅳ级孔板的水流空化数 $\sigma_{Ⅳ}=4.34$，大于该孔板的初生空化数 $\sigma_i=3.48$。

(2)原设计闸室底坎下游空腔较小，掺气不明显，而且底坎末端常受漩滚水流撞击，可能导致含沙水流对闸孔底止水的磨损。在加大底坎高度至 3.65m，并加陡闸室后的明流洞底坡至 10% 后，造成了较大空腔，并可推出漩滚水流。

(3)原方案中墩较长，突扩水流与闸墩相接，水流折向明槽，脱离墩壁，中墩尾部产生负压，而后两孔水流又在尾墩后交汇，相互撞击，水翅较高，产生二次掺气。加之渐变段长度较短，两侧侧坡较大，进入明流段的水流极不稳定，致使水深增加，余幅较小。在缩短墩长和增加渐变段长度后，水流大有改善。中墩缩短，尾部采用平头，这样有利于垂直通气，消除负压。

采用以上措施后，根据试验得出，在满足设计泄流能力的前提下，在最高库水位时四个孔板总共消耗水头为 74.4m，占整个水头差的 56.6%，消能效果是显著的；孔板压力段的脉动压力最大幅值，在最高库水位下，其两倍标准差 $2P_\sigma=8.74$m 水头，发生在第Ⅲ级孔板后 $(1\sim1.5)D$ 范围内，脉动频率属宽带低频，换算到原型优势频带域为 $0\sim2$Hz；孔板压力段最大流速处于隧洞中心附近，在最高库水位下，可达 29m/s，边壁附近最大流速为 $7\sim8$m/s，断面平均流速 9.25m/s，低于设计规定的抗磨流速 15m/s。

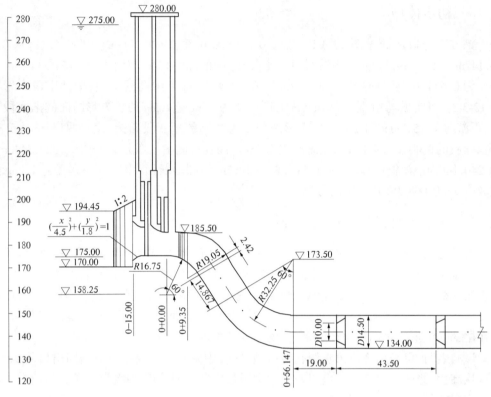

图 12-3-1　四级孔板泄洪洞方案进口剖面图　（单位：m）

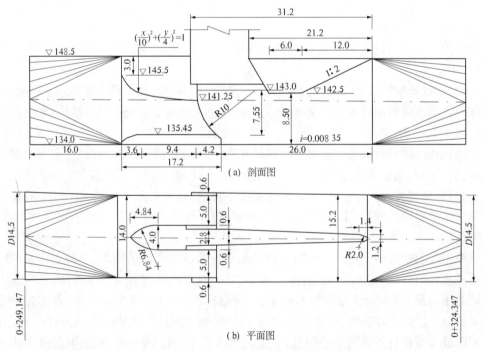

(a) 剖面图

(b) 平面图

图 12-3-2　四级孔板泄洪洞中门明流方案中闸室结构布置图　（单位：m）

三、空化模型试验及其成果分析

进行了 1:70 和 1:35 空化模型试验研究,对多级孔板进行进一步的优化后,试验结果表明:

(1)第Ⅰ、Ⅱ级孔板收缩比 $\varepsilon_{Ⅰ、Ⅱ} = 0.69$,第Ⅲ、Ⅳ级收缩比 $\varepsilon_{Ⅲ、Ⅳ} = 0.72$,出口收缩面积为 $51m^2$ 时,最低空化数在第Ⅳ级孔板首先出现,初生空化数 $\sigma_i = 4.40$,相应空化安全系数 $K_\sigma = 10.2\%$,水位超高空化安全系数 $K_H = 10.2\%$,这个方案从空化角度分析是可行的。

(2)从多级孔板的优化考虑,将第Ⅳ级孔板改为圆顶结构的孔板,$\varepsilon_Ⅳ = 0.72$,该方案的初生空化数得到显著的下降,其值为 $\sigma_i = 3.25$,相应空化安全系数 $K_\sigma = 33.2\%$,水位超高空化安全系数 $K_H = 25.6\%$,从防空化方面看,第Ⅳ级孔板改为圆顶孔板方案优于尖顶方案,在同样出口面积条件下,泄量也有适度增加,是一个较理想的方案。

四、斜直段上设置孔板的可能性研究

小浪底泄洪排沙及引水发电系统集中布置的左岸山体,从地形上看是个相对单薄的分水岭。在设计思想上作为大坝的延伸,并将大坝的防渗幕体沿分水岭延伸了 1 000 余 m,按"先堵后排,堵排结合,以排为主"的指导思想,由地表和山体内布设的灌浆洞进行了防渗帷幕灌浆,灌浆帷幕后设置了排水幕,控制排水幕后的地下水位不超过 200m 高程。对于左岸山体的支沟进行了压戗处理,以确保蓄水后左岸单薄山体的稳定。带中间闸室的四级孔板消能泄洪洞,在中间闸室前为压力洞,中间闸室后为明流洞。从枢纽建筑物总体布局来看,孔板洞中闸室应和左岸防渗帷幕协调布置。而前述的四级孔板方案,压力段过长,中闸室位置偏向下游,造成枢纽建筑物总体布局的困难。为了缩短压力段的长度,又希望能保持水力学条件已取得基本满意结果的四级孔板消能泄洪方案,故提出了在龙抬头斜直段上设一级孔板,取消原第Ⅳ级孔板的方案。

增设的孔板成为第Ⅰ级孔板,将原布置的第Ⅰ级、第Ⅱ级和第Ⅲ级孔板位置不动而改称为第Ⅱ级、第Ⅲ级和第Ⅳ级孔板。采用 1:70 常压试验模型,为满足泄量要求和提高第Ⅳ级孔板的水流空化数,第Ⅰ级、第Ⅱ级和第Ⅲ级孔板的孔径比采用 0.69,而末级孔板的孔径比采用 0.75。试验成果表明:

(1)水流在斜直段前比较平顺,经第Ⅰ级孔板后,水流先折向洞顶而后折向反弧底部,在反弧后的第Ⅱ级孔板前形成漩滚水流,在反弧段洞顶附近出现螺旋流,水流紊动强烈,流态恶劣,弧底流速高达 14m/s 以上,侧向流速也很大。第Ⅱ级孔板后水流又折向洞底,于是底部流速增大,直至第Ⅳ级孔板下游流速才恢复正常。孔板段边壁最大流速发生在反弧下游第Ⅱ级孔板前,其值为 18.05m/s,Ⅱ级孔板后回流流速为 7.76m/s。

(2)各孔板水流空化数普遍降低,第Ⅲ级和第Ⅳ级孔板水流空化数比原布置减小。研究成果表明,水流初生空化数为 4.4,显然孔板会发生空化。

因此,这种方案是不可取的。

第四节　碧口排沙洞增建两级孔板消能试验研究

一、试验条件和任务

针对多级孔板消能进行了大量的有关水力学和结构力学的模型试验和计算分析,初步论证这一新型的消能工具有显著的优点:消能效果显著,从而大大降低了洞内所承受的压力和流速;由于降低了洞内流速,特别是近壁流速可降至 10m/s 以下,因此除孔板附近局部区域外,洞身不需进行特殊的抗磨损保护,这就为设计中能利用造价昂贵、高程较低的导流洞改建成永久泄洪洞创造了条件;同时由于洞内水压的降低,大大减小了高压水对小浪底的单薄分水岭稳定的危害。1986 年通过深入研究提出在孔板后设工作闸室的改进措施,进一步改善了进口流态,消除了闸门开启过程中的震动,使该方案更趋合理。

鉴于在国内外大型工程中泄洪洞利用孔板消能还缺乏实践经验,对于孔板在原型工程中使用是否会产生严重的振动、空蚀和磨损等问题尚需对照模型试验及理论计算做进一步的验证。因此,根据 1985 年 10 月水电部对小浪底轮廓设计的审查意见,并经 1986 年 12 月 12 日水电水规字第 78 号文批准,同意在碧口水电站排沙洞进行孔板泄水消能的中间试验。

中间试验的主要任务是:

(1)观测和分析孔板水流的脉动分布规律、频率和强度。

(2)研究和观测水流突扩消能所诱发的振动现象以及隧洞、孔板、衬砌结构和围岩的振动现象。

(3)验证多级孔板隧洞发生水流空化和空蚀的条件和部位。

(4)检验孔板端部锐缘的抗磨损部件的施工工艺及其可靠性。

(5)观测多级孔板对高含沙水流的消能效果。

(6)对多级孔板原型试验的测试成果与模型试验和理论计算的成果进行全面的对照分析。

(7)取得多级孔板消能隧洞的设计及施工的实际经验。

根据试验任务的要求,曾对国内已建隧洞进行选点比较,最后选定位于甘肃白龙江的碧口水电站左岸排沙洞进行增建多级孔板的原型试验,主要理由是:

(1)碧口排沙洞汛期试验期间水头可达 60~70m,可使增建孔板试验段平均流速达 8m/s左右,孔板孔口流速 16m/s 左右,这一指标接近小浪底孔板洞的相应设计流速(当时确定最高水位平均流速 9.45m/s,孔口流速 19.86m/s),鉴于孔板洞水流诱发振动特性、空化、空蚀特性与水流流速密切相关,所以使中间试验的流速尽量接近小浪底孔板洞的实际流速是很重要的。此外,碧口排沙洞泄流排沙,有和小浪底相似的泥沙条件。

(2)碧口左岸排沙洞的施工支洞保持完好,位置适当,可作为观测支洞使用,试验段与观测洞仅以 13m 厚的混凝土堵头相隔,便于测试,可节约试验费用。

(3)排沙洞泄量仅占碧口汛期设计洪峰流量的 3%,虽对中小洪水调度增加了困难,但对工程防洪安全影响不大。

　　碧口排沙洞原为压力洞,洞径4.4m,全长685m。试验段选在中部弯道之前,经各种方案比较后,试验段采用套衬方案,套衬后内径3.8m,设两级孔板,孔板间距为三倍洞径,试验段全长31.5m。孔板环内径为2.62m,其孔板内外径比为0.69,与小浪底泄洪洞孔板的孔径比相同。为提高末级孔板的水流空化数,需使用设在排沙洞有压段末端的弧形工作门控流,但由于该门本身存在缺陷,不能局部开启,因此在弧门前设置了长5m的混凝土收缩段,其收缩孔口的过流面积为3.52m²。图12-4-1为试验工程总体布置图。

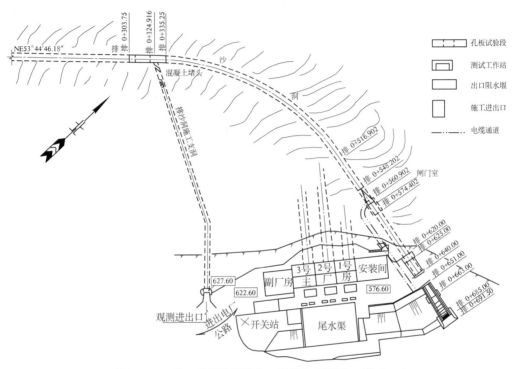

图12-4-1　碧口孔板消能试验工程总体布置图　（单位:m）

二、试验条件

　　碧口排沙洞增建孔板中间试验工程由黄委会设计院设计,水电部第五工程局承担施工。1987年3月开工并于6月2日竣工验收。过水试验分别于6月23日和7月13日进行了两次,成功地取得了大量的试验数据。10月12日结合碧口排沙洞的冲淤排沙,又进行了第三次孔板过水试验。试验条件见表12-4-1。

表12-4-1　三次排沙洞过水试验条件的主要数据

| 序 号 | 试验日期 | 过水时试验水位 (m) | 过水流量 (m³/s) | 流速 | | 最大含沙量 (kg/m³) | 出口收缩段面积 (m²) | 过水时间 |
				套衬段 (m/s)	孔板内径 (m/s)			
1	6月23日	688.66	87.40	7.70	16.20	469.90	3.52	2h 37min
2	7月13日	689.33	82.50	7.27	15.30	592.87	3.00	8h 31min
3	10月12日	698.98	88.70	7.82	16.45	558.30	3.00	2h 30min

三、试验结论

(1)对碧口排沙洞清浑水原型观测结果分析表明,多级孔板消能效果十分显著,两级孔板消能系数分别为 1.03 和 0.57,消煞水头达 30% ~ 45%,且具有消能效果随水流含沙量的增加而提高的趋势。本次原型观测的消能系数及其规律与室内水力学模型试验(比尺为 1:28.57)所获得成果相当吻合。由此可见,按重力相似准则设计的模型试验所获得的孔板消能结果是可信的。

(2)第一次试验泄流时流经孔板的紊动水流,其脉动压力幅值以作用在孔板上为最大,压力幅值以二倍标准均方差值表示为 5.22m,相当于静水头的 8.5%,作用在孔板段管壁上的脉动压力,沿程是减小的。第二次试验控流断面缩小后,由于洞内流速降低,且没有发生空化现象,因而各测点脉动压力显著降低,说明脉动压力大小与水流空化状态有密切关系,多数点脉动压力频宽为 0 ~ 10Hz,优势频率为 1.25Hz。观测结果及分布规律与模型试验结果近似。脉动压力为随机变量,其整体脉动荷载的幅值,随被测物承压面的增加,因相位差异而产生均化使脉动幅值减少,为点脉动压力值的 1/10 ~ 1/30。

(3)消能孔板成环状结构,整体性好,承载能力高,孔板混凝土应力仅 0.4 ~ 0.5MPa,钢筋最大应力仅 2.34MPa。在过水试验全部完成后,经检查完好无损,表明孔板及其衬砌设计有足够的安全强度。

(4)孔板及其衬砌结构振动的现场观测资料表明,孔板及洞壁各点的振动加速度的标准均方差在 $(200 ~ 600) \times 10^{-6}g$ 之间;振动速度标准均方差平均为 $(20 ~ 10) \times 10^{-6}m/s$;位移标准均方差平均为 $(3 ~ 7) \times 10^{-6}m$;孔板混凝土中的最大动应力的标准均方差仅为 44 ~ 98kPa,位于孔板上的钢筋动应力的标准均方差约为 250kPa。由此可以看出,结构的振动反应很小。围岩中所测的振动也是微弱的,且随距离增加而衰减,基本属于无感振动。此外,量测资料表明,孔板过水所产生小于 1Hz 的低频脉动压力,既没有激发具有较高频率的孔板结构的共振,也没有与无低频明显优势频率的山体产生共振效应。

(5)根据碧口孔板试验观测数据初步推算,水流脉动所诱发的结构振动所消耗功率很小,不足孔板消能总功率的万分之一。孔板消能的主要能量转换方式是突扩后的紊动水流互相碰撞、摩擦转成热能而被水流带走。

(6)碧口排沙洞增建孔板空化特性的原型观测表明,当出口收缩段过水面积为 3.52m²,孔板试验段洞内平均流速为 7.7m/s 时,末级孔板处水流空化数为 3.13,低于初生空化数,现场观测表明有空化现象发生。当出口收缩段增设折流板,其过水面积缩小至 3.0m²,洞内平均流速为 7.27m/s 时,水流空化数提高到 4.82,没有发生空化现象。这一观测结果基本验证了在室内减压箱所进行的空化模型试验的结论,即碧口排沙洞增建的第 Ⅱ 级孔板的初生空化数为 3.76,消失空化数为 3.80,因此第一次试验是由于水流空化数低于消失空化数而发生空化。原型试验还证实了可以通过缩小中间闸室过水面积,适当减小洞内流速的措施,提高水流空化数,控制初生空化的发生。

(7)采用预先组装高铝瓷砖、同期与孔板浇筑混凝土的工艺,可以使防护体本身与母体联结牢固,确保孔板孔口尺寸及形状的稳定。通过原型过水试验,初步显示出这种孔板孔口防护体的设计和工艺是可靠的。

(8)鉴于在碧口排沙洞孔板所进行的一系列模型试验和理论计算方法,基本上与小浪底多级孔板泄洪洞的试验和研究相同,因此碧口排沙洞作为小浪底泄洪洞中间试验的原型观测结果,对于论证为小浪底多级孔板泄洪洞已进行的大量模型试验和理论研究的可靠性,以及对小浪底孔板消能的成功应用都有很重要的意义。

(9)碧口排沙洞多级孔板原型试验安全成功顺利地完成,以及通过对所取得的大量原型观测资料分析和模型试验的对比,说明利用多级孔板在洞内消能的技术是可行的。为解决多泥沙河流上泄水建筑物设计中存在的高水头、高流速和高含沙量磨损问题提供了新的途径。

第五节　三级孔板消能泄洪洞的试验研究

1989年4月提出了黄河小浪底水利枢纽总布置方案优化报告,确定采用3条直径14.5m的导流洞,其中一条低位导流洞进口高程为132m,出口高程为126m;两条高位导流洞进口高程为141.5m,出口高程为135.5m。完成导流任务后,3条导流洞相继改建为3条多级孔板泄洪洞,即相应为一条低位孔板洞(1号孔板洞),两条高位孔板洞(2号、3号孔板洞)。由导流洞改建的3条孔板泄洪洞的进口高程为175m,以龙抬头形式连接导流洞,龙抬头段洞径12m,至下弯段渐变为14.5m并与导流洞相接。

1990年8月,由于山体防渗帷幕位置的限制,决定将3条四级孔板洞全部改为三级孔板洞。为此需要对三级孔板洞孔板的消能效果,孔板的空化性能,以及孔板的消能、空化和闸孔出口面积的相互协调,中间闸室的体型和水流流态等进行研究。鉴于三级孔板方案中闸室闸门出口流速近35m/s,因此也曾研究了在三级孔板方案基础上,在保持孔板洞压力段长度不变情况下增加一级孔板的方案,拟适度降低闸室出口流速。

一、低位孔板洞减压模型试验研究

对低位孔板洞,主要进行了1:50、1:40两种比尺的减压模型试验。由于试验采用的手段和方法有所差异,试验得出的成果有一定的差别。在1:50比尺减压模型试验的基础上,又开展了1:25大比尺局部减压模型试验来验证,最后的设计成果采用了1:50和1:25比尺减压模型试验的成果。

(一)试验目的
1:50比尺减压模型试验是在图12-0-1(a)的孔板洞布置的基础上进行的。孔板洞进口高程为175m,孔板间距$L=3D=43.5$m,中间闸室出口高程为135.65m。要求通过试验研究来协调空化、泄量和流速的相互关系,使推荐的三级孔板方案同时满足如下四个方面的要求:

(1)在库水位275m时,中间闸室出口流速小于35m/s;

(2)在库水位220m时,泄量满足$1\,270$m³/s$\leqslant Q\leqslant 1\,300$m³/s;

(3)在各级水位运行时,孔板段均不发生空化;

(4)在各级水位运行时,闸室段不空化,并具有良好的水流流态。

(二)试验方法
试验选择四个水位,分别为275m、250m、230m和220m。采用NHC型水下噪声量测系统进行空化声测。水听器布置的原则是,在空泡溃灭的最强处,以获得较好的接收效果。对于孔板段,水听器布置在孔板后约 $1.0D$ 位置;对于闸室段,水听器布置在距出口约 15m,采用消失空化数 σ_d 作为判别空化的标准,并由此来界定空化状态。在试验过程中,维持上游水位不变,从真空度最大时的空化状态开始,当声压级有 10dB 以上的下降而后保持基本稳定时的空化状态即是消失空化状态,此时的空化数即消失空化数 σ_d。

(三)试验成果分析

1. 原设计方案试验成果分析及研究重点

原方案的设计参数为,各级孔板的孔径比 $\beta_1 = 0.69$,$\beta_2 = 0.72$,$\beta_3 = 0.72$;孔板的顶圆半径 $r_1 = 0.02\text{m}$,$r_2 = 0.02\text{m}$,$r_3 = 0.4\text{m}$;中间闸室闸孔出口尺寸 $A = 52\text{m}^2$。

(1)泄量和上游库水位的关系。对原方案闸孔出口进行了两种方案的试验,出口面积 $A = 52\text{m}^2$ 和 $A = 43\text{m}^2$,前者是原设计闸孔面积,后者是根据空化试验确定的闸孔面积。在库水位 220m 高程时,$A = 52\text{m}^2$ 和 $A = 43\text{m}^2$ 方案的泄量分别为 1 290m³/s、1 065m³/s;在库水位 275m 高程时,它们的泄量分别为 1 700.6m³/s 和 1 372.1m³/s。

(2)孔板洞消能效果。原方案 $A = 52\text{m}^2$ 和 $A = 43\text{m}^2$ 两种情况,各级孔板消能效果计算结果列于表 12-5-1 和表 12-5-2。对于 $A = 52\text{m}^2$ 方案,在库水位 220m 高程时,孔板总消能水头为 35m;在库水位 275m 高程时,孔板总消能水头为 59m。对于 $A = 43\text{m}^2$ 方案,在库水位 220m 高程时,孔板总消能水头为 22m;而在库水位 275m 高程时,孔板总消能水头为 39m。在以上每种方案中,第Ⅰ级孔板水头损失最大,第Ⅱ级次之,第Ⅲ级最小。

表 12-5-1　原方案 $A = 52\text{m}^2$ 孔板的水头损失 ΔH 和消能系数 K

孔板级数	Ⅰ		Ⅱ		Ⅲ		$\sum \Delta H_j$
库水位(m)	ΔH_1(m)	K_1	ΔH_2(m)	K_2	ΔH_3(m)	K_3	(m)
220	16.0	1.164	10.0	0.884	9.0	0.795	35.0
230	19.0	1.206	11.0	0.848	9.5	0.732	39.5
250	22.5	1.163	13.5	0.848	12.5	0.785	48.5
275	27.5	1.151	17.0	0.865	14.5	0.737	59.0
$\overline{K}$		1.171		0.861		0.762	

表 12-5-2　原方案 $A = 43\text{m}^2$ 孔板的水头损失 ΔH 和消能系数 K

孔板级数	Ⅰ		Ⅱ		Ⅲ		$\sum \Delta H_j$
库水位(m)	ΔH_1(m)	K_1	ΔH_2(m)	K_2	ΔH_3(m)	K_3	(m)
220	10.5	1.120	6.0	0.843	5.5	0.713	22.0
230	11.5	1.094	7.0	0.810	6.5	0.752	25.0
250	15.0	1.179	9.0	0.860	8.5	0.812	32.5
275	17.5	1.125	11.0	0.859	10.5	0.781	39.0
$\overline{K}$		1.130		0.843		0.765	

(3)空化性能。原设计方案在出口面积 $A = 52\text{m}^2$ 时,Ⅱ、Ⅲ级孔板严重空化,第Ⅰ级孔板也有明显的空化现象,空化的特点是角隅空化,见图 12-5-1。用减少出口面积的方法也可以消除空化现象,当 $A = 43\text{m}^2$ 时,原方案才能避免出现空化现象。其消失空化数 $\sigma_{d2} = 7.78$,$\sigma_{d3} = 7.15$。

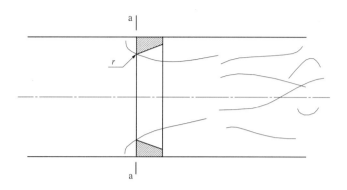

图 12-5-1　孔板泄洪洞的空化现象和特征图

(4)闸室出口流态。原设计方案在闸室出口处,左右两孔水流有明显的对撞,造成较强的水翅冲顶,原型可能造成水翅封顶,这是一种有较大危害的水流流态。同时侧壁有较大的负压,在距孔口下游约 30m 处负压为 5m。

根据对孔板洞的认识以及原方案存在的问题,确定试验重点为对各级孔板的孔径比 β_i、孔板的顶圆半径 r_i、孔板前三角消涡环尺寸(宽×高)、中间闸室闸孔出口尺寸 A 等四个敏感参数进行探讨研究。

2. 试验方案的选取

针对孔板洞的四项敏感参数,选取试验方案见表 12-5-3,有关孔板的结构参数见图 12-5-2。

表 12-5-3　各研究方案的模型参数

方案号	$r_1(m)$	$r_2(m)$	$r_3(m)$	$T \times T(m \times m)$	$A(m^2)$
Ⅰ	0.02	0.20	0.30	0.8×0.8	52
Ⅱ	0.02	0.20	0.30	1.2×1.2	52
Ⅲ	0.02	0.20	0.30	0×0	46
Ⅳ	0.02	0.20	0.30	0.8×0.8	46
Ⅴ	0.02	0.20	0.30	1.2×1.2	46
Ⅵ	0.02	0.20	0.40	1.2×1.2	52

3. 试验成果分析

(1)各研究方案的泄量和库水位的关系见表 12-5-4。由表 12-5-4 可见,中间闸室出口面积相同时,三角环尺寸为 0.8m×0.8m 或 1.2m×1.2m 情况下,在各级水位下泄量大致相等。说明这种贴角结构对泄量的影响很小。

(2)各试验方案的消失空化数 σ_d。原方案的空化现象是第Ⅱ级孔板比第Ⅲ级孔板空化大大提前,分析原设计方案孔板顶角半径 $\{r_i\}^T = \{0.02, 0.02, 0.4\}$m,由于第Ⅱ级孔板顶角半径较小,而第Ⅲ级孔板顶角半径较大,相对来说,两个相邻孔板对空化的敏感差距较大,造成第Ⅱ级孔板空化负荷过大。为改善这种现象,经试验调整后各级孔板的顶角半径改为$\{r_i\}^T = \{0.02, 0.2, 0.3\}$m。这样第Ⅲ级孔板分担一部分第Ⅱ级孔板的空化负荷,可基本保证第Ⅱ、Ⅲ级孔板空化同步发生,同时也提高了孔板的消能量。

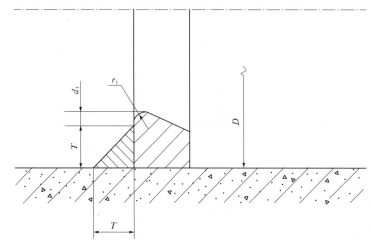

图 12-5-2 孔板的结构参数和体型示意图

表 12-5-4 各研究方案的泄量和库水位的关系 （单位:m³/s）

方案号	库水位(m)			
	220	230	250	275
Ⅰ	1 329.0	1 410.5	1 560.4	1 728.9
Ⅱ	1 327.4	1 417.6	1 563.9	1 730.1
Ⅲ	1 142.2	1 217.6	1 332.5	1 481.2
Ⅳ	1 150.3	1 211.1	1 347.9	1 495.5
Ⅴ	1 142.0	1 211.0	1 336.0	1 468.5
Ⅵ	1 327.0	1 418.0	1 564.2	1 732.5

(3)消除孔板前的角隅空化。为消除孔板前的角隅空化,还对三角环对空化的影响进行了进一步的比较研究。根据试验结果,第Ⅳ、Ⅱ方案的消失空化数 σ_d 和水流空化数 σ 与 σ_d 的比值列入表 12-5-5。

表 12-5-5 各方案的消失空化数 σ_d 试验结果

方案号	原型无空化的最大面积(m²)	消失空化数 σ_d		水流空化数 σ/消失空化数 σ_d	
		$\sigma_{dⅡ}$	$\sigma_{dⅢ}$	$\sigma_Ⅱ/\sigma_{dⅡ}$	$\sigma_Ⅲ/\sigma_{dⅢ}$
原方案	43	7.78	7.15	1.030	1.032
Ⅳ(0.8m×0.8m)	46	6.021	5.396	1.132	1.147
Ⅱ(1.2m×1.2m)	52	4.269	3.655	1.059	1.072

从表 12-5-5 可见,在原型泄洪洞无空化中间闸室闸孔面积随着三角环尺寸的增大,显著增大。在无三角环时,无空化的闸孔面积仅43m²;加入 0.8m×0.8m 的三角环后,无空化面积达到46m²;当加入的三角环尺寸为1.2m×1.2m 时,无空化的中间闸室闸孔面积增加到52m²,增加了9m²,约21%。因此,当加入三角环,特别是加入的三角环尺寸增大以

后,泄洪洞的空化性能得到显著改善,无空化闸孔面积增加,因而使总泄量也相应加大,泄洪洞平均流速加大,从而使其总的消能量因孔口面积的加大比无三角环时的消能量有所增加。就方案Ⅳ和方案Ⅱ比较,加了 $1.2m \times 1.2m$ 三角环以后,无空化出口面积由 $46m^2$ 增加到 $52m^2$,从而在库水位 275m 高程时,泄量由 $1\,495.5m^3/s$ 增加到 $1\,730.1m^3/s$,在这两种情况下的消失空化数 $\sigma_{dⅡ}$、$\sigma_{dⅢ}$ 分别为 6.021、5.396 和 4.269、3.655。

(4)孔板和中间闸室出口推荐方案及其水力特性参数。上述试验研究表明,表 12-5-3 中方案Ⅱ是相对较优方案,各结构尺寸参数为:孔径比 $\{\beta\}^T = \{0.69, 0.72, 0.72\}$;孔板消能室长度 $L = 3D = 43.5m$;孔板顶角半径 $\{r\}^T = \{0.02, 0.2, 0.3\}m$;孔板前三角环直角边长为 $1.2m \times 1.2m$;中间闸室出口面积 $A = 2$ 孔 $\times 4.8m \times 5.4m = 52m^2$。有关水力特性参数表述如下:

①在库水位 275m 时,流量为 $1\,730.1m^3/s$,中间闸室闸孔出流流速为 33.25m/s;库水位 220m 时,流量为 $1\,327.4m^3/s$,闸孔出流流速为 25.52m/s。

②在库水位 275m 时,第Ⅱ、Ⅲ级孔板的消失空化数分别为 4.269 和 3.655,相应的水流空化数和消失空化数之比分别为 1.059 和 1.072。

③在库水位 275m 时,Ⅰ、Ⅱ、Ⅲ级孔板消煞水头分别为 28.5m、12.5m 和 16.0m,相应的消能系数分别为 1.154、0.615 和 0.787。

(四)试验结论

小浪底孔板洞的空化问题,关系到出口控制闸门的断面尺寸及出口泄流流速的选择,牵涉到经济和安全双重意义,因此空化形态的识别和初生空化数判断至关重要。为此,还进行了 1:25 大比尺减压模型试验,由于模型比尺较大,不可能对整体布置全部模拟。根据管道突扩的压力场和流速场分布,选择自第Ⅱ级孔板至中间闸室出口段作为试验段。率定试验表明,由于来流平顺,在进入第Ⅱ级孔板前,流场已近似小比尺模型试验成果。大比尺模型试验除进行常规测试手段外,重点使用水下噪声宽频域或瞬态采集处理系统测量初生空化,并采用文杜里型敏感测试仪测试水体抗拉强度。其研究特点是考虑水体的抗拉强度,即考虑水质的影响。

根据上述 1:50 减压模型试验研究,以及 1:25 大比尺局部减压模型试验研究成果,可以综合得出:

(1)通过 1:25 大比尺减压模型试验,利用测量水动力学参数与水质参数并重的观测方法,求得第Ⅱ级孔板的初生空化数为 4.52,第Ⅲ级孔板的初生空化数为 3.95,空化数的计算均以中心线为基准。在试验中观测到潜没射流流态在扩散后的边壁附着点,不比小比尺模型稳定,而是有将近一倍洞径长度的摆动,可以推论原型将有更加剧烈的摆动现象。在初生空化形成时,呈阵发性随机出现,空泡形成叶片,多在射流收缩断面附近发生,属漩涡空化,生灭过程呈闪烁生成瞬即溃灭,其运动轨迹呈游移状,摆动范围较大,但未能波及隧洞边壁。

(2)在 1:50 减压模型试验中,当考虑龙抬头存在时,换算至中心线为基准的第Ⅱ级孔板的初生空化数为 4.53,第Ⅲ级孔板的初生空化数为 3.87。为便于和大比尺模型试验成果相比较,对 1:50 模型进行了考虑水质参数及不考虑龙抬头的对比试验,得出第Ⅱ、Ⅲ级孔板的初生空化数分别为 4.43 和 3.79。

(3)根据1:50和1:25模型进行的水动力参数和水质参数并重测量的试验成果,可推得原型第Ⅱ、Ⅲ级孔板的初生空化数分别为4.6和4.12。通过试验和分析,第Ⅰ级孔板的压力水头较高,虽有来流流速场分布不均匀问题,但在试验范围内未发生过空化现象。

(4)不考虑龙抬头的1:25大比尺减压模型和不考虑龙抬头的1:50减压模型的布置,与碧口水电站排沙洞内布置的两级孔板洞原型的体型基本近似,相应的初生空化数连同推算的原型初生空化数一并列入表12-5-6中。

表12-5-6　相似体型不同比尺模型及原型初生空化数比较

比尺	两级孔板洞 σ_i	三级孔板洞 σ_i
1:50	4.43	3.79
1:25	4.52	3.95
1:3.82	—	4.03(参考用)
1:1	4.60	4.12

注:中闸室出口面积均为52m²。

(5)通过大量的模型试验可以得出,小浪底孔板洞的出口控制断面可采用52m²,各级孔板的布置可按1:50减压模型所建议的孔径比,即 $\beta_1 = 0.69$、$\beta_2 = \beta_3 = 0.72$,孔板顶端圆角半径 $r_1 = 0.02m$、$r_2 = 0.2m$、$r_3 = 0.3m$,并在孔板前加 $1.2m \times 1.2m$ 的消涡环。

(6)对扩大或缩小出口断面必须十分慎重,扩大出口面积将恶化空化状态;缩小出口面积将加大中闸室之后的流速,其实质是将矛盾转向下游。

二、低位孔板洞体型的确定

由于多级孔板消能系统中孔板的初生空化数还受前后孔板体型的影响,局部模型的试验结果不能反映整体的水力状况,特别是整体的空化状况。体型相同的孔板在单级和多级孔板系统中空化特性也有较大差别。认为 $\sigma / \sigma_i = 1$ 的设计标准是合适的,因为初生空化数都是在减压模型上确定的,模型中水的相对含气量0.1%左右,而原型中水的相对含气量大于1%。含气量对初生空化数的影响十分显著,初生空化数随含气量的增加而增加,如果再加上缩尺和含沙量的影响,可以认为用减压模型确定的初生空化数总是小于原型的初生空化数。

设计认为,控制减压模型无空化作为设计条件,其目标是保证原型不发生空蚀破坏。影响初生空化的因素很多,不同试验单位、不同试验设备进行同样体型结构的空化试验,其成果出现一定的差异也是正常的,很难贸然取舍。从碧口中间试验成果可知,在结构体型基本合理的前提下,通过减小闸孔面积可以抑制孔板段空化的发生,故决定低位孔板洞中间闸室的闸孔采用2—5.4m×4.8m,通过原型测试留有必要时进行调整的余地。

最终,1号(低位)孔板洞的体型确定为:

(1)龙抬头洞段。龙抬头段进口直径12.5m,其斜直段长17.12m,保持12.5m直径;下弯段直径由12.5m渐变到14.5m,中心线半径 $R = 38m$,中心角为50°,下弯段与原1号导流洞相接,结合点桩号0+116.4m,高程为132m。龙抬头段结构布置图见图12-5-3。

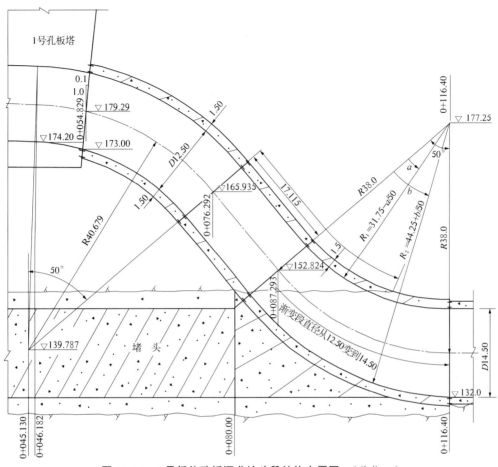

图 12-5-3 1号低位孔板洞龙抬头段结构布置图 （单位:m）

(2)多级孔板消能段。该段为龙抬头段下弯段后到中闸室前,全长 134.25m,孔板段内设三级孔板,孔板中心间距为三倍洞径,即 43.5m。三级孔板的孔径比自上游至下游依次为 0.69、0.724、0.724;孔板孔缘半径相应分别为 0.02m、0.2m、0.3m;孔板的厚度均为 2m,三级孔板的上游均设有 1.2m×1.2m 贴角(即消涡环)。孔缘材料采用高铬铸铁预制块拼接而成,并可更换。第Ⅲ级孔板后经过 43.5m 直段与 22m 长的渐变段相接,将直径 14.5m 的圆洞渐变为中闸室前双孔矩形断面。消能段结构布置图见图 12-5-4。

(3)中闸室段。中闸室段分下部闸门室和上部操作室。闸门室设双孔偏心铰弧形工作门,孔口尺寸为 2—4.8m×5.4m,弧门支铰高程为 142.85m,弧门支臂长 9m,闸门最大总水压力为 55.4MN/孔,采用 3 500kN/1 200kN 和 3 000kN/900kN 的油压启闭机。闸门孔前顶板是在原导流洞渐变段内"镶"一个顶板和一个底板贴坡,顶板为 $R = 14.88$m 的曲线与 $i = 0.1$ 的斜坡相切,然后再以 1:4 的压坡到闸门孔顶端,孔顶高程为 141.05m。底板是在原渐变段底板上浇筑二期混凝土,前沿为 $R = 15.58$m 的圆弧与 $i = 0.1$ 的斜坡相切,斜坡顶端高程(即出口底高程)为 135.65m。在平面上,左右两侧边墩在前沿采用 $R = 6.44$m 的圆弧和一平直段构成0.5m的突扩,中墩两侧纵斜直线与平直线构成0.5m的突扩,同时

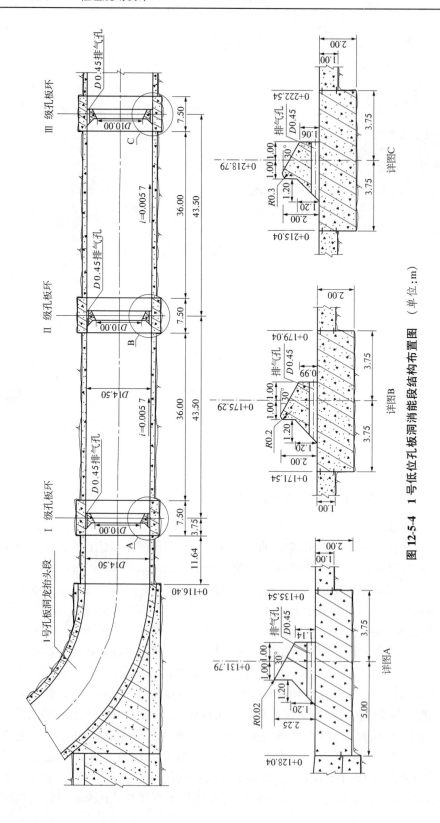

图 12-5-4　1 号低位孔板洞消能段结构段布置图（单位：m）

也作为偏心铰弧门的滑道。在原导流洞断面的基础上,采用上述上、下、左、右加贴坡的方法使孔口面积收缩到2—4.8m×5.4m。中闸室采用突扩突跌式,突扩为0.5m,跌坎高为1.5m,跌坎内设0.9m直径的圆形通气孔,跌坎后与之平行边设0.9m直径的圆形通气孔,都与中墩及两侧边墙通气孔相通,最终与2.5m×4.2m通气洞连接,泄洪时由通气洞向底腔和侧空腔补气。在挑坎下设$i=0.0771$的斜坡与原导流洞底板相接,斜坡长45m,在各级库水位下泄的挑射水流均落在此斜坡上,回流不会淹没挑坎下的通气孔。为防止闸孔射出的水流冲击边壁造成水翅冲击偏心铰弧门的支铰,在闸门孔口后两侧边墙及中墩上沿顶板$i=0.1$的斜坡的延长线上均设宽0.5m、长8m的导水挡板。上部操作室宽22.4m,长11.5m、高16.35m,室内设有2台3 500kN/1 200kN 弧门主操作油压启闭机和2台3 000kN/900kN偏心操作油压启闭机,供偏心铰弧门启闭机操作运用,同时还安设1台LH型400kN电动葫芦双梁桥机,供安装和检修启吊设备。在闸室顶部设有吊物井。中闸室段结构布置见图12-5-5。

（4）中闸室后明流段。中闸室后明流段包括闸室渐变段、圆形洞身段和出口渐变段组成,该段在导流期建成。中闸室后渐变段由三段组成,依次为:第一段为15m长,是由宽15m、高14.5m的方形断面渐变为宽15m、高14.5m的城门洞形断面;第二段为20m长的城门洞过渡段和36m长由城门洞渐变到直径为14.5m的圆形断面;最后接直径为14.5m的圆形洞身段。出口渐变段长30m,是从直径为14.5m的圆形渐变到12m×14.4m的城门洞形断面。明流段出口设挑流鼻坎,坎顶高程为129m。

虽然1号(低位)孔板洞按上述体型描述进行了施工建设,但由于中闸室孔口面积52m²的结论是有不同看法的,为保证1号孔板洞在运行中不发生严重的空化空蚀发生,暂限制该洞在250m库水位以下运用。

三、高位孔板洞模型试验研究

1997年10月28日小浪底工程顺利截流,1号导流洞过水,1998年汛后分期、分批将导流洞改建为孔板泄洪洞,在1号孔板洞体型完全确定后,对2号和3号(高位)孔板洞的施工设计体型及有关运行工况进行一次全面的论证试验。进行了高位孔板洞1:60整体常压试验,试验结果表明,中闸室体型还有待深入研究,为此还进行了1:40减压模型试验,以最终确定高位孔板洞的体型。

（一）1:60整体常压水工模型试验

高位孔板洞的结构体型拟取与低位孔板洞基本相同的体型尺寸,只是高位孔板洞的出口闸孔总面积为46m²。1:60整体常压水工模型试验的目的是对高位孔板洞已基本确定的体型进行全面的水力学量测和分析,并重点观测中闸室孔压低、面积缩小后工作门全开及局部开启时的流态及压力等水力学特性。试验模型范围为从孔板洞事故门进口至中闸室后渐变段末端。

试验结果表明,龙抬头段压力分布均匀,最高库水位275m时,边壁最大流速不超过15m/s允许值;反弧段采用12m等直径或从12m直径渐变到14.5m直径对泄流能力影响极小,只是第Ⅰ级孔板的损失系数有所不同,两种反弧型式对水力学条件没有明显的优劣。三级孔板消能后,可降低中闸室前总水头35%左右,在275m水位时,孔板段扩散室

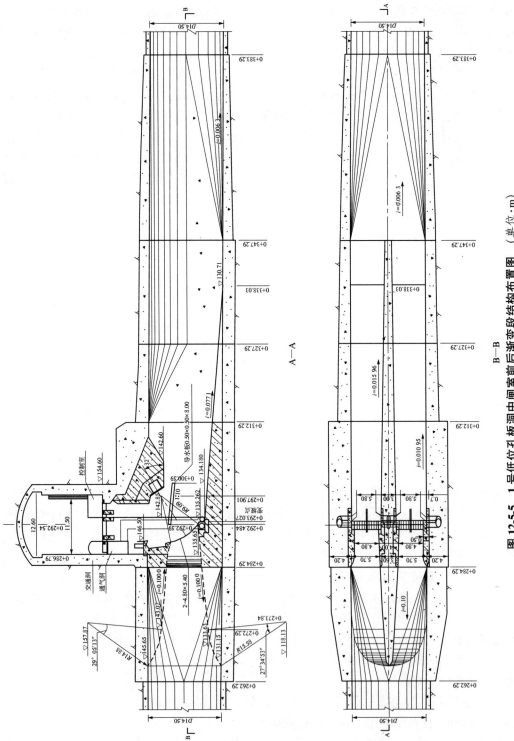

图 12-5-5　1号低位孔板洞中闸室前后渐变段结构布置图　（单位：m）

内边壁最大流速为 10.17m/s。原设计中闸室突扩边壁产生近 5m 水柱负压,将会引起空蚀破坏,为消减负压,对中闸室体型进行多次试验研究,其中以减缓顶压坡办法最为有效。当顶压坡从 1:3 改为 1:8 后,中墩最大负压约降到 1.2m 水柱。由于常压试验无法判断是否出现空化,建议进行较大比尺的减压试验进行空化研究。

利用 1:60 整体常压水工模型试验,也对事故门和工作门分别处于不同开度的极端情况进行了研究,结果表明,当事故门开度小于工作门开度时,在洞内会出现恶劣的流态。

(二)1:40 减压模型试验研究

1.试验概况

为研究中闸室的空化特性,进行了 1:40 减压模型试验研究。但在试验中发现,由于出口顶压坡的变化,导致孔板段也出现空化现象,因而 1:40 减压模型试验的任务就是要研究消除孔板及中闸室空化的途径。但由于当时工程施工已进展到孔板抗磨件、偏心铰弧门和预埋件已经加工的情况,只能研究改变孔板洞出口收缩渐变段体型来解决出现的问题。

2.试验方案

针对试验要求,对库水位 230m、250m 和 275m 分别进行了七种布置方案的试验研究,并根据测试的压力分布、空化噪声和中闸室流态等进行分析研究。这七种布置方案分别为:

(1)原方案:中闸室顶压坡为 1:5,孔口高度 4.8m,孔口宽度 4.8m,中闸室出口面积 46.08m²。

(2)修改布置Ⅰ方案:中闸室顶压坡 1:5,孔口高度降低为 4.6m,孔口宽度 4.8m,中闸室出口面积 44.16m²。

(3)修改布置Ⅱ方案:在修改Ⅰ方案的基础上增加中闸室孔口侧收缩,孔口宽度减小到 4.17m,中闸室出口面积 38.36m²。

(4)修改布置Ⅲ方案:中闸室顶压坡 1:5,加底挑坎(坡度 1:4、坎高 0.2m),孔口高度 4.4m,孔口宽度 4.8m,中闸室出口面积 42.24m²,见图 12-5-6。

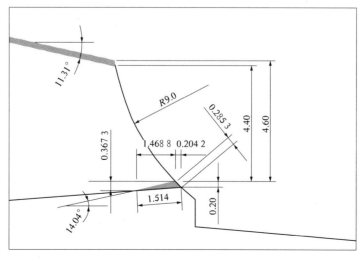

图 12-5-6　中闸室修改布置Ⅲ方案示意图　(单位:m)

(5)修改布置Ⅳ方案:中闸室顶压坡 1:5,孔口高度 4.8m,孔口宽度 4.8m,中闸室出口面积 46.08m²,取消第Ⅰ级孔板消涡环。

(6)修改布置Ⅴ方案:中闸室顶压坡 1:5,孔口高度 4.6m,孔口宽度 4.8m,中闸室出口面积 44.16m²,取消第Ⅰ级孔板消涡环。

(7)修改布置Ⅵ方案:中闸室顶压坡 1:5,加底挑坎(坡度 1:4,坎高 0.2m),孔口高度 4.4m,孔口宽度 4.8m,中闸室出口面积 42.24m²,取消第Ⅰ级孔板消涡环。

3. 空化判别标准及判别结果

由于多种不确定因素,对初生空化的判别采用以噪声测试为主、结合空化数判别和目测的方法。对于孔板段,以噪声测试为主,辅以空化数判别法和目测的方法;但对中闸室下游的明流段,由于空中射流紊动强烈且有掺气,目测方法已不适用,至于空化数判别法,由于初生空化数难以确定而无法使用,只能采用噪声测试。

根据研究,得出高位孔板洞各过水建筑物的空化判别标准列于表 12-5-7。

表 12-5-7   高位孔板洞各过水建筑物的空化判别标准

判别方法	位置	孔板段			中闸室		
		第Ⅰ级孔板	第Ⅱ级孔板	第Ⅲ级孔板	边墩	底板	中墩
噪声判别法	$\bar{E}$	2	2	2	2	2	2
	$(\Delta SPL)_{max}$(dB)	7	7	7	5.5	5.5	5.5
空化数判别法	初生空化数 σ_I (未去Ⅰ级消涡环)	5.604	5.589	5.075	—	—	—
	初生空化数 σ_I (去掉Ⅰ级消涡环)	5.116	4.908	4.388	—	—	—

注:$\bar{E}$ 为噪声相对能量;$\Delta(SPL)_{max}$ 为噪声声压级差最大值。

按照表 12-5-7 高位孔板洞的空化判别标准,得出结果列于表 12-5-8。

4. 试验结论

原方案及修改布置Ⅰ、Ⅱ、Ⅲ方案的试验结果表明,增加中闸室出口的收缩幅度,减小其出口面积对于改善有压孔板段的空化特性有明显的作用,原方案孔板段仍有明显的空化,修改Ⅲ方案已使空化基本消除。试验还证明,无论采用顶部、底部或侧收缩,对于改善闸后明流段侧壁和边墙空化特性的效果都不明显,各方案中闸室明流段均有不同程度的空化。

对比修改布置Ⅳ、Ⅴ、Ⅵ方案与原方案及修改布置Ⅰ、Ⅱ、Ⅲ方案的试验结果可见,取消第Ⅰ级孔板消涡环孔板段的水流流态及壁面压强分布发生较大改变,特别是在第Ⅰ级孔板附近,从而使整个孔板段的消能与空化特性有比较明显的改善。它使第Ⅰ级孔板消能率明显增加,第Ⅱ级孔板消能率略有减小,孔板段后部壁面压强略有增大,泄洪流量亦略有增加,各级孔板的初生空化数程度不等地有所减小。

综合考虑空化初生试验结果及泄流能力、孔板段与中闸室的空化特性、泄洪洞的施工、运行条件等因素,设计采用修改布置Ⅳ方案,即出口顶压坡 1:5,取消第Ⅰ级孔板消涡环,出口面积为 46m²。

表 12-5-8　按表 12-5-7 判别标准对各种水位下七种方案进行的空化判别

方案	水位 (m)	第Ⅰ级 孔板	第Ⅱ级 孔板	第Ⅲ级 孔板	边墩	中墩	底板
原方案	275	空化	空化	空化	空化		空化
	250	未空化	空化	空化	空化		空化
	230	未空化	空化	未空化	空化		空化
修改布置Ⅰ方案	275	未空化	未空化	未空化	空化		空化
	250	未空化	未空化	未空化	空化		未空化
	230	未空化	未空化	未空化	空化		空化
修改布置Ⅱ方案	275						
	250				空化	空化	空化
	230						
修改布置Ⅲ方案	275	未空化	未空化	未空化	空化	未空化	空化
	250	未空化	未空化	未空化	未空化	未空化	空化
	230	未空化	未空化	未空化	未空化	空化	空化
修改布置Ⅳ方案	275	未空化	未空化	未空化	空化	未空化	空化
	250	未空化	未空化	未空化	未空化	未空化	未空化
	230	未空化	未空化	未空化	未空化	未空化	未空化
修改布置Ⅴ方案	275	未空化	未空化	未空化	空化	空化	空化
	250	未空化	未空化	未空化	空化	空化	未空化
	230	未空化	未空化	未空化	空化	空化	空化
修改布置Ⅵ方案	275	未空化	空化	未空化	未空化	未空化	未空化
	250	未空化	未空化	未空化	未空化	未空化	未空化
	230	未空化	未空化	未空化	未空化	空化	未空化

四、中闸室掺气试验研究

根据高位孔板洞的空化试验研究,确定采用出口面积 $46m^2$ 方案,孔板压力段的空蚀的安全性是有保证的,但中闸室出口部位高流速区的安全运行,需要进一步进行试验研究来加以论证。为此,平行进行了两项 1:20 比尺中闸室掺气模型试验研究。

根据掺气试验成果分析,可初步得到如下认识:

(1)中闸室通气管系统布置虽然不对称,但左右两闸室通气管均能有效地进气,且右侧通气管的进气量较左侧稍大,通气管最大风速为 44.3m/s,在设计允许范围之内。

(2)闸门全开运用时,底空腔与侧空腔完整且相互贯通,底空腔末端有横轴漩滚流产生,空腔底板上有薄层水垫存在,但底空腔有效长度仍大于 10m,且底板射流冲击区及其下游水流掺气浓度亦较大,对预防空蚀有一定保障。

(3)闸门局部开启时,底空腔有效长度及底板沿程掺气浓度均较闸门全开时增大;闸门局部开启时出现的门座斜轴漩滚封堵侧空腔,且右闸室门座上的斜轴漩滚流强度较左闸室大,该斜轴漩滚有可能磨损门座上的止水装置。

(4)侧壁射流冲击区可能会产生剪切空化水流,鉴于侧壁射流冲击区水流掺气浓度较低,下游壁面有可能发生剥蚀,需进一步研究增大侧壁水流掺气浓度、改善侧壁压力分布特性的措施;由于水流紊动很小,空腔长度不足以使水流充分掺气,测试结果也表明,对底板的掺气保护作用也不充分。建议在施工过程中,必须严格控制施工不平整度,选用抗空蚀性良好的壁面材料,正确处理施工接缝,以确保工程安全运行。

五、高位孔板洞体型的确定

根据试验研究,2 号、3 号高位孔板洞出口顶压坡改为 1:5;取消 I 级孔板的消涡环,这样的体型可保证孔板段不发生严重空化。由于中闸室出口流速较大,中闸室内边壁和底板测试到不同程度的负压,预测有空化的可能。为此进行了掺气试验研究,由于现今对掺气浓度的缩尺影响规律的认识还不充分,原型掺气浓度很难定量,根据试验成果,没法定性去说明闸室是否得到充分的掺气保护。但由于孔板洞中闸室出闸水流紊动很小,可以预计闸室有的部位,特别是侧壁的掺气保护是不充分的。因此,建议开展原型试验进行监测,并采取相应措施,以确保运行的安全。

2 号、3 号高位孔板洞的体型与 1 号低位孔板洞基本相同,高程差为 9.5m。仅中闸室段结构布置有较大变化,见图 12-5-7。

第六节　原型过流试验

1 号导流洞于 1999 年改建为孔板洞,2 号、3 号导流洞在 2000 年汛前完成改建工作,在 2000 年汛期 3 条孔板洞均具备泄洪的条件。1 号孔板洞于 2000 年 4 月 26~27 日进行首次运用,泄洪水位 210.2m 左右,过流量为 1 288m³/s 左右。2000 年 11 月 4 日和 6 日,库水位达 234.05~234.15m,对 1 号孔板洞进行了两次观测,比上一次水头高 24m,过流量为 1 480m³/s 左右。原型观测取得了大量十分宝贵的运行资料,为该洞在高水位条件下运行的安全分析提供了科学的依据。

一、原型观测设计

孔板洞洞内流速一般为 10m/s,孔板孔口收缩处流速为 20m/s,中闸室后最高流速达 35m/s。这种大洞径洞内消能的结构形式为首次采用,因缺乏经验,对由此引起的振动、空蚀、脉动压力等问题需进行观测。3 条孔板洞布置了相同的仪器,以便对比观测成果、验证设计和试验结果,并监视其安全运行。具体在孔板段设有时均压力计底座 4 支,脉动压力计底座 7 支(含强振仪),水听器底座 4 支,渗压计 2 支;在中闸室段设有时均压力底座 6 支,水听器底座 1 支。另外,在混凝土衬砌结构中还设有多支钢筋计、应变计等,根据观测项目的需要,时均压力底座可兼作脉动压力、掺气浓度测试仪的通用底座。

二、210m 库水位原型观测试验

(一)观测内容

210m 库水位过流原型观测的主要内容为:

(1)水力学观测项目:观测孔板洞段时均压力、脉动压力、空化噪声等;观测中闸室段的时均压力、空化噪声、通气风速、掺气浓度、空腔负压等;观测每级孔板段的消能水头及

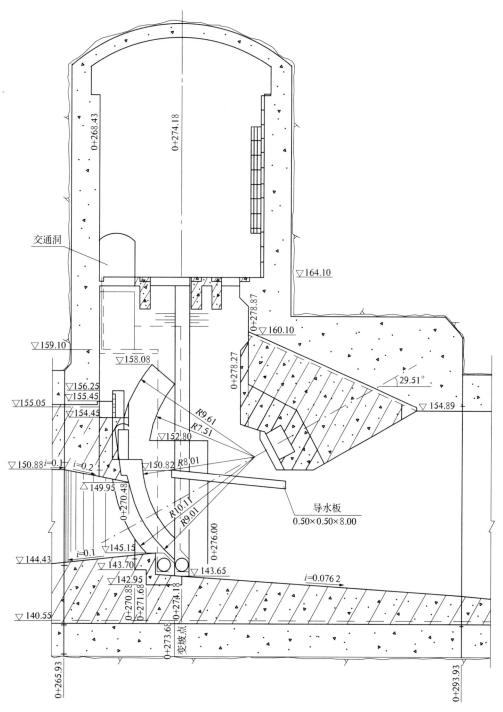

图12-5-7　2号、3号高位孔板洞中闸室段结构布置图　（单位:m）

消能系数等。

(2)水流脉动诱发孔板、洞群、山体振动性能测试分析。

(3)利用已埋设的相关原型观测仪器进行常规的结构力学原型观测。

(4)闸门流激振动观测:若试验中发现孔板洞段有空化空蚀现象,可局部开启闸门,缩小中闸室孔口尺寸进行试验,此时需对闸门流激振动进行检测和分析。

(二)观测成果分析

1. 关于孔板消能效果、空化和山体振动

(1)孔板洞有压段内时均压强的原观成果和相应的模型试验成果吻合良好,原型实测三级孔板的消能系数分别为 1.19、0.57、0.63,总消能率为 40.2%,与相应模型试验测定的孔板消能系数的差异在试验的可接受误差范围内。

(2)有压段脉动压力的原观结果和相应模型试验的成果也符合良好。隧洞边壁最大脉动压力均方根值为 33.94kPa,孔板环处最大脉动压力幅值为 28.22kPa,均属低频脉动。

(3)当库水位为 210.2m 左右,根据闸门开度为 0.82 和 0.92 时的水听器实测噪声谱的变化,可明确判断第Ⅱ、Ⅲ级孔板约在 0.92 闸门相对开度时出现初生空化状态,此时这两级孔板水流空化数,即初生空化数分别为 6.78、6.20 和 5.6、5.48,均高于减压模型试验的初生空化数,说明了孔板的初生空化数有比较明显的比尺效应。闸门全开时,第Ⅱ、Ⅲ级孔板虽已发生空化,但从噪声判断都还处于弱空化状态,相应水流空化数分别为 4.47 和 3.92。闸门开度为 0.92 和 1.0 时,第Ⅰ级孔板的相应水流空化数分别为 5.61 和 4.8。比较闸门相对开度为 0.71、0.82、0.92 和 1.0 时的水听器噪声谱,虽还不能明确判断已发生空化,但已在空化的临界状态。

(4)闸门全开时,1 号孔板洞泄流诱发山体振动的最大加速度只有 4.91cm/s²,基本上属于无感振动。估计在高库水位时,3 条孔板洞同时泄洪,也只会诱发很微弱的山体振动。

(5)在泄流过程中,27 支钢筋计和 10 支完好的混凝土应变计的读数表明混凝土的应力变化幅值均不大于 0.6MPa,孔板洞混凝土衬砌中基本没有拉应力。

2. 关于中闸室弧门振动和掺气等特性

(1)中闸室只设一个水听器测点,该测点离弧门出口跌坎为 23.6m,从该水听器的实测噪声谱判断,没有明显的空化迹象,但该水听器的测试结果还不足以判断中闸室其他部位是否已发生空化。

(2)弧形工作闸门在连续开启过程中,检测到的最大动应力只有 8.67MPa,局部开启时,振动位移最大均方根值为 104.6μm,对金属结构而言属轻微振动。

(3)闸门全开时,中闸室跌坎下游 23.6m,离底部 7.5mm 高度处的实测流速为 22m/s。

(4)闸门全开时,通气井的风速为 18.7m/s,通气系统的风速均小于有关规范规定,通气井断面最大通气量为 147.9m³/s,通气量分布较均衡,表明通气系统的设计是适宜的。中闸室在闸门出口跌坎下游 23.6m 和 45m 处的底部实测掺气浓度分别为 0.6%(针式掺气仪)和 1.2%(电导式掺气仪),邻近掺气空腔下游侧壁的掺气浓度为小于 0.1%(针式掺气仪)和 1.8%(电导式掺气仪)。从实测的底部掺气浓度难以明确判断中闸室段的免气蚀保护效果。

3.现场检查

经现场检查,1号孔板洞虽已过流达24h,但无论有压段还是中闸室,均未发生空蚀痕迹。

三、234m库水位原型观测试验

(一)观测内容

试验观测的主要任务:

(1)在234m水位左右各级孔板的水流空化特性以及发生空化时所对应的闸门开度。

(2)观测孔板消能段时均压力与脉动压力。

(3)观测中闸室的水流特性,特别是中闸室段掺气、空腔负压、时均压力与脉动压力。

(4)用本次原型观测成果与低水位条件下原型观测成果及模型试验资料比较,以揭示孔板洞水流空化特性受缩尺效应的影响程度。

(二)观测成果分析

对1号孔板洞在库水位234.05～234.15m泄洪时各级孔板和中闸室段水流空化情况进行了现场监测。在闸门连续开启运行工况下,闸门孔口相对开度0.88～0.9之间,孔板洞内水流发生空化,与此开度相应的三级孔板水流空化数分别为5.88～6.14、5.72～6.02和5.06～5.38。在库水位210.18～210.28泄洪时,在闸门孔口相对开度0.9～0.91之间,其初生空化数分别为5.77～5.85、5.55～5.65和4.93～5.03。与相应的模型试验结果相比较,经雷诺数修正后,三级孔板的初生空化数分别为5.85、5.55和4.9。可见,随着上游水位的升高,孔板洞内各级孔板的空化发生有所提前,水流空化相应有所加剧。

在闸门全开状态下,三级孔板的水流空化数分别为4.13、4.44和3.75,水位低24m的试验成果,其三级孔板的水流空化数分别为4.8、4.47和3.92,孔板的水流空化数随上游水位的升高具有逐渐减小的趋势。

实测总消能水头达40.28m,对应三级孔板的消能系数分别为1.21、0.63和0.68。

闸门在启闭过程中中闸室有空化现象,特别是在相对开度0.07情况下空化强度较大。

闸门全开运行条件下,中闸室空腔负压满足规范要求,可以保证跌坎底部的正常通气。底板和侧墙没有测到负压,压力分布合理。底板掺气浓度为0.5%～1.2%,随运行水头的增加,空腔强度将会增加,掺气效果将进一步改善。

四、原型观测试验结论

1号孔板消能泄洪洞两次原观试验对指导孔板泄洪洞的安全运行及经常性监测有重要意义,对推广导流洞改建成永久泄洪洞、推广孔板消能泄洪形式也有重要的参考价值。1号孔板洞泄洪时,孔板压力段有水流空化现象,尽管从噪声谱判断还处于弱空化状态,试验后进洞检查也未发现有空蚀破坏迹象,运行中仍应给予特别的关注。

第七节　结　语

黄河小浪底水利枢纽3条直径14.5m的导流洞,通过采用孔板洞内消能技术改建成永久的多级孔板消能泄洪洞,总泄流最大能力达 4 825m³/s,成为小浪底泄洪设施的重要组成部分。这项技术的采用,不仅解决了枢纽建筑物总体布局的难题,而且节约了大量的工程投资,缩短了工程建设进度。如果这 3 条导流洞废弃不用,要满足在非常死水位 220m 时总泄流能力不小于 7 000m³/s 的要求,就必须重新修建相当泄流规模的低位泄洪洞。如在左岸单薄山体枢纽建筑物布局极为困难的条件下勉强为之,其代价估计不会低于现有 3 条导流洞的造价。由于采用了孔板消能技术,现 3 条导流洞被重复利用86％,仅就此计算,节约工程费用约 3.8 亿元。因此可以说,这项技术的采用,就小浪底工程而言,具有巨大的国民经济效益。

采用洞内多级孔板消能,在世界坝工史上属首创。这种新型压力式洞内消能工在小浪底工程的成功实践,对推动洞内消能工的发展有积极的意义,并具有广阔的运用前景。四川大学高速水流国家重点实验室在溪洛渡水电站左岸导流洞改建为非常泄洪洞的方案性试验研究中,采用了洞塞的消能方式,和小浪底孔板的消能机理一脉相承,是洞内消能的最新发展。因此可以说,小浪底孔板消能泄洪洞的成功实践为世界坝工发展做出了积极的贡献,并具有很好的社会效益。此外,小浪底孔板消能方案提出后,我国著名的大专院校、科研院所积极参与了研究,一时形成了孔板热,从而推动了相关学科的发展,使我国在压力式洞内消能工的理论研究方面处于国际领先水平。

小浪底采用多级孔板消能方案在我国水利界一直就是有争议的。在小浪底这么重要的工程上采用这种尚缺少实践经验的消能技术,专家们的疑虑和担心是可以理解的。由于小浪底独特的工程泥沙和复杂的工程地质条件,严苛的运用要求,难以用常规的方法解决众多的挑战性的技术难题,工程设计者以敢于开拓和实事求是的科学精神执著地推荐了多级孔板消能方案,并为此进行了大量的科学试验研究,前后提出了近百份科学试验研究报告。从方案的提出到最终付诸施工到建成投入运用,经历了大约 15 年的漫长历程。在小浪底蓄水安全鉴定及竣工前补充安全鉴定报告中,同行专家对小浪底采用多级孔板消能方案给予肯定,认为是一项成功的实践。

第十三章 排沙洞无黏结后张预应力混凝土衬砌技术研究与应用

第一节 概 述

一、引言

小浪底工程共设有 9 条泄洪排沙隧洞,水位 275m 时的总泄流能力为 13 300m³/s,其中 3 条排沙洞平面上为直线布置,每条洞长 1 100m 左右,为有压隧洞,进口高程 175m,直接位于发电进水口下方,洞径 6.5m,单洞最大泄流能力 675m³/s。排沙洞进水塔内设检修门和事故门,出口设弧形工作门,在运用中控制泄流能力不超过 500m³/s,使洞内平均流速不超过 15m/s,担负着排泄高含沙水流、减少过机含沙量和调节径流,保持进水口泥沙淤积漏斗的重要任务,在枢纽泄洪设施中使用几率最高。

3 条排沙洞的设计水头均为 120m,由于排沙洞除宣泄高含沙洪水外,要求控泄 100～200m³/s 的小流量,以保证进口淤积漏斗,故要求工作弧门局部开启运用。排沙洞在山体排水帷幕前设普通钢筋混凝土衬砌,主要承受外水压力;排水帷幕后隧洞衬砌结构必须防止高压水外渗。排水帷幕后、工作闸门前的 2 169m 长隧洞衬砌的型式一度成为研究的重点。

在排水帷幕后隧洞衬砌结构型式的比选研究中,曾考虑过围岩高压灌浆、钢板衬砌、复合结构(夹薄钢板或 PVC 板的双层混凝土结构)和预应力混凝土结构等不同型式。由于围岩覆盖层薄,高压灌浆方案不能成立;钢板衬砌造价太高,根据三门峡水库的运行经验,钢板的抗磨流速为 10m/s,过同样的流量,较混凝土结构断面面积还要增加 50%,钢板衬砌方案也不能接受;复合结构施工复杂,不能满足进度要求。据国外实地考察,以及工程类比分析,小浪底排沙洞选用后张预应力混凝土结构,造价上较钢板衬砌方案节省 1/3～1/2。

小浪底工程排沙洞采用后张法预应力混凝土衬砌结构的设想在我国水工隧洞设计中还是首次提出,当时在国外虽然有一些工程实例,但主要是有黏结预应力方案。设计人员从赴意大利、瑞士等国考察,到进行室内 1:1 模型试验,从确定材料参数、力学参数到有限元分析研究,进行了 10 余年的大量研究工作,完成了有黏结预应力衬砌方案的设计研究。虽然有黏结预应力方案具有混凝土内的预应力有保障,对混凝土骨料没有特别要求,且混凝土振捣容易、施工方便等优点,但存在预应力锚具用量大,在隧洞顶拱布置张拉槽后张拉困难,预应力锚索张拉效率低,预应力损失大;衬砌结构应力不均匀;张拉时混凝土衬砌容易开裂等缺点。1997 年,在排沙洞即将施工时,世界预应力技术已有突飞猛进的发展,无黏结预应力方案中可能出现钢绞线松弛和锚具夹片松脱的技术难点已攻克,相比之下,无黏结预应力方案具有经济、高效、结构易布置、结构应力均匀、张拉施工简便等特点。在施工详图阶段,在现场进行 1:1 模型对比试验和大量结构分析研究工作的基础上,决定小浪底排沙洞采用无黏结后张预应力衬砌结构,并在隧洞内成功进行了试验段的原型试验。虽然这个方案对混凝土施工要求高,但这种要求对现代化施工手段已不存在问题。

二、地质条件

3 条排沙洞的压力段主要穿越 T_1^3、T_1^4、T_1^5 岩层和少部分 T_1^6 岩层,而 1 号、2 号排沙洞出口闸室及明流段穿越 T_1^{6-1} 岩层,3 号排沙洞出口闸室及明流段穿越 T_1^{5-3} 岩层,岩层倾向东北,倾角约 10°。岩体主要为砂岩层夹有薄黏土岩层。薄黏土岩层厚一般为 2 ~ 5cm。

1 号排沙洞在桩号 0 + 067(右)~ 0 + 096(左)、0 + 465(右)~ 0 + 495(左)、0 + 505(右)~ 0 + 535(左)分别遇到 F_{240}、F_{239}、F_{247} 断层,但规模不大,按控制性结构面对待加强局部支护。在桩号 0 + 580(右)~ 0 + 640(左)及桩号 0 + 680(右侧)~ 0 + 750(左侧)遇到 F_{238}、F_{236} 断层,除断层及破碎影响带之外,为 Ⅲ 类岩体。由于断层带局部相对富水,为 Ⅲ ~ Ⅳ 类岩体,施工支护按 Ⅳ 类围岩对待,两断层带之间岩体受断层挤压影响,完整性较差,围岩质量等级降为 Ⅲ 类。

组成 2 号排沙洞围岩的为 T_1^{3-2} ~ T_1^{5-2} 及 T_1^{6-1} 地层岩体,洞室穿越 F_{240}、F_{239}、F_{236}、F_{244} 等断层,由于洞底高程高于 150m,正常岩体均为 Ⅱ 类围岩。其中 F_{240}、F_{239}、F_{249} 规模不大,一般破碎带小于 1m,按结构面对待局部加强施工支护。另外洞室于 0 + 890(右)~ 0 + 940(左)桩号穿越 F_{236}(F_{238})断层,该部位断层下盘为地层 T_1^{5-2},上盘为 T_1^{6-1} 地层,断层带围岩质量等级为 Ⅳ 类。

3 号排沙洞的围岩由 T_1^{3-2} ~ T_1^{6-1} 地层岩组成,围岩条件与 2 号排沙洞基本相同,正常岩体均为 Ⅱ 类围岩,洞室穿越了 F_{421}、F_{240}、F_{236} 断层,其中 F_{421} ~ F_{240} 断层只需按结构面进行局部加强施工支护,而出口附近桩号 1 + 066 ~ 1 + 076 段相遇的 F_{236}(F_{238})断层及 1 + 076 以东段小断层发育区,为 Ⅳ 类围岩,但上覆岩体顶面高程为 170m,拱顶以上岩体厚仅 16m 左右,故按 Ⅴ 类围岩进行施工期支护设计。

3 条排沙洞的出口段位于西沟、葱沟之间,沟的出口部位岸坡是顺向坡,尤其是 3 号排沙洞出口有 F_{236} 断层通过,因此出口段的岸坡稳定是主要的工程地质问题。

第二节　后张法有黏结预应力混凝土衬砌方案的设计研究

鉴于小浪底工程排沙洞地质条件的限制,在帷幕后覆盖层厚度变化较大。设计要求不能有高压水渗入岩体软化夹泥层,否则将对山体稳定产生不利影响。在方案研究论证过程中,虽然室内试验及 VSL 公司都曾建议设计采用无黏结预应力方案,但由于对在水工隧洞中采用无黏结预应力方案时,预应力筋的长期损失问题较为担心。国际上无黏结后张预应力衬砌技术用于水工隧洞还不多,在我国也尚无先例,又考虑到小浪底工程的重要性,因此自初步设计阶段到招标设计阶段都是按有黏结后张预应力衬砌设计。

一、有黏结预应力混凝土结构分析

(一)结构设计概况

通过对意大利和瑞士等国的咨询考察、聘请瑞士 VSL 公司甘斯先生针对排沙洞有黏结预应力方案的设计进行咨询、在中国建筑材料科学研究院进行试验研究以及开展的深入设计研究工作,基本确定了有黏结预应力混凝土衬砌的设计参数。在这个前提下,选择合理的结构布置型式,提出相应的施工技术要求。结构设计分析主要采用结构力学方法。结构设计计算的主要方案见表 13-2-1。设计剖面见图 13-2-1。

表 13-2-1　排沙洞有黏结预应力混凝土衬砌设计主要方案

设计阶段		初步设计	招标设计
设计原则		按全预应力	按全预应力
设计条件	单洞控泄流量 (m³/s)	500	500
	最大内水头 (m)	120	120
	混凝土标号	400	400
	摩擦系数		$\mu = 0.2$,　$k = 0.001$
设计方案	衬砌厚度 (m)	0.4	0.6, 0.65
	钢绞线间距 (m)	0.36	0.25; 0.285; 0.3; 0.33; 0.4
	锚具槽长度 (m)		1.5; 2.0
	锚具槽布置		沿圆周均匀布置 6 个槽和 4 个槽
	计算方法	结构力学	结构力学
设计采用结果	衬砌厚度 (m)		0.65
	钢绞线数量(根/束)		12-7Φ5
	钢绞线间距 (m)		0.25
	锚具槽长度 (m)		2.0
	最终采用锚具槽布置		沿圆周均匀布置 6 个槽

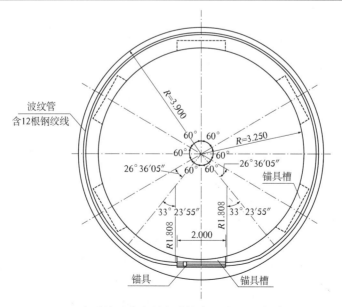

图 13-2-1　有黏结预应力衬砌结构布置剖面图　(单位:m)

(二)平面有限元分析研究

在表 13-2-1 方案研究中，还采用美国 GTStrudl 等大型通用计算软件，进行了平面有限元分析研究。基本假定为，衬砌与围岩是均质各向同性的连续体，衬砌与围岩交界面位移协调，围岩取 6 倍洞径，沿水流方向取 0.25m 长，钢绞线的张拉控制应力取 $0.8f_{ptk}$（f_{ptk}为钢绞线的极限设计强度）。

二、有黏结预应力衬砌设计中的关键技术问题的研究

(一)钢绞线的布置与锚具的选择

钢绞线在隧洞内布置方式是同心圆，而且为提高预应力度，钢绞线靠近衬砌的外侧布置。但在锚具附近由于加载的需要，钢绞线要在锚具槽口附近通过一段由小半径圆弧段向内侧弯曲并与大半径圆及连接锚具的直线段相切，最终通过钢绞线张拉后锁定。因此，钢绞线在隧洞内的布置也只能是近似同心圆，如图 13-2-1 所示。

由计算及试验的结果得出，由于钢绞线的张拉会在小半径圆弧范围的混凝土衬砌内产生应力集中现象，因此为减少应力集中现象，使钢绞线的张拉应力分布更趋于均匀，配合锚具槽的大小合理地选择小半径 r 值是钢绞线布置的关键。而锚具槽的大小由所选用的锚具及其配套的张拉设备而定，在满足预应力张拉施工的情况下锚具槽长度不宜加长，否则会因增加锚索的直线段长度而降低结构的预应力度。设计选用瑞士 VSL 公司生产的锚具，锚具槽长度确定为 2.0m，相应小圆弧半径 $r = 1.808$m。

(二)锚具槽的布置

锚具槽在环向的布置对钢绞线张拉后混凝土应力分布影响很大，为了使结构处于良好的受力状态，又要方便施工，锚具槽的布置是至关重要的。有黏结方案曾经进行了沿圆周布置 4 个锚具槽和 6 个锚具槽的对比分析研究，最终选择了 6 个锚具槽的布置方案。锚具槽尺寸为 2.0m(长)×0.3m(宽)×0.25m(高)。其中锚具槽的位置避开了隧洞的顶部和底部，以方便张拉施工和洞内交通。

(三)摩擦系数 μ、k 值的合理选择

预应力筋与孔道壁之间的摩擦引起预应力损失的计算公式可按下式进行计算：

$$\sigma_l = \sigma_k (1 - e^{-(kx + \mu\theta)}) \tag{13-2-1}$$

式中　σ_l——预应力损失值；

σ_k——张拉应力控制值；

k——考虑孔道(每米)局部偏差影响的摩擦系数；

x——从张拉端至计算截面的孔道长度，m；

μ——预应力筋与孔道壁间的摩擦系数；

θ——从张拉端至截面孔道部分切线的夹角，rad。

由式(13-2-1)可见，当计算截面位置已确定时，预应力损失的大小与 μ、k 值有关，而 μ、k 值的大小与孔道及预应力筋的布设有关。当 k 值一定时，μ 值增大 10%，预应力损失将增加约 8%；而当 μ 为定值时，k 值增大 50%，预应力损失仅增大 0.2%，可见合理选择 μ、k 值是非常重要的，是确定预应力损失及预应力筋用量的关键因素。严格而言，钢绞线在张拉和锁定过程中所产生的正向摩擦系数和反向摩擦系数是不等的，但设计中常

取其正、反向摩擦系数的平均值 μ 进行计算。

小浪底排沙洞有黏结预应力钢绞线每束由 12 根 7Φ5 的钢丝组成,波纹管直径为 90mm,设计采用 $\mu = 0.2, k = 0.001$。锚固体系为 VSL 公司生产的 Z6-12 型锚具及其配套的张拉设备。

(四)钢绞线的张拉伸长值

在钢绞线张拉过程中施加一定的预应力荷载时,钢绞线相应有一定的伸长值。通过对伸长值的量测结果验证理论伸长值的正确性,以分析施加的张拉力是否满足设计要求,孔道的摩擦系数是否偏大以及预应力筋是否有异常现象等。

张拉过程中,预应力筋的伸长值可由式(13-2-2)或式(13-2-3)计算。

$$\Delta L = (P \cdot L_T)/(A_P \cdot E_s) \tag{13-2-2}$$

$$\Delta L = \left[\sum(\sigma_{i1} + \sigma_{i2})L_i\right]/(2E_s) \tag{13-2-3}$$

式中　P——预应力筋的平均张拉力,取张拉端的拉力与计算截面处扣除摩擦损失后的张拉力的平均值,kN;

L_T——从张拉端至计算截面的孔道长度,m;

L_i——第 i 线段的长度,m;

σ_{i1}、σ_{i2}——第 i 线段两端的预应力筋的应力,kPa;

E_s——预应力筋的弹性模量,取设计采用值,kPa;

A_P——预应力筋的截面面积,m²。

在预应力锚索张拉后进行锚固时应检查张拉端预应力筋的内缩值,以便综合分析确定是否改善张拉工艺或采取适宜的其他措施。

(五)配置局部加强筋

对有黏结预应力混凝土衬砌而言,为克服锚具槽附近小曲率半径圆弧范围内的应力集中现象,在该范围内应配置一定的加强筋,孔口附近应设置专门的护管,其形状、尺寸可根据结构需要而定。

(六)回填混凝土和灌浆

有黏结预应力结构在张拉施工结束后应立即对锚具槽回填无收缩混凝土,然后对波纹管进行灌浆以保护钢绞线。要求浆液是由无铁质骨料水泥、水、减水剂、增塑剂、膨胀剂组成且预先拌和好的无收缩混合物。

在张拉后,对衬砌环与围岩之间产生的张拉空隙进行灌浆,使衬砌与围岩联合抵抗内水压力。

(七)张拉方式的研究

为探索在施工过程中张拉方式对衬砌混凝土应力的影响,采用三维有限元方法进行计算研究,对合理的张拉起始位置、张拉顺序和张拉分级等提出切实可行的措施,避免衬砌混凝土在施工中产生不良的应力状态,保证施加的预应力满足设计要求。经计算研究后,推荐预应力的张拉施工由衬砌段的端部开始向衬砌段中部顺序分级张拉,相邻的两个锚具槽之间的张拉力之差为 50%设计张拉力。

三、原位试验

为摸索波纹管的架立、钢绞线穿索、张拉及锚固等施工工艺,设计要求在先期施工的排沙洞内设一试验段进行必要的施工工艺试验,以指导施工。

试验段的位置设在靠近灌浆帷幕中心线上游 15m 处的普通混凝土衬砌段内,进行不少于 60 束的张拉试验。

由于试验段设在帷幕的上游,正常运行期内、外水位较高,不是结构设计的控制条件,而在检修期洞内无水,相应外水位很高(最高外水位 275.0m),结构在 100% 的预应力张拉荷载、外水压及山岩压力作用下的安全状态是设计研究的关键。因此,必须验算该工况下的结构应力,验证结构在检修期产生的最大压应力不超过混凝土允许的抗压强度,并能抵抗最大内水压在结构内产生的拉应力。经核算,在试验段所有张拉试验项目测试完毕之后,必须将 100% 预应力荷载放松至 30%,该段衬砌混凝土的结构应力才能满足设计要求,保证排沙洞的安全运行。

第三节 室外 1:1 模型试验与分析研究

小浪底工程排沙洞混凝土衬砌在招标设计阶段采用有黏结预应力方案。根据小浪底工程国际招标结果,德国旭普林公司为责任方的中德意联营体承担了建设排沙洞后张预应力混凝土衬砌的工作。该承包商在合同协议书备忘录第十一条,提出了基于采用无黏结预应力衬砌的一种替代方案,并承诺,如果在施工前所提出的无黏结方案没有被工程师批准采纳,仍将按原合同条件根据原设计的有黏结预应力方案进行施工。同时还指出,承包商的替代方案一旦经监理工程师批准,承包商将对该永久性工程的设计和施工负有全部责任。

在施工阶段为比较无黏结预应力混凝土衬砌与有黏结预应力混凝土衬砌的优缺点,以及证实无黏结预应力方案的可行性,进行了两个 1:1 室外预应力衬砌模型试验,即原设计的有黏结预应力衬砌模型和替代的无黏结预应力衬砌模型。在张拉过程中,两个模型的锚具槽口均出现了环向裂缝。压水试验还表明,有黏结预应力衬砌出现贯穿性纵向裂缝。为了找出裂缝产生的原因,并研究不同方案下模型衬砌的应力分布,采用三维有限元数值仿真模拟方法,根据试验程序,对两个试验模型进行了全面的分析研究,为小浪底排沙洞选择最经济和合理的预应力衬砌方案提供决策依据。

一、模型试验概况

(一)试验目的

模型试验的目的在于采用与实际施工完全相同的构筑材料、施工程序和设计内水压力来验证替代的无黏结后张预应力混凝土衬砌方案的有效性,并对设计所需参数进行定量研究。试验中需要确定的主要参数有:

(1)钢绞线摩擦系数。

(2)千斤顶摩擦损失。

（3）钢绞线锁定后锚块上的剩余力。

（4）预应力锚索上的应力分布和普通钢筋上的应力分布。

（5）锚索张拉完成后混凝土结构的应力分布。

通过试验还需取得张拉程序的施工经验。

（二）试验基本情况

在平整的地基上浇筑两个钢筋混凝土基础,分别用于无黏结预应力替代方案和原设计的有黏结预应力方案的模型制作。首先在现浇基础面上预埋高强 PVC 止水片,以便在进行压水试验时用于止水。

在两个混凝土基础上分别绑扎结构钢筋,并分别安装波纹管(原方案)和无黏结预应力钢绞线,根据不同模型的特点和要求,安装相应的测试仪器。

各种仪器的安装经监理工程师验收合格后,封闭模型内外侧模板,并浇筑混凝土。

完成混凝土浇筑 28 天后,对两个试验模型分别按下述步骤进行试验:

（1）试张拉以确定钢绞线摩擦系数。

（2）逐个张拉锚索并锁定,量测锚索上的应力分布,混凝土结构上的应力分布和变形。

（3）张拉试验结束后,回填锚具槽混凝土,并在模型混凝土环内另浇筑一个混凝土墩,与外部圆环间隙 5cm。将间隙两端封闭,加压注水至要求的水压力。

在上述各项试验过程中,记录各测试仪器的读数,以便进行试验分析。

二、有黏结预应力混凝土衬砌模型试验

（一）模型结构布置

根据小浪底工程运用要求,排沙洞在运用期将承受最大 120m 水头的内水压力,为防止内水外渗,在帷幕后压力段采用预应力混凝土衬砌。预应力衬砌厚度为 0.65m,内径 6.5m,混凝土级别为 C40。每束锚索含 12 根钢绞线,锚索置于预埋在混凝土中的波纹管中,每米长隧洞设 4 束锚索,即锚索间距 0.25m,锚具槽沿圆周 360°分 6 个位置均匀布设,每个锚具槽安放一束锚索。

试验模型为 1.95m 高的混凝土直立圆筒,含 6 束锚索,布置图见图 13-3-1。

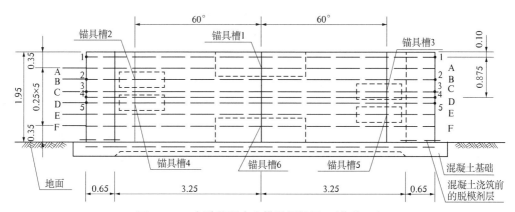

图 13-3-1　有黏结预应力模型侧视图　（单位:m）

(二)模型基本资料

1. 钢材

预应力钢绞线为高强低松弛(7Φ5)钢绞线,符合 ASTM—A416 标准,满足以下要求:

标准直径	$d = 15.24\text{mm}$
标准强度	$f_{ptk} = 1\,860\text{MPa}$
公称面积	$A_p = 140\text{mm}^2$
破坏荷载(单根绞线)	$F_{ptk} = 260.4\text{kN}$
弹性模量	$E_s = 1.8 \times 10^5\text{MPa}$
普通钢筋的弹性模量	$E_g = 2.0 \times 10^5\text{MPa}$

2. 混凝土

混凝土强度等级	C40(设计值)

(实际混凝土 28 天强度达到 C30)

平均抗压强度	37.55MPa
弹性模量	$3.25 \times 10^4\text{MPa}$

(对于 C30 弹性模量为 $3.0 \times 10^4\text{MPa}$)

3. 钢绞线与波纹管的摩擦系数

摆动系数	$k = 0.001\,5\text{rad/m}$
摩擦系数	$\mu = 0.20$(设计采用值)

4. 锚具和张拉设备

模型试验中分别采用了 OVM 和 DSI 的锚具,OVM 锚具布设在 3 号和 4 号锚具槽,其他锚具槽中布置 DSI 锚具。张拉设备由相应锚具厂提供。

(三)模型锚索张拉力

根据原设计,每束锚索含 12 根钢绞线,穿于波纹管内绕洞一周锁定,锚索间距 0.25m。张拉力按 $0.75f_{ptk}$,即控制张拉力为 2 343.6kN。

(四)模型试验张拉步骤

1. 钢绞线摩擦系数测试

因在模型中预埋的钢绞线上粘贴的应变片在锚索预张拉时全部损坏,未得到模型的钢绞线沿程应力和摩擦系数的数据。因此,另做一个单项试验,即在试验环外侧底部另设一波纹管,内置预应力锚索,安装完毕后呈环形浇筑混凝土。28 天后进行张拉试验,通过压力传感器和钢绞线应变片计量钢绞线应力,最终测得钢绞线与波纹管的摩擦系数 μ 为 0.22,比设计采用值 0.20 稍大。

2. 锚索张拉

先对 3 号、4 号锚具槽的 OVM 锚具进行张拉,随后对 5 号、6 号、2 号、1 号锚具槽的 DSI 锚具进行张拉,张拉荷载、张拉顺序见图 13-3-2。因模型端部的 1、6 号锚具槽附近的结构刚度相对较弱,为避免可能产生的张拉裂缝,1 号、6 号锚索仅张拉至 80%设计张拉力。

3. 试验现象

第 2 号至第 5 号锚索的试验现象:

当张拉至约 33%设计荷载时,锚具槽口处发生裂缝。

当张拉至约 84%设计荷载时,锚具槽口处混凝土开始掉块。

当张拉至约100%设计荷载时,锚具槽端部中间部位(即钢绞线出口处)被拉裂,最大缝宽0.30mm、缝长1.3m。

整个张拉过程中油压表出现了多次回油现象,即达到一定张拉力后整束锚索才被拉紧。

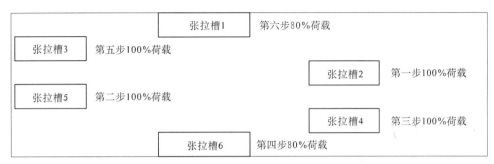

图13-3-2　有黏结预应力衬砌模型试验锚索张拉顺序

第5号锚索张拉到95%设计荷载时,有2根钢绞线中3股钢丝被拉断。

第6号锚索张拉到10%设计荷载时,锚板受力不均匀,发生偏斜现象。

张拉过程中,当张拉至80%或100%设计荷载时,在锚具槽两侧都出现了裂缝。裂缝长度1~2m,最大宽度0.8mm。经分析,这些裂缝是由孔口局部应力和锚索小半径引起的径向力所造成的。图13-3-3为有黏结预应力应力试验模型锚具槽槽口裂缝示意图。

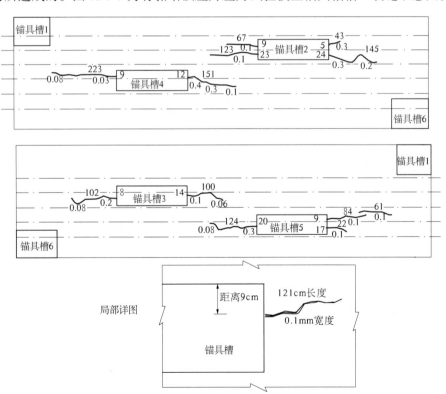

图13-3-3　有黏结预应力应力试验模型锚具槽槽口裂缝示意图(内侧面展开图)

(五)模型测试结果分析

预应力锚索张拉后衬砌内外侧都处于受压状态,但平均压应力约为 7.5MPa,许多部位压应力低于 3.0MPa,与原设计计算值 10.0MPa 相比有较大差距,说明锚索张拉未达到设计预期的预应力效果。张拉试验中虽然压力表读数达到计算值,但出现了钢绞线断丝和夹片打滑等现象,说明张拉后锁定应力未达到设计要求。另外试验环轴向两个端部的 1 号和 6 号锚索仅张拉至 80% 设计张拉力也是造成混凝土内预压应力不足的一个原因。而有黏结预应力模型摩擦损失大,应力集中现象严重,是造成试验环混凝土预压应力离散度大的主要原因。

(六)模型的压水试验

压水试验的水压从 0.0MPa 增至 0.5MPa 和 0.8MPa 时稍作停顿,加压至 1.0MPa 时模型两端出现渗水,暂停试验对渗漏处进行封堵。重新试验的加压步骤为:0.0MPa → 1.0MPa → 1.2MPa → 0.0MPa。当水压增至 1.0MPa 时,模型外壁出现纵向细小裂缝并发生渗水现象,有的裂缝贯穿模型全长。继续加压至 1.2MPa 并维持 5min,随后减压终止试验。

(七)有黏结预应力衬砌模型试验小结

总体而言,有黏结预应力衬砌模型试验未能达到设计预期的预应力效果。主要原因是承包商思想上不够重视,致使模型的制作和保护不够精细周到。锚索孔口未按原设计要求设置钢套管;模型混凝土养护期间未对已安置的钢绞线做好防水防锈处理,致使钢绞线锈蚀严重,增加了摩擦损失,一定程度上降低了钢绞线的有效预应力;张拉过程中,由于操作不当造成钢绞线断丝和锚具偏斜,也影响了锁定效果。

根据有限元分析,预应力锚索张拉完成后,模型混凝土中应建立平均 10MPa 的预压应力,足以抵抗 1.2MPa 内水压产生的拉应力。施工过程中,锚具槽口会产生较大的拉应力,需进行局部加强,以防产生环向混凝土裂缝。

三、无黏结预应力混凝土衬砌模型试验

(一)模型结构布置

无黏结预应力混凝土衬砌方案的厚度和内径与有黏结预应力衬砌相同。预应力锚索布置仍以全预应力设计为原则,并要求具有不低于原设计的防腐能力。每束锚索由 8 根无黏结筋组成。每根无黏结筋包括聚乙烯保护层、防腐油脂和 7Φ5 高强低松弛钢绞线。无黏结筋分内外两层布设在衬砌混凝土中,两层净距离 100mm,并绕洞两周后在锚具槽中锁定。锚具槽尺寸为 1.54m(长)×0.30m(宽)×0.25m(高)。在隧洞底 120°范围布置四个预应力张拉槽,沿洞轴向间距为 0.45m。

试验模型为 1.925m 高的混凝土直立圆筒,含 4 束锚索,布置图见图 13-3-4 和图 13-3-5。

(二)模型的基本资料

1. 钢材

预应力钢绞线为高强低松弛(7Φ5)钢绞线,符合 ASTM—A416 标准,满足以下要求:

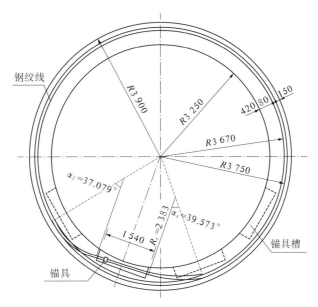

图 13-3-4　无黏结预应力衬砌模型断面图　（单位：mm）

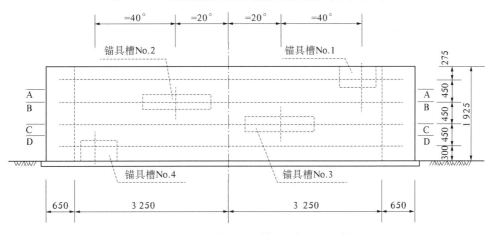

图 13-3-5　无黏结预应力衬砌模型侧视图　（单位：mm）

标准直径	$d = 15.7\text{mm}$
标准强度	$f_{ptk} = 1\ 860\text{MPa}$
公称面积	$A_p = 150\text{mm}^2$
破坏荷载（单根绞线）	$F_{ptk} = 279\text{kN}$
弹性模量	$E_s = 1.8 \times 10^5\text{MPa}$
普通钢筋的弹性模量	$E_g = 2.0 \times 10^5\text{MPa}$

2. 混凝土

混凝土强度等级	C40（设计值）
（实际混凝土 28 天强度达到 C30）	
平均抗压强度	39MPa

弹性模量 $3.25 \times 10^4 \text{MPa}$

（对于 C30 弹性模量为 $3.0 \times 10^4 \text{MPa}$）

3. 钢绞线与 PE 套管的摩擦系数

摆动系数 $k = 0.000\ 7\text{rad/m}$

摩擦系数 $\mu = 0.04$（德国 DSI 公司提供）

4. 锚具

模型试验中全部采用了 DSI 的锚具。

(三)模型的预应力锚索张拉力

替代方案的锚索间距为 0.45m，每束含 8 根无黏结筋绕洞两周锁定。千斤顶张拉力为 $P_0 = 0.75 f_{ptk} = 1\ 670\text{kN}$，锁定前锚具处每束锚索的计算张拉力 $P_1 = 1\ 535\text{kN}$，锁定后锚具处每束锚索的计算张拉力 $P_2 = 1\ 290\text{kN}$。

(四)模型试验步骤

模型混凝土达到设计强度后开始进行张拉试验。

1. 摩擦系数的验证

通过在锚索一端张拉，另一端测力的方法来测量和计算钢绞线的摩擦系数。

2. 模拟施工的锚索张拉试验

图 13-3-6 示出锚具槽位置和张拉步骤。首先把 3 号锚索张拉到 100％工作荷载，模型混凝土立即出现了不连续的环向裂缝。当进行第二步张拉，即把 1 号锚索张拉至 83.9％时，锚具槽主动张拉端一侧出现裂缝。因此，对张拉顺序和张拉值作了调整，即把第 2 号锚具槽的张拉力分两次张拉。

图 13-3-6　无黏结预应力衬砌模型锚索张拉顺序图

3. 压水试验

压水试验的施压步骤为：0.5MPa → 0.8MPa → 1.0MPa → 1.2MPa → 1.4MPa。

当水压增至 1.0MPa 时，模型端部 PVC 止水处发生渗水现象。继续加压至 1.4MPa 后，由于渗水较多，压力难以上升而不得不终止试验。整个压水试验过程中混凝土未出现新的裂缝。通过压水试验，说明无黏结预应力混凝土衬砌结构可以承受设计要求的 1.2MPa 内水压力。同时，也说明 PVC 止水是整个系统防渗漏的关键，在施工中应确保止水的施工质量。

(五)模型试验现象分析

1. 裂缝现象

当第一步张拉 3 号锚索张拉至 100％荷载即 1 674kN 时，混凝土内侧出现了环形不连续裂缝,最大宽度0.4mm,其他锚索张拉后此裂缝减小至0.2mm。同时,锚具槽附近也出现了应力集中造成的裂缝。

1号锚索张拉至83.9%工作荷载时,锚具槽附近出现了裂缝,在此荷载下停止了张拉作业。

4号锚索张拉时,为避免与1号锚具槽相似的裂缝出现,仅张拉至80%工作荷载。

在2号锚索张拉至100%工作荷载时,也出现了和第一序张拉相同的不连续环向裂缝。

裂缝分布如图13-3-7所示。

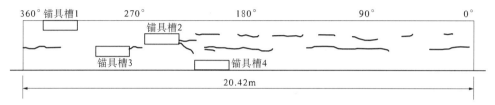

图13-3-7　无黏结预应力衬砌模型张拉后内表面裂缝分布

2．裂缝分析

经分析研究,产生上述裂缝的原因主要有两个:

(1)油压表的量测值存在偏差。经试验后复测,油压表读数比测力盒小6%,所以实际加载比设计值大约6%。

(2)张拉顺序没有考虑周密。试验中张拉从3号锚索开始,且直接加载至100%工作荷载锁定,导致模型产生局部较大径向变形,引起隧洞轴向拉应力偏大,产生了环向裂缝。从试验现象来看,如果将张拉顺序调整为每束锚索张拉至50%锁定,全部张拉完后再进行二次张拉到100%工作荷载,则可避免或减轻裂缝的产生。

(六)模型试验结果分析

1．摩擦系数

测试结果表明,摩擦系数 $\mu = 0.04$,摆动系数 $k = 0.000\,7\mathrm{rad/m}$。

2．预应力钢绞线张拉效果

预应力张拉效果由粘贴在钢绞线上的应变片计量,结果见表13-3-1。

表13-3-1　无黏结预应力衬砌模型钢绞线沿程张拉力对比

项目	钢绞线沿程张拉力(kN)					张拉效率(%)			
角度	0	$\pi/2$	2π	$5\pi/2$	3π	$\pi/2$	2π	$5\pi/2$	3π
结果	96	85.5	73.6	72	64.7	89.1	76.7	75	67.4
	103	86.3	78.5	75.4	68.5	83.8	76.2	73.2	66.5
	110	87.2	83.5	78	73.2	79.3	75.9	70.9	66.5
	118	88.8	87.9	83.1	78.3	75.3	74.5	70.4	66.3
	136		96.6		89.5		71		65.8
平均值						81.9	74.9	72.4	66.5

(七)无黏结预应力模型试验小结

测试结果表明,无黏结预应力筋摩擦力小,提高了钢绞线有效预应力值。混凝土衬砌内环向最大压应力值为 15.2MPa,最小压应力值为 5.87MPa,平均值约 10MPa,混凝土衬砌内建立的环向压应力较有黏结预应力混凝土衬砌模型均匀,并可以抵消设计要求内水压力所产生的拉应力。

四、模型试验研究结论

通过对有黏结和无黏结预应力衬砌模型试验,可得出如下结论。

(1)据《水工混凝土结构设计规范》和《无黏结预应力混凝土结构技术规程》,钢绞线与波纹管的摩擦系数为 0.25,无黏结筋的摩擦系数为 0.10。通过模型试验,测得上述摩擦系数为 0.22 和 0.04,均比规范值小。

(2)有黏结预应力模型的锚索在张拉过程中发生断丝、锚具偏斜及夹片打滑现象,从而造成有黏结预应力模型的锁定预应力不足,是引起水压试验时模型结构破坏的直接原因。实际施工中应对张拉过程进行严格控制,要检查钢绞线的伸长值和锁定回缩值,以确保钢绞线锁定后具有足够的预应力。

(3)从结构安全角度分析,在保证施工质量情况下,有黏结预应力方案及无黏结预应力方案的衬砌结构都可以承受 120m 水头的内水压作用。相比较而言,无黏结预应力衬砌施工简单,结构受力条件好,预应力筋摩擦损失小,工期短,具有较大优越性,但无黏结预应力方案对锚具的防腐要求较高。

五、三维有限元仿真模拟计算

把两个试验结构模型进行三维线弹性有限元仿真模拟分析,有如下两个目的:

(1)根据两个室外 1:1 试验获得的基本数据(如钢绞线的沿程预应力分布、张拉顺序、预应力损失、试验混凝土衬砌裂缝等)来研究试验衬砌模型的应力分布,找出裂缝产生的力学原因。

(2)根据两组试验模型的特点,用有限元分析分别对试验衬砌的预应力张拉进行数值模拟,为选择预应力衬砌方案提供决策依据。

(一)有限元剖分的基本原则

对有黏结和无黏结预应力衬砌模型,根据其结构体型、张拉槽开口状况、锚索布置位置来进行三维有限元剖分。

对有黏结预应力衬砌模型,完全按实际试验模型的材料和结构特征进行剖分;对无黏结模型的剖分,则作了一定的简化,在每个预应力张拉槽中的 8 根预应力锚索中,按每 4 根较靠近的锚索视为一束预应力锚索,按其实际 720°圆弧走向和位置进行预应力剖分。计算将根据预应力锚索的简化位置,按实测沿程锚索的预应力大小,计算预应力锚索对衬砌的作用力。两个计算模型在内水压力作用情况下考虑预应力锚索的刚度。

有黏结方案模拟张拉施工期有限元模型,在径向衬砌厚度内剖分 10 层、环向剖分 84 层、洞轴向剖分 22 层,总有限元节点数为 21 252 个,总实体元为 18 480 个,总自由度60 984 个;有黏结方案模拟运用期有限元模型,在张拉施工期有限元模型的基础上,增加预应力锚索单元 402 个,使总有限元单元数达 18 882 个。

对无黏结方案的张拉期有限元模型,在径向衬砌厚度内剖分 10 层、环向剖分 80 层、洞轴向剖分 30 层,总有限元节点数为 26 855 个,总实体元为 23 400 个,总自由度 77 925 个;无黏结方案模拟运用期有限元模型,在张拉期有限元模型的基础上,增加预应力锚索单元 1 112 个,使总有限元单元数达 24 512 个。

(二)有限元分析工况

1. 有黏结方案的分析工况

工况 1:试验第一步张拉结束时的应力分析。

工况 2:试验张拉全部结束时的应力分析。

工况 3:施加运行水压力时张拉槽回填混凝土与衬砌混凝土紧密结合情况的应力分析。

工况 4:施加运行水压力时张拉槽回填混凝土与混凝土有缝情况的应力分析。

2. 无黏结方案的分析工况

工况 5:试验第一步张拉结束时的应力分析。

工况 6:试验张拉全部结束时的应力分析。

工况 7:施加运行水压力时张拉槽回填混凝土与衬砌混凝土紧密结合情况的应力分析。

工况 8:施加运行水压力时张拉槽回填混凝土与衬砌混凝土有缝情况的应力分析。

3. 有黏结方案模型压水试验模拟破坏原因解释工况

工况 9:有黏结方案模型压水破坏试验情况的应力分析。

(三)计算方法

预应力锚索张拉期,根据预应力锚索的布置、走向、张拉值的大小以及预应力的损失,由计算机自动确定预应力锚索对衬砌的作用力。模拟计算时锚索对衬砌模型的贡献仅以作用力的方式,在锚索张拉期不考虑锚索的刚度及张拉时的相互影响。

在运行期的模拟过程,模拟计算考虑了锚索的刚度,除可计算出衬砌的应力外,还可得出预应力锚索在水压作用下锚索的应力增量。

(四)计算分析结论

对有黏结和无黏结试验模型进行结构计算分析研究,可得出:

(1)只要预应力锚索张拉能保证符合设计要求,两种比选方案都是可行的,即使有不利力学因素存在,也基本在混凝土可承受的范围之内。

(2)张拉过程中,两个试验模型的内侧都将产生环向裂缝。

按试验张拉荷载和试验程序,施工完成第一步张拉程序时,两个模型的内侧就都会产生纵向裂缝。仅按混凝土衬砌中隧洞轴向应力最大拉应力值来判别,无黏结方案试验模型在第一步张拉结束时的拉应力比有黏结方案试验模型的拉应力大。

(3)随着相邻预应力锚索张拉的完成,有黏结方案试验模型在张拉过程中产生的横向裂缝的闭合性不如无黏结试验模型。有黏结方案试验模型在张拉过程中产生的隧洞轴向最大拉应力是增加的(一个锚具槽张拉完成时为 3.02MPa,模型锚具槽全部张拉完成时为 3.48MPa,受设计水压作用时为 3.58MPa);无黏结方案试验模型在张拉过程中产生的洞轴向最大拉应力是减小的(一个锚具槽张拉完成时为 3.44MPa,模型锚具槽全部张拉完成时为 2.57MPa,受设计水压作用时为 2.60MPa)。相对来说,有黏结方案试验模型的隧洞轴向高拉应力区比无黏结方案试验模型大,因此有黏结方案模型环向裂缝的闭合性比无黏结方案模型要差。在无黏结模型中,只要各锚具槽锚索张拉均匀,相邻锚具槽张拉力差值尽量小时,在张拉过程中产生的洞轴向拉应力会有较大幅度的减小。

(4)在预应力锚索张拉施工结束时,两个模型的环向压应力是相当的,都具有较大抗内水压力引起的环向拉应力的作用,压应力一般在 6~8MPa。

(5)在设计内水压力的作用下,两个模型的环向压应力储备不小于 1MPa,其中有黏结方案模型的环向应力储备比无黏结方案模型要大,但有黏结方案模型的环向应力分布比无黏结方案模型的应力分布变幅大,并且在隧洞衬砌内侧有局部环向拉应力发生,拉应力最大值约为 1MPa。出现这样的拉应力的原因主要是张拉槽多、衬砌内侧混凝土预压应力不足。由于是局部环向拉应力,对隧洞正常运行影响不大。

(6)张拉槽回填混凝土在正常运用工况下,一般都要出现裂缝,因此除注意混凝土材料的选取、施工质量的保证以不致不良水力学条件出现外,锚固预应力束的锚具及预应力束锚固端的密封设计和施工也要得到可靠的保证。

(7)在内水压力作用下,有黏结方案预应力锚索张拉力增量的变幅较大,但由于水压力作用下总增量值与预应力原张拉值相比很小,对预应力衬砌的总体应力影响不大。

(8)应适当调整预应力锚索的施工程序,对每段预应力衬砌的施工应尽量保证同步张拉,或尽量在任何时刻减小相邻锚索的预应力张拉差值。

第四节　无黏结后张法预应力混凝土衬砌结构分析研究

一、基本结构型式的确定

根据对无黏结预应力混凝土衬砌替代方案(简称四排锚具槽方案)的试验分析研究所得出的结论,由于采用在隧洞底拱 120°范围内布置四排锚具槽方案,使隧洞底部纵横向的刚度较其他部位都有很大的削弱,引起隧洞结构变形复杂,内侧面洞轴向拉应力增大。无黏结预应力的预应力效率很高,不管采用何种锚具槽布置方式,混凝土环向应力基本上是有保障的。因此,试图提出一种把锚具槽间距拉开,尽量减少锚具槽之间的相互干扰,使张拉后的混凝土衬砌在剖面的任何地方的纵向变形达到最小,以有效地遏制隧洞轴向拉应力的存在,防止张拉过程和张拉完成时出现环向裂缝。

为此,提出了两个锚具槽的布置方案。即隧洞底部 90°或 120°为夹角布置两排预应力张拉锚具槽,预应力钢绞线仍按每束含 8 根无黏结筋,每根由 7 股 Φ5 钢绞线穿在充满油脂的 PE 管中组成。无黏结筋双圈布置,并近似布置在两个中心距相差 0.13m 的弧面内(两层绞线间距拉大以保证混凝土浇筑的质量)。外圈无黏结筋尽量靠外层混凝土布置。在水压作用下,围岩将承受一定的荷载,因此锚具槽沿洞轴向间距初定为 0.5m。每个锚具槽的尺寸为 1.50m(长)×0.3m(宽)×0.25m(深),衬砌设计厚度为 0.65m。

二、结构分析研究

针对基本结构型式,采用三维有限元方法进行分析研究,以论证所提出结构型式的可行性。本节仅对两排锚具槽90°夹角衬砌结构进行分析。

(一)基本资料

1. 外水位

隧洞外水位是隧洞结构的主要荷载之一,根据小浪底水库运用方式,选两种情况来计算外水位,即正常高水位运用275m库水位和泄洪拉沙254m库水位。

对于库水位275m时,帷幕后的地下水位为200m,隧洞出口处的地下水位为135m,计算时根据不同断面位置,按线性插值来取相应的地下水位,即外水压力值(见图13-4-1)。

对于库水位254m时,可推算得到帷幕后的地下水位为185.9m,隧洞出口处的地下水位仍取135m。同样根据不同断面位置,按线性插值来取相应的隧洞外水压力值(见图13-4-1)。

验算空洞工况时,外水压力取460kPa。

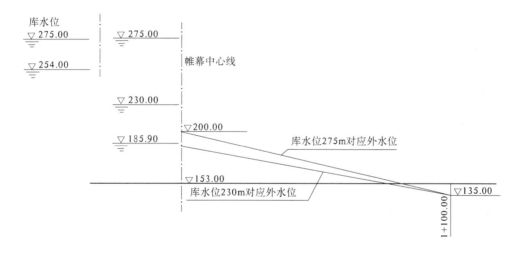

图 13-4-1　小浪底排沙洞排水帷幕后洞身段外水位示意图　(单位:m)

2. 材料特性指标

1)钢筋和混凝土

预应力衬砌除预应力锚索外,还配普通Ⅰ、Ⅱ级钢筋以满足结构受力的要求。

衬砌用 C40 混凝土,锚具槽回填混凝土为 C40 无收缩混凝土。按照规范 DL/T5057—1996,C40 混凝土强度标准值:轴心抗压强度为 27MPa,轴心抗拉强度为 2.45MPa。

2)预应力钢绞线

标准强度　　　　　　　　　　$f_{ptk} = 1\,860\text{MPa}$

标准直径　　　　　　　　　　$d = 15.7\text{mm}$

公称面积	$A_p = 150mm^2$
弹性模量	$E_s = 1.8 \times 10^5 MPa$
摆动系数	$k = 0.000\,7rad/m$
绞线与 PE 管间摩擦系数	$\mu = 0.05$
钢绞线张拉控制应力	$\sigma_k = 0.75 f_{ptk}$

3)锚具及张拉设备

选用 DSI-6808 型环锚及配套的张拉设备,锚具锁定时钢绞线的回缩值为 6mm,每侧 3mm;钢绞线经过张拉设备张拉后预应力损失值为控制张拉力值的 12%。

4)钢筋混凝土

钢筋混凝土容重取 25kN/m³,弹性模量取 $3.25 \times 10^4 MPa$,泊松比取 0.167。

5)围岩

围岩容重为 26.2kN/m³,在计算中围岩自重作用以山岩压力来求取,Ⅲ类围岩的弹性模量取 $8 \times 10^3 MPa$,泊松比取 0.26。

3. 计算荷载

1)内水压力

库水位 275m 时,水容重为 10kN/m³;而库水位 254m 时,浑水容重为 10.58kN/m³。最大内水压力为 1.20MPa。

2)外水压力

对外水水位,进行插值计算,外水容重取 10kN/m³。外水压力针对不同工况进行折减或全水头计算。

3)山岩压力

岩石按Ⅲ类围岩,仅计竖向山岩压力。按水工隧洞设计规范 SD134—84,与外水组合时取 $q_{山岩} = 41.08kPa$,与内水组合时取 $q_{山岩} = 20.5kPa$,作用于衬砌顶部。

4)预应力钢绞线张拉控制值

按照钢绞线张拉控制应力值取 $0.75 f_{ptk}$ 的准则,求得无黏结方案在锁定前千斤顶处的控制张拉力为

$$P_0 = 0.75 \times f_{ptk} \times A_p \times 8 = 1\,674 (kN/每束锚索) \qquad (13\text{-}4\text{-}1)$$

在锁定前,锚头处的张拉力为 $P_1 = 1\,473kN/每束锚索$。锚头锁定后的张拉力为 $P_2 = 1\,259kN/每束锚索$。

5)预应力钢绞线张拉分布

锚具处张拉应力 σ_1

$$\sigma_1 = (1 - a)\sigma_k \qquad (13\text{-}4\text{-}2)$$

式中　a——千斤顶及弧形托座处摩擦损失,取 $a = 12\%$ 进行计算。

钢绞线绕洞沿程张拉应力 σ

$$\sigma = \sigma_1 e^{-(kx + \mu\theta)} \qquad (13\text{-}4\text{-}3)$$

式中　k——绞线摆动系数，$k = 0.0007\text{rad/m}$；

　　　x——从张拉端至计算断面的绞线长度，m；

　　　μ——钢绞线与 PE 套管的摩擦系数，$\mu = 0.05$；

　　　θ——从张拉端至计算截面曲线孔道的切线夹角，rad。

钢绞线绕洞两周锁定，以锚具槽中心线左右对称，张拉应力最小值 σ_2 在 $\theta = 2\pi$，$x = 2\pi r$ 位置，即

$$\sigma_2 = \sigma_1 \mathrm{e}^{-(2\pi rk + 2\pi\mu)} \tag{13-4-4}$$

钢绞线回缩损失 Δp 为

$$\Delta P = 2\Delta p W \tag{13-4-5}$$

$$W = (\Delta L \, E_g \, A_g / \Delta p)^{1/2} \tag{13-4-6}$$

式中　W——绞线回缩的影响范围；

　　　ΔL——锚具锁定时钢绞线回缩值，$\Delta L = 3\text{mm}$；

　　　$\Delta p = (\sigma_1 - \sigma_2)/\pi r$；

　　　r——钢绞线形心到隧洞中心的距离；

　　　A_g——钢绞线面积。

钢绞线松弛引起的应力损失 σ_{s4}

$$\sigma_{s4} = 0.05\sigma_1 \tag{13-4-7}$$

混凝土收缩徐变引起的钢绞线应力损失 σ_{s5} 参照 1987 年水利电力出版社出版的《水工设计手册》第三卷，取 $\sigma_{s5} = 70\text{MPa}$（相当于 5% 的钢绞线应力损失量）。

由上述计算得到钢绞线沿程张拉力可求得钢绞线对混凝土衬砌的沿程作用力，该作用力在施工张拉时和锁定后是不同的，施工张拉时较大。施工期和运行期半束钢绞线沿程张拉力和衬砌圆心角度的关系曲线如图 13-4-2 所示。运行期预应力钢绞线沿程作用力分布如图 13-4-3 所示。

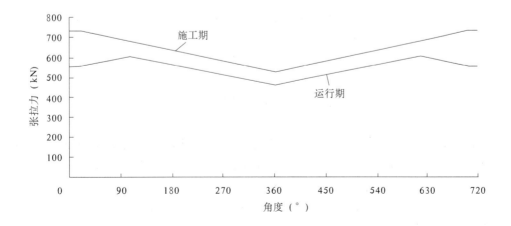

图 13-4-2　半束钢绞线沿程张拉力和衬砌圆心角度的关系曲线

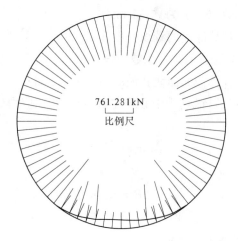

图 13-4-3   运行期预应力钢绞线沿程作用力分布图

(二)结构分析工况

取分缝边界及非分缝边界两个结构分析段,对如下四种情况、六种工况进行分析研究(综合见表 13-4-1)。

表 13-4-1   荷载组合

工况	阶段	预应力	内水压	外水压	衬砌自重	山岩压力	说明
工况一	施工期 1	单束 100%			√		
工况二	施工期 2	全部张拉 100%			√		
工况三	检修期	全部张拉 100%		√	√	√	
工况四	运行期 1	全部张拉 100%	√		√	√	围岩与衬砌结合紧密
工况五	运行期 2	全部张拉 100%	√		√	√	围岩与衬砌结合不好
工况六	试验段	30% 正常预应力		√	√	√	

1. 施工期

工况一:结构自重,第一张拉工序(仅在有限元模型中作用一束预应力锚索,其张拉力为锚索最大张拉力的 100%)。

工况二:结构自重,预应力锚索张拉全部完成(按锁定张拉力)。

2. 检修期

工况三:结构自重,山岩压力,外水,全部预应力。

3. 运行期

工况四:结构自重,山岩压力,预应力锚索张拉力,设计水头(围岩与衬砌结合紧密)。

工况五:结构自重,山岩压力,预应力锚索张拉力,设计水头(围岩与衬砌结合不好)。

4. 试验段

工况六:结构自重,山岩压力,120m 水头的外水压力,30% 预应力。

(三)计算成果分析方法

图 13-4-4 示出分析研究段衬砌内壁展开面及锚具槽位置。为更好地显示衬砌在各种

工况下的结构应力分布,将对各工况下某些应力分量在衬砌内壁展开面、2号锚具槽中心线断面(即 A—A 断面)、2号锚具槽与3号锚具槽中间断面(即 B—B 断面)上作等值线图。在等值线图中,应力以压为正、拉为负。

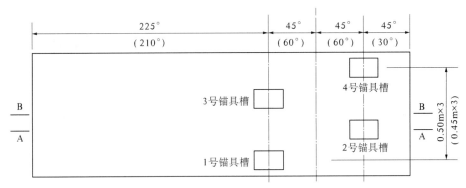

图 13-4-4　衬砌内壁展开图及锚具槽位置图

根据已有的分析研究成果,结构应力中主要是隧洞轴向应力超过混凝土抗拉强度而产生裂缝,其他应力状态一般都在混凝土可承受的范围内,因此在不同工况和不同情况下,重点分析和比较隧洞轴向应力值的大小,以选取性能优越的结构。

(四)非分缝边界结构段的计算成果分析

1. 单束锚索张拉到100%设计预应力(工况一)

结构段中仅2号锚具槽单束钢绞线张拉到100%时的隧洞轴向应力等值线图见图 13-4-5。图中示出张拉槽口的最大隧洞轴向拉应力为 2.76MPa,超出了混凝土抗拉强度,这样的大拉应力区只在局部范围。

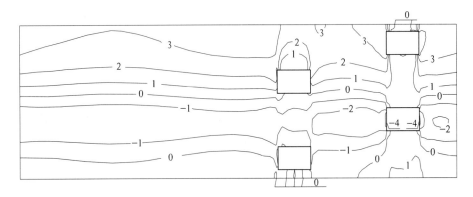

图 13-4-5　非分缝边界结构段单束张拉完成时衬砌内表面隧洞轴向应力等值线分布图　（单位:MPa）

2. 结构段锚索全部张拉到100%设计预应力(工况二)

全部张拉结束后,隧洞衬砌内表面的隧洞轴向应力等值线图如图 13-4-6 所示。结果表明,仅在张拉槽口极其小的范围内出现拉应力,最大拉应力为 0.83MPa。说明两个锚具槽的无黏结预应力方案在张拉施工结束时,虽然衬砌在环向刚度有两个薄弱部位,而这两个部位的刚度在隧洞轴向的一致性,使同一圆心角部位的径向变形差值很小,因而原来四个锚具槽方案在张拉施工结束时存在较大隧洞轴向拉应力及大范围存在隧洞轴向拉应力的格局被打破。因此,这种结构布置情况下,主要研究合适的张拉程序,使张拉过程中任何时候不产生较大结构应力,那么结构应力状态就能够符合要求。

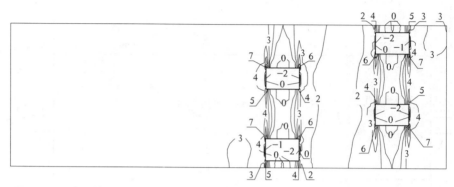

图 13-4-6 非分缝边界结构段张拉全部完成时衬砌内表面隧洞轴向应力等值线分布图

图 13-4-7 示出非分缝边界结构段张拉全部结束时环向应力等值线图。除底拱外,环向压应力基本在 7MPa 以上,应力分布均匀。在底拱处存在最小环向压应力,其压应力值在 4MPa 左右。在同一排锚具槽的相邻锚具槽之间的混凝土内表面,发生最大压应力,其值在 13MPa 左右,在混凝土单轴抗压强度以内。

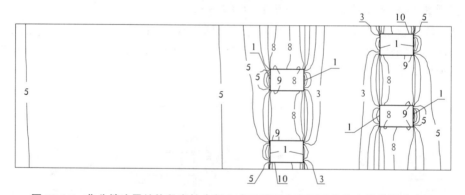

图 13-4-7 非分缝边界结构段张拉全部完成时衬砌内表面环向应力等值线分布图

3. 检修期(工况三)

检修期隧洞衬砌承受外水压力、山岩压力等荷载,由于没有内水压力的作用,因此衬砌主要承受压应力,结构安全度由混凝土抗压强度控制。

图 13-4-8 示出非分缝边界结构段检修期(工况三)衬砌环向应力等值线图,图中剖面内最大环向压应力达 17.15MPa,结构段最大环向压应力达 18.21MPa。混凝土轴心抗压强度标准值为 27MPa,仍有较大安全余度。

4. 承受最大设计内水压力情况(工况四)

在正常运行期,隧洞衬砌承受最大内水压力,并且在衬砌与岩石结合完好的情况下,衬砌隧洞轴向应力等值线图见图 13-4-9,环向应力等值线见图13-4-10。

应力分析结果表明,在施工质量完好、隧洞衬砌承受最大内水压力时,衬砌隧洞轴向

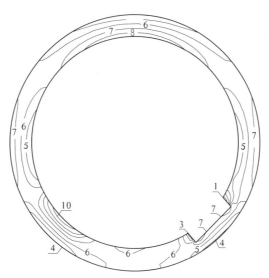

图 13-4-8　非分缝边界结构段检修期（工况三）A—A 断面环向应力等值线分布图

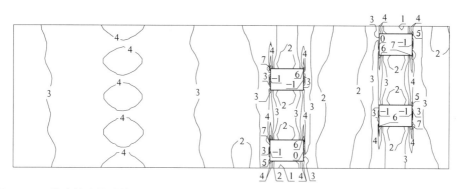

图 13-4-9　非分缝边界结构段承受最大设计内水压力情况衬砌内表面洞轴向应力等值线分布图

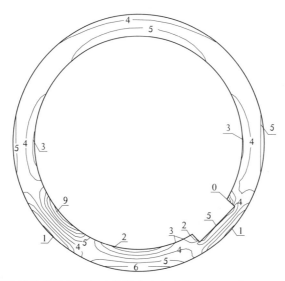

图 13-4-10　非分缝边界结构段承受最大设计内水压力情况 A—A 断面环向应力等值线分布图

拉应力区域只在锚具槽口边缘区存在,最大拉应力比施工结束时还要小,仅为0.56MPa;锚具槽口局部区域环向压应力较小,底拱环向压应力在0.97~1.94MPa之间,剖面内顶拱环向压应力为9MPa,结构段最大环向压应力为9.7MPa;另外还对衬砌混凝土的径向应力进行了分析,围岩对衬砌有较大的作用力,径向压应力可达0.48MPa,相当于50m水头产生的压强。

因此,保证混凝土衬砌与围岩之间的接触灌浆质量,是相当重要的。小浪底排沙洞预应力衬砌的设计,也充分考虑了发挥围岩的抗力作用,如果不考虑围岩的作用,锚具槽的间距必须拉近,工程量加大,并且张拉施工及检修期混凝土衬砌的应力状态也必然恶化。曾对假定衬砌与岩石不能很好结合条件下的结构段应力状态进行研究,结果表明底拱不仅产生了较大区域的拉应力,而且拉应力峰值达1.97~2.63MPa,即这种情况下混凝土衬砌要发生开裂。对断层及其影响带的预应力混凝土衬砌应力状态也进行了计算分析,在考虑衬砌外侧预先建造0.6m厚普通钢筋混混凝土衬砌,得出在设计最大水压力作用下预应力混凝土衬砌底拱内侧的环向应力值接近0。符合全预应力设计要求。

5.试验段(工况六)

根据设计要求,在排沙洞后张预应力混凝土衬砌进行正式施工前,需在排沙洞排水帷幕前压力段选取两块混凝土衬砌段进行施工张拉试验。由于排水帷幕前隧洞衬砌承受基本与库水位相同的外水压力,因此在检修期,隧洞衬砌混凝土将承受较高压应力。在张拉施工结束后,预应力钢绞线将放松,设计为了充分发挥钢绞线的作用,减少普通受力钢筋的布设,试验段钢绞线仍保留30%的张拉预应力。表13-4-1中的工况六列出了试验段的荷载组合,图13-4-11示出工况六情况下试验段的混凝土衬砌结构环向应力分布。图中可见,混凝土衬砌中的最大压应力为13.44MPa,有足够的安全系数。

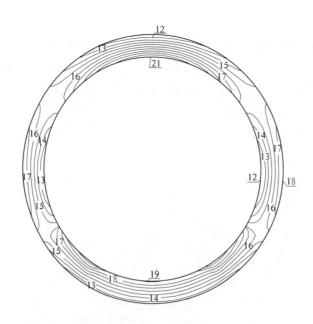

图13-4-11 非分缝边界试验段(工况六)A—A断面环向应力等值线分布图

6. 小结

对于非分缝边界结构段,衬砌在各种工况下的应力状态都能很好地符合设计要求。

(五)分缝边界结构段的计算成果分析

图 13-4-4 结构段中,假设 4 号锚具槽的边壁为自由边界,1 号锚具槽边壁为连续边界。

1. 单束锚索张拉到 100%设计预应力

分缝边界结构段中仅 2 号锚具槽(见图 13-4-4)单束钢绞线张拉到 100%时的隧洞轴向应力等值线图见图 13-4-12。图中示出张拉槽口的最大隧洞轴向拉应力为 4.50MPa,要比非分缝边界结构段单束张拉引起的洞轴向拉应力大 1.8MPa。

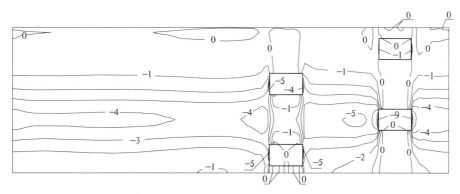

图 13-4-12　分缝边界结构段单束锚索张拉到 100%设计预应力衬砌内表面隧洞轴向应力等值线分布图

2. 检修期

分缝边界结构段在检修期,受到最大外水压力作用,分缝边界结构段内表面环向应力分布如图 13-4-13 所示,衬砌混凝土整体受压,最大压应力为 18.5MPa,绝大部分压应力为 14MPa 左右,混凝土有足够的抗压安全余度。

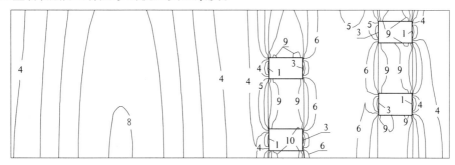

图 13-4-13　分缝边界结构段检修期衬砌内表面环向应力等值线分布图

3. 承受最大设计内水压力情况

分缝边界结构在正常高水位作用下,并在衬砌和围岩联合抵抗水压力的情况下,衬砌内表面隧洞轴向拉应力如图 13-4-14 所示,衬砌环向压应力分布如图 13-4-15 所示。

由应力分布图可见,衬砌内表面隧洞轴向拉应力,在锚具槽口局部已达 4.0MPa,在衬砌内表面大多数区域发生拉应力,大多数区域的拉应力在 0.5MPa 左右,混凝土衬砌内有产生环向裂缝的可能。

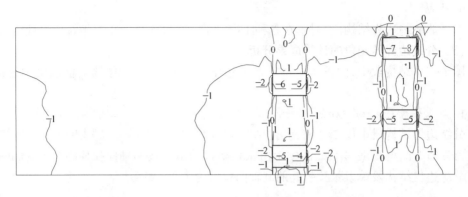

图 13-4-14　分缝边界结构段承受最大设计内水压力情况衬砌内表面隧洞轴向应力等值线分布图

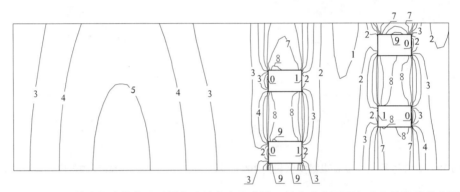

图 13-4-15　分缝边界结构段承受最大设计内水压力情况衬砌内表面环向应力等值线分布图

4. 小结

分缝边界结构段在施工完成、检修期以及正常运行期除隧洞轴向应力较大外,其余应力都能满足设计要求。由于计算模型的限制,连续边界采用固定边界来模拟,相对就增大了连续边界的刚性,因此对于求得的隧洞轴向应力的数值是保守的,但在张拉及运行过程中衬砌是否出现环向裂缝,还要看如何安排张拉强度和顺序。

(六)超挖对结构的影响研究

根据小浪底排沙洞的实际开挖资料,排沙洞平均超挖不小于 25cm,在进行无黏结预应力衬砌结构设计研究时,考虑均匀超挖 25cm 时的结构受力。相当于衬砌厚度为 90cm,而预应力筋以及普通钢筋的配置位置及数量则完全与 65cm 厚度衬砌的配置位置和数量相同,即 90cm 厚度衬砌外层 25cm 厚混凝土均为素混凝土。

仅针对非分缝边界结构段研究超挖的影响。由于超挖主要对混凝土衬砌内的环向应力有显著影响,因此分析对象为各种工况下环向应力分布。

1. 结构段锚索全部张拉到 100% 设计预应力

超挖衬砌在预应力绞线全部张拉完成时,环向应力分布如图 13-4-16 所示,图中示出衬砌内环向应力全断面为压应力,最大环向压应力为 10.2MPa,底拱内侧环向压应力最小,为 3MPa。

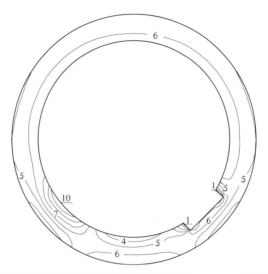

图 13-4-16　超挖衬砌结构段锚索全部张拉到 100%设计预应力 A—A 断面环向应力等值线分布图

2.承受最大设计内水压力情况

超挖衬砌结构段在衬砌与围岩结合完好并受最大内水压力时,环向应力分布如图 13-4-17所示。在衬砌和围岩的共同作用下,衬砌最大压应力为 6MPa,环向压应力最小值发生在底拱内表面,压应力值在 0.5~1MPa 之间,因此超挖情况下衬砌结构仍能满足全预应力的设计。

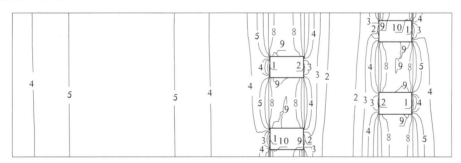

图 13-4-17　超挖衬砌结构段承受最大设计内水压力情况衬砌内表面环向应力等值线分布图

3.小结

对超挖衬砌结构段进行的施工和运行期应力分布研究表明,超挖衬砌按标准衬砌结构进行配索和配筋是可行的。以上仅针对非分缝结构段进行分析,对于分缝边界结构段的研究成果与标准衬砌得出的结论是相同的。

三、两排锚具槽夹角为 90°和 120°的对比分析研究

对两排锚具槽夹角为 90°情况进行的研究表明,两排锚具槽方案可以基本解决以往提出衬砌结构出现的不合理的结构应力,特别是洞轴向拉应力已从混凝土材料很难承受的值减小为混凝土材料可以承受的范围。衬砌结构环向应力分布均匀合理,可以有效地与围岩联合抵抗内水压力。但在每块浇筑段分缝边界上存在洞轴向应力偏大的现象,这可

以从施工程序上进行研究。

由于两排锚具槽方案中,相邻锚具槽间圆心角夹角 90°情况衬砌底拱处混凝土浇筑质量比采用较大锚具槽夹角方案的保证率低,因此提出对相邻锚具槽 120°布置方案进行对比研究。从 120°方案与 90°方案预应力衬砌在各工况下的分析成果表明,120°方案的各个应力分量的分布与 90°方案的应力分布成果基本相同,无论是洞轴向拉应力,还是环向应力,都不同程度出现小范围的拉应力,而且拉应力值的大小要比 90°方案值稍大,但基本在普通钢筋混凝土可承受的范围,设计配筋时只需在锚具槽口处适度加强配筋即可。120°方案也是可行的,承包商可从方便施工的角度选取锚具槽布置方案。

四、锚具槽张拉施工顺序研究

分析结果表明,在进行锚索张拉施工过程中,分缝段混凝土衬砌内均出现较大的洞轴向拉应力,因此有必要研究一种实际可行的施工顺序,使张拉施工过程中混凝土衬砌内的拉应力自始至终不超过允许值。

采用有限元分析方法对可能施工程序进行研究,结果表明:

(1)每个浇筑段第一个张拉锚具槽的一次张拉力不宜超过 50%预应力。

(2)每浇筑衬砌块张拉的第一个锚具槽可以是任何一个锚具槽,但由于分块边界混凝土结构相对薄弱,建议不从边界第一块开始张拉。

(3)张拉过程中,任何相邻锚具槽张拉力差值不超过 50%单束张拉力。

在实际施工过程中,采用三步张拉工序,第一步为从下游侧左排锚具槽向上游侧开始进行 50%预应力张拉施工;第二步为从上游侧右排锚具槽向下游侧进行 100%张拉并锁定,可以保证任何相邻锚具槽张拉力差值不超过 50%张拉力;第三步是把第一步张拉的锚具槽从 50%预应力张拉到 100%预应力,并锁定。

五、结论

通过以上在各种可能情况下对无黏结预应力衬砌结构应力分析表明:

(1)两排锚具槽的布置,在隧洞轴向相邻锚具槽 0.5m 间距的方案可以满足排沙洞施工、检修和运行条件下环向全预应力的设计要求。该项设计优化较 1:1 模型试验布置减少了总共 430 多个锚具槽及相应约 10%的钢绞线。

(2)从结构应力角度看,两排锚具槽圆心角 90°和 120°方案都是可行的,但两排锚具槽圆心角 90°方案的锚具槽清理、锚索张拉、防腐及回填的施工要比 120°方案方便,结构应力条件稍好。

(3)在施工期,混凝土衬砌锚具槽口出现局部较大拉应力,因此设计中在锚具槽口都使用箍筋进行了加强。

(4)混凝土衬砌预应力锚索张拉施工中,任何相邻锚具槽张拉力差值不超过 50%单束锚索张拉力。

(5)锚具槽回填混凝土在衬砌受内水压力时会开裂,因此锚具和钢绞线的自身防护措施是衬砌长期预应力得到保证的关键。锚具和钢绞线的防腐施工,必须精心可靠,确保质量。锚具槽回填混凝土宜采用对结构影响较小的微膨胀或无收缩混凝土。

(6)对于检修工况,衬砌中的压应力较大,但并未超过混凝土的承受能力,设计中按构造要求配置普通环向和纵向钢筋。对于帷幕上游的预应力试验段,在检修工况下要承受最大近120m水头的外水压,需在施工试验结束后、锚具槽回填混凝土之前,将锚索放松至30%设计张拉力,并锁定。

第五节　现场试验段测试分析研究

一、试验概况

根据排沙洞后张无黏结预应力衬砌的施工设计要求,在1号排沙洞帷幕上游普通钢筋混凝土衬砌压力洞段第9和第10浇筑块,设置总长度为24.1m的无黏结预应力混凝土衬砌生产性试验段,其中第9块为两排锚具槽圆心角为90°方案,第10块为120°夹角方案,预拉目的是:

(1)确定两排锚具槽方案圆心角为90°和120°预拉施工的实际性能。

(2)通过混凝土应力和应变测试成果分析,确定施加预应力的效果,并验证锚具的工作性能。

(3)观察张拉前和张拉期间混凝土衬砌可能发生的裂缝,并验证已确定的张拉施工顺序。若出现裂缝,研究下一步正式施工工作中避免或减少裂缝的宽度和数量的方法。

(4)验证设计确定的张拉过程中钢绞线的伸长率和锚具的位移量。

(5)使施工人员熟悉张拉工作、DSI张拉体系、防腐保护以及锚具槽回填等工作。

试验段锚索在完成张拉试验后,预应力锚索均释放到设计张拉力的30%。试验基本按照研究的张拉施工程序进行,对衬砌混凝土应力、衬砌变形、钢筋应力和钢绞线张拉应力等进行全方位的监测,得到大量数据,获得现场施工的经验,为正式施工打下基础。

二、现场试验结果分析

(1)通过在1号排沙洞帷幕前第9和第10浇筑块的现场生产性试验,取得了大量的第一手数据,证明了所采用的施工方法,特别是张拉工序和步骤,是适用的和可行的。

(2)虽然由于超挖降低了预应力效率,但预应力锚索所建立的混凝土压应力可以满足设计要求。

(3)在衬砌混凝土表面出现了一些裂缝,其宽度不足以对排沙洞的运行造成危害,这些裂缝主要是由于温度引起的。因此,在排沙洞预应力的衬砌混凝土正式浇筑时,应优选配合比设计,既考虑抗磨要求,又兼顾混凝土温控,适度增加了粉煤灰的含量,以有效避免过高混凝土温度应力,避免混凝土裂缝。实际上在正式施工过程中混凝土块衬砌极少产生拉应力。

(4)实测锚索张拉过程中钢绞线的伸长率和锚具的位移量与预测值定量一致。

(5)张拉施工完成时实测混凝土应力值与预测值定量一致。

(6)两排锚具槽圆心角90°方案的应力状态优于120°方案。

三、试验段长期观测结果分析

为了解排沙洞无黏结预应力混凝土衬砌在张拉后的混凝土应力、钢筋应力以及锚具应变计观测值随时间变化的情况,对 1 号排沙洞试验段和室外 1∶1 无黏结预应力试验模型所安装的仪器进行为期三个月和一年的原型观测。

(一)混凝土应力分布

根据 1 号排沙洞试验段所安放的仪器设备,张拉完成的预应力锚索产生的混凝土压应力为 6.7MPa。随着时间变化,混凝土压应变呈增长趋势,大约经过一个月混凝土的应变基本趋于稳定,三个月内应变增量为 7%。

在室外 1∶1 无黏结预应力试验模型中,1997 年 7 月 11 日预应力张拉试验完成到 1998 年 6 月 12 日时隔近一年的测值表明,混凝土压应变增加了 22%,钢筋的压应力增加了 24%。

(二)钢筋应力分布

试验段中由预应力锚索产生的钢筋压应力为 45.2MPa。施加预应力后,钢筋应力在一个月内趋于稳定,3 个月内钢筋应力增加了 14.5%。

(三)锚具应变计观测值

试验段中对 13 个锚具应变计锁定前后的观测值分析,锁定损失为 16.6%。锁定后锚具平均应变为 432.1×10^{-6},经过三个月的观测,预应力损失有如下规律:第 1 天损失 2.7%,第 2 天累计损失 4.2%,第 28 天累计损失 5.8%,3 个月损失 6%。

可见,随着时间的推移,钢绞线预应力有较明显的损失,主要包括钢绞线自身的松弛损失及混凝土衬砌在预应力作用下的徐变所引起的钢绞线预应力损失。混凝土徐变使钢绞线张拉力减小,混凝土压应力减小,混凝土压应变增大,普通钢筋压应力增大。实测在 3 个月内钢绞线由于混凝土徐变以及钢绞线松弛引起张拉力减小了近 6%。与设计预测值 10%(设计假设 5% 为钢绞线松弛引起,5% 为混凝土徐变引起)相比还有 4% 的余度。随时间增长,预应力损失值还会增大,但将渐趋稳定,设计预测值和实际损失值是接近的。

四、关于试验张拉段锚索张拉力的放松

在 1 号排沙洞第 9 和第 10 浇筑块进行了现场预应力张拉试验,张拉完成后所有预应力锚索必须放松到试验张拉力的 30%,并锁定和用无收缩混凝土回填锚具槽。施工时,为取出原锁定夹片,钢绞线实际最大张拉控制值达到 $0.85f_{ptk}$ 左右,施工顺利,未发生钢丝断裂现象。

第六节　有关施工技术与结论

一、预应力方案研究概况

小浪底水利枢纽排沙洞预应力衬砌段原设计为有黏结预应力混凝土衬砌,衬砌厚度 0.65m,选用 C40 混凝土。在断层破碎带所在预应力衬砌圈的外层,另设厚度为 0.6m 的

普通钢筋混凝土衬砌圈。有黏结预应力系统包括波纹管、锚索、锚具槽及张拉设备。波纹管由薄钢带卷成,管径为90mm,呈环形预埋在衬砌混凝土中,为了提高预应力效果,波纹管靠近混凝土衬砌的外缘布置,锚索穿过波纹管并在衬砌内侧的预留槽内由锚具锁定,形成封闭的预应力结构。锚索采用高强度、低松弛钢绞线,每束由12根公称直径为15.24mm的钢绞线组成,每根钢绞线由7股无涂层、直径为5mm的钢丝组成,并符合美国标准ASTM—A416的规定。为使整个混凝土衬砌环中的预压应力分布均匀,选用6个锚具槽在360°范围内均匀布置的方案。锚具槽长2.00m、宽0.34m、深0.25m。相邻锚具槽中心间距为0.25m。锚具选用瑞士VSL公司生产的Z6-12型锚具及其配套的张拉设备。为防止锚索锈蚀,要求锚索在放入套管2天内实施张拉,张拉时要求混凝土强度不低于28天的抗拉强度。后张拉完成7天内,在波纹管内进行灌浆,以防止锚索松弛和锈蚀,减少预应力损失,从而提高锚索的长期可靠性。

由于有黏结预应力方案存在波纹管易堵塞、穿绞线困难、张拉易滑丝和断丝、材料用量大、施工工艺复杂等缺点,最终选用施工简便可靠、材料用量小、混凝土结构应力条件好、无须灌浆的无黏结预应力方案。

无黏结预应力方案每束锚索由8根公称直径为15.7mm的钢绞线组成,每根钢绞线由7股直径5mm的高强低松弛钢丝组成,锚索全长涂0.5mm厚的防腐油脂,并由1.5mm厚的聚乙烯套管保护。无黏结钢绞线在混凝土衬砌中采用双圈布置,两层钢绞线的净间距为13cm,相邻锚具槽的中心距为0.5m。锚具槽分两行排列。考虑到排沙洞岩石为层状岩石,其开挖断面大致为方形隧洞,故将锚具槽在隧洞中垂线的±45°位置交错布置(即前文所述90°布置方案)。为方便施工,提高混凝土底拱浇筑质量的保证率,施工过程中把锚具槽在隧洞中垂线的±45°位置改为±60°位置交错布置(即前文所述120°布置方案),但修改后方案的结构应力比原45°方案稍差。在实际施工过程中,修改后的±60°方案在混凝土浇筑过程中钢模的混凝土进料孔与预留锚具槽的位置相冲突,使本来想提高衬砌底拱混凝土质量的目的未能充分达到,因此该方案没有全部实施,该方案的锚具槽数量在总4320个锚具槽中仅占1080个。锚具槽长1.54m、深0.25m、顶宽0.28m、底宽0.3m。由于钢绞线都是单束均匀布置在衬砌中,相对空隙较小,因此为保证混凝土密实度,将原设计的三级配混凝土(最大骨料粒径80mm)改为二级配混凝土(最大骨料粒径37.5mm)。

二、预应力锚固系统及其防腐

水工隧洞要求所使用的锚固系统工作稳定且必须一次成功。防腐系统的选择与锚具类型选择是一致的,在确定锚具类型时,邀请德国DYWIDAG公司和中国柳州OVM公司参加了试验。

试验表明,两种锚具类型所采用的防腐型式均能满足技术规范和图纸的要求。DSI系统采用单根防腐的新防腐型式,有着保险系数高、锚板受力均匀,一旦单根失效对其他锚索不会产生不良影响的优点,但施工困难,人工涂油不易保证施工质量。OVM系统采用的是目前国际国内通常使用的防腐型式,将其整个系统分为3块,采用机械式注油,一方面可保证防腐质量,另一方面也可使施工更为简便,但其锚板受力不均匀,整体防腐易由于一根失效而对整束锚索产生较大的影响。

根据现场试验的结果,小浪底排沙洞预应力衬砌的预应力系统采用 DSI 系统作为锚固及防腐系统。图 13-6-1 示出锚具槽内钢绞线张拉准备的示意图,图 13-6-2 示出 DSI 锚具就位后进行张拉施工的安装示意图,图 13-6-3 示出 DSI 锚固系统的防腐系统。

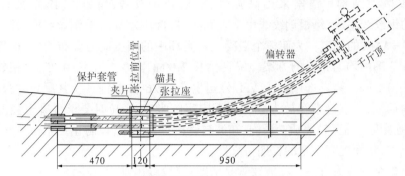

图 13-6-1 锚具槽内钢绞线张拉准备示意图 (单位:mm)

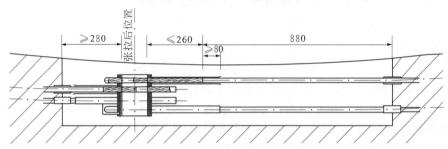

图 13-6-2 DSI 锚固系统张拉施工安装示意图 (单位:mm)

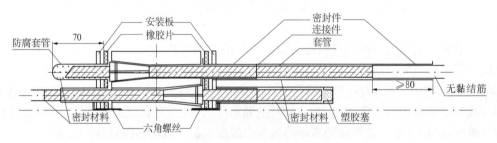

图 13-6-3 DSI 锚固系统的防腐系统 (单位:mm)

三、预应力混凝土衬砌的施工现象分析及采取的措施

排沙洞预应力混凝土衬砌的施工基本按照 1 号排沙洞第 9 和第 10 浇筑块试验段的张拉方法进行,并辅以稳妥的施工手段。施工中除由于 1 号排沙洞第 19 块混凝土浇筑出现冷缝,张拉后出现整块断裂,以及有 3 股钢绞线钢丝断裂以外(断丝率为 0.012‰),3 条洞总长 2 169m 的预应力段钢绞线张拉及锚具槽回填施工都顺利完成。

在排沙洞混凝土衬砌浇筑过程中,从混凝土生产、运输、入仓、振捣等一系列工序采用了大量的保证措施。但实施过程中仍不可避免地出现问题而影响了混凝土入仓的连续性。1 号排沙洞第 19 浇筑块就由此引起了严重的混凝土冷缝,而在张拉施工过程中出现整块断裂。因此,在张拉施工中,根据混凝土浇筑记录,对可能发生混凝土浇筑质量问题的混凝土段采取了分级张拉、拉长间隔的方法来保证预应力的准确施加及混凝土结构的稳定性,及时调整张拉程序。

四、结论

通过无黏结预应力混凝土衬砌的试验研究和施工实践,可以看出,无黏结预应力方案的混凝土衬砌受力均匀合理,能充分发挥材料的性能,施工简便,长期预应力有保障,造价也较低。

(一)受力性能

由于无黏结预应力筋是逐根均匀分布在隧洞衬砌内,混凝土衬砌内也必然能建立起更均匀合理的压应力。并且每根预应力钢绞线放入充油脂的 PE 套管内,张拉时摩擦系数小。室外模型试验及其分析研究表明,单位钢绞线在混凝土衬砌中建立的平均有效压应力较有黏结方案约大 20%(试验)和 15%(分析)。

(二)衬砌结构

预应力锚索张拉锚具槽二期回填混凝土因无预压应力,而成为预应力衬砌的薄弱区。无黏结方案锚具槽间距较大,薄弱部位少,结构整体性能好,张拉钢绞线时对邻近锚具槽影响较小。所有锚具槽均布置在起拱线以下,混凝土回填质量易于保证。张拉施工过程中 2 169m 的预应力混凝土衬砌基本未出现裂缝。

(三)材料用量

无黏结筋方案由于锚索间距较大,因此钢绞线和锚具相应数量大为减少,降低了工程造价。实际锚具槽个数为 4 320 个(其中两排锚具槽夹角 90°方案的锚具槽有 3 240 个,120°方案的锚具槽有 1 080 个),比原有黏结方案减少锚具槽 4 320 个,就此一项节约投资1 000 多万元。

(四)施工难易

无黏结筋方案在浇筑混凝土前预埋钢绞线,因此节省穿索、灌浆等工序。有黏结筋方案上部的 3 个锚具槽张拉及混凝土回填工作十分困难,且在整体张拉时,由于钢绞线受力不均匀,易产生断丝现象,需逐根预紧钢绞线,施工程序繁杂对工期不利。

(五)防腐性能

无黏结筋采用 PE 套管内充油脂包裹,因此在钢绞线运输、存储时防腐性能好,在现浇混凝土内的防腐也是可靠的,该方案防腐的关键在于如何解决张拉槽部位裸露钢绞线的防腐问题。在小浪底工地进行了德国 DSI 公司的单根钢绞线防腐和柳州 OVM 厂的整体防腐工艺性试验,试验结果表明,两种防腐形式都是可行和可靠的。由于锚具槽选用性能较优的 DSI 锚具,因此防腐系统选用德国 DSI 公司的单根钢绞线防腐系统。

在国内外的许多有压水工隧洞中,经常采用有黏结筋预应力混凝土衬砌的结构型式。主要是由于人们认为有黏结筋经张拉灌浆后预应力是有保障的;而无黏结筋仅靠锚具夹片锚固,其长期预应力是否有保障是大家最为担心的。技术的发展在解除人们这种担心的同时,给工程带来的是更经济合理和可靠的结构型式。随着无黏结预应力混凝土衬砌技术的广泛采用,反过来会推动其施工技术和防腐等措施的不断完善和发展。

第十四章　地下厂房围岩稳定分析及支护设计

第一节　厂区工程地质条件

一、工程地质

(一)概述

小浪底地下厂房布置在左岸 T 形山梁交会处的腹部。距坝址区主要断层 F_{236}、F_{238} 较远,距 F_{28} 断层的最小距离约 150m。厂区未发现有较大断层通过。厂房最低高程 103.61m,顶拱高程 165.05m,上覆岩体厚度 70～100m。103.1m 高程以上分布有 T_1^{3-1}～ T_1^{6-1} 地层。作为地下洞室群围岩的地层为:

引水发电洞　T_1^{3-2}～T_1^4

主　厂　房　T_1^{3-1}～T_1^4

主　变　室　T_1^4

尾　水　洞　T_1^{3-2}～T_1^{6-1}

其岩石力学参数见表 14-1-1、表 14-1-2、表 14-1-3。厂区为单斜岩层,走向 NE8°,倾向 ES,倾角 9.5°。

表 14-1-1　洞室围岩基本参数建议值

岩组	平均干容重 (kN/m³)	弹性模量 E_s(GPa)			变形模量 E_0(GPa)	岩石饱和抗压强度 R_c(MPa)	岩石抗拉强度 R_L(MPa)	弹性抗力系数 K_0 (MPa/m)	岩体质量指标 Q	泊松比
		垂直	水平	混合取值						
T_1^{5-3}	26.1	9.0	12.0	11.5	7.5	60	1.33	6 000	11.8	0.22
T_1^{5-2}	26.2	11.5	14.0	12.5	8.5	120	2.67	6 500	13.5	0.21
T_1^{5-1}	26.0	8.0	11.0	9.0	7.0	50	1.11	4 500	8.3	0.24
T_1^4	26.3	12.0	15.0	13.0	9.0	150	3.33	7 000	12.7	0.24
T_1^{3-2}	26.2	11.0	13.0	12.0	8.0	60	1.33	6 000	14.3	0.22
T_1^{3-1}	26.2	11.5	14.0	12.5	8.5	100	2.22	6 500	11.8	0.21
T_1^2	26.0	10.0	13.0	11.5	7.5	60	1.33	6 000	12.5	0.22

(二)构造节理

根据厂房顶拱导洞和钻孔资料统计结果,厂区节理主要有四组(见表 14-1-4)。其中以 NWW 向即与厂房轴线近于垂直的一组节理最发育,不但数量多,而且延伸性较好,一般延伸长度都在 15m 以上。其次为 NNW 向即与厂房轴线近于平行的节理。这组节理走向方向延伸长度一般为 10～15m。其他两组节理不发育,只在局部出现,而且走向方向延

表 14-1-2　各岩组地层正常岩体平均抗剪(断)强度计算成果

地层代号	计算成果		建议指标		设计采用值	
	f	$C(MPa)$	f	$C(MPa)$	f	$C(MPa)$
T_1^{5-3}	1.14	9.97	0.91	1.99	0.91	0.5
T_1^{5-2}	1.20	12.24	0.96	2.45	0.96	0.6
T_1^{5-1}	0.87	4.38	0.67	0.88	0.67	0.2
T_1^{5-1}下部6m	0.76	3.02	0.61	0.60		
T_1^4	1.23	12.73	1.02	2.55	1.02	0.6
T_1^{3-2}	1.09	9.52	0.87	1.90		
T_1^{3-2}顶部6m	0.83	3.45	0.67	0.69	0.87	0.4
T_1^{3-1}	1.15	9.86	0.92	1.97	0.92	0.5

表 14-1-3　各类结构面抗剪强度建议值

结构面	抗剪断值		抗剪值	
	f	$C(MPa)$	f	$C(MPa)$
细砂岩层面	0.8	0.96	0.65	0.05
粉砂岩层面	0.7	0.96	0.5	0.01
泥岩(页岩层面)	0.7	0.96	0.5	0.01
节理面			0.8～1.15	0.05
泥化夹层			0.25	0.005

表 14-1-4　厂区节理走向分组表

组号	节理组	走向(°)	倾向(°)	倾角(°)	说明
J_1	NNE	20	290	84	除 NEE 向节理切穿岩心外，
J_2	NE	60	330	78	其他均为层内短小节理，其切
J_3	NNW	340	250	80	层最长 45cm
J_4	NWW	290	200	75	

伸不长。不同的工程部位，节理发育程度不同，厂房南部(f_2 断层以南)比北部(0+70 以北)发育，中部介于二者之间。厂房北部节理密度为1条/(2～3m)，节理延伸长度一般在10m以下。南部节理密度为 1 条/(1～1.5m)，延伸长度为 20m 以上。中部节理密度为1 条/(1.5～3.0m)，延伸长度为 10～20m。节理在倾向方向延伸不长，一般不穿过软层，延伸长度大部分在 5m 以下，只有少数节理穿过软层，最长达 12m。可见节理在走向方向的延伸长度远大于倾向方向的延伸长度。另外，在上、下游侧墙还分布有规模较小的层间剪切带和节理裂隙密集带。

(三)泥化夹层

(1)根据地下厂房地段 6 个钻孔资料统计，T_{624}钻孔(位于 5 号机组下游边墙附近)内，发现 T_1^4 岩层内有 3 层夹泥层，其高程约为 187.56m、183.91m、152.09m，前两层位于厂房顶拱以上 19～22.5m，后一层位于岩壁吊车梁底部。而钻孔 T_{622}(位于 1 号机组南端)，在

T_1^4 岩层中出现 3 层夹泥层,其高程为 155.48m、154.93m、151.92m,基本上位于岩壁吊车梁高程范围内(高程 155.0~152.3m)。在这两个钻孔以及其他钻孔中,在 T_1^{5-1} 和 T_1^{5-2} 岩层内各有一层泥化夹层,其高程为 210~230m,距厂房顶拱较远,对稳定影响不大。

(2)从位于 5 号机组中心线的 1 号通风竖井及其延伸的 2 号勘探竖井揭露的情况来看,在 T_1^4 岩层内出现七层泥化夹层,其高程见表 14-1-5。其中前 3 层分别位于厂房顶拱以上 9.45m、19.60m、26.95m,后四层则位于拱座及岩壁吊车梁部位。

(3)从厂房顶拱施工导洞(高程 156~158.55m)揭露的情况来看,在 1~5 号机组长达 100 多 m 的范围内,导洞两侧边墙上,发现 T_1^4 岩层内有两层连续分布的泥化夹层,其高程在 158~156m 之间,位于厂房拱座部位,与 1 号通风竖井所揭露的情况基本一致。

(四)地应力

根据应力解除法、水力劈裂法、实测应力值和天津大学对厂区进行三维初始地应力场的分析计算结果看:小浪底厂区地应力场是以岩体自重应力为主,地质构造作用为次,并受到断裂构造制约的初始地应力场。水平应力平均值与竖向应力之比为 0.8 左右,基本上处于均匀地应力场中,应力条件比较好。厂区最大水平应力方向为 NE20°。应力值最大不超过 5MPa,属低应力区。

表 14-1-5 1 号通风竖井揭露 T_1^4 岩组泥化夹层分布

岩组	序号	分布高程(m)	厚度(mm)	夹泥特征
T_1^4	1	192.00	15	连续性好
	2	184.65	1	连续性差
	3	174.50	6	连续性差
	4	159.40	10	连续性好
	5	158.85	10	连续性好
	6	150.10	2	连续性好,贯穿全洞
	7	147.55	1	

二、水文地质

厂房区周围受较大规模的断层切割限制,西侧有 F_{28} 断层,南侧有 F_{236}、F_{238} 断层,北侧有 F_{461} 断层,垂直于这些断层面方向均具有一定的阻水性,形成隔水边界。在厂房区的东侧则为相对隔水的 T_1^6 地层分布,因此厂房区成为一个相对独立的地质单元,与周边水力联系相对较差。

厂房区地表呈 T 形山梁,南、北端各有一条冲沟,岭脊单薄,冲沟发育,地表排水通畅。厂房区地表分布薄层黄土,上覆岩体中 T_1^{5-1}、T_1^{5-3} 地层透水性相对较弱,尤其是 T_1^{5-1} 地层软岩比例占 40% 左右,为刘家沟地层中软岩比例最高的层位,可见,地表水垂直入渗条件差。组成厂房的围岩主要为 T_1^4、T_1^{3-2},仅机窝下部进入 T_1^{3-1}。各岩组的压水试验资料表明,T_1^4 应属强透水至中等透水地层,T_1^{3-2} 与 T_1^{3-1} 属弱透水至微透水地层。厂房区地下水位较低,与河水位相差不大,约为 135m。

第二节 厂区洞群布置及主要洞室开挖尺寸

一、厂区洞室群布置

(一)厂房位置选择

根据地形地质条件和枢纽总体布置要求,地下厂房布置在左岸泄洪排沙洞群北部 T 形山梁交会处的腹部。厂房顶拱高程 165.05m,上覆岩体厚度为 70 ~ 100m。其中 60m 厚的钙质硅砂岩地层 T_1^4,被选为布置发电系统的主要地下建筑物(主厂房、主变室、尾水闸门室)是相当有利的。地下厂房边墙的三分之二和全部顶拱均位于 T_1^4 岩组中,岩块尺度较大,一般为 0.5 ~ 1.0m,岩性坚硬,围岩的整体稳定性较好,厂区无较大断层穿过,西距 F_{28} 断层的最小距离约 150m,南端距 F_{240} 断层最小距离 140m 左右,而 F_{236}、F_{238} 断层在厂房以南 260m 以上,地下厂房地段受断层破碎带影响较小,地层比较稳定。

地下厂房采取首部布置方式,应尽可能靠近进水口,以缩短高压引水道的长度,在满足调节保证计算和机组稳定运行的情况下,上游不设调压塔。厂房位置选择以不影响大坝帷幕灌浆和排水系统及泄洪排沙洞群的布置为原则,北部与灌浆帷幕的最小距离为 45m,与大坝主排水幕的距离为 20m,以满足泥化夹层允许水力坡降的要求;南端与 3 号排沙洞的水平距离为 56m,与 3 号明流洞的垂直距离为 42m,基本满足相邻洞室、上下层洞室之间岩体厚度的要求。

(二)厂房纵轴线方向的确定

地下厂房位于左岸泄水建筑物北部,其纵轴线方向为 NW350°,与厂区主要节理走向成 25° ~ 30°夹角,与岩层走向成 18°夹角。这样布置主要是根据地质钻探资料、水流条件和枢纽总体布置要求,综合分析后确定的。在招标设计阶段,世界银行专家组曾两次对地下厂房的布置方案进行咨询。

在第一次咨询报告中指出:"原先研究的地下厂房方案,其主厂房的轴线为 NE5°。从岩石力学的角度考虑,理想的轴线方向应与原轴线方向成垂直相交,以便使岩层层面和可能存在的夹泥层的走向与洞轴线相垂直,这样可以避免上游边墙因不利的岩层倾向而产生稳定问题。地下厂房轴线方向 NE5°是因枢纽总体布置条件确定的。"第一次咨询会议后,我们对轴线作了调整,改为 NW350°。

在第二次咨询报告中指出:"节理方位资料已由表面开挖及有关岩心中获得并被黄委会认为是可靠的。主要结构为走向 20°、倾角 75° ~ 85°的 1 号节理。这组节理有贯穿一层以上岩层的趋势,并可能在垂直方向上有 10m 左右的连续性,同时沿其走向可能有 30 ~ 50m 的连续性。尽管一个更大的偏角可能更为有利,但目前确定的厂房轴线方向与 1 号节理成 25°夹角是合理的。"另外还指出:"黄委会打算在地下厂房拱部下面,沿轴线挖一探洞,这样就能够检验不连续面的方向,并能做更多的应力测试,此外还要打竖井,来探明深部泥化夹层的存在情况。当取得进一步勘探成果时,要重新审查轴线的方向。"

从地下厂房顶拱施工导洞及 1 号通风竖井开挖揭露的情况及初始地应力场回归分析结果来看,厂房纵轴线方向 NW350°,仍然是合适的。其理由有三点:

(1)节理裂隙分布情况。从导洞揭露情况看，原来的 J_1、J_2、J_3 三组节理变化不大，其中 J_1、J_3 两组比较发育，J_2 只在导洞南半部局部出现。起控制作用的仍为 NE20°节理，其走向略有变化，即 NE15°~30°，与厂房纵轴线的夹角为 25°~40°。洞内又发现 NW290°节理也比较发育，但与纵轴线夹角(60°)比较大，对厂房纵轴线选择影响不大。

(2)通过地面测绘和厂房顶拱施工导洞的开挖，沿轴线方向 250m 范围内，未发现较大的断层通过，但发现两条小断层，其中 f_1 在厂房北端 6 号机组段内，倾向 15°~25°，倾角 85°，断层带宽 5~50cm，由破碎岩块和岩粉充填，断距 10~20cm，断层无明显错动；f_2 在 1 号与 2 号机组段之间，倾向 10°~45°，倾角 80°，断距 5~15cm，断层带宽 20~80cm。由于断层规模小，两侧岩层完整，两条小断层的走向与厂房轴线近于垂直，影响不大。

(3)最大水平主应力方向为 NE20°，与厂房纵轴线夹角为 30°，且水平应力与垂直应力的比值为 0.8 左右，接近于 1.0，应力条件比较好。虽然与纵轴线夹角偏大，但应力值不超过 5MPa，属低应力区，对轴线选择影响不大。

(三)主变压器室位置的选择

主变压器室位置曾考虑了 3 个方案：一是将主变压器置于地下，位于主厂房下游侧与发电机层地面同高程，形成一个主变洞室。厂房与主变洞室间设 6 条母线洞相连接。高压电缆在主变洞顶部设置，由两条电缆斜井引接至地面开关站。二是将主变压器置于地面，位于溢洪道北侧厂房上方 280m 高程的山脊上；低压封闭母线通过 6 条母线竖井引接至主变压器；开关站位于厂房东北侧 230m 高程大坝压坡平台上，与变压器高差达 50m，通过架空线路连接。三是将主变压器置于 240m 高程地面上，位于开关站西南侧；低压封闭母线通过 6 条母线竖(斜)井，引接至主变压器。

鉴于本电站的具体情况，主厂房顶部有溢洪道通过，而开关站受地形限制只能设置在主厂房东北侧 230m 高程的平台上。如将主变压器置于地面，势必使低压封闭母线垂直高度过大。经技术经济比较，选择第一方案，即将主变压器置于地下，位于主厂房下游侧，与厂房轴线平行布置。

(四)尾水闸门室布置

尾水闸门室布置于尾水管末端，闸门中心线与机组中心线距离为 92.25m。与主变室净距 24.30m。闸门室内设有一台 2×2 500kN 台式启闭机，轨道支撑在岩台吊车梁上。其开挖尺寸长为 175.80m，宽为 10.60m，高度 41.15m。安装场处宽为 12.60m，底板高程 144.50m，由 34 号交通洞与 17 号进厂交通洞相连。

(五)水道系统布置

发电引水系统由进水塔、压力引水隧洞、压力钢管、水轮机蜗壳、尾水管、尾水叉洞、明流尾水洞、尾水明渠和出口防淤闸组成。

1. 进水塔

进水塔位置由总体布置确定，所有泄洪、排沙、引水进水塔呈一字形排列，共设 10 座塔。自南向北第 3 号、5 号、8 号塔为发电进水塔，与排沙洞进口共用，为钢筋混凝土结构。由于排沙排污需要，两条发电洞与一条排沙洞上下对应布置，发电洞进口高于排沙洞进口 15~20m。发电进水口前缘设有两道拦污栅和一道压污机导槽。进水口闸墩后为两条发电洞的事故闸门。为满足初期发电要求，第 5 号、6 号发电洞进口高程为 190m；第 1 号至 4

号发电洞进口高程为 195m。

2．引水道布置

考虑到单机流量较大(296m³/s),机组采用单元引水,每台机组各接一条引水隧洞。为避开泄洪建筑物洞群,引水洞线出进水塔后即向北偏转约 43°,沿东北向与厂房纵轴呈 78.5°交角进入厂房。各引水道长度见表 14-2-1。

表 14-2-1　引水道长度

项目	编　　号						合计
	1 号	2 号	3 号	4 号	5 号	6 号	
总长度(m)	414.42	400.92	381.19	367.62	341.24	327.78	2 233.17
压力钢管长度(m)	189.44	185.99	189.71	193.07	192.12	188.13	1 138.46

引水隧洞和压力管道直径均为 7.8m,压力引水道中 1 号洞最长,经调节保证计算分析,可不设置上游调压塔。大坝灌浆帷幕前引水隧洞采用钢筋混凝土衬砌,其厚度为 0.8m。帷幕后采用埋藏式压力钢管,以避免压力水渗出,影响左岸山体稳定和建筑物的安全。压力钢管由上斜段、上弯段、斜井段、下弯段及下平段组成,斜井段坡度为 50°。管道轴线间距为 26.5m,上覆岩体厚度为 80～140m,设计选用美国规范 ASTM A517 和 A537 钢材,钢材强度分别为 795～930MPa 和 485～620MPa,钢板厚度为 20～34mm,钢衬与围岩之间回填 C15 混凝土,压力钢管末端通过渐变段与蜗壳进口连接,考虑到地下厂房温度变化小,压力钢管与蜗壳连接处设有凑合节不设置伸缩节。另外,在水轮机固定导页和活动导页之间设置筒形阀,可作为事故闸门。尾水管采用窄高型,以适应地下厂房布置需要。尾水管出口设有尾水检修闸门,供机组检修之用。

3．明流尾水洞布置

尾水闸门后,采用两机一洞的布置方式,6 条尾水洞合并为 3 条。每个单元由尾水叉洞、明流尾水洞、尾水明渠和防淤闸组成。

明流尾水洞的长度分别为:1 号洞 804.65m;3 号洞 855.57m;5 号洞 906.48m;2 号、4 号、6 号叉洞段均为 60.13m。考虑到尾水管顶板与母线洞之间岩体厚度要求,尾水管出口底板高程定为 122m。为保证尾水管出流顺畅,明流尾水洞进口底板高程确定为 126m,出口底板高程定为 125m,洞顶高程为 145m,为城门洞形。尾水洞穿过 T_1^{3-1} ～ T_1^{6-1} 岩层,岩性变化大,且穿越 12 号、14 号、8 号公路,使得尾水洞局部岩体较薄,局部洞段最小厚度仅 12m 左右,不足 1 倍洞跨,需加强支护。

尾水明流洞后接 160m 长的明渠段,在平面上,宽度由 12m 逐步扩大到 31m,在立面上为一反坡。明渠末端设置 6 孔宽 14m、高 11m 的弧形闸门,当同一单元内两台机组停机时,关闭相应的尾水防淤闸门,以防止尾水洞被淤塞。

二、主要洞室开挖尺寸

(一)地下厂房洞室群

地下厂房三大洞室(主厂房、主变室、尾闸室)采用平行布置方式。主厂房与主变室之间岩体厚度为 32.0m;洞室中心线间距 54.3m,相当于开挖跨度的 2.0 倍。主变室与尾闸

室之间岩体厚度为 24.3m;洞室中心线间距 37.95m,相当于开挖跨度的 2.5 倍。主要开挖尺寸如下:

1. 主厂房

(1)主厂房总开挖长度为 251.5m,其中:

主机段	161.75m(26.5×6+2.75)
安装间	59.00m
副厂房	30.75m

(2)开挖跨度:

顶拱	26.2m
中部	25.0m
下部	22.3m

(3)开挖高度:

主机段:$H_1 = 61.44$m(顶拱至尾水管底板)

安装间:$H_5 = 30.55$m(高程 165.05~134.50m)

副厂房:$H_6 = 22.80$m(高程 165.05~142.25m)

2. 主变室

总开挖长度	174.7m
开挖跨度	14.4m
开挖高度	17.8m(高程 162.3~144.5m)

3. 尾闸室

总开挖长度	175.8m
开挖跨度	10.6m(上部);6.0m(下部)
开挖高度	41.15m(高程 162.65~120.50m)

4. 母线洞

母线洞断面为直墙拱,开挖跨度 8.2m,洞间岩体厚度为 18.3m,洞中心线间距 26.5m(相当于开挖跨度的 3.2 倍),总开挖长度为 32.0m。为了保证岩壁吊车梁的稳定性,母线洞采用两种断面:

小断面	8.2m×6.1m(局部 8.2m×6.9m)
大断面	8.2m×9.1m(局部 8.2m×11.2m)

(二)尾水系统洞室

1. 尾水管洞

在主厂房下游边墙底部布置有 6 条尾水管洞,中部布置有 6 条母线洞和 1 条进厂交通洞,洞室之间岩体单薄,对围岩稳定不利。特别是 6 条尾水管洞与 6 条母线洞,上、下对应布置,两层洞室之间岩体最小厚度约 10m,最大厚度 18m。尾水管洞为矩形断面,开挖跨度为 13.7m,洞间岩体厚度为 12.8m,洞中心线间距 26.5m,相当于开挖跨度的 2.1 倍。尾水管洞的开挖高度为 10.9~15.21m。

2. 尾水叉洞和明流尾水洞

尾水闸门后,两台机合一洞,采用岔管连接。3 条明流尾水洞平行布置,断面为直墙拱,开挖跨度 13m,开挖高度为 19.6m。洞中心线间距为 53m,为开挖跨度的 4 倍。洞长 900 ~ 1 000m,穿过 T_1^{3-1} ~ T_1^{6-1} 多种岩层,岩性变化较大;在西沟沟底,上覆岩层最小厚度约 14m,岩体比较单薄。

(三)引水隧洞

引水隧洞和压力管道直径均为 7.8m,上覆岩体厚度为 80 ~ 140m,管道轴线间距为 26.5m,开挖直径 9.4m。

(四)附属洞室

1.进厂交通洞

(1)17 号进厂交通洞断面为直墙拱,最大开挖跨度 12.4m,高度 10.2m,总长 522.71m。在进厂段与主厂房、主变室、尾闸室等多条隧洞相交,围岩临空面大,对围岩稳定不利。

(2)8 号施工交通洞断面为直墙拱,最大开挖跨度 9.5m,高度 11.2m,总长 441.93m。后期作为地下副厂房对外交通、技术供水管路布置和永久通风通道用。

2.电缆斜井

在主变室下游侧,布置了两条高压电缆斜井(19 号、20 号)与地面开关站连通。斜井断面为直墙拱,开挖跨度 4.2m,高度 3.5m。全长分别为 131.55m、110.69m,斜井的水平夹角 37°,以满足出线和施工要求。其中 19 号高压电缆斜井跨越尾闸室顶拱,对洞室稳定不利。

3.4 号电梯竖井

主厂房通过 17 号交通洞、18 号交通洞及 4 号电梯井与地面副厂房连接,电梯井高度 90.5m,断面为方形,开挖尺寸为 5.7m × 5.76m。

4.通风竖井

根据通风设计要求,电站布置 3 座通风竖井,分别在地下厂房、主变室、尾闸室上部,高度为 90 ~ 110m,断面为圆形,开挖尺寸为直径 4.2m。

第三节　地下洞室喷锚支护设计

一、围岩分类

小浪底地下厂房洞室围岩的岩石力学基本参数如表 14-1-1、表 14-1-2、表 14-1-3 所示。根据水利水电规范之围岩工程地质分类法,对厂房围岩进行分类。地下厂房围岩大部分为基本稳定的Ⅱ类偏下围岩;f_2 小断层以南,地下水位以下部位为Ⅲ类围岩;节理密集带、层间剪切破碎带及局部断层破碎带为Ⅳ类围岩。

二、支护设计

(一)支护设计原则

(1)根据地下厂房部位的地质条件,主厂房、主变室、尾闸室等均采用喷锚支护作为永久支护型式;母线洞以及各洞室交叉段、进出口处均采用钢筋混凝土衬砌作为永久支护型式。

(2)喷锚支护按Ⅲ类围岩稳定所需的支护强度设计,以工程类比为主,选定初步支护参数,用极限平衡理论进行局部验算,用有限元法及模型试验评价喷锚支护整体加固效果。

(3)喷锚支护设计,按照新奥法原理,采用"设计—施工—监测—修正设计"的方法,在施工中加强现场监测,根据实际情况及时调整支护参数。

(二)系统喷锚支护设计

1.工程类比法

1)工程实例

根据对国内外 20 个大型地下厂房的工程地质条件、洞室尺寸、锚杆参数、锚索参数、喷混凝土厚度等有关资料的统计分析结果(见图 14-3-1、图 14-3-2 和表 14-3-1),初步选定支护参数。

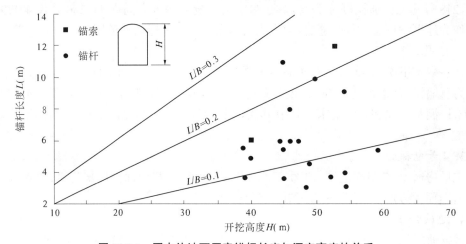

图 14-3-1　国内外地下厂房锚杆长度与洞室高度的关系

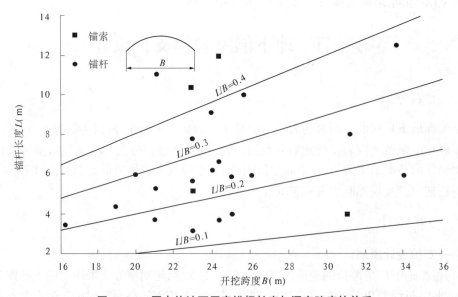

图 14-3-2　国内外地下厂房锚杆长度与洞室跨度的关系

表 14-3-1　地下厂房喷锚支护工程实例

序号	电站名称	国名(投产年份)	厂房尺寸 长×宽×高(m)	岩石及地质情况	使用部位	喷锚支护类型及参数						锚杆长与洞跨的比值 L/B	锚杆长与洞高的比值 L/H	支护压力(MPa)
						类型	锚杆长 L(m)	间排距 (m)	锚杆直径 (mm)	预应力 (10kN)	衬砌或喷混凝土厚度 δ(cm)			
1	白山	中国(1983)	121.5×25×54	花岗岩,有三组断层,四组节理	顶拱 边墙	砂浆锚杆	3.5~4.5 2.5~3.5	1.5×1.5 1.5×1.5	25 22		挂网喷混凝土 δ=15	0.14~0.18	0.05~0.07	0.05 0.04
2	明湖	中国(1989)	127.2×21.2×45	砂岩夹有少量页岩和黏土页岩	顶拱 边墙	锚索+锚杆	7.5~15	2.0×2.0		10~60	顶拱混凝土衬砌 δ=120	0.35~0.7	0.17~0.33	0.175 0.175
3	二滩	中国(1998)	296×31.2×72.5	正长岩,微变玄武岩	顶拱 边墙	砂浆锚杆 锚索+锚杆	4/8 25/10	1.5 3/1.5	28/28	145~175	挂网喷混凝土 δ=20	0.13~0.26	0.14~0.35	0.06 0.24
4	鲁布革	中国(1988)	125×18×38.4	灰岩	顶拱 边墙	砂浆锚杆	4~5 5~6	1.5 1.5	22~25 25		挂网喷混凝土 δ=10~18	0.21~0.26	0.13~0.16	0.05 0.05
5	东风	中国(1996)	105×20×48	灰岩	顶拱 边墙	砂浆锚杆	5~7 4~5	1.2×1.3 1.2×1.3	25 25		挂网喷混凝土 δ=15	0.25~0.35	0.08~0.10	0.07 0.07
6	广蓄(1期)	中国(1995)	146.5×21×44.5	黑云母花岗岩	顶拱 边墙	砂浆锚杆	3.0~4.3 4.3~7.0	1.5 1.5×2	25 25		挂网喷混凝土 δ=15	0.14~0.21	0.10~0.16	0.05 0.04
7	十三陵	中国(1995)	145×23×46.6	角砾岩	顶拱 边墙	砂浆锚杆 锚索+锚杆	5/3 15/8	1.5 3×9/ 1.5×1.5	28/28	60	顶拱混凝土衬砌,边墙挂网喷混凝土 δ=15	0.13~0.22	0.17~0.22	0.06 0.08
8	喜撰山	日本(1970)	60.4×25.7×49.6	砂质板岩	顶拱 边墙	预应力锚杆	5~15	3m²/根	27	10~40	顶拱混凝土衬砌,边墙挂网喷混凝土	0.39	0.20	0.08 0.08
9	丘吉尔瀑布	加拿大(1974)	300×25×50	花岗岩及片麻岩	顶拱 边墙	张拉锚杆 张拉锚杆	4.5~7.5 4.5~6	1.5 2.1	34.9 25	12~20 12	挂网喷混凝土	0.24	0.30	0.07 0.03
10	买加	加拿大(1976)	237×24.4×44.2	石英片麻岩	顶拱 边墙	灌浆锚杆	6~7 6	1.5 1.5	25 25		顶拱喷混凝土 δ=10	0.26	0.13	0.05 0.05

续表 14-3-1

喷锚支护类型及参数

序号	电站名称	国名(投产年份)	厂房尺寸 长×宽×高(m)	岩石及地质情况	使用部位	类型	锚杆长 L(m)	间排距 (m)	锚杆直径 (mm)	预应力 (10kN)	衬砌或喷混凝土厚度 δ(cm)	锚杆长与洞跨的比值 L/B	锚杆长与洞高的比值 L/H	支护压力 (MPa)
11	拉格郎德-II	加拿大(1982)	483×26×47	花岗片麻岩	顶拱 边墙	张拉锚杆	6.1 6.1	2.1 2.1	34.9 25	20.4 9.1	顶拱挂网喷混凝土	0.24	0.13	0.05 0.02
12	比尔思沃辅	美国(1973)	69×24×46	云母片岩	顶拱 边墙	灌浆锚杆	6.1 6.1	2.1 2.1	34.9 25		喷混凝土 δ=10	0.25	0.13	0.05 0.02
13	保罗阿丰索-IV	巴西(1978)	210×24×54	花岗岩、混合岩、云母片麻岩	顶拱 边墙	张拉锚杆	9.0 9.0	1.5 1.5	32 32	22.5 22.5	挂网喷混凝土 δ=10~15	0.375	0.17	0.10 0.10
14	狄诺维克	英国(1983)	180.3×24.5×52.2	板岩	顶拱 边墙	锚索+锚杆	12/3.7	6/2		120/20	挂网喷混凝土	0.15	0.49/0.23	0.06 0.06
15	木川	日本(1985)	96×23.3×45.1	砂质黑色片岩夹有石英脉	顶拱 边墙	锚索+锚杆	3/20 13/10		21.8			0.43	0.22	
16	瓦尔德克-II	德国(1974)	106×34×54	砂岩页岩夹层,节理发育	顶拱 边墙	预应力锚杆 锚索+锚杆	6 23/4	1.0 3×4/2×2		12 170/12		0.18	0.43/0.07	0.12 0.17
17	马吉尔湖	意大利(1971)	220×21×54	片岩	顶拱 边墙	锚索+锚杆	30~ 15/5.3	10,2.2×8/ 5,4.4×8			顶拱混凝土衬砌,边墙喷混凝土	0.07/ 0.25~0.5		
18	德雷肯斯堡	南非(1981)	193×16.3×45	水平层状岩石和粉砂岩	顶拱 边墙	砂浆锚杆	2~5	1.0	32		挂网喷混凝土	0.12~0.31	0.04~0.11	0.17 0.17
19	北地山	美国(1973)	100×23×40	片麻岩、石英岩	顶拱 边墙	预应力锚杆	10.7/7.6 6.2/4.9	1.5 1.5	25.4	9.1	挂网喷混凝土 δ=10	0.33~0.47	0.12~0.15	0.04 0.04
20	今市	日本(1985)	107×33.5×48.5	硅质砂岩、砂板岩	顶拱 边墙	预应力锚杆	15,10	2.0 2.0	29 29	39.5 21.1	挂网喷混凝土 δ=10	0.15~0.44	0.10~0.31	0.10 0.05

注:斜线上方为锚索参数,下方为锚杆参数

（1）系统锚杆设计。由图 14-3-1、图 14-3-2 可以看出，系统锚杆的 L/B 值为 0.1 ~ 0.6；L/H 值为 0.1 ~ 0.7；系统锚杆间距一般为 1 ~ 3m，喷混凝土厚 $\delta = 0.1 ~ 0.25$m，大多采用挂网。从表 14-3-1 可以看出，顶拱采用混凝土衬砌的工程大都在 20 世纪 70 年代或以前，而 20 世纪 80 年代以后的工程很少采用刚性支护。顶拱支护压力为 0.05 ~ 0.20MPa，边墙支护压力为 0.02 ~ 0.24MPa。

根据类似工程初步选定小浪底工程地下厂房支护参数为：顶拱张拉锚杆 Φ32mm@1.5m×1.5m，$L = 8$m/6m 间隔布置；边墙张拉锚杆 Φ32mm@1.5m×1.5m，$L = 10$m/6m 间隔布置；喷混凝土厚度为 20cm，$L/B = 0.23$，$L/H = 0.13$，$P = 0.056$MPa。

（2）锚索设计。从表 14-3-1 中可以看出，国内外已建大型地下厂房，预应力锚索吨位一般为 1 000 ~ 1 700kN，长度为 10 ~ 20m，特别是与小浪底工程岩石条件相似、规模接近的瓦尔德克-Ⅱ电站，采用了 23m 长、1 700kN 锚索。考虑到小浪底工程地下厂房顶拱跨度大，且顶拱以上 23m 范围内分布有 3 层连续泥化夹层，所以厂房顶拱设置长 25m、间排距 4.5m 和 6m、1 500kN 锚索，以提高层间摩阻力，起到"组合梁"效果。在边墙泥化夹层部位又增加了 12m 长、间排距 2m 和 4.5m、500kN 预应力锚杆。

2）依据规范

根据前述围岩分类，依据国内现行规范选用支护参数见表 14-3-2。

表 14-3-2　依据规范选用支护参数

规范名称	围岩类别	跨度 (m)	喷层厚度 (cm)	锚杆	
				直径(mm)	长度(m)
《锚杆喷射混凝土支护技术规范》	Ⅲ	15 ~ 20	15 ~ 20		3.0 ~ 4.0
（GBJ86—85）	Ⅱ下	20 ~ 25	15 ~ 20		3.0 ~ 4.0
《水电站厂房设计规范》	Ⅲ	16 ~ 20	15 ~ 20	20 ~ 25	3.0 ~ 4.0
（SD335—89）	Ⅱ下	21 ~ 25	15 ~ 20	20 ~ 25	3.5 ~ 5.0

3）Q 系统分类法

Q 系统分类法是挪威岩土工程研究所 N. Barton 等建议按岩体综合指标 Q 值选择喷锚支护参数的一种简便方法。根据小浪底地下厂房洞室开挖尺寸和岩体质量指标 Q 值确定支护参数见表 14-3-3。岩体质量指标 Q 与洞室支护选择的关系见图 14-3-3。

表 14-3-3　Q 系统法确定的支护参数

部位	Q 值	支护类别	支护措施	拟选用的支护参数
南端顶拱	7	19	$B(tg)1 ~ 2m + S(mr)10 ~ 15cm$ 锚杆长 $L = 3m,5m,7m$	张拉锚杆 Φ32mm@1.5m×1.5m，$L = 6$m/8m 间隔布置；挂网喷混凝土 $\delta = 15$cm
北端顶拱	12.5	15	$B(tg)1.5 ~ 2m + S(mr)5 ~ 10cm$ 锚杆长 $L = 3m,5m,7m$	张拉锚杆 Φ32mm@1.5m×1.5m，$L = 6$m/8m 间隔布置；挂网喷混凝土 $\delta = 15$cm
边墙	12.5	20	$B(tg)1.5 ~ 2m + S(mr)10 ~ 15cm$ 锚杆长 $L = 6m,8m,10m$	张拉锚杆 Φ32mm@1.5m×1.5m，$L = 6$m/8m 间隔布置；挂网喷混凝土 $\delta = 15$cm

注：$B(tg)$ 表示张拉锚杆；$S(mr)$ 表示钢筋喷混凝土。

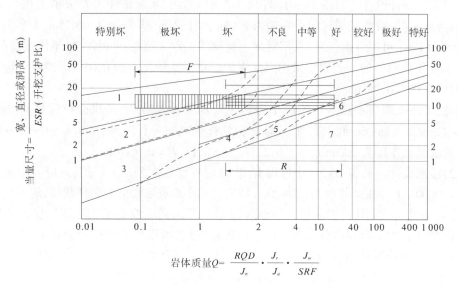

$$岩体质量Q= \frac{RQD}{J_n} \cdot \frac{J_r}{J_a} \cdot \frac{J_w}{SRF}$$

图 14-3-3　岩体质量指标 Q 与洞室支护选择的关系

4)世界银行特别咨询团专家组建议

1990 年 11 月,在世界银行特别咨询团第一号咨询报告中,对地下厂房的支护作了初步估算,所得的支护要求是:

(1)顶拱部位:锚杆间距 1.5m,长度 4m 和 8m 两种,交替布置;钢纤维增强喷混凝土厚 10~20cm。当顶拱出现夹泥层时,增加长度为 10m 的锚索支护,锚索间距为 3m。对于偶然出现的夹泥层,增加局部锚索;对于连续出现的夹泥层,增加系统锚索。国内外大型地下厂房顶拱支护压力图见图 14-3-4。

(2)边墙部位:锚杆间距 2m,长度 8m 和 12m 两种,交替布置;钢纤维增强喷混凝土厚 10~20cm。考虑到砂岩的岩性较为坚硬,而且岩层倾向有利(倾向墙内),下游边墙不需用锚索加固,上游边墙内当有泥化夹层分布时,需用锚索局部加固。国内外大型地下厂房边墙支护压力图见图 14-3-5。

1991 年 5 月,在第二号咨询报告中,对地下厂房初步支护设计的初步评价为:

(1)拱部:系统锚杆 Φ28 间距 1.5m,长度 4m 和 8m 两种,交替布置;钢筋网喷混凝土厚 20cm。

(2)边墙:系统锚杆 Φ25 间距 1.5m,长度 8m 和 12m 两种,交替布置;钢筋网喷混凝土厚 20cm。

2.极限平衡法

1)剪切滑移体法

根据弹塑性原理,考虑喷锚网联合作用,验算围岩整体加固效果,并对不同的岩体力学参数 φ、C 值进行敏感性分析,计算结果见表 14-3-4。

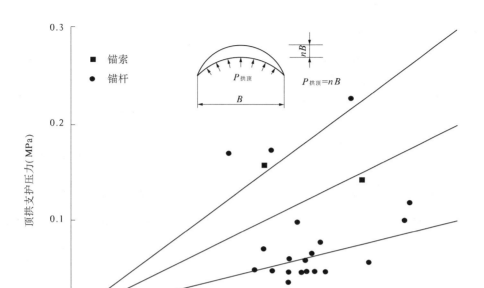

图 14-3-4　国内外大型地下厂房顶拱支护压力图

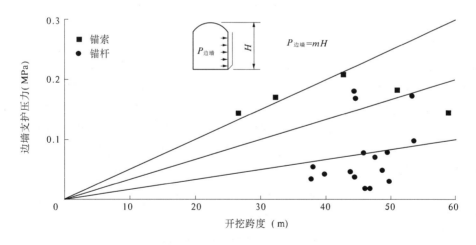

图 14-3-5　国内外大型地下厂房边墙支护压力图

表 14-3-4 中, K 值和 M 值为衡量喷锚支护安全度的两项指标。对 K 值, 当喷锚支护材料取设计强度时, $K=1.5\sim2.0$ 即可满足要求。对于 M 值, 一般认为锚杆加固深度与塑性圈深度的比值需大于 50% 。验算结果表明, 初选支护参数均满足要求。

表 14-3-4　主厂房剪切滑移体法计算结果

计算项目		计算结果					
喷、锚、网联合提供支护抗力 P_w(MPa)		0.25					
岩体力学参数	内摩擦角 φ(°)	33		35		45	
	凝聚力 C(MPa)	0.10	0.15	0.25	0.15	0.4	0.6
	初始应力 σ_0(MPa)	2.48					
	容重 γ(kN/m³)	26.2					
围岩所需最小支护抗力 P_{min}(MPa)		0.16	0.152	0.141	0.148	0.099	0.035
安全系数 $K = P_w / P_{min}$		1.56	1.64	1.77	1.67	2.53	7.14
松弛区深度 $S = R - R_0$(m)		10.47	9.51	8.45	9.92	5.18	1.99
加固深度占松弛区的比例 $M = L/(R - R_0)$(%)		66	74	95	70	>100	>100

2)块体极限平衡法

当地下厂房围岩内存在不利结构面组合时,岩体有可能产生坍塌和滑动,为此黄委会设计院采用加拿大多伦多大学所编的 UNWEDGE 程序进行了分析计算,该程序基本假定为:①结构面是理想的平面;②结构面连续分布于被研究的有可能形成不稳定楔形体的空间,而楔形体内没有新的破裂面,结构面可以发生在岩体内的任何地方;③楔形体是刚性的,只承受自重荷载,不受现场开挖应力的作用。该程序一次能分析 3 个结构面的组合,若结构面多于 3 个时,则按排列组合方式分别进行计算。

计算参数见表 14-3-5。对表中的 5 个结构面,共进行 80 种组合。凡是毛洞时安全系数 $K > 2$ 的情况,认为满足要求,不再分析研究。以下对 $K < 2$ 的情况进行了进一步分析,结果见表 14-3-6、表 14-3-7,需要采取适当的支护措施,以保证围岩的稳定性。

对于顶拱不稳定楔形体,前 6 种组合采用系统张拉锚杆或喷混凝土(C20)5~10cm 处理后,安全系数达 2.0 以上,满足设计要求。后 5 种组合虽然要求提供的锚固力较大,但由于 J₂ 节理在厂区最不发育,只在局部出现,且其切层性不强,形成不稳定楔形体的几率很小,因此只要根据现场揭露情况,采用随机锚杆进行加强处理即可。

对于边墙和端墙出现的 8 种不稳定楔形体,只需采用系统张拉锚杆加固,安全系数即可满足规范的要求。

表 14-3-5　主要结构面构造特征

结构面代号	产状(°)			力学指标		说明
	走向	倾角	倾向	摩擦系数	凝聚力(MPa)	
J₁~J₄	见表 14-1-4			0.5	0.05	裂隙
J₅	NE8°	10°	SE98°	0.22	0.005	泥化夹层

表 14-3-6 主厂房顶拱不稳定楔形体情况

结构面组合分组序号	参与组合的结构面代号	楔形体(参数)			安全系数 K		
		高度 H (m)	底面积 F (m²)	重量 G (kN)	毛洞	喷混凝土 K/δ(cm)	系统锚杆
1	J_1, J_3, J_5	5.04	240	7 420	0	2.59/10	3.60
2	J_1, J_2, J_5	3.79	36.60	540	1.47	7.59/5	7.53
3	J_2, J_3, J_5	5.51	235.50	8 330	0	2.22/10	3.14
4	J_3, J_4, J_5	6.78	277	11 700	0.36	2.54/20	2.63
5	J_1, J_4, J_5	5.50	114	3 140	0	3.64/10	4.03
6	J_2, J_4, J_5	4.56	46	1 150	0	3.76/5	4.4
7	J_1, J_2, J_3	26	19.4	3 790	1.07	2.01/10	
8-1	J_1, J_2, J_4	12	13.7	1 290	1.37	2.72/5	
8-2	J_1, J_2, J_4	26	64.50	13 380	0.67	1.81/20	
9-1	J_2, J_3, J_4	12	16.6	980	1.56	3.14/5	
9-2	J_2, J_3, J_4	26	77.88	9 990	0.78	2.14/20	

注:序号 1~6 为节理面与层面组合,序号 7~9 为节理面间的组合。

表 14-3-7 主厂房边墙不稳定楔形体情况

部位	结构面组合分组序号	参与组合的结构面代号	楔形体			毛洞安全系数 K
			高度 H(m)	底面积 F(m²)	重量 G(kN)	
上游边墙	1	J_1, J_3, J_5	5.45	169.0	4 070	1.62
	2	J_2, J_3, J_5	5.45	166.5	4 770	1.62
	5	J_1, J_4, J_5	8.91	147.3	6 900	1.55
	6	J_2, J_4, J_5	12.60	129	13 010	1.57
下游边墙	4	J_3, J_4, J_5	3.50	34.6	290	1.29
北端墙	4	J_3, J_4, J_5	10.0	84.5	3 860	1.69
	5	J_1, J_4, J_5	8.82	99.0	3 460	1.46
南端墙	3	J_2, J_3, J_5	8.26	98.5	2 810	1.93

3. 不连续介质模型有限元计算

不连续介质模型主要模拟了岩体中的层面、软弱夹层、节理等结构面,基本上反映了小浪底厂房围岩特征。计算中用有限元离散结构,按变厚度平面应力问题计算。采用的岩石力学指标见表 14-3-8。

表 14-3-8 岩石力学参数

材料	E(MPa)	μ	f	C(MPa)	σ_r(拉,MPa)	γ(kN/m³)
岩体	$(11 \sim 11.5) \times 10^3$	0.2	0.65	0.2	0.4	26.1
层面	$(15 \sim 6) \times 10^3$	0.25	0.25	0.005	0	19.0
节理	$(5 \sim 6) \times 10^3$	0.21	0.65	0.03	0	26.1
夹泥层	30	0.38	0.25(上游侧) 0.3(下游侧)	0.005	0	

1)计算工况

施工期分四期开挖,分别按毛洞和锚固状态进行计算;运用期考虑吊车荷载和地震作用两种工况。主厂房吊车最大轮压为78t,尾水闸门室吊车最大轮压为52t。地震作用按8度考虑。

2)计算结果

(1)塑性区很大,洞室间的岩体几乎大部分进入塑性状态,而且连成一片。破坏形式主要是塑性屈服和塑性硬化。

(2)洞室最大位移值见表14-3-9。

表 14-3-9　洞室最大位移值　　　　　　　　(单位:mm)

洞室名称	顶拱	上游边墙	下游边墙
主厂房	35.5	4.4	6.8
主变室	22.0	2.3	7.0
尾闸室	42.5	7.5	8.8

(3)锚杆应力:普通砂浆锚杆应力值较小,一般为 10~20MPa。张拉锚杆应力比较大,顶拱部位张拉锚杆应力一般为 260~280MPa,对 Ⅱ 级钢筋,其强度已达到设计强度的80%~90%,应力值偏大。对边墙部位,大部分锚杆应力为 280MPa 左右,个别部位锚杆应力已超过设计强度值,特别是下游边墙更为严重,需加强支护。岩锚梁预应力锚杆采用精轧细纹钢筋,其设计强度为750MPa。上游侧吊车梁预应力锚杆应力值为300MPa 左右,下游侧则为 300~370MPa,为设计强度的 40%~50%,比较安全。

(4)洞室周边应力的环向应力和法向应力值,大部分为压应力。顶拱部位法向应力大于环向应力,最大值为9.63MPa,发生在厂房上游侧拱脚处。边墙部位,环向应力大于法向应力,其最大值为22.05MPa,发生在上游边墙的上部。另外,局部范围出现较大的拉应力,特别是当各洞室全部开挖完成后,其应力状态发生很大变化,洞室应力分布规律与按连续介质计算模型有很大的不同,各洞室出现了相当大的法向拉应力,其最大值分别为1.33MPa 和 1.54MPa,均发生在尾水闸门室顶拱部位,该部位需加强支护。

4.连续介质有限元计算

用连续介质有限元模拟两组相交节理,按平面应变问题进行计算。采用的岩石力学参数见表 14-3-10、表 14-3-11。对平行层面节理 $C_j = 0.1$MPa,是按抗剪断值的一半选用的;$\tan\varphi_j = 0.65$,是按抗剪值选用。对垂直层面节理,考虑节理连通率在 50% 以下,按平均值选用。

表 14-3-10　围岩基本参数

地层代号	杨氏模量 E(GPa)	容重 γ(kN/m³)	μ
T_1^{3-1}	11	26.8	0.3
T_1^{3-2}	11	26.8	0.3
T_1^4	12	26.8	0.3
T_1^{5-1}	8	26.8	0.3
T_1^{5-2}	11.5	26.8	0.3
T_1^{5-3}	11.5	26.8	0.3

表 14-3-11　岩体节理强度参数

计算情况	平行层面节理		垂直层面节理	
	C_j(MPa)	$\tan\varphi_j$	C_j(MPa)	$\tan\varphi_j$
1	0.1	0.65	2.0	0.80
2	0.1	0.65	1.0	0.80
3	0.1	0.65	0.5	0.80

1)计算工况

分八期计算,其中第一期为地应力场计算,第二期到第七期为六期开挖期的运算,第八期为运用期加吊车荷载。未考虑地震荷载。

2)计算结果

(1)位移。厂房顶拱最大位移为 7.23mm,上游边墙最大位移为 6.80mm,下游边墙最大位移为 7.90mm。下游边墙位移值大于上游边墙,是因为下游边墙有母线洞、尾水管洞,削弱了岩体强度。

(2)塑性区范围。各期开挖过程中,除顶拱和底部有较大松弛范围外,其余部位出现了少量塑性区,说明洞群在开挖过程中围岩基本上是稳定的,破坏形式主要是沿层面的剪切破坏。

(3)锚杆应力。厂房顶拱锚杆应力一般为 50 ~ 70MPa,厂房边墙锚杆应力一般为 30MPa,岩壁吊车梁预应力锚杆应力下游边壁最大值为 53.9MPa,上游边壁最大值为 34.6MPa,这是因为下游侧墙开洞较多,边墙变化较大。因此,在施工中,母线洞、尾水管洞的开挖要特别小心,并加强支护。

5. 多裂隙层状介质力学模型试验

为了对地下厂房三大洞室进行稳定分析,委托总参工程兵三所进行了多裂隙介质力学模型试验,主要研究地下洞室群围岩的受力特点、破坏形态和破坏机理;洞室围岩的超载能力和开挖步序对围岩稳定性影响;砂浆锚杆和预应力锚杆(索)的不同加固效果;验证喷锚支护设计方案的合理性。

1)模型设计

本次试验共做 6 块模型,每块模型尺寸为 65.4cm × 65.4cm × 20cm,其几何比尺为 1:350;应力比尺为 1:16。模拟范围从洞群中心算起,上下左右各 114.45m,厚度取两个机组段。

2)试验假定

(1)在垂直厂房纵轴线方向取典型机组段,按平面应变进行试验,忽略尾水管、母线洞等横洞对平面变形条件的影响。

(2)模型边界荷载按给定的初始地应力施加,未考虑洞壁附近围岩自重的影响,远处岩体自重已计入边界荷载中。

(3)对横向交叉洞室(如母线洞、尾水管洞、尾水洞、高压引水洞)的模拟,是按截面积等效扩散原则将横洞简化为圆形洞室。

(4)锚杆的模拟是按截面刚度等效原则,将数根锚杆的作用合并为一根,从而确定锚杆的直径、间距和弹模。对张拉锚杆和预应力锚索的模拟是先将其置于岩体内,待每步开挖之后,进行张拉,施加预应力。

3)试验方案

模型Ⅰ与模型Ⅵ相比较,主要研究地应力大小对围岩稳定性的影响;模型Ⅱ与模型Ⅵ相比,研究两种开挖程序对围岩稳定性的影响;模型Ⅲ、Ⅳ、Ⅴ分别研究三种支护方案的加固效果。见表14-3-12。

表 14-3-12   试验模型概况

模型编号	侧压力系数 γ	垂直地应力 σ_v^o(MPa)	开挖方案	支护方案
Ⅰ	0.8	3.47	方案一	毛洞(两个机组段)
Ⅱ	0.8	4.164	方案二	毛洞(两个机组段)
Ⅲ	0.8	4.164	方案二	砂浆锚杆支护(两个机组段,横洞不支护)
Ⅳ	0.8	4.164	方案二	预应力锚索及张拉锚杆支护 (两个机组段,横洞不支护)
Ⅴ	0.8	4.164	方案二	砂浆锚杆支护(一个机组段,横洞支护)
Ⅵ	0.8	4.164	方案一	毛洞(两个机组段)

注:方案一是先开挖尾水管洞,再开挖母线洞,为设计推荐方案;方案二是先开挖母线洞,再开挖尾水管洞,为承包商
推荐方案。两方案其余开挖步序完全相同。

4)试验结果

(1)围岩稳定安全度及松弛区深度见表14-3-13、表14-3-14。

表 14-3-13   各种模型围岩安全度

模型号	开洞荷载 σ_v^o(MPa)	初始破坏荷载 σ_v^f(MPa)	围岩稳定安全度 $K_s = \sigma_v^f/\sigma_v^o$	最大试验荷载 σ_v^m(MPa)	超载系数 $K_m = \sigma_v^m/\sigma_v^o$
Ⅰ	0.217	0.598	2.76	0.902	4.16
Ⅱ	0.260	0.539	2.07	0.960	3.69
Ⅲ	0.260	0.617	2.37	1.274	4.90
Ⅳ	0.260	0.666	2.56	1.274	4.90
Ⅴ	0.260	0.882	3.39	1.274	4.90
Ⅵ	0.260	0.568	2.18	0.931	3.58

表 14-3-14   松弛区深度

模型号	主厂房顶拱 (m)	主厂房上游吊车梁处 (m)	说明 (对应的原型荷载值,MPa)
Ⅱ	3.15	5.6	15.36
Ⅲ	3.85	3.33	20.38
Ⅳ	1.05	1.75	20.38
Ⅴ	3.5	5.95	20.38
Ⅵ	1.23	2.8	14.90

(2)锚索预应力值:在分步开挖过程中,锚索预应力值变化不大,当边界荷载增加到 $\sigma_v = 10.656\text{MPa}$ 时,围岩达到初始破坏,此时顶拱锚索的预应力值达到913kN,下游拱座附近达1 136kN。见图14-3-6。

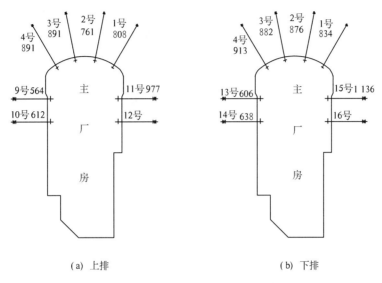

(a) 上排　　　　　　　　　　　　　(b) 下排

图 14-3-6　量测锚索位置及编号 （单位:kN)

(3)开洞位移:洞群全部开挖完成后,各点实测绝对位移值见表14-3-15。测点位置见图14-3-7。

表 14-3-15　实测开洞位移 （单位:mm)

模型号	测点号														
	1 号	2 号	3 号	4 号	5 号	6 号	7 号	8 号	9 号	10 号	11 号	12 号	13 号	14 号	15 号
Ⅰ	33.2	28.4	26.8	19.1	17.4	21.6	16.5	27.3	—	8.1	6.7	18.6	14.2	13.8	15.1
Ⅱ	45.7	31.4	43.9	23.8	31.6	26.2	29.6	35.8	4.3	16.6	21.3	34.4	27.2	—	17.5
Ⅲ	29.3	24.5	15.8	13.7	19.7	14.5	26.8	20.4	12.1	—	6.8	17.3	9.6	—	—
Ⅳ	23.1	16.8	9.2	20.8	25.0	14.3	21.7	—	10.6	13.7	7.6	13.5	8.2	9.4	7.4
Ⅴ	29.7	—	—	11.0	14.4	9.5	16.8	—	—	9.2	5.9	12.8	11.8	7.3	3.2
Ⅵ	53.9	25.8	27.4	27.8	36.7	21.9	35.7	47.9	7.8	14.2	—	—	—	21.5	—

(4)洞室开挖完毕,三大洞室最大主压应力 σ_1 及相应的应力集中系数 k_0($k_0 = \sigma_1/\sigma_v$),见表14-3-16。

5)成果分析

试验结果表明:

(1)洞群的布置方案基本上是合理的,毛洞情况下,围岩稳定安全系数均大于2.0。

(2)设计推荐方案(模型Ⅳ)的支护措施是合理的,从提高围岩整体稳定性、减少位移量、缩小松动区的范围和拉应力数值看,张拉锚杆和预应力锚索的加固效果是显著的。对主厂房而言,采用预应力锚杆(索)支护,其顶拱下沉量比毛洞时减少 49.5%,两侧边墙相对位移减少 65%;顶拱松动范围由 3.15m 减少到 1.05m,吊车梁附近由 5.6m 减少为1.75m。

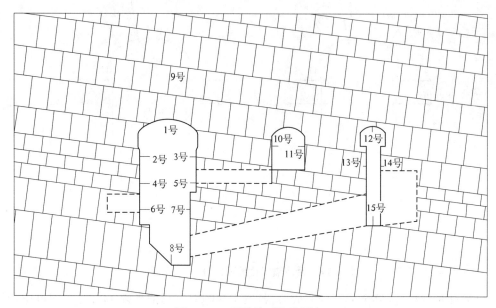

图 14-3-7 洞壁绝对位移测点

表 14-3-16 II 号模型洞室开挖完毕的 σ_1 及相应的 k_0 值

项目	主厂房				主变室		尾闸室	
	上游墙中	上游拱脚	拱顶	底板	上游墙	底板	下游墙中	底板
σ_1(MPa)	16.27	9.64	7.46	6.43	6.06	6.19	6.82	8.61
k_0	3.91	2.32	1.79	1.54	1.46	1.49	1.64	2.07

(3)考虑到顶拱以上有多层泥化夹层,且有限元分析中受拉区达 22m 深,因此建议厂房顶拱布置系统锚杆后,还需采用 1 200kN@4.5m×6.0m,$L = 25.0m$ 预应力锚索进行加固。

(4)主厂房下游边墙由于孔洞多,削弱了岩体强度,围岩变形较大,建议采用两排800kN、长 12m 预应力锚索进行加固。

6)设计采用的支护方案

根据工程类比法、有限元分析和模型试验结果,厂房等主要洞室采用的支护参数见表 14-3-17 和表 14-3-18。

三、岩锚式岩壁吊车梁设计

岩壁吊车梁是近几年发展起来的一种特殊结构型式。地下结构中尤其是水电站地下厂房在满足运行条件下,为减少开挖跨度,采用岩壁吊车梁是一项有效的措施。其优点是

表14-3-17　地下厂房主要洞室喷锚支护参数

编号	洞室名称及支护位置		围岩			岩体力学参数			选用支护参数							
			名称及岩层	岩体质量 Q值	类别	泊松比 μ	凝聚力 C(MPa)	内摩擦角 φ(°)	系统锚杆					喷混凝土厚 δ(cm)	钢筋网	
									类型	直径 (mm)	间距 (m)	长度 L(m)	设计承载力 (kN)		直径 (mm)	间距 (cm)
1	主厂房	顶拱	T_1^4 岩层以厚层硅质砂岩为主	12.7	Ⅲ	0.2	0.6	45	张拉锚杆	32 / 32	3×3 / 3×3	8.0 / 6.0	150 / 150	20	8	20×20
									锚索		4.5×6	25	1 500			
		边墙	T_1^{3-2} 及 T_1^4 岩层以钙质细砂岩为主	12.7 / 14.3	Ⅲ	0.2	0.6	45	张拉锚杆	32 / 32	3×3 / 3×3	10 / 6.0	150 / 150	20	8	20×20
2	主变室	顶拱	位于 T_1^4	12.7	Ⅱ_F	0.2	0.6	45	张拉锚杆	32 / 32	2.4×2.4 / 2.4×2.4	8.0 / 4.0	150 / 150	15	6	20×20
		边墙			Ⅱ_F				张拉锚杆	32 / 32	2.4×2.4 / 2.4×2.4	6.0 / 4.0	150 / 150	15	6	25×25
3	尾闸室	顶拱	岩层 T_1^4	12.7	Ⅱ_F	0.2	0.6	45	张拉锚杆	32 / 32	3×3 / 3×3	5.0 / 3.0	150 / 150	10	6	25×25
		边墙			Ⅲ				张拉锚杆	25	1.5×1.5	4.0	100	10	6	25×25

注：泥化夹层部位两排 500kN（L=12m）预应力锚杆

表 14-3-18 尾水洞喷锚支护参数

编号	洞室名称及支护部位	围岩 岩组	围岩 岩体质量 Q 值	围岩 类别	岩体力学参数 泊松比 μ	岩体力学参数 凝聚力 C(MPa)	岩体力学参数 内摩擦角 φ(°)	选用支护参数 系统锚杆 类型	选用支护参数 系统锚杆 直径(mm)	选用支护参数 系统锚杆 间距(m)	选用支护参数 系统锚杆 长度 L(m)	选用支护参数 系统锚杆 承载力 P(kN)	选用支护参数 喷混凝土厚度 δ(cm)	选用支护参数 钢筋网 直径(mm)	选用支护参数 钢筋网 间距(cm)
1	出口段 顶拱	T_1^{6-1}	15.1	IV	0.26	0.2	26.5	张拉锚杆	32	1.5×1.5	5.0	150	20	8	20
1	出口段 边墙	T_1^{6-1}	15.1	IV	0.26	0.2	26.5	张拉锚杆	32	1.5×1.5	5.0	150	20	8	20
2	洞身段 顶拱	T_1^{5-1}, T_1^{5-2} T_1^{5-3}, T_1^{6-1}	8.3	III	0.21	0.4	33	张拉锚杆	32	1.5×1.5	4.0	150	20	6(双层)	25
2	洞身段 边墙	T_1^{5-1}, T_1^{5-2} T_1^{5-3}, T_1^{6-1}	13.5	III	0.21	0.4	33	张拉锚杆	32	1.5×1.5	4.0	150	10	6(单层)	25
	在洞口布设间距 1.0m，15 榀梯形钢支撑														
3	叉洞段 顶拱	T_1^4	12.7	III	0.20	0.4	33	张拉锚杆	32	3×3	5.0/7.0	150	15	6	25
3	叉洞段 边墙	T_1^4	12.7	III	0.20	0.4	33	张拉锚杆	32	1.5×1.5	5.0	150	15	6	25
	在交叉口顶拱布置 8 根 1 500kN 锚索，$L=15.0$m														
4	浅埋洞身段 顶拱	T_1^{5-3}	11.8	III	0.22	0.2	26.5	张拉锚杆	32	2.5×2.5	4.0/7.0	150	20	6(双层)	25
4	浅埋洞身段 边墙	T_1^{5-3}	11.8	III	0.22	0.2	26.5	张拉锚杆	32	2.5×2.5	4.0/7.0	150	10	6(单层)	25

利用围岩承载能力,使吊车荷载由锚固在岩壁斜面上的混凝土梁承担,不仅节省了吊车柱,使厂房跨度减少 1～3m,而且吊车可以先期投入使用,加快机组安装进度,降低工程造价。

岩壁吊车梁的结构特点就是利用长锚杆将钢筋混凝土梁锚固在岩壁上。国外十多年前就采用这种结构,其型式可以推溯到 20 世纪 50 年代的悬吊式吊车梁。应用较广泛并取得成功经验的是挪威,已在几十座电站中采用,并取得较好的经济效益。我国的白山、鲁布革、广东抽水蓄能、湖南东风等电站的地下厂房均采用类似的结构型式。国内外岩壁吊车梁工程实例及其吊车荷载见表 14-3-19。表中最大的吊车荷载是 Oksla 电站,其单位长度荷载是 638kN/m,与小浪底电站吊车荷载(685kN/m)相近,可见对大吨位吊车采用岩壁吊车梁作为吊车支承结构是可行的。

表 14-3-19　岩壁吊车梁工程实例

电站名称	施工期	吊车跨度 (m)	最大荷载 (kN)	单位长度上 荷载(kN/m)	说明
SvQrtisen	1989 年	18.3	2 250	582	
Kvilldal	1977 年	17.9	2 350	595	模型试验(1:3 比尺)
Oksla	1977 年	15	3 000	638	
Hylen	1978 年	16.6	1 500	382	
小浪底	1996 年	23.5	5 000	685	
广蓄	1992 年	19.5	2 000	550	
东风	1994 年	20.0	2 500	680	
鲁布革	1988 年	16.5	1 600	262	

(一)基本数据

1. 岩体力学参数

节理面抗剪值 $\tan\varphi = 0.65$, $C = 0.05$MPa。

岩体允许承载力 $f = 3.0$MPa。

2. 荷载确定

小浪底水电站主厂房采用两台吊车,每台额定起重量 5 000kN,吊车轨距 23.5m,最大轮压 800kN。吊车梁计算荷载:

静荷载:①梁自重 $G = 96.6$kN/m;②轨道及附件重 $P_1 = 2.0$kN/m。

动荷载:①吊车轮压换算单位长度荷载为 $P = 685$kN/m;②吊车水平制动力 $H = 49.6$kN/m。

动力系数按《厂房设计规范》取 $\mu = 1.1$。

(二)结构型式与设计准则

1. 结构型式

国内已建工程的无柱吊车梁有岩台式、岩壁式和直壁牛腿等三种形式,岩台式厂房开挖跨度最大,受力条件最好;直壁式厂房开挖跨度最小,但锚杆受力最大;岩壁式厂房开挖跨度和受力情况介于二者之间。根据小浪底水电站地下厂房的地质条件和电站的运用要求,选用带有斜壁的岩壁吊车梁较为合适。

2. 尺寸拟定

参照上述工程实例并按照钢筋混凝土牛腿抗裂验算公式来初步拟定尺寸。其中抗裂验算公式为:

$$KQ \leqslant 0.75bh_0^2 R_f/(C_1 + 0.5h_0) \tag{14-3-1}$$

式中　　K——安全系数,按规范取 $K = 1.5$;

　　　　Q——牛腿上压力(包括吊车荷载、梁轨道自重);

　　　　C_1——吊车荷载到岩壁距离;

　　　　R_f——混凝土抗裂设计强度;

　　　　b——单宽,$b = 100$cm;

　　　　h_0——岩壁梁有效高度。

3. 设计准则与受力分析

从选用的结构型式看,梁本身受力明确,把岩壁做成略微倾斜(20°左右)以便传递剪力,减少锚杆受力。计算时不考虑混凝土与岩面间黏结力,只考虑由正压力引起的摩擦力;梁上部锚杆是主要受力锚杆,只承受轴向拉力,而下部锚杆只起加固岩壁作用,在计算时可不考虑。如果将受力锚杆设计为预应力锚杆,既可确保梁体本身稳定,减少位移,又可改善岩壁梁周围岩体应力条件,从而确保岩体的稳定。不过采用预应力锚杆时,锚杆倾斜角应小于岩石面残余摩擦角,以免在预应力作用下,岩壁吊车梁及附近岩块向上滑移。

(三)设计方法

岩壁梁的计算方法主要有力矢多边形法(图解法)和力矩平衡法(悬臂梁法)两种。设计中同时应用上述两种方法互为验证。按上述方法计算的结果见表 14-3-20、表 14-3-21、表 14-3-22。经过分析比较采用双排受力锚杆,其中 $\beta_1 = 25°$,$\beta_2 = 20°$,$\alpha = 25°$,$\varphi = 33°$,吊车荷载 $P_1 = 685$kN/m(动力系数 $\mu = 1.1$)。

表 14-3-20　壁座角度与锚杆受力关系

设计方法	$\alpha = 0°$			$\alpha = 10°$			$\alpha = 25°$		
	F_1(kN)	F_2(kN)	$n(F_1/F_2)$	F_1(kN)	F_2(kN)	$n(F_1/F_2)$	F_1(kN)	F_2(kN)	$n(F_1/F_2)$
力矢多边形	504.8	415.8	1.214	399.0	328.7	1.214	278.9	229.9	1.213
力矩平衡	383.3	315.8	1.214	319.5	263.2	1.214	276.8	228.2	1.213

表 14-3-21　锚杆倾角与锚杆受力关系

设计方法	$\beta_1 = 25°$,$\beta_2 = 20°$			$\beta_1 = 15°$,$\beta_2 = 10°$			$\beta_1 = 5°$,$\beta_2 = 0°$		
	F_1(kN)	F_2(kN)	$n(F_1/F_2)$	F_1(kN)	F_2(kN)	$n(F_1/F_2)$	F_1(kN)	F_2(kN)	$n(F_1/F_2)$
力矢多边形	278.9	229.9	1.213	293.1	238.9	1.227	318.6	256.9	1.24
力矩平衡	276.8	228.2	1.213	254.8	207.7	1.227	242.9	195.9	1.24

表 14-3-22 锚杆受力结果

超挖值(cm)	力矢多边形(图解)法			力矩平衡(悬臂梁)法		
	F_1(kN)	F_2(kN)	$n(F_1/F_2)$	F_1(kN)	F_2(kN)	$n(F_1/F_2)$
0(设计开挖线)	275.9	224.8	1.227	250.8	204.4	1.227
20	278.9	229.9	1.213	276.8	228.2	1.213
40	282.5	235.5	1.201	298.3	248.4	1.201

注:1. 表 14-3-20、表 14-3-21 是按不同 α、β 角求得锚杆受力(表中数字均是按设计允许超挖线,超挖 20cm 求得);

2. 按 $\beta_1 = 25°$、$\beta_2 = 20°$、$\alpha = 25°$ 并考虑不同超挖值时锚杆受力,见表 14-3-22;

3. $n = F_1/F_2$,F_1、F_2 分别为第一、第二排锚杆所受力,单位为 kN。

从表中所列结果可以得知,按设计允许超挖 20cm 计算时,两种方法所得到的结果相近,说明所选用的吊车梁是合适的。

最后选用受力锚杆,根据计算结果并取安全系数 $K = 2$ 时,应采用两排 500kN 预应力锚杆(Φ32 高强精轧螺纹钢筋),间距 90cm,交错布置。底排加固锚杆用直径 32mm 普通砂浆锚杆。

岩壁壁座承载力验算满足规范要求。梁体本身配筋按钢筋混凝土牛腿结构设计,施工时分段浇筑,施工缝设置键槽。

(四)影响岩壁吊车梁稳定的因素

从前面的分析计算可以看出,岩壁吊车梁受力情况取决于岩石质量、岩石斜壁角度、锚杆锚固深度及倾斜角度、施工质量等。

(1)岩石质量:岩体内摩擦角 φ 值愈小,锚杆受力愈大。另外岩壁本身受节理裂隙切割,可能有许多不稳定块体,因此浇筑梁体混凝土前,应先打系统锚杆加固岩壁。

(2)岩石斜壁角度 α:α 角不同时锚杆受力不同。从表 14-3-20 可看出,α 越小,锚杆受力越大。当 $\alpha = 90°$ 时,变成岩台梁,锚杆受力较小;而当 $\alpha = 0°$ 时,锚杆受力最大。经比较取 $\alpha = 25°$。

(3)锚杆与水平线夹角 β:β 角越大,锚杆受力越小。但不宜过大,一是防止梁体在预应力锚杆作用下向上滑移;二是防止由于锚杆上方岩体太薄,造成岩石掉块影响吊车的正常使用。

(4)岩石超挖对锚杆受力的影响。由于岩石超挖部分需延伸吊车梁,使其自重增加,并使外力臂和内力臂均发生变化。从表 14-3-22 可看出,超挖值愈大,锚杆受力愈大。

(五)几个问题的说明

1. 锚杆深入岩壁的深度 L

锚杆深入岩壁的深度 L 值,可参考挪威岩土所做的试验成果。根据实测结果,在较好的岩石,距岩壁表面不远处,锚杆拉应力即减少到很小的数值,故在较好的岩石壁面上做岩壁梁时,锚杆不必锚入岩石很深,上部受力锚杆锚入岩石深度只要略大于该部位系统锚杆即可。鲁布革经验是 $L \geqslant 2 + 0.15H$(H 为边墙高度,单位为 m)。小浪底地下厂房根据上述经验和有限元分析,岩壁梁受力锚杆长度取 $L = 12.0$m。

2. 施工期对岩壁梁的影响

(1)为了防止施工爆破对梁体及边墙的破坏,施工时应采取下列办法:一是设置梁体前,先对岩壁进行加固;二是把边墙与顶拱设计成平滑过渡段以利于整体稳定。

(2)为了确保岩台开挖成设计形状,技术规范中要求,采取光面爆破,短进尺,放小炮,减少超挖,避免欠挖。超挖大于20cm部位,用钢筋混凝土补齐,梁下部增加1m高扶壁短柱,补打两排砂浆锚杆。下部超挖大于40cm时,需增加钢筋网片。

3．吊车梁分缝

1)伸缩缝

岩壁吊车梁纵向刚度不宜过大,以免岩壁不同的地质条件产生不均匀变形而影响梁体。在地质条件有较大差异的地段,岩壁吊车梁宜设缝分开以适应围岩变化。基于上述原因,根据现场岩石的揭露情况,在厂房上下游桩号0 + 147.40处设置伸缩缝,梁长分为104.1m和116.65m(岩壁梁范围0 + 30.75 ~ 0 + 251.50)。

2)施工缝

分缝原则:①减小混凝土干缩对梁体的不利影响;②有利于提高混凝土的浇筑能力;③避免在6条母线洞上部分缝;④采用跳段浇筑。

根据上述原则,结合现场施工条件,从厂0 + 30.75桩号计起,上游侧岩壁梁的浇筑段长度为12.9m + 7 × 13.0m + 12.75m + 12.25m + 6 × 13.0m + 13.85m,分17段浇筑,下游侧岩壁梁长度为8.08m + 11.84m + 5.98m + 6 × 13.0m + 12.75m + 12.25m + 6 × 13m + 13.85m,分18段浇筑。

为了保证剪力有效传递,采取如下两条措施:一是纵向钢筋跨施工缝连接,二是缝面设键槽,深25cm,其面积约为梁截面面积的1/4。

4．跨进厂交通洞部位设计

因进厂交通洞洞顶高程超过吊车梁梁底高程,岩台无法形成。设计时曾做过钢梁、预制混凝土梁等方案,经综合比较,确定上部为直壁牛腿并用预应力锚杆锚固,下部将交通洞衬砌延伸至梁底,形成拱形梁,两侧边柱延伸至岩石基础。设计时悬吊锚杆与柱子各承担50%的荷载,柱子与岩石通过锚筋连成整体。这样既确保了岩壁梁的稳定,又使该部位吊车梁与其他部位吊车梁连为有机整体。

四、地下厂房1 500kN预应力双层保护锚索的设计

(一)锚索的设计

1．锚索设计

地下厂房锚索按 ASTMA416-87a(美国)标准设计,选用270级钢绞线,公称直径15.24mm,每根钢绞线净面积为140mm^2,极限强度为1 860MPa。

每根钢绞线允许工作荷载为

$$T_w \leqslant \frac{1}{1.6} A \cdot R_Y = 162.75 \text{kN}$$

式中 A——钢绞线净面积,mm^2;

  R_Y——钢绞线极限强度,kN/mm^2。

1 500kN锚索需要的钢绞线的根数为 G

$$G \geqslant 1\ 500/T_w = 9.22 \text{ 根}$$

设计选用10根钢绞线组成一根锚索,一根锚索的极限承载力为:

$$F_{pu} = 10A \cdot R_Y = 2\ 604 \text{kN}$$

2．锚索结构

厂房顶拱所用锚索为无黏结预应力锚索,它的结构特点是在每根锚索自由段的钢绞线表面涂有防腐剂和润滑剂,并套有塑料管,使钢绞线与被锚固的岩石不发生黏结,因而整个自由段全长能够长久地保存传递应力,并可随时调整预应力大小。

1 500kN预应力锚索由德国DSI公司生产,由10股0.6英寸钢绞线组成,每股钢绞线由7根高强钢丝组成,钢绞线直径15.24mm,截面积140mm^2。钢绞线力学性能符合美国规范ASTMA416-87a要求,屈服强度1 670MPa、极限抗拉强度1 860MPa。锚索设计工作荷载1 500kN、超张拉荷载1 900kN,考虑顶拱变形产生的附加荷载,锁定荷载为1 000kN。

预应力锚索采用双层保护,在锚固段所灌入的水泥浆呈碱性,水泥浆是钢绞线的第一层保护层;波纹管可防止有害气体和地下水沿浆液结石细小裂隙侵入到钢绞线表面,所以波纹管是钢绞线的第二层保护层。在自由段,每股钢绞线外面有塑料套管和防腐剂,对钢绞线防腐更为有利。

预应力锚索由内锚固段、自由段和外锚头三部分组成。

3．内锚头设计

内锚头设计主要是确定锚固段长度和校核不同材料间的黏结强度。

(1)钢绞线和水泥砂浆间的黏结强度。假定砂浆最小抗压强度为30MPa,砂浆厚度大于5mm,每股钢绞线的均匀黏结应力为2.0MPa,当锚固长度采用6.0m时安全系数为:

$$K_1 = L \cdot d_1 \cdot \pi \cdot 10 \cdot \tau_1 / F_{pu} = 2.2$$

式中　L——锚固长度,m;

　　　τ_1——均匀极限黏结应力,MPa;

　　　d_1——钢绞线公称直径,mm;

　　　F_{pu}——极限承载力,kN。

(2)砂浆和PVC管间的黏结强度。波纹管外径为125mm,根据工程经验,砂浆和PVC管间的黏结应力一般不小于3.0MPa,沿此面破坏的安全系数为:

$$K_2 = L \cdot d \cdot \pi \cdot \tau_2 / F_{pu} = 2.71$$

式中　d——波纹管外径,mm;

　　　τ_2——灌浆与PVC管间的黏结应力,MPa。

(3)砂浆与岩壁间的黏结强度。钻孔直径为165mm,根据现场岩石情况和工程实例,砂浆和岩壁间的黏结应力极限值取2.0MPa,沿此面破坏的安全系数为:

$$K_3 = L \cdot d_2 \cdot \pi \cdot \tau_3 / F_{pu} = 2.39$$

式中　d_2——钻孔直径,mm;

　　　τ_3——灌浆与孔壁间的黏结应力,MPa。

内锚固段长度是根据岩体质量和所选用的胶结材料现场试验确定的,地下厂房顶拱安装的1 500kN预应力锚索内锚固段长度为6m和8m,经核算其安全系数大于2.0,满足规范要求。

(二)锚索张拉

根据技术规范要求,后张预应力锚索的张拉和试验,只有当锚固灌浆抗压强度达到

30MPa 后才能进行。

后张预应力锚索应按下述方法进行张拉和试验。

首先施工工作荷载值的 125%（即 1 900kN），加载期间位移测量精度要达到 0.025mm，荷载用压力表控制。荷载应保持 20min 以测试徐变，这期间将进一步测取位移读数。如果在 20min 的徐变测试中位移值不超过 2mm，则预应力锚索是合格的。如果 20min 的徐变测试中位移值已超过 2mm，则应再保持荷载 45min，继续观测位移读数，工程师将检查荷载与位移以及位移与时间的关系，如果在荷载峰值时预应力锚索的弹性变形在下述两个根值之内，则认为锚索是合格的。

(1)上限对应于锚索的伸长值，等于自由段长度加 50% 黏结段长度的理论弹性伸长值，即

$$S_1 = (P - P_0)/(E \times F_e) \times (L_a + L_b/2) \tag{14-3-2}$$

(2)下限对应于锚索的伸长值，等于 80% 自由段长度的理论弹性伸长值，即

$$S_2 = 0.8L_a \times (P - P_0)/(E \times F_e) \tag{14-3-3}$$

式中　$P - P_0$——张拉始末荷载之差，kN；

　　　E——钢绞线弹性模量，MPa；

　　　F_e——钢绞线截面面积，mm^2；

　　　L_a——自由段长度，m；

　　　L_b——锚固段长度，m。

合格后荷载降至 1 000kN 进行锁定，然后切除端部多余钢绞线，安上外锚头钢帽，钢帽内注满水泥砂浆用于防腐。若不合格，则应另外代替。

五、地下洞室排水和防潮设计

(一)排水设计

(1)为了保持厂房内部干燥和围岩的稳定性，地下各洞室内外均布置有排水系统。排水设计的原则是：以排为主，以防为辅，排防结合，综合治理。排水系统采取以厂外排水为主，厂内排水辅助的措施，在厂区三大洞室周围设置两层排水廊道，沿主厂房、主变室、尾闸室周围形成环形的封闭排水帷幕，以防止地下水流入厂区。在厂房顶拱附近布置有 28 号排水廊道，高程为 158 ~ 164m；在厂房底部布置有 30 号排水廊道，高程为 117 ~ 126m。在廊道内分别向上、下打排水孔，孔径为 76cm，孔距为 3m，孔深为 30 ~ 40m，与位于 185 ~ 190m 高程的大坝 4 号排水廊道的排水孔组成上、下高达 135m 的排水帷幕，可以有效地降低地下水位。

(2)为了解厂区排水设计效果，进行了地下厂房渗流场三维有限元计算分析。计算结果表明，在地下厂房区域内，地下水自由面高程一般在 123.6 ~ 140.7m，平均自由水位面为 133m 左右，位于水轮机层以下。厂区总的渗水量为 4 240m^3/d，通过 32 号排水廊道汇集到渗漏集水井内，用水泵抽至尾水闸门以外。

(3)厂内排水系统。在洞室边墙和顶拱部位打排水孔，孔径为 48cm，间距为 4.5m × 6m，孔深为 8m。孔内渗水通过纵横交叉的硬塑料管引入厂内排水沟，汇集到渗漏集水井

中。渗漏集水井设在 3 号、4 号机组之间,其容积为 500m³。设置两台排水能力为
1 000m³/h 的深井泵,可以满足厂区渗漏排水的要求。

(二)防潮设计

1. 主厂房防潮设计

主厂房边墙设置防潮隔墙,边墙与防潮隔墙之间的楼板上设排水沟。厂房吊顶按防
水吊顶设计,防潮隔墙与防水吊顶连接形成厂内防潮体系。防潮隔墙在发电机层以下采
用砖墙,砖墙内外均涂刷防水涂料;发电机层以上采用 GRC 板(珍珠岩防水混凝土轻质
板)。吊顶采用镀铝锌压型钢板作为面层和底板,主次龙骨采用轻质成型钢,用斜拉杆与
顶拱插筋相连,满足防水、防潮、防火等要求。

2. 主变室防潮设计

主变室边墙设置防潮隔墙,边墙与防潮隔墙之间的底板上设排水沟。主变室吊顶按
防水吊顶设计,防潮隔墙与防水吊顶连接形成厂内防潮体系。防潮隔墙采用 GRC 板(珍
珠岩防水混凝土轻质板)。吊顶采用防潮耐火的玻璃钢材料,主次龙骨采用轻质成型钢。

尾闸室由于设备较少,边墙和顶拱仅采用了喷混凝土衬砌,没有做防潮处理。

(三)厂房渗水情况

厂房顶拱开挖完成后,出现了星点状渗水漏水现象,主要分布在桩号 0 + 95 ~ 0 + 108
(f_1 小断层附近)和 0 + 210 ~ 0 + 220(f_2 小断层附近)。出水点多集中在顶拱及上游边墙,
渗水量较小,大部分呈滴水状,局部呈线流状,且雨季渗水点和渗水量明显增多。对地下
厂房施工过程中渗水来源分析发现,渗水主要来源于天然降水和施工用水,如厂房上游侧
4 号灌浆洞和 4 号排水洞施工用水、灌浆孔压水和排水孔洗孔用水均与透水性强的 T_1^4 地
层建立了水力联系,施工用水通过 T_1^4 岩层向厂房运移,引起厂房渗水。当厂房顶拱、边
墙完成喷锚支护和打完排水孔后,渗水范围明显减少。1999 年 7 月,水库蓄水前,厂房渗
漏泵房平均抽水量为 2 400m³/d,包括施工用水和岩石渗漏水。

1999 年 10 月水库下闸蓄水后,库水位在 220m 以下时,30 号排水洞渗水量在
3 000m³/d 左右;库水位超过 220m 以后,30 号排水洞渗水量明显增大,2000 年 12 月库水位
达到 234.46m 时,30 号排水洞渗水量为 7 222m³/d;2001 年 12 月库水位为 235.48m 时,30
号洞渗水量为 6 955m³/d;2002 年 3 月库水位为 240.83m 时,30 号洞渗水量为 9 224m³/d。
从几次调查厂房渗水情况看,有以下几个特点:

(1)水库蓄水前,厂房渗水点主要集中在两个小断层附近,渗水来源主要是施工用水
和天然降水。

(2)水库蓄水后,厂房地段渗水范围扩大,渗水量明显增大。渗水点除两个小断层附
近部位外,还有副厂房顶拱、8 号洞及 8B 洞顶拱,其渗水量及渗水范围都明显增加,特别
是 30 号排水洞北段(桩号 0 + 783.19 ~ 0 + 995.94)渗水量明显增大。据 2002 年 3 月 2 日
实测渗水量统计,该段长度占 30 号排水洞总长度的 26%,而渗水量却占总量的 57%,说
明厂房渗水主要集中在北部,而不是厂房上游侧临水库面。据分析,可能是受 F_{28} 断层破
碎带的影响,溢洪道以北至副坝之间的帷幕存在有渗水通道。

(3)30 号排水洞的渗水量,随库水位升高而增加,这是由于悬挂式帷幕所致,原设计
帷幕底线高程在厂房上游侧为 140m,而厂房底板开挖高程为 103.61m,厂房排水幕底线高

程为 85m。厂房北端帷幕底线高程为 210m,厂房排水幕底线高程为 100m。水库蓄水后,两岸渗水严重,特别是左岸,是整个小浪底洞群集中地段,各级领导高度重视,于 2001 年对两岸防渗帷幕进行补强灌浆,增加一排灌浆孔,同时将孔深降低。此时厂房上游侧帷幕底线达到 90m 高程,北端降到 125~135m 高程。由于是水下灌浆,补强灌浆后,渗水量有所减少,但效果不很显著。

(四)厂房渗水原因分析

厂房区由于软硬岩层相间分布,以及泥化夹层的成层分布和节理切层连通性的差异影响,岩层的水平渗透性明显好于垂直渗透性。厂房渗水点呈星点状,主要分布在厂房区两个小断层处,且出水点多集中在顶拱及上游侧墙一边。在地下厂房施工过程中,曾对渗水情况进行多次调查分析,认为渗水主要来源于天然降水和施工用水,如厂房上游 4 号灌浆洞、4 号排水洞和 28 号排水洞施工用水,灌浆孔压水和排水孔洗孔用水均与透水性强的 T_1^4 地层建立了联系,施工用水通过 T_1^4 地层向厂房渗流,引起厂房漏水,同时在雨季渗水点和渗水量明显增多。

1. 断层及裂隙的影响

厂区砂岩为单斜地层,走向 NE8°,倾向 ES,倾角 9.5°,在所发育的几组节理中,以 NWW 向即与厂房等建筑物轴线近于垂直的一组节理最为发育,厂房的南部比北部发育,节理在倾向方向延伸不长,一般在 5m 以下,最长达 12m。同时在厂房上下游侧墙还发育有随机分布规模较小的层间剪切带和节理裂隙密集带。厂房开挖中发现有两条小断层,其中 f_1 在厂房北端 6 号机组段内,倾向 15°~25°,倾角 8.5°,宽度为 5~50cm;f_2 在 1~2 号机组段之间,倾向 10°~45°,倾角 80°,宽度为 20~80cm,断层由破碎岩块和岩粉充填。这些裂隙是地下水运移、储存的场所,也是地下水的主要渗流通道。

2. 顶拱和边墙部分系统排水孔堵塞

为了减轻厂房边墙的外水压力,在厂房、主变室及尾闸室边墙和顶拱布置了系统排水孔,系统排水孔排出的水由排水竖管(硬质塑料管)引入底层排水沟。边墙及顶拱采用喷锚支护,排水管固定在 15cm 喷层的钢筋网上。在厂房边墙及顶拱发生不同程度渗水时,系统排水孔的排水量却是微乎其微,由此推断,在喷混凝土施工中有可能对排水管的保护不够,造成部分排水管的堵塞,同时渗水中含有大量的游离钙质也是造成排水孔堵塞的一个重要原因。

(五)渗水处理措施

(1)增加厂外渗漏排水泵房。鉴于实测渗漏水量较大,水泵启动频繁,水泵开机间隔 2.5h,运行 0.5h,每天开机 8~9 次。原设计为两台深井泵,一台运行,一台备用。为了提高厂房运行安全的可靠度,在厂房外增设渗漏排水泵房是很有必要的。

新增加的渗漏排水泵房设在 17C 号洞内,泵房尺寸为 12m×6m×6.4m,集水井设在 30 号洞通风井下部,泵房和集水井之间用竖井连接。排水管线路沿 17C 号洞穿过 17 号洞路面至尾水闸门室进入 6 号或 4 号尾水洞内。

(2)补打排水孔。①17C 号交通洞。在 17C 号交通洞桩号 232.43~423.42m 之间洞顶补打 Φ76@3.0m 排水孔,排水孔顶线高程 170~180.0m。排水孔总长 2 200m。②28 号排水洞。在桩号 512.8~568.8m、635.05~704.05m 之间排水孔间距加密为 1.5m,即每两个排水孔之间补打一个排水孔,孔径 Φ76,顶线高 205m。排水孔总长 1 500m。③28 ~ 30 号排水洞之间。在桩号 512.8 ~ 568.80m、635.05 ~ 704.05m 之间补打 Φ76@3.0m 排水孔。排水孔总长 1 400m。④在厂房顶拱和边墙渗水严重部位补打 Φ50、孔深 4m 的排水孔,用 PVC 管将渗水引入排水沟内。

(3)疏通岩壁梁上的排水孔,疏通确有困难,可在岩壁梁施工缝处另打排水孔,并用 PVC 管引入排水沟内。

(4)解决厂房渗水的根本措施,应该是加强帷幕防渗处理。

第四节　设计变更

1989 年招标设计工作开始,引水发电系统是按照初步设计审批的半地下厂房方案进行的,直到 1991 年 7 月份结束半地下厂房方案的招标设计工作,开始进入地下厂房招标设计工作。由于地下厂房方案确定的时间较晚,1991 年之前,在拟建的地下厂房地段未作地质勘探工作,招标设计缺乏可靠的地质资料。1991 年的地质报告是根据半地下厂房方案调压塔附近的钻孔资料推测的,认为:①地下厂房地段泥化夹层的分布范围不大,连续性差,产生泥化夹层的母岩处于尖灭状态;②对工程影响较大,在左坝肩连续分布的、产生 T_1^4 岩组第 14 层泥化夹层的母岩,在地下厂房地段已不存在;③岩体质量较好,Q 值均大于 11.2,按水利水电工程五级分类法,属于 Ⅱ 类偏下的围岩。

根据上述地质资料和世界银行专家建议以及国内外工程类比法,招标设计阶段主厂房选用的支护参数如下:

顶拱锚杆:Φ32@1.5m,$L = 8m/4m$ 交错布置;

边墙锚杆:Φ32@1.5m,$L = 10m/6m$ 交错布置;

喷混凝土厚 20cm,挂钢筋网 Φ8 间距 20 ~ 20cm。

1991 年 5 月,世界银行专家组在第二号咨询报告中,对地下厂房支护设计的初步评价中指出:尽管如专家组第一号报告中指出的那样,边墙锚杆还可以加大一些,但所选岩石加固(支护)水平仍显得很合理。

1991 年 12 月在郑州召开的地下工程技术讨论会上,专家认为小浪底地下围岩应是 Ⅲ 类或 Ⅲ 类偏上。大跨度、高边墙地下洞室不做钢筋混凝土衬砌,采用柔性支护是比较先进的,并建议厂房顶拱部位应尽快打探洞,以摸清节理裂隙和泥化夹层的分布情况。

由于种种原因,厂房顶拱部位的探洞和 1 号通风竖井在招标设计阶段均未打通。1993 年 3 月 8 日,黄河小浪底水利枢纽工程标书在北京正式发售,至此,招标设计工作已经完成并进入施工图设计阶段。

1993 年 6 月份,厂房顶拱探洞完成,发现探洞内有两层连续分布的泥化夹层,高程在156 ~ 159m 之间,位于拱座附近,沿洞轴线方向分布范围达 80 ~ 158m 之多。从 1 号通风竖井揭露的地质情况看,T_1^4 岩层中有多层泥化夹层存在,仅厂房顶拱以上就有五层泥化夹层。根据 1 号通风竖井开挖揭露的 T_1^4 岩组泥化夹层分布情况,并与坝址区所调查的 T_1^4 岩组的主要泥化夹层对比看,基本上是对应的,说明 T_1^4 岩组的主要泥化夹层在地下厂房区域内均存在,且连续性较好。这个结论与招标设计阶段是大不相同的。为此,黄委会设计院提出厂房顶拱应增加系统锚索支护,以确保顶拱的稳定性。

施工图阶段修改了地质力学参数,重新进行有限元计算和地质力学模型试验,结果表明厂房顶拱增加系统锚索支护是非常必要的。从提高围岩整体稳定性、减少位移量、缩小松动区范围,以及减小围岩中受拉区范围和拉应力数值看,预应力锚索和张拉锚杆的加固效果是比较显著的。

1994年4月,加拿大咨询专家SOLYMAR先生在审查施工图时认为该工程所采用的支护抗力似乎有些偏低,根据过去的经验以及有限元分析结果看,支护抗力应接近于0.2MPa,建议采用3 000kN级长度25m的锚索350根,总计2 625万kN·m。黄委会设计院提出的方案是,顶拱增加2 000kN级长度25m的锚索252根,总计1 260万kN·m,其支护抗力为0.13MPa。由于2 000kN级锚索施工困难,现场改为1 500kN级锚索325根,总计1 219万kN·m,其支护抗力为0.112MPa。

1994年5月,国内专家在小浪底工地召开技术讨论会,对小浪底进水口、消力塘岩石边坡稳定及地下厂房位置和支护等问题进行了技术讨论,专家认为黄委会设计院提出的地下厂房支护设计原则是合理的,所选支护参数与国内外类似工程对比,水平大体相当。根据厂房1号通风竖井和施工导洞开挖提供的地质素描资料,在T_1^4岩层中,顶拱以上发现有4层泥化夹层,对顶拱稳定不利,增加锚索是必要的。

1994年10月,水利部规划总院在小浪底工地召开审查会,对"小浪底枢纽进口岩石边坡加固设计报告、泄水建筑物出口边坡加固设计报告和地下厂房支护设计报告"进行了审查。其中,对地下厂房部分的主要审查意见如下:①厂房位置和轴线选择是合适的;②同意黄委会设计院提出的支护设计原则;③同意设计采用的岩体支护抗力水平和提出的厂房支护设计方案,除系统锚杆外,采用预应力锚索加固围岩是必要的。

第五节　地下厂房围岩稳定性评价

一、围岩稳定控制标准

(一)设计控制值

(1)根据《锚杆喷射混凝土支护技术规范》(GBJ86—85),洞周允许相对收敛量见表14-5-1。

表 14-5-1　洞周允许相对收敛量(%)

围岩类别	洞室埋深(m)		
	< 50	50 ~ 300	300 ~ 500
Ⅲ	0.1 ~ 0.37	0.2 ~ 0.5	0.4 ~ 1.2
Ⅳ	0.15 ~ 0.5	0.4 ~ 1.2	0.8 ~ 2.0
Ⅴ	0.2 ~ 0.8	0.6 ~ 1.6	1.0 ~ 3.0

考虑到地下厂房为大跨度、高边墙,且该区又有泥化夹层分布,为保证安全,在任何部

位的实测相对收敛量达到允许收敛量的 70% 时,应立即采取措施加强支护。

(2)经验计算公式。洞室周边可能的变形值 δ:

顶拱中部 $$\delta_1 = 12\frac{b}{f^{1.5}} \quad (mm) \qquad (14\text{-}5\text{-}1)$$

边墙 $$\delta_2 = 4.5\frac{H^{1.5}}{f^2} \quad (mm) \qquad (14\text{-}5\text{-}2)$$

式中 f——普氏岩石坚固系数;

b——洞室跨度,m;

H——边墙自拱脚至底板的高度,m。

(3)现场控制标准:顶部下沉允许值为 40~50mm。

根据以上分析,建议小浪底地下厂房洞室群区域施工期围岩允许变形控制值见表 14-5-2。

表 14-5-2 围岩允许变形控制值

部 位	允许实测收敛值(mm)		
	主厂房	主变室	尾水洞
顶拱	20~40	9~15	14~25
边墙	30~50	5~10	16~25

(二)有限元计算及模型试验变形值

综合河海大学和清华大学等的有限元计算结果,小浪底地下厂房围岩变形最大值见表 14-5-3。模型试验的围岩变形值见表 14-5-4。表中数值显示,厂房围岩变形值均在允许变形范围内。

表 14-5-3 有限元计算围岩变形最大值 (单位:mm)

洞室	部位			说明
	顶拱	上游边墙	下游边墙	
主厂房	35.1	4.4	6.8	顶拱未加锚索
主变室	19.2	2.3	6.9	
尾闸室	40.9	6.4	8.8	

表 14-5-4 地质力学模型试验围岩变形值 (单位:mm)

洞室	部位			说明
	顶拱	上游边墙	下游边墙	
主厂房	23.1	16.8	9.2	高程 150m
		20.8	25.0	高程 139m
		14.3	21.7	高程 124m
主变室		13.7	7.6	中部
尾闸室	13.5	8.2	9.4	高程 144m

二、原型观测资料分析

(一)主厂房

1. 承包商施工期的收敛观测结果

施工初期,承包商对施工期监测比较重视,地下厂房第一台阶开挖高度为 9m,顶拱分 S_1、S_2、S_3、S_4、S_5 五块开挖(见图 14-5-1)。中导洞开挖于 1995 年 2 月 5 日开始,3 月 2 日开始收敛观测。1995 年 5 月 8 日至 8 月 29 日,在由中导洞 S_1 向两侧 S_2、S_3 扩挖过程中,观测断面 0+20 边墙收敛值达到 30mm。在 5 号机组段 0+135 断面进行扩挖时,顶拱收敛值达到 17mm。此时厂房第一个台阶开挖高程为 156m,跨度为 17m,尚未开挖到设计断面(跨度为 26.2m),属于毛洞情况。

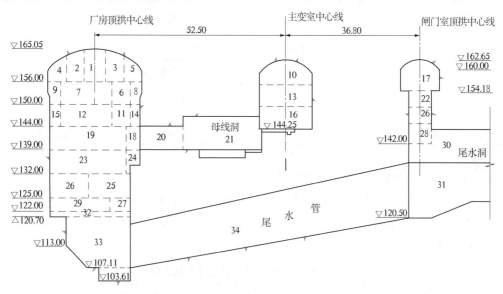

图 14-5-1 厂房开挖分块 (单位:m)

1996 年 8 月份以来,由于承包商观测方法有误,使收敛变形监测成果的精度和可靠度降低。主厂房 150m 高程以下台阶开挖时,监测人员只是象征性地在接近开挖高程附近测几条线,因距未开挖岩体较近,监测时间太短,且由于下部岩体的约束作用,测得的变形值较小,在 150~139m 高程开挖过程中,收敛监测基本上没有测到断面附近的开挖变形,承包商提供的一般在 1~2mm 的边墙收敛值存在量级上的错误,不符合厂房围岩开挖变形的实际情况。1997 年 5 月份,设计要求承包商增加 132m 和 122m 高程上的收敛监测断面,以弥补上述缺陷,其监测结果(摘录)见表 14-5-5。

2. 永久收敛变形监测

地下厂房共设 3 个永久观测断面,现将测得的最大收敛变形值摘录于表 14-5-6 中。

3. 多点位移计观测

地下厂房顶拱开挖从 1995 年 2 月 5 日开始,于 1996 年 2 月 15 日完成,由于工期较紧,永久性观测仪器的安装较晚,大部分是在第一个台阶开挖后安装的,顶拱开挖中因自重应力和构造应力释放而产生的大量变形未观测到。多点位移计测得的变形值都较小,拱冠离顶拱 5~10m 范围的竖向位移小于 1.5mm,个别测点的最大值 3.25mm,边墙上多点位移测值,一般为 1.8~3.2mm,个别测点的最大位移值为 6.77mm。

表 14-5-5 主厂房边墙开挖施工期测点变形值

桩号(m)	高程(m)			
	132		122	
	监测时间 (年-月-日)	收敛变形值 (mm)	监测时间 (年-月-日)	收敛变形值 (mm)
0 + 115	1997-08-01	−20.38	1997-08-01	−11.74
0 + 165	1997-08-13	−23.82	1997-07-28	−22.03
0 + 190			1998-06-01	−13.58
0 + 218	1998-07-13	−13.52	1998-06-01	−14.92
	1998-09-14	−15.20	1998-06-29	−16.82
	1998-09-07	−15.00		
	1998-10-12	−15.09		

注:该表由承包商提供。

表 14-5-6 主厂房边墙永久测点最大收敛变形值

桩号(m)	高程(m)			
	150		133	
	监测时间 (年-月-日)	收敛变形值 (mm)	监测时间 (年-月-日)	收敛变形值 (mm)
安装间 0 + 055.25	1998-09-27	−9.4		
5 号机组 0 + 129.25	1998-09-06	−18.7	1998-09-27	−11.4
1 号机组 0 + 235.25	1999-04-03	−16.2	1999-04-03	−8.4
3 号机组 0 + 182.25			1998-10-25	−13.2

注:该表由测量部提供。

(二)主变室

主变室分 3 个台阶开挖,共设置 18 个收敛监测断面,18 条收敛测线。由于测桩高程仅高于开挖高程 1m 或 2m,因而所测得的收敛变形值较小,一般为 1mm 左右,最大值仅为 2.64mm,没有反映开挖变形的实际情况。多点位移计观测结果为:顶拱竖向位移值小于 0.5mm,上游边墙最大水平位移 8.5mm,下游边墙最大水平位移 5.5mm。

(三)尾水闸门室

边墙最大收敛值为 14.14mm,随着下部台阶开挖,变形逐渐增大,特别是下游尾水洞开挖时,变形突然增加,在与尾水洞交叉段增加 16 榀钢支撑后,变形未继续发展。

(四)岩壁梁试验资料分析

地下厂房采用 2 台 2 × 2 500kN 的双小车桥机,荷载较大,为了检验岩壁梁在桥机运行过程中的变形情况,对岩壁梁进行了单桥机 100%(5 000kN)和双桥机并车 110%(11 000kN)的静载和动载试验,单桥机 125%(12 500kN)的静载试验只在安装间断面进行。试验设 3 个监测断面,分别在桩号 0 + 55.25m(位于安装间)、0 + 129.25m(位于 5 号机组段)、0 + 235.25m(位于 1 号机组段)。埋设的仪器有:多点位移计、锚索测力计、锚杆测力计、钢筋计、测缝计等。另外在岩壁梁上还设置了 3 组 6 个测点(反光耙),进行水平和垂直两个方向的观测。

为了使试验工作顺利进行,设计提出了各种观测仪器现场观测的警戒值:①预应力锚杆测力计和钢筋计测值≤500kN;②加载前后岩壁梁与岩面间的测缝计读数差≤0.08mm;③加载前后上、下游岩壁梁收敛变形读数差≤4mm。动载试验,观测成果见表 14-5-7。

表 14-5-7　观测成果表

加载情况		A 断面(0 + 235.25m)		B 断面(0 + 129.25m)	
		测缝计读数差 (mm)	预应力锚杆测力计 (kN)	测缝计读数差 (mm)	预应力锚杆测力计 (kN)
单桥机双小 车负荷 75%	上游	0	454.3	0	438.3
	下游	0	426.5	0	457.0
双桥机并车 负荷 75%	上游	0	454.4	0	438.3
	下游	0	427.0	0	457.0
双桥机并车 负荷 100%	上游	0	454.5	0.012/0	438.5
	下游	0.015/ − 0.01	429.0	0	459.0
双桥机并车 负荷 110%	上游	0	454.5	0.016	438.5
	下游	0.02/ − 0.01	430.0	− 0.01	460.0

多点位移计测值较小,均在 6mm 以内,变化值均在 1mm 以下。水平位移最大值为 0.6mm。最大沉陷量为 0.7mm。在荷载移去后都基本回复到原位。观测结果表明,桥机试验期间围岩未产生变形,预应力锚杆测力计测值以及岩壁梁与岩石间裂缝的开合度均满足设计要求。说明岩壁梁在桥机满负荷运行时是安全可靠的。

三、洞室围岩稳定性评价

(一)主厂房

厂房顶拱在第一层 S_2、S_3 断面扩挖时,收敛值达到最大,约 17mm,随着厂房下部开挖和张拉锚杆、预应力锚索的安装,顶拱位移逐渐减小,且有向上反弹的趋势。多点位移计观测结果大部分位移计 0～10m 深各测点的位移值接近,说明由于喷锚网联合作用,拱顶形成刚固的组合拱,特别是厂房顶拱预应力锚索安装后,位移值较小,说明厂房顶拱围岩是稳定的。

厂房边墙在第一层 S_2、S_3 断面扩挖时,收敛值达到 30mm,这是开挖过程中毛洞的收敛值。喷锚支护加固后,在桩号 0 + 115m,高程 132m 和 122m 两条水平测线中累计收敛值分别达到 20.38mm 和 11.74mm;在桩号 0 + 165m,高程 132m 和 122m 两条水平测线中累计收敛值分别达到 23.82mm 和 22.03mm。上述测值基本上反映了该高程岩体的变形值。根据开挖揭露的地质情况,估计厂房腰部收敛变形值可达 20～30mm,上述测值均在允许实测收敛值范围内。从多点位移计和测斜管观测结果看,位移值较小,且大部分位移计在 0～4m 深各测点位移值接近,说明厂房边墙经过喷锚支护加固后,已形成相对刚固的岩体,边墙围岩是稳定的。

在开挖过程中,上游边墙和南端墙在高程 143 ～ 146m 出现一层 30cm 厚软岩,对边墙稳定不利,设计要求增加两排 500kN 随机预应力锚杆予以加固。厂房下游边墙在尾水管洞开挖时,发现 1 号、2 号尾水管洞与厂房边墙交叉部位,洞顶出现多道环形裂缝。当时的收敛变形值和变形速率明显增加,最大收敛值为 18.38mm,变形速率达 0.54mm/d,这是由于受 f_2 小断层和节理裂隙的影响和尾水管洞开挖后未及时进行混凝土衬砌引起的,补打 12 根长 5m、直径 32mm 的回头锚杆后,裂缝未继续发展。基坑混凝土回填至水轮机层后,边墙高度大大降低,只有 30m 左右,其稳定性是有保障的。

(二)主变室

从开挖揭露的地质情况看,岩体质量比预计的好,收敛变形和多点位移计测值都较小,喷锚支护后,围岩是稳定的。

(三)尾水闸门室

尾水闸门室开挖过程中,遇到多条小断层和节理密集带,岩体较破碎,在上游侧(桩号 0 + 20 至 0 + 100)高程 154.18m 岩台发现一组与洞轴线近于平行的贯穿性大节理,对拱座稳定十分不利,加之承包商爆破开挖时未按设计要求预留保护层和未进行控制爆破,装药量过大,使大部分岩台松动破碎,导致裂隙张开,引起上游边墙严重超挖。设计要求采用钢筋混凝土将超挖部位补到设计断面,并要求在尾闸室与尾水管洞和尾水洞交叉洞口顶部分别增加两排 500kN 预应力锚杆予以加固,承包商按工程师要求补浇了一部分混凝土,补打了直径 32mm 锚杆。

(四)明流尾水洞

明流尾水洞长 800 ～ 1 000m,穿过 T_1^4 ～ T_1^{6-1} 多层岩体,地质条件比较复杂。施工过程中由于承包商开挖方法不当,致使顶拱超挖严重,最大超挖达 2.68m,且拱座超挖较多,大部分成为平拱,影响顶拱稳定性。尾水洞原设计采用 30cm 薄混凝土衬砌,主要是减小水流糙率和封闭岩石表面不受风化。由于顶拱超挖严重,需要回填大量混凝土,承包商多次要求取消顶拱混凝土衬砌。加拿大专家和业主同意承包商的意见,黄委会设计院根据业主的意见全面查阅了开挖过程中揭露的地质情况和顶拱超挖情况,对原设计复核后,提出取消顶拱混凝土衬砌后的加固处理意见。

尾水洞交叉部位跨度达 28m,开挖中又遇到小断层与节理形成的不利的组合体,对洞顶稳定不利。设计要求在交叉部位各安装 8 根 1 500kN 预应力锚索。实际在 3 号、4 号尾水洞交叉段安装了 6 根锚索;1 号与 2 号、5 号与 6 号尾水洞交叉段各安装了 4 根锚索,保证了施工期的安全。永久支护为 1.5m 厚钢筋混凝土衬砌,结构安全是有保障的。

尾水洞出口部位是 F_{240} 断层和大节理交会区,岩体稳定性较差,在开挖洞口时,洞脸出现许多裂缝,影响洞口边坡稳定。设计要求在尾水洞出口部位用钢支撑进行加固,每条洞出口段安装 13 榀钢支撑加固后,裂隙没有发展,边坡趋于稳定。永久支护为 2m 厚钢筋混凝土衬砌,结构安全是有保障的。

(五)尾水明渠

在施工过程中,尾水明渠区域共发现大小断层 30 余条,分两组成网格状展布,一组走向近东西(70° ～ 110°),另一组走向近南北(345° ～ 25°),倾角均在 70° ～ 85°。断层呈束状出露,集中分布在明渠上、下游两个端部,走向与渠线呈斜交,夹角在 40° 以上。

由于地质条件发生较大变化,加之国际标承包商没有按设计要求及时进行喷锚支护,一般喷锚支护均滞后开挖面 1~2 个月,且有 30%~40% 的张拉锚杆没有灌浆或灌浆不饱满,喷混凝土厚度不足 5cm,长期暴露的岩石面没有挂钢筋网,这些都给岩体松弛变形提供了条件。

由于暴露岩面长时间风吹、日晒、雨淋,使两条隔墙及左右边墙在 145m 高程平台和侧面直壁上产生许多裂缝,造成多处坍塌。

施工过程中,设计人员根据现场出现的实际情况,及时提出加固处理意见如下:

(1)左右边墙及隔墙由于近三年的卸荷变形,顶部变形较大,采用削去顶部变形较大岩体,减少直墙高度的办法解决其稳定问题。隔墙上游靠尾水洞脸部位,为减少洞脸边坡高度,岩台顶部高程仍为 145m,其加固方式同左右边墙。

(2)左右边墙上部采用两排 500kN 预应力锚杆加固,确保上部不发生倾倒变形。下部采用 Φ32 砂浆锚杆支护,与上部 500kN 预应力锚杆联合作用,防止边坡发生滑动破坏。对左边墙 F_{236-4} 断层束穿过部位,破碎带宽约 20m,主要是角砾加泥为主,在开挖过程中就发生塌方,形成 0.3(H):1(V) 的塌方自然坡,采用 20 根 1 500kN 预应力锚索加固。右边墙在两条相向倾斜、交线在边墙直壁出露的小断层作用下,形成不稳定倒三角体,采用 12 根 1 500kN 预应力锚索加固。

(3)在左右边墙及隔墙进行全面加固的同时,采用顶部适当减载;墙顶平台用钢筋混凝土封闭,防止雨水作用加剧风化卸荷变形;底板及边壁设排水孔以减少内水压力,增加边坡的稳定度。

运用期,渠内最高水位为 140.6m,而目前左边墙在桥沟河影响下,渗漏水出露点在 142m 高程,右边墙在 13 号公路排水沟内积水及施工废水作用下,渗漏水出露点在 140m 高程,基本与运用期最高水位相同,因此认为运用期左右边墙是稳定的。两条中隔墙在运用期存在的最大水位差仅 11.5m,此处隔墙宽 26m。隔墙端头宽 7m 处,水位差仅 6.5m,在水压力作用下的稳定没有问题。因此,尾水明渠边坡在运用期是稳定的。

(六)世界银行特别咨询团意见

世界银行特别咨询团专家组,分别于 1996 年 9 月 26 日和 1997 年 4 月 10 日提交了第四号、第五号会议报告,并就厂房施工状况和围岩稳定性阐述看法,分述如下。

1. 第四号报告中关于厂房意见(1996 年 9 月 26 日)

(1)150~144.5m 高程间采用预裂爆破,结果不尽人意,建议采用光面爆破。

(2)厂房上游边墙出现的几处小的渗流不会对厂房产生任何不良影响。

(3)安装在厂房拱顶的 3 个位移计的读数显示出所有观测点都在向上移动。特咨团认为这种变形是因为水平与垂直应力大于实测或假定的比值。在小浪底这种规模的大跨度顶拱且水平层状岩石中,出现向上移动或产生非常小的位移是很常见的事。无论怎样,我们完全有理由相信厂房顶拱足够安全。

(4)特咨团担心下部开挖时高边墙的稳定性,此地下厂房的边墙极其高,所以对此应该多加小心,无论何时都尽可能缩小整个边墙的裸露长度,或裸露时间尽可能短。

2. 第五号报告中关于厂房意见(1997 年 4 月 10 日)

(1)截至 1997 年 4 月份厂房已完成高程 126m 平台施工,目前正进行高程 123.5m 平台开挖。边墙开挖全部采用预裂爆破法。特咨团在第四号报告中对预裂爆破方法表示担忧,不过这次看到爆破结果普遍有改进。

(2)为了处理泥化夹层,在厂房上游侧增加了500kN预应力锚杆。

(3)厂房观测共设置了3个断面。观测仪器包括多点位移计、锚索、锚杆测力计、测斜管、测压管等,顶拱位移只有2.6mm,边墙位移一般不超过2mm。

(4)因为边墙特别高,特咨团在上次报告中表示对边墙剩余部分开挖的稳定性深为担忧,并建议开挖时特别注意,任何时候都要尽可能减少整个边墙的临空面长度,或尽可能缩短临空时间,此外还建议工程师和承包商在边墙稳定性方面密切合作。洞室下部1/3开挖刚刚开始,边墙稳定至关重要。特咨团强烈建议对下部位移要进行认真观测,并及时向工程师提供仪器读数。除位移计读数外,还要提供收敛位移测值。

第十五章 左岸洞群围岩稳定分析及支护设计

第一节 洞群布置特点及设计难点

在最终实施的小浪底枢纽总体布置方案中,16 条泄洪、排沙排污、引水灌溉和发电隧洞组成的地下洞群,均集中、分层布设在坝址左岸山体内。根据其地形、地质条件和枢纽的任务及运用要求,洞群进口采用由一字形排列并紧靠在一起的 10 座进水塔(简称塔群)控制。其中,灌溉洞经灌溉塔左转 80 余度,离开洞群流向北东;6 条发电洞均分为 3 组经过 3 座发电塔后,向左弯转 40°左右下跌进入地下厂房;3 条孔板洞(由 3 条导流洞改建而成)、3 条排沙洞和 3 条明流洞,分别穿过 3 座孔板塔、3 座发电塔和 3 座明流塔,然后相互平行地直通下游消力塘。它们主要不同之处是:在 3 条导流洞(或 3 条孔板洞)的中段,各设有较大的地下中闸室,以及由中闸室向上通至大坝下游戗体顶面的电梯井、通风井、吊物井和楼梯井等;3 条导流洞的进口位于塔群上游 102~40m,在那里另设有 3 座导流塔,在其完成导流任务后,导流塔废弃,洞子要改建成孔板消能泄洪洞,故在其进口段上方岩体内,均又设置了龙抬头洞段,以与重复利用的导流洞段相接,废弃的导流洞进口段则用混凝土和灌浆等措施封填;除 3 条明流洞断面为城门形外,其他所有隧洞均为圆形断面的压力洞(但孔板洞中闸室下游的洞段为圆形明流洞);3 条排沙洞在前段下弯,以降低中下游段高程,拉开与相邻隧洞的间距,其工作门室设在出口段。

此外,10 座进水塔和洞群,以塔体上游侧垂直边作为共同的桩号起始点(0 + 000 桩号);在大约桩号 0 + 168m 至 0 + 260m 和桩号 0 + 202m 至 0 + 288m 段的洞群区,分别设有横穿洞群的地下灌浆洞、灌浆帷幕和地下排水洞及排水幕,以解决左岸山体地下渗流控制问题。

进水塔群后边坡及洞群立视图见图 15-1-1,其中某一典型横剖面见图 15-1-2。

洞群布置特点与设计难点可概括为:①洞群的进水口集中、洞线集中、出水口挑流和消能设施集中;②把如此之多的大、中、小型隧洞和中闸室统置于坝址左岸大约 1km² 山体的有限空间内,加之受复杂地形和相对较差地质条件的制约,致使各洞室的平面、立面位置与彼此间距,几乎没有大的选择或调整的余地,因此造成地下洞室密集、立体交叉,某些洞轴线间的距离小于 3 倍开挖洞径,其中 1 号明流洞的进出口段与相邻 1 号孔板洞间的岩体设计厚度不到 1 倍洞径;③3 条导流洞的进口段位于 10 座进水塔基础下,其洞顶与塔基础间的岩体设计厚度仅有 20~11m,即为开挖洞径 19.8m 的 1~0.56 倍;④位于断层、沟谷、节理裂隙发育带和岩层倾倒变形区的 3 条明流洞的中下游部分洞段,上覆岩体有效厚度单薄,洞周围岩自稳能力低下,失去开挖成洞条件,故出现了大坝下游压戗下的深开挖埋管和明渠深槽结构,其 1 号、2 号、3 号明流洞的埋管最大埋深分别为 50m、35m 和 20m;

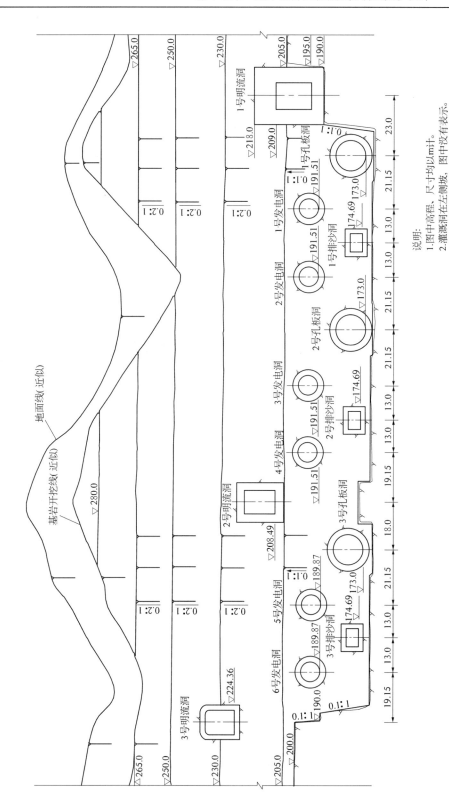

图 15-1-1 进水塔群后边坡及洞群立视图

说明:
1.图中高程、尺寸均以m计。
2.灌溉洞在左侧坡,图中没有表示。

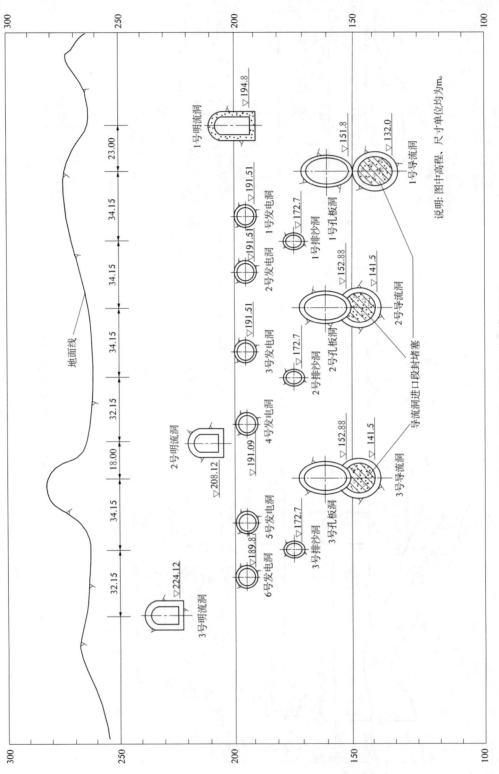

图 15-1-2 洞群 0+080.00m 桩号横剖面图

⑤除孔板洞采用洞内孔板消能新技术和新型衬砌结构型式外,3 条压力流圆形排沙洞,为防止其高压内水外渗影响左岸山体稳定,特设计为抗裂的钢绞线双圈(720°)缠绕后张法无黏结预应力混凝土结构,而 3 条排沙洞出口段的工作门室,因受不利地形地质条件和公路开挖影响,被迫在明挖后采用钢筋混凝土预应力墩头锚结构,同时 1 号排沙洞出口段也成为深开挖的明槽;⑥在难以避开多条断层交会区及其强破碎带等不良地质段的 3 号孔板洞和 3 号排沙洞的出口段,上覆岩体厚度均小于 1 倍洞径,引发了洞顶围岩预先支护及洞脸开挖高边坡加固处理问题等。

由上可知,此种洞群方案具有相当大的设计与施工难度,不仅要研究论证洞群开挖程序步骤、洞室群围岩稳定性、各类隧洞的开挖支护型式,以及新型结构型式等许多重大关键技术问题,而且还要妥善周密地解决复杂的施工组织设计难题,当然对其施工技术、施工工艺水平,包括设备制造、建材性能等,也都提出了更高更严格的要求标准。

回顾过去,在拟定、比较、反复修改完善洞群布置及枢纽总体布置方案的漫长过程中,设计与科研技术人员曾经走过一段极其艰难曲折的道路。然而,最终选用洞群集中布置方案并付诸实施了它,这不能不说是种唯一正确的大胆的抉择。

第二节 工程地质条件简述

坝址左岸基岩主要为二叠系上统(P_2)石千峰组与上石盒子组地层,以及三叠系下统(T_1)和尚沟组与刘家沟组地层,其上覆地层为第四系黄土类土。与洞群有直接关系的三叠系下统陆相沉积岩,按岩性可分为 T_1^1 至 T_1^6 共 6 大层岩组。据典型剖面统计,在约 350m 岩体厚度中含有大约 356 个单层,其中绝大部分为钙硅质砂岩和钙泥质粉砂岩,所占比例分别约为 60% 和 30%。

各类隧洞的主要地质条件简述如下。

一、导流洞和孔板洞地质条件

导流洞共 3 条,1 号导流洞长 1 219.84m,进口高程 132m,出口高程 129m,2 号、3 号导流洞长分别为 1 169.36m 和 1 149.36m,进口高程均为 141.5m,出口高程均为 138.5m。3 条洞的轴线在平面上呈直线平行,间距分别为 68.3m 和 84.3m。典型断面开挖直径为 16.4m,衬砌后内径为 14.5m。导流任务完成后,3 条洞均改建成孔板洞,进口均升至 175m 高程。

导流洞和孔板洞穿越的地层是 T_1^1 ~ T_1^{6-1},岩层倾角在 7.5° ~ 14°间变化,一般为 10°左右。沿线遇到较大断层 F_{236}、F_{238} 和小断层 F_{240}、F_{247} 及其分支。据统计,洞内大于 1m 宽度的断层破碎带的长度为:1 号洞为 248m,2 号洞为 280m,3 号洞为 145m。根据地质资料按水利水电围岩分类,好的洞段围岩为 Ⅱ、Ⅲ 类,主要断层及其破碎影响带为 Ⅳ、Ⅴ 类。

二、明流洞地质条件

1 号明流洞进口高程 195m,出口高程 154.5m,全长 1 022.7m,其中:洞挖段桩号 0 +

070～0+460m,长度390m,中间埋管段长240m,出口明渠段长392.70m。洞挖段断面为城门形,典型断面开挖尺寸为13.9m×16.3m,衬砌后尺寸为10.5m×13m。洞身主要为T_1^{3-2}、T_1^4地层,遇有F_{236}、F_{238}断层及几条小的分支断层。在桩号0+740m附近,明槽右侧存在节理密集带或类似于倾倒变形体的破碎带,施工期间曾发生局部滑坡,采用削头减载和放缓边坡措施进行了处理。绝大部分洞挖段、埋管段和明槽段的围岩为Ⅱ、Ⅲ类,其余为Ⅳ类或Ⅴ类围岩。

2号明流洞进口高程209m,出口高程175m,全长1026.2m,其中:洞挖段在桩号0+052.8～0+330.8m及0+472.8～0+580.8m,长度共386m,埋管段长为142m,明渠段长为498.2m。洞挖段为城门形,其典型断面开挖尺寸为13m×14.9m,衬砌后尺寸为10m×12m,该段围岩为T_1^4、T_1^{5-1}、T_1^{5-2}和T_1^{5-3}岩层,穿过的断层有F_{421}、F_{240}及其几条小断层。在T_1^{5-1}岩层发现有两层泥化夹层,厚度0.01～0.03m,可见长度在30m左右,围岩以Ⅱ、Ⅲ类为主。

3号明流洞进口高程225m,出口高程177.6m,全长1023m,其中:洞挖段桩号为0+054～0+320m及0+460～0+557m,长度共363m,埋管段长为141m,明渠段长为519m。洞挖段为城门形,其典型断面开挖尺寸为13m×14.4m,衬砌后尺寸为10m×11.5m,穿越岩层为T_1^4、T_1^{5-1}～T_1^{5-3}和T_1^{6-1},断层仅有F_{421}。在T_1^{5-1}岩层发现有一层泥化夹层,厚度1～2cm,可见长度16m。地质条件较好,均为Ⅱ、Ⅲ类围岩。

三、排沙洞地质条件

1号排沙洞进口高程175m,出口高程148m,全长1100m。典型断面开挖直径为8m,衬砌内径为6.5m。穿越岩层为T_1^{3-1}、T_1^{3-2}、T_1^4、T_1^{5-3}和T_1^{6-1},遇有F_{236}、F_{238}、F_{240}、F_{247}及其分支断层和小断层。在T_1^{5-3}和T_1^{6-1}地层中,各发现有一层泥化夹层,长度分别为16m和14m。围岩分类属Ⅱ、Ⅲ类。

2号排沙洞进出口高程和结构尺寸等同1号排沙洞。穿过岩层为T_1^{3-2}、T_1^4、T_1^{5-1}、T_1^{5-2}和T_1^{6-1},遇有F_{236}、F_{238}、F_{240}、F_{241}断层以及分支小断层。共发现5层泥化夹层,厚度为0.5～2cm,可见长度为10～21m不等。围岩类别除断层及其影响带为Ⅳ、Ⅴ类外,其他洞段均为Ⅱ、Ⅲ类。

3号排沙洞进出口高程和结构尺寸等同1号排沙洞。穿过T_1^{3-2}、T_1^4、T_1^{5-1}～T_1^{5-3}和T_1^{6-1}地层,遇有F_{421}、F_{240}、F_{236}、F_{238}断层和一些小断层。发现有两层泥化夹层,厚度为0.3～2cm,长度分别为20.5m和32.5m。围岩类别主要为Ⅱ、Ⅲ类。

四、发电洞地质条件

6条发电洞的进口高程为:1号至4号洞195m,5、6号洞190m。地下厂房以前的压力洞段长度依次为:414.42m、400.92m、381.19m、367.62m、341.24m和327.78m。其开挖直径均为9.6m,衬砌后内径均为7.8m。穿越的岩层为T_1^{3-1}、T_1^{3-2}和T_1^4,除1号、2号发电洞进口段有F_{240}、F_{241}断层(规模较小)外,其他洞仅遇到几条小断层。围岩主要为Ⅱ、Ⅲ类。

第三节　洞群围岩稳定分析

工程招标前,在小浪底现场曾先后进行过大跨度隧洞开挖试验和 3 条导流洞上部中导洞生产性开挖试验,遂作了洞周围岩收敛变形、变形速率、岩体物理力学指标及支护型式参数等多样试验测试分析研究。两项试验的成功,说明在有断层穿过的软硬相间的、具有缓倾角、多节理和多层泥化夹层的层状陆相沉积岩体中,开挖 15m 大跨度隧洞是可行的。与此同时,为研究解决密集大型洞室群的开挖顺序及洞群围岩稳定等问题,又进行了多项计算分析和论证工作。

一、洞群上游段围岩整体稳定性三维边界元弹性分析

计算范围:顺水流向从洞群进口边坡处开始,取桩号 0 + 055 ~ 0 + 420m 段,长度 365m,垂直水流向的宽度取 400m 左右,铅直方向从高程 50m 取至地表,最大岩体厚度约 250m。这样使由 15 条隧洞(未包括灌溉洞)组成的洞群,基本上处于整个计算模型的中央部位。

边界约束条件:计算模型的上部地表、洞群进口边坡完全自由,下游边界面和左右侧面为法向位移约束,底面结点的三个方向位移完全约束。开挖成形后的洞室周边,经应力释放处理,成为自由面。

计算假设:岩体为均质各向同性的弹性体,初始地应力仅为岩体自重产生的应力,不考虑各条洞具体的开挖程序和锚杆等支护的作用。

围岩力学指标:变形模量 $E_0 = 6\,376.5$MPa,泊松比 $\mu = 0.26$,凝聚力 $C = 392.4$kPa,$\tan\varphi = 0.65$,容重 $\gamma = 25.8$kN/m^3。

洞群开挖顺序拟定为:先开挖形成 3 条导流洞(孔板洞),然后开挖 3 条排沙洞和 6 条发电洞,最后再开挖 3 条明流洞。从宏观上分三批进行的开挖顺序,与实际施工顺序大体相同。

计算工况:与上述的洞群开挖顺序相对应,施工期计算工况定为:

A 工况——形成 3 条导流洞;

B 工况——形成 3 条导流洞、3 条排沙洞和 6 条发电洞,共 12 条隧洞;

C 工况——形成全部 15 条隧洞(即 B 工况中的 12 条洞,加 3 条明流洞)。

围岩稳定性的评价方法:采用摩尔-库仑准则,对上述三种工况下每条隧洞的洞边结点及其指定的附近内结点的应力状态进行判别,即当截面上的剪应力 τ 与正应力 σ_n 满足下式时,认为所考察点进入剪切破坏状态:

$$\tau + f\sigma_n \geq C \qquad (15\text{-}3\text{-}1)$$

式(15-3-1)中的 $f = \tan\varphi$,φ 为内摩擦角,C 为岩体凝聚力。式(15-3-1)的另一种表达式为:

$$K = \frac{C \times \cos\varphi + \frac{1}{2}(\sigma_1 + \sigma_3)\sin\varphi}{\frac{1}{2}(\sigma_1 - \sigma_3)} \leq 1 \qquad (15\text{-}3\text{-}2)$$

即 $K \leqslant 1$ 时,认为所考察点进入剪切破坏状态。在对洞群围岩进行稳定分析的过程中,可根据每条隧洞周边结点和周边内结点的 σ_1、σ_3,以及围岩的 C、φ 值,算出每个结点的 K 值,必要时进行插补,最终绘出隧洞周围的 K 值等值线图,即可认为 $K < 1$ 的区域是不安全的。

施工期洞群围岩位移、应力计算成果表明:

(1)圆洞在开挖后,形状变成略扁的圆,即铅直向洞径变化比水平向明显。

(2)三种工况下,洞群因开挖产生的最大位移值,均发生在最低的、洞径最大的导流洞洞顶和洞底部位。

(3)1 号、2 号和 3 号导流洞的平均垂直位移约为 6mm,1 号导流洞为最大。随着 12 条洞和 15 条洞的开挖成形,对于最低处的导流洞来说,等于上部在逐步卸荷减载,势必引起导流洞洞边稍有上抬,即表现为洞顶负铅直位移减小和洞底正铅直位移增加。此现象符合其受力特点,因其上部隧洞的开挖,不仅削减了导流洞顶部岩体的刚度,而且所产生的卸荷的合力是铅直向上的。施工期洞群最大位移及其位置见表 15-3-1。直径较小的排沙洞、发电洞和明流洞的最大垂直位移均小于导流洞,即都未超过 4.1mm。

表 15-3-1　施工期洞群最大位移及其位置

工况	洞名称	最大位移值及所在位置			说明
		桩号(m)	顶部(mm)	底部(mm)	
A(形成 3 条洞)	1 号导流洞	0 + 184	− 6.4	6.1	最大位移在铅直向
B(形成 12 条洞)	1 号导流洞	0 + 184	− 6.3	6.2	
C(形成 15 条洞)	1 号导流洞	0 + 184	− 5.9	6.4	

(4)关于洞群先后分批开挖对位移量的影响问题。表 15-3-2 中列出的计算数值,是前后两种工况下导流洞洞顶或洞底位移值的差值,即回弹量。

表 15-3-2　施工期前后两种工况下位移回弹量

工况	洞名称	位移回弹量及所在位置			说明
		桩号(m)	顶部(mm)	底部(mm)	
B 减 A	1 号导流洞	0 + 184	0.1	0.1	均为在铅直向回弹量
	2 号导流洞	0 + 173	0.2	0.4	
	3 号导流洞	0 + 160	0.3	0.4	
C 减 B	1 号导流洞	0 + 214	0.3	0.2	
		0 + 184	0.4	0.2	
	3 号导流洞	0 + 219	0.4	0.2	

从表 15-3-2 得知,上部隧洞的开挖,对下部导流洞洞顶及洞底引起的位移变化量为 0.1 ~ 0.4mm,即仅为导流洞自身开挖所产生位移(3 条导流洞相应部位垂直位移平均值

6mm)的 1.7% ~ 6.7%,影响甚微。

(5)关于环向应力问题。计算分析得出的洞边环向应力分布符合一般规律,在圆洞水平直径两端的洞边部位有较大压应力,洞顶和洞底处的压应力很小,甚至有时出现很小拉应力。三种工况下洞群产生的最大拉、压应力值及其所在洞号和位置见表15-3-3。直径较小的排沙洞、发电洞和明流洞的最大拉、压应力值,均小于表15-3-3 中的数值,即洞边均未产生拉应力,其压应力一般在 2.943 ~ 4.905MPa 之间。

表 15-3-3 洞群最大拉、压应力及所在洞号和位置

工况	洞名称	最大环向应力值及所在位置			说明
		桩号(m)	位置	σ_θ(MPa)	
A(形成 3 条洞)	1 号导流洞	0 + 214	洞顶	0.275	内侧是指在水平直径方向相邻洞的一侧
		0 + 184	内侧	- 8.927	
B(形成 12 条洞)	1 号导流洞	0 + 214	洞顶	0.304	
		0 + 184	内侧	- 8.956	
C(形成 15 条洞)	1 号导流洞	0 + 214	洞顶	0.275	
		0 + 184	内侧	- 8.898	

由表15-3-3 知,上部隧洞开挖对导流洞最大拉、压应力的变化影响不大,且最大拉应力和最大压应力所在位置不变,数值变化也很小。相对而言,8.956MPa 的压应力说明有应力集中。考虑有可能会在导流洞侧边产生一定范围的塑性屈服区,甚至在洞距较近的某些洞段局部,塑性屈服区有可能相连。对此,设计时应特别加强支护措施。

二、洞群进口段围岩整体稳定性三维有限元非线性分析

鉴于洞群进口段所处位置极其重要,十座进水塔坐落其上,考虑其围岩中又有F_{240}断层和两层泥化夹层存在,因此特作此分析。

计算范围:顺水流向取桩号 0 + 000 ~ 0 + 124m 段(计算模型假设桩号 0 + 000 在导流洞进口处),垂直水流向宽度取 450m,铅直向从 50m 高程取至地表 300m 高程,即洞群(共15 条洞)处在计算模型的大约中间位置。

边界约束条件:计算模型的上部地表、洞群进口边坡完全自由,左右侧及下游边界面考虑法向约束,底面结点的三个方向位移完全约束,开挖成形后的洞室混凝土内侧周边,经应力释放处理,成为自由面。

计算假定:对断层和泥化夹层的厚度作放大处理(这种处理结果将偏于安全);视每类岩体为各向同性均质体,初始地应力仅为岩体自重产生的应力;不考虑每条洞具体的开挖和衬砌程序;考虑成形隧洞的混凝土衬砌作用,但不考虑钢筋和锚杆等支护的作用。

围岩及材料的力学指标见表15-3-4。

洞群开挖顺序拟定为:先开挖形成 3 条导流洞(孔板洞),并衬砌好混凝土,然后开挖3 条排沙洞和 6 条发电洞,并衬砌好混凝土,最后再开挖 3 条明流洞,并衬砌好混凝土。

从宏观上分三批进行的开挖和衬砌顺序与实际施工顺序大体相同。

表 15-3-4 围岩及材料的力学指标

围岩及材料	E（MPa）	μ	f	C（MPa）	抗压强度（MPa）	抗拉强度（MPa）
F_{240}断层	245.25	0.38	0.35	0.004 905	9.81	0
泥化夹层	49.05	0.38	0.35	0.004 905	9.81	0
混凝土 300 号	29 430	0.167	1.00	1.962	17.17	1.716 8
岩体	9 378.4	0.25	0.65	0.049 05	49.05	0.392 4

非线性计算的加载顺序：A. 无洞情况下的岩体自重；B. 形成 3 条导流洞；C. 形成 3 条排沙洞和 6 条发电洞；D. 形成 3 条明流洞；E. 库水位蓄至 275m；F. 库水位 275m 加 8 度地震（说明：只计水平向地震力，取地震加速度 $a = 0.215g$，沿深度方向的动力系数，在 227m 高程以下取 1.0,227m 高程以上取 1.5~1.7；因计算分析的洞群段处在帷幕前,故地下水取全水头）。

计算结果表明：由于荷载是垂直向下的,故位移中以垂直位移为主,水平位移仅为垂直位移的 10% 左右,且高程相近的同类隧洞的变形值十分接近,即在水平向同类洞的相互影响较小。从 3 条导流洞施工到 15 条洞全部施工完毕,上层洞并未对下层导流洞的变形造成较大的影响,即下层导流洞在上层洞相继施工的整个过程中变形量发生的变化很小,绝对值仅 1mm 左右,从表 15-3-5 可知,在 B、C、D 加载情况下,1 号导流洞的位移差不到 1mm,而 E、F 加载情况下同部位的位移差也只有 1mm 多。

表 15-3-5 各加载情况下 1 号导流洞的位移及所在位置

加载顺序号	B	C	D	E	F
洞底位移（mm）	− 2.0	− 2.6	− 2.9	− 11.5	− 10.1
洞侧位移（mm）	− 0.1	− 0.1	− 0.2	− 12.3	− 11.1

注：表中是相对于 A 加载情况下的位移。

但是,计算结果反映,B 加载情况下导流洞混凝土衬砌,部分进入塑性状态,C、D 加载情况下导流洞混凝土衬砌及洞周有一层岩体包括 F_{240}断层和两层泥化夹层全部进入塑性状态。经分析认为,这可能是导流洞位置最低,受上部塔群荷载、水压力及边界条件突变等影响所致,并且与计算中没有考虑衬砌中钢筋和围岩中锚杆的作用有关。显然上述不利的条件和计算假定,也是使该洞段的位移与应力绝对值均大于其他隧洞的重要原因。

环向应力计算成果分析：①各种加载情况下,得出衬砌的环向应力均为压应力,且两侧部位应力的绝对值大于顶拱和底板处的值。从表 15-3-6 知,各类洞衬砌的最大、最小环向应力均为压应力,但都小于材料的抗压强度。②各种加载情况下的应力特征为：混凝土衬砌中的应力值大于洞周岩体内的应力值,两者之比约为 3,即与两种材料的 E 值之比相当,这种规律是合理的。③各种加载情况下,所有 15 条洞,围岩几乎都未产生拉应力,即使局部出现,其值也均小于材料的抗拉强度。④在衬砌和围岩中基本上没有出现拉裂区,仅是 F_{240}断层上部在 B 加载情况下出现小的局部拉裂区。

表 15-3-6 各类洞衬砌的最大、最小环向应力及所在位置

洞 名	$\sigma_{\theta\min}$(MPa)	位置	$\sigma_{\theta\max}$(MPa)	位置
1~3 号导流洞	− 14.57	洞侧	− 2.14	洞顶
1~3 号排沙洞	− 9.54	洞侧	− 1.45	洞顶
1~6 号发电洞	− 11.15	洞侧	− 2.57	洞顶
1~3 号明流洞	− 6.87	洞侧	− 0.51	洞顶

运用期 F 加载情况下,衬砌的环向应力值一般略大于 E 加载情况下的值。同时,E、F 加载情况下,相对于不利的 D 加载情况,其各类洞的位移、应力以及衬砌和岩体中的塑性区均没有明显的变化,而且位移和应力值还有所减少,这是由浮容重影响造成的。

结论是:水平方向各类洞之间的相互影响很小;在各种加载情况下,未出现过大的位移、应力值及拉裂区;在洞的衬砌及洞周岩体中可能出现的塑性区,将由衬砌中的钢筋和围岩中的锚杆予以加强,洞群进口段在施工期和运行期基本上是安全的。

三、洞群转弯段围岩整体稳定性三维有限元非线性分析

为分析洞群转弯段在立面交叉洞距较小情况下的施工期与运行期围岩稳定性等问题,特作此计算。

计算范围:顺水流向取 0 + 130.00 ~ 0 + 285.00m 桩号段,长 155m;垂直水流向宽度取 380m;铅直向从 50m 高程取至地表(270 ~ 300m 高程)。包括 3 号导流洞、2 号和 3 号排沙洞、2 号至 6 号发电洞,以及 2 号、3 号明流洞共 10 条洞,同时使转弯段的 10 条洞处于计算模型的大约中间部位。

边界约束条件、计算假定、洞群开挖顺序及计算加载顺序等,与前面所述相同。

计算成果分析:

(1)最大绝对位移发生在 A 加载情况下,B、C、D 加载情况下洞侧边绝对位移与 A 情况接近,E、F 加载情况下的绝对位移均明显减少,且两者结果相近。各种加载情况下,洞侧边最大绝对位移见表 15-3-7,但表中的数值未扣除初始位移值,这可从表 15-3-8 中的相对位移值得以证实。

表 15-3-7 各种加载情况下洞的侧边最大绝对位移值　　　　　　　(单位:mm)

洞 名	洞的侧边最大绝对位移(mm)	
	$C = 0.049\ 05$MPa	$C = 0.392\ 4$MPa
3 号导流洞	38.71	38.72
2 号、3 号排沙洞	41.97	41.99
2~6 号发电洞	49.30	49.29
2 号、3 号明流洞	55.95	55.93

注:表中绝对位移未扣除初始位移值,故值偏大。

(2)关于相对位移(相对于 A 加载情况):B、C、D 加载情况下,各洞洞侧的相对位移值

不大,例如 3 号导流洞、2 号和 3 号排沙洞,以及 2 号至 6 号发电洞的洞侧位移,均小于
0.4mm,说明洞侧位移的变化量很小。洞侧最大相对位移发生在 E 加载情况下,且是向上
的,其值见表 15-3-8。

表 15-3-8 E 加载情况下洞侧相对位移最大值 （单位:mm）

洞　名	3 号导流洞	2 号、3 号排沙洞	2~6 号发电洞	2 号、3 号明流洞
最大相对位移值（洞侧）	15.8	17.1	9.8	22.5

若将表 15-3-7 与表 15-3-8 进行对比分析,可知各类洞洞侧的初始位移值为 22.91 ~
39.50mm,即大多数洞侧的初始位移值为其绝对位移值的 60%,仅 2 ~ 6 号发电洞为 80%,
说明洞侧初始位移(指 A 加载情况下)所占比例较大。

(3)关于洞径的变化值:趋势是洞径在竖向的变化远比水平向明显,这是符合受力规
律的。各类洞的洞顶与洞底垂直位移差值见表 15-3-9。

表 15-3-9 说明:因洞身弯转、交叉所引起的各类洞径的变化不大,除 3 号导流洞的竖
向洞径变化较大外,其余洞径的变化值较小,且相差甚微。同时所取的岩体 C 值不同,对
洞径变化计算成果影响不大。

表 15-3-9 各类洞的竖向直径变化值 （单位:mm）

洞　名	$C = 0.049\,05MPa$ 时洞径变化值	洞径变化平均值	$C = 0.392\,4MPa$ 时洞径变化值	洞径变化平均值	说明
3 号导流洞	8.66	—	8.57	—	表中为 D 加载情况下(15 条洞形成)第 5 计算断面上的值
2 号排沙洞	2.92	3.04	2.88	2.99	
3 号排沙洞	3.15		3.09		
2 号发电洞	3.04		2.98		
3 号发电洞	3.35		3.27		
4 号发电洞	3.15	3.14	3.08	3.08	
5 号发电洞	3.14		3.09		
6 号发电洞	3.02		2.97		
2 号明流洞	3.62	—	3.60	—	
3 号明流洞	2.53		72.50		

(4)衬砌中环向应力:衬砌中环向应力一般为压应力,只是在运用期的 E、F 加载情况
下,洞顶部位有少数小范围的拉应力区发生,其最大、最小环向应力值及所在位置见
表 15-3-10。

从表 15-3-10 知:在各种加载情况下,转弯段衬砌中出现的最大拉应力为 0.08 ~
0.37MPa,最大压应力为 14.03MPa,它们分别小于混凝土的抗拉强度和抗压强度;高程相
近的同类洞的应力值相对变化较小,特别是 2 ~ 6 号发电洞在弯转过程中,从其他洞之间
穿过,相互距离较近,但并没有引起衬砌应力发生显著变化或出现危险情况。

表 15-3-10　衬砌中最大、最小环向应力值及所在位置

洞　名	衬砌中环向应力成果（C = 0.049 05MPa）			
	$\sigma_{\theta max}$（MPa）	位置	$\sigma_{\theta min}$（MPa）	位置
1~3 号导流洞	+ 0.32	洞顶	− 14.03	洞侧
1~3 号排沙洞	+ 0.08	洞顶	− 9.96	洞侧
1~6 号发电洞	+ 0.37	洞顶	− 8.08	洞侧
1~3 号明流洞	− 0.18	洞顶	− 4.91	洞侧

(5)在 C、D 加载情况下,计算结果最为不利,主要是衬砌和洞周一层围岩处于塑性状态,故对低位的 3 号导流洞和 2 号、3 号排沙洞不利,应加强工程措施,但对弯转的发电洞尚未构成大的影响。另外,在 10 条洞的衬砌和围岩中均没有出现拉裂区。

结论是:从变形和应力状态看,计算的整个洞群和围岩中的应力,均小于结构材料的允许强度值,没有大的异常现象发生;大多数洞侧的初始位移值为其绝对位移值的 60%,仅 2~6 号发电洞为 80%;可能存在的塑性区,如计入衬砌中钢筋和围岩中锚杆等的作用,以及材料进入塑性阶段的强化性能,则可明显加以改善,况且按 Drucker-Proger 准则判定的塑性区范围又是偏大的(即大于按摩尔-库仑准则判断的结果)。总之结构可以稳定。

四、关于导流洞或孔板洞中闸室的围岩稳定性问题

3 条导流洞或 3 条孔板洞的中闸室(压力段工作门室)上部开挖尺寸为:跨度(顺水流向)15.80m,长度 26.70m,高度 19.66m,断面为城门形,顶部高程分别为 171.76m(1 号室)、181.26m(2 号、3 号室)。闸室位置紧靠左岸山体地下排水帷幕(桩号 0 + 286.79 ~ 0 + 268.43m)下游侧,围岩为 T_1^{3-1}、T_1^{3-2} 和 T_1^4 岩层,类别为 Ⅱ、Ⅲ 类。

根据三维渗流计算结果判断,在最高库水位 275m、下游水位 141.50m 情况下,中闸室处的地下水位约 180m。在施工期,中闸室下部(即为洞身部分)最低处开挖到 128.54m(1 号室)和 138.04m(2 号、3 号室),均只有个别部位出现潮湿、渗水或滴水现象。

由上述洞群转弯段围岩整体稳定性三维有限元非线性分析成果(分析中涉及到 3 号中闸室)得知:在 B、C、D 加载情况下(此为较危险的情况),其位移和应力均比其他加载情况的值要大,中闸室顶部的垂直绝对位移最大值为 49.14mm,底部最大值为 24.35mm,顶、底部的相对位移差最大为 24.79mm,分析原因,这是由于开挖尺寸较大引起的;而侧面绝对最大垂直位移为 40.78mm 和 40.65mm,即与 3 号导流洞的值接近(3 号导流洞洞侧绝对最大垂直位移见表 15-3-7,即 C = 0.049 05MPa 时,为 38.71mm;C = 0.392 4MPa 时,为 38.72mm);若按初始位移值占绝对位移的 60% 进行反算,其顶部、底部的相对最大垂直位移值则分别为 19.66mm 和 9.74mm,两侧相对最大垂直位移值为 16.31mm 和 16.26mm;若按初始位移值占绝对位移的 80% 进行反算,则各部位相对最大垂直位移值更小;其环向压应力数值从 − 0.912MPa 到 − 4.611MPa,比 3 号导流洞的相应压应力(− 14.03MPa 左右,见表 15-3-10)要小得多,并且没有出现拉应力区。从总体上看,其顶部和底部的应力与各类洞相比变化不大,但两侧的压应力集中,并随其尺寸增大而减小,这种应力分布应该说是合理的。总之,3 号中闸室附近的变形和应力,均未出现异常,其位移值接近同高

程的隧洞,其顶、侧部位绝对最大垂直位移虽比 40mm 稍大,但其相对最大垂直位移值均小于小浪底Ⅱ、Ⅲ类围岩允许变形值 40~24mm 的下限 24mm(见本章第五节中"洞群施工期围岩位移观测成果与隧洞开挖试验监测成果分析对比"的内容),而环向压应力比 3 号导流洞要小;分析此结果,可说明 1 号、2 号、3 号中闸室不会有大问题出现,但为安全计,仍需加强其顶部和侧墙的支护,且支护要适时、及时。

第四节　洞群围岩喷锚支护

一、喷锚支护设计

在设计过程中,根据锚杆喷射混凝土技术规范和各洞段围岩类别及力学指标,经工程类比和经验判断,初拟其支护型式与参数,然后参照洞群围岩稳定分析成果,考虑挪威 N. Barton 等岩石力学专家意见,以及各类洞室的施工特点与运用条件,对其进行修改或补充计算,最终再综合确定喷锚支护设计型式和参数。设计采用的支护型式与参数见表 15-4-1。表中所列绝大多数洞段的喷锚支护为施工期临时支护,其锚杆为系统张拉锚杆,张拉完成后,要求用 28 天龄期抗压强度不低于 30MPa 水泥砂浆填孔。各类张拉锚杆的设计抗拔力见表 15-4-2。

另外,在标书技术规范中明确规定,系统张拉锚杆应由承包商设计,每个锚固端应有不小于表 15-4-2 中针对支护的不同岩体条件所列的抗拔力值;随机和回头张拉锚杆的锚固件应与系统张拉锚杆相同;锚杆只有当锚固灌浆抗压强度达到 30MPa 后才能张拉和试验。同时设计图要求,地下开挖中遇到断层、破碎带时,可使用钢支撑或钢桁架,并且可根据具体地质情况增减锚杆数量或采用随机锚杆及回头锚杆。钢桁架或钢支撑间距可采用 1.0~1.5m,支护范围可为开挖断面的顶拱、顶拱和侧墙或顶、侧、底全断面。所有的锚杆、挂钢筋网及钢支撑或钢桁架应喷混凝土覆盖。

二、喷锚支护施工简况

洞群的开挖于 1994 年底首先从 3 条导流洞开始,至 1996 年 11 月初,基本完成 3 条导流洞及其中闸室的开挖与支护,之后相继完成其混凝土衬砌与回填、固结灌浆,并于 1997 年 10 月 21 日投入使用。

在 3 条导流洞混凝土浇筑期间,大致按先开挖 3 条排沙洞和 6 条发电洞,最后开挖 3 条明流洞的施工顺序,完成其余 12 条洞的开挖支护与衬砌。截至 1999 年 6 月底,排沙洞、发电洞和明流洞混凝土浇筑基本结束,其中,6 条发电洞于 1999 年 1 月底完成衬砌,同年 10 月 7 日压力段钢衬接触灌浆结束;3 条排沙洞和 1 号导流洞改建成孔板洞,分别于 1999 年 7 月上旬和下旬进行初步验收;2 号、3 号导流洞改建为孔板洞和 3 条明流洞的施工于 2000 年 6 月底完成,7 月上旬初步验收。

在整个洞群开挖过程中,所有围岩支护基本上按设计要求进行施工,除在 1995 年 4 月 11 日至 1996 年 4 月 4 日近一年中,3 条导流洞共发生大小塌方 16 次外,其他洞开挖进展均较顺利。导流洞的塌方由多种原因引起,虽没有发生人员伤亡和设备损失,但造成严

表 15-4-1　设计喷锚支护型式与参数

隧洞名称	部位	开挖尺寸（m）	围岩类别	支护型式与参数	
				喷混凝土厚度（m）	锚杆及特殊支护设计
1号明流洞	进口渐变段	16.4×20.2 渐变至 14.9×17.2	Ⅱ、Ⅲ	0.2 顶拱边墙挂钢筋网 Φ8@0.2	张拉锚杆Φ32,顶拱及边墙均采用 $L=6m$,间、排距1.2m
	帷幕前	13.9×16.3	Ⅱ、Ⅲ	0.1 顶拱挂钢筋网Φ8@0.2	张拉锚杆Φ25,顶拱 $L=5m$,间、排距1.25m;边墙 $L=3m$,间、排距1.5m
	帷幕后	13.1×15.5 和 12.1×14.5	Ⅱ、Ⅲ	0.1 顶拱挂钢筋网Φ8@0.2	张拉锚杆Φ25,顶拱 $L=5m$,间、排距1.25m;边墙 $L=3m$,间、排距1.5m
	帷幕后断层段	13.2×15.6	Ⅳ、Ⅴ	0.15 顶拱边墙挂钢筋网Φ8@0.2	张拉锚杆Φ32,顶拱及边墙 $L=5m$、7m,相间排列,间、排距1.25m,必要时增加钢桁架支撑
	洞出口段	13.9×18.2	Ⅱ、Ⅲ	0.1 顶拱挂钢筋网Φ8@0.2	张拉锚杆Φ25,顶拱 $L=5m$,间、排距1.25m;边墙 $L=3m$,间、排距1.5m
2号明流洞	进口渐变段	15.22×18.79 渐变至 16.4×18.2	Ⅱ、Ⅲ	0.2 顶拱、边墙挂钢筋网Φ8@0.2	张拉锚杆Φ32,排距1.2m,间距1.5m,$L=6m$
	帷幕前	13.0×14.9	Ⅱ、Ⅲ	0.1 顶拱挂钢筋网Φ8@0.2	张拉锚杆Φ25,顶拱 $L=5m$,间、排距1.2m和1.25m;边墙 $L=3m$,间、排距1.2m和1.5m
	帷幕后	12.2×14.1 和 11.6×13.5	Ⅱ、Ⅲ	0.1 顶拱挂钢筋网Φ8@0.2	张拉锚杆Φ25,顶拱 $L=5m$,间、排距1.25m;边墙 $L=3m$,间、排距1.5m
	洞出口段	13.0×14.9	Ⅲ	0.1 顶拱挂钢筋网Φ8@0.2	张拉锚杆Φ25,顶拱 $L=5m$,间、排距1.25m;边墙 $L=3m$,间、排距1.5m
3号明流洞	进口渐变段	13.8×16.6	Ⅱ、Ⅲ	0.1 顶拱、边墙挂钢筋网Φ8@0.2	张拉锚杆Φ25,$L=5m$,间、排距1.2m
	帷幕前	13.0×14.4 和 12.6×13.9	Ⅱ、Ⅲ	0.1 顶拱挂钢筋网Φ8@0.2	张拉锚杆Φ25,顶拱 $L=5m$,间、排距1.2m和1.25m;边墙 $L=3m$,间、排距1.2m、1.5m
	帷幕后	12.6×13.9 和 11.6×12.9	Ⅱ、Ⅲ	0.1 顶拱挂钢筋网Φ8@0.2	张拉锚杆Φ25,顶拱 $L=5m$,间、排距1.25m;边墙 $L=3m$,间、排距1.5m
	洞出口段	13.0×14.3	Ⅱ、Ⅲ	0.1 顶拱挂钢筋网Φ8@0.2	张拉锚杆Φ25,顶拱 $L=5m$,间、排距1.25m;边墙 $L=3m$,间、排距1.5m

续表 15-4-1

隧洞名称	部位	开挖尺寸（m）	围岩类别	支护型式与参数	
				喷混凝土厚度(m)	锚杆及特殊支护设计
三条排沙排污洞	进口渐变段	10.8×9.05 渐变为 D=10.6	Ⅱ、Ⅲ	0.05	张拉锚杆 Φ25，间、排距 1.25m，L=5m
	帷幕前	D=8	Ⅱ、Ⅲ	0.05	张拉锚杆 Φ18，L=3m，间、排距 1.5m
	帷幕后	D=7.9	Ⅱ、Ⅲ	0.05	张拉锚杆 Φ18，L=3m，间、排距 1.5m
	断层段	D=9.2	Ⅳ、Ⅴ	0.10	张拉锚杆 Φ25，L=5m，间、排距 1.25m
	出口闸室前渐变段(洞顶岩体厚度为6.5m)	D=12.6 渐变为 10.7×11.1	Ⅱ、Ⅲ	0.05	张拉锚杆 Φ25，L=5m，间、排距 1.25m
	2号及3号洞出口闸后明流洞段	9.1×12.9	Ⅱ、Ⅲ	0.05	张拉锚杆，顶拱 Φ22，L=3m，间、排距 1.25m；边墙 Φ18，L=3m，间、排距 1.5m
	3号洞出口断层段	9.4×13.05	Ⅳ、Ⅴ	0.2 挂钢筋网 Φ8@0.2	边墙张拉锚杆 Φ25，L=6m，间排距 1.5m；顶拱自高程 170m 平台朝下增设超前预锚，采用 Φ32 砂浆锚杆，间、排距 1.0m
三条导流洞/孔板泄洪洞	进口渐变段 1号洞	17.3×19.7 渐变为 D=19.8	Ⅱ、Ⅲ	0.15 挂钢筋网 Φ8@0.2	张拉锚杆 Φ32，L=7m、5m，相间排列，间、排距 1.5m
	进口渐变段 2号及3号洞	18.3×20.65 渐变为 D=20.8	Ⅱ、Ⅲ	0.15 挂钢筋网 Φ8@0.2	张拉锚杆 Φ32，顶拱 L=7m、5m，相间排列，间、排距 1.5m
	进口封堵段	D=19.8	Ⅱ、Ⅲ 及 Ⅳ、Ⅴ	0.15 挂钢筋网 Φ8@0.2	张拉锚杆 Φ32，L=7m、5m，相间排列，间、排距 1.5m
	孔板段	D=16.7	Ⅱ、Ⅲ	0.1 挂钢筋网 Φ8@0.2	张拉锚杆 Φ25，L=5m，@1.5m
	中闸室前渐变段	D=19.8 渐变为 23.3×19.7	Ⅱ、Ⅲ	0.15 挂钢筋网 Φ8@0.2	张拉锚杆 Φ32，L=5m、7m，相间排列 @1.5m；L=6m、8m，相间排列 @1.25m
	中闸室	上部 15.8×19.66×26.7 下部 27.1×23.56×23.7	Ⅱ、Ⅲ	0.15 挂钢筋网 Φ8@0.2	张拉锚杆 Φ32，L=6m、8m，相间排列，间、排距 1.2m

续表 15-4-1

隧洞名称	部位	开挖尺寸(m)	围岩类别	支护型式与参数	
				喷混凝土厚度(m)	锚杆及特殊支护设计
三条导流洞／孔板泄洪洞	中闸室后方形断面变至城门形断面	20.3×19.7渐变为19.3×19.2	Ⅱ、Ⅲ及Ⅳ、Ⅴ	0.15挂钢筋网Φ8@0.2	张拉锚杆Φ32，L=6m、8m，相间排列，间、排距1.25m；L=5m、7m，相间排列，间、排距1.5m
	城门形断面变至圆形断面	19.3×19.2渐变为D=17.2	Ⅱ、Ⅲ及Ⅳ、Ⅴ	0.15挂钢筋网Φ8@0.2	张拉锚杆Φ32，L=5m、7m，相间排列，间、排距1.25m
	中闸室后圆洞段	D=16.3	Ⅱ、Ⅲ	0.1挂钢筋网Φ8@0.2	张拉锚杆Φ25，L=5m，排距1.3m，间距1.5m
	中闸室后断层段及洞顶岩石覆盖较薄段	D=17.2	Ⅳ、Ⅴ	0.15挂钢筋网Φ8@0.2	张拉锚杆Φ32，L=5m、7m，相间排列，间、排距1.25m，必要时增加钢桁架支撑
	1号洞出口渐变段	D=16.8渐变为14.3×16.6	Ⅱ、Ⅲ	0.15挂钢筋网Φ8@0.2	张拉锚杆Φ25，L=5m、7m，相间排列，间、排距1.25m
	2号洞出口渐变段	D=16.8渐变为16.8×14.7	Ⅱ、Ⅲ	0.15挂钢筋网Φ8@0.2	张拉锚杆Φ25，L=5m，间、排距1.25m
	3号洞出口渐变段	D=18.8渐变为18.8×16.7	Ⅳ、Ⅴ	0.15挂钢筋网Φ8@0.2	张拉锚杆Φ32，L=5m、7m，相间排列，间、排距1.25m，并在高程170m平台至洞顶增设超前预锚，采用Φ32砂浆锚杆，间、排距1.2m
六条发电洞	上平段前50m	D=9.6	Ⅱ、Ⅲ及Ⅳ、Ⅴ	0.1	张拉锚杆Φ25，L=4m，间、排距1.25m
	上平段、斜段及下平段	D=9.6	Ⅱ、Ⅲ	0.1局部挂钢筋网Φ6@0.2	张拉锚杆Φ25，L=4m，间、排距1.5m
	进厂锥管段	D=9.6	Ⅱ、Ⅲ	0.1	张拉锚杆Φ32，L=7m，间、排距1.25m

注：表中围岩类别按水利水电围岩分类，L为锚杆长度，@为间距，单位为m。

表 15-4-2　张拉锚杆设计抗拔力

钢号	锚杆直径(mm)	设计抗拔力(kN)
Ⅱ号钢	32	150
	28	120
	25	100
	22	80
	18	50

重的工期延误、合同纠纷及巨额赶工费用等问题。这些塌方均已在赶工时作了处理(塌方原因及处理,另见有关施工监理报告)。

需要说明的是,洞群开挖期间,经监理单位批准,将某些洞段的系统张拉锚杆改成系统砂浆锚杆;在 2 号、3 号导流洞进口洞顶各增加了 8 根 1 000kN 级上下斜向对穿预应力锚索,1 号明流洞进口洞顶增设了 6 根 1 000kN 级预应力锚索;各类洞内锚杆施工时采用的型式较多,但多为早强水泥药卷锚杆,同时还在个别洞段安设了管式注浆锚杆(又称冲击式)、悬吊锚杆和对穿锚杆。其中,管式注浆锚杆制造简单,较为经济,便于施工,多用于断层及其影响带等不良地质段,与迈氏锚杆相比,它更适用于小浪底工程地质条件,且效果良好。另外,在塔群基础下方的 2 号、3 号导流洞洞顶岩体设计厚度约 11 m,由于施工超挖实际厚度不足 10m,仅为开挖跨度的一半,为不影响塔群施工,每洞均加设了直径 32mm、长 13m、排距 3m、孔距 2.5m 即共 4 排、32 根对穿锚杆。同时在两洞进口段 80m 和 58m 长的洞段顶部 30m 范围内,采用斜孔(与水平夹角 60°)自重灌浆插入 Φ32mm 锚杆进行加固,两侧边墙及洞脸也加设张拉锚杆并挂网喷混凝土。

第五节　洞群原型观测

一、洞群原型观测设计

为确保枢纽左岸洞群围岩及山体稳定,除运用喷锚支护等技术外,设计上又针对其地下水位与库水位间的时效、地下水位沿程变化与洞周外水压力分布、灌浆帷幕与排水幕效果等问题,采取了包括山体台阵、山体整体外部变形监测在内的多种原型观测和监测措施,其中在 3 条孔板洞、1 号明流洞、3 号排沙洞和 1 号、5 号发电洞沿线重点选择了有代表性的 16 个断面,设置 46 套 4 点式多点位移计,埋深分别为 20m、15m(1 号明流洞埋管段为 20m)、11m 和 10m,埋深均为 1 倍洞径以上,同时还在 3 条孔板洞的第三级孔板环内,各设一支振动观测仪。此外,施工承包商出于开挖需要,根据具体地质情况,伺机安设了各种临时观测仪器和设备,以监测施工期洞室围岩位移过程,分析判断围岩稳定性,并指导改进开挖程序、支护参数和施工工艺。

二、洞群施工期围岩位移观测成果与隧洞开挖试验监测成果分析对比

由于观测资料的采集分析整理工作均由其他单位承担,成果尚不全、不系统,这里只能将施工期隧洞围岩位移的部分观测成果列出,以与隧洞开挖试验监测成果对比分析。

由表 15-5-1 ~ 表 15-5-4 所示的各类洞围岩位移、位移速率得知:①除 2 号孔板洞的 BX42-1 位移计的 1m 处测点可能因外界影响测值不稳定外,其余各点测值平稳,位移速率均为零,表明 3 条孔板洞所测断面的围岩稳定;②1 号明流洞各测点测值平稳,位移速率为零,所测断面的围岩稳定;③3 号排沙洞 BX6-4 位移计测得 1998 年 12 月至 1999 年 5 月的孔口位移增量为 1.0mm,主要发生在位移计孔口至 1.0m 深处测点之间,可能为混凝土温度变形,但至 1999 年 5 月的位移速率仅 0.01mm/d;其余位移计的孔口位移量均不

表 15-5-1 孔板洞位移计孔口位移 δ(mm)及位移速率 v(mm/d)

洞名	断面桩号	部位	位移计编号	1997 年(12 月)		1998 年(12 月)		1999 年(至 5 月)	
				δ	v	δ	v	δ	v
1 号孔板洞	0 + 226	洞顶	BX41-1			1.75	− 0.05	2.05	0
		左侧	BX41-2	0	0	1.05	0	1.20	0
		右侧	BX41-3	2.40	0	2.55	0	2.60	0
	0 + 398	右侧	BX41-6			2.25	0	2.30	0
2 号孔板洞	0 + 208	洞顶	BX42-1			0.15	0	0.15	0
		左侧	BX42-2	0	0	0.20	0	0.25	0
		右侧	BX42-3	0	0	0.40	0	0.45	0
	0 + 809	洞顶	BX42-4	7.0	0	7.65	0.01	7.65	0
		左侧	BX42-5			7.95	0	7.85	0
3 号孔板洞	0 + 208	左侧	BX43-2	0.10	0	0.35	0	0.30	0

表 15-5-2 明流洞位移计孔口位移 δ(mm)及位移速率 v(mm/d)

洞名	断面桩号	部位	位移计编号	1997 年(12 月)		1998 年(12 月)		1999 年(至 5 月)	
				δ	v	δ	v	δ	v
1 号明流洞	0 + 180	洞顶	BX5-1	1	0	1.05	0	1.40	0
		右侧	BX5-3			− 0.20	0	− 0.20	0
	0 + 396	洞顶	BX5-4	0.60	0	0.60	0	0.65	0
		左侧	BX5-5	1.5	0.01	2.85	0	2.80	0
		右侧	BX5-6			0.50	0	0.55	0
	0 + 514	洞底	BX5-7			− 4.00	0	—	—

表 15-5-3 排沙洞位移计孔口位移 δ(mm)及位移速率 v(mm/d)

洞名	断面桩号	部位	位移计编号	1997 年(12 月)		1998 年(12 月)		1999 年(至 5 月)	
				δ	v	δ	v	δ	v
3 号排沙洞	0 + 214	洞顶	BX6-1	0.45	0	1.70	0.01	1.75	0
		左侧	BX6-2	0.10	0	0.60	0	0.65	0
		右侧	BX6-3	− 0.10	0	0.60	0	0.85	0
	0 + 894	洞顶	BX6-4	− 0.05	0	0.25	0	1.25	0.01
		左侧	BX6-5	− 0.01	0	0.25	0	0.45	0
		右侧	BX6-6	0.05	0	0.40	0	0.35	0

表 15-5-4　发电洞位移计孔口位移 δ(mm)及位移速率 v(mm/d)

洞名	断面桩号	部位	位移计编号	1997 年(12 月)		1999 年(至 5 月)	
				δ	v	δ	v
1 号发电洞	0 + 210	洞顶	BX9-1	0.01	0	0.04	0
		右侧	BX9-3	0.46	0	0.65	0
	0 + 310	洞顶	BX9-4	− 0.11	0	0.56	0
		左侧	BX9-5	− 0.51	0	− 0.47	0
		右侧	BX9-6	− 0.04	0	0.09	0
	0 + 415	洞顶	BX9-7	0.92	0	0.92	0
		左侧	BX9-8	1.01	0	1.13	0
		右侧	BX9-9	0.31	0	0.68	0
5 号发电洞	0 + 130	洞顶	BX9-21	1.24	0	1.36	0
		右侧	BX9-23	0.53	0	0.60	0
	0 + 210	洞顶	BX9-24	0.37	0	0.69	0
		左侧	BX9-25	0.27	0.01	1.13	0
		右侧	BX9-26	0.12	0	0.46	0
	0 + 330	洞顶	BX9-27	1.22	0	1.34	0
		左侧	BX9-28	1.02	0	1.06	0
		右侧	BX9-29	0.06	0	0.06	0

大于 1.75mm,且位移速率为零,据此认为 3 号排沙洞所测各断面的围岩稳定;④对于发电洞,除 BX9-2、BX9-22 位移计的测值紊乱不可信未予列出外,其余各测点的测值均平稳,说明所测断面围岩稳定。

在隧洞开挖阶段,临时观测所得围岩位移变化过程多呈现近似台阶状变化特点,当受爆破等外界因素影响时,有突增趋势,而施加喷锚等支护措施后,围岩多逐步趋于稳定,这说明爆破影响等因素不可忽视,且支护措施作用明显;在导流洞上部中导洞生产性开挖试验及其上半圆扩挖监测过程中,小浪底隧洞施工期围岩允许变形控制标准为:对于开挖跨度 $B = 10 \sim 20$m、岩石单轴抗压强度 $R_b \geqslant 15$MPa、埋深 50 ~ 100m 的Ⅲ类围岩允许变形值为 24 ~ 40mm;而我国关于围岩变形速率的控制标准为:当收敛变形已完成总收敛值的 80% ~ 90%,变形速率小于 0.1mm/d,顶拱下沉速率小于 0.07mm/d;同时监测成果显示,Ⅳ、Ⅴ类围岩变形的时间效应明显,变形值的绝大部分由时间延长引起,且早期变形速率很高,传递变形的范围不大,大部分变形发生在洞室周围的表层,向围岩内部衰减很快,导流洞上部中导洞 8m × 8m 开挖及导流洞扩挖跨度 16.4m 的实测变形影响深度只有 10m,对于Ⅳ、Ⅴ类围岩,变形衰减更快。有些部位实测变形很大,但对洞周表层松动岩体支护后,变形则很快减小,且基本稳定。这一点对支护设计和围岩稳定是有利的,说明只要在洞周岩体一定范围内,支护措施得当,即可保持其稳定和施工顺利进行。

此外,导流洞上半圆扩挖时,洞周围岩变形监控指标为 20 ~ 30mm,日变形量为 4 ~ 5mm/d;当变形总量为 30 ~ 40mm 时,日变形速率应 ≤3mm/d;下半圆扩挖时,变形总量应 ≤20mm。即是说,一般情况下变形速率是围岩失稳的充分条件,是围岩由不动转为等速或加速蠕变的控制因素,而岩体变形总量是洞周围岩安全稳定的综合指标,是速率等其他指标所不能替代的。由此,为便于在实际开挖支护中掌握应用,又根据监测结果,具体规定时空效应控制指标如下:当距开挖面≥25m处,变形速率≥(1~1.5)mm/d,或当距开挖面<25m处,变形速率≥3mm/d时,应口头或电话通知监理工程师分析监测资料;当变形速率≥6mm/d时,应立即通知监理工程师研究采取工程措施。

但是对于导流洞来说,其岩体变形监测资料显示的量级空间分布不是均匀的,它与不同洞段地质条件存在较大差异有关,一般变形大于10mm的监测断面,基本上集中在不良地质洞段,即在F_{236}、F_{238}较大规模的断层及其影响带等部位。同时监测资料还表明,在较好地质条件下,离开挖面20m距离(为开挖跨度1~2倍)处,变形多趋于稳定,说明空间效应变为主要的,而时间效应比重反而很少,这与较大断层处时间效应比重较大情况恰好相反。对于时间效应比重较大的个别洞段,设计上均采取了补充或加强的支护措施。

施工过程表明,开挖随着规模、范围的扩大,逐步积累了经验,当采取加强监测、地质预报、控制爆破、调整开挖方式程序,并按设计要求及时支护等措施后,在相似地质条件下的明流洞、排沙洞、发电洞、电站尾水洞等工程施工中,均未再发生塌方事故。由此反证,3条导流洞的多次大小塌方不是不可避免的;在相互平行的1号明流洞和1号孔板洞的进口处,两洞间岩体设计厚度仅为8.8m(因有超挖,实际小于设计厚度),即未达到半倍开挖洞径,由于采取合理的开挖方式与程序,以及有效的及时支护等措施,并未出现围岩失稳,交叉洞段、地下中闸室和高边墙尾水洞的情况也是如此。这些特殊洞段及洞群的开挖完成,为在复杂或相对较差地质条件下设计和建造密集大型洞群以及解决其围岩稳定问题提供了十分宝贵的经验。

第六节　孔板消能对洞身结构及洞群围岩的振动效应分析

一、应用孔板洞水工模型等试验研究成果进行振动效应分析

小浪底工程采用大型压力洞内的孔板消能技术,在国内外水利水电工程史上尚属首例,无任何经验可以借鉴。因孔板洞在最高库水位275m时,最大水头近140m,相应泄量达1 600~1 700m³/s(3条洞泄量不完全相同),当水流通过洞内3道孔板环及环后消能室,经其内部强烈紊动、撞击、剪切摩擦后,可削减水头约60m。在洞内消煞如此巨大能量,势必引发洞身结构及洞周围岩振动等问题。洞身结构和洞周围岩的诱发振动,产生自水流经过孔板环消能出现的整个脉动荷载,它不仅与孔板环附近的最大点脉动幅值有关,且与脉动压力分布有关。该脉动压力作为一种随机变量,已被小浪底工程的孔板洞水工模型试验和碧口水电站的排沙洞内增设孔板环的消能试验证实具有以下特征,即无论是多级孔板环之间或是每个孔板环附近的不同断面,以致在同一断面内洞周上的不同点,脉动压力都并非同时达到最大值,同样,在各条孔板洞引起的最大点脉动压力之间也存在这种相位差异。因此,针对整体洞身结构和洞周山体的振动影响而言,相互间确有部分抵消的均化作用。即是说脉动压力在一定空间范围内,由于相位不同,产生均化作用,使作用到一定面积上的面荷载强度大大降低。但是由于此问题的复杂性,特别是当前对脉动荷载的处理,尚无比较统一的认识和较为成熟的有效方法,故给孔板洞结构及其围岩诱发振动反

应研究带来相当大的难度。为此,在整个设计过程中,进行了下述重点试验研究工作:①在建成的碧口水电站工程的排沙洞内增设孔板环进行孔板消能现场中间试验,旨在验证技术可行性及消能效果,考察洞内脉动压力及其诱发的洞身结构和围岩的振动效应;②根据小浪底孔板洞水工模型试验观测得到的脉动压力资料,进行计算分析,研究或估计水流脉动对洞身结构、孔板环及洞周围岩的不利影响程度;③在小浪底坝址左岸进行关于山体振动特性方面的现场试验研究,内容包括山体自振特性和振动传递特性,以及山体内弹性波衰减等。

综合上述试验研究成果得出如下结论:

(1)根据四大科研单位五项不同比尺的孔板洞水工模型试验结果换算的孔板洞在库水位 275m 单洞最大泄量为 1 480m³/s 时的脉动压力频率值得知,本工程中孔板消能泄洪洞产生的是大尺度脉动压力,其主要能量集中在小于 2.5Hz 的低频段,优势频率则小于 1Hz。其最大点脉动压力幅值的 2 倍标准差值约 10m 水头,大约相当于 7% 的静水头。

(2)在低频的大尺度脉动压力作用下,山体(或洞周围岩)因其自身自振频率频域较高较宽,因而其反应受频响特性的影响不大,即水流脉动压力的脉动频率与洞身结构及庞大复杂山体的自振频率并不相同,故不致产生共振或较大的动力效应。

(3)孔板消能泄洪洞所消能量,只有很小一部分能量转为洞身结构和洞周围岩振动能量,且其所产生的脉动荷载能量只局限在局部山体或洞周部分围岩,同时衰减极快,这与地震时从地壳传来的大范围地震动相比,对山体总的振动效应要小得多。

(4)有关研究提出,从影响山体稳定的振动能量的观点看,以速度响应作为标示山体振动的物理量更为合理,因为振动能量与速度有关,且同速度平方成正比。根据碧口水电站排沙洞增设孔板环进行消能试验所量测的振动速度推估小浪底孔板洞消能过程中的诱发振动,从保守的计算得知,各种不利情况下 3 条孔板洞同时泄流,在洞壁附近振动速度的 2 倍标准差值最大为 0.67cm/s(取局部振动的最大速度,未计入衰减影响,且用 4 级孔板环),若采用振动效应绝对值相加,则山体洞壁局部振动的最大速度为 1.56cm/s,也未达到 5 度地震的地面最大速度值,可见振动能量不大。

(5)据有关资料计算并分析,在孔板洞洞内所消煞的总能量中,只有不到万分之一转变为振动能量(按最高库水位 275m 孔板洞泄流偏保守估算),并以脉动荷载的形式传给洞身结构及洞周围岩(或山体),其余绝大部分均转化为热能被水流带走。

(6)根据碧口水电站排沙洞内孔板消能试验成果,并用 3 倍标准差代表最大振幅推算小浪底孔板洞内孔板环根部应力为 0.7 ~ 1.4MPa,洞壁环向应力为 0.24 ~ 0.33MPa,洞衬砌径向位移为 130 ~ 300μm。对这种量级的应力,结构设计易于解决。

二、应用孔板洞原型泄流试验研究成果进行振动效应分析

在 2000 年 4 月 25 日至 27 日进行的 1 号孔板洞原型泄流试验中,特对其过流振动特性及山体(洞周围岩)的振动效应作了专项观测分析研究。当时小浪底库水位 210.21m(平均值),1 号孔板洞工作门全开,工作门底部坎顶水头 74.65m,为其最大静水头 139.44m 的 53.54%,泄量 1 288m³/s 连续泄流近 24h。分析试验结果得出如下结论:

(1)在工作门全开连续过流时的振动量最大,其振动的最大加速度为 4.91cm/s²;在工

作门短暂的开启过程中,振动的最大加速度为 $4.35cm/s^2$。若减去本底环境振动(指山体受到多种振源影响,例如,当时发电洞泄水、发电机运行振动,灌浆洞内多台钻机钻孔灌浆影响,水泵及搅拌机运转,1 号明流洞工作闸门安装、吊车作业及汽车振动等,尽管在做该项试验时已下令将影响较大的施工暂停,但干扰仍难以全部消除),纯过流振动的最大加速度为 $1.56cm/s^2$。

(2)从洞内 1 号孔板环上 1 号测点所测数据的频谱分析看,水流引起的振动频率在 $0.5\sim1Hz$,而频谱分析显示的山体振动的卓越频率在 $8\sim12Hz$,即两个频率相差甚远,不可能产生共振或较大动力效应。这与山体振动幅值和振动量很小的结果是一致的。

(3)过流振动对洞身结构和山体(围岩)的影响标准,目前尚无规范作出规定,现可借鉴我国《水工建筑物抗震设计规范》和《中国地震烈度表·1980》作为分析判据。若将上述两种过流工况下的振动最大加速度 $4.91cm/s^2$ 和 $4.35cm/s^2$(未扣除本底环境振动影响)与《中国地震烈度表·1980》对照,它相当于 2 度地震(室内个别静止中的人感觉),仍属无感地震范畴。地震烈度表规定,地震烈度为 6 度,相应地震水平向加速度为 $45\sim89cm/s^2$,水平向速度为 $5\sim9cm/s$,而《水工建筑物抗震设计规范》规定,设计地震烈度为 6 度时,可不进行结构抗震计算,但对 1 级水工建筑物应按本规范采取适当抗震措施。此外,《中国地震烈度表·1980》指出,当发生 6 度地震时大多数房屋才出现个别砖瓦掉落、墙体微细裂缝损坏。相比之下,该试验所测山体振动最大加速度仅为 $4.91cm/s^2$(未扣除本底环境振动影响),远小于 6 度地震的振动能量,说明洞身结构及围岩(山体)是安全的。

(4)应当指出,地震是瞬间突发荷载,一般历时很短,而孔板洞泄流相对历时较长,其振动则是较长时段的持续荷载,易使洞身结构和围岩疲劳。因此,孔板洞泄流振动控制标准应低于地震控制标准。然而,值得注意的是,由于小浪底 1 号孔板洞原型泄流试验所测得的振动能量很小,即使 3 条孔板洞在 210m 库水位条件下同时泄流,振动量按照平方和的开方规律有所增加,其振动总量也不会超过现值的两倍,仅相当于 3 度地震——室内多数静止中的人感觉、门窗轻微作响,即并不对结构物构成危害。

(5)试验报告最后指出,对高库水位下孔板洞的运行应予适当关注。作者认为,此问题前一小节已经论证:在最不利工况下 3 条洞同时泄流,充其量也不会发生《中国地震烈度表·1980》中 5 度地震的振动量——室内普遍感觉,室外多数人感觉,多数人梦中惊醒,一般房屋的门、窗、屋架颤动作响,抹灰微细裂缝,平均震害指数为零,水平向加速度 $22\sim44cm/s^2$,水平向速度 $2\sim4cm/s$,同时测得的结构应力不大,即是说对坚固的洞身结构和浑厚庞大的山体围岩不造成损害。

第七节　洞群围岩及其衬砌结构稳定性评价

一、洞群施工期稳定性评价

枢纽洞群的布置、开挖顺序、围岩分类、支护型式与参数,以及有关原型观测等设计,均是根据大量地质勘测、室内外地质试验资料和现场大洞室、导流洞中导洞开挖试验监测研究,以及物理、数学模型计算分析成果,并按有关设计技术规程规范作出的,即整个洞群的设计,均建立在理论分析和科研试验基础上。

在洞群围岩整体稳定性三维边界元弹性分析和三维有限元非线性分析中,虽然把非连续介质的各向异性岩体,概化为各向同性的均质体来研究并不十分合理,而且所采用的岩体综合力学指标及计算分析成果也不可能完全反映实际情况,但这种概化分析,可使人们从宏观上大致了解在洞群内部彼此间距较近情况下,当某些隧洞开挖和衬砌后,将会对其他隧洞围岩和衬砌的变位与应力产生多大影响或引起何种变化趋势。

上述计算成果分析表明:高程大致相同的同类隧洞的变形值较为接近,说明在水平方向上,同类洞开挖相互影响较小;下层导流洞(或孔板洞)在上层12条隧洞开挖整个过程中,所发生的变形量变化不到1mm,即变化很小,证明上层隧洞开挖施工,对下层隧洞的影响不大。但是,在洞身混凝土衬砌和洞周有一层岩体进入塑性状态,这可能是与计算中未考虑结构衬砌中的钢筋及围岩中的锚杆支护作用有关,当然局部塑性区偏大与所采用的判断准则也有关。从总体上看,依照所拟洞群开挖顺序,结构中未出现太大的变形与应力值,亦未产生拉裂区,其衬砌和部分岩体中可能出现的塑性区,可由结构中的钢筋和围岩中的锚杆,以及其他工程技术措施加以解决,同时导流洞或孔板洞的中闸室顶部、边墙位移值在允许变形值范围之内。所有分析说明,洞群进口段、上游段、弯转段和孔板洞中闸室在施工期(包括运行期)的稳定安全不会有大的问题。

回顾洞群施工全过程,其开挖顺序大体与设计拟定的顺序相吻合,即从低位洞到高位洞、分期分批错开进行。各类洞的开挖方式程序与步骤有所不同,其爆破控制、结构开挖及喷锚支护等施工工艺,一般均按有关施工技术规程规范要求进行。实际采用的围岩支护型式与参数,基本上与设计图纸相符。此外,对洞群进出口洞脸、导流洞进口段顶部薄层岩体(进水塔群基础下部分)、交叉洞段、孔板洞中闸室,以及断层穿越的所有不良地质洞段等,均补充或加强了支护措施;3条导流洞多次塌方均已处理,早在1997年10月28日截流时正式运用;部分原型观测成果证实,所测关键洞室围岩基本稳定。截至2000年7月4日完成洞群工程的全部初步验收及移交工作(其中,国内承包商负责施工的灌溉洞的下游洞段、中闸室及其消力池于2001年11月初开工,拟于2002年底前后全部完工),由此宣告小浪底枢纽的主体泄水引水建筑物(洞群)具备投运条件,洞群施工期的稳定问题业已全部解决。

二、洞群运用期稳定性评价

第一,设计的围岩系统锚杆,绝大部分为系统张拉锚杆,各种支护措施多为施工期临时性支护,同时在洞身混凝土结构计算时,一般又都未计临时支护的作用,因此如果洞身混凝土结构施工质量能基本保证,那么,运用期的洞群围岩稳定和结构安全度应有一定富裕。第二,在所有压力洞段,特别是受断层及其影响带和节理密集带影响的各类洞段(包括明流洞段),均采取了固结灌浆措施;在与灌浆帷幕交叉的各类洞段,还进行了洞周环形灌浆。第三,在洞群混凝土结构设计过程中,已考虑工程运用期库水位抬高,洞群围岩受水浸泡后岩体力学指标降低的不利因素,同时依据《黄河小浪底水利枢纽工程三维渗流计算报告》提出的左岸洞群区山体内的地下水位等值线图,确定其外水位,其地下水位等值线图是在最高库水位275m、下游出口处水位141.5m条件下得出的。对于压力洞:当洞内无水时,结构设计受外水压力控制,此时外水压力折减系数按有关规范规定或已建水利工程经验取用;当工作门关门挡水(此时洞内充满水)或开门泄水时,以内水压力控制,外水压力也适当考虑折减,但两种工况下的折减系数均偏保守地选取,然后分别进行衬砌结构计算。对于明流洞:结构设计一般受外水压力控制,即取折减系数后计算外水压力;当其泄水时,则考虑最不利的内外水压力组合情况,并按有关设计技术规程规范进行各洞的结构设计和配筋。第四,在帷幕前的明流洞洞段,均未设排水孔,主要是为防止水库运用后,渗压较大的地下水引起围岩中泥化夹层等溶滤流失产生渗透变形;至于帷幕后的埋管段,上部是主坝戗体,因两种建筑重叠,安全至关重要,为此,设计时计入主坝压戗全部荷载,进行埋管结构计算。第五,在地下厂房上游的发电洞压力段,均加了钢板衬砌;帷幕后的排沙洞压力段,均设计为后张法预应力结构,同时在其穿越断层洞段的预应力衬砌外壁,增设了普通钢筋混凝土衬砌。第六,在排水帷幕或某些地下结构的排水设计中,凡遇到断层等不良地质段,均对所设的排水孔管采取反滤保护措施,以免岩体溶滤渗透变形发生。第七,前文已经述及,洞群及孔板洞中闸室围岩整体稳定性分析反映,当水库蓄水和洞群投入运用后(包括在最高库水位和地震情况下),其围岩和衬砌中的位移和应力值均比施工期有不同程度减小和改善,且局部塑性区没有明显变化,说明洞群在已较顺利安全地度过施工期之后,当运用期不利的设计工况出现时,洞群的围岩和结构也不会出现异常现象或失稳;同时,孔板洞泄洪消能产生水流脉动所诱发的洞身结构和洞群围岩或山体振动的总体效应不大,不会引起共振或较大的动力反应,且振动能量小,强度弱,衰减快,即不致对结构、山体或洞群围岩造成危害。第八,为了防止地表外水内渗和挑流产生泥雾的不利影响,又施建了洞群区地表防护、有组织排水及环境治理美化等多项辅助性工程。第九,自 1999 年 10 月 25 日水库蓄水至 2002 年 6 月底洞群工程投运已达 32 个月,并且经受了 235m 和 241m 两个较高库水位运用期的考验(包括孔板洞、排沙洞等洞的泄水运用),迄今尚未见到原型观测和监测资料关于洞群结构及洞周围岩位移、应力超标或出现异常情况的报道。

总之,对于洞群来说,围岩喷锚等措施是其一次支护,钢筋混凝土等衬砌是其二次支护,加上围岩自身的支撑作用,三者均是洞室结构的组成部分,它们联合作用,互为依托,相辅相成,共同维系着洞室群围岩的稳定和结构的安全,这种略偏保守并带有多种保护性工程措施的洞群设计实施方案,在水库蓄水运用过程中,其整体稳定与安全是有保证的。

第十六章　水库运用方式的研究与实践

　　小浪底水库是控制进入下游水沙的关键工程,是下游防洪工程体系的主体,是供水调节和汛期调水调沙的控制工程。小浪底水库运用涉及问题较多,必须经过充分的研究和实践,才能取得比较正确的认识。小浪底水库运用以来,库区和下游河道的演变特性为我们提供一些启示,为认识初期库区和下游河道演变提供依据。尤其是黄河三次调水调沙试验,是检验小浪底水库调水调沙效果的一次科学实践,直接为黄河下游防洪减淤和小浪底水库运行方式提供重要依据和参数。因此,认真分析这几年的实践,提高认识意义重大。

第一节　水库运用方式研究

一、工程开发任务及主要设计指标

　　小浪底水利枢纽工程是防治黄河下游水害、开发黄河水利的重大战略措施,其开发目标是:"以防洪、防凌、减淤为主,兼顾供水、灌溉、发电,除害兴利,综合利用"。它上距三门峡水利枢纽 128.42km,下距郑州黄河京广铁路桥 115km。坝址以上控制流域面积 69.4 万 km²,占花园口以上流域面积的 95.1%。库区基本为石山区,有少数黄土丘陵,原始河道平均比降 11‰,是一个较三门峡水库狭窄的峡谷型水库。正常高蓄水位 275m,相应泄流能力 17 559m³/s;原始总库容 128.84 亿 m³,长期有效库容 51 亿 m³;设计拦沙量约 100 亿 t。小浪底原始库容分布特点是,干流库容占总库容的 64.3%;高程 230m 以上的库容占总库容的 67.4%;距坝约 30km 库段的库容占总库容的 60.3%;八里胡同以下的 4 条大支流(畛水河、大峪河、石井河、东洋河)的库容占支流总库容的 70%;距坝 67km 以上(库段长占总库长的 48%)的库容仅占总库容的 6.8%。设计死水位 230m,相应泄流能力 8 406m³/s。

二、水库防洪运用方式研究

(一)黄河下游洪水

1. 黄河下游洪水特性

　　黄河下游洪水主要来自花园口以上的中游地区。从洪水的主要来源地区看,洪水主要来自河口镇至龙门区间(简称河龙间)、龙门至三门峡区间(简称龙三间)和三门峡至花园口区间(简称三花间)三个地区。河口镇以上的上游来水形成黄河下游洪水的基流,并随洪水统计时段的加长,上游来水所占比重相应增大。黄河下游花园口以下,只有金堤河和汶河两条较大支流汇入,但汇入黄河的水量很少。

　　河龙间的洪水过程涨落迅猛,峰高量小,含沙量很大。一次洪水历时一般为一天,连续洪水可达 3~5 天。区间发生的较大洪水,洪峰流量可达 11 000~15 000m³/s,实测区间最大为 18 500m³/s（1967 年），日平均最大含沙量可达 800～900kg/m³。本区间是黄河粗泥沙的主要来源区。龙三间由于渭河是洪水的主要来源区，且流域内植被较好，形成的洪水过程呈矮胖形，含沙量较大，且多为细泥沙，较大洪水洪峰流量为 7 000～10 000m³/s，洪水历时一般 3～7 天。三花间流域河道坡度较陡，植被好，再加上暴雨强度较大，形成的洪水峰高量大，含沙量较小，较大洪水的洪峰流量为 10 000～16 000m³/s，一次洪水过程历时一般 5 天左右，连续洪水过程历时可以持续 10 天左右。

从花园口的洪水组成分析可知，花园口的大洪水有两种类型，以三门峡以上来水为主的大洪水称为"上大洪水"，以三花区间来水为主的大洪水称为"下大洪水"，"上大洪水"与"下大洪水"不相遭遇。

2.黄河下游设计洪水

与小浪底水库防洪运用方式研究有关的中游干流主要站及区间有三门峡、花园口、三花间，各站及区间的设计洪水均经过多次的分析计算，并经水利部审查核定。各站及区间的设计洪水峰量值见表 16-1-1。

表 16-1-1　小浪底水库运用方式研究有关站及区间的天然设计洪水成果

（单位：洪峰流量，m³/s；洪量，亿 m³）

站名	集水面积（km²）	项目	频率为 P(%) 的设计值		
			0.01	0.1	1.0
三门峡	688 421	洪峰流量	52 300	40 000	27 500
		5 日洪量	104	81.5	59.1
		12 日洪量	168	136	104
		45 日洪量	360	308	251
花园口	730 036	洪峰流量	55 000	42 300	29 200
		5 日洪量	125	98.4	71.3
		12 日洪量	201	164	125
		45 日洪量	417	358	294
三花间	41 615	洪峰流量	45 000	34 600	22 700
		5 日洪量	87.0	64.7	42.8
		12 日洪量	122	91.0	61.0

按放大典型洪水的方法计算设计洪水过程。根据黄河下游洪水的来源及特性，以三门峡以上来水为主的"上大洪水"，选 1933 年 8 月洪水为典型。以三花间来水为主的"下大洪水"，选 1954 年 8 月、1958 年 7 月、1982 年 8 月洪水作为典型。对不同来源区的洪水采用不同的地区组成，对三门峡以上来水为主的"上大洪水"，地区组成为三门峡、花园口同频率，三花间相应；对三门峡至花园口区间来水为主的"下大洪水"，地区组成为三花间、花园口同频率，三门峡相应。按峰、量同频率控制放大典型洪水得到设计洪水过程线。

(二)黄河下游防洪工程现状及运用条件

目前黄河下游已建成了"上拦下排,两岸分滞"的防洪工程体系。上拦工程有三门峡、小浪底、陆浑、故县四座水库,下排工程指黄河下游两岸的河防工程,分滞洪工程有东平湖滞洪水库、北金堤滞洪区。

三门峡水库位于河南省陕县(右岸)和山西省平陆县(左岸)交界处的黄河干流上,距河南省三门峡市约 20km,坝址控制流域面积 68.8 万 km^2,是一座以防洪为主,兼顾灌溉、发电和供水的综合利用水库。水库现状防洪运用水位 335.0m,汛期限制水位 305m。

陆浑水库位于洛河支流伊河中游的河南省嵩县境内,是一座以防洪为主,结合灌溉、发电、供水和养殖的综合利用水库。现状汛期限制水位 315.5m(黄海标高),蓄洪限制水位 323m(黄海标高)。

故县水库位于黄河支流洛河中游的洛宁县境内,坝址控制流域面积 5 370km²,是一座以防洪为主,兼顾灌溉、发电、供水等综合利用水库。现状汛期限制水位 520m,蓄洪限制水位 548m。

小浪底水库位于河南省洛阳市以北 40km 处的黄河干流上。上距三门峡水利枢纽 130km,下距郑州花园口站 128km。是一座以防洪(包括防凌)减淤为主,兼顾供水、灌溉、发电的综合利用水库。水库设计正常蓄水位 275m(黄海标高),万年一遇校核洪水位 275m,千年一遇设计洪水位 274m。设计总库容 126.5 亿 m³。现状汛限水位 225m。

目前黄河下游共有各类堤防 2 290km,其中临黄大堤 1 370km,其他各类堤防 920km。临黄大堤的设计防洪任务是防御花园口 22 000m³/s。不同堤段的设防流量见表 16-1-2。

表 16-1-2 黄河下游堤防沿程设防流量 (单位:m³/s)

断面名称	花园口	柳园口	夹河滩	石头庄	高村	苏泗庄	邢庙	孙口	艾山以下
设防流量	22 000	21 700	21 500	21 200	20 000	19 400	18 200	17 500	11 000

东平湖滞洪区位于黄河由宽河道转为窄河道过渡段的黄河与汶河下游冲积平原相接的洼地上,湖区总面积 627km²,设计运用水位 44.5m,规划分蓄黄河洪水 17.5 亿 m³。

北金堤滞洪区位于黄河下游高村至陶城铺宽河段转为窄河段过渡段的左岸。规划分蓄黄河洪水 20 亿 m³。

(三)初期防洪运用阶段划分

根据小浪底水库设计阶段研究成果,结合小浪底水库运用方式研究成果及小浪底水库不同运用期库容变化特点,通过分析比较小浪底水库控制中常洪水的能力、控制中常洪水对水库使用寿命和长期有效库容的影响,在满足防洪运用方式具有一定时效性的条件下,选择小浪底水库设计运用 10 年、淤积量达 50 亿 m³、坝前淤积高程达 228~230m 之前,作为初期防洪运用的第一阶段。从水库淤积量达到 50 亿 m³ 至形成高滩深槽的正常运用期,有效库容变幅在 73 亿~51 亿 m³ 之间,特别是进入高坛深槽形成阶段,库水位变化较大,库区淤积形态有较大调整,将该阶段作为初期防洪运用的第二阶段。

(四)小浪底水库初期防洪运用第一阶段防洪运用方式研究

1. 黄河下游中常洪水控制流量分析

目前黄河下游主槽的过洪能力为 3 000m³/s 左右。由于历史的原因,黄河下游滩区居住着 181 万人,有耕地 374.6 万亩,且滩区安全设施较差。据 2003 年汛前分析,黄河下游 8 000m³/s 流量滩区相应的经济损失为 128.1 亿元。而花园口的 5 年一遇天然洪水流量为 12 800m³/s,三花间 5 年一遇天然洪水流量为 7 710m³/s,小花间 5 年一遇天然洪水流量为 6 350m³/s,均大于下游主槽的过洪能力。因此,为了减少滩区的淹没损失,在小浪底水库初期防洪运用第一阶段具有较大库容的条件下,有必要也有可能对黄河下游的中常洪水进行适当控制。

通过对小浪底水库控制中常洪水的能力、洪水来源及地区组成、下游造床流量、减小中常洪水流量对水库拦沙年限及下游减淤效果的影响、洪水管理需求等方面的分析,认为中常洪水控制流量应为 5 000 ~ 8 000m³/s。

小浪底水库在控制中常洪水的能力方面,通过比较控制不同中常洪水流量所需库容与水库 254m 水位以下库容,考虑防洪运用方式的实效性,认为中常洪水控制流量最小为 5 000m³/s,水库既具有控制能力,也可以满足相当长时间的淤沙需求。

从小花间、小陆故花间无控制区 5 年一遇流量来看,有可能控制的流量为 5 000 ~ 8 000m³/s。从汛期多年平均流量来看,黄河下游的造床流量为 5 000m³/s 左右。

从中常洪水控制流量减小对水库拦沙年限和下游河道减淤效果的影响分析,控制中常洪水流量 5 000m³/s 与 8 000m³/s 相比,水库的连续拦沙淤积年限相差不大,对下游河道的减淤效果也相差不多。而控制中常洪水流量为 5 000m³/s 以下,对水库淤积寿命和下游减淤效果影响较大。

从洪水管理的需求分析,控制中常洪水流量为 5 000m³/s,既有利于下游防洪保护区的防洪安全,也可以兼顾滩区群众的防洪安全,与小浪底库区的造床流量相协调,达到水库与下游河道的良性循环,发挥水库防洪减淤的最大效益,维持黄河的健康生命。

综合考虑水库的控制能力、洪水来源及组成、黄河下游造床流量、中常洪水控制对水库拦沙年限及下游减淤效果的影响、洪水管理需求等因素,中常洪水控制流量应为 5 000 ~ 8 000m³/s。

2.小浪底水库初期防洪运用第一阶段汛期限制水位分析

以控制中常洪水不影响大洪水防洪库容为原则,在小浪底水库初期防洪运用第一阶段,控制中常洪水流量为 5 000m³/s,需要水库的蓄洪库容最大为 20 亿 m³,相应的汛限水位为 240m;中常洪水控制流量为 6 000m³/s,需要水库的蓄洪库容为 13.89 亿 m³,相应的汛限水位为 245m。即初期防洪运用的第一阶段,控制中常洪水流量 5 000m³/s,最高汛限水位为 240m;控制中常洪水流量 6 000m³/s,最高汛限水位为 245m。

通过比较不同前期蓄水量对水库淤积的影响,认为初期防洪运用第一阶段水库的汛限水位应逐步抬高,以实现库区锥体淤积形态,达到拦沙减淤的最大效益。逐步抬高的幅度,应考虑水库淤积、下游减淤及调水调沙和兴利需求等多种因素综合确定。

3.干支流水库及分滞洪区控制运用条件及控制运用时机分析

小浪底水库首先控制中常洪水流量 5 000m³/s,中常洪水的蓄洪库容最大为 20 亿 m³。如小花间的来水流量大于中常洪水控制流量,或水库的中常洪水蓄洪库容已经蓄满,为减少东平湖分滞洪区的运用几率,小浪底水库按控制花园口 10 000m³/s 运用,其间水库的最小泄量为 1 000m³/s。

三门峡水库对"上大洪水"仍采用"先敞后控"运用方式。对"下大洪水",通过比较三门峡水库不同控制运用时机对小浪底水库防洪安全的影响,认为小浪底蓄洪水位达 263m 且有上涨趋势时,三门峡水库投入控制运用比较合适,其控制运用几率约为 200 年一遇。

东平湖滞洪区对于"下大洪水",由于无控制区的洪水上游水库无法控制,经计算,为保证黄河下游防洪安全,30 年一遇洪水就需要启用东平湖滞洪区,即东平湖滞洪区的分洪运用几率为 30 年一遇。对"上大洪水"通过比较不同分洪运用时机的分洪情况及对水库淤积的影响,认为小浪底水库蓄水位达 263m 时,东平湖滞洪区开始分洪运用时机较好,其分洪运用几率约为 200 年一遇。

陆浑、故县水库的关门运用时机为预报花园口流量达 12 000m³/s 且有上涨趋势。

4.小浪底水库初期防洪运用第一阶段防洪运用方式

通过上述对中常洪水控制流量、小浪底水库汛限水位、三门峡及小浪底水库控制运用时机、东平湖滞洪区分洪运用时机、陆浑及故县水库关门运用时机等研究,可以得出小浪底水库初期防洪运用第一个阶段干支流水库的联合防洪运用方式如下。

1)小浪底水库控制运用条件

在初期防洪运用的第一个阶段,可充分发挥小浪底水库的库容优势,灵活调节中常洪水,中常洪水的控制流量以 5 000 ~ 8 000m³/s 为宜。鉴于目前黄河下游河道主槽过洪能力较小,二级悬河形势严峻,为了防洪保护区及黄河下游滩区人民的防洪安全,应尽快恢复黄河下游河道主槽的过洪能力。

在初期防洪运用的第一个阶段,汛限水位不宜过高,中常洪水控制流量 5 000m³/s,汛限水位最高为 240m。

2)水库联合防洪运用方式

(1)小浪底水库。

预报花园口流量小于中常洪水控制流量,按入库流量泄洪;否则,小浪底水库首先按控制中常洪水运用,在不人为增加天然洪峰流量的前提下,控制花园口中常洪水流量为 5 000 ~ 8 000m³/s,中常洪水的最大蓄洪库容为 20 亿 m³。如水库的中常洪水蓄洪库容已经蓄满,或小花间的来水流量大于中常洪水控制流量,小浪底水库按控制花园口不大于 10 000m³/s 运用,水库的最小泄量为 1 000m³/s。具体如下:

对三门峡以上来水为主的"上大洪水",由于小花间来水较小,小浪底水库按照控制花园口 5 000 ~ 8 000m³/s 运用;当水库蓄洪量达到 20 亿 m³,按控制花园口不大于 10 000m³/s 运用;当库水位达到 263m(相应蓄洪量 39.2 亿 m³)后,维持库水位,若入库流量小于水库的泄流能力,按入库流量泄洪,否则按敞泄滞洪运用,此时下游东平湖配合分洪;预报花园口的超万洪量将达 20 亿 m³,小浪底恢复按控制花园口 10 000m³/s 运用。

对三花间来水为主的"下大洪水",小花间来水较大,水库按照控制花园口 5 000 ~ 8 000m³/s 流量运用过程中,蓄洪量虽未达到 20 亿 m³,小花间来水流量已达到 5 000 ~ 8 000m³/s,且有增大趋势,小浪底水库下泄最小流量 1 000m³/s;当水库蓄洪量达到 20 亿 m³ 后,开始按照控制花园口 10 000m³/s 运用;如果小花间来水流量大于等于 9 000m³/s,小浪底水库下泄最小流量 1 000m³/s。

(2)三门峡水库。

"上大洪水"按照"先敞后控"方式运用,即水库首先按敞泄滞洪方式运用,当库水位达到最高水位后,控制最高库水位,按入库流量泄洪;当预报花园口洪水流量小于 10 000 m³/s 时,按控制花园口 10 000m³/s 进行泄洪,直至泄空已蓄洪量。

"下大洪水"首先按敞泄滞洪方式运用,当小浪底水库蓄洪水位达到 263m 时,三门峡水库按照小浪底水库泄量控制泄流;预报花园口的洪水流量小于 10 000m³/s,按控制花园口 10 000m³/s 进行泄洪,直至泄空已蓄洪量。

(3)陆浑水库、故县水库。

陆浑水库、故县水库仍采用原设计的防洪运用方式。陆浑水库汛限水位 317m,蓄洪限制水位 323m。故县水库汛限水位 527.3m,蓄洪限制水位 548m。具体防洪运用方式如下:

故县水库:当入库流量小于 1 000m³/s 时,按敞泄滞洪运用;否则,控制下泄 1 000 m³/s。当五站(小浪底、龙门镇、白马寺、五龙口、山路平)预报花园口洪水流量达 12 000m³/s 且有上涨趋势时,关闭泄洪孔;当蓄水位达蓄洪限制水位时,开闸泄洪,其泄洪方式取决于入库流量大小,当入库流量小于蓄洪限制水位相应的泄洪能力时,控制库水位,按入库流量泄洪,否则按敞泄滞洪运用。直到库水位回降至蓄洪限制水位。此后,如果预报花园口洪水流量大于 10 000m³/s,控制蓄洪限制水位,按入库流量泄洪;当预报花园口洪水流量小于 10 000m³/s,按控制花园口 10 000m³/s 泄洪退水。其退水次序在陆浑水库之后。

陆浑水库:当入库流量小于 1 000m³/s 时,按敞泄滞洪运用;否则,控制下泄 1 000 m³/s。当五站(小浪底、龙门镇、白马寺、五龙口、山路平)预报花园口洪水流量达 12 000m³/s 且有上涨趋势时,关闭泄洪孔;当蓄水位达蓄洪限制水位时,开闸泄洪,其泄洪方式取决于入库流量大小,当入库流量小于蓄洪限制水位相应的泄洪能力时,控制库水位,按入库流量泄洪,否则按敞泄滞洪运用。直到库水位回降至蓄洪限制水位。此后,如果预报花园口洪水流量大于 10 000m³/s,控制蓄洪限制水位,按入库流量泄洪;当预报花园口洪水流量小于 10 000m³/s,按控制花园口 10 000m³/s 泄洪退水。

(五)小浪底水库初期防洪运用第二阶段防洪运用方式

小浪底水库淤积量达到 50 亿 m³ 后,坝前淤积滩面高程达 228~230m,即进入初期防洪运用第二阶段。该阶段有效库容为 73 亿~51 亿 m³,进入高滩深槽形成阶段,由于库水位变化较大,且来水来沙条件预测精度差,无法制定出具体的防洪运用方式,应密切关注小浪底水库的库容变化,根据当年的库容情况和预报的来水来沙条件,制定相应的防洪运用方式。初期防洪运用第二阶段应相应抬高汛限水位,增大下游中常洪水的控制流量,使得小浪底水库的汛限水位由 240m 逐步过渡到 254m,中常洪水的控制流量由 5 000m³/s 逐步过渡到 8 000m³/s,中常洪水调蓄库容由 20 亿 m³ 逐步减小至 7.9 亿 m³。

三、水库减淤运用方式研究

(一)设计阶段水库减淤运用方式研究

设计拟定的水库运用原则是在首先满足防洪、防凌和减淤要求的前提下,尽可能发挥供水、灌溉和发电的综合效益,同时要保持必需的长期有效库容。为争取较大的减淤作用,水库汛期采取逐步抬高水位调水调沙运用方式。水库运用分为四个阶段:

(1)蓄水拦沙阶段。相当于起始运行水位以下库容淤满前,运用水位在起始运行水位以上变化,水库下泄相对清水。

(2)逐步抬高主汛期运用水位阶段。主汛期 7~9 月逐步抬高运用水位,库区尽可能拦粗(粗沙 $d > 0.05$mm,下同)排细(细沙 $d < 0.025$mm,中沙 0.025mm $< d < 0.05$mm,下同),到坝前淤积面达到 245m、库区淤积量达到 78.6 亿 m^3(斜体)时,这一阶段结束。

(3)形成高滩深槽阶段。这个阶段水库的主要作用是调节出库水、沙的变化过程,同时逐步调整库区泥沙的淤积部位,使滩面逐步淤高,河槽逐渐降低,主汛期库水位有较大变化,直到坝前滩面高程达到 254m,普通洪水敞泄情况下不再漫滩淤积。在此期间,库区有冲有淤。

(4)后期调水调沙运用阶段。根据水库槽库容可以恢复的冲淤规律,在长期保持 40.5 亿 m^3 防洪库容的前提下,主汛期利用 10 亿 m^3 的槽库容长期进行调水调沙运用,使水库多年内冲淤平衡。

主汛期调水方式为:来水小于 400m^3/s,水库补水 400m^3/s 发电;来水 400~800m^3/s 时,水库按来水泄流;来水 800~2 000m^3/s 时,水库蓄水,泄流 800m^3/s;来水大于 2 000 m^3/s 时,水库全部泄放不调节;来水大于 8 000m^3/s,水库蓄水,泄流 8 000m^3/s;当蓄水量大于 3 亿 m^3 时,按 5 000m^3/s 下泄,直至预留 2 亿 m^3 蓄水量为止。

(二)工程设计完成后水库运用方式研究简况

1988 年以来,黄委会设计院、清华大学、中国水科院、武汉水利电力学院、黄委会水科院、西安理工大学等单位就小浪底水库的运用方式进行了一些新的探索研究,尤其是"八五"国家重点科技攻关项目"黄河治理与水资源开发利用"各个专题的研究成果,进一步深化了对黄河水沙条件和河道演变特点的认识,扩展了小浪底水库运用方式研究的思路。这一阶段小浪底水库运用方式的研究成果,可以大致归纳为四类:

(1)高蓄速冲运用方式。汛期蓄水位一次抬高至 254m,按发电及供水要求放水,蓄水拦沙不造峰。当库区淤积量大于 60 亿~70 亿 m^3,来水又较大时(大于 2 300m^3/s,并继续上涨),降低水位泄空冲刷,形成高含沙水流输沙过程。

(2)控蓄速冲运用方式。在控制汛期不下泄 800~2 500m^3/s 的前提下,按水库汛限水位控制蓄水;视调蓄库容的大小采取不同的控泄流量,当调蓄库容为 5 亿~10 亿 m^3,来水流量大于 2 500m^3/s,来沙系数(S/Q)小于 0.025 时,降低水位泄空冲刷,形成大流量较高含沙量或大流量持续时间较长的出库水沙过程。

(3)逐步抬高运用方式的补充研究。汛期调水运用,避免下泄 800~2 500m^3/s,最大调蓄水量 3 亿 m^3,造峰调水量 2 亿 m^3。在整个运用过程中库水位变化缓慢,对径流调节作用较小。

(4)分阶段抬高运用。水库拦沙过程中分为三个阶段:第一阶段汛期运用水位逐步抬高到 235m,坝前淤积面达到 230m 时,降低水位冲刷库区淤积,最低冲刷水位 205m,控制冲刷时间不超过 3 年,即转入逐步抬高继续拦沙运用;第二阶段控制汛期运用水位达 240m 时,又转入降水冲刷(方式同前);第三阶段汛期运用水位达 254m 时,转入降水冲刷

(方式同前),形成高滩深槽。调水运用条件与逐步抬高运用相同。

根据目前提出的多种水库运用方式的研究成果,证明小浪底工程设计预计的减淤效果是可靠的。同时也说明,通过继续深入研究,根据不断变化的实际情况(水沙和河床边界条件等的变化),逐步调整和改进运用方式,搞好水库调度运用方案,完全有可能进一步提高水库的减淤效益。

(三)水库拦沙初期运用方式研究

工程设计中按照库区淤积发展情况划分的几个不同运用阶段及其调度运用办法,需要结合各方面情况的变化,进一步深化研究。水库拦沙运用初期,为充填起始运用水位以下的死库容,不论哪种运用方式都不可避免地要经历一段相对清水下泄的时期,在此期间,关键是适当拟定库区淤积的限量,合理控制清水冲刷历时的长短和下泄流量的大小。水利部水建管[2004]439 号关于小浪底水利枢纽拦沙初期运用调度规程的批复中,同意水库泥沙淤积量达到 21 亿~22 亿 m^3 以前为拦沙初期,之后,至库区形成高滩深槽,坝前滩面高程达 254m,相应水库泥沙淤积总量 75.5 亿 m^3 的整个时期为拦沙后期。

1.水库拦沙初期运用特点及研究原则

(1)拦沙运用初期水库以异重流和浑水水库排沙为主,连续下泄相对清水,下游艾山以上河道将发生普遍冲刷,艾山以下河道主槽的淤积量也将减少或发生冲刷,滩槽高差将逐渐加大。河势将发生某些突变,应注意减轻清水冲刷的不利影响。

(2)小浪底水库运用应全面体现以防洪减淤为主,合理兼顾供水、灌溉和发电等综合利用。

考虑现状工程条件下排沙可用水量逐渐减少的趋势,特别是大于 3 000m^3/s 流量出现几率及历时减少,对下游输沙极为不利。提高小浪底水库减淤效果的关键是尽可能利用大水排沙,实行泥沙跨年度调节,争取用有限的水量多排沙入海。因此,水库在拦沙运用阶段,遇大水年份就应尽可能降低水位敞泄排沙或冲刷库区泥沙。

一般情况下,主汛期水库泄流应"两极分化",在对河南河道平面变化影响不大的前提下力争调节出对山东河道有利的水沙,具体由以下几个方面体现:

①连续泄放较大流量,减少山东河道淤积。三门峡水库 1960 年至 1964 年清水下泄资料表明,流量与历时是决定冲刷距离与冲刷量的重要因素。连续泄放 6 天以上调控上限流量,山东河道冲刷效果较好。所以,连续泄放较大流量有两个含义,一是利用天然的大流量,考虑伊洛沁河来水,适当补水凑泄艾山连续 6 天大于(包括等于,下同)调控上限流量,减少山东河道淤积;二是当水库蓄水量较大(大于等于调控库容)时,连续泄放 6 天调控上限流量,减少山东河道淤积。

小浪底水库初期相对清水下泄期间,从尽量减少山东河道淤积角度,调控上限流量考虑两种情况,一是按清水冲刷期山东河道临界冲淤条件考虑,花园口流量为 2 600m^3/s;二是按山东河道冲刷效果较好流量考虑,花园口流量为 3 700m^3/s。

②小水期水库补水,满足黄河下游的工农业用水,尽量防止下游河道断流。据分析,黄河下游花园口站来水流量 800m^3/s,可满足下游的工农业用水。因此,当黄河下游来水

流量不满足花园口站 800m³/s 时,考虑伊洛沁河来水,水库补水凑泄花园口站流量不小于 800m³/s。同时小浪底水库出库流量大于 600m³/s,满足供水发电要求。

③避免花园口出现 800m³/s 至调控上限流量的水流,减少黄河下游河道淤积。根据黄河下游冲淤规律分析,汛期进入黄河下游的流量为 800m³/s 至调控上限流量时,山东河道淤积严重。因此,水库调节应避免花园口出现 800m³/s 至调控上限流量,若出现此级流量,小浪底水库蓄水凑泄花园口流量 800m³/s,同时要满足出库流量不小于 600m³/s 的发电要求。

④汛期防洪保滩运用。黄河下游滩区现居住 179 万人,耕地 375 万亩,漫滩行洪淹没损失较大。为了减少洪灾损失,同时发挥初期水库库容较大的优势,适当控制普通洪水,减少下游漫滩行洪几率和洪灾损失。

(3)应充分考虑黄河水沙特点及水沙变化的新情况。

1986 年以来,黄河来水偏枯,来水量显著减少,汛期中水流量出现几率减少。小浪底水库有利的排沙几率将减少。水库运用方式要针对这个特点,尽可能抓住机遇,利用大水排沙。

充分利用主汛期 7~9 月水沙分布特点,合理划分调水调沙期和蓄水调节期。三门峡水库实测 1974 年 7 月至 1997 年 6 月,小浪底站汛期各时期水沙量占汛期水沙量的百分数为:7 月上旬水量占 5%,沙量占 7%;7 月中旬至 9 月上旬水量占 52%,沙量占 75%;9 月中下旬水量占 19%,沙量占 10%;10 月水量占 24%,沙量占 9%。见表 16-1-3。设计水沙系列水沙量较丰的 1978~1982 年及水量较枯的 1991~1995 年汛期不同时期水沙统计见表 16-1-4。资料表明,7 月 1 日至 10 日水沙量不大,为了满足灌溉供水,水库需要保留一定的蓄水量,不能按减淤要求调节水沙,7 月 11 日至 9 月 10 日,水沙量都较多,水库水位不宜过高,要充分利用大水输沙,9 月 11 日至 10 月有一定水量但沙量少,从水文分析洪水减少。所以,当预报来大水时,仍要利用大水输沙,但非大水时期水库蓄水量仅受防洪水位的限制,不再人为造峰。这样,在保证防洪的前提下,水库多蓄点水,不仅对库区淤积影响不大,还可多发挥水库综合利用效益。所以,每年 7 月 11 日至 9 月 30 日为防洪、减淤调度运用的主要时段,称为主汛期,7 月 1 日至 10 日纳入蓄水调节期统筹安排。

表 16-1-3　小浪底站不同时期实测平均水沙量

项目		7 月				8 月	9 月				10 月	7~10 月
		上旬	中旬	下旬	全月		上旬	中旬	下旬	全月		
水量 (亿 m³)	1974 年 7 月~ 1997 年 6 月	9.80	12.29	17.70	39.79	56.53	18.38	18.27	19.28	55.93	47.54	199.79
	占汛期%	5	6	9	20	28	9	9	10	28	24	100
沙量 (亿 t)	1974 年 7 月~ 1997 年 6 月	0.63	0.73	1.29	2.65	3.98	0.90	0.51	0.43	1.84	0.87	9.34
	占汛期%	7	8	14	28	43	10	5	5	20	9	100

表 16-1-4 设计系列小浪底入库水沙量

时 段		项目	1978～1982 年		1991～1995 年	
			水量 (亿 m³)	沙量 (亿 t)	水量 (亿 m³)	沙量 (亿 t)
7 月	7 月 1 日～7 月 10 日	总量	56	3.803	26	2.144
		占 7～10 月(%)	6.2	8.8	4.2	5.3
	7 月 11 日～7 月 31 日	总量	119	10.948	105	8.314
		占 7～10 月(%)	13.2	25.2	17.1	20.7
	7 月 1 日～7 月 31 日	总量	175	14.751	131	10.458
		占 7～10 月(%)	19.4	34.0	21.3	26.0
8 月	8 月 1 日～8 月 31 日	总量	243	15.407	219	22.733
		占 7～10 月(%)	27.0	35.5	35.6	56.6
9 月	9 月 1 日～9 月 10 日	总量	106	4.545	71	3.978
		占 7～10 月(%)	11.8	10.5	11.5	9.9
	9 月 11 日～9 月 20 日	总量	103	2.871	51	1.167
		占 7～10 月(%)	11.4	6.6	8.3	2.9
	9 月 21 日～9 月 30 日	总量	97	2.14	41	0.681
		占 7～10 月(%)	10.8	4.9	6.7	1.7
	9 月 1 日～9 月 30 日	总量	306	9.556	163	5.826
		占 7～10 月(%)	33.9	22.0	26.5	14.5
10 月	10 月 1 日～10 月 31 日	总量	177.5	3.717	101.8	1.129
		占 7～10 月(%)	19.7	8.6	16.6	2.8
7～10 月	7 月 1 日～10 月 31 日	总量	901.5	43.431	614.8	40.146
		占 7～10 月(%)	100	100	100	100

2.拦沙初期水库调控指标的确定

小浪底水库调水调沙的主要任务是满足黄河下游的防洪减淤要求,尤其要有利于山东河道的减淤。根据水库拦沙初期运用库区水流泥沙运动特性和黄河下游河道冲淤特性,小浪底水库拦沙初期调水调沙的基本特点是对主汛期来水流量进行调控,研究的关键指标是调控流量、调控库容和起始运行水位。

1)调控流量

主汛期调水方式使出库流量两极分化,出库大流量要满足下游尤其是山东河道的减淤要求,不小于调控上限流量;出库小流量要满足下游河道供水和电站运行要求,达到调控下限流量和两台机组的发电流量,水库调节应避免调控上限流量和调控下限流量之间的对山东河道淤积严重的流量级,以减少黄河下游河道的淤积。但主汛期运用调控流量大小不同,对水库淤积、综合利用效益以及黄河下游河道带来的不利影响有差异。

调控上限流量:根据上述研究,小浪底水库初期下泄相对清水期间,从减少山东河道淤积角度,调控上限流量研究两个方案,一是按清水冲刷期山东河道临界冲淤条件考虑,花园口流量为 2 600m³/s;二是按山东河道冲刷效果较好流量考虑,花园口流量为 3 700m³/s.相应于调控流量 2 600m³/s,调控库容采用 8 亿 m³;相应于调控流量 3 700m³/s,调控库容采用 13 亿 m³。两个方案的起始运行水位均为 210m。

两个调控流量方案研究表明,大于调控上限流量的水量,两者差别不大,全下游的拦沙减淤比相近,大于调控上限流量的平均流量,3 700m³/s方案稍大,因此3 700m³/s方案对山东艾山以下河道减淤作用略优。同时由于调控上限流量3 700m³/s方案运用水位相对稍高,发电效益略优。

上述分析表明,调控上限流量3 700m³/s方案的减淤作用和综合效益略优于调控上限流量2 600m³/s方案。但根据下游物理模型试验成果,调控上限流量3 700m³/s时,下游有些河段的河势会发生一些变化,如控导工程不完善的伊洛河口河段,黑岗口至苏泗庄河段,随着主流的上提下挫,局部河势会发生较明显变化,导致一些控导工程脱溜,对防洪带来不利影响。同时,考虑到20世纪80年代以来,下游河道修建的河道整治工程未经长时期中等以上洪水考验,根石较浅,3 000～5 000m³/s流量时,大溜集中处流速往往达到2.5～3.0m/s以上,工程根石常常冲失,造成险情。综合分析各方面的利弊,为稳妥起见,调控上限流量采用2 600m³/s,随着对下游河道监测资料的分析和河道整治工程的逐步加固,适时作出调整,在可能的情况下,逐步调整至3 700m³/s。

调控下限流量:汛期花园口站流量在800m³/s左右时,利津断面一般不断流,汛期平水期和非汛期下泄流量越大,对山东河道减淤越不利,特别是对艾—利河段不利。因此,从供水和减淤角度出发,当黄河下游来水流量不满足花园口站800m³/s时,考虑伊洛沁河来水,水库补水凑泄花园口站流量800m³/s,考虑花园口以上引水后,相应水库出库加黑石关、小董流量约为830m³/s。

2)调控库容

当水库的淤积体在起始运行水位以下时,汛期的调控库容是指在起始运行水位以上调节水量的最大库容;当水库的淤积体部分在起始运行水位以上时,汛期的调控库容是指起始运行水位和淤积面以上调节水量的最大库容。调控库容应满足供水要求和在来水较大条件下凑泄一定历时调控上限流量要求;当水库蓄水量达到调控库容时,应满足按调控上限流量凑泄一定历时的要求。

采用相同的起始运行水位和调控上限流量,但采用不同的调控库容,则水库在相同的来水来沙条件下调节结果和对下游的减淤效益会有差异。在调控库容研究过程中,曾对调控库容2亿m³和3亿m³的方案进行了计算分析,因调控库容偏小,不能满足使艾山以下河道有持续大流量的天数和水量,同时在起始运行水位相应库容淤满前也不能提高水库排沙比。以1991～1993年系列(91系列,下同)和1978～1980年系列(78系列,下同)为基础,比较了调控上限流量2 600m³/s、起始运行水位为210m时,5亿m³、8亿m³调控库容方案,以及设计阶段原逐步抬高调节库容3亿m³方案。

原设计逐步抬高方案,不满足目前艾利河段要求的减淤调控上限流量要求,持续大流量的天数和水量少,山东河道的减淤效果差,发电工况和效益也较差。

调控库容8亿m³和5亿m³方案比较,从水库淤积量和部位考虑,两个方案差别不大,调控库容8亿m³方案的淤积高程略高。从满足下游河道减淤和电站要求的最小流量看,8亿m³、5亿m³调控库容方案对78系列基本都能满足,对91系列,8亿m³调控库容方案优于5亿m³调控库容方案。从调水调沙的要求看,8亿m³调控库容方案可以满足调控上限流量的持续时间要求,不同系列大流量的持续时间均可达到4天以上,而5亿

m³ 方案有一定的次数不满足持续历时的要求,78 系列满足要求的天数为 85%,91 系列满足要求的天数为 80.7%。从对全下游及艾利河段的减淤效果看,8 亿 m³ 调控库容方案稍优;从下游河道断面形态变化看,两个调控库容方案差别很小;从电站发电量看,两个方案差别不大。

1986 ~ 1999 年实测水沙的调节计算表明,调控上限流量采用 2 600m³/s 时,调控库容采用 8 亿 m³ 基本可以满足调水调沙运用要求。

综上分析,调控上限流量采用 2 600m³/s 时,调控库容采用 8 亿 m³ 较合理。

3)起始运行水位

水库起始运行水位是小浪底水库拦沙初期汛期的最低运用水位。水库投入运用后,由于调水要求保持一定的库容,同时水库的淤积也在不断发展,因此实际运用水位很快就高于起始运行水位。

拟定水库初期起始运行水位考虑的主要因素包括:使水库合理拦沙和调水调沙(包括出库的水沙过程及搭配;粗、中、细沙合理淤积;干、支流淤积形态等);提高水库对下游河道的减淤效益,减少下游河道滩地坍塌和工程险情,避免下游河道大冲大淤;满足并尽可能改善发电条件,即在保证下游防洪减淤的前提下,尽可能发挥水库的综合效益。

通过计算分析可知,拦沙初期在相同的运用方案和水沙条件下,起始运行水位 205 ~ 220m 库区淤积量及淤积物组成、全下游河道和艾利河段减淤效果均差别不大,但水电站动能指标和供水量随起始运行水位的升高而表现优越。所以,在不影响防洪减淤效果的前提下,应尽可能争取发挥工程的综合效益,起始运行水位选用 205 ~ 210m。

3. 水库拦沙初期减淤运用方案

根据对水库初期拦沙和汛期调水调沙运用方案的研究,推荐采用调控流量 2 600 m³/s,调控库容 8 亿 m³,起始运用水位 210m。考虑提前两天预报入库水沙,即根据潼关、三门峡的实时水沙条件,拟定小浪底水库主汛期水沙日调节方案,具体的调节操作方法是:

(1)当潼关和三门峡平均流量小于 2 500m³/s 时,小浪底出库仅满足供水需要,即出库凑泄花园口流量为 800m³/s,同时小浪底出库流量不小于 600m³/s,满足机组调峰发电要求。

(2)当潼关、三门峡平均流量大于 2 500m³/s 且水库可调节水量大于或等于 4 亿 m³ 时(水库蓄水 4 亿 m³,可基本满足凑泄调控上限流量 2 600m³/s、历时不小于 6 天的要求),水库凑泄花园口流量大于或等于 2 600m³/s。即当入库流量加黑石关、小董流量大于或等于 2 600m³/s 时,出库流量按入库流量下泄,花园口流量不超过下游平滩流量;当入库流量加黑石关、小董流量小于 2 600m³/s 时,水库凑泄花园口流量为 2 600m³/s。水库凑泄过程中,若前一天凑不够 2 600m³/s,则不再凑泄;若凑泄 6 天后,水库可调水量大于 2 亿 m³,水库按下游平滩流量凑泄花园口断面流量,直至水库可调水量不小于 2 亿 m³。

(3)当潼关、三门峡平均流量大于 2 500m³/s 但水库可调节水量小于 4 亿 m³ 时,小浪底水库按供水发电需要进行调节,即出库凑泄花园口流量为 800m³/s,同时小浪底出库流量不小于 600m³/s,满足机组调峰发电要求。

(4)当 7 月中旬至 9 月上旬水库可调节水量达到 8 亿 m³(按调控上限流量 2 600m³/s、造峰 6 天需要的调控库容为 8 亿 m³),水库凑泄花园口流量大于或等于 2 600m³/s。即当入库流量加黑石关、小董流量大于或等于 2 600m³/s 时,出库流量按入库流量下泄,并控制花园口流量不超过下游平滩流量;当入库流量加黑石关、小董流量小于 2 600m³/s 时,水库凑泄花园口流量为 2 600m³/s,水库凑泄过程中,可调水量不小于 2 亿 m³,若凑泄 6 天后,水库可调水量大于 2 亿 m³,水库按下游平滩流量凑泄,直至水库可调水量为 2 亿 m³。

(5)当 9 月中下旬水库可调节水量达到 8 亿 m³,且入库流量加黑石关、小董流量大于或等于 2 600m³/s 时,出库流量按入库流量下泄,并控制花园口流量不超过下游平滩流量。当入库流量加黑石关、小董流量小于 2 600m³/s 时,不再造峰,水库可提前蓄水。

(6)当花园口断面流量可能超过下游平滩流量时,小浪底水库开始蓄洪调节,尽量控制下游河道不漫滩。

四、历年水利部对小浪底水库运用方案的批复意见

在初期运用方式研究的基础上,进一步研究拟定了 2000 年的水库减淤运用方案。2000 年 7 月 5 日,水利部以水总[2000]260 号文对小浪底水库 2000 年运用方案进行了批复,"会议基本同意《研究报告》推荐的运行方案,小浪底水库 2000 年主汛期按起始运行水位 205m,控制花园口上限流量 2 600m³/s,调控库容 8 亿 m³ 的方案进行控制运用。在运用中,要重视黄河下游河势和已建整治工程险情的监测与防守,灵活调度,合理调控水库泄量"。

2001 年 7 月 9 日水利部水建管[2001]278 号文关于小浪底水库 2001 年防洪及调水调沙主要运用指标的批复,"基本同意小浪底水库调水调沙按起调水位 210m,最高运用水位 220m,调控花园口断面的下限流量不大于 800m³/s,上限流量不低于 2 600m³/s 运用。原则同意小浪底水库防洪按主汛期防汛限制水位 220m,水库蓄洪限制水位 265m 运用。在预报花园口断面出现 10 000m³/s 以上洪水时,小浪底水库应即投入防洪运用"。

2002 年 6 月 21 日水利部水建管[2002]243 号文关于小浪底水库 2002 年防洪及调水调沙运用指标的批复,"原则同意 2002 年前汛期(7 月 11 日~9 月 10 日)防汛限制水位定为 225m。后汛期(9 月 11 日~10 月 23 日)防汛限制水位可综合考虑在 225m 以上适当水位灵活确定。水库蓄洪限制水位仍为 265m。同意小浪底水库 2002 年调水调沙指标,前汛期起调水位仍为 210m,后汛期视来水情况在汛限水位以下适当掌握"。

2003 年 8 月 22 日国家防汛抗旱总指挥部办公室以办库[2003]39 号文关于小浪底水库汛期运用方式的批复,"原则同意小浪底水库 2003 年 8 月 31 日前控制蓄水位不超过 240m,自 9 月 1 日开始向后汛期汛限水位 248m 过渡的运用方式"。

第二节　水库运用实践

一、水库防洪运用

根据小浪底水库初期防洪运用方式研究成果,制定了小浪底水库调度规程,该规程已经水利部和国家防总批复。

小浪底水库蓄水运用后,只有 2003 年的秋汛洪水比较大。2003 年 8 月 26 日~10 月

19日,受华西秋雨影响,渭河下游出现了1981年以来的最大洪水,渭河临潼站6次洪峰过程的最大洪峰流量为5 100m³/s,持续时间长达50余天,洪量达60亿 m³以上。渭河的6次洪水过程在黄河潼关站形成4次洪峰,最大洪峰流量4 350m³/s(2003年10月3日4时)。由于洪水来源区不同,4次洪水的最大含沙量先高后低,渭河第一次洪峰主要来自泾河上游多沙区,含沙量大,潼关站最大含沙量240kg/m³;后面3次洪水主要来自渭河咸阳以上及南山支流,含沙量较小,第二、三次洪水潼关站最大含沙量分别为37.0kg/m³、32.0kg/m³,第四次洪水的含沙量小于25kg/m³。

2003年秋汛,小浪底水库按照控制花园口2 600m³/s流量进行调水调沙运用,最高蓄水位达265.56m(10月15日),没有进行防洪运用。

二、水库防凌运用

小浪底水库投入运用以来在黄河下游河道防凌运用中起到了不可替代的巨大作用。2001年冬季,黄河下游气温较常年偏低,防凌形势严峻,在即将封河的关键时期,小浪底水库泄放较大流量,持续以500m³/s的流量向下游补水,使封河形势得到缓解,在下游出现20世纪50年代以来第4个低温年份情况下,未出现封冻现象,开创了严寒之年黄河下游不封河的先例。2002年凌汛期,在来水极枯、封河流量较小条件下,由于封冻期合理控泄,下游河道107km封河河段开河平稳。2003年济南、北镇站1月上旬平均气温为1970年以来同期最低值,黄河下游出现两次封河、开河,最大封冻长度达330.6km的严重凌情,封冻期小浪底水库控泄流量仅在120~170m³/s,实现了全线"文开河"。

2002~2003年度小浪底水库防凌运用具体调度情况:2002年12月至2003年2月,小浪底水库实际泄水12.33亿 m³,各月平均流量分别为175m³/s、144m³/s、157m³/s;利津站水量2.78亿 m³,各月平均流量分别为44m³/s、31.5m³/s、31.2m³/s。为保证引黄济津的引水流量,同时预估到河口地区可能封河,自12月8日起,小浪底水库下泄流量保持在170m³/s左右;12月27日起按150m³/s左右下泄;1月23日停止向天津送水,1月24日至2月7日小浪底水库按120m³/s控制下泄;2月8日起考虑到下游引黄灌溉,小浪底水库下泄流量在150m³/s左右。3月1日库水位达到229.28m,相应蓄量32.3亿 m³,为春季下游用水和确保不断流奠定了基础。

2003~2004年度小浪底水库防凌运用具体调度情况:凌汛前小浪底水库蓄水81.8亿 m³。为保证引黄济津的引水流量,12月份小浪底水库日均下泄流量保持在800m³/s左右。1月6日停止向天津送水,1月7日至2月29日小浪底水库按450m³/s控制下泄。2003年12月至2004年2月凌汛期间,小浪底水库实际泄水47.39亿 m³,各月平均流量分别为805m³/s、501m³/s、495m³/s;利津站水量43.55亿 m³,各月平均流量分别为775m³/s、594m³/s、275m³/s。3月1日库水位260.21m,相应蓄量78.8亿 m³,为春季下游用水和调水调沙运用储备了充足的水源。

2004~2005年度小浪底水库防凌运用具体调度情况:2004年12月至2005年2月下游凌汛期间,小浪底水库实际泄水21.06亿 m³,各月平均流量分别为312m³/s、251m³/s、247m³/s;由于小花间来水相对较多,2004年12月至2005年2月期间,花园口站水量达到了28.14亿 m³,各月平均流量分别为420m³/s、354m³/s、306m³/s,满足了引黄济津的要求,利津站水量为 19.0 亿 m³,各月平均流量分别为 214m³/s、282m³/s、236m³/s。3 月 1 日库水位 255.1m,相应蓄量 67.1 亿 m³,为春季下游用水和调水调沙运用储备了充足的水源。

三、水库减淤运用

(一)入、出库水沙情况

1.入库水沙情况

2000~2004 年,小浪底入库汛期水量为 50.43 亿~146.86 亿 m³,年水量为 120.3 亿~260.05 亿 m³;汛期沙量为 2.724 亿~7.755 亿 t,年沙量为 3.168 亿~7.755 亿 t。除 2003 年外,属严重枯水枯沙年。由表 16-2-1 看出,除 2003 年外,各年年和汛期水量仅是 1974 年以来多年平均值的 40.8%~57.4%和 32.5%~43.3%。年沙量仅是多年平均值的 37.7%~46.7%,而 2003 年水沙基本接近 1974 年以来多年平均水沙量,大于 1986 年以来多年平均水沙量。

表 16-2-1 历年小浪底入库水沙量

水文年	水量(亿 m³)			沙量(亿 t)			含沙量(kg/m³)		
	7~10 月	11~6 月	7~6 月	7~10 月	11~6 月	7~6 月	7~10 月	11~6 月	7~6 月
2000 年	67.18	80.93	148.12	3.168	0	3.168	47.15	0	21.39
2001 年	53.84	108.08	161.92	2.941	0.981	3.922	54.63	9.08	24.22
2002 年	50.43	69.87	120.30	3.494	0.005	3.499	69.29	0.07	29.09
2003 年	146.86	113.19	260.05	7.755	0	7.755	52.81	0	29.82
2004 年	66.66	102.66*	169.32	2.724	0.456*	3.180	40.86	4.44	18.78
5 年平均	76.99	94.95	171.94	4.016	0.288	4.305	52.17	3.04	25.04
多年平均(1974 年 7 月~2005 年 6 月)	155.25	139.58	294.83	8.071	0.334	8.405	51.99	2.39	28.51
多年平均(1986 年 7 月~2005 年 6 月)	105.976	123.748	229.72	6.350	0.366	6.715	59.92	2.96	29.23

注:* 数据为网上资料。

2.出库水沙情况

2000~2004 年,小浪底出库水沙量见表 16-2-2,出库汛期水量为 38.42 亿~88.01 亿 m³,年水量为 149.79 亿~269.50 亿 m³;出库汛期沙量为 0.043 亿~1.421 亿 t,年沙量为 0.043 亿~1.438 亿 t;汛期平均含沙量为 1.12~20.43kg/m³,年平均含沙量为 0.27~6.92kg/m³;水库排沙比汛期、年分别为 1.4%~52.2%和 1.4%~45.2%,见表 16-2-3。

表 16-2-2　历年小浪底出库水沙量

水文年	水量(亿 m³)			沙量(亿 t)			含沙量(kg/m³)		
	7～10 月	11～6 月	7～6 月	7～10 月	11～6 月	7～6 月	7～10 月	11～6 月	7～6 月
2000 年	38.42	123.50	161.92	0.043	0	0.043	1.12	0	0.27
2001 年	42.03	107.76	149.79	0.23	0.013	0.243	5.47	0.12	1.62
2002 年	86.87	72.48	159.35	0.727	0.04	0.767	8.37	0.55	4.81
2003 年	88.01	181.49	269.50	1.107	0	1.107	12.58	0	4.11
2004 年	69.57	138.11*	207.68	1.421	0.017*	1.438	20.43	0.12	6.92
5 年平均	64.98	124.67	189.65	0.706	0.014	0.720	10.86	0.11	3.79

注: * 数据为网上资料。

表 16-2-3　历年小浪底水库排沙比

项目	2000 年	2001 年	2002 年	2003 年	2004 年	5 年平均
汛期(%)	1.4	7.8	20.8	14.3	52.2	17.6
全年(%)	1.4	6.2	21.9	14.3	45.2	16.7

（二）水库调节运用情况

1.水库运用及库水位变化情况

2000～2005 年日平均库水位变化过程见图 16-2-1,每年水库水位大致经历了蓄水—弃水—再蓄水的循环过程。蓄水阶段为每年汛末水位开始缓慢上升,至第二年 4 月、5 月份以前,为即将到来的用水高峰蓄积水资源。到了 4 月、5 月份,为保证黄河下游工农业生产、城市生活及生态用水的需求,水库补水下泄,水位开始降低,直至 7 月初水库水位降至最低。汛期由于水沙条件变化较大,水库运用情况较复杂,水位有升有降。9 月份进入后汛期,水库开始蓄水,以便尽量多的储备有限的水资源。2003 年发生了罕见的秋汛,10 月 15 日瞬时最高水位达 265.56m。

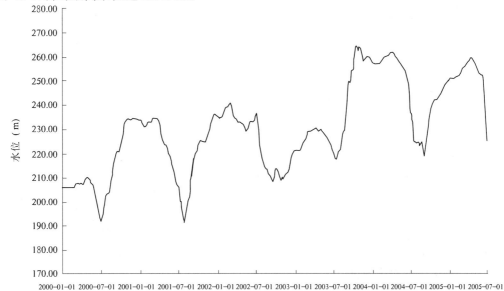

图 16-2-1　小浪底水库 2000～2005 年日平均库水位变化过程

历年小浪底水库不同时期平均、最低、最高运用水位见表 16-2-4。

表 16-2-4　小浪底水库历年特征水位　　　　　　　　（单位:m）

项目		2000年7月~2001年6月		2001年7月~2002年6月		2002年7月~2003年6月		2003年7月~2004年6月		2004年7月~2005年6月	
		7~9月	10~6月	7~9月	10~6月	7~9月	10~6月	7~9月	10~6月	7~9月	10~6月
最高	水位	224.45	234.74	223.97	240.81	236.56	230.71	254.74	265.56	236.60	259.61
	时间	9.30	11.24	9.29	3.1	7.2	4.8	9.24	10.15	7.1	4.10
最低	水位	193.33	204.33	191.44	223.91	208.24	208.81	217.92	235.65	218.63	226.17
	时间	7.6	6.30	7.26	10.1	9.15	10.20	7.13	6.30	8.30	6.30
平均水位		209.82	227.98	206.60	232.93	216.48	221.98	232.21	258.18	226.77	250.10

2. 入出库各级流量出现天数及水沙量

按日平均流量统计,小浪底水库 2000~2004 年入出库各级流量出现天数及水沙量见表 16-2-5。

表 16-2-5　2000~2004 年入出库各级流量出现天数及水沙量

时段	流量级 (m³/s)	入库各级流量出现天数及水沙量				出库各级流量出现天数及水沙量			
		出现天数 (d)	出现几率 (%)	水量 (亿 m³)	沙量 (亿 t)	出现天数 (d)	出现几率 (%)	水量 (亿 m³)	沙量 (亿 t)
1~12 月 多年平均	0~800	308.4	84.4	107.78	0.909	304.4	83.3	112.35	0.165
	800~2 000	48	13.1	43.11	1.348	48	13.1	43.86	0.250
	2 000~2 600	4	1.1	7.69	1.262	9	2.5	17.08	0.229
	2 600 以上	5	1.4	13.14	0.743	4	1.1	9.27	0.072
	合计	365.4	100	171.72	4.262	365.4	100	182.56	0.716
7 月 11 日~ 9 月 30 日 多年平均	0~800	59.2	72.2	20.13	0.716	71.4	87.1	22.15	0.149
	800~2 000	18	22.0	17.45	0.806	6.4	7.8	6.42	0.200
	2 000~2 600	2.2	2.7	4.26	0.837	3	3.7	5.48	0.222
	2 600 以上	2.6	3.2	6.49	0.354	1.2	1.5	2.83	0.007
	合计	82	100	48.32	2.714	82	100	36.88	0.579

由表 16-2-5 可以看出,2000~2004 年 5 年平均,经过小浪底水库调节,各级流量入、出库天数基本一致,但主汛期流量小于 800m³/s 的天数由 59.2 天增加为 71.4 天,800~2 600m³/s 出现天数由 20.2 天减少为 7.4 天,这对下游河道尤其对艾山以下河道减淤有利。

(三)库区泥沙淤积情况

1. 库容及库区淤积量

小浪底水库高程 275m 相应原始库容为 127.54 亿 m³(1997 年 9 月 8 日)、2005 年 4 月库容为112.74亿 m³。1997年截流至1999年下闸蓄水,库区淤积0.39亿 m³,至2005年4月淤积14.79亿 m³,其中干流淤积13.11亿 m³,支流淤积1.68亿 m³,干流淤积量占总淤积量的88.6%,2002年10月至2003年11月淤积量最多,达4.9亿 m³,见表16-2-6。

表16-2-6　小浪底水库历年库容及淤积量

施测时间 (年-月-日)	库容(亿 m³)			累计淤积量(亿 m³)		
	干流	支流	总计	干流	支流	总计
1997-09-08	74.90	52.63	127.54			
1999-09-21			127.15			0.39
2000-10-28	70.95	52.47	123.42	3.95	0.16	4.12
2001-12-08	68.39	52.02	120.41	6.51	0.61	7.13
2002-10-15	66.45	51.86	118.31	8.45	0.77	9.23
2003-11-08	61.83	51.59	113.41	13.07	1.04	14.13
2004-10-18	61.53	50.71	112.24	13.37	1.92	15.3
2005-04-28	61.79	50.95	112.74	13.11	1.68	14.79

2.库区淤积部位变化

1997年9月至2005年4月水库淤积14.79亿 m³,其中175m以下淤积4.4亿 m³,高程175m以下、175～205m、205～225m、225～245m、245～255m及255m以上淤积量分别占总淤积量的29.7%、40.1%、27.3%、3.5%、0.2%、−0.8%。由表16-2-7可知,水库淤积主要在高程225m以下,占总淤积量的69.8%;2003年水库运用水位较高,致使2002年10月15日至2003年11月8日水库淤积4.9亿 m³,占总淤积量的33.1%,淤积末端超过了110km。干流冲淤量沿程变化见图16-2-2。

表16-2-7　历年各高程间冲淤量　　　　　　　(单位:亿 m³)

时段(年-月-日)	高程(m)					
	175～205	205～225	225～245	245～255	255～265	265～275
1997-09-08～1999-09-27	−0.01	−0.02	0	0.01	−0.01	−0.03
1999-09-27～2000-10-28	0.84	0.92	0.05	0	−0.01	0
2000-10-28～2001-12-08	1.41	−0.25	−0.22	0.01	0.02	0.01
2001-12-08～2002-10-15	1.63	0.46	0.01	0	0.01	0
2002-10-15～2003-11-08	0.68	1.83	1.68	0.7	0.1	−0.03
2003-11-08～2004-10-18	1.53	1.38	−0.93	−0.67	−0.13	0
2004-11-08～2005-04-28	−0.15	−0.28	−0.07	−0.01	−0.05	0
1997-09-08～2005-04-28	5.93	4.04	0.52	0.04	−0.06	−0.06

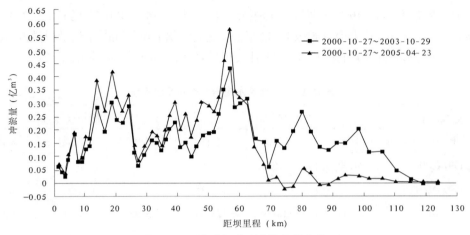

图 16-2-2 库区干流冲淤量沿程变化

3. 库区淤积形态

1) 干流淤积形态

小浪底水库蓄水位较高,由于水流对泥沙的分选作用,粗沙首先在水库回水末端附近落淤,较细泥沙潜入蓄水体形成异重流向坝前运行,因此干流淤积形态为水库回水末端附近的三角洲淤积和三角洲以下的异重流和浑水水库的淤积体。

各个时期库区淤积纵剖面形态见图 16-2-3,三角洲淤积顶点距坝里程和高程见表 16-2-8。由此可知,水库的淤积形态与水库来沙期的运用水位关系密切。2000 年 8 ~ 10 月,日平均库水位为 220.3m,最高库水位 234.38m,为 2003 年 5 月以前汛期水位最高值,因此三角洲淤积部位比较靠上,三角洲顶点距坝 69.39km,顶点高程为 225.2m;2001 年 ~ 2003 年 5 月,水库汛期运用水位相对降低,三角洲淤积的泥沙搬家,三角洲淤积顶点向下移动,三角洲坡顶高程也逐渐降低,到 2003 年 5 月,三角洲顶点位置下移至距坝 44.53km 处,顶点高程降低为 204.64m;2003 年 7 ~ 10 月,小浪底水库入库泥沙 7.755 亿 t,为 2000 年以来最高值,运用水位也为最高,平均库水位为 239.73m,10 月 15 日最高水位达 265.56m,三角洲顶点上延至距坝 72.06km,顶点高程达 244.4m,泥沙主要淤积在距坝 50 ~ 110km 范围内。

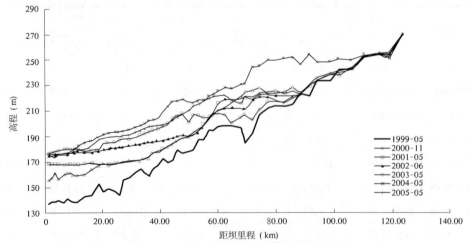

图 16-2-3 各个时期库区淤积纵剖面形态图

表 16-2-8　小浪底水库库区淤积三角洲顶点位置及高程

施测时间(年-月)	距坝里程(km)	高程(m)
2000-11	69.39	225.2
2001-05	60.13	216.6
2001-12	58.51	208.9
2002-06	60.13	210.6
2002-10	48	207.3
2003-05	44.53	204.64
2003-10	72.06	244.4
2004-05	72.06	244.86
2004-07	48	221.17
2004-10	44.53	217.71
2005-04	44.53	217.39

2)支流淤积形态

图 16-2-4 为小浪底库区最大支流畛水河的淤积纵剖面图。畛水河距坝 17.67km,由图可知,畛水河已经初步呈现倒锥体淤积形态。沟口高程比倒锥体底部高程高出 3~4m。这是由于干流异重流水沙倒灌支流,在支流沟口,水流挟沙力锐减,泥沙开始落淤,表现出在口门处泥沙淤积较厚,口门以内沿程减少的倒锥体淤积形态。

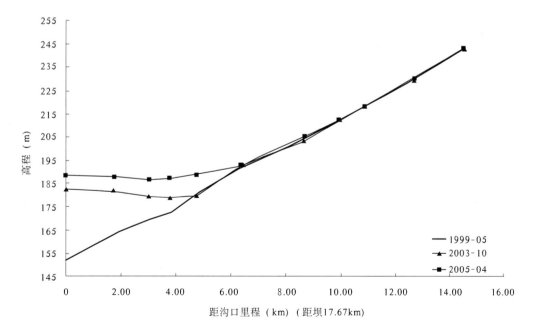

图 16-2-4　畛水河纵剖面图

图 16-2-5 为小浪底库区距坝 57.98km 支流亳清河的淤积纵剖面图。

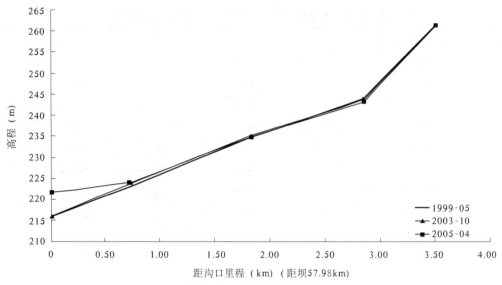

图 16-2-5　亳清河纵剖面图

4.不同粒径组泥沙排沙情况

小浪底水库历年汛期入出库分组沙统计见表 16-2-9。由表可知,2000～2004 年水库拦粗排细作用明显。①汛期出库泥沙中,细、中、粗沙所占的比例分别为 84.47%、9.24%、6.29%;②水库拦蓄了一定比例的细沙,汛期库区淤积物中细、中、粗沙所占的比例分别为36.47%、33.34%、30.19%;③汛期细、中、粗沙及全沙排沙比分别为 33.03%、5.57%、4.25%、17.55%。

表 16-2-9　小浪底水库历年汛期入出库分组沙统计

时段 (年-月)	项目	泥沙分组				各组沙占全沙百分数(%)		
		细沙	中沙	粗沙	全沙	细沙	中沙	粗沙
2000-07～2000-10	入库沙量(亿 t)	1.27	0.98	0.92	3.17	40.06	31.00	28.95
	出库沙量(亿 t)	0.04	0	0	0.04	97.67	2.33	0
	淤积量(亿 t)	1.23	0.98	0.92	3.13	39.26	31.39	29.34
	排沙比(%)	3.31	0.10	0	1.36			
2001-07～2001-10	入库沙量(亿 t)	1.38	0.73	0.83	2.94	46.89	24.89	28.22
	出库沙量(亿 t)	0.20	0.02	0.01	0.23	86.52	9.13	4.35
	淤积量(亿 t)	1.18	0.71	0.82	2.71	43.53	26.23	30.25
	排沙比(%)	14.43	2.87	1.20	7.82			
2002-07～2002-10	入库沙量(亿 t)	1.58	1.00	0.91	3.49	45.25	28.62	26.13
	出库沙量(亿 t)	0.64	0.06	0.03	0.73	87.62	8.25	4.13
	淤积量(亿 t)	0.94	0.94	0.88	2.77	34.12	33.97	31.91
	排沙比(%)	40.29	6.00	3.29	20.81			
2003-07～2003-10	入库沙量(亿 t)	3.56	2.39	1.80	7.76	45.93	30.83	23.24
	出库沙量(亿 t)	1.01	0.07	0.03	1.11	91.15	6.05	2.80
	淤积量(亿 t)	2.55	2.32	1.77	6.65	38.40	34.96	26.64
	排沙比(%)	28.33	2.80	1.72	14.27			

续表 16-2-9

时段 (年-月)	项目	泥沙分组				各组沙占全沙百分数(%)		
		细沙	中沙	粗沙	全沙	细沙	中沙	粗沙
2004-07 ~ 2004-10	入库沙量(亿t)	1.23	0.74	0.76	2.72	44.97	27.17	27.85
	出库沙量(亿t)	1.09	0.18	0.15	1.42	76.92	12.46	10.63
	淤积量(亿t)	0.13	0.56	0.61	1.31	10.29	43.15	46.56
	排沙比(%)	89.03	23.86	19.86	52.06			
历年汛期合计	入库沙量(亿t)	9.02	5.85	5.22	20.08	44.90	29.11	26.00
	出库沙量(亿t)	2.98	0.33	0.22	3.52	84.47	9.24	6.29
	淤积量(亿t)	6.04	5.52	5.00	16.56	36.47	33.34	30.19
	排沙比(%)	33.03	5.57	4.25	17.55			

5.河床淤积物中值粒径沿程变化情况

历次河床淤积物沿程变化遵循统一规律,即自坝前向上游由细变粗。距坝 40km 范围内淤积物中值粒径变化不大,为 0.003 ~ 0.01mm,见图 16-2-6。

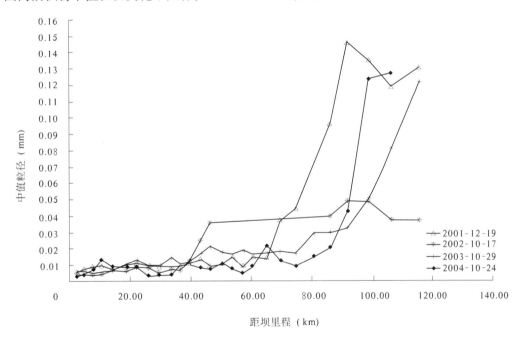

图 16-2-6　小浪底库区淤积物中值粒径沿程变化

(四)下游河道泥沙淤积情况

1.进入下游河道的水沙量

小浪底水库运用以来进入下游河道的水沙情况见表 16-2-10,多年平均汛期、非汛期、年水量分别为 81.07 亿 m³、130.2 亿 m³、211.27 亿 m³;沙量分别为 0.735 亿 t、0.013 亿 t、0.748 亿 t;含沙量分别为 9.06kg/m³、0.1kg/m³、3.54kg/m³。

小黑武(小浪底 + 黑石关 + 武陟,下同)、花园口、艾山站汛期各级流量出现天数及水沙量见表 16-2-11。2002 ~ 2004 年,花园口站流量 2 000 ~ 3 000m³/s共出现 70 天,流量大于

$3~000\mathrm{m^3/s}$只出现 2 天;进入山东河道流量大于 $3~000\mathrm{m^3/s}$ 只出现 1 天。

表 16-2-10 小浪底水库运用以来进入下游河道水沙情况(小黑武)

时段 (年-月)		水量 (亿 m³)	沙量 (亿 t)	含沙量 (kg/m³)
1999-11 ~ 2000-06		105.90	0	0
2000-07 ~ 2000-10		49.90	0.050	1.00
2000-11 ~ 2001-06		132.00	0	0
2001-07 ~ 2001-10		46.50	0.240	5.15
2001-11 ~ 2002-06		112.90	0.013	0.12
2002-07 ~ 2002-10		91.00	0.727	7.99
2002-11 ~ 2003-06		77.22	0.044	0.57
2003-07 ~ 2003-10		134.85	1.231	9.13
2003-11 ~ 2004-06		203.13	0.001	0.01
2004-07 ~ 2004-10		83.10	1.425	17.15
2004-11 ~ 2005-06		150.03	0.017	0.11
平均	汛期	81.07	0.735	9.06
	非汛期	130.20	0.013	0.10
	全年	211.27	0.748	3.54

表 16-2-11 下游主要水文站汛期各级流量出现天数及水沙量

站名	流量级(m³/s)	2000 ~ 2004 年年平均		
		天数(d)	水量(亿 m³)	沙量(亿 t)
小黑武	< 1 000	105.2	45.56	0.136
	1 000 ~ 2 000	3.6	4.72	0.050
	2 000 ~ 3 000	14.2	30.85	0.541
	> 3 000	0	0	0
花园口	< 1 000	103.8	44.46	0.216
	1 000 ~ 2 000	4.8	5.62	0.099
	2 000 ~ 3 000	14	31.13	0.499
	> 3 000	0.4	1.11	0.125
艾山	< 1 000	99	31.76	0.198
	1 000 ~ 2 000	9.4	11.79	0.105
	2 000 ~ 3 000	14.4	31.99	0.843
	> 3 000	0.2	0.53	0.044

2.下游河道冲淤情况

小浪底水库下闸蓄水运用以来(1999年10月～2005年4月),黄河下游白鹤至河口河段累计冲刷量为10.131亿t,冲刷主要集中在高村以上和艾山至利津河段,冲刷量分别占总冲刷量的75.9%和13.95%,不同时段下游河段冲淤量见表16-2-12。

表16-2-12　小浪底水库运用以来下游河道冲淤量　　　　(单位:亿t)

河段	1999-10~2000-05	2000-05~2000-10	2000-10~2001-05	2001-05~2001-10	2001-10~2002-05	2002-05~2002-10	2002-10~2003-05	2003-05~2003-10	2003-10~2004-04	2004-04~2004-07	2004-07~2004-10	2004-10~2005-04	1999-10~2005-04
白鹤—花园口	-0.973	-0.008	-0.439	-0.204	-0.201	-0.197	0.021	-1.365	-0.166	-0.198	-0.010	-0.109	-3.849
花园口—夹河滩	-0.406	-0.273	-0.396	-0.049	-0.381	-0.112	-0.260	-0.214	-0.484	0.038	-0.149	-0.033	-2.720
夹河滩—高村	0.081	-0.008	-0.164	-0.007	-0.036	-0.025	-0.074	-0.337	-0.185	-0.166	-0.042	-0.160	-1.124
高村—孙口	0.115	0.049	-0.045	0.130	-0.011	-0.248	0.078	-0.337	0.029	-0.195	0.096	-0.098	-0.436
孙口—艾山	-0.024	0.034	-0.020	0	0.016	-0.038	0.001	-0.146	-0.019	-0.029	-0.026	0.001	-0.251
艾山—利津	0.280	-0.094	0.146	-0.137	-0.018	-0.311	-0.110	-0.869	0.113	-0.385	-0.073	0.047	-1.411
白鹤—利津	-0.927	-0.301	-0.918	-0.267	-0.631	-0.931	-0.344	-3.267	-0.713	-0.936	-0.203	-0.353	-9.791
白鹤—河口	-0.846	-0.314	-0.848	-0.277	-0.675	-1.099	-0.374	-3.561	-0.651	-1.049	-0.128	-0.309	-10.131

3.下游河道断面形态调整变化

小浪底水库运用5年后,高村以上河段的断面形态调整基本以展宽和下切并举,高村以下河段以下切为主。花园口以上河床下切幅度最大,平均达1.51m,花园口至夹河滩河段展宽比较大,平均达403m,孙口至艾山河段河床下切幅度小,仅0.6m。河床下切幅度沿程表现为两头大,中间小,与河道冲淤量和水位变化一致。用河相系数$\sqrt{B/H}$的变化反映河槽横断面情况,2004年汛后与建库前相比,各河段沿程均有所减小,说明横断面趋于窄深,其中孙口以上河段减小幅度较大,见表16-2-13。

表16-2-13　1999年10月～2004年10月黄河下游各河段断面特征变化统计

河段	距离(km)	断面(个)	1999年10月河宽B(m)	2004年10月河宽B(m)	河宽变化(m)	冲淤厚度(m)	1999年10月$\sqrt{B/H}$	2004年10月$\sqrt{B/H}$
白鹤—花园口	108.87	19	1 040	1 370	330	-1.51	17.9	12.0
花园口—夹河滩	100.80	22	1 072	1 475	403	-0.79	24.5	19.8
夹河滩—高村	77.07	13	725	876	151	-1.24	15.6	10.8
高村—孙口	118.20	9	518	529	11	-0.85	12.1	8.1
孙口—艾山	63.87	17	505	498	-7	-0.60	8.8	7.1
艾山—泺口	101.84	14	446	438	-8	-0.71	6.0	4.9
泺口—利津	167.80	23	405	405	0	-0.79	6.5	5.1

4.下游河道主槽过流能力变化

同流量水位的变化是对一定时期河道冲淤变化的客观反映。统计了下游主要水文站同流量水位变化情况,见表16-2-14,表明5年下游各站流量2 000m³/s的水位降低0.13～1.49m;流量1 000m³/s的水位降低0.25～1.51m。花园口水位下降幅度最大;孙口下降幅度最小。流量2 000m³/s和1 000m³/s的水位降低值,花园口为1.49m和1.51m;孙口为0.13m和0.25m。

表 16-2-14 黄河下游主要水文站同流量水位变化

水文站	2 000m³/s			1 000m³/s		
	1999 水位 H_{99}(m)	2004 水位 H_{04}(m)	$H_{04}-H_{99}$ 水位差(m)	1999 水位 H_{99}(m)	2004 水位 H_{04}(m)	$H_{04}-H_{99}$ 水位差(m)
花园口	93.49	92.00	−1.49	93.05	91.54	−1.51
夹河滩	76.77	76.10	−0.67	76.28	75.65	−0.63
高村	63.04	62.13	−0.91	62.44	61.60	−0.84
孙口	48.07	47.94	−0.13	47.47	47.22	−0.25
艾山	40.86	40.28	−0.58	39.91	39.50	−0.41
泺口	30.24	29.60	−0.64	29.21	28.51	−0.70
利津	13.25	12.58	−0.67	12.55	11.90	−0.65

5.下游河道主槽平滩流量变化

平滩流量是反映河道排洪能力的重要指标,平滩流量越小,主槽过流能力及对河势的约束能力越低,防洪难度越大。小浪底水库运用以来,下游各河段主槽平滩流量均有不同程度的增加,铁谢至花园口河段主槽平滩流量增加最多,约 2 000m³/s;艾山至利津河段增加约800m³/s,见表 16-2-15。

表 16-2-15 小浪底水库运用以来下游河道平滩流量变化

河段	平滩流量(m³/s)		
	1999 年汛后	2003 年汛后	2004 年汛后
铁谢—花园口	3 000	4 500	5 000
花园口—高村	2 700	3 100	3 500~4 000
高村—艾山	2 400	2 600	3 200
艾山—利津	2 500	2 800	3 300

6.下游河道主槽床沙中值粒径变化

小浪底水库运用以来,下游河道经历了相对清水冲刷,各河段河床均发生了粗化。历年主槽表层床沙中值粒径变化见表 16-2-16。

表 16-2-16 黄河下游历年汛前主槽表层中值粒径变化 （单位:mm）

时间	河段				
	花园口以上	花园口—高村	高村—艾山	艾山—利津	利津以下
1999 年汛前	0.136	0.063	0.053	0.040	0.042
2000 年汛前	0.139	0.081	0.057	0.043	0.048
2001 年汛前	0.181	0.104	0.050	0.043	0.037
2002 年汛前	0.220	0.129	0.071	0.048	0.054
2003 年汛前	0.256	0.122	0.082	0.065	0.059
2004 年汛前	0.217	0.097	0.077	0.085	0.075
2005 年汛前	0.174	0.088	0.064	0.077	0.078

三、水库防断流与供水灌溉运用情况

小浪底枢纽投入运行以来,为黄河下游工农业生产、生活和生态用水提供了可靠而又难得的水源。2003 年秋汛前,小浪底水库运用历经了三年半的特枯时段,其中 2002 年 7 月至 2003 年 6 月入库水量仅 120.3 亿 m³。经小浪底水库适时调蓄,4 年来仅自 3 月上中旬到 6 月下旬乃至 7 月下旬的累计补水量为 84.5 亿 m³,年平均补水 21.1 亿 m³(供水关键期补水量基本达到了招标设计分析的年平均 21.6 亿 m³ 指标),其中 2000 年、2001 年、2002 年、2003 年分别为 11.1 亿 m³、40.2 亿 m³、19.3 亿 m³、13.9 亿 m³,由于小浪底水库在枯水期增供水量,黄河下游河道没有出现断流,结束了黄河连续 10 年断流的历史,小浪底水利枢纽已经成为确保黄河下游不断流的重要工程保障。

保障了河道外生活、生产用水和灌溉关键期用水。2000 年、2001 年、2002 年和 2003 年,黄河三门峡以下农业取水量分别为 92.09 亿 m³、85.4 亿 m³、107.57 亿 m³ 和 65.88 亿 m³,耗水量分别为 89.33 亿 m³、82.44 亿 m³、105.32 亿 m³ 和 64.60 亿 m³;黄河三门峡以下工业、城镇、农村人畜等取水量分别为 13.84 亿 m³、14.64 亿 m³、16.94 亿 m³ 和 26.18 亿 m³,实际耗水量分别为 13.06 亿 m³、、13.94 亿 m³、16.35 亿 m³ 和 24.68 亿 m³。

还在 2000～2004 年 4 次向天津应急调水,累计从位山闸引水 32.95 亿 m³,天津九宣闸收水 15.88 亿 m³,历次引黄济津水量统计见表 16-2-17。

表 16-2-17　小浪底水库运用以来引黄济津水量统计

调水年度	调水历时(d)	调水量(亿 m³)	天津收水量(亿 m³)
2000～2001 年	112	8.66	4.01
2002～2003 年	85	6.03	2.47
2003～2004 年	117	9.25	5.1
2004～2005 年	108	9.01	4.3
合计	422	32.95	15.88

四、水库发电运用情况

小浪底电站在以火电占绝对比重的河南电网中的调峰作用巨大,由于小浪底机组参与调峰,大大提高了河南电网供电质量,降低了煤炭及石油的消耗量,减少了因煤炭燃烧对环境造成的污染。2001 年底,小浪底电厂 6 台机组 AGC 系统投运成功,使得河南电网通过计算机遥控小浪底机组和小浪底电站经济运行两大目标得以实现,也使河南电网的调峰、调频性能和豫、鄂两省联络线的运行条件进一步改善,事故备用能力增强。

小浪底电厂自首台机组于 2000 年 1 月 9 日并网发电以来,发电量呈逐年提高的态势,到 2004 年底累计发电量超过 147 亿 kWh,其中 2004 年度发电量超过 50 亿 kWh,突破了小浪底水库运用前 10 年设计的平均发电量 45.99 亿 kWh。

第三节　黄河调水调沙试验

一、调水调沙试验的指导思想与目标

黄河治理开发中面临的许多重大问题的症结在于水少沙多、水沙不协调。为维持黄河健康生命,实现黄河长治久安,促进流域经济社会可持续发展,必须采取有效途径,协调黄河的水沙关系。相应的解决措施是增水、减沙与调水调沙,以塑造与黄河相适应的协调的水沙关系。

调水调沙是根据黄河来水来沙特点,在充分利用河道输沙能力的前提下,利用干、支流水库的可调节库容,对来水来沙进行合理的调节控制,适时蓄存或泄放水沙,变不协调的水沙过程为协调,达到减轻下游河道淤积甚至冲刷下游河道的目的。

长期的分析研究表明,黄河下游河道具有"泥沙多来、多排、多淤"的输沙特点。在一定的河道边界条件下,其输沙能力与来水流量的高次方(大于1次方)成正比,与来水含沙量也存在明显的正比关系。黄河虽然水沙严重不协调,但只要能找到一种合理的水沙搭配,水流就可能将所挟带的泥沙输送入海,同时又不在下游河道造成明显淤积,还可节省输沙用水量。通过对黄河下游输沙规律的研究,逐步奠定了调水调沙的理论基础。调水调沙最终要通过水库的调度运用来实现,相对于黄河来水而言,黄河中游的万家寨、三门峡等水库调节库容很小,无法单独承担调水调沙的任务。小浪底水利枢纽工程的建成运用,使得开展大规模的调水调沙成为可能。

尽管对小浪底水库的调水调沙已进行了深入研究并有大量的技术储备,但面对复杂多变的水沙条件和全新的水库群水沙联合调度、下游河道边界条件,面对黄河长治久安、与区域经济社会发展的矛盾,仍有许多问题需要通过科学试验特别是原型试验加以检验。另外,从实践中发现、认识、总结、升华的规律,也须在实践中得到检验。总之,调水调沙作为一种全新的涉及黄河中下游诸多方面的协调下游水沙关系的关键措施,在投入生产运用前通过试验加以验证总结和完善是十分必要和重要的。

试验总指导思想:通过水库联合调度、泥沙扰动和引水控制等手段,把不同来源区、不同量级、不同泥沙颗粒级配的不平衡的水沙关系塑造成协调的水沙过程,有利于下游河道减淤甚至全线冲刷,开展全程原型观测和分析研究,检验调水调沙调控指标的合理性,进一步优化水库调控指标,探索调水调沙生产运用模式,以利长期开展以防洪减淤为中心的调水调沙运用。为今后调水调沙生产运用奠定科学基础,为黄河下游防洪减淤和小浪底水库运行方式提供重要参数和依据。继而深化对黄河水沙规律的认识,探索黄河治理开发的有效途径。

试验总目标:检验、探索小浪底水库拦沙初期阶段运用方式、调水调沙调控指标;实现下游河道全线冲刷,尽快恢复下游河道主槽的过流能力;探索调整小浪底库区淤积形态、下游河道局部河段河槽形态;探索黄河干支流水库群水沙联合调度的运行方式并优化调控指标,以利长期开展以防洪减淤为中心的调水调沙运用;探索黄河水库、河道水沙运动规律。

在总的指导思想和目标下,由于每次试验的水库蓄水、来水来沙、河道边界、水资源供需、社会约束条件不同,相应每次试验的目标各有侧重。

第一次试验:寻求试验条件下黄河下游泥沙不淤积的临界流量和临界时间;使黄河下游河床在试验过程中不淤积或尽可能发生冲刷;检验河道整治成果,验证数学模型和实体模型,深化对黄河水沙规律的认识等。

第二次试验:下游河道发生冲刷或至少不发生大的淤积,尽可能多地排出小浪底水库的泥沙;进行小浪底水库运用方式探索,解决闸前防淤堵问题,确保枢纽运行安全;探讨浑水水库排沙规律以及在泥沙较细、含沙量较高情况下黄河下游河道的输沙能力。

第三次试验:实现黄河下游主河槽全线冲刷,进一步恢复下游河道主槽的过流能力;调整黄河下游两处卡口段的河槽形态,增大过洪能力;调整小浪底库区的淤积部位和形态;进一步探索研究黄河水库、河道水沙运动规律。

二、调水调沙试验模式

黄河径流主要来自四个地区,即黄河上游兰州以上地区、黄河中游河口镇至龙门区间(河龙区间)、龙门至三门峡区间(龙三区间)和三门峡至花园口区间(三花区间)。在中游干支流,建有5座大型水库,即万家寨、三门峡、小浪底、故县和陆浑水库。调水调沙就是对径流过程和5座水库的蓄水进行调度,塑造有利于黄河下游输沙和河道冲刷的水沙过程。调水调沙试验模式则是在不同来源区的水沙及水库蓄水条件下,根据不同的试验目标,采用不同的水库联合调度方式。在试验中,还采取了人工辅助措施。调水调沙试验模式是在长期进行科学研究、实体模型、数学模型模拟基础之上形成的。2002~2004年的3次调水调沙试验中,根据不同来源区水沙条件、水库蓄水情况和工程调度原则,采用了不同的模式。

(一)基于小浪底水库单库调节为主的原型试验

首次调水调沙试验的时间是2002年7月4日9时至7月15日9时。试验的前期条件是:2002年5月、6月份,黄河上中游来水较前几年同期偏丰。在基本保证黄河下游生产生活和生态用水的前提下,严格控制小浪底水库下泄流量,为调水调沙试验预留了一定的水量。至7月4日9时,小浪底水库水位236.42m,水库蓄水量43.5亿 m^3,其中225m以上蓄水14.3亿 m^3,基本具备了调水调沙试验的水量条件。根据气象水文预报,在预见期内,黄河中游地区没有明显的降雨过程,中游干流不会出现较大的洪水过程,因已进入汛期,水库蓄水必须降至汛限水位以下。

基于以上条件,黄河首次调水调沙试验采用了以小浪底水库蓄水为主、单库调度运行的试验模式。在试验中若发生中小洪水过程,且含沙量较高时,加强水库水沙观测,适时进行小浪底水库异重流排沙试验。

此种模式有较为普遍的应用意义,即当小浪底水库蓄水基本能够满足调水调沙水量要求,或者以小浪底水库蓄水为主,加上河道来水量能够满足调水调沙水量要求时,即进行调水调沙。当来水含沙量较高,在小浪底水库形成异重流并生成浑水水库时,以输沙为主;如果含沙量较低,则以冲刷下游河道为主。

(二)基于空间尺度水沙对接的原型试验

第二次调水调沙试验的时间是2003年9月6日9时至9月18日18时20分。试验的前期条件是:2003年前汛期,黄河流域降雨较少,没有出现流域性的洪水。7月30日,黄河北干流黄甫川等支流出现暴雨,在府谷水文站洪峰流量为13 000 m^3/s,洪水演进到潼关水文站,因在小北干流衰减,洪峰流量仅为 2 150m³/s,但由于此次洪水含沙量高,洪水在小浪底水库形成异重流,并在坝前产生浑水水库。8 月 25 日开始,黄河的支流渭河和伊洛河出现长历时的降雨过程,并相继出现洪水。9 月 2 日,小花区间洪水过程已经形成,渭河第一次洪水已进入小浪底水库形成异重流,并有充足的水量,而且气象水文预报还有降雨过程和洪水过程。为此,决定进行第二次调水调沙试验。为了做好这次试验,先减小了小浪底水库的下泄流量,以小花间的洪水为主先行在黄河下游探路,以确定下游河槽的过流能力。小花间洪水在花园口的洪峰流量达到 2 780m³/s,顺利通过下游。确定此次调水调沙的模式为:小浪底、故县、陆浑三库联合调度,小浪底水库排泄坝前淤积泥沙和浑水,形成高含沙水流,在花园口与经过故县、陆浑水库调控的小花间低含沙量洪水对接,以清驭浑,实现空间尺度的调水调沙。

此次试验是一次多库联合调度的调水调沙,洪水属于"上下共同来水",且各区域来水的含沙量不同,小浪底以上洪水含沙量较高,而小花区间洪水基本为清水,通过多水库的联合调度,清浑水对接,其调度理念为今后利用同时来自不同区间和不同含沙量径流进行调水调沙提供了技术模式,也为异重流和浑水水库的调度提供了新的方式。

(三)基于干流水库群水沙联合调度的原型试验

第三次调水调沙试验的时间是 2004 年 6 月 19 日 9 时至 7 月 13 日 8 时。2004 年汛前,万家寨、三门峡、小浪底水库的水位都在汛限水位以上。万家寨水库水位约为 977m,小浪底水库因上年来水较丰,水位高达 254m,汛限水位以上蓄水量共计 46.68 亿 m³,但小浪底水库蓄水位较高,在回水末端形成了淤积三角洲,占用了部分长期有效库容。同时,黄河下游在经过了两次调水调沙以后,主槽的过流能力有了一定的提高,大部分河段达到 3 000m³/s 左右,但在山东的徐码头和雷口两个河段,过流能力仅为 2 300m³/s 左右,成为卡口。为了有效利用汛限水位以上蓄水,继续提高下游的过流能力,特别是卡口河段的过流能力,冲刷小浪底水库上段不利部位的淤积泥沙,决定进行第三次调水调沙试验。此次试验模式是在卡口河段和小浪底水库上段实施人工扰沙,以充分利用水流的富余挟沙能力,通过万家寨、三门峡水库的调度,达到水流的长距离接力,在小浪底水库上段形成冲刷水流,冲刷经过人工扰动的淤积三角洲,并塑造异重流,将泥沙送至坝前并排泄出库。

第三次调水调沙试验的重点是三库的联合调度、异重流的塑造和人工扰沙。通过试验证明,在充分认识自然规律的基础上,能够有效地借用自然的力量,辅以人工干预,塑造适当的水沙过程,实现小浪底水库淤积形态的调整,利用小浪底水库长期有效库容,做到用而不占,实现人工异重流塑造,提高泥沙输送和水库排沙能力。

三、调水调沙试验成果

(一)首次调水调沙试验下游河道主槽冲刷效果

1.进入下游河道的水沙条件

2002 年 7 月 4 日至 7 月 15 日首次试验期间,小浪底水文站的水量 26.06 亿 m³,输沙量 0.319 亿 t,平均含沙量 12.2kg/m³;沁河和伊洛河同期来水 0.55 亿 m³;利津水文站水量 23.35 亿 m³,沙量 0.505 亿 t;下游最后一个观测站丁字路口站通过的水量为 22.94 亿 m³,沙量为 0.532 亿 t。

2.下游河道冲刷效果

1)冲淤量及沿程分布

调水调沙试验期间下游河道总冲刷量为0.362亿t。其中,白鹤至花园口河段冲刷量为0.131亿t,占下游河道总冲刷量的36%;花园口至夹河滩河段冲刷量0.071亿t;夹河滩至高村和高村至孙口河段由于洪水漫滩,分别淤积0.011亿t和0.071亿t;孙口至艾山、艾山至泺口、泺口至利津河段分别冲刷0.017亿t、0.09亿t和0.107亿t。艾山至利津河段冲刷效果显著,冲刷量为0.197亿t,占全下游总冲刷量的54.4%。利津至汊2冲刷0.028亿t。实现了全河段主槽冲刷的试验目标。

2)冲淤量横向分布

黄河下游河道横断面分为河槽和滩地,河槽又分为主槽和嫩滩,本次调水调沙试验期间各部分冲淤情况见表16-3-1。

表 16-3-1　首次调水调沙试验下游各河段滩槽冲淤量　　（单位:亿 t）

河段	全断面	二滩	嫩滩	主槽	河槽
白鹤—花园口	− 0.131	0.005	0.091	− 0.227	− 0.136
花园口—夹河滩	− 0.071	0	0.069	− 0.140	− 0.071
夹河滩—高村	0.011	0.039	0.197	− 0.225	− 0.028
高村—孙口	0.071	0.154	0.092	− 0.175	− 0.083
孙口—艾山	− 0.017	0.002	0.010	− 0.029	− 0.019
艾山—泺口	− 0.090	0	0.006	− 0.096	− 0.090
泺口—利津	− 0.107	0	0.003	− 0.110	− 0.107
利津—河口	− 0.028	0	0.033	− 0.061	− 0.028
白鹤—高村	− 0.191	0.044	0.357	− 0.592	− 0.235
高村—河口	− 0.171	0.156	0.143	− 0.471	− 0.328
白鹤—河口	− 0.362	0.200	0.501	− 1.063	− 0.562

首次调水调沙试验下游河道主槽冲刷效果明显,嫩滩则发生了不同程度的淤积。各河段主槽、嫩滩及河槽的冲淤厚度和宽度见表16-3-2。

夹河滩以上河段主槽冲深上大下小;夹河滩至高村由于洪水漫滩,滩槽水沙发生交换,表现为明显的槽冲滩(嫩滩)淤,滩地一部分清水在逐步归槽的同时,降低了水流含沙量,增加了冲刷能力,使得主槽冲刷厚度达0.24m;高村至孙口河段滩槽水沙交换更加剧烈,大部分漫滩水流在本河段归槽,本河段主槽相对窄深,因而冲刷最为明显,达0.26m;孙口至艾山河段主槽也发生了相应的冲刷;艾山以下冲深上大下小,也符合沿程冲刷的规律。

表 16-3-2　首次调水调沙试验下游各河段滩槽冲淤厚度和宽度　　　（单位：m）

河段	主槽		嫩滩		河槽	
	冲淤厚度	宽度	冲淤厚度	宽度	冲淤厚度	宽度
白鹤—花园口	-0.18	800	0.11	706	-0.08	1 506
花园口—夹河滩	-0.16	739	0.06	1 296	-0.04	2 035
夹河滩—高村	-0.24	806	0.18	1 358	-0.02	2 164
高村—孙口	-0.26	414	0.17	453	-0.08	867
孙口—艾山	-0.07	454	0.05	318	-0.04	771
艾山—泺口	-0.16	421	0.03	167	-0.15	588
泺口—利津	-0.12	384	0.01	181	-0.11	565
利津—汉2	-0.12	404	0.08	437	-0.04	841
白鹤—高村	-0.19	783	0.12	1 076	-0.04	1 859
高村—河口	-0.15	409	0.09	297	-0.09	706

3）含沙量沿程恢复情况

试验期间下游各站平均流量和平均含沙量见表 16-3-3。

表 16-3-3　首次调水调沙试验期间各站平均流量和平均含沙量

站名	平均流量（m³/s）	平均含沙量（kg/m³）
小浪底	2 741	12.2
小黑武	2 798	12.0
花园口	2 649	13.2
夹河滩	2 605	14.2
高村	2 377	12.7
孙口	2 056	14.1
艾山	1 984	17.8
泺口	1 906	19.0
利津	1 885	21.6
丁字路口	1 852	23.2

沿程含沙量除夹河滩至孙口河段出现波动外，整体表现出沿程增加的趋势。夹河滩至孙口河段含沙量变化与该区间洪水漫滩归槽及滩槽的冲淤纵横向分布完全对应。如前所述，夹河滩至高村河段部分漫滩水流归槽降低了水流的含沙量，使得高村站含沙量略有降低，为 12.7kg/m³；而高村至孙口河段由于大部分洪水在此河段回归主槽，且主槽相对窄深，冲刷相对剧烈，至孙口站含沙量又有所恢复，为 14.1kg/m³。

4）河道泥沙粒径变化及分组沙冲淤量

（1）悬移质泥沙粒径变化。试验期间，主槽沿程冲刷，泥沙从河床的补给占进入下游河道泥沙的比例逐步增加，使得各水文站悬移质泥沙总体呈现出沿程粗化的趋势。时段平均泥沙中值粒径 d_{50} 小浪底水文站为 0.006mm，花园口水文站为 0.008mm，高村水文站为 0.015mm，而到丁字路口水文站 d_{50} 达到 0.03mm。

悬移质泥沙粒径沿程发生变化,还可以通过不同水文站粗颗粒泥沙($d > 0.05$mm)在全沙中所占的比例的变化来反映。试验期间各水文站粗颗粒泥沙所占比例见表16-3-4。

表 16-3-4　调水调沙试验期间黄河下游各站粗泥沙占全沙重量百分数

站名	$d > 0.05$mm 的泥沙重量(万 t)	$d > 0.05$mm 的泥沙所占百分数
小浪底(二)	105.9	3.3
花园口	446.3	11.9
夹河滩	421.2	10.4
高村(四)	603.9	18.3
孙口	526.0	14.9
艾山(二)	1 139.5	26.5
泺口(三)	875.6	19.9
利津(三)	1 050.0	21.0
丁字路口	1 261.4	23.8

从表16-3-4也可看出,小浪底水文站输沙总量中,粗颗粒泥沙只占3.3%,到丁字路口水文站,占23.8%。在其他各站中,艾山水文站粗颗粒泥沙占总输沙量的比例最大,为26.5%。其主要原因是,试验期间孙口—艾山河段出现持续冲刷,且冲刷强度较其他河段剧烈,艾山断面平均河底高程最大刷深1.3m以上,大量粗颗粒泥沙被冲起来,造成悬移质颗粒发生明显粗化。

(2)河床质泥沙粒径变化。首次试验过程中除夹河滩至孙口河段水流漫滩外,其他各河段水流均没有上滩,因此着重分析主槽床沙变化。试验中,主槽沿程冲刷,床沙粗化,其表层床沙中值粒径 D_{50} 的变化情况见图 16-3-1。

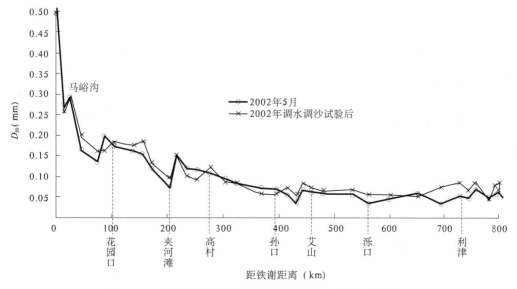

图 16-3-1　下游河道主槽表层床沙中值粒径 D_{50} 沿程变化情况

其中,艾山以下河段床沙粗化明显,中值粒径 D_{50} 平均增加 0.014mm。主要原因是试验前此段床沙相对较细之故。

(3)分组沙冲刷量。主槽分组沙冲刷量利用汛前下游各河段河床表层与 1m 深处的泥沙平均级配来计算,滩地淤积部分用试验后表层泥沙级配计算。主槽分组沙冲刷量见表 16-3-5。

表 16-3-5 调水调沙试验期间下游主槽分组沙冲刷量 (单位:亿 t)

粒径范围(mm)	花以上	花—夹	夹—高	高—孙	孙—艾	艾—利	利以下	白鹤—河口
< 0.025	− 0.003	− 0.004	− 0.008	− 0.011	− 0.005	− 0.035	− 0.011	− 0.095
0.025 ~ 0.05	− 0.005	− 0.010	− 0.016	− 0.021	− 0.008	− 0.066	− 0.017	− 0.182
> 0.05	− 0.219	− 0.126	− 0.201	− 0.143	− 0.017	− 0.106	− 0.033	− 0.787
全沙	− 0.227	− 0.140	− 0.225	− 0.175	− 0.029	− 0.206	− 0.061	− 1.063

注:花、夹、高、孙、艾、利分别指花园口、夹河滩、高村、孙口、艾山、利津。

就全下游冲刷总量而言,$d < 0.025$mm、$d = 0.025 \sim 0.05$mm、$d > 0.05$mm 泥沙的冲刷量分别为 0.095 亿 t、0.182 亿 t、0.787 亿 t,分别占总冲刷量的 9%、17%、74%。其中花园口以上河段 $d > 0.05$mm 泥沙的冲刷量为 0.219 亿 t,占本河段全沙冲刷量的 96.5%。

(二)第二次调水调沙试验下游河道主槽冲刷效果

1.进入下游河道的水沙条件

第二次试验期间,小浪底水文站的水量 18.25 亿 m³,输沙量 0.740 亿 t,平均含沙量 40.55kg/m³;沁河和伊洛河同期来水 7.66 亿 m³,来沙量 0.011 亿 t。进入下游(小黑武)的水量为 25.91 亿 m³,沙量为 0.751 亿 t,平均含沙量 29kg/m³。利津水文站水量 27.19 亿 m³,沙量 1.207 亿 t。

2.下游河道冲刷效果

1)冲淤量及沿程分布

试验期间下游河道总冲刷量 0.456 亿 t。其中,花园口以上河段、花园口至夹河滩、夹河滩至高村河段冲刷量分别为 0.105 亿 t、0.036 亿 t、0.117 亿 t;高村至孙口河段淤积 0.024 亿 t;孙口至艾山、艾山至泺口、泺口至利津河段分别冲刷 0.187 亿 t、0.002 亿 t 和 0.033 亿 t。高村以上河段和艾山至利津河段冲刷量分别为 0.258 亿 t 和 0.035 亿 t,分别占下游总冲刷量的 57% 和 8%。由于第二次试验没有发生大的漫滩,冲淤均发生在主槽内。

本次试验黄河下游平均冲刷强度 5.8 万 t/km,较 2002 年调水调沙试验(4.4 万 t/km)明显增加。其中,孙口至艾山河段冲刷强度最大,为 29.7 万 t/km,夹河滩以上沿程明显减小,艾山以下沿程增加。

下游各水文站断面,主槽平均河底冲淤变化见表 16-3-6,可以看出除艾山断面河底淤积高程升高外,其他各断面在定性上均表现降低,其中高村和孙口降低 0.3m 左右。

表 16-3-6　第二次调水调沙试验前后各站断面冲淤情况

断面名称	起始时间 （月-日 T 时:分）	结束时间 （月-日 T 时:分）	主槽宽度 (m)	主槽冲淤厚度 (m)	冲淤面积 (m²)
小浪底	09-06T10:48	09-22T15:45	329	-0.08	-26.34
花园口	09-07T07:30	09-20T17:27	533	-0.14	-75
夹河滩	09-07T10:20	09-20T17:09	558*	-0.18	-99.1
高村	09-07T16:18	09-21T18:03	475	-0.31	-146
孙口	09-08T08:42	09-22T17:03	580	-0.29	-166
艾山	09-08T09:22	09-22T17:50	410	0.28	116
泺口	09-09T17:31	09-23T08:47	251	-0.24	-59
利津	09-09T09:32	09-23T06:39	344	-0.12	-42

注： * 夹河滩断面试验后主槽展宽。

2)含沙量沿程恢复情况

第二次试验,平均含沙量沿程变化情况见图 16-3-2。可以看出,随着河道的沿程冲刷,水流平均含沙量总体呈沿程增加趋势,至利津含沙量恢复到 44.39kg/m³,含沙量增大 15.4 kg/m³。其中高村至孙口河段变化趋势出现波动,与第一次调水调沙期间沿程平均含沙量对比,主槽冲刷逐步向下游的推移已发展到了高村河段。艾山至利津河段一方面由于河槽相对窄深,另一方面由于东平湖加水,该河段含沙量恢复比较快,含沙量恢复了 6.68kg/m³。

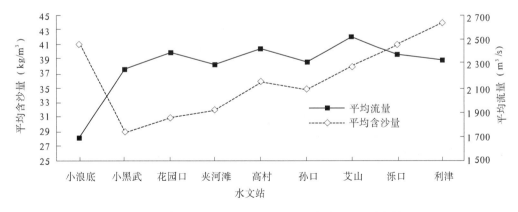

图 16-3-2　第二次调水调沙试验期间平均含沙量沿程变化情况

3)泥沙粒径变化

在第二次调水调沙试验期间,与水流含沙量总体变化趋势一致,各水文站的悬移质泥沙总体上也是沿程发生粗化。过程平均泥沙中值粒径 d_{50} 小浪底、花园口均为 0.006mm;夹河滩、高村、孙口分别为 0.007mm、0.008mm、0.009mm;艾山增加至 0.014mm,增加十分明显;泺口、利津分别为 0.013mm、0.019mm。

试验期间从小浪底站到利津站悬沙粒径是逐渐粗化的。以 $d>0.05mm$ 的粗颗粒泥沙沙量百分比为例,小浪底站占 2.4%,利津站占 24.4%,沿程增加趋势非常明显。

试验后小浪底以下各站河床质都较试验前有所粗化。悬移质泥沙粒径的变化与河床冲淤变化相对应,一般来说,河床冲刷则床沙粗化,河床淤积则床沙细化。这种情况也从另一个侧面证实在第二次试验中,黄河下游河道主槽发生了全程冲刷。

(三)第三次调水调沙试验下游河道主槽冲刷效果

1.进入下游河道的水沙条件

第三次试验期间,下游各站水沙量统计见表 16-3-7。第一阶段,小浪底水库清水下泄,小浪底水文站水量 23.01 亿 m³,伊洛河和沁河同期来水 0.24 亿 m³,小黑武水量 23.25 亿 m³,为清水;第二阶段,小浪底水库少量排沙,小浪底水文站水量 21.72 亿 m³,沙量为 0.044 亿 t,平均含沙量 2.01kg/m³,伊洛河和沁河同期来水 0.54 亿 m³,小黑武水量 22.27 亿 m³,沙量为 0.044 亿 t,平均含沙量 1.98kg/m³;中间段(两阶段之间的小流量泄放期),小浪底水文站水量 2.06 亿 m³,沙量为 0,伊洛河和沁河同期来水 0.31 亿 m³,小黑武水量共 2.38 亿 m³。

表 16-3-7　第三次调水调沙试验下游各站水沙量统计

站 名		黑石关	武陟	小浪底	小黑武	花园口	夹河滩	高村	孙口	艾山	泺口	利津
第一阶段	水量 (亿 m³)	0.15	0.09	23.01	23.25	22.48	22.04	21.66	22.51	22.93	22.67	22.99
	沙量 (亿 t)	0	0	0	0	0.087	0.137	0.176	0.229	0.278	0.278	0.366
	含沙量 (kg/m³)	0	0	0	0	3.88	6.22	8.14	10.16	12.15	12.26	15.92
第二阶段	水量 (亿 m³)	0.39	0.15	21.72	22.27	22.62	22.37	22.5	23.1	22.73	22.72	23.4
	沙量 (亿 t)	0	0.000 003	0.044	0.044	0.119	0.163	0.17	0.239	0.263	0.266	0.324
	含沙量 (kg/m³)	0	0.02	2.01	1.97	5.27	7.28	7.54	10.36	11.57	11.71	13.85
中间段	水量 (亿 m³)	0.23	0.08	2.06	2.38	2.47	2.54	2.66	2.36	2.48	1.57	1.62
	沙量 (亿 t)	0.000 1	0.000 02	0	0	0.004	0.008	0.008	0.006	0.008	0.005	0.008
	含沙量 (kg/m³)	0.43	0.2	0	0.05	1.76	3.22	2.88	2.59	3.2	3.18	4.94
全过程	水量 (亿 m³)	0.781	0.317	46.8	47.89	47.57	46.94	46.83	47.97	48.14	46.96	48.01
	沙量 (亿 t)	0.000 1	0.000 019	0.044	0.044	0.211	0.308	0.354	0.474	0.548	0.549	0.697
	含沙量 (kg/m³)	0.13	0.06	0.94	0.92	4.43	6.56	7.55	9.89	11.41	11.69	14.52

整个试验期间,小浪底水文站水量 46.80 亿 m³,沙量 0.044 亿 t,平均含沙量 0.94kg/m³。伊洛河和沁河同期来水 1.098 亿 m³,小黑武水量 47.89 亿 m³,沙量 0.044 亿 t,平均含沙量 0.92kg/m³。利津水文站过程历时 648 小时,水量为 48.01 亿 m³,沙量为 0.697 亿 t,平均含沙量 14.52kg/m³,含沙量沿程恢复 13.60kg/m³。

2.下游河道冲刷效果

1)冲刷量及沿程分布

根据实测水沙资料,考虑各河段实测引沙量,小浪底至利津河段,第一阶段冲刷 0.373 亿 t,第二阶段冲刷 0.283 亿 t,中间段冲刷 0.009 亿 t。整个调水调沙期间小浪底至利津河段共冲刷 0.665 亿 t,并实现了下游全线冲刷。

第三次调水调沙试验,小浪底至利津平均每公里冲刷 8.8 万 t。花园口以上冲刷强度最大,为 13.1 万 t/km;花园口至夹河滩、夹河滩至高村河段冲刷强度分别为 9.96 万 t/km、6.1 万 t/km,呈现沿程减小的特性;高村至孙口及孙口至艾山两河段因实施人工扰动,冲刷强度明显增大,分别为 10.4 万 t/km 和 11.6 万 t/km;艾山至泺口、泺口至利津河段冲刷强度分别为 0.1 万 t/km 和 8.93 万 t/km。

2004 年 4～7 月各河段标准水位下主槽平均河底高程变化见表 16-3-8。经过冲刷,下游各河段主槽平均河底高程均表现为不同程度的降低,降低幅度在 0.003～0.212m 之间,其中高村至孙口、艾山至泺口和泺口至利津河段主槽平均河底高程降低相对较多,分别降低了 0.117m、0.146m 和 0.212m。

表 16-3-8　2004 年 4～7 月下游河道主槽平均河底高程变化

河段	标准水位下主槽平均河底高程变化(m)
小铁 1—花园口	－ 0.02
花园口—夹河滩	－ 0.003
夹河滩—高村	－ 0.052
高村—孙口	－ 0.117
孙口—艾山	－ 0.06
艾山—泺口	－ 0.146
泺口—利津	－ 0.212
利津—河口	－ 0.105

注:"－"表示河底高程降低。

2)含沙量沿程恢复情况

第三次试验期间,下游各站含沙量过程明显分为两个阶段,存在两个沙峰。第一阶段小浪底水库清水下泄;第二阶段小浪底水库少量排沙,小浪底水文站平均含沙量 2.01kg/m³,最大含沙量 12.8kg/m³。经过河道冲刷,下游各站含沙量沿程恢复。第一阶段花园口最大含沙量 7.22kg/m³、平均含沙量 3.88kg/m³;高村最大含沙量 12.6kg/m³、平均含沙量 8.14kg/m³;利津最大含沙量 24kg/m³、平均含沙量 15.92kg/m³。利津以上河段平均含沙量恢复值为

15.92kg/m³。第二阶段,花园口最大含沙量 13.1kg/m³、平均含沙量 5.27kg/m³;高村最大含沙量 12.6kg/m³、平均含沙量 7.54kg/m³;利津最大含沙量 23.1kg/m³、平均含沙量 13.85kg/m³。利津以上河段平均含沙量恢复值为 11.84kg/m³。整个试验期间,下游利津以上河段含沙量恢复 13.60kg/m³。下游各站含沙量特征值见表 16-3-9。

表 16-3-9　调水调沙试验期间下游各站含沙量特征值 (单位:kg/m³)

站 名	第一阶段		第二阶段		中间段	全过程
	最大含沙量	平均含沙量	最大含沙量	平均含沙量	平均含沙量	平均含沙量
黑石关	0	0	0	0	0.43	0.13
武 陟	0	0	0.08	0.02	0.20	0.06
小浪底	0	0	12.80	2.01	0	0.94
小黑武	0	0	0	1.97	0.05	0.92
花园口	7.22	3.88	13.10	5.27	1.76	4.43
夹河滩	9.46	6.22	14.20	7.28	3.22	6.56
高 村	12.60	8.14	12.60	7.54	2.88	7.55
孙 口	15.80	10.16	17.80	10.36	2.59	9.88
艾 山	16.70	12.15	17.50	11.57	3.20	11.41
泺 口	15.20	12.26	16.80	11.71	3.18	11.69
利 津	24.00	15.74	23.10	13.85	4.94	14.52

3)河道泥沙粒径变化及分组沙冲淤量

(1)悬移质泥沙粒径变化。全过程悬移质平均中值粒径由小浪底站的 0.007mm 增大至花园口站的 0.042mm。花园口至高村河段,悬移质平均中值粒径有所减小,减小到 0.028mm。高村至艾山河段悬移质平均中值粒径是沿程增加的,增加到 0.036mm。艾山至利津河段,悬移质平均中值粒径沿程减小,减小到 0.031mm。整个试验期间,由于沿程冲刷,悬移质粒径粗化是十分明显的,悬移质平均中值粒径由小浪底站的 0.007mm 增加到利津站的 0.031mm。

整个调水调沙试验期间,下游各站悬移质粗泥沙($d > 0.05$mm)所占百分数沿程明显增加,由小浪底站的 4.1% 增加到利津站的 31.0%,悬移质泥沙组成粗化,见表 16-3-10。

表 16-3-10　调水调沙试验期间下游各站悬移质中粗泥沙所占百分数(%)

站 名	第一阶段	第二阶段	全过程
小浪底		4.1	4.1
花园口	44.2	40.4	42.9
夹河滩	37.3	33.3	34.4
高 村	32.8	24.4	28.5
孙 口	35.0	32.1	30.9
艾 山	40.4	38.5	37.8
泺 口	38.4	34.4	36.0
利 津	29.3	28.6	31.0

(2)河床质泥沙粒径变化。根据 2004 年 4 月和 7 月实测床沙级配资料,下游河道主槽床沙中值粒径 D_{50} 沿程变化见表 16-3-11。可以看出,调水调沙试验之后主槽床沙中值粒经 D_{50} 总体变粗。$D>0.05$mm 泥沙体积百分数增加,其中高村以上各河段床沙粗化明显,中值粒径由 $0.058\sim0.106$mm 增加到 $0.108\sim0.272$mm,$D>0.05$mm 泥沙体积百分数由 55.5%~77.6%增加到 78.0%~90.8%。

表 16-3-11　下游河道各河段主槽河床质特征值(激光法)

河　段	中值粒径 D_{50}(mm)		$D>0.05$mm 体积百分数(%)	
	2004 年 4 月	2004 年 7 月	2004 年 4 月	2004 年 7 月
花园口以上	0.163	0.272	77.6	90.8
花园口—夹河滩	0.073	0.150	63.0	91.3
夹河滩—高村	0.058	0.108	55.5	78.0
高村—孙口	0.064	0.088	66.7	78.3
孙口—艾山	0.063	0.089	61.8	78.5
艾山—泺口	0.080	0.088	80.8	82.3
泺口—利津	0.059	0.076	58.8	74.2
利津以下	0.051	0.054	51.3	55.3

(3)分组沙冲淤量。第三次调水调沙试验期间下游各河段分组沙冲淤量见表 16-3-12。整个试验期间,小浪底至利津河段,$D<0.025$mm、0.025mm$<D<0.05$mm、$D>0.05$mm 泥沙的冲刷量分别为 0.275 亿 t、0.185 亿 t、0.205 亿 t,分别占总冲刷量的 41.3%、27.8%、30.9%。

表 16-3-12　第三次调水调沙试验期间下游河道分组沙冲淤量　　(单位:亿 t)

河段	<0.025mm	0.025~0.05mm	>0.05mm	全　沙
小浪底—花园口	-0.051	-0.039	-0.078	-0.169
花园口—夹河滩	-0.047	-0.004	-0.048	-0.100
夹河滩—高村	-0.030	-0.015	-0.002	-0.047
高村—孙口	-0.032	-0.062	-0.029	-0.123
孙口—艾山	0.006	-0.021	-0.060	-0.075
艾山—泺口	-0.022	0	0.022	-0.001
泺口—利津	-0.100	-0.044	-0.006	-0.150
小浪底—利津	-0.275	-0.185	-0.205	-0.665

(四)三次调水调沙试验下游河道总冲刷效果

三次调水调沙试验进入下游河道(小浪底、黑石关、武陟)总水量为 100.41 亿 m³,总沙量为 1.114 亿 t。三次调水调沙试验实现了下游主槽全线冲刷,入海总沙量为 2.568 亿 t,下游河道共冲刷 1.483 亿 t(不包括第三次中间段的 0.009 亿 t)。

(五)下游河道行洪能力变化

黄河下游是强烈的冲积性河道,纵横断面的调整受来水来沙影响较大。经过三次试验,黄河下游各河段纵横断面的调整各有特点。套绘 2002 年 5 月和 2004 年 7 月黄河下游测验大断面,得出各河段河宽和河底平均高程变化见表 16-3-13。白鹤—官庄峪河段,主槽以冲深为主,部分断面有所展宽,平均展宽幅度为 144m,该河段平均河底高程平均下降 0.58m;官庄峪—花园口河段以展宽为主,特别是京广铁桥以上河道展宽明显,该河段平均展宽 370m,平均河底高程平均下降 0.38m;花园口—孙庄河道比较稳定,主要以冲深为主,平均冲深 0.63m;孙庄—东坝头河段,河势变化较大,以塌滩展宽为主,主槽平均展宽 248m,平均河底高程平均下降 0.44m;东坝头以下河势比较稳定,工程控制较好,主槽宽度变化不大,均以冲深为主,其中东坝头—高村、高村—孙口、孙口—艾山、艾山—泺口、泺口—利津分别冲深 1.12m、1.06m、0.62m、0.90m、1.00m。

表 16-3-13 三次调水调沙试验前后黄河下游各河段断面特征变化统计

河段	2002 年 4 月河宽(m)	2004 年 7 月河宽(m)	差值(m)	河底高程升降(m)
白鹤—官庄峪	1 049	1 193	144	− 0.58
官庄峪—花园口	1 288	1 658	370	− 0.38
花园口—孙庄	906	961	55	− 0.64
孙庄—东坝头	1 284	1 532	248	− 0.44
东坝头—高村	605	635	30	− 1.12
高村—孙口	484	458	− 26	− 1.06
孙口—艾山	521	500	− 21	− 0.62
艾山—泺口	494	486	− 8	− 0.90
泺口—利津	396	397	1	− 1.00

(六)三次调水调沙试验平滩流量变化

1. 首次调水调沙试验

根据首次试验期间各站水位流量关系,结合测流断面滩唇高程,得到各水文站断面主槽过流能力的变化见表 16-3-14。

表 16-3-14 首次调水调沙试验前后各水文站主槽过流能力变化情况

站 名	平滩水位(m)	主槽过流能力(m^3/s)			最高水位(m)
		试验前	试验后	增值	
花园口	93.75	3 400	3 700	300	93.67
夹河滩	77.41	2 900	2 900	0	77.59
高 村	63.21(前)	1 750(前)			63.76
	63.62(后)		2 800(后)	1 050	
孙 口	48.45	2 070	1 890	− 180	49.00
艾 山	42.30	3 300	3 200	− 100	41.76
泺 口	31.40	2 800	2 960	160	31.03
利 津	14.39	3 500	3 500	0	13.80
丁字路口	5.77	2 150	2 700	550	5.53

高村附近河段平滩流量增大较为明显,一方面是由于主槽的冲刷下切,另一方面与洪水期大范围漫滩、滩唇淤积抬升也有较为密切的关系。洪水过后,本河段滩唇高程升高约0.4m。

为了更好地反映首次试验期间各河段平滩流量的变化,根据河段的平均冲淤情况分析了各河段平滩流量的变化(简称断面法)。同时,将上下水文站断面平滩流量进行算术平均,作为河段平均平滩流量(简称水位法),计算成果见表16-3-15。可以看出,夹河滩以上主槽平滩流量增大240~300m³/s;夹河滩至孙口河段漫滩较为严重,淤滩刷槽、滩槽高差增加明显,平滩流量增幅最大,增大300~500m³/s;利津以下河口段增大约200m³/s;孙口至利津河段平滩流量增幅最小,为80~90m³/s。

表 16-3-15　首次调水调沙试验前后下游各河段主槽过流能力变化情况

河段	主槽宽 (m)	滩槽高差增值(m)	主槽过流能力增值(m³/s)		
			断面法	水位法	建议采用值
小浪底—花园口	800	0.26	374	300	300
花园口—夹河滩	739	0.2	266	150	240
夹河滩—高村	806	0.37	537	525	500
高村—孙口	414	0.38	283	435	300
孙口—艾山	454	0.11	90	-140	90
艾山—泺口	421	0.18	136	30	80
泺口—利津	384	0.13	90	80	90
利津—丁字路口	404	0.2	145	275	200

注:水位法计算平滩流量增值采用河段进、出口水文站的平均值。

2. 第二次调水调沙试验

根据第二次调水调沙试验期间水文站水位流量关系,推算出各水文站断面主槽平滩水位以下过流能力的变化见表16-3-16。各水文站主槽平滩水位下的过洪能力均有不同程度增加,增幅一般在150~400m³/s之间。

表 16-3-16　第二次调水调沙试验期间下游主要站主槽过流能力变化

项目	花园口	夹河滩	高村	孙口	艾山	泺口	利津
平滩水位(m)	93.88	77.40	63.40	48.45	41.65	31.40	14.24
试验前相应流量(m³/s)	4 300	2 900	2 600	2 100	2 700	2 900	3 200
试验后相应流量(m³/s)	4 450	3 300	2 750	2 300	2 850	3 200	3 350
增加流量(m³/s)	150	400	150	200	150	300	150

3. 第三次调水调沙试验

分析同流量(2 000m³/s)水位变化见表16-3-17,可以看出同流量水位均有不同程度降低,第一阶段和6月份洪水相比有升有降,平均降低0.03m;第二阶段和6月份洪水相比仅夹

河滩升高 0.13m 外，其他均有所下降，花园口和泺口下降最多，为 0.31m 和 0.3m，平均降低
0.11m。

表 16-3-17　第三次调水调沙试验前后水文站同流量(2 000m³/s)水位变化　　（单位：m）

水文站	6月份①	试 验 第一阶段②	试 验 第二阶段③	②－①	③－①
花园口	92.51	92.41	92.20	－0.10	－0.31
夹河滩	76.07	76.07	76.20	0	0.13
高村	62.41	62.40	62.31	－0.01	－0.10
孙口	47.88	47.93	47.79	0.05	－0.09
艾山	40.52	40.45	40.45	－0.07	－0.07
泺口	29.90	29.88	29.60	－0.02	－0.30
利津	12.68	12.63	12.63	－0.05	－0.05
平均				－0.03	－0.11

根据各站水位流量关系曲线分析计算，花园口、夹河滩、高村、孙口、艾山、泺口、利津各
站平滩流量分别增加 340m³/s、340m³/s、210m³/s、360m³/s、120m³/s、220m³/s、110m³/s，整个下
游平均增加 240m³/s。

4.三次调水调沙试验

经过三次调水调沙试验，下游河道各河段主槽过流能力明显增加，点绘黄河下游各水文
站断面 1999 年 5 月和 2002 年、2003 年、2004 年调水调沙试验后 8 月份的水位与流量关系变
化，表现同水位流量均有所增大，同流量水位明显降低。2002 年到 2004 年，下游各站同流量
水位平均降低 0.95m，其中夹河滩、高村降幅都在 1m 以上，见表 16-3-18。

表 16-3-18　三次调水调沙试验各水文站同流量(2 000m³/s)水位变化　　（单位：m）

水文站	1999年5月 ①	2002年 ②	2003年 ③	2004年 ④	②－①	④－①	④－②
花园口	93.67	93.19	92.79	92.34	－0.48	－1.33	－0.85
夹河滩	76.77	76.93	76.88	75.9	0.16	－0.87	－1.03
高村	63.04	63.45	63.06	62.27	0.41	－0.77	－1.18
孙口	48.07	48.54	48.42	47.64	0.47	－0.43	－0.9
艾山	40.65	41.19	41.12	40.4	0.54	－0.25	－0.79
泺口	30.23	30.65	30.57	29.68	0.42	－0.55	－0.97
利津	13.25	13.5	13.48	12.57	0.25	－0.68	－0.93
平均					0.25	－0.70	－0.95

统计三次调水调沙试验期间各河段平滩流量变化见表 16-3-19。黄河下游各河段平滩
流量增加 460～1 050m³/s，平均增加为 672m³/s，其中夹河滩—高村平滩流量增加最大，为
1 050m³/s，利津—丁字路口平滩流量增加最小，为 460m³/s，高村—孙口平滩流量增加
760m³/s。

表 16-3-19　　三次调水调沙试验期间各河段平滩流量增加值　　(单位:m³/s)

河段	首次	第二次	第三次	合计
小浪底—花园口	300	150	340	790
花园口—夹河滩	240	275	340	855
夹河滩—高村	500	275	275	1 050
高村—孙口	300	175	285	760
孙口—艾山	90	175	240	505
艾山—泺口	80	225	170	475
泺口—利津	90	225	165	480
利津—丁字路口	200	150	110	460
平均	225	206	241	672

三年来,黄河下游各河段平滩流量随试验及其他洪水过程有了较大程度增加,最小平滩流量由试验前的不足 1 800m³/s,增加至第三次试验后的 3 000m³/s 左右。

(七)库区淤积部位的调整

1.2002 年库区淤积部位调整

2002 年淤积主要发生在距坝 35~60km(HH20—HH36 断面)之间,淤积量为 1.40 亿 m³,占干流淤积总量的 71%。首次试验期间,距坝 80km(HH44 断面)以上冲淤幅度极小,距坝 14km(HH10 断面)以下淤积量仅为 0.28 亿 m³。试验后 HH10 断面以下平均河底高程抬升了 4m 左右,但由于小浪底水库在 2002 年 9 月的排沙运用,下泄沙量 0.36 亿 t,近坝段河底高程下降,年淤积量减少,见图 16-3-3。

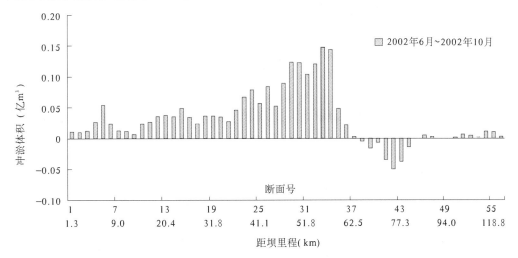

图 16-3-3　小浪底水库断面间冲淤体积

2.2003 年库区淤积部位的调整

2003 年汛期受上游洪水的影响,入库水量较往年偏多,同时由于下游河道过洪能力的限制,水库下泄流量多维持在 2 500m³/s 左右,导致水库运用水位较高,库区最高水位到 10 月 15 日达到 265.56m,加上三门峡水库汛期排沙,使小浪底库区 2003 年 5~10 月淤积量达 4.59 亿 m³。淤积主要集中在干流距坝 50~110km(HH30—HH52 断面),该河段淤积量为 4.22

亿 m³,占干流总淤积量的 96%,最大淤积厚度为 42m(HH42 断面)。由于干流河底高程的迅速抬高,造成部分支流口门的抬升,形成支流口门的拦门沙现象。2003 年汛期小浪底库区干流冲淤量的分布情况见图 16-3-4。

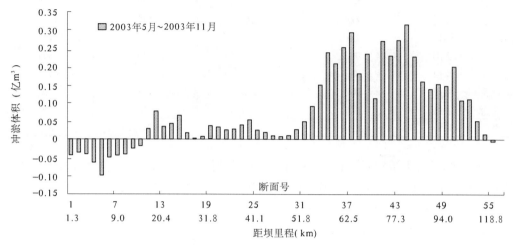

图 16-3-4 小浪底水库 2003 年汛期干流冲淤量沿程分布

3.2004 年库区淤积部位的调整

2004 年 6 月 19 日～7 月 13 日试验期间,小浪底水库下泄水量为 46.8 亿 m³,沙量为 440 万 t,平均流量为 2 260m³/s,平均含沙量为 0.94kg/m³。小浪底库区干流上段冲刷、下段淤积,其冲淤量的沿程分布情况见图 16-3-5。

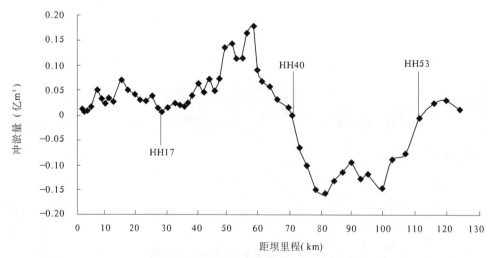

图 16-3-5 第三次试验期间小浪底库区干流冲淤量沿程分布情况

第三次试验期间小浪底库区干流的冲淤,可大致分为 3 个区段。

HH40—HH53 断面:距坝 69.39～110.27km,位于试验前淤积三角洲的顶坡段,为库区上部的狭窄河段,平均河宽在 400～600m 之间,2003 年汛期大量泥沙淤积在此,河底抬升达 40 多 m,部分库段已经侵占了设计有效库容,第三次试验期间,该河段发生了剧烈的冲刷,冲刷量为 1.38 亿 m³,河底高程平均降低 20m 左右,大大改善了库尾的淤积形态,恢复了被侵占的设计有效库容。

HH17—HH40 断面:距坝 27.19~69.39km,该河段库区水面突然展宽,库区较大的弯道多在此河段。该河段左岸共有大小支流 12 条,支流数量和相应库容都占左岸支流总数的 70%以上。试验期间该河段共淤积泥沙 1.57 亿 m³。

HH17 断面以下:HH17 断面位于干流八里胡同出口处,HH17 断面以下库区宽阔,流速缓慢,泥沙颗粒较细,淤积方式以水平抬升为主。试验期间 HH17 断面以下共淤积 0.5 亿 m³,淤积厚度较小。河底高程均匀抬升 1m 左右。

(八)库区淤积形态的调整

1.干流淤积形态

1)干流横向淤积形态的调整

首次和第二次试验期间,干流断面横向变化以均匀淤积、河底平行抬高的形式为主。第三次试验,库区干流淤积断面的变化在不同的库段冲淤形态不同。HH40 断面是冲淤的分界点,HH29 断面是试验结束后淤积三角洲的顶点。淤积三角洲顶点以下河底基本为水平抬高。淤积三角洲以上至 HH40 断面之间基本为均匀抬高,HH40 断面以上基本呈冲刷状态。

2)干流纵向淤积形态的调整

1999 年小浪底水库蓄水以来,库区干流纵剖面的变化有以下特点:距坝 55km 以下库段,至 2004 年 7 月,河底高程逐年抬高,属比较明显的淤积河段;距坝 55~110km 库段为变动回水区,河底高程有升有降,甚至是大冲大淤,其冲淤变化与小浪底水库库水位密切相关,若库水位相对较低,则该库段大多发生冲刷,若库水位相对较高,则发生淤积。在 2004 年第三次调水调沙试验中,在距坝 70~110km 之间河底平均冲刷深度近 20m,三角洲的顶点下移 23km,其高程降低 23.69m,见图 16-3-6;110km 以上库段,水库运用以来冲淤及断面形态均变化不大。

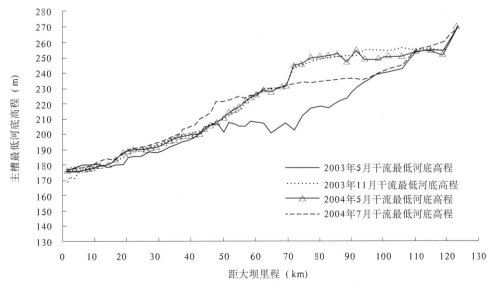

图 16-3-6　干流纵向淤积形态调整图

2.支流冲淤形态的调整

支流断面的横向冲淤变化主要以河底的均匀抬升为主,淤积厚度自下而上递减。支流纵向冲淤形态的调整以沈西河为例,第三次调水调沙试验期间,小浪底库区成功地塑造了异重流,异重流的潜入点位于 HH36—HH34 断面之间,紧靠该支流的上游,异重流运行到支流河口时,部分含沙水流倒灌支流,泥沙大多淤积在河口附近,支流河口高程试验后较试验前明显抬高,形成拦门坎,见图 16-3-7。

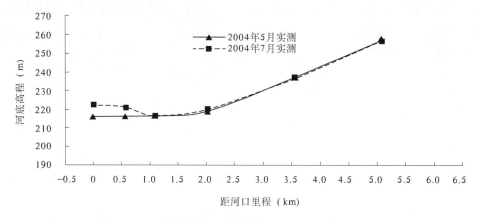

图 16-3-7　沈西河纵剖面对照图

(九)水库排沙效果

首次调水调沙试验期间水库排沙效果:试验期间,黄河中游出现洪水,经三门峡水库的调节,7 月 5 日 23 时到 7 月 8 日 20 时,三门峡水文站出现了三次沙峰过程,含沙量分别是 7 月 6 日 2 时的 513kg/m³、14 时的 503kg/m³ 和 8 日 4 时的 385kg/m³。小浪底站出现两次沙峰,最大含沙量分别为 7 月 7 日 12.3 时的 66.2kg/m³ 和 9 日 4 时的 83.3kg/m³,其余大部分时间都在 20kg/m³ 以下。小浪底水文站径流量为 26.06 亿 m³,输沙量为 0.319 亿 t,排沙比为 17.4%。

(十)水库排沙效果

首次调水调沙试验期间水库排沙效果:试验期间,黄河中游出现洪水,经三门峡水库的调节,7 月 5 日 23 时到 7 月 8 日 20 时,三门峡水文站出现了三次沙峰过程,含沙量分别是 7 月 6 日 2 时的 513kg/m³、14 时的 503kg/m³ 和 8 日 4 时的 385kg/m³。小浪底站出现两次沙峰,最大含沙量分别为 7 月 7 日 12.3 时的 66.2kg/m³ 和 9 日 4 时的 83.3kg/m³,其余大部分时间都在 20kg/m³ 以下。小浪底水文站径流量为 26.06 亿 m³,输沙量为 0.319 亿 t,排沙比为 17.4%。

第二次调水调沙试验期间水库排沙效果:试验前期和试验期间,三门峡水文站于 8 月 25 日~9 月 18 日发生多场连续的洪水过程。9 月 6 日 8 时到 9 月 18 日 20 时试验期间,三门峡站径流量为 24.25 亿 m³,输沙量为 0.58 亿 t;最大流量为 11 日 20.0 时的 3 650m³/s,最大含沙量为 8 日 20 时的 48kg/m³。8 月 25 日至 9 月 18 日 20 时,小浪底入库沙量 3.602 亿 t,出库沙量 0.868 亿 t,排沙比为 24%。期间,桐树岭断面垂线上测点含沙量多在 50~80kg/m³,浑水层厚度 40~50m,泥沙中值粒径 0.004~0.006mm。水库主要以异重流和浑水水库排沙,出库沙量 0.74 亿 t,排沙比高达 128%。小浪底站水沙特征值统计见表 16-3-20。

表 16-3-20　9 月 6 日 8 时 ~ 18 日 20 时三门峡站、小浪底站水沙量特征值统计

| 站名 | 时段水量(亿 m³) | 时段沙量(亿 t) | 最高水位 | | 最大流量 | | 最大含沙量 | |
			时 间(月-日 T 时)	水 位(m)	时 间(月-日 T 时:分)	流 量(m³/s)	时 间(月-日 T 时)	含沙量(kg/m³)
三门峡	24.25	0.580	09-11T20	277.98	09-11T20:00	3 650	09-08T20	48
小浪底	18.27	0.74	09-16T23	135.72	09-16T09:30	2 340	09-08T06	156

第三次调水调沙试验期间水库排沙效果:试验期间三门峡水文站从 6 月 19 日 9 时到 7 月 13 日 9 时径流量为 10.88 亿 m³,输沙量为 0.432 亿 t。小浪底水库下泄水量为 46.8 亿 m³,沙量为 440 万 t,平均流量约 2 260m³/s,平均含沙量为 0.94kg/m³。小浪底水库的排沙比为 10.2%。小浪底站水沙特征值统计见表 16-3-21。

表 16-3-21　三门峡站、小浪底站水沙量特征值统计(6 月 19 日 9 时 18 分 ~ 7 月 13 日 9 时)

| 站名 | 时段水量(亿 m³) | 时段沙量(亿 t) | 最高水位 | | 最大流量 | | 最大含沙量 | |
			时 间(月-日 T 时:分)	水 位(m)	时 间(月-日 T 时:分)	流 量(m³/s)	时 间(月-日 T 时:分)	含沙量(kg/m³)
三门峡	10.88	0.432	07-07T14:06	279.03	07-07T14:06	5 130	07-07T20:18	446
小浪底	46.8	0.044	06-19T22:30	136.43	06-21T16:30	3 300	07-09T02:00	12.8

总之,三次调水调沙试验期间小浪底入库总沙量为 5.865 亿 t,出库总沙量为 1.231 亿 t,排沙比为 21%。

四、主要认识

黄河调水调沙治河思想的探索与形成历经了几代治黄工作者数十年的艰辛努力,三次调水调沙试验历时三年,取得了丰硕的成果,从多方面深化了对黄河水沙规律的认识,在黄河治理开发的多个方面得到了很多启示,取得的主要成果认识如下:

(1)首次成功地开展了多沙河流大规模的、系统的、有计划的调水调沙原型试验。

(2)形成了小浪底水库拦沙初期三种不同类型的调水调沙主要运用模式。提出了基于小浪底水库单库调节为主、空间尺度水沙对接、干流水库群水沙联合调度的三种小浪底水库运用初期调水调沙主要模式。

(3)完善了小浪底水库拦沙初期的临界调控指标体系。根据当前的河床边界条件,贯彻以人为本的治河理念,在尽量控制下游河道中常洪水水流不上滩的前提下,确定目前进一步使下游河道主河槽全线冲刷、扩大其行洪排沙能力的调控指标体系为:①在低含沙洪水(进入下游河道的洪水平均含沙量小于 20kg/m³)条件下,控制进入下游河道洪水平均流量在 2 600m³/s 以上,洪水历时不少于 9 天,可使下游各河段河槽均发生冲刷,全下游冲刷效率达

$12kg/m^3$ 以上;②含沙量 $30kg/m^3$ 左右、出库细泥沙含量在 90% 左右时,控制进入下游河道的流量 $2400m^3/s$,洪水历时 9 天以上,可使下游河槽在总量上实现明显冲刷;③当前下游主槽平滩流量已恢复至 $3000m^3/s$ 左右,河槽形态也向有利方向发展,今后调水调沙时,若小浪底水库异重流排出的泥沙以极细泥沙为主,则控制进入下游河道的洪水平均流量可提高到 $3000m^3/s$ 左右、洪水历时 8 天以上,出库含沙量 $40kg/m^3$ 左右,也可以实现下游主河槽的全线冲刷;④随着主槽过流能力的变化,调控指标体系应进行合理动态调整,最大限度地发挥河槽的行洪排沙能力。

(4)首次成功地塑造出人工异重流,为小浪底水库多排泥沙、延长小浪底水库拦沙库容的使用年限找到一条新的途径。黄河第三次调水调沙试验,利用万家寨、三门峡蓄水和河道来水,冲刷小浪底水库淤积三角洲形成人工异重流的技术方案,并排沙出库。尤其是黄河水沙情势的变化,中等流量以上的洪水出现几率明显减少,充分利用这种人工异重流的排沙方式排泄前期的淤积物以减轻水库的淤积对延长水库拦沙库容使用寿命具有重要的意义,对未来黄河水沙调控体系的调度运行产生深远的影响。

(5)黄河下游主槽行洪排沙能力显著提高,河槽形态得到调整。黄河下游河道最小平滩流量由试验前的不足 $1800m^3/s$ 恢复到试验后的 $3000m^3/s$ 左右,洪水时滩槽分流比得到初步改善,"二级悬河"形势开始缓解,下游滩区"小水大漫滩"状况初步得到改善。下游主槽过流能力提高的同时,输沙能力也得到显著提高。分析研究成果表明,黄河下游主槽过流能力在 $2000m^3/s$ 时,可输送 $20kg/m^3$ 以下的含沙量而保持不淤;主槽过流能力在 $3000m^3/s$ 时,保持主槽不淤的含沙量则可提高到 $40kg/m^3$ 左右。在水流不漫滩的情况下,单位水量的输沙量提高一倍左右。下游主槽过流能力提高,扩展了调水调沙流量、含沙量的调控空间,使得小浪底水库调水调沙的灵活性大大提高。

(6)黄河下游主槽实现全线冲刷。三次试验进入下游总水量为 100.41 亿 m^3,总沙量为1.114 亿 t。实现了下游主槽全线冲刷,入海总沙量为 2.568 亿 t,下游河道共冲刷 1.483 亿 t。研究表明,山东窄河段的冲刷主要是较大流量的洪水产生的。黄河三次调水调沙试验,控制的调控指标除满足冲刷所需的流量要求外,还保证了较大流量的持续历时 11 天以上,使得高村以下的山东河道主槽冲刷量占 45%,艾山至利津河段占 18%,突破了小浪底水库设计的对山东河段的减淤指标,消除了人们普遍担心"冲河南、淤山东"的疑虑。

(7)调整了小浪底库区淤积形态,为实现水库泥沙的多年调节提供了依据。试验证明,在水库拦沙初期乃至拦沙后期的运用过程中,为了塑造下游河道协调的水沙关系,对入库泥沙进行调控时,即便板涧河口以上峡谷段发生淤积甚至超出设计平衡淤积纵剖面,"侵占"了部分长期有效库容,在黄河中游发生较大流量级的洪水时或水库蓄水为主人工塑造入库水沙过程,凭借该库段优越的库形条件,使水流冲刷前期淤积物,恢复占用的长期有效库容,相当于一部分长期有效库容可以重复利用,做到"侵而不占",增强了小浪底水库运用的灵活性和调控水沙的能力,对泥沙的多年调节、长期塑造协调的水沙关系意义重大。

(8)尝试了三条黄河联动的治黄新方法。调水调沙试验使"拦、排、放、调、挖"等综合处理泥沙措施之一的"调"从理论走向实践,坚定了库区实施泥沙多年调节的信心,推进了构建完善的黄河水沙调控体系的进程,加快黄河下游综合治理的步伐,改变了长期以来人们对黄河输沙用水被挤占的漠视态度,增强了"人与河和谐相处"的共识,唤起了人们对"维持黄河健康生命"的共鸣。

第四节　结　语

　　黄河下游河道演变问题十分复杂,短期变化与长期发展、水沙变化与河道调整、部分河段变化与整体演变的关系等方面都需要进一步加强研究。小浪底工程还要与治黄建设的进展统筹协调,并妥善决策近期效益与长期效益的关系,小浪底工程的运用是一个动态的发展的过程。水库运用方式既要有宏观的长远的分析和展望,更要做好近期的具体调度方案,近期调度方案在实施过程中的利弊影响更需要通过实践的检验。因此,小浪底水库的运用方式不可能一成不变,必须结合工程运行实践,结合治黄建设和科技的发展,继续开展研究,逐步深化认识,及时调整调度运用方案,才能充分发挥小浪底水库的防洪、防凌、减淤、供水、灌溉、发电等综合利用效益。

第十七章　水库渗漏处理及安全评价

小浪底水库自 1999 年 10 月 25 日下闸蓄水后,两岸坝肩山体渗漏量较大,根据初步查明的原因以及坝区水文地质条件和现场条件,有针对性地采取了一系列工程措施,对减少两岸坝肩山体的渗漏取得了显著成效。

2003 年秋汛过程中,随着库水位的上涨,河床段坝基的渗漏量也随之增加,特别是自 2004 年 2 月以后,较上年相近库水位时,坝基渗漏量又有明显增加。

两岸坝肩山体的渗漏和坝基的渗漏问题引起了水利部领导、有关专家和参建各方的高度重视,并作为整个工程的重大技术问题开展研究工作,做了相应的处理。

本章就枢纽区水库渗漏的机理、采取的补强措施进行阐述,并从设计角度就渗漏对枢纽建筑物安全运行的影响进行了评价。

第一节　枢纽区主要工程地质条件及水文地质分区

一、坝址区地形地质条件

小浪底水利枢纽选定的三坝线位于黄河中游最后一个峡谷的出口,处于豫西山地和山西高原的接壤部位。西部和北部属太行山系,南部属于秦岭余脉崤山山系。黄河由西向东出峡谷后逐渐展宽,小浪底水利枢纽下游 8km 为焦枝铁路桥,焦枝铁路桥以东是广袤的黄淮海大平原。坝址处河谷宽约 800m,河床右岸为滩地和黄土二级阶地。右岸山势陡峻,高程在 380 ~ 420m,坡度为 40° ~ 50°;左岸山势平缓,高程为 290 ~ 320m,且有高程为 240m 左右的垭口,受沟道切割形成单薄分水岭。

坝址区出露地层主要为二叠系上石盒子组、石千峰组黏土岩和砂岩,三叠系下统刘家沟组及和尚沟组砂岩、粉砂岩。第四系主要是黄土和砂砾石层。坝址区地层褶皱轻微,断裂构造发育。由于断距 220m、顺河向 F_1 断层的切割,河床右岸出露的岩层主要为二叠系砂岩和黏土岩,左岸出露的岩层主要是三叠系的砂岩和粉砂岩。河床部分为最大深度达 70m 的砂砾石覆盖层。坝址处于狂口背斜的东端,其轴部在右坝肩。受背斜褶皱的影响,岩层呈单斜,地层以 10° 左右的缓倾角倾向北东。坝址区主要工程地质问题如下。

(一)河床深覆盖层

河床覆盖层一般深 30 ~ 40m,最大深度达 70 余 m。覆盖层上部为松散的 Q4 粉细砂层,下部为 Q3 密实的砂砾石层,其间含有粉细砂透镜体和底部连续的粉细砂层。作为大坝基础的河床覆盖层,其防渗和抗地震液化是设计的关键。

(二)断裂构造发育

坝址区出露的主要断裂构造自北向南有 F_{461}、F_{240}、F_{238}、F_{236}、F_1、F_{233}、F_{231}、F_{230} 及 F_{28} 等。除 F_{28} 走向北东外,其余主要断裂构造均呈上下游方向展布,且大部分为高倾角正断层,将坝区岩体切割成条块状。坝址区节理裂隙发育,其发育程度与岩性和岩层单层厚度有关。砂岩地层较黏土岩地层节理发育。一般每米 1~2 条节理。坝区主要节理有 NW270°~290°,NW340°~350°,NE10°~20° 和 NE60°~70° 等 4 组,倾角 70°~80°,属于剪切性节理,一般延伸不长。在每一地段发育有 2~3 组节理。这些断裂构造与建筑物围岩稳定关系密切,且形成了明显的上下游方向带状渗水的水文地质特征。

(三)泥化夹层

坝址区的岩层系河湖相沉积,在砂岩中常夹有黏土岩,后期受剪切构造作用而发生层间错动。因砂岩刚度较大易沿薄层黏土岩发生剪切错动,造成黏土岩破碎、泥化现象。泥化层的分布一般以长度 30~50m、层厚 1~2cm 者为主。在左岸坝肩山体泥化层有延伸长 200~300m 的。大量室内外试验显示,泥化夹层的力学指标较低,根据不同的组成和岩性,f=0.20~0.28,C=0.005MPa。因岩层呈 10° 左右的缓倾角倾向下游,因此在枢纽区基岩地层中的泥化夹层基本上是控制稳定的关键。

(四)左岸单薄分水岭

坝址左岸山体山势平缓,上游有风雨沟,下游有葱沟、瓮沟、西沟和桥沟切割,岩层主要为三叠系的砂岩和黏土岩互层,岩层中有 F_{236}、F_{238}、F_{240} 等基本为上下游方向展布的断层和与分水岭呈北东向斜交的 F_{28} 大断层。岩层节理裂隙发育,风化卸荷严重。左岸山体和建筑物关系密切,水库蓄水后,山体南段存在自身稳定和整个山体的漏水处理问题。

(五)滑坡和倾倒变形体

由于坝址区岩层为倾向北东的单斜地层,河谷南岸多发育有倾向河床的滑坡及倾倒变形体。距坝轴线上游 2~3km 的 1 号和 2 号滑坡体体积分别为 1 100 万 m³ 和 410 万 m³;坝肩处的东坡滑坡体和坝下游的东苗家滑坡体与枢纽建筑物的安全运用关系十分密切。

(六)地震

小浪底坝址远源破坏性地震主要来自汾渭地震带和太行山麓地震带,历史地震 8 级,距震中 140~250km。近源地震以小浪底为中心,半径 30km 范围内有封门口和城崖地断裂,历史地震 5 级。经国家地震局审定,小浪底坝址区地震基本烈度为 7 度,主要挡水建筑物的设防烈度为 8 度,在远场和近场地震共同作用下 10^{-4} 概率最大水平加速度为 0.215g。

二、水文地质分区

(一)透(含)水层与相对隔水层

坝址区红色碎屑岩系的岩性组合特征为中细粒砂岩、泥质粉砂岩和粉砂质黏土岩互层。砂岩为硬岩,硅质或硅钙质胶结,性脆,裂隙发育,属透(含)水层;泥质粉砂岩和粉砂质黏土岩为软岩,裂隙不发育,属相对隔水层。各岩组透水性的大小,取决于岩组内泥质岩石含量的多少及其组合特性。厚层砂岩为主地层构成透(含)水层,砂岩夹薄层泥质岩石或互层的岩组为弱透水层,以厚层泥质粉砂岩或粉砂质黏土岩为主的岩组组成相对隔水层。

从整体而言,由于岩体中夹有弱透水岩层,一般顺层的渗透性大于垂向的透水性,因而坝址区岩体从整体上讲应该是层状非均质各向异性渗透结构。

坝址区各组地层渗透性划分:

左岸:透(含)水层,T_1^1、T_1^2、T_1^{3-1}、T_1^4、T_1^{5-2}、T_1^{5-3};

弱透水层,T_1^{3-2}、T_1^{5-1};

相对隔水层,P_2^4。

河床:透(含)水层,T_1^1、T_1^2;

相对隔水层 P_2^4。

右岸:透(含)水层,P_2^2、P_2^{3-2}、P_2^{3-4}、P_2^{3-6};

相对隔水层,P_2^1、P_2^{3-1}、P_2^{3-3}、P_2^{3-5}。

(二)地质构造及水文地质分区

1. 断层

坝址区位于狂口背斜的外倾转折端,岩层呈单斜构造,倾向下游,倾角约 10°。区内断裂构造比较发育,走向以近 EW 最为发育,其次为近 SN 及 NE,倾角大多在 70°以上。断层带物质为角砾、断层泥及方解石脉体。区内具有水文地质意义的断层共有 9 条,详见表 17-1-1,其中以 F_{28}、F_{461}、F_1 等 3 条规模最大,断距都大于 200m,断层泥带较宽,在横向上具有相对隔水作用,但其影响带却是强透水的。

表 17-1-1　枢纽区主要断层特性

编号	产状			断距(m)	宽度(m)	
	走向	倾向	倾角		断层带	影响带
F_{28}	45°~55°	NW	85°	300	4~6	20~30
F_1	100°~118°	NE	73°~85°	220	5~12	14~20
F_{461}	310°	NE	80°~88°	300	4~6	
F_{236}	90°~106°	SW	70°~87°	60~85	1.5~6	0~10
F_{238}	90°~106°	NE	80°~85°	12~30	1.2~8	12~25
F_{240}	80°~105°	N	80°~87°	2~15	0.5~2	2~3
F_{230}	90°~100°	SW	52°~75°	50~70	0.5~2.2	10
F_{231}	103°~110°	NE	75°~90°	0~9	1~2.0	4
F_{233}	95°~102°	SW	65°~80°	15~17	0.5~2	4

2. 水文地质分区

根据枢纽区内地层岩性,地质构造及水文地质构造的组合条件,从灌浆帷幕布置和排水帷幕设计角度出发,可将 F_{28}断层以东、F_{461}断层以南的区域划分为以下 6 个水文地质区:

(1)Ⅰ区,F_{461}~F_{240}。本区分布的基岩地层下部为三叠系石千峰组(P_2^4),中上部为三叠系刘家沟组(T_1^1~T_1^5),顶部为和尚沟组(T_1^{6-1})。P_2^4岩组为一区域性隔水层,厚 56~68m,是左坝肩及左岸山体透水岩体下部的隔水底板;T_1^1~T_1^5岩组总厚约 250m,岩性为厚层钙质、硅质细砂岩夹薄层泥质粉砂岩与黏土岩,是一个统一的裂隙透水岩体,也是本区主要的含水层;T_1^{6-1}岩组厚 52~57m,是左坝肩及左岸山体的相对隔水顶板。本区无较大断层通过,层状透水体和陡倾角的小断层构成本区岩体的基本渗透网络,由于本区南侧 F_{240}、F_{238}、F_{236}等几条断层的阻隔,地下水位基本不受黄河水位的影响。

(2)Ⅱ区,F_{240}~F_{236},断层交会带水文地质区。区内分布的基岩地层同Ⅰ区。本区最大特点是展布有 3 条近东西走向的主要断层:F_{240}、F_{238}、F_{236}。3 条断层间相距 120~200m,主断层间发育有分支断层及次一级小断层,断层影响破碎带几乎连为一体。3条断层贯通水库的上下游,构成沟通库水向下游渗透的强透水带。

(3)Ⅲ区,F_{236}~岸边,左坝肩水文地质区。区内的基岩地层分布同Ⅰ区。本区岸坡为风化卸荷带,其厚度可达 50~80m。风化卸荷带大大增加了本区岩体的透水性,故地下水位与黄河水位同步变化。

(4)Ⅳ区,河床。河床水文地质区,包括河槽及两岸漫滩和一级阶地。南侧以 F_1 断层为界,宽约 500m,地下水类型主要为覆盖层孔隙潜水及下伏基岩中埋藏的承压水。河床中有基岩深槽,最低槽底高程约 60m,覆盖层最厚达 70m 以上,一般厚度 20~30m。下伏基岩上部为 T_1^1~T_1^3,下部 P_2^4 为黏土岩。本区有多条顺河向小断层展布,因断距小,未能将相对隔水层 P_2^4 错开,从而形成其下 P_2^3 中的砂岩为承压含水层。F_1 断层顺河向展布,由于断距达220m,规模大,较厚的断层泥带具有相对隔水性能,但其两侧影响带则是贯通水库上下游的渗漏通道。

(5)Ⅴ区,F_1~F_{230},右岸水文地质区。为右岸岸坡地段,上游以小清河为界,F_1~F_{230} 间长约 500m。区内分布二叠系上统石河子组(P_2^2~P_2^3)地层。底部 P_2^1 岩组,厚度 130m 左右,是一区域性隔水层,埋藏较深,在帷幕线附近顶板高程 80~93m;中上部为 P_2^2、P_2^3 岩组,总厚度150m 左右,岩性为紫红色粉砂质黏土岩与黄绿色、灰白色钙质、硅质砂岩互层,砂岩与黏土岩相间排列,构成了本区多个相间的砂岩含水层以及多个黏土岩相对隔水层,因地层以 7°倾角向下游倾伏,形成砂岩含水层中的地下水在西侧为层间自由水,向东则逐渐过渡为承压水。区内展布 3 条近东西向的断层 F_{230}、F_{231}、F_{233},贯通水库上下游,是水库集中渗流的通道。

(6)Ⅵ区,F_{230} 以右,右岸山地水文地质区。本区山体雄厚,上游以小清河为界,出露地层以刘家沟组地层 T_1^1~T_1^5 砂岩为主。据长期观测资料,区内基岩裂隙水位达 270m,接近水库275m 正常高水位,因此本区绕坝渗漏问题不大。

(三)岩体的渗透特征

根据枢纽区岩体的水文地质结构和枢纽区的水文地质条件,枢纽区的渗漏表现为层状透水、带状透水和壳状透水三个特征。

(1)层状透水,指沿各水文地质区透水岩层产生的渗漏。砂岩中节理比较发育,对库水渗漏有重要影响的节理主要为:①走向 270°~290°,倾向 S~SW,倾角 80°~88°;②走向 60°~70°,倾向 SE 或 NW,倾角 80°。第①组节理在 T_1^4 中的线连通率范围为 33%~65%,平均47%,裂隙宽度一般 0.1~1.0mm,间距变化在 0.1~1.5m 之间,延伸长度 3~30m,一般不穿过厚度较大的软岩层。裂隙构成了砂岩岩体中地下水赋存和运移的渗透网络。

(2)带状透水,指沿断层及其两侧影响带产生的渗漏。由于主要构造均呈上、下游方向展布,故沿断层带及两侧影响带形成了明显的渗流通道。

(3)壳状透水,指沿岩体表部风化卸荷带形成的渗漏。

综上所述,坝区多层状非均质各向异性透水岩体是库水渗漏的基本结构,它们和强透水的断层带及由于风化卸荷作用形成的风化壳岩体,共同构成了坝区的渗漏网络。因此,坝基及左岸山体的渗漏应是层状、带状、壳状三种渗透结构相互组合的结果。

整个枢纽建筑物的施工实践和水库运用 6 年来的情况均表明,设计对枢纽区水文地质条件的判断和所采取的工程措施与实际情况十分吻合。

第二节　大坝及左岸山体的防渗、排水设计

一、防渗设计

小浪底大坝为坐落在 70 余 m 深厚覆盖层上的壤土斜心墙堆石坝,最大坝高 160m,填筑工程量 5 073 万 m^3,大坝典型剖面见图 2-3-3。河床部位坝基采用 1.2m 厚混凝土防渗墙完全截断砂砾石覆盖层,防渗墙插入心墙内 12m,它与大坝心墙共同构成大坝的主要防渗系统。

在坝型选择时,充分考虑了黄河多泥沙的特点,为充分利用坝前淤积形成天然铺盖的防渗作用,在上游拦洪围堰的下游坡上设置了厚 6m 的掺合料内铺盖,它将大坝心墙和上游围堰斜墙及坝前淤积连接起来,作为坝基的辅助防渗措施。

河床段防渗墙/帷幕轴线位于坝轴线上游 80m,到两岸岸坡附近,大坝由斜心墙逐渐过渡到正心墙,最终以正心墙与两岸岸坡连接,帷幕轴线亦随之过渡到位于坝轴线上游 4m。

左岸单薄分水岭作为大坝的延伸,按照"先堵后排,堵排结合,以排为主"的设计思想进行防渗、排水设计。

(一)灌浆帷幕的设计原则和防渗标准

对于土石坝而言,设置灌浆帷幕不求封堵所有微细裂隙,而是为了封堵宽大裂隙。因此,小浪底大坝在坝基灌浆帷幕设计中,充分考虑了黄河泥沙形成天然铺盖对坝基防渗的有利作用,确定除断层带以外其余均为单排帷幕。左岸相对隔水层为 P_2^4,深埋于 40.0m 高程以下;右岸相对隔水层为 P_2^1,深埋于 80m 高程以下,若帷幕伸入到相对隔水岩层内,帷幕灌浆工程量将成倍增加,故参照国内外类似工程经验和三向渗流计算结果,左岸幕底伸入到相对弱透水岩层 T_1^{3-2} 中,即达高程 130.0m,河床深槽两侧幕底深入到相对隔水岩层 P_2^4 中;右岸岸坡部位因建基面逐渐抬高,距相对隔水层较深,帷幕深度按 0.5 倍最大水头确定。

依据《碾压式土石坝设计规范》(SDJ213—84)规定,并考虑黄河多泥沙的特点,确定帷幕的防渗标准为小于 5Lu。

根据两岸坝肩基岩不同的水文地质条件和结构要求,左岸山体地下洞室密布,设计要求排水幕后地下水位应低于 200m;右岸有承压水,水库蓄水后,承压水位会大幅度上升。为此,左、右两岸山体中均布置了排水幕,以降低山体中地下水位。

(二)灌浆帷幕布置

根据大坝基础的防渗要求、水文地质分区和岩体的水文地质结构,灌浆帷幕布置大体可分为几个区段。

1. 河床段

该段灌浆主要为单排孔,孔距 2m。防渗墙右端至 F_1 断层影响带间,因有 F_{258} 及分支断层通过,基岩上部透水率较大,故在主帷幕两侧各设一排副帷幕。副帷幕的孔距 2m,孔深 15m。

河床深槽段 157m,因为墙下基岩为二叠系的 P_2^4 粉砂质黏土岩,为相对隔水层,深槽部位覆盖层厚达 50～70m,且存在连续分布厚 10～20m 的底砂层,是良好的反滤层,即使墙底基岩有渗流发生,渗透压力也将很快消散。因此,该段墙下基岩未作灌浆处理。

防渗墙下的基岩灌浆均为单排孔,孔距 2m。

2. 左岸山体

左岸相对单薄的山体视作大坝的延伸,因而按大坝的防渗要求布设灌浆帷幕。

左岸岸坡段因基岩风化及卸荷影响,基岩上部透水性较强。该段除布置一排主帷幕外,还在其两侧各布置一排副帷幕。副帷幕孔距 2m,孔深 15～25m。根据岩层节理裂隙产状,为提高灌浆效果,自地面施工的灌浆均采用斜孔,孔斜倾向岸内,倾角 12°,洞内灌浆采用直孔。

根据岩层产状,帷幕底由高程 60m 逐渐升到高程 130m,最大灌浆深度达到 150m。因而,在 170m 和 235m 高程上布置 2 条断面 2.5m×3.5m 的灌浆隧洞。

洞群段帷幕除 F_{236}～F_{240} 断层带间为双排孔外,其余均为单排孔,孔距 2m,孔底至 130m 高程。帷幕轴线与泄洪洞、发电洞轴线近于正交,为加强帷幕的整体性,帷幕灌浆与上述洞周围的环形灌浆采用搭接方式连接以保证形成完整的幕体。

地下厂房一段幕底高程为 140m 以封堵主要透水岩层 T_1^4,向左幕底逐渐抬高至 210m 高程,主要封堵山梁上部的风化壳岩体。该段帷幕为单排孔,孔距 2m。

3. 右岸岸坡段

该段帷幕位于二叠系 P_2^2、P_2^3 岩组内,且主要位于 P_2^3 砂岩与黏土岩呈互层状的地层内。由于隔水的黏土岩厚度相对较薄,为保持幕底线较为平顺,帷幕深度按 50% 的最大水头确定。

F_1 断层带为 5 排深帷幕,幕底深入到相对隔水岩层 P_2^1 内,高程 65m,孔距、排距均为 2m,其余均为单排孔,孔距 2m。

沿帷幕灌浆轴线平剖面详见图 17-2-1。

二、排水设计

(一)左岸山体

左坝肩及左岸山体上游有风雨沟,下游有瓮沟、葱沟等支沟的切割,山体相对比较单薄,且山体内集中布置了所有泄水及引水发电建筑物,地下洞室密布。根据上堵下排、堵排结合、以排为主的渗控方案布置原则和地下洞室的设计要求,泄水建筑物范围内,排水幕后的地下水位不高于 200m,地下厂房周围的地下水位不高于 134m。根据施工期消力塘上游边坡的稳定要求和检修期消力塘底板的稳定要求,以及整个左岸山体的稳定要求,进行排水幕的布置,各部位排水幕的基本特征见表 17-2-1。

表 17-2-1   左岸山体排水幕特征表

排水洞	洞底高程(m)	洞长(m)	排水幕顶底高程(m)	排水幕穿过岩组
2 号	154.95～170.17	321.58	140～200	T_1^{3-1}、T_1^{3-2}、T_1^4
3 号	234.77～236.52	353.80	与 2 号洞连接	T_1^4、T_1^5
4 号	185.17～189.42	872.06	150～220	T_1^4、T_1^5
28 号	161.65～164.33	761.64	幕顶 198.00	T_1^4、T_1^{5-2}
30 号	117	995.94	幕底 85.0,100.0	T_1^{3-1}、T_1^{3-2}
115m 廊道	115	855.0	幕底 90.0	T_1^5、T_1^{6-1}
105m 廊道	105			T_1^5

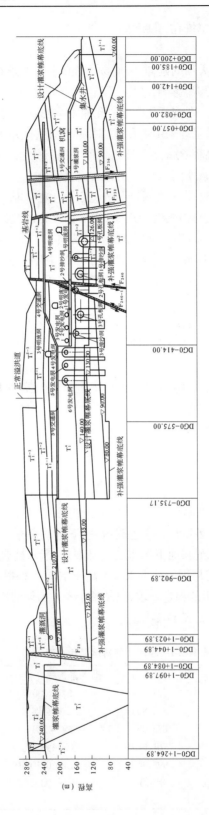

图 17-2-1 左岸帷幕灌浆和补强灌浆剖面图

上述各排水洞内排水孔间距 3m,孔径 110mm,凡位于断层带及其影响带内的排水孔,孔内均安装了组合过滤体予以保护。

(二)右岸山体

为排泄右岸山体 P_2^2、P_2^3 砂岩岩层中的承压水,确保右岸山体和坝基的稳定,在 $F_1 \sim F_{230}$ 间坝轴线下游 50m 处布置了 1 号排水洞,洞底高程 147.00 ~ 149.00m,洞长 777m。排水幕顶和幕底高程分别为 180m 和 100m。

由于排水孔要穿过多层黏土岩,因而所有排水孔内均安装了组合过滤体。

三、枢纽区渗流场研究

在大坝及左岸山体各建筑物的渗流控制方案确定后,1995 年委托黄委会水科院应用三维渗流有限元法研究水库蓄水后整个枢纽区的地下水运动规律,对渗流控制措施的作用及效果进行预测,获取渗流要素的定量指标。

(一)计算域及计算条件

根据枢纽区的水文地质条件,建筑物布置及渗流控制措施确定计算域为:左岸上游以 F_{28} 断层为界,北到 F_{461} 断层,下游到桥沟河;河床段上游考虑天然铺盖作用,取距坝 1 100m 处为入渗区边界,下游到桥沟河入黄河处;右岸上游以小清河为界,右端到天然地下水位接近水库正常高水位 275.00m 处,下游边界与河床段同。计算域的底部到相对不透水岩层 P_2^1 和 P_2^4。

上游库水位 275.00m,下游水位为 141.50m,坝前淤积高程 200m,根据水文地质勘探试验成果确定各种介质的渗透系数详见表 17-2-2。

表 17-2-2　岩层及建筑材料渗透系数

序号	岩层	区域	渗透系数 K (m/d)	序号	岩层	区域	渗透系数 K (m/d)
1	P_2^4	左岸	0.01	21	P_2^4	右岸	0.226 0
2	T_1^{1-2}	左岸	0.03	22	P_2^{3-5}	右岸	0.093 5
3	T_1^{3-1}	左岸	0.10	23	P_2^{3-6}	右岸	0.340 0
4	T_1^{3-2}	左岸	0.01	24	P_2^4	右岸	0.210 0
5	T_1^4	左岸	0.30	25	F_{230} 以南	右岸	0.020 0
6	T_1^5	左岸	0.053	26	F_{230} 断层	右岸	0.003 0
7	T_1^6	左岸	0.01	27	堆石坝壳	大坝	86.400 0
8	F_2 影响带	左岸	1.00	28	覆盖层	河床	36.400 0
9	P_2^{3-6}	河床	0.229 6	29	黏土斜心墙	大坝	0.000 086 4
10	P_2^4	河床	0.14	30	防渗墙	河床	0.000 008 64
11	T_1^1	河床	0.227 5	31	围堰防渗墙	河床	0.000 864
12	T_1^2	河床	0.30	32	内铺盖	IB 区	0.000 086 4
13	T_1^{3-2}	河床	0.18	33	内铺盖	5 区	0.000 864
14	P_2^1	右岸	0.003	34	天然铺盖		0.008 64
15	P_2^{2-1}	右岸	0.174 8	35	灌浆帷幕	$K \geqslant 0.3$ 时	0.03
16	P_2^{2-2}	右岸	0.014 8	36	灌浆帷幕	$K = 0.3 \sim 0.03$	0.01
17	P_2^{2-3}	右岸	0.071 4	37	F_1 断层	河床	0.0
18	P_2^{3-1}	右岸	0.012 8	38	F_1 断层破碎带	高程 30m 以上	10.0
19	P_2^{3-2}	右岸	0.111 3	39	F_1 断层破碎带	高程 30m 以下	0.01
20	P_2^{3-3}	右岸	0.021 5				

(二)计算结果

当水库水位为 275.00m,并形成稳定渗流时,各部位的渗流量计算结果见表 17-2-3。

表 17-2-3 枢纽区渗漏量计算结果 (单位:m³/d)

部位		有天然铺盖	无天然铺盖
左岸	Ⅰ区(F_{238}断层以北)	12 380.5	12 380.5
	Ⅱ区(F_{238}断层—河边)	1 799.5	1 821.9
河床	Ⅲ区(河床区)	15 196.2	16 658.6
	Ⅳ区(F_1断层带)	4 714.6	5 117.8
右岸	Ⅴ区($F_1 \sim F_{230}$间)	1 366.3	1 418.1
	Ⅵ区(F_{230}断层以南)	290.6	291.1
总计		35 747.9	37 688.0

注:表中分区系三维稳定渗流计算分区。

混凝土防渗墙承受的渗透坡降当考虑天然铺盖的作用时为 84.11 ~ 87.55,不考虑天然铺盖的防渗作用时为 96.34 ~ 99.79。混凝土防渗墙插入心墙内 12m,平均接触渗透坡降当有天然铺盖时为 4.60 ~ 4.75。防渗墙各部位承受的渗透坡降均在设计允许值范围内。

第三节 两岸坝肩渗漏及工程处理措施

一、渗漏情况

水库下闸蓄水后不久,便发现两岸排水洞相继出现渗水,其渗漏量随库水位上升有明显加大趋势。

随着库水位的逐渐抬升,可以明显看出约在 210m、235m 和 250m 水位时,存在一个"门坎"水位,超过上述水位时,渗漏量有明显增加的趋势。分析认为出现上述情况与透水岩层的分布高程、F_{28}断层的出露情况及山体上部风化壳岩体密切相关。

二、渗漏原因分析

(一)悬挂式灌浆帷幕

左右两岸相对隔水岩层埋深大,帷幕底未伸入到相对隔水岩层内,属悬挂式帷幕。左右两岸岩层倾向下游,主要透水岩层在库区出露于地面以上,具有良好的库水入渗补给条件,库水必然从帷幕以下的透水岩层产生层状渗漏。

英国学者葛兰德对欧美一些大坝坝基灌浆帷幕进行分析后认为:对于均质透水岩层,即使帷幕深度达到透水岩层厚度的 90%,而经过其余 10% 厚度透水岩层的渗漏量,仍然高达相当于未处理时渗漏量的 35%。由此可见,采用悬挂式帷幕对于减少坝基渗漏量是相当有限的。

(二)帷幕体单薄

由于坝基岩层节理裂隙比较发育,节理的线密度一般为 2~3 条/m,且均为 80°以上的陡倾角,左坝肩部位的帷幕最深达 120~160m,灌浆帷幕很难封堵所有的宽大裂隙,因而仍会有库水穿过帷幕的薄弱部位渗向下游。

(三)库水入渗补给边界长

国内外许多水利水电工程的渗流观测结果表明,渗漏量大小与库水入渗边界长短及壅高水头有密切关系。小浪底大坝上游左岸有风雨沟,右岸有深约数公里的小清河,库水位 265m 时,库水入渗边界长达 4km,壅高水头 130m,发生上述渗漏尚属正常。

(四)承压含水层水量得到充分补给

右岸的承压含水层在水库蓄水前便有较高的承压水位和一定的含水量。P_2^2 砂岩层厚约 50m,为硅质中粒砂岩,水库蓄水前,在坝基下的承压水位 142~190m。水库蓄水后,当库水位超过该层的承压水位时,库水便会沿该层顺层向坝下游渗漏,使其水量得到充分补给,并沿 F_1、F_{230}、F_{231}、F_{233} 等几条断层上溢,进入 1 号排水洞内。

(五)库水沿内铺盖、淤积泥沙及它们与两岸岸坡接触带和山体入渗

对于坝基渗漏而言,心墙上游内铺盖、淤积泥沙及与两岸岩坡接触面是坝基水平防渗的薄弱部位,当库水位达到一定的高度后,库水会通过这些部位向主坝防渗墙上游河床段坝基渗漏,致使防渗墙上游侧的渗压计测值升高,坝基渗漏量相应增加。

三、两岸坝肩渗漏及处理的工程措施

两岸坝肩基岩渗漏及相应采取的工程措施,大致可以分为三个阶段。

(一)第一阶段(2001 年底前)

1. 工程措施

根据各部位的渗漏情况、水文地质条件和专家咨询会意见,主要采取了以下工程措施:①在 2 号灌浆洞内,对 F_1 断层以南帷幕针对 P_2^2 强透水岩层进行补强灌浆;②在右岸上游坝脚处的 215m 高程平台上,布置 1 排灌浆孔,对 F_{231}~F_{233} 间宽 120m 范围实施封堵灌浆;③左岸 3 号、4 号灌浆洞内的帷幕补强灌浆,由原 1 排灌浆孔增加为 2 排灌浆孔,并且孔深增加到封堵 T_1^{3-1} 强透水岩层;④对尚未实施的 1 号灌浆洞内的帷幕灌浆由 1 排孔增加为 2 排孔,孔深不变;⑤对大坝以北左岸山体尚未实施的地面灌浆,也由 1 排孔增加为 2 排孔,孔深增加到封堵住 T_1^4 强透水岩层。

2. 补强灌浆效果

右岸:由于采取上述两项补强灌浆工程和坝前淤积的发展,1 号排水洞的渗水量有显著减少,在库水位 210~240m 间,渗漏量减少 35.4%~20.8%。

左岸:3 号、4 号灌浆洞内补强灌浆完成后,左岸山体渗漏量有以下变化:①当库水位低于 230m 时,地下厂房上游边墙和拱顶的渗水量显著减少,库水位 234~235m 时的渗水量由 96.3m³/d 降为 4.7m³/d;②位于左坝肩下游侧的渗压计 P_{148}、P_{181} 两支渗压计的测值下降约达 17m。

(二)第二阶段(2002 年～2003 年 8 月底)

1. 渗漏通道探测

对于库水位超过 235m 左岸渗漏量显著增加的情况,开展了查找渗漏通道的研究探测工作。2002 年 4 月小浪底建管局委托河海大学科学研究院采用同位素综合示踪方法,黄委会设计院物探总队采用瞬变电磁法,研究探测左岸山体的渗漏途径和可能存在的集中渗漏通道。

河海大学研究的主要结论:①在 F_{28} 断层下盘与灌浆帷幕之间(58m 高程以上)的地层中(通过 T_1^{3-1})存在一条绕过坝肩的集中渗漏通道,该渗漏水通过 30 号排水洞北侧的 109～171 号孔排出,该通道是 30 号排水洞的主要补给源;②4 号排水洞 26～27 号孔附近 160m 高程以上的灌浆帷幕(T_1^4)存在渗漏,同样在 120m 高程以下的 T_1^{3-1} 中也存在渗漏;③30 号排水洞下游侧的 189～202 号排水孔的渗漏水主要来自下游。

黄委会设计院物探总队采用瞬变电磁法探测结果:在正常溢洪道以北—副坝左坝肩、高程 75～220m 间的 T_1^{3-1}～T_1^4 岩层内,存在宽度 10～20m 的 5 个集中渗漏通道。

2. 工程措施

主要工程措施包括:①F_{28} 断层下盘影响带及下盘裸露岩石边坡是库水可能的入渗口之一,为此,对 215m 库水位以上的断层带及下盘影响带挖槽回填 3～5m 厚土封闭,对下盘裸露的岩石边坡喷 0.2m 厚混凝土,垂直断层走向,在断层带及下盘影响带范围内布置 2 排封堵灌浆孔,孔底达 T_1^2 岩层内,以截断库水沿 F_{28} 断层向北的运移;②补充封堵位于帷幕轴线上游侧的 5 个地质探硐:Π_{17}、Π_{18}、Π_{19}、Π_{24}、Π_{25},对工程前期已封堵的 Π_{30} 探硐采用灌浆方法进行补充封堵;③对 3 号灌浆洞南端洞顶以上的左岸岸坡"三角区"进行补强灌浆;④在 4 号灌浆洞内对用瞬变电磁法探测到的两个集中渗漏通道 TD1、TD2 实施灌浆封堵,对 F_{238} 断层带及影响带再次实施补强灌浆;⑤在 28 号排水洞内对原有向上的排水孔加深,并在 f_1、f_2 两个小断层范围内增设倾斜的向上排水孔;⑥在右岸 2 号灌浆洞内,对 F_1 断层带进行水泥－化学复合灌浆;⑦厂房顶拱 f_1、f_2 两个小断层范围内实施化学灌浆,孔距 1m,孔深 1.5m;⑧30 号排水洞内渗流量大于 1L/s 的排水孔上安装控制阀门。

3. 效果

1 号排水洞的渗水量明显减小,如 2003 年 9 月 1 日库水位 238.75m 时的渗水量比补强灌浆前的 230.14m 库水位时的渗水量还少;库水位 261.42m 时的渗水量与 2002 年 2 月 20 日库水位 240.20m 时的渗水量相当,说明灌浆效果显著。

自 2004 年底至 2005 年 5 月底,库水位持续维持在 250～260m 间,1 号排水洞的渗水量在 6 000～6 600m³/d 之间变化,说明 1 号排水洞在高水位时的渗水量渐趋稳定。

3 号灌浆洞南侧岸坡"三角区"补强灌浆后,2 号排水洞 U-028～U-036 号排水顶孔的渗水量由库水位 240.37m 时的 1 700.8m³/d,减小为 262.80m 库水位时的 125m³/d。

30 号排水洞的渗水量也显著减小,当库水位低于 235m 时,厂房顶拱已不渗水。

(三)第三阶段(2003 年 9 月至 2005 年 5 月)

1. 工程措施

鉴于小浪底水利枢纽在黄河下游的防汛中具有极其重要的地位,2003 年秋汛期间它的首次高水位运用情况受到中央领导、水利部和各级领导的高度重视。为此,2003 年 11

月中旬在小浪底召开了小浪底水利枢纽 2003 年秋汛高水位运行专家咨询会。根据此次专家咨询会咨询意见,对集中渗漏通道的研究探测结果、坝区水文地质条件,从处理方案的可操作性等方面考虑,确定了左岸山体进一步防渗补强设计方案,并通过 2004 年 3 月中旬专家咨询会的评审。工程措施:①从 3 号灌浆洞北端对 4 号、5 号、6 号发电洞下面岩体实施补强灌浆;②在 4 号灌浆洞内从 3 号明流洞以北范围向下补打一排灌浆孔,孔距 2m,孔底高程 140m,主要封堵 T_1^4 强透水岩层;③在灌溉洞内对 TD3、TD4、TD5 三个集中渗漏通道实施封堵灌浆,孔底达 90m 高程,向上的灌浆孔孔顶达 245m 高程,主要封堵 T_1^4、T_1^5 岩层内的渗漏通道;④从 3 号明流洞以北,由地面进行补强灌浆,2 排孔,孔距 2m,在 4 号灌浆洞范围内,孔底达 4 号灌浆洞底部主要封堵左岸山体上部风化壳岩体;4 号灌浆洞以北,孔底为 140m 高程,与灌溉洞灌浆衔接的一段灌浆,孔底高程为 120m;⑤对高程 275m 以下的进水塔后边坡及其他迎水面裸露的岩石边坡采用喷 0.15m 厚混凝土予以封闭;⑥厂房顶拱、主变洞顶拱和尾闸室顶拱的渗漏水引排处理;⑦4 号、28 号排水洞内补打、加密、加深排水孔及孔内安装组合过滤体;⑧地下厂房范围内地表的封闭处理;⑨西沟水库库盆及右岸边坡的防渗处理。

2. 效果

第三阶段帷幕补强灌浆主要目的是减少厂房区的渗水量,以改善电站的运行环境,确保机电设备的安全运转。补强灌浆后,在库水位 259~260m 时的漏水量,4 号排水洞减少 80.65%,28 号排水洞减少 77.35%,30 号排水洞减少 36.1%,厂房顶拱减少 83.6%,灌浆效果十分显著,达到了预期目的。厂房顶拱、主变洞顶拱及尾水闸门室顶拱经对渗漏水进行引排水处理后,已接近干燥状态,厂房、主变洞及尾水闸门室的运行环境已得到了根本的改善。

第四节　坝基渗漏问题研究及防渗补强设计

一、坝基渗漏情况

(一)坝基渗漏量观测结果

坝基渗漏量由坝下布设的 2 个量水堰观测。2003 年 11 月 15 日库水位 260.01m 时,渗漏量为 29 642m³/d,2004 年 3 月 8 日库水位 260.03m 时,渗漏量为 34 094m³/d,后者较前者增加 15% 以上,其他相同库水位时的渗漏量,2004 年均较 2003 年明显增加。

(二)渗漏量观测结果分析

2003 年 8 月 7 日~10 月 15 日为水库水位迅猛上升阶段,而 2003 年 10 月 15 日~2004 年 7 月 13 日为水库水位缓慢下降阶段。在库水位上升阶段,因库水要使未饱和的岩(土)体充水、排气饱和及岩(土)体渗流特性的调整并形成稳定的渗流场需要有一个过程,即所谓的"滞后效应",所以坝基渗漏量增加变化缓慢。

当稳定渗流场形成后,反映出库水位相同时,库水位下降过程中的坝基渗漏量明显大于库水位上升阶段的渗漏量,在这部分渗漏量中包括饱和岩(土)体释放出的水量。左岸山体各排水洞的渗漏量观测结果也有相同的规律。相同库水位时,库水位下降时的渗漏量大于库水位上升时的渗漏量,符合渗流场的变化规律。

小浪底大坝坝基防渗除有 1.2m 厚的主坝混凝土防渗墙外,大坝防渗体通过内铺盖和上游拦洪围堰斜墙及坝前淤积泥沙形成的天然铺盖联系起来,组成坝基的辅助防渗体系。库水位快速上升时,库水通过内铺盖/天然铺盖入渗到主坝防渗墙上游侧的坝基内以及各种介质渗透特性的调整均需要一定的过程。这个过程可由埋设在主坝防渗墙上游侧覆盖层内渗压计的观测结果和坝基渗漏量的观测结果得到证明。

以上分析说明,2004 年 2 月以后在相同库水位时,较 2003 年秋汛期间的坝基渗漏量增加较多,属渗流场范围内各种介质渗透特性调整产生的"滞后效应",是渗流的正常现象。

二、坝基渗漏途径分析

(一)F_1 断层以南右岸坝基

F_1 断层顺河向展布,断距达 220m,在横向上具有隔水作用,但其两侧影响带却是强透水带。$F_1 \sim F_{230}$ 断层间,F_{230}、F_{231}、F_{233} 等 3 条近东西向断层横贯右坝肩,贯通水库的上下游,构成本区主要渗漏通道,其渗漏水绝大部分排泄到 1 号排水洞;F_{230} 断层以南渗水,由于该断层断距较大,断层泥较厚,可以看成是一条隔水边界。若有少量渗水透过断层,也会被 1 号排水洞排水幕截住。所以,F_1 断层带以南的渗水排泄到河床的可能性不大。

(二)左坝肩及左岸山体渗水

F_{236} 断层以北的 Ⅰ 区、Ⅱ 区,库水的渗漏主要沿 F_{236}、F_{238}、F_{240} 等 3 条贯穿左岸山体的主断层及其之间发育的分支断层、次一级小断层构成的强渗漏通道排向下游,其中绝大部分渗水将排泄到布置在不同高程上的 2 号、4 号、28 号和 30 号排水洞内;同时在横向上,3 条断层还是具有一定的隔水作用。所以,F_{236} 断层以北的渗水排向河床的可能性也不大。

河床段坝基渗漏水应主要来自 $F_1 \sim F_{236}$ 之间宽约 700m 的坝下基岩,特别是 F_{236} 以南左坝肩强风化卸荷带、左坝肩下部 $T_1^1 \sim T_1^{3-1}$ 强透水岩层和河床基岩深槽及深槽两侧的 T_1^1、T_1^2 透水岩层。

(三)河床段坝基渗漏分析

根据 $F_1 \sim F_{236}$ 断层之间坝基水文地质条件,该段坝基的渗漏主要由以下三部分组成:

(1)F_1 断层上盘(北侧)影响带及其以北与防渗墙南端(桩号 D0 + 643.34)间,坝基因有 F_1、F_{251}、F_{252}、F_{257}、F_{258} 等数条小断层贯通水库上、下游,且该段坝基岩体较为破碎,坝基固结灌浆时由 Ⅱ 序孔最终增加到 Ⅳ 序孔才满足设计要求,帷幕灌浆时,水泥单耗也相对较大。该段坝基应是库水渗漏的主要通道之一。这个观点可由埋设在帷幕轴线上游、F_1 断层带混凝土盖板下的渗压计 P_{25}、P_{26}、P_{27} 及帷幕轴线下游、F_1 断层上盘的渗压计 P_{36} 的测值明显高于河床中部相应部位的 P_{65}、P_{66}、P_{95}、P_{67}、P_{68} 等渗压计的测值约 10m 之多得到证明。

(2)河床深槽段宽约 157m 的防渗墙下基岩未灌浆,深槽内并有 F_{253}、F_{254}、F_{255} 等数条小断层顺河向展布,贯通水库的上下游,该段基岩虽为厚约 20m 的 P_2^4 黏性土岩层,根据防渗墙上、下游渗压计测值的变化情况判断,深槽段坝基岩体也是库水渗漏的通道之一。

(3)左坝肩(Ⅲ区)基岩的渗漏是坝基渗漏的主要部位。主要依据是:①左坝肩地形陡峻,岸坡平均坡度 30°~40°,岸坡上基岩裸露,风化卸荷带深度可达 50~80m,坝基开挖时,岸坡岩体卸荷裂隙十分发育,有的张开裂隙最宽可达 20~30cm,延伸长度大于 40m,坝基灌浆时,该部位的水泥单耗达 1 000~2 000kg/m,由于组成岸坡的岩体为 T_1^1~T_1^5 的坚硬岩组,总厚约 250m,风化卸荷作用增强了本区岩体的透水性;②该区灌浆帷幕虽然经过补强,但幕底仍未深入到 P_2^2 相对隔水岩层内,属悬挂式帷幕;③帷幕轴线上游约 100m 的冲沟内及岸坡上发育两条高角度的 F_{601} 及无名小断层,它们均位于上游坝壳下面,是库水的直接入渗口,且渗径很短;④2 号排水洞南端距岸坡有约 100m 的距离,2 号排水洞以南岸坡的渗漏将直接向河床排泄,2 号排水洞中位于 F_{236} 断层以南向下的排水孔无水渗出,曾经用 10L/s 的流量向孔内注水,未见水位升高,可见左岸山体下部基岩的渗漏通道极为通畅;⑤1999 年 11 月,在左坝肩下游葱沟供水井做抽水试验时,正值水库下闸蓄水后不久,主井和滩区其他几个水位观测孔抽水后不但水位恢复快,而且水位比下闸前平均抬高1.9m,这也充分说明左坝肩下部岩体渗水通道相当明显。

综上所述,左坝肩应是坝基渗漏水的主要来源。

三、坝基渗漏通道的探测和研究

(一)物探探测结果

为研究坝基渗漏的主要来源,2004 年 5 月,黄委会设计院物探总队根据现场条件采用瞬变电磁法、可控源音频大地电磁法和大地电磁法等 3 种方法,在 F_{238} 断层到 F_1 断层间沿坝轴线长度约 770m 的范围内,在坝上游坡 260m 高程、坝轴线、坝下游坡 250m 高程马道上布置 3 条测线,用 3 种方法进行探测。探测结果说明,采用物探方法对坝基渗漏通道的探测结果与根据坝基水文地质条件的分析所得结论完全吻合,即左坝肩是坝基渗漏的主要部位。

(二)三维渗流反演分析

中国地质大学(北京)2004 年 11 月完成的坝基三维渗流反演分析所得主要结论如下:

(1)北岸(左岸)坝肩绕渗是坝后水塘的重要水量来源。库水可直接进入该上游北岸区内的 T_1^3、T_1^2 和 T_1^1 基岩透水层,由于主防渗帷幕未完全截断这些地层,而且这些透水层又在下游河床区与砂砾石层直接接触,形成了地下水渗流通道。此外,该部位为 F_{236} 断层影响带和岸边卸荷带的重叠区,基岩中的裂隙渗透性大,致使该通道的导水性较好。流入下游河床区砂砾石层的地下水自然就可以到达坝后水塘。

(2)河床区是坝基渗漏的另一主要途径。在上游库区,库水首先通过近 40m 厚的淤泥层进入原河床的砂砾石层,然后,在砂砾石层中流向坝前区,在遇到上游防渗墙时,则通过 P_2^4 和 T_1^1 地层绕渗;在南部上游防渗墙缺失区则直接进入上游坝前区;在上游坝前区,库水则直接通过 6m 厚的黏土层进入上游坝前区。上游坝前区内的地下水则绕过主防渗墙,经主防渗墙下的基岩流入下游河床区的砂砾石层中,最终到达坝后水塘。

(3)水库水位的高低对坝下水塘的渗流量大小有决定性影响,但库区内泥沙的淤积和黏土层的"滞后效应"对库水位与坝后水塘流量的定量关系影响巨大。2003~2004 年水库高水位运行期间,坝后水塘流量与库水位的"异常"现象与此有直接关系。

四、左坝肩防渗补强设计

(一)帷幕补强方案与实施

根据对坝基渗透途径分析、物探探测结果、三维渗流反演分析结果和现场条件,2005年7月上旬完成了左坝肩3号、4号灌浆洞内 F_{236}、F_{238} 断层两侧影响带及 F_{236} 断层以南山体进行的补强灌浆。

(二)灌浆效果分析

为研究左坝肩帷幕补强灌浆效果,选择2004年上半年和2005年上半年库水位缓慢下降过程中坝基渗漏量观测结果进行对比,坝基渗流量减少3.8%~17.2%。坝基渗流量观测结果表明,左坝肩帷幕补强灌浆完成后,坝基渗流量有所减少,其效果尚未完全显现出来,还有待今后继续观测。

第五节 枢纽建筑物的安全性评价

截至2006年2月28日,水库已在较高水位250m以上运行591天,其中在库水位260m以上累计运行115天,水库淤积泥沙达16.86亿 m^3,坝前淤积高程达180m以上。各种观测资料显示,枢纽各建筑物运行未发现异常。虽然坝基及左右两岸坝肩基岩渗漏量较大,但鉴于小浪底枢纽区的水文地质条件及相对总入渗前缘长度约4km、水头130m的情况,从总体看,出现这样的渗漏量尚属正常,且渗水均为清水,虽运行库水位已超过265m,尚未发现有影响大坝及枢纽建筑物安全运行的迹象。

一、河床段大坝的安全性评价

小浪底大坝位于70余m深的砂卵石覆盖层上,设计采用厚1.2m的混凝土防渗墙截断覆盖层,向上插入土体12m,向下嵌入基岩1~2m,形成大坝的垂直防渗体系。坝的安全运行,首先基于砂卵石层的渗透稳定。经过2003年秋汛较高库水位运用的考验,大坝渗控工程的工作性态未见异常,水库初期运用的实践表明,坝体施工质量总体良好,大坝变形已趋稳定,坝体、坝基防渗可靠,大坝处于正常工作状态,大坝是安全的。

(一)坝基渗透比降远小于设计允许值

保持坝基渗透稳定是设计的关键,也是大家所关注的重点。河床段坝基覆盖层设计允许渗透比降为0.1,根据埋设在主坝防渗墙下游侧渗压计测值和坝后水塘内渗压计P300的测值进行比较,实测坝基覆盖层内渗透坡降值见表17-5-1。

表 17-5-1 实测坝基覆盖层渗透坡降

断面	渗压计	测值(m)	P300 测值	渗透坡降
F_1 以左	P36	162.972		0.055
B—B	P105	141.809	138.068	0.008
C—C	P150	139.030		0.002
说明	时间为2004年5月27日,库水位255.05m,该时段库水位稳定较长时间,渗压计测值较能反映真实情况。			

B—B 断面渗压计 P110～P300 位于坝基渗流的出口附近,其间典型库水位条件下实测渗透比降见表 17-5-2。

表 17-5-2　P110～P300 间实测渗透比降

日期 (年-月-日)	库水位 (m)	P110 高程 118.50m 210.00D/s	P300 高程 134.43m 385.00D/s	渗压差 (m)	渗透比降
2003-10-16	265.26	138.041	137.967	0.074	0.000 4
2004-02-27	260.01	138.223	138.021	0.202	0.001 1
2004-05-27	255.05	138.299	138.068	0.161	0.000 9
2004-06-16	250.08	138.268	138.020	0.248	0.001 4
2005-04-10	259.61	138.526	138.209	0.317	0.001 8
2005-05-11	254.95	138.342	138.051	0.291	0.001 2
2005-06-13	250.24	138.006	137.885	0.121	0.000 7

注:210.00D/s 为坝轴线下游 210m。

从坝后水塘取样分析及水塘底部录像看,未发现覆盖层产生管涌的迹象。

(二)坝基渗流场已趋稳定

2003 年秋汛期间库水位迅猛上升,8 月 26 日～10 月 15 日库水位由 230.23m 上升到 265.69m,库水位上升速率平均为 0.71m/d,其中 8 月 26 日～9 月 13 日(库水位 250.36m)库水位上升速率平均为 1.12m/d。在库水位迅速上升期间测得的坝基渗漏量不反映坝基真实的渗漏量,2004 年上半年和 2005 年上半年库水位在 250m 以上稳定了较长时间,各种渗透介质的渗透特性经过调整,两个时段坝基渗漏量与库水位具有良好的相关关系,说明已基本形成稳定渗流场。库水位～坝基渗漏量变化过程线见图 17-5-1。

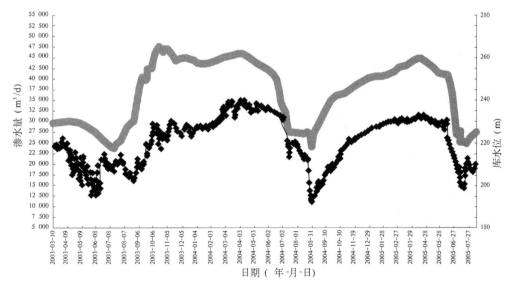

图 17-5-1　库水位～坝基渗漏量过程线

(三)坝体、坝基防渗可靠

由埋设在主坝防渗墙下游侧渗压计的观测结果可以看出,自水库下闸蓄水以来,特别是 2003 年秋汛水库高水位运用以来,下游侧所有渗压计测值变化很小,由埋设在主坝防渗墙上游侧渗压计测值和防渗墙下游侧渗压计测值对比可知,混凝土防渗墙削减剩余水头的 90%以上,充分说明坝体、坝基防渗体系运行正常,防渗可靠。由于心墙下游侧及坝基加强了反滤保护,河床段坝基防渗除有 1.2m 厚的混凝土防渗墙外,并有内铺盖及天然铺盖形成的辅助防渗体系。因此,可以保证大坝在高水位运用条件下的安全。

(四)坝体变形已趋稳定

大坝竣工已 5 年多,大坝外部变形监测结果表明:大坝的水平变形和沉降变形已渐趋稳定;大坝变形无突变,符合土石坝变形的一般规律;位于河床深槽处最大坝剖面的坝顶向下游方向累计水平位移为 0.789m,为坝高的 0.49%;坝顶沉降量为 1.22m,坝的沉降率为 0.76%。河床深槽部位坝基覆盖层厚达 70m 以上,加上大坝高度总高度约为 230m,大坝竣工至今沉降率仅为 0.76%,与大多数高土石坝的沉降率相近。

(五)坝基覆盖层渗漏水均为清水

渗漏水水质各项指标监测结果表明,渗水对坝基岩体无化学溶蚀性。

综上所述,河床段坝基渗漏不影响大坝的安全运行。

二、右岸坝基渗漏及其影响分析评价

右岸大坝坐落在岩基上,下伏厚 15m 的相对不透水岩层 P_2^{3-1},心墙基础铺筑了厚 0.3m 的混凝土板,并进行了普遍的固结灌浆,对于顺河向 F_1 断层进行了特殊处理,包括沿整个断层破碎带的心墙基础均铺筑厚 1m 的混凝土板及其下游的反滤保护,5 排帷幕灌浆,以及后来实施的水泥–化学复合补强灌浆。从帷幕上下游渗压计测值分析来看,渗透比降均控制在设计范围内,即按设计渗透比降不大于 3 时提出的警戒值。坝基渗漏不会导致防渗土体接触渗透破坏。

现右岸坝基的渗漏已趋稳定,在库水位 250～260m 时的渗漏量为 6 000～7 000m^3/d,与 240m 水位的渗漏量相差不大。随着水库淤积的进一步发展,特别当淤积面超过 205m 后,将封闭主要透水岩层 P_2^{3-2},渗漏量及渗控状况均会得到大幅度改善,右岸坝基的渗漏不影响大坝的安全运行。

三、左岸山体渗漏及其影响分析

(一)渗漏量大幅度减少

左岸山体经过三次帷幕补强灌浆效果显著,左岸山体的渗水量减少约 48%。根据前述观测结果,库水位越高,减幅越大。

(二)左岸建筑物工作性态正常

左岸山体的各种观测资料显示,进口高边坡、左岸山体、出口高边坡的工作性态正常。进口高边坡高程 250m 马道上视准线各测点向水库方向的年最大水平位移仅 1.6mm,锚索力增加或损失量均小于 30kN,一般为 8～12kN。左岸山体排水幕后的地下水位均小于设计警戒值 200m;250m 高程压戗平台视准线上各测点水平位移的年变化量最大 6mm(向下游),垂直位移的年最大变化量也为 6mm;出口边坡水平位移年变化量最大 0.6mm,垂直位移最大年变化量 2.1mm;2005 年锚索测力计测值与 2002 年测值比较,变化甚微。进水塔工作性态正常:塔基累计位移15.44mm,年变化0.64mm;自2002年以来塔间缝变化量小于1mm;进水塔塔顶4个角处布设的位移标点观测结果表明:塔顶年沉降量5mm,且呈均匀下沉;塔基应力小于设计的允许值。进水塔内各孔口闸门启闭正常。

(三)左岸山体的渗漏不会影响山体稳定和软弱岩层的渗透破坏

左岸山体的渗漏主要发生在 T_1^1、T_1^2、T_1^{3-1}、T_1^4 等硅质和硅钙质胶结的坚硬岩层及断层影响带及卸荷风化岩体内,表现有层状渗水、带状渗漏和风化壳渗漏的特性。原设计帷幕体单薄,且帷幕体贯入深度不足。灌浆帷幕经过几次补强处理,虽未完全封闭透水岩层,业已得到有效的加强。目前的渗漏主要发生在帷幕下未能封堵的深部岩层。左岸山体渗控工程的设计主要是降低山体的地下水位,目前排水幕后的地下水位不超过170m,远小于设计要求的200m水位。经设计和2004年中国水科院复核,在确保地下水位不超过200m时,左岸单薄山体有足够的稳定安全系数。枢纽低位洞室群均有钢筋混凝土衬护,并普遍进行了固结灌浆,水库渗漏对枢纽建筑物的安全运行不会造成不利影响。从左岸排水幕到下游消力塘约800m,以排水幕后地下水位200m、下游消力塘水位135m计,平均渗透比降约0.08,远小于泥化夹层的允许渗透比降,不会造成渗透破坏。

(四)泄水建筑物经过较长历时的泄水运用考验

截至2005年8月31日,各泄水建筑物的闸门及启闭设备均经过较长历时运用的检验,工作正常。

(五)厂房的渗漏问题已妥善解决

左岸经补强灌浆处理后地下厂房顶拱的渗水量大幅度减少,并对出现的渗水(包括主变室、尾闸室)进行了引排处理,顶拱已无渗水痕迹,处于干燥状态。厂房区的工作环境已得到根本改善,保证了电站的运行安全。

左岸山体的渗漏不影响枢纽建筑物的安全运行。

四、设计总体评价

(1)水库运行6年多来,枢纽各主要建筑物(包括金属结构和电气设备)已经过265.69m较高库水位运用的考验,观测结果显示工作性态未见异常。

根据枢纽各建筑物的设计条件、运用要求、各建筑物运用以来的工作性态和已有的观测结果,对各建筑物关键部位的一些关键观测项目设定了警戒值作为判断枢纽各建筑物工作性态的参考。到目前为止,各项监测数据均未超过设定的警戒值。

(2)实践证明,小浪底水利枢纽按照"前堵后排,堵排结合,以排为主"的设计思想,将左岸山体作为大坝的延伸,并充分利用坝前淤积铺盖形成双重防渗体系的渗控工程是有效和可靠的。水库蓄水后出现的渗漏问题经多次进行补强处理,效果明显。相对于4 000m挡水前缘和130m左右的水头,目前的渗漏状况属于正常。

(3)经分析,预测在正常高水位275.00m时的枢纽最大渗漏量不超过50 000m³/d(0.58m³/s),小于已发生的最大渗漏量55 000m³/d,约相当于水库枯水期平均入库流量的0.1%。小浪底库区无渗漏问题,枢纽区的渗漏机理已基本清楚,渗漏不会导致坝基砂卵石覆盖层及基岩与心墙接触带的渗透破坏,不影响枢纽建筑物安全运行和左岸山体的稳定,也不会影响枢纽工程效益的发挥,水库渗漏问题已基本解决。

第三篇
工程评估与专家咨询

第十八章　工程评估和专家咨询意见

第一节　工程评估意见

一、小浪底水利枢纽工程设计任务书评估报告

1986 年 12 月 29 日,中国国际工程咨询公司向国家计委报送了评估报告,全文如下。

国家计委:

黄河下游防洪问题是党中央、国务院历来重视关心的问题,水电部门在长期规划研究的基础上,1982 年提出了《黄河小浪底水库工程初步设计要点报告》。1983 年 3 月,国家计委和中国农村发展研究中心召开了论证会。1984 年,水电部门提出了《黄河小浪底水利枢纽可行性研究报告》和《补充报告》。1984 年 9 月至 1985 年 10 月,经国家批准,由黄委会与美国柏克德公司合作完成了小浪底水利枢纽的轮廓设计。1985 年底正式报出《小浪底水利枢纽工程设计任务书》(以下简称《设计任务书》)。1986 年 3 月国家计委委托中国国际工程咨询公司进行评估。

经过公司与各方面协商准备,于 5 月正式成立评估专家组,聘请中国科学院、清华大学等 14 个单位 50 多位专家。分别组成综合规划、水文、泥沙、水工、地质、施工和经济 7 个专业组。经 3 个多月调查研究、核实资料、专题讨论,又经过多次专家组组长会议和全体专家会议讨论,进一步弄清有关黄河下游治理和小浪底工程的一些主要问题。

(一)兴建小浪底水库是整个治黄规划中的一项关键性工程

黄河是一条多泥沙河流,在我国历史上,除了东汉和北宋时期曾进行过较大规模的人工分流放淤以外,主要采取疏浚河道、修筑堤防等排洪排沙的治黄措施,虽曾有过相当大的成就,但长期以来,由于洪水得不到有效控制,泥沙也不能彻底治理,始终处在三年两决口的局面。新中国成立后,我们在总结历史经验的基础上,加强了上中游水土保持,建设了三门峡等水库,加固了下游大堤,逐步明确了"上拦下排、两岸分滞"的治黄方针,取得了 30 多年伏秋大汛不决口的胜利。但河床不断抬高,下游洪水泛滥的威胁并未解除。进一步完善和加强黄河下游防洪体系,仍是我国"四化"建设中的一项重要的战略任务。

黄委会根据 1983 年国家计委和中国农村发展研究中心论证报告提出的要求,对黄河治理规划又做了大量研究论证。这次向评估会议提出了加强上中游水土保持,修建桃花峪水库、龙门水库、小浪底水库、滩区放淤、引汉刷黄、分流放淤、开辟下游分洪道、大改道等方案和设想,在这些方案和设想中进行了比较论证。评估专家认为,加强上中游水土保持是减少黄河泥沙的根本措施,但单靠这一措施,短期内难以奏效,要结合其他治黄方案同时进行。龙门水库和桃花峪水库都是治黄规划中的重要工程,前者有较大的拦洪、拦沙库容,但位置偏上,对黄河下游防洪减淤作用较小,后者在小浪底下游,能更好地控制下游

洪水,但地处平原,没有拦沙库容,且要淹没部分高产农田。而小浪底水库位于三门峡以下130km处,是黄河干流上最后一个峡谷水库,其对下游的防洪(防凌)减淤作用远较龙门、桃花峪水库优越。滩区放淤方案是解决黄河泥沙的一个重要出路,但滩区上游必须先有大坝,以便抬高泄洪放淤水位,而小浪底水库恰好创造了这样的条件。其他引汉刷黄、分流放淤、开辟下游分洪道、大改道等方案和设想,由于工程浩大、问题复杂,需要进一步研究,探讨其可行性,且这些下游治理措施,不论采取哪个方案,其上游都需要有能够控制洪水、调节水沙的工程与之配合。因此,绝大多数专家一致认为,从整个治黄规划看,兴建小浪底水库是其他方案难以代替的关键性工程。

(二)对黄河下游现有防洪能力和小浪底水库工程紧迫性的分析

新中国成立后,黄河历经30多年整治,下游1 400km两岸大堤已加固加高3次;黄河干流和伊洛河等支流上兴建了三门峡、陆浑、故县等大中型水库;两岸开辟了北金堤等滞洪区,扩建了东平湖水库;修建了大量整治河道的控导工程;下游防洪能力已有很大提高。目前黄委会提出的黄河下游的防洪标准为:郑州花园口设防流量22 000m³/s,孙口(靠近东平湖水库上游)设防流量17 500m³/s,艾山(靠近东平湖水库下游)以下设防流量10 000m³/s。《设计任务书》提出,这一设防标准,在有三门峡、陆浑、故县三水库联合运用下,约相当60年一遇的标准。

这次评估专家认真核实了黄河下游的可能来水量和下游各区段的防洪能力。总的认为黄河下游的防洪能力,按现在的设防标准是有潜力的。

1.《设计任务书》采用的设计洪水,是1976年水电部审定值。与最近核实结果比较,洪峰(每秒流量峰值)和洪量(5天或12天内的洪量)分别留有10%和5%的余地。

2.《设计任务书》没有考虑上游龙羊峡、刘家峡水库的蓄水作用。评估专家根据花园口22 000m³/s以下大水年统计计算,龙、刘两库至少可以削减下游大水年7、8月份基流量800~1 300m³/s(如遇更大洪水年,基流量还可削减更多)。相应5天洪量可以削减3亿~7亿m³。

3. 伊河、洛河汇合处的三角夹滩,遇大水时的天然分洪滞洪作用,约可削减花园口洪峰2 000~3 000m³/s,削减5天洪量3亿~6亿m³。

4. 黄河下游大堤,河南段比目前设防设计水位超高3~4m,山东段超高2.5~3m,比正常需要的超高都留有一定余地。

5. 有的专家还认为,《设计任务书》提出,东平湖泄洪能力为7 500m³/s,蓄洪17.5亿m³,也是有潜力的。

因此,评估专家认为,考虑龙羊峡、刘家峡水库的调节作用和伊洛河夹滩的自然分滞洪作用,在不使用北金堤滞洪区的条件下,现有堤防的设防标准不是60年一遇,而是达到了百年一遇的标准。如考虑大堤实际超高的潜力,加上三门峡水库、北金堤滞洪区和东平湖的合理运用,通过历史最大(约相当于300年一遇)洪水甚至千年一遇洪水也是可能的。

对于黄河下游威胁较大的是暴雨区的三门峡以下的大洪水(简称下大洪水)。以这类洪水的洪量来说,300年一遇洪水的12天洪量约153亿m³,千年一遇洪水的12天洪量约164亿m³。山东艾山以下河道下泄10 000m³/s能排100亿m³入海,三门峡可分别拦蓄27.5亿m³和30亿m³,陆浑、故县水库可拦蓄7.5亿m³,东平湖水库分别分洪14.7亿m³

和 17 亿 m³,则北金堤滞洪区 300 年一遇洪水分洪 4 亿 m³,千年一遇洪水分洪 10 亿 m³,即可全部通过。如果把龙羊峡、刘家峡水库削减基流洪量和伊洛河夹滩地区分滞洪能力考虑进去,或者让艾山以下河道多下泄一些(多泄 1 000m³/s,可多排洪 10 亿 m³),或者东平湖再多分一些,则 300 年一遇洪水可以不用北金堤滞洪区,千年一遇洪水北金堤的分洪量还可以减少。

以洪峰来说,300 年一遇洪水,经三门峡、陆浑、故县等三库调蓄后,花园口洪峰为 29 500m³/s,千年一遇洪水,花园口洪峰为 32 000m³/s,都超过现有设防标准。但如果考虑前述对来水量估计的余地以及龙羊峡、刘家峡水库削减基流作用和伊洛河夹滩的削峰作用,花园口 300 年和千年一遇的洪峰有可能还要降低一些。评估专家认为,发挥现有大堤超高的潜力,根据 1958 年的防洪经验,通过以上洪峰是有可能的。

通过历史最大洪水和千年一遇洪水,关键是要加固好堤防,加强重点地段的河道整治,完善东平湖、北金堤滞洪区的分洪滞洪设施,加强防汛队伍、洪水测报、防洪调度等非工程设施制度的建设。

现有防洪体系防御 300 年一遇和千年一遇洪水,存在的主要问题是:①现有大堤基础差,隐患多,泥沙冲淤变化不定,有出现"横河"、"斜河"的可能,存在大堤冲决溃决风险;②增加东平湖、北金堤分滞洪淹没损失,北金堤滞洪区滞洪 10 亿 m³ 运用一次,农村损失将达 5 亿~6 亿元,中原油田将损失 5 亿~10 亿元;③三门峡坝前水位超过 326m 高程,回水即过潼关,300 年一遇和千年一遇洪水时,三门峡拦洪水位分别达 326m 和 330m 以上,如遇上大洪水(暴雨区在三门峡以上)时,三门峡水位还要高些,将影响潼关高程的抬高和渭河淤积;④下游河道将继续淤积抬高,排洪能力将逐步减小。

对于以上问题,专家看法不完全一致,有的认为应估计严重一些,有的认为没那么严重。多数专家们认为,如果国家财力许可,早点上小浪底工程,可以早避免风险,是有好处的;如果国家资金困难,也可以考虑适当推迟。还有的专家认为,当前首先应当发挥黄河下游现有防洪设施的潜力,只要对局部大堤适当加高,加上充分利用三门峡、东平湖等水库,不用北金堤滞洪区,也可以通过千年一遇洪水,小浪底工程是否修建还值得研究。

(三)关于小浪底工程方案的论证意见

1. 评估专家组一致同意,小浪底水利枢纽的开发任务确定为,以防洪(包括防凌)、减淤为主,兼顾供水、灌溉、发电。

2. 专家组同意《设计任务书》提出的方案:小浪底水库采用堆石坝、坝顶高程 281m(现河底高程 130m),最高蓄水位 275m,总库容 126.5 亿 m³;泄洪洞、排沙洞、发电洞共 15 条,均设在左岸山体内。专家组认为,当地工程地质条件能够满足这一建设方案的要求,设计方案所选坝线和总体布置是合理的。水库采取与三门峡相同的"蓄清排浑"运用方式,最后库内形成"高滩深槽冲淤平衡"的剖面,库内淤积总量约 72.5 亿 m³,长期有效防洪库容为 50 亿 m³。发电装机 6 台机组共 1 560MW。

3. 关于小浪底工程防洪减淤作用。

经评估专家组核实,小浪底工程控制三门峡至花园口区间流域面积的 14%,其防洪作用随暴雨区分布不同而有差异。如遇到 1958 年型下大洪水(暴雨中心在三门峡至小浪底区间),小浪底水库可削减洪峰 34.4%,如遇到 1982 年型下大洪水(暴雨中心在小浪底至花园口区间),可削减洪峰 23.8%。遇百年一遇洪水,小浪底水库可控制花园口流量不超过 15 000m³/s,千年一遇洪水,不超过 22 000m³/s,北金堤滞洪区可以不分洪,东平湖分洪量可以减少。对减免黄河下游决堤风险、减少分洪淹没损失,作用是明显的。

专家组对不同系列的水沙资料进行了分析对比,同意《设计任务书》提出的今后 50 年黄河下游年平均来水量 342 亿 m³,来沙量 13.73 亿 t,下游河道每年淤积 3.79 亿 t 的估计。小浪底水库拦沙库容 72.5 亿 m³,预计 36 年将淤满,共可拦沙约 100 亿 t。相应下游河道可减淤 77 亿 t,相当 20 年的总淤积量,但减淤效益主要在河南河道,对山东河道作用微小。

4. 建议修改部分水工建筑的设计方案。

评估专家组认为,泄洪洞是保证工程安全的关键,《设计任务书》建议采用多级孔板消能方案,存在振动、脉动、空蚀、磨损以及闸门启闭过程中的不稳定流态等复杂技术问题,安全可靠性没有把握,不宜在小浪底这样重要的工程上做试验。建议,首先加深常规压力洞和明流泄洪洞方案的设计比较和研究,这两种方案技术上是成熟的、有把握的,可以从中选出切实可行的方案。

评估专家组还提出,由于土石坝在任何条件下不允许漫溢,小浪底水库现设计泄流能力偏小,建议降低溢洪道堰顶高程,加大溢洪道断面。另外,专家组对中美联合设计建议的钢筋混凝土面板包山方案也提出了修改建议。

5. 关于小浪底水利枢纽工程概算和经济分析。

《设计任务书》所列概算,是按国外承包施工考虑的。评估专家组按引进少量大型设备,立足国内施工,做了初步调整,小浪底工程总投资估计为 50 亿元,其中电站部分 13 亿元。如考虑施工期为 10 年,价差预备费约需增加 7.5 亿元。正式概算需请水电部门编制国内施工方案后核定。

评估专家组反复核实了《设计任务书》提出的小浪底工程减少大堤决溢、减少北金堤和东平湖分洪损失、减少滩区损失,以及防凌、减淤、灌溉、发电等效益。按照水电部《水利经济计算规范》算得小浪底工程 50 年折算效益总值为 115 亿元(按折现率 8%),折算费用总值为 76.8 亿元,净收益为 38.3 亿元,效益费用比为 1.50,大于 1,说明小浪底工程的社会经济效益是显著的。

评估专家组还分析了其他几个比较方案。结果是:加高堤防不修小浪底的方案和先维持现有大堤、推迟十年再建小浪底的方案,经济效益都不如先上小浪底的方案。因此,专家组提出,从经济分析考虑,如果国家财力许可,早建小浪底工程也是有利的。

6. 专家组认为,小浪底水库在设计蓄水位 275m 高程以下,需要移民 14 万人,是一件大事,要很好地依靠当地政府,切实进行调查研究,从当前实际条件出发,做好各项开发性移民的规划,努力在节约国家投资的前提下,把移民安置好。

7. 为了完善小浪底工程的建设方案,专家组建议,水电部门除了抓紧泄洪洞 3 种方案的试验研究以外,还应继续研究泄洪洞进口被泥沙淤堵的可能性和应采取的防堵措施;在确保大坝安全前提下,可否取消原设计中大坝防渗用的人工铺盖部分,可否将大坝上游边坡改陡;坝基夹沙层产生液化的可能和减少坝基开挖深度的可能性。泄洪、排沙洞等进水塔高 100 多 m,应采取抗震稳定措施。为了解决潼关和渭河淤积问题,要继续研究渭河河口治理和三门峡水库进一步改建的问题,小浪底工程设计要为三门峡改建留有必要的余地。

(四)总的意见

根据以上专家组的评估意见,我们认为,这次评估论证的主要收获是,对1983年论证会上尚未完全弄清、难以满足决策要求的几个主要问题,有了比较一致的意见。对于黄河下游洪水和现有防洪能力的估计,对于小浪底水库在整个治黄规划中的地位、小浪底水库的作用和它的迫切性都有了比较一致的看法;对于小浪底工程的几项关键技术方案,都从确保安全的前提出发,提出了一致的意见;对于小浪底工程的概算和经济效益也做了审查和分析。审批《小浪底水利枢纽工程设计任务书》的条件已基本具备。

我们建议,根据评估专家组的意见,批准《设计任务书》,以便进行初步设计。专家组提出的工程设计上的一些主要技术问题,可在设计过程中,进一步试验研究,以做到工程安全可靠,经济合理。

关于小浪底工程是否修建问题。虽有少数专家认为,应首先发挥现有防洪工程的潜力,不需要修建小浪底工程,但根据黄河多泥沙,又是地上悬河的特点,对于黄河治理的决策,以留有一定余地为好。小浪底工程防洪作用显著,又有部分减淤作用,还是修比不修好。关于小浪底工程上马时机,在国家财力可能情况下,以早建为好。但如果国家资金有困难,也可适当推迟建设。目前可以抓紧做好设计和重大技术问题的试验研究等准备工作。

我国水电建设已有了较大队伍,也积累了一定的大坝建设经验,小浪底工程的施工应采取立足国内的方案。如有需要,可进口部分先进的施工设备,聘请少数外国专家帮助咨询。

鉴于黄河下游大堤目前存在的风险,而小浪底工程即使现在上马,工期也要十年,建议责成水电部门,无论小浪底工程修与不修,或者何时上马,都不能放松下游堤防的维修加固,要把加强现有大堤、不断提高防洪能力,放在重要地位,切实抓紧抓好。兴办小浪底水库黄河下游也不是一劳永逸的,水电部门还要继续研究利用黄河大堤内外滩地放淤方案,及早进行放淤工程的研究和规划。

继续坚持不懈地抓紧黄河上中游的水土保持,积极推广近年来创造的新经验,争取尽快取得显著的效果。

中国国际工程咨询公司
1986年12月29日

二、专家评估组对设计任务书的评估意见

专家评估组关于《黄河小浪底水利枢纽工程设计任务书》的评估意见,全文如下。

小浪底水利枢纽是黄河下游以防洪、减淤为主要任务兼顾供水、灌溉、发电等效益的一项重大骨干工程。

水电部黄河水利委员会在1983年国家计委和国务院农村发展研究中心联合论证会后,又进行了大量工作。1984年水电部原则同意了黄委会提出的《黄河小浪底水利枢纽可行性研究报告》。同年,黄委会与美国柏克德公司合作,进行了小浪底枢纽的轮廓设计,

1985年底编制了《小浪底水利枢纽工程设计任务书》，报请国家审批。

1986年5月，各方面专家50多人，受中国国际工程咨询公司的聘请，组成了小浪底工程评估专家组，分为规划、水文、泥沙、水工、地质、施工和经济等专业组（见专家名单）。通过现场勘察、多次的研究讨论，分别提出了各个专业组的评估意见，在此基础上，评估组提出综合评估意见如下：

(一)黄河下游防洪现状分析

黄河是多沙河流，下游进入河南段后成为悬河，洪患一直是长期存在的历史问题。新中国成立后，经过30多年的治理，下游防洪能力有了很大提高。主要的防洪工程设施有：干支流建成的三门峡水库、陆浑水库和在建的故县水库；下游两岸1 396km经过3次加高加固的堤防工程；分滞超额洪水的北金堤滞洪区和东平湖旁侧水库工程；以及大量的护堤、护滩工程等，从而取得了30余年的安澜，改变了历史上三年两决口的局面。

但是，目前黄河下游堤防工程的防洪标准是按1958年型洪水拟定的，即在郑州花园口、孙口及艾山以下的山东河段设计泄洪流量分别为22 000m³/s、17 500m³/s和10 000m³/s。《设计任务书》认为这个标准结合三门峡、陆浑和故县三个水库调节后削减的洪峰洪量，能防御60年一遇的洪水。

评估组认为，考虑上游龙羊峡水库与刘家峡水库汛期蓄水削减基流的作用，下游现有堤防基本达到防御百年一遇洪水的标准。

若逢千年一遇洪水，评估组复核了有关洪峰数值后认为：花园口天然洪峰有42 300m³/s，经三门峡、陆浑和故县三个水库调节后，洪峰将减为32 000m³/s左右；龙羊峡、刘家峡水库调节的削减作用约1 000m³/s，虽然洪峰比花园口设防泄洪量仍超出9 000m³/s，渠村闸以上大堤实际超高有3.3~4.4m，只要充分发挥现有堤防潜力及滞洪区的作用，千年一遇洪水是有可能通过的，但存在着一定的风险与问题。

第一，黄河大堤堤身陈旧，质量差、隐患多。堤的主体是在历代堤防和民埝的基础上形成的。东坝头以上从1375年起，已有600多年的历史。东坝头以下大堤是从1855年铜瓦厢冲决后，经20多年逐渐形成的，迄今也有上百年的历史。新中国成立后，虽进行过大堤加高加固建设，但隐患险点难以根除。近几年汛期大堤管涌、塌陷时有发生，1982年花园口出现15 300m³/s的洪水时，沿黄河两岸的防汛就十分紧张。因此，多数同志认为，即使通过百年以下的中等供水，大堤也无法确保安全。一旦溃决，将打乱淮河或海河水系，影响十分严重和深远。

据黄委会的调查估计，若黄河在郑州到兰考东坝头一带的南岸决口，洪泛区面积达28 000km²，受灾人口1 500万人；若在北岸沁河口至原阳决口，洪泛区面积要达33 000km²，受灾人口1 800万人。经济损失随洪水大小而有别，按百年以上到千年一遇洪水的损失范围估算，在120亿~200亿元之间，严重影响"四化"建设的进程。

因此，加高加固大堤是当前的首要任务。

第二，由于黄河多沙(花园口站多年平均的含沙量为33kg/m³)的特性，河南段平均每年河床抬高70~100mm。随着泥沙淤积，河床逐年抬高，大堤安全泄量要相应减少，平均每年约减1 000m³/s，若遇大沙年，河道严重淤积，减少的泄洪能力将达2 000~3 000m³/s。当前的超高余幅能维持多久，很难预料。

第三,千年一遇洪水三门峡水库蓄水高程将达 330m 以上,将抬高潼关河床高程,加速拦门沙的发展和渭河口的淤堵,加重渭河沿岸的洪涝危害,后果严重。

第四,使用北金堤滞洪损失巨大。该区是中原油田的主要开采区。滞洪区内现有耕地 242 万亩,人口 125 万人,区内避水设施尚不完善。据 1980 年调查,按设计要求滞洪 20 亿 m³,直接损失约 50 亿元(油田损失 37 亿元,地方工、农业与群众财产损失约 12 亿元),若分洪减少到 10 亿 m³,仍使用渠村闸分洪,损失可略有减少,对地区国民经济及油田生产的影响仍不应忽视。

在讨论中,有的同志认为,近 10 年由于黄河下游来水来沙条件较好,河道淤积较少,下游各河段排洪能力有一定潜力。个别同志认为,艾山以下河道有可能通过 12 000~14 000m³/s,若再考虑伊洛河夹滩滞洪作用,提高东平湖分蓄能力,不用北金堤滞洪区,似可满足通过千年一遇洪水的要求。评估组认为,艾山以下河道是有一些潜力的,但超过 11 000m³/s 以上问题较多,并且提高东平湖分蓄能力,当前确有不少困难,风险更大。

根据以上情况,评估组同意《设计任务书》的分析,当前黄河下游的防洪形势仍是十分严峻的,应当积极采取措施加以改善。

(二)小浪底水利枢纽是当前治理黄河下游的现实可行方案

为了解决黄河下游防洪问题,多年来水电部黄委会对黄河下游的治理,曾研究过多种方案和设想。如:开展水土保持,兴建龙门水库、桃花峪水库、小浪底水库、滩区放淤、利用南水北调中线工程相机刷黄、开辟分洪道、扩大下游泄洪能力和大改道等。

在讨论中,评估组虽未能对各种方案或设想逐一研究,但多数同志在听了介绍并参阅了论证文件后认为:水土保持方案,是治黄的根本性措施,应与治黄的各种措施平行进行,在短期内难以奏效;兴建龙门、桃花峪水库,均属治黄规划中拟定的工程,是建设先后的问题;滩区放淤,可在小浪底水库建成后逐步进行,配合小浪底运用以取得更大减淤效益;南水北调相机刷黄,今后尚待研究;至于大改道、开辟下游分洪道、扩大下游泄洪能力,因问题复杂、工程规模大,一时难以实现。

治黄是相当复杂的工程,不可能单靠一项或几项措施全部解决问题,必须综合治理,相互配合。上述各种治黄方案和设想,与小浪底建设并无矛盾,但从当前现状和条件考虑,小浪底是比较成熟的。为了黄河下游的安全,评估组认为,兴建小浪底枢纽的方案是现实可行的。

小浪底地处黄河下游控制水沙的关键位置,是三门峡以下唯一有较大库容的坝址,对下游的防洪减淤有明显的作用,并可解决防凌、供水、灌溉等迫切问题。评估组基本同意《设计任务书》提出的近期兴建小浪底枢纽的方案,要求在重点提高黄河堤防质量,充分发挥现有防洪体系能力的同时,积极兴建小浪底工程,使千年一遇洪水,不使用北金堤滞洪区,提高中原油田的安全程度,改善黄河下游的防洪条件,并增加防御千年以下各级洪水的能力。

(三)关于小浪底水利枢纽的任务、工程规模和效益

评估组对《设计任务书》提出以下意见:

1. 同意《设计任务书》提出的小浪底工程的开发任务应以防洪(包括防凌)、减淤为主,兼顾供水、灌溉、发电等综合利用。并强调各项兼顾任务都必须服从防洪减淤的需要。

2. 同意工程规模按《设计任务书》推荐的正常蓄水位 275m 方案进行设计,最大坝高 173m,总库容 126.5 亿 m³(其中拦沙库容 72.5 亿 m³),长期有效库容约 10 亿 m³,并按规范 明确为一等工程,建筑物为一级建筑物。

有些同志根据水文分析,认为防洪库容可以缩小,坝高可以降低,有的同志提出,小浪 底的坝高应降低 20m,使回水末端降低 16m,以不妨碍三门峡进一步改建时的排沙。评估 组研究认为,降低坝高损失库容太多,不利于综合利用,同时降低坝高对枢纽的总造价相 差不多,似无必要。

此外,个别同志建议,小浪底水库应采用高含沙放淤措施,以减少库区和下游河道的 淤积。评估组认为,这一建议还有一些技术问题,有待进一步研究落实。

3. 同意《设计任务书》提出的枢纽总体布置以及采用的泄洪、排沙、发电隧洞等进口 建筑物集中布置的方案。

4. 同意《设计任务书》对工程地质与地震的分析。评估组认为,小浪底水利枢纽的工 程地质与地形条件虽较复杂,但可以兴建高土石坝,目前选定的总体布置方案是适应坝址 工程地质特点的,技术上也是可行的,综合小浪底区域地质和地震情况,地震部门 1985 年 核定的地震基本烈度为 7 度是适宜的,库区局部地段发生水库诱发地震的可能性较小,对 枢纽工程不会产生严重影响。

5. 同意《设计任务书》提出的移民安置以后靠为主,进行开发性移民的原则意见。充 分利用当地资源,开发工农业,繁荣当地经济,使移民搬迁后的生活不致降低并有所提高。 评估组还认为,库区移民涉及 14 万人口,任务是相当繁重的,需要切实搞好规划。

6. 同意《设计任务书》所提的小浪底水利枢纽的效益计算。小浪底建成后,利用拦沙 库容,近期可大量拦沙,约在 36 年间相应减少下游河道淤积 77 亿 t,尽管艾山以下的山东 河段减淤作用微弱,但减淤总量相当于下游河南段河道 20 年左右不淤。

在水库淤积平衡后,尚可长期保持约 50 亿 m³ 的库容,在防洪方面,可将下游防洪标 准提高到千年一遇而不使用北金堤滞洪区,百年一遇可不使用东平湖分洪并提高对常遇 洪水的安全保证。同时还可减少三门峡水库在大洪水时超过 330m 的机遇,减轻渭河河 口的淤积。

在防凌方面,由于龙羊峡冬季泄水量增加,要求下游水库增加防凌蓄水量。通过小浪 底水库与三门峡水库的联合运用,可大大减轻三门峡水库经常单独防凌蓄水给库区带来 的影响和损失。

在水量调节方面,一般年份增供水量 40 亿 m³ 左右,为城市、工业用水增加了水源,提 高了黄河下游 1 500 万亩灌区用水的保证率。

小浪底水电站建成后,装机 1 560MW,保证出力 250～300MW,年发电量约 50 亿 kWh, 电价成本较低。

(四)小浪底水利枢纽设计中的几个问题

1. 水库泄流能力问题

小浪底水库系高土石坝,从安全考虑,应设置必要的备用泄洪设施。多数同志认为, 小浪底现设计的最大泄洪量 15 000m³/s 的能力偏低,建议将正常溢洪道底坎降低并扩宽, 或将非常溢洪道的泄量适当加大。

此外,评估组认为,应当考虑三门峡需进一步改建时,小浪底水库的低水位泄量应与三门峡可能增大的泄量 1 500~2 000m³/s 相适应。

2. 左岸单薄分水岭加固问题

评估组认为不必采用包山方案,建议采用锚喷加固山岩边坡,并做好边坡岩体内排水,以简化工程。至于进水塔的抗震稳定,可采用塔身紧靠开挖后的山体、增加水塔自重或两塔相连等办法解决。

3. 泄洪隧洞的型式问题

《设计任务书》推荐的多级孔板洞内消能措施是一项新技术,这方面经验目前国内外都很少,评估组研究后认为,不宜确定将这一技术应用在小浪底工程上。

压力泄洪洞造价虽略高,但有保证。明流洞的磨损能否找到适当的抗磨材料需要落实。因此建议,在初步设计中,对泄洪隧洞方案需要进一步深入研究和试验,以便最后选定。

小浪底枢纽泄洪洞关系大坝安危,除结构强度和岩体动力稳定和消能方式必须妥善解决外,泄洪洞进口应注意防止泥沙淤堵,在初步设计中要慎重对待。

4. 土石坝的设计问题

《设计任务书》推荐土石坝基础防渗采用双重措施,一是人工铺盖加天然淤积形成的铺盖;二是两道混凝土防渗墙。有些同志认为坝基防渗有防渗墙,并利用天然铺盖,主张取消人工铺盖,可以改陡坝坡,节省工程量。

评估组还认为:大坝剖面上游边坡设计按 1:3,似嫌平缓。若考虑取消人工铺盖,并充分利用坝肩基岩层面中的抗剪强度,大坝上游边坡有可能改陡;建议进一步研究坝基夹沙层液化的可能性。以上问题应在初步设计中,从大坝安全、工程量、投资和工期等因素综合考虑,认真研究后确定。

5. 关于发电站的建设问题

评估组同意《设计任务书》把发电站列为第二期工程的方案。

有的同志认为,电站年发电量达 50 亿 kWh,应增加投资一次建成。鉴于小浪底水库初期运用采取逐步抬高水位的方式,水头较低,不能发电。评估组建议应随水位的提高,适时修建二期工程。

6. 工期问题

评估组按立足国内的施工方案估计,认为《设计任务书》提出的工期偏紧,可能要超过10年。建议在施工方案中认真安排,争取尽量缩短工期。

7. 投资问题

《设计任务书》估算总投资为 55.75 亿元,经评估组按 1986 年工资与材料价格水平估算,总投资需 50 亿元左右,一期工程投资需 36 亿元,二期工程投资 13 亿元。

《设计任务书》估算移民安置费为 11.49 亿元,人均 8 000 元,评估组认为可适当压缩,按人均 5 000 元列支。

8. 经济效益问题

经对《设计任务书》中各项效益及原拟工期核算取值核定后,评估组认为小浪底一期工程按当前价格水平计,折现率不大于 8%,多年平均效益为 3 亿~4 亿元,益本比大于1.4,经济上合理。二期工程效益增大,发电单位千瓦投资 833 元,千瓦时电能投资 280

元,低于国内新建电站的平均指标。

评估期间还进行了敏感性分析,按效益、费用均向不利方向浮动 10% ~ 20% 的情况下,当折现率为 6% 时,益本比仍在 1.0 以上。对防洪工程来说,许多效益是难以计量的。因此可以认为小浪底工程在经济上是合理的,在立足国内施工方案提出后,对投资和效益还应进行复核。

(五)关于兴建小浪底水利枢纽的时机问题

小浪底工程经过长期的研究论证,大多数同志认为工程是必要的,具备了决策的条件。在各种治黄方案中,它是当前现实可行的方案,若能在安排第四次大堤加高加固工程的同时,将小浪底工程列入"七五"计划的后几年兴建,可以较快地提高黄河下游的防洪能力,解除北金堤滞洪区千年以下洪水的运用机会,减轻洪灾对沿黄两岸广大地区的威胁,还可适当简化第四次大堤加高加固工程,具有明显的收效快、净效益较大的优点。

个别同志认为,黄河下游的防洪,一靠中游水土保持,二靠加高加固黄河下游大堤,近期内不需要兴建小浪底工程。有些同志认为,黄河现有防洪工程体系,还有一定潜力,在认真做好第四次大堤加高加固的基础上,适当推迟小浪底的兴建还是可以的。

评估组对缓建方案做了一些经济分析:如果在保持现有防洪能力的基础上,小浪底兴建推迟十年,益本比基本相同,但净效益较小,并需承担一定的风险;评估组还研究了部分同志提出的兴建邢庙分洪闸,将黄河下游防洪标准提高到 300 年一遇,待 10 年后再兴建小浪底枢纽的措施,初期投资虽有所减少,但与现在兴建小浪底的 50 年净效益相比,则少 23 亿 ~ 38 亿元,且无防凌、减淤、供水等综合效益;至于以加固大堤为主替代小浪底的方案,虽总投资可减少约 15 亿元,但 50 年的净效益将减少 70 亿元左右,也无其他综合效益。

综合以上情况,评估组认为,在水工设计安全可靠条件成熟和财力许可时,宜尽早兴建小浪底水利枢纽工程。

(六)总的看法和意见

解决黄河下游的水患,减轻淤积,提高防洪标准,对保卫黄淮海平原的安全和国家的"四化"建设至关重要。

黄河下游是上段宽下段窄的地上悬河,目前防洪标准是按 1958 年型洪水花园口站 22 000m³/s 设防的,经上游水库调蓄后,只相当于百年一遇的洪水。至今,控制三门峡以下特大洪水黄河干流尚无工程,虽然目前大堤超高有一定余幅,在防洪上有一定潜力,但大堤质量差、隐患多,防洪关键主要不在堤身高度,而在堤身强度。同时,由于下游河道不断淤积抬高,要求不断加高堤防,从而增大了洪患威胁,在相当长的时间内,水土保持还不能大量减少入黄泥沙。

因此,评估组认为:小浪底水利枢纽是治黄总体规划中的一个重要工程,技术上可行,经济上合理,在当前条件下可以满足黄河下游防洪减淤的要求,又可兼得供水、灌溉、发电等综合效益,在国家财力许可条件下,尽快兴建是必要的。近 3 年来的工作,已基本解决了 1983 年国家计委和国务院农村发展研究中心召开论证会指出的一些论证不足的问题。这次提出的《设计任务书》及补充文件和资料已基本满足要求,建议国家计委对该《设计任务书》予以审批,以便进行初步设计。

在初步设计中,应根据这次评估组的意见,对一些主要技术问题进行认真分析研究和实验,精心设计,做到工程安全可靠,经济合理。

评估组还强调指出,黄河水患不同于一般江河,黄河含沙量高,是治黄难的症结所在。小浪底的兴建,虽然可以延缓下游河道的淤积约20年,但并未达到根治。因此,小浪底工程还要为下游滩区放淤等减洪措施创造条件,并对防洪工程体系的改善,特别是大堤的加固,应给予继续重视。同时,还要切实加强上中游地区的水土保持工作,重点加快粗沙来源区的治理。

黄河小浪底水利枢纽工程专家评估组

组　　长:崔宗培

副组长:张光斗、刘善建、张泽桢

1986年12月26日

三、设计任务书评估专家个人意见

(一)刘善建:国家财力如有困难可推迟建小浪底

我同意建设小浪底工程,建议批准小浪底设计任务书,以便开展下阶段初设工作。当设计施工等方面的重大技术问题进一步落实后,尽早兴建是有好处的,但如国家财力确有困难,适当推迟也是可以的。

第一,小浪底工程是根据70年代中期推算的所谓"可能最大洪水"46 000m³/s(超过万年一遇)相应洪水总量200亿m³,超出了现有防洪体系的能力而提出的。目前按技术经济分析,黄河下游的防洪标准定为千年一遇较为合适,相应洪水总量将减少40亿m³,运用现有防洪体系是可以通过的。

第二,新中国成立以来,加高加固了黄河下游两岸大堤,堤身质量与防洪能力均有很大提高,建成三门峡、陆浑和东平湖水库,兴建了北金堤、北展、南展分滞洪区以及沿河护岸护滩工程。花园口设防标准22 000m³/s,千年一遇的洪峰流量将超出该标准1 000m³/s左右,在山东艾山以下设防标准10 000m³/s,如不使用北金堤也有可能要超泄1 000m³/s左右。当前,河南河段大堤超高3~4m,山东河段大堤超高2~3m,增加上述泄量是可能的。千年一遇洪水总量160亿m³,除山东艾山以下可安排泄100亿m³外,水库滞蓄,三门峡30亿m³,陆浑故县7亿~8亿m³,东平湖18亿~20亿m³,北金堤设计滞洪量20亿m³,潜力也是有的。

第三,设计任务书采用水文数据是偏于安全的。千年设计洪水根据水文专业组审查意见,一般偏大5%~10%;龙羊峡、刘家峡两库汛期蓄水可削减天然洪水基流1 000m³/s左右;伊河、洛河下游夹滩天然滞洪能力较强,初估可削减洪量3亿~5亿m³。考虑这些有利因素,通过千年洪水时的紧张程度还会有所降低。

第四,北金堤滞洪区现有耕地240万亩,人口125万人,包括中原油田75%的面积,滞洪运用损失较大,作为小浪底兴建后的效益完全应该,作为小浪底兴建的主要理由就不够充分。因为根据国内外防洪工程的经验,对于稀遇洪水采用正常的防御设施是不经济的。滞洪区一次损失50亿元,即使150年一次的运用机遇,平均年损失也不过几千万元,与小浪底的投资不相适应。同时据了解,中原油田在我国各大油田中的防洪标准还是最高的,为保油田兴建小浪底似无必要。

第五,推迟兴建小浪底要承担一定风险。但是无论兴建小浪底与否,黄河大堤第四次加高加固势在必行,加固的重点是改善大堤质量,提高防御能力,在此基础上,推迟小浪底的兴建,与目前情况有所不同。通过千年洪水在河南河段虽比 22 000m³/s 的设防水位高出 1m 左右,但防洪关键主要不在大堤高度,而在堤身强度,无论通过千年洪水或百年洪水都会遇到大堤质量问题。前者比后者究竟增加多大风险很难定量。同时,还有同志认为,小浪底地质情况不算太好,水工结构又很复杂,黄淮海平原头顶上放着这样一盆大水,也存在一定风险,利害得失要从长计议,慎重一些更好。

(二)尹学良:不建小浪底水库,加强河道排洪,解放北金堤滞洪区

水库拦、分、滞洪,在治黄方案中是不得已而用之,属下策。它导致河道淤积加快,排洪能力和尾闾逐渐萎缩,转而要求进一步拦、分、滞,形成恶性循环。上策是应设法加强排洪入海,改造河道,让河道变窄深,使输水输沙能力逐步加大。

按黄委提出的伊洛河夹滩自然调蓄能力和山东河段设计的各站洪水位两项资料,在考虑运用三门峡和陆浑、故县水库联合调蓄,并由伊洛河夹滩自然分滞、东平湖和北展分洪后,来水有所控制。济南以下河道已能通过 14 000m³/s 的洪峰,它已能处理黄河最大洪水(即千年一遇),做到不使用北金堤滞洪区。实现这一目标的要求是:将部分黄河大堤的堤防加高 0.9m,其他则毋须投资。

据计算:从高村到济南 290km 大堤,平均需要加高约 0.9m,以满足规定的大堤超高,即可宣布停止使用北金堤滞洪区,使区内工农业生产和 130 万人口的安全,特别是中原油田的防洪问题都相应解决了。故无必要兴建小浪底。现有工程不让它发挥作用,或人为地压低它的功能,工程失修不设法补救,都让它们半半拉拉地,然后再修别的大工程去代替,这是危险的道路。

鉴于黄河不断淤高,按上述建议运行方式的富余安全度,势必逐年减小。除按前述加固堤防外,积极的解决办法是迅速使黄河防洪走上良性循环。

按黄委资料,山东段河槽泥沙冲淤规律是:当流量小于 1 800 ~ 2 000m³/s 时发生淤积,大于这个流量,河槽将冲刷,而且流量越大,冲刷越强。自古流传黄河有"大水出好河"的名言。当河床逐渐变窄深,河道稳定,输水输沙能力显著增强,洪水位便可缓慢抬升或得以下降。

(三)华士乾:小浪底工程可以缓建

1. 小浪底工程的防洪作用似不宜估计过高。1958 年型洪水三门峡以上来水来沙不大,可关闭三门峡闸门估计没有多大损失,因三门峡到花园口干流区间(不含伊河、洛河、沁河)实测洪峰流量不过 10 800m³/s,由于陡涨陡落,洪量很小,不过 10 亿 m³。而三门峡至小浪底干流区间面积仅占三花区间干流面积一半左右,能拦蓄的洪量不过几亿立方米,流经河南宽广河段对水位影响很小。因此,如果说修小浪底是为了防洪,实难苟同。为什么中游遇到几十年乃至百年以上洪水时,三门峡水库不能关一下? 1958 年型洪水是支流伊河、洛河、沁河来水很大,防洪应从这方面考虑。

1933 年型洪水是干流来水来沙大,干流三花区间来水不大,如能利用三门峡调节洪峰,应研究优化水沙调度方法(OP - ERATION SCHADULE)减淤。若淤积在潼关附近,即在

渭河口使拦门沙抬高,也可花一笔投资挖掉淤积。国外有例子:如1980年美国圣海仑火山大爆发,哥伦比亚河下段全部淤积(水深从50英尺降到4英尺),美联邦国会决定拨款开挖,1981年主航道已挖通,上游十万吨级的船已顺利入海,1984年连上游支流湖泊及水库淤积也全部挖掉。所以花一笔钱挖掉潼关及渭河口一段的淤沙不是不可能的,而且比建小浪底要经济。这样充分利用三门峡(几十年用一次)也是合理的。

黄河防洪不能只考虑水库,还要挖掘大堤的潜力,东平湖及北金堤滞洪区的潜力,目前即可解决300年一遇洪水,世界上发达国家的江河防洪标准一般也不过百年,黄河特殊、重要,但300年的标准并不算很低。美国密西西比河下游防洪标准目前还不到百年,正在修建新的分洪道。黄河大堤本身隐患应拨款加固,但这并不涉及宏观决策。因此,若建小浪底的主要目标是防洪,我认为可以缓建,甚至不建。

2. 我分析兴建小浪底的目标在于淤沙,但仅能保证下游河道20年不淤和不减小河流宣泄能力。按126.5亿 m^3 库容,年平均来沙量13.7亿 t(黄委这个数偏乐观),若冲淤平衡保持40亿 m^3 防洪库容(这个数字也偏乐观),即便汛期考虑防洪调度结合排沙,框算库内淤满86亿 t沙,不会长于20年。

在这20年中,小浪底淤沙效益,不是看河南宽广河床的冲刷,而要看对山东河段的冲深才有其实际效益。花50亿的投资,施工期长,积压资金,即使是公益事业,不计利息,益本比能否达到1.88和1.43我深表怀疑。江苏江水北调工程,当年投资当年收益,投资少效益大,益本比也不过2.0左右。这个问题有待商榷。黄河无通航效益,灌溉效益因是悬河,原下游引黄工程规模不小,只有净增的灌溉面积才能算到小浪底的账上,估计效益不大。评估小浪底的经济寿命为50年,但除不考虑径流发电效益,防洪、淤沙的主要效益是在大坝合龙后的20年内,这点请考虑。

3. 小浪底20年后仅有40亿 m^3 防洪库容,伊河、洛河、沁河出现的大水它又不能控制,若遇上丰沙大洪水,小浪底堆石坝面当然不能过水,则泄洪设备应足够大以降低大坝失事的风险率,但其投资将明显增大。

从国民经济发展的投入产出衡量,在三门峡下游相距不远的干流上兴建一座仅有拦沙作用20年的工程,投资50亿元是否经济合理?从整个黄河流域水资源开发的系统工程观点讲究竟是优解,还是劣解?还应作些补充工作来回答这个问题。

4. 黄河的难治在于多沙,两千年前就被认识。从现代科学观点说,黄河干流下游的大型工程,必须把水沙调度研究透,直到优选出小浪底的洪水调度最优方案也正是泥沙冲淤的最优方案时,才能确定坝高并做枢纽的水工设计。美国设计公司由于不熟悉黄河泥沙特性,在水工枢纽设计上提出不考虑泥沙问题,试问这家设计公司的设计对治黄工程有多大实际意义?由于美方已提出在前,在法律上他们已可不负任何赔偿责任,一切风险全由我方承担,这是个不合理而又是现实的结果。

我认为应先作必要的补充工作,如黄河上游一系列水电站的开发,对下游防洪起什么作用?三门峡工程与小浪底的相互联系如何?中游黄土高原水土保持究竟对蓄水保沙有多少作用?下游防洪不仅是三花干流区间,主要下游洪水来源的伊、洛、沁流域的治理方案又将如何?水库放流能否对山东河段有改善、改善多少、维持多少年?许多问题都须从系统(整个黄河流域可作为一个防洪系统,也可从三门峡坝到海口包括支流及滞洪区作为一个防洪系统,后者以三门峡输出作为系统开始的结点)分析着手,才能在若干补充调查资料基础上得出相对优化的目标成果。

综上所述,作为一名科技工作者,以对黄河长远治理的关心,建议缓建小浪底水库,先完成上述的必要补充工作供决策参考,不要仓促上马,免遭难以挽回的覆辙。

(四)黄万里:降低小浪底坝高,排出三门峡泥沙,减轻渭河淤积,挽救关中平原

1. 治黄多种方略兴建小浪底坝总是需要的,坝址是正确的。但不同的治黄方略,小浪底坝的作用、效果不同。按现设计方案旨在拦沙于库内,维持河床30年,兼顾给水,对于下游减洪、减淤,只是临时措施。

2. 应采取分流排沙淤灌策略,力求泥沙出库。采取多口门分流进行排沙淤灌,将淤积散布到25万 km^2 三角洲碱洼地上,现河道仍为排洪道,河槽将刷深加宽,大堤毋须加高;由大坝蓄水,长期为春灌、给水、发电和航运服务,才是根本的治黄方略。但是应先将三门峡大坝内淤沙50多亿 t 吸出,因为渭河及北干流河床的淤高,形成河道两边直壁剥落的塌岸增多,使淤积加剧;同时也使渭河南岸平均6km宽的土地盐碱化。

建议:将三门峡电站房降低15m,利用下游7km内16m的河底陡坡吸出坝后沉沙,挽救关中平原。

3. 由于小浪底坝将受到潼关上游淤积和三门峡改建的影响,建议考虑两种准备:①将小浪底坝现设计坝高降低约20m,使其壅水末端低16m,以便不妨碍他日三门峡坝排沙;②暂勿修建,解决潼关以上淤积后再定期。

4. 堆石坝位置应做多种方案,对三坝址应进一步考虑上、下游移动,试排成3~5种位置,取方量最小、工费最省的位置。建议定出最经济的坝高,通过经济核算至少计算出5种坝高的结果,进行比较。

5. 对小浪底坝统筹利用,主要是不必顾虑出库水沙流的大小而放弃发电。

(五)方宗岱:采用高含沙水放淤,延长小浪底水库的减淤时间

小浪底水库的任务是:①防洪;②河口防凌;③下游河道减淤;④发电;⑤满足下游供水要求。这些任务能否完成,与泥沙有密切关系。只要泥沙能妥善处理,小浪底水库就应上马。

目前设计用蓄清排浑方案,受益仅二三十年,30年后还是大堤治河,故是权宜之计,非根治之策,不能采用。

结论:过去靠堤防治黄是错误;如今想靠水库治黄也不可取。只有认识以往的错误,才会有求改革创新的决心和勇气。

采用高含沙水流蓄浑排清放淤运用,是妥善处理泥沙求得黄河根治,逐渐消除大堤治黄的策略。高含沙水流是一种非牛顿流体,它能挟带大沙量500~1 000kg/m^3,且有在较平缓比降下长距离输沙而不发生淤的客观机理。即水库淤至一定高程,开始下泄冲刷,冲刷出来的是高含沙水流,产生的再生库容周而复始,可长期运用。

有些水库已采用高含沙水流蓄浑排清放淤运用,如山西的恒山水库已有8年经验,还有甘肃的峡山水库等。经计算小浪底水库按蓄浑排清运用,可得再生库容21亿 m^3,做永远临时沉沙池使用。再加龙门水库在北干流放淤及长期水土保持相配合,能达到千年无河患。

建议改小浪底水库的主要任务为,按人们意志产生高含沙水流,产生再生库容。排出的高含沙水流,在温孟滩、原阳、东明、台前放淤,总淤量约 928 亿 m³,还有渠道淤方 75 亿 m³、库内 70 亿 m³,此外海口放淤、向大海造陆,渠高程 30m,延伸 150m。

目前黄河入海水量 300 亿 m³,入海沙量约 10 亿 t,每方水带沙约 33kg,若以高含沙水流输沙,可腾出 200 亿 m³ 清水,供北京、青岛等沿河城市工农业用水。

现设计小浪底用蓄清排浑方案,其结果是黄河 300 亿 m³ 大水东流入海,另一面却用大量电力抽长江水 100 多亿 m³ 接济华北,后代人会嘲笑我们干了一件蠢事。其次蓄清排浑对黄河上游特殊洪水,如高含沙洪水(1933 年、1977 年型的)无能为力,山东河道是利是害无把握。为此,建议小浪底水库应将排孔出口高程由 145m 改为 170m 以蓄浑排清利于放淤长度的延长和放淤总量的增加。

第二节 专家咨询意见

一、中国水科院老专家陈椿庭给黄委会主任龚时旸的信

龚主任:

听了许先生的介绍,阅读了设计文件,参观了水工模型试验,介绍联合设计组,不少科研单位和清华大学做了大量工作。以下想对小浪底工程泄洪建筑物的水力学问题,提一些讨论性意见和建议。

(一)泄洪排沙洞

对于小浪底当地材料高坝,泄洪和排放大量泥沙的任务很重,又溢洪道的位置较高。因此,由导流洞改建的 6 条泄洪排沙洞,运用机会很频繁,是确保大坝安全和使工程发挥效益的重要关键。在技术措施上必须十分注重,确保长期运行的可靠性。

对于采用多级锐缘孔进行消能,在泄放高浓度大流量的高坝工程方面,尚缺乏经验。MIKA 和 NEW DON PECTRO 的情况都和小浪底有很大区别。

黄委会科研所在水工模型试验报告中,提出了进行中间试验的建议,是值得重视的。

小浪底 6 条多级锐缘孔板消能泄洪排沙洞,水流突然扩散和泥沙磨损的机理极为复杂,有些问题需要作进一步的深入研究。例如:锐缘孔板下游的漩涡磨损作用;压力脉动和流速脉动的影响,包括脉动频率的换算模型律;洞底及孔板后底部回流区发生泥沙淤积的可能性及其影响,水流发生不对称扩散的可能性及其影响,末级孔板下游的空蚀问题等。

泄洪排沙洞的进口和出口体型也宜通过水工模型试验进行优化。工作闸门到斜井段之间的渐变段和斜井段本身须能适应闸门开启过程中泄放高流速的要求。对隧洞中形成稳定流之前的工况宜充分重视,安排有效的通气、排气设施。隧洞出口段是改进的重点对象,建议在试验中把尾段翘高,并求得良好的出口渐变段体型,这一段的洞底将高出原有洞顶,建议 Ogee 溢流面进入消力池。这项修改具有多方面的目标:①改善出口流态;②取消原有的挡水堰;③消除末级孔板的空蚀;④不再将原来的导流隧洞降低;⑤在安排好出口渐变段末端的控制断面面积和底部 Ogee 顶高程后,研究能否将 5 级孔板改为 4 级,以满足泄流能力的要求。

最后,许先生在报告中指出,如有必要,多级孔板方案可能改变为压力洞方案,因此希望在下阶段工作中安排压力洞方案的进一步研究。

(二)溢洪道

溢洪道轴线移到地质条件较好的位置是合理的。陡槽末端的挑流不应冲击第三、第四泄洪排沙洞的出口翼墙,这主要可以通过水工模型试验修改末端的挑坎来解决。

陡槽在平面图上,两道平行的边墙可以研究改成有小收敛角的收缩式,既可节约开挖方量,又可改善水流条件;为了降低入水射流的单宽流量,可以在末端挑坎段局部扩张,使射流扩散。

请考虑适当降低溢流堰的堰顶高程,宽度有可能相应缩小。例如:将堰顶由 257m 降为 255m,2 孔弧形闸门由 17m × 18m 改为 15m × 20m,溢洪道的泄流能力可由原设计的 4 750m³/s 增加为 5 300m³/s 左右,其中包括对流量系数作了一些调整。

(三)非常溢洪道

设置非常溢洪道,对小浪底当地材料高坝极为重要。请考虑将泄放 3 000m³/s 的水库水位 279m 适当降低,例如降为 276m 左右,以求对工程安全感的提高。

陈椿庭
1985 年 10 月 28 日

二、水利部冯寅给黄委会主任龚时旸的信

时旸同志:

2 月 5 日来信收到。

小浪底设计,几次讨论,对于左岸隧洞渐渐得到比较合理的解决。3 条孔板洞可与导流洞相结合。3 条明流洞可以避免大家对孔板洞的顾虑。3 条压力洞,直径不大,可能易于解决水压问题。问题是如果压力洞上游减到一半的岔洞,6 座塔彼此临近,如果 3 座塔有冲沙洞,是否可解决旁边洞的排沙问题?

消能设备需要重新布置,不过这个总能解决,大不了要求挖较大的消力塘。看来外面的 3 条孔板洞要求较小的压力池,里面的 3 条明流洞要求较大的消力塘。另外压力洞和溢洪道则需要比较研究如何穿插其间。

目前,我个人心中没有数的还是单薄分水岭的夹泥层。到底各层的连续性如何? 夹泥层的摩擦系数是否有变化,是否能分层确定其数值。孔板洞的位置比较深,对上部夹泥层稳定影响如何? 压力洞有拖动山岩的作用。我个人认为即使用预应力钢筋,在水压与放空时还是有洞径的变化。在承压时上部的夹泥层是增加挤压力,好像问题不大。但压力洞放空时,洞子的承托力减小,可能使夹泥层松弛,是较不利的条件,这个问题是否应予注意?

对于解决坝体与单薄分水岭的稳定,我建议多切一些断面来分别研究,这方面的研究可以使下游压重得到合理的设计。

山脊部分要增加排水设备,大坝的盖重部分宜增打减压井,这样可减少盖重的工程量,也可以使盖重下面的反滤层得以从简。

总之,小浪底的设计还是比较复杂的,有些问题可以通过隧洞的开挖中取得进一步的

资料。在进一步设计中还需加以研究,藉以修改局部的详细设计。

去年中美双方讨论黄河问题中,我为了写一篇文章从中游到海口反复想了想治黄问题,最终我认识到上游水土保持的重要性与此项工作的艰巨性。我有了这几点的初步认识:

1. 中游黄土的切割可能始于数十万年以前,在黄河形成一条河道以前,随着黄土的沉积就有了沟壑的切割,当前,黄土的冲刷以沟蚀(重力侵蚀)为主。拦泥坝可能是措施之一,而主要的拦泥坝还需有排水设备(涵管或涵洞)以及下游的排渗措施,这样才有利于农业和种植树草。拦泥坝问题,我看到《人民黄河》中化云同志的文章,我想他主张拦泥坝的。

2. 水土保持很费钱很费劳力,一平方公里治好之后,以后若干年还要投入资金与劳力,换言之,按平方公里计算投资投劳是不行的,至少是要按每年拦蓄多少泥土来算账。也许按平方公里说开始花钱多,治好以后,可以少投资,或由受益者投资。一年总要投入以亿元计,并且要治理百年或数百年。即使不是百分之七八十以上的防止水土流失,就是要治理百分之五十也是难事吧! 反正我们不能企望黄河下游清水,即使是清水,在下游河道中产生严重的冲刷,还是不免上冲下淤。

3. 我们研究黄河历史,不能只研究几千年的变化。下游沙从十余万年来,下游即大量淤积。我在"中华人民共和国地图集"中看到"中国地貌"一图,看到黄河中有一大片"水下三角洲",图中标明一部分是黄河的,一部分是长江的。从此可以推估到,黄河在地质年代中是大部分时间由淮河一带入海的。也可以说江河在巴颜喀拉山南北发源,长江中游南下流经云南、四川,东归江苏入海。可以说"江河同源同间"。黄淮海平原是十几万年、二十万年形成的。徐福龄、张仁同志等认为黄河还可维持现河道几十年,甚至上百年。但这只是黄河历史上一个瞬间,几百年以后又如何呢? 何况第四、五、六次加大堤,其投资很大,修小浪底、龙门、碛口投资可能还经济些,但也只是拖延时间而已。因此,大力推行中游的治理才是治本之道。

4. 利津以下的三角洲,其行洪时间也是有限的,何况有胜利油田的干扰。因此我曾想把现在的三角洲顶点上移,或入徒骇河域或入莱州湾。因我未具体研究,因此我在治黄战略探讨中,只说了将三角洲上移一句话,而未具体沿走什么路线,但无论如何这也只是个治标方案,只解决几十年,或至多百年的方案。至于其他治黄方案,我觉得均非久计。我们这一代人的经验能力有限,但是我想我们考虑黄河的历史总要上溯至十几万年,甚至几十万年。对于将来的事也要看到百年、数百年以后。

科学技术是有发展的,但是黄河的过去、现在、未来,我们现在收集到的资料也可以供我们来思考这个问题,如果说等将来几代人会有更多聪明才智,我总觉得这种说法是个懒人的说法。一个基本的战略思想是应当早早建立的,即使数十年、上百年也达不到这一目的,但是一个正确战略和目标可以指导我们向正确的道路前进。

提笔信手写来,不觉长页,就此打住。此信并请龙毓骞同志一阅,即致

敬礼!

三、中国水利水电科学研究院部分同志对小浪底枢纽的几点意见

小浪底水利枢纽近几年来在黄委进行可行性报告论证，并于 1985 年得到美国柏克德土木与矿业公司的技术咨询和设计，同时黄委和我院也做了模型试验论证。但是迄今为止，还有一些问题并未得到解决，在部党组决定上马之际，我们提出以下意见请领导核阅。

(一)规划方面问题

小浪底水利枢纽的任务，经黄委论证：

1. 防洪。小浪底处于三门峡之下，至小浪底的区间面积只占三花流域面积的 13%，伊洛沁三支流不能控制，其主要效益为协助三门峡水库在非常洪水时期增加调洪容量，同时可以减少三门峡水库回淤秦川的机遇。但是目前所用的校核水文系列并不是丰水丰沙的情况，如水库建成后或施工过程中是否会遭遇丰水丰沙的大洪水，其后果会不会使小浪底库容很快损失，值得怀疑。

2. 灌溉和供水。需要把洪水一部分进行调节，才能满足这个需要，但和排沙有矛盾。设想节约水量，利用高含沙量下排，但这样对下游的影响如何，还无充分论证，是否可以满足这个要求是有问题的。

3. 发电。小浪底位置优良，若能装机 1 000MW 以上，当对中南电网不无小补。但是由于小浪底的运行方式不同，汛期开门排沙，需停机或降低水头，其供电质量肯定不佳。为了保持水库库容，发电必须服从排淤的需要。因而和三门峡一样不能按正常蓄水发电站进行设计和管理运用，其效益和可靠程度也是有问题的。

4. 调沙减淤用以改善下游河道应是小浪底的主要任务，但需具备两个前提才能实现。一是要有足够的水量制造人工洪峰，也需要相应的库容来调水调沙并能长期保持它；二是要有安全可靠运行调度灵活的水工结构，若是不够有把握，则会适得其反。另外，也应考虑施工年限及 30 年、50 年以后的情况，有无改建或克服困难的途径。初步设计有了小浪底将会对河南下游河道有利，但是否能保持 50 年不淤，目前还缺乏充分论证，不能打得太满。对山东河道的影响还难预料，可能主要受河口的条件控制。这些也还要进一步研究。

据说，小浪底枢纽的造价达 13 亿美元，是否需要再比较一下小浪底坝是否需要那么高？对下游的好处有多大？特别是从黄河长远规划来看小浪底的长远运行要求和规模应该完成哪一些任务？希望进一步论证。因为三门峡以下黄河干流上举足轻重仅此一库，应该慎重从事，不能发生严重问题以致造成不可挽回的损失。

(二)枢纽水工建筑问题

小浪底坝址限于地质地形条件，只能修土石坝和溢洪道、泄洪洞，而水库基本为河道型，洪水来时流速较大，泥沙又多，使枢纽布置和设计都有较大困难。目前讨论美方初设报告(编者注：应为中美联合轮廓设计报告)时已经发现有以下问题：

1. 泄洪洞的进口只能布置在风雨沟内，从地形上看位于主流一侧袋形地区中，当泄洪时，形成明显漩涡回流，过流不畅。除通过试验，已否定进水塔结构外，现虽改成龙抬头

方案,但落淤问题仍很严重。会不会在大沙量洪水时影响进水,导致一孔或多孔淤塞,尚需进一步研究。

目前,泄洪排沙洞的泄量所占比例较大,而根据国内外的经验,泄洪洞运行出事的不少,值得吸取教训。

2.消能结构没有经过实际考验。这种带孔板的管道来控制流速,如在清水河上,洞壁用钢板衬砌尚可一试。在高含沙水流经过时,特别是进水回流影响,流速不均,忽大忽小,振动摆动较大,能否保安全,并把流速控制在12m/s以内,而且一旦发生问题修理也很困难。

3.溢洪道泄量仍嫌小,在多沙河流上,特别是用土石坝结构,溢洪道要有足够的余幅,并考虑部分泄洪洞正在修理或中途损坏难于运行时,溢洪道仍能保持足够泄量,可以代替部分或全部泄洪管道才能确保安全。目前的溢洪道的容量似仍嫌不足。

4.由于风雨沟的泥沙淤积不可避免,所以进入水轮机组的泥沙数量将相当多,对机组的磨损势必十分严重,需采取相应措施。另外,鉴于风雨沟的地形条件,将来漂浮物也将在此集中,可能造成进口堵塞。葛州坝二江电站为此曾停机数次,幸有排沙孔泄出,而长江的水沙比黄河相差几百倍,但小浪底还没有排漂措施。

5.施工围堰,由于未考虑施工期泥沙淤积,其高度可能偏低,施工后期可能需加高。

总之,根据三门峡枢纽运行的经验,在调洪调沙过程中泄洪设施应当顺当简便,并且有充分的余地,以备修理(三门峡泄流设施每年经常有修理任务)。特别是对于小浪底土坝更需确保安全,要有足够的超高和预留库容,不能忽视。

(三)下一步工作的建议

目前国内初步设计正在进行。在正式动工前,设计单位除需明确前述规划方面问题,在水工、泥沙方面还应进行必要的足够规模和比尺的试验研究工作。

1.制造人工洪峰进行冲刷河道的试验。三门峡水库运行近20年,但是限于各种条件,迄今未进行过一次直达山东河道的人造洪峰的成功试验。建议尽快组织一次放水试验进行观测,以论证核实将来小浪底进行调洪减淤的效果及其各种冲淤机理。

2.对小浪底的泄洪设施进行一次全面校核,通过室内外试验(清水、浑水)论证泄洪洞的安全运行,而且对溢洪道的合理泄洪流量及堰顶高程进行再一次的鉴定。

应当承认,小浪底工程并不是一个有充分可靠的技术上有把握的项目,其中有不少地方是在假定的情况下来考虑的。特别是像黄河这样多泥沙河流,世界上没有任何一条可与比拟。三门峡水库虽然通过改建及多年的运行积累了一些经验,但毕竟也还是有限的。目前我们最好话不宜说得太满,不要过多地外延以致超过实际经验,宣传不要过头。在慎重积极的态度下把小浪底工程放在切实可靠和科学的基础上。

四、对顾文书同志"关于小浪底工程建筑物运用安全和初期应否发电"的分析意见

(一)时任水利部总工程师崔宗培给钱正英部长的信

钱部长:

交来顾文书同志的"关于小浪底工程建筑物运用安全和初期应否发电"的分析意见,

我们分别阅读,并请何璟同志主持座谈了一次,参加的有冯寅、徐乾清、赵传绍、张泽祯和我。现将座谈意见送上,请审阅。所提建议是否可行,请核夺!

顺致

敬礼!

崔宗培

1989 年 3 月 14 日

(二)座谈意见

1. 座谈中大家一致认为小浪底工程的开发任务应以防洪(包括防凌)减淤为主,兼顾供水、发电、灌溉等综合利用,并强调各项兼顾任务必须服从防洪减淤的需要。因此,小浪底水库建成后,应当制定严密的调度规程,严格遵守。凡不利于防洪减淤的蓄泄调度,要坚决避免。

2. 我们同意顾文书同志提出的小浪底水库在初期运用时的起调水位不宜从 200m 抬高到 220m。抬高 20m 将使水库的拦沙容积约相当于总拦沙容积的 1/4 未得到有效的利用,这是很可惜的。因为小浪底水库的减淤效益主要是用水库的淤积库容换取下游河道的减淤量的(约计用 1.3:1 的比例换取),我们应当珍惜小浪底水库每一立方米拦沙库容,使其发挥效益,但也只能使下游河道减少淤积 70 多亿 t,相当于 20 年不淤。如果将起调水位抬高 20m,按黄委会初设计算下游河道的减淤量将减少 7.2 亿 t,相当于小浪底水库的总减淤量的 1/10,不能说是影响不大。如果用其他办法取得这 7.2 亿 t 的减淤效益是很不易的。因此,为了服从水库的主要任务,不宜将水库初期的起调水位提高到 220m。从 200m 起调,初期水库泄量要小些,但时间不长,随着水位抬高,泄量也将逐渐增大。

3. 关于小浪底水库来水来沙的变化以及下游河道淤积量问题,我们没有深入讨论。鉴于黄河上游用水量逐渐将有增加,水土保持工作也将缓慢地产生效益(座谈中希望中游粗沙区的水土保持工作还应加强,特别是煤田建设还必须重视泥沙流失问题)。小浪底水库的来水来沙量,可能有减少的趋势,但是影响这一问题的因素多,变化大,顾文书同志认为黄委初设采用的来水来沙量及下游河道的淤积量都偏大,建议请黄委参照顾总的意见,进一步核算。

4. 关于小浪底水库建筑物的安全问题,顾文书同志顾虑施工和建成运用初期,由于黄委计算的年平均入库水沙量偏大,特别是遇到中、枯水沙年系列,来水来沙均少,淤积形成坝前的铺盖缓慢,对大坝防渗安全不利。我们分析后,认为小浪底坝基防渗有混凝土防渗墙和铺盖两道防线,它们可单独承担防渗任务,至少互为备用。关于铺盖的形成,由于小浪底水库为河道型水库,黄河泥沙随水流淤积是比较快的,在围堰挡水的施工期间,即可在围堰前淤积较大的厚度,随着运用水位逐步抬高,上游淤积厚度还将进一步增加。因此,不论初期运用水位是 200m 还是 220m,都不至于影响建筑物的安全。同时初期运用水位从 200m 高程起调,水库回水短,泥沙可以直达坝前,有利于形成铺盖。

5. 关于小浪底水库发电的问题,座谈中提出 3 种情况:一是一次与水库同时建成发电,适应地区对电力的需要,并易于集资,争取早日投入建设;二是分期建设,一期只建电站的引水洞进口段,二期再建电站的其他部分,这可简化一期工程,减少初期投资,但增加二期施工的费用;三是不建电站,这可简化左岸单薄分水岭下的洞群,将 15 条洞子减少为

9条,相应进口布置可以集中紧缩,并有减少排沙洞的可能(减少1条或2条)。

考虑到当前地区电能紧张,小浪底为黄河上的大水库,可装机1 560MW,年发电能51亿kWh,是十分可贵的水能资源,为地区所急需,因此能源投资公司和豫、晋两省都愿为电站集资,加上世界银行贷款,可筹措到全部工程投资的大半,将来发电后也具备还贷能力;如不发电或初期不发电,工程费虽可减少一些,但增加集资的困难。讨论中,大家基本同意一次建成发电的方案。但初期运用应从200m高程起调,电站进水口高程需降低5m左右。电站的最小水头为65m,相当于设计水头107.5m的60%。对比一些已建水电站的低水头运行情况,原采用的机组仍有可能使用。

如:

水电站	最低水头(m)	设计水头(m)	最低水头/设计水头
龙羊峡	76	120	63%
丹江口	36	63.5	57%
凤　滩	40	73	55%
布拉茨克	50	96	52%
结　雅	40	78.5	51%
小浪底	65	107.5	60%

倘如原选用的机组不适使用,则在初期运行时,可选用低水头机组,待若干年后,水库水位抬高到220m时,结合检修更换机组。

6. 小浪底水库的发电质量问题一直是大家所关心的问题。小浪底装机6台260MW的机组,年平均发电量51亿kWh。但是,电站运行受到各种限制,影响了发电的质量。例如:每年汛期水库要蓄清排浑运用,还要调水调沙,水头低,变动大,如同径流发电,不能稳定,如果遇到含沙量很高时,上游天桥、三门峡两电站都停机不发,小浪底是否也会被迫停机? 冬季水库有防凌任务,放水受到限制,放300~400m³/s,能发2台。春秋季节好些,但是为了避开泄放1 000~2 000m³/s的流量(造成下游河道淤积的不利流量)给电站的运行增加一定的复杂性。电站调峰为系统所需要,也要研究集中放水对下游的影响。总之,有关这些问题需待澄清,建议请黄委根据小浪底的实际运行条件,把各种不同典型年的发电情况进一步分析研究,提出研究报告,以便澄清这一问题。

五、加拿大岩石力学专家的咨询意见

1986年3月19日,加拿大岩石力学专家E.Hoek和D.R.Mc Creath两位博士应邀访问了小浪底坝址,主要咨询意见如下。

(1)所选坝址是合适的。至今已进行了足够多的是地勘工作,地质情况是清楚的。与设计、施工及将来运转有关的关键地质问题是断层和泥化夹层。由于断层倾角很陡,其主要影响在于水流通过坝基和岸坡的渗透稳定。倾向下游的软弱泥化夹层是控制坝体和坝肩稳定的主要地质问题。

(2)在库水位骤降运用时,左岸单薄山体上游坡有出现不稳定的可能性。中美联合设计组提出采用混凝土面板包山及喷混凝土加固坡面的两种方案都是可行的,均可有效地解决由于骤降引起的不稳定问题。但用混凝土面板包山造价高,在面板和进口塔架之间

由于两个不同的刚度系统易产生裂缝,故倾向于用喷锚加固来处理。可考虑在原地面打45°的锚杆,而后再开挖边坡。不论采用哪种方案,都应该增加排水系统。

(3)控制左岸山体下游坡稳定有4个因素,也即以5°~10°缓倾角倾向下游、含软弱夹泥层的岩层,软弱夹泥层的抗剪强度,假设的地震荷载及地震稳定分析方法,以及坡内的水压力。岩石层面微小的波动对下游坡的稳定将会产生很大的影响。鉴于泥化夹层现场原位抗剪试验剪切速率过快,孔隙水压力来不及排除,故不是真正的有效应力指标,在分析中又未考虑在长滑裂面上夹泥层起伏差的影响,因此认为设计采用的抗剪强度指标($f = 0.25$, $C = 5\text{kPa}$)是偏低的。

考虑组成泥化夹层的黏土是严重超固结的,其很低的液限和塑性指数表明它是一种相对非塑性的黏土,基本摩擦角会比现场试验建议采用的14°(相应 $f = 0.25$)高出几度。分析采用的沙玛(Sarma)法只适用于土坡和土石坝坡,用于岩石坡面的稳定分析是不合适的。拟静力分析用地震加速度 $0.12\ g$ 偏于保守。大量的实践经验说明,在岩体内部出现的地震加速度远比在地面建筑物上所量测到的加速度要小得多。岩坡内水压力也许是边坡稳定最重要的因素之一,通过对典型断面在不同地下水位下的稳定分析,说明设置足够的排水非常重要。

(4)小浪底的砂岩坚硬且耐久,但节理发育,对爆炸破坏非常敏感。应采用控制爆破技术,精心施工,对于关键部位的开挖建议采用预置灌浆锚索技术。粉砂岩和黏土岩在暴露后易于崩解和风化,所以,所有的开挖暴露面应立即用喷浆混凝土保护起来。

用堆石压戗改善土壤和疏松岩石边坡的稳定来说是有效的方法,但具体到小浪底左岸单薄山体较完整的岩石来说可靠性较差,应注意岩体和堆石体变形破坏不相容的问题。在稳定计算中只能使用堆石体的静止水平压力,用长张拉灌浆锚索稳定边坡十分有效,但十分昂贵。建议认真考虑采用非张拉灌浆锚索。

(5)从隧洞施工的角度来说,左岸单薄分水岭岩体的质量是足够好的。赞成在大直径隧洞开挖中使用导洞和扩大开挖法,但必须精心施工、严格采用光面爆破技术,尽可能靠近开挖面设置支撑。用间距2m长5m的非张拉灌浆锚杆足以作为一般的支撑,在节理发育区或夹泥出露区还可用短锚杆和喷浆混凝土作为补充。隧洞的布置间距采用3倍洞径是合理的。采用孔板消能对围岩的压力波动不会高,不会引起什么问题。

(6)尽管有深覆盖层和软弱夹泥层,只要进行仔细的设计,并在施工中进行足够的基础处理,该坝址基础对于所推荐的堆石坝来说是适宜的。考虑两种坝型在技术上均是可行的,但倾向于采用大开挖将心墙直接放在基岩上的坝型,尽管造价高,工期也长。

六、挪威专家咨询意见

1990年元月初,在云南鲁布革担任咨询的拉夫罗和毕阳内森两位专家应邀察看了小浪底坝址,就小浪底设计提出如下咨询意见。

(1)小浪底是一个非常复杂的工程,所选择的坝型和总布置是合适的,没有什么大问题,但结构是很复杂的。

(2)小浪底地面厂房与地下厂房的布置都是可行的。地下厂房即使与地面厂房价格一样,我们也愿意搞地下厂房,因搞起来没有什么大的遗留问题,施工期与运行期不受气候条件的影响,温度、湿度都很稳定。

(3)根据小浪底的地质条件,电站厂房轴线由东西向转为南北向也是可行的,因为地应力并不高,所以不是什么困难问题,转为南北向省下的钱用以加强支护是足够的。

(4)根据挪威的经验,地下厂房采取分层开挖、预裂爆破、锚杆支护和喷钢纤维混凝土的方式是可以解决的。顶拱与边墙的锚杆长度分别为 6~8m,设计时可考虑几种支护方案分别不同条件来用。支护不是永久建筑物,应给施工单位一些灵活性。

(5)关于进水口的开挖,你们采取从 170m 高程至 200m 高程垂直开挖,200m 高程以上采用 1:0.6 的坡是可行的,垂直段应加 10m 长的锚杆,表面用钢筋网喷混凝土,平面转弯处应增加支护。

七、冯寅、赵传绍、王复来对小浪底工程的咨询意见

(一)大坝围堰的坝基防渗措施

围堰的度汛系百年一遇洪水标准,但只用以度过一个汛期,故坝基防渗措施可按当地具体条件予以简化。

建议将堆石截流戗堤移向围堰上游,以便可以用作将河水引入导流隧洞引渠的戗堤。为避免对左岸导流引渠的干扰,截流戗堤应在左岸尽力抢筑,以便于将合龙的龙口尽量移向靠近右岸。合龙段戗堤可用裹有块石的土工布闭气。这样也可以避免在靠左岸河床的河水中填筑围堰上游铺盖,有利于围堰的施工。

黄河洪水挟带大量泥沙,易于淤积,具有天然防渗效果。按导流工程布置,引渠位于左岸,可能形成在右岸河床上游淤积较厚,左岸较薄的特点。建议利用右岸河床部分冲积层上复壤土层作天然铺盖,并将原考虑作为工作场地和营地的右岸滩地,改为堆积坝基开挖弃料,作为天然铺盖向右岸延伸的铺盖。还可在戗堤截流闭气后,用推土机将弃料推入水中,使铺盖继续向左岸侧延伸。这样与度汛的泥沙淤积层一起,可形成一个由左岸向右岸逐渐加长的铺盖。

按这些天然和人工铺盖上又有天然淤积铺盖的防渗效果,认为可以取消右岸上游围堰在河床冲积层中全截渗的混凝土防渗墙。在左岸上游围堰的河床部分仍保留冲积层中全截渗的高喷浆防渗墙,但将原设计的两道墙减为一道,部分取消在河床中间的防渗墙。须要保证铺盖与防渗墙衔接处有足够的搭接长度,须约有 2 倍防渗墙高的防渗墙段插入铺盖下面。建议通过计算和电拟试验予以论证。

在围堰后坝的基坑必须设有足够的排水井管,并建议利用电渗井,以利渗透稳定与降低地下水位,此事可由承包商决定。如排水与防渗结构有矛盾,度汛后应予灌浆回填。

这样的布置也有利于主坝铺盖在库水位降落期的稳定性。

(二)大坝的反滤与过渡料

1.保护心墙土料的反滤层

建议采用粒径 $d < 20 \sim 40mm$ 的砂砾宽级配反滤,可参考 Sherard 提出的与垦务局用作参考标准的保护 CH 与 CL 类黏性土的 $d < 15 \sim 50mm$ 砂砾反滤标准。必须注意的是:级配粒径是连续的,$d_{15} \leqslant 0.7mm$,含泥量($d < 0.1mm$)$\leqslant 5\%$,细粒含量($d < 5mm$)在 40% 左右。

为保证反滤料在施工过程中不致发生分离,具有良好填筑质量,除要保证上述的细粒

含量外,在施工工艺中还应采取必要的措施,如用平土机整平,在卸料前的反滤料要处于湿润状态。

马粪滩料源中缺少 0.5~5mm 的粗中砂,须用人工砂补充。为减少此种须用人工砂补充的砂砾反滤料用量,考虑反滤层 4m 水平宽度已能满足施工填筑工艺与设计上的要求,建议将下游第一层宽度由 6m 减窄至 4m,但要注意控制填筑层厚,以保证反滤层有充分的有效厚度。

2. 保护下游第一层 2A 反滤的第二层 2B 反滤和过渡层

若选用 2A 反滤料的实际不均匀系数 $C_u > 10$,建议在计算中去掉其级配曲线中部分粗粒,以其余满足 $C_u = 10$ 的级配部分代表 2A 反滤,用其确定与 2B 反滤层之间应满足 $D_{15}/d_{85} \leq 5$ 和 $D_{15}/d_{15} \geq 5$ 的无粉性土反滤和透水性的准则。此两层反滤的级配曲线要求基本平行。

确定反滤料的限制粒径应尽可能结合混凝土骨料的筛径。2B 反滤料的最大粒径 $d_{max} \leq 80mm$。为减少人工砂用量,在满足准则前提下,第二层 2B 反滤与过渡层中可不再含 $d < 5mm$ 的细料。

建议研究从基本不含黏土岩与粉砂岩的洞挖石渣中筛分出 $d < 2~20mm$ 与 $20~40mm$ 的 2 种级配料,分别供作第一层 2A 反滤与过渡层的可能性与合理性。

建议根据洞挖石渣料源数量情况,在保证反滤过渡层有充分排除渗透水能力的前提下,研究减窄过渡层宽度的可能性。

(三)大坝土石料的控制标准

建议堆石的石料强度标准为饱和抗压强度不低于 30MPa。限制堆石的最大块径为填筑层厚的 80%;限制 $d < 5mm$ 粒径的含量为 20%,$d < 0.1mm$ 粒径的含量为 7%。取消岩石硬度、蚀变、块体形状以及级配曲线等方面的要求。

建议堆石填筑压实标准,采用控制填筑层厚与碾压遍数的方法。填筑层厚宜为 1m,震动平碾碾压 4 遍。任意料 3C 区软岩应减薄填筑层厚,适当增加碾压遍数,并通过碾压试验予以确定。开采的堆石料应具有适度级配,在运输过程中不应分离,以便于得到均匀密实的堆石体;但为便于填筑,可采用进占法,允许填筑层上、下部位的石料有所分离。

建议堆石任意料 3C 区可适当扩大黏土石与粉砂岩等软岩含量,在软岩的填筑过程中应加水,填筑体可以达到较高的密实度,但透水性较差,应通过碾压试验予以验证,抗剪强度要满足设计要求,在必要部位要保持适当的透水性。为便于施工控制,对堆石区的软岩含量也应大致有所限制。一般无须限制软岩的粒径,因在填筑碾压过程中,软岩将得到充分破碎。

由于心墙防渗土料的塑限与天然的含水量均高于最优含水量,为保持心墙土的良好塑性,填筑含水量似宜在 $(-1~+2)\% + W_{opt}$ 的范围内。因为压实标准系采用 100% 压实度,应注意填筑允许的饱和度,并通过碾压试验予以验证。对于压实度还应提出相应的合格率。

(四)大坝的边坡与填料

建议合理调整下游坝坡上的马道布置,在保证稳定前提下,减少填筑量。

为便于各高程上的坝面填筑,减少公路挖方,避免局部填平整坡,宜在下游坝坡上布置"之"字形上坝道路。纵坡大致可达 8% ~ 10%。为避免增大填筑量,通常在设计坝坡上的道路两侧,可以采用 1:1.3 的较陡局部边坡。这样比原设计在左岸开 5 条上坝道路要节省。碧口、石头河和鲁布革大坝都是这样做的,当前国外大坝也大都用这样的施工方法。

大坝下游左岸基岩在顺河向的压戗,可以用任意料替代堆石料。

由于运行数年之后,围堰即将深埋于淤积泥沙之下,围堰结构可以简化。建议黏土岩与粉砂岩的软岩用量适当加大,加强碾压成密实堆石体,由于透水性减小,反滤层也可相应简化。具体软岩的用量和相应的反滤层设计,请设计院进一步试验论证。

(五)土质心墙与基岩接触面的处理

建议在心墙与基岩接触面的盖板内不布置钢筋与锚筋,盖板厚度可由 80cm 增厚至至少厚度 1m,盖板两侧喷混凝土层下不作固结灌浆。在左岸坡基岩裂隙发育段可将盖板宽度由 8m 增至 10 ~ 12m,并相应增加固结灌浆排数。在水头较低的基岩高程较高处,盖板应按水头相应减窄,最小宽度约为 5m。

在 F_1 断层中,无须对接触紧密的断层带进行化学材料灌浆。

(六)土质心墙与混凝土防渗墙的衔接

建议混凝土防渗墙插入心墙内的高度由 14m 降为 12m。

墙顶高塑性土区可以用当地高塑性黏土填筑,但在此区应适当扩大范围;也可以填筑膨润土,但要落实相应工艺,包括在此区顶面上再填筑心墙土料的施工工艺,如在顶面上随填筑层逐层增加密实度,并逐层予以收窄。

(七)大坝下游岸坡集渗与地表排水

应有下游岸坡集渗与地表排水系统的平面布置图,并附以各部位沟渠的纵坡、剖面与构造。心墙上游在施工期的排水设施,事后要加以处理,不能遗留在防渗心墙或铺盖之下。

(八)观测设备

建议取消心墙上游两岸基岩中的 2 条观测隧洞。

观测设备似乎仍太多,建议予以减少。上游坝体中无必要设置现在这样多的测压计,特别是在土石坝中有无必要设置高精度的、意在观测绝对位移的、造价也相当高的倒垂观测装置,应慎重考虑。

观测仪器电缆引线力戒在防渗心墙中布置成上、下游方向,以免形成人为渗透通道。通常应布置成平行坝轴线的或竖立的方向。

(九)主副坝的坝顶高程

主副坝的坝顶高程应统一为 281m 高程。

主坝在河床中间最大断面的预留沉陷超高,建议为 1.5m,故此断面的坝顶竣工高程为 282.5m。

冯寅　赵传绍　王复来
1992 年 8 月 22 日

八、水利部冯寅有关小浪底咨询意见的函

时旸、秀山同志：

此次来郑，承蒙殷勤招待，甚感。研讨设计，时间只一天半，招标设计图纸 600 余张，学习甚感不足。现仅就几个问题提点意见，谨供参考。

（1）关于土料黏粒含量问题：小浪底土料与海河诸坝用土料差不多，主要看塑性指数，大体在 15 左右，也有低到 10～12 左右。一般是有什么料就用什么料。小浪底有一层料，黏粒含量低，是否在粒采时混合一下。小浪底心墙还是较薄的，液化可能不成问题。

（2）土坝内有多种反滤，其中以斜墙后的反滤及下游堆石与软基接触的反滤最为重要，其后者应具有较强透水性。官厅水库不透水坝底的反滤，细料是保护不透水料的，结果覆盖层中的细颗粒透过粗料逸出，形成坝底的浑水问题。因之回想起，这部分反滤还需要加一层细料。小浪底情况如何，我不太清楚。因之，开挖后如发现局部地区坝基细颗粒多，应在此处铺一层细料，以防细颗粒流失。小浪底用混合料作反滤，效果可能好一些。

（3）小浪底要把坝基上层 Q4 清除，是否可堆移在围堰前，其量如很大，则可起防渗作用，围堰前可不再铺黏土防渗，而直接用混凝土板防渗。

（4）小浪底防渗斜墙与山岩接触处，应将全风化岩石（即裂隙发育的破碎岩体）挖除。对于弱风化岩石面，若裂隙发育，应在浅层灌浆完成后，在岩石表面喷一层混凝土（必要时喷两层混凝土，其厚度共为 10cm），以防止库水沿裂隙渗漏。

（5）大坝后坡有戗台 2 条，可否不要。总之，下游坝坡及平台的设计应保持下游坝坡的稳定。

（6）大坝主防渗墙上部的高塑性黏土体，尺寸是否应加大些，主防渗墙的上部结构似可再研究一下。国外土石坝用防渗墙的不多，似尚无理想的做法。防渗墙与帷幕之间的连接似亦可再研究一下。上游弃土如厚度及面积均较大，则上游的防渗墙亦可考虑取消。

（7）混凝土配筋主要看应力（拉力与剪力），一般钢筋混凝土配筋在 1% 左右，如果是限裂和温度应力配筋在 0.35% 左右。较厚的混凝土，只有表面 1m 左右算配筋量。混凝土的曲折部分，外圈筋可以连续，内圈筋则可交叉，延伸 30d。美国人只有剪力高到一定程度时才用弯钩。德国人则钢筋都用钩，其弯钩尺寸比美国人的尺寸小。

（8）隧洞内要安装弧形闸门，其混凝土体积宜力求缩小。闸门前部弧形上下曲线可按门孔高度来确定。进口椭圆曲线 x 应为 0.55d，y 应为 0.15d。我记的可能有误，可查《小坝设计》（Design of Small Dam）一书。弧门下游坡度应取徐缓，因弧门在关闭时，洞内环形孔板不起作用门前水压力为库水头，因此开门瞬间流速将远大于 30 多 m/s，但为期甚暂，不致形成大问题。

隧洞下游水流为两种流态。气流补气不充足，空气可能在上部，由洞尾向上游补给；如补气比较充足，气流由上游竖井补给。补气量取决于外部大气压力与门后气压之差。竖井气流流速应控制不超过 40m/s，否则在通气设备内，发生啸叫，补气气流速度太高，对操作人员不安全。

有偏转的弧门，门下的通气设备也有同样问题。现设计门下有许多方形通气孔，这些通气洞的总面积与补气管的面积关系如何，请从图上研究一下。水工模型，水流的相似率

与气流相似率可能不一致,可以用计算来验证一下。

(9)隧洞衬砌接缝止水常靠不住,应加强衬砌完成后的补充灌浆。官厅水库发电隧洞曾进行灌浆,但水电站一发电,两岸岩石内测压管皆有反应。小浪底岩石透水性不强,但洞子多,深恐相互干扰。

(10)小浪底隧洞下游为水垫塘,在实际运用中,水浪将很剧烈,水垫塘的南北侧墙似应适当加强。

(11)竖井内的之字楼梯太高了。上下太吃力。能否买进口的好电梯,再辅之一运货梯来支援。如要保留之字梯,是否可以用作廊道的辅助交通。廊道均宜贯通,上下均有通气口以利空气的流通。

有的闸门井是否能设置南北向的交通洞,在交通洞的一侧增辟操作室、卫生间、储藏室等,各室空间均不必太大,但使操作人员有个方便。有了交通洞,是否可减少竖井的数目?岳城水库有7个泄水洞,其进水塔只有两端各有一竖井,工作人员可由此上下。

(12)施工道路,土、石、混凝土等大型车辆交通频繁,是否尽量顺直一些?道路的坡度、弯道(包括超高、加宽、视距等)应按规范要求。生活小区、加工区等的道路也应规划,先修路,后盖房,给、排水管亦应先修好,以免事后再挖沟埋管。小区房屋亦按将来发展成为小市镇来规划。

最近看到小浪底设计有很大改进,看到大坝断面竟又回到我10多年前建议的断面。进水塔改成了整齐的一字排列,隧洞也都拉直了,颇感振奋。小浪底是世界上数得着的大工程,我年纪实在大了一些,对下一步的设计,如能由赵传绍、张泽祯、林昭、魏永晖等同志研究一下细部设计,我还是乐于参加的。小浪底工程复杂,自己的经验有限。拉拉杂杂地写了10页纸,提的意见只供参考,取舍要看大家的意见,不对之处请见谅!

再谈,此致

敬礼!

冯寅
1990年5月21日

九、张光斗先生给项目设总林秀山的信和林秀山的回信

林副院长:

收到《人民黄河》1995年6月"小浪底水利枢纽工程设计专辑",登载了18篇文章,很有价值。我已读了第1、2、3、7、8、9篇,有以下问题,请考虑。

1.在小浪底水利枢纽泄水建筑物设计中,有3条多级孔板消能泄洪洞,3条明流泄洪洞,3条排沙排污压力隧洞,6条发电引水洞,正常溢洪道1座,非常溢洪道1座,灌溉引水洞1条。孔板消能泄洪洞底坎高程175m,3条明流洞底坎高程分别为195m、209m和225m,3条排沙排污洞底坎高程175m,洞径6.5m。

如遇大洪水,首先用孔板消能泄洪洞,如工作安全正常是好的。由于初次采用,缺少经验,如工作不正常,不能用来泄洪,势必用明流泄洪洞,抬高库水位,这种情况可能不会

发生,但如不幸而发生,后果如何,曾否考虑过? 可能这是过虑,但也需要研究一下。

2. 过去曾研究过,为了延长小浪底水库减淤效果,从小浪底水库泄水冲沙,经渠道输送到温孟滩淤积,今后如能利用高含沙量输沙,可提高效率。当时因为地方上不赞成这个方案,所以不再提出此方案,然而也考虑过如将来要延长小浪底水库减沙寿命时,留一放沙孔口,以便那时泄洪排沙。按照目前泄洪建筑物布置,不知有无可能实施这一方案。

3. 在"主坝坝体设计"文中附图,斜心墙支撑体、反滤层和堆石间的区,在图中未标明,可能为4B,但文中说是过渡料③区,其级配为250~0.1mm,未说明级配情况,不知究竟如何?

4. 坝基混凝土防渗墙,在天然铺盖联合作用下,承受水头70%~80%,水头为90~112m,防渗墙厚度采用1.2m。渗流梯度75~93.3,是相当高的。天然铺盖的形成需要一定时间,在未完全形成到最终厚度前,水头还会大些,渗流梯度也加大。在枢纽不泄水电厂停电时,坝下游断流,地下水位下降,防渗墙水头也会大些,渗流梯度也加大。防渗墙所在的覆盖层中有细沙层,如防渗墙有破坏,可能引起细沙冲刷。围堰下混凝土防渗墙,与天然铺盖在一起,形成围堰的防渗体系,后期与库区的淤积连接,形成辅助防渗线,在防渗计算中已考虑进去。由此可见坝基用一道1.2m厚防渗墙是较先进的,运行中要注意观测。

5. 在"土石坝反滤设计"文中,有以下几段文字。"①尽力减少防渗体开裂;②万一开裂渗水,应能控制和制止集中渗漏"。"反滤设计原则定为:①对防止集中渗漏作适当研究,将防止渗透破坏的重点,放在关键性反滤的可靠性上;②按照发生集中渗漏的运用条件,设计关键性反滤;③根据实际情况,简化非关键性反滤"。"大坝关键性反滤有斜心墙下游的第一层、第二层反滤"。"关键性反滤位于渗流出口,对大坝安全起至关重要的作用,要求在防渗体或防渗体接触面发生集中渗漏时,能有效地控制渗漏通道的发展并使其逐渐自愈"。"斜心墙下游侧的第一层、第二层反滤,要求能控制通过防渗体的集中渗漏,确保不至于发生渗透破坏。这类反滤可称为关键性反滤"。"斜心墙上游侧的反滤仅当上游库水位骤降时才能起反滤作用,因此可称为非关键性反滤"。

以上对于反滤设计的说明值得讨论。诚然,斜心墙下游侧的反滤是关键性反滤,因为渗流在斜心墙下游面逸出,由于渗透梯度大,斜心墙土料可能发生流土渗流破坏,因为土料是黏性的,不致发生管涌破坏。为此设置反滤层,在斜心墙与下游堆石体(或过渡料)之间,使斜心墙土料在渗流逸出梯度下不发生流土破坏进入反滤。为此反滤粒径和级配必须能阻止斜心墙土料发生流土破坏,同时,反滤层的材料在渗流作用下,也不会进入下游堆石体(或过渡层)。因此有时需要多层反滤层。与斜心墙相接的反滤层粒径和级配,视斜心墙土料的特性和渗流逸出梯度而定。两层反滤层层间粒径和级配也有一定要求。与下游堆石体(或过渡料)相接的反滤层粒径和级配,视堆石体(过渡料)的粒径和级配。这些在反滤层设计规范中都有规定。

如果斜心墙有裂缝而发生集中渗漏,反滤层在下游侧,如何能有效地控制渗流通道的发展,并使其逐渐自愈? 按照过去的经验,如斜心墙有裂缝而发生集中渗漏,斜心墙上游侧反滤层中的细颗粒将进入裂缝,逐渐把裂缝堵塞而自愈。所以上游侧反滤不仅当上游库水位骤降时才能起到反滤作用,还在斜心墙发生裂缝时有细颗粒料堵塞裂缝。因此,斜心墙上游侧反滤层也很重要,有时用两层反滤层,视上游侧堆石体的粒径和级配而定。

文中没有提到斜心墙土料的特性,反滤层各层的粒径和级配,上下游堆石体(或过渡料)的粒径和级配,也没有提到各接触面的层间关系,反而说用反滤层来控制斜心墙集中渗漏通道的发展并使其逐渐自愈。这种新的反滤设计理论,值得讨论,因为与现有理论变革太大了。因为小浪底大坝的重要性,请加以考虑。

6.在"地震反应分析"文中,结论说"在离下游压戗40m处存在液化区,而在下游压戗下及上游反滤料中有局部破坏区。"对分析计算我未加核对,从图6和图7可见,斜心墙上游侧反滤层有破坏区,能否发生上游侧保护层的滑坡,最好采用非液化的反滤层料,并加以紧密压实,使不发生破坏。在下游压戗40m处有液化区,如产生液化,可能引起下游压戗下发生液化,危及坝趾处安全,能否对这些地区的覆盖层加适当处理,防止液化。

以上是一些问题,特别是反滤设计问题,请考虑。读其他文章后,如有问题再奉告。

此致,敬礼。

张光斗
1995 年 7 月 15 日

读《小浪底水利枢纽工程孔板泄洪洞设计》:

本文介绍孔板泄洪洞设计,可能因篇幅所限,所以内容很不全面。作为孔板泄洪洞设计,特别是创新设计,应该讲布置、水力学设计、消能原理和效果、结构设计等。而文中内容主要是结构分析计算及结果,甚至荷载条件也没有讲明根据,连防渗帷幕线在何处也没有说明。

孔板泄洪洞是新生事物,人们关心的是其消能效果、消能原理、水力学条件、运用条件、各组成部分的功用、是否会产生空蚀振动、振动对围岩的影响等。特别是围岩多裂隙,有夹泥,还有断层,在长期振动后是否会产生变形以致破坏,这些是为人关注的。至于结构设计,要介绍工作条件,荷载的确定等。对于结构计算,只讲特殊的创新方法,一般的分析计算方法可以少讲,列出成果就可以了。题目是孔板泄洪洞设计,讲的是结构分析,如一篇文章篇幅有限,可分成几篇文章来讲。

还有"弧形闸门总水压力,1 号孔板洞每扇闸门为 60.8MN,2、3 号孔板洞每扇闸门为51.0MN。"后面又说"最高库水位弧门关闭充水时,作用在闸门上的总水压力为 2 × 6 500kN"。6 500kN 与 60.8MN 或 51.0MN 差别很大,何者为对?如库水位为 275m,1 号洞闸门高程 132m 左右,水头 143m 左右,每扇闸门上总水压力 = 143 × 4.8 × 5.4 = 3 706(t),与文中数值相差很远,也令人不解。

还有结构设计中的防渗、排水、分缝构造、温度控制等都没有讲,连孔板泄洪洞的布置图和总剖面都没有,还有温度应力如何考虑。

总之,读本文后,感到不满足。

张光斗
1995 年 7 月 16 日

读《排沙洞后张预应力衬砌结构设计》:

本文很有兴趣,用后张法预应力钢筋混凝土衬砌来承受内水压力,防止漏水,并能抗泥沙磨损,代替钢板衬砌,读本文后,感到有些问题没有说清楚,提出如下,次序不表示重要性。

1. 衬砌厚度 0.5m 是否嫌稍薄,可能有磨损,而维修比较困难。

2. 衬砌是否分缝,接缝构造如何?

3. 在帷幕下游,可否在衬砌外设排水,以减小外水压力,至少在隧洞下游段可设排水。至于怕灌浆堵塞排水,可采取措施,灌浆用低压,不灌浆又如何?

4. 波纹管的构造?如何用薄钢板卷成?图 2 中中心线位置的虚线表示什么?

5. "隧洞运行时,衬砌与围岩共同承受内水荷载","确定按全预应力度结构设计",两句话如何理解?小浪底隧洞围岩多裂隙,还夹泥,能否可靠地分担内水荷载?

6. 图 3 是平面图还是剖面图?总宽约 1.25m,既不是 0.65m,也不是 0.34m。图中有 2 个 1,2 个 6,1 个 2、3、4、5,是什么意思?在底拱中心线有锚具槽,在其他位置有否锚具槽?

7. "4 束锚索,每束锚索由 12 根钢绞线组成",每根钢绞线如何组成?强度如何?

8. 表 2 中应力如何算出?已否考虑托座损失,锚具变形,钢绞线松弛,混凝土徐变,混凝土温度收缩?如何考虑?

9. 试验段是现场张拉试验,还是结构计算?如做张拉现场试验,为何在帷幕上游 15m 处做?现场试验如何得到库水位 275m 的外水压力?在张拉预应力衬砌段根本不会承受水位 275m 的外水压力,弄不清楚这段的意思?对这样重要的工程,做现场试验是必要的,不知已做了没有?如何做的?成果如何?

张光斗

1995 年 7 月 16 日

读《小浪底水利枢纽 3 条明流隧洞设计综述》:

本文论述得很清楚,由于流速高及含泥沙,容易发生空蚀磨损,使设计较复杂。有以下问题,请考虑。

1. 本文能有平面布置图和纵剖面图,可帮助说明。

2. 1 号、2 号、3 号明流隧洞的进口高程不同,泄洪流量也不同,最好说明理由及确定进口高程和流量的原则。

3. "当流道内的流速大于 30m/s 时,要采取控制表面的不平整度和其他防蚀措施","当库水位 250m,流速超过 25m/s 时,必须采取耐磨材料或相应的工程措施",最高库水位 275m,为何取 250m?流道流速大于 15m/s 时,根据三门峡的经验,即可能发生空蚀和磨损,为何在设计中放宽要求?

4. 洞内流速大于 30m/s,余幅值 25% 可能不够。

5. 附图明渠段支护剖面 E 没有用文中说的重力式挡土墙的矩形槽或整体 U 形槽。

6. 工作门局部开启运用,目的在高库水位时减小洞内流速,要注意弧形闸门的振动问题。如事故门突然关闭,会引起洞内水击和工作门处负压,镜泊湖水电站引水隧洞由于进口闸门开启过快,即发生严重水击,导致衬砌的破坏。所以此事要很重视,可缓慢关闭事故闸门,或间断性关闭事故闸门,或尽量不使工作闸门部分开启。

7. 掺气坎构造宜附图说明,否则看不懂,并应说明设计方法。

8. 在帷幕下游衬砌外,是否可设排水,以减小外水压力。

9. 附图剖面 A,用于帷幕上游,当隧洞放空,为何外水压力采用折减系数,甚至达 0.6? 此时,底板和边墙都将有很大弯矩,能否采用锚筋,以减小弯矩?

10. 在 2、3 号洞内,流速很高,似仍用掺气设施为宜,可选用掺气设施,提高效果。

张光斗

1995 年 7 月 16 日

林秀山设总给张光斗先生的回信:

张先生:安好

先生来信收悉。从信中足以看出先生对小浪底工程的关心。我已复印给龚时旸主任及其他同仁。先生眼力不济,百忙中写如此长的信,一定十分劳神,确实令学生感动。现就先生提出的问题,谈谈我们的考虑。

1. 小浪底枢纽总泄流能力 17 300m³/s,千年一遇设计洪水调洪计算最大泄量 13 500 m³/s(40.5 亿 m³ 防洪库容,起调水位 254.0m),故总泄流能力留有余地,另 3 000 m³/s 的非常溢洪道尚未考虑。

设计考虑低位孔板洞最高运用水位 250.0m,调洪中曾演算过,即使 3 条孔板洞均不投入,也可满足设计洪水要求,不超过水库最高运用水位。由于小浪底初期运用水库库容很大,故孔板洞的运用可以有一段相当长的时间(至少 10 年)积累经验,即使有什么问题可进行处理。小浪底除 40.5 亿 m³ 的防洪库容外,尚有 10.5 亿 m³ 的调水调沙库容,汛期运用水位实际是在 230.0~254.0m 之间变化,故必要时可降低起调水位(特大洪水总有较长的预报),这样调洪库容可以增加。

综上所述,我们在防洪泄洪问题上是留有足够裕度的。非常溢洪道建议暂不修建,如孔板洞运用正常,拟建议取消非常溢洪道。

2. 温孟滩放淤已作为解决小浪底库区移民的一项措施,拟安置新安县移民 3 万人。这是采取河道放淤(由河南河务局负责实施必要的围堤工程)完成的。目前小浪底未考虑专门的输沙放淤建筑物体系。3 条排沙洞泄洪至综合消能水垫塘排至下游河道。作为小浪底的后续工程是古贤(原龙门)、碛口,以后才有条件考虑禹门口和温孟滩的放淤,这大概是几十年以后的事了。

3. 大坝设计的过渡料③区,系采用北岸洞挖石渣,限制最大粒径 250mm,这和小浪底岩层节理裂隙展布、层厚以及相应的爆破方法大致是吻合的,以此作为反滤和堆石之间的过渡。从渗流梯度来讲,有此过渡区,可防止层间梯度变化过大。

垂直混凝土防渗墙前,随着水库淤积的发展,必然形成天然铺盖。根据三维有限元分析计算(假设墙体不透水,无缺陷),垂直混凝土防渗墙仍承担主要水头。现墙体 90 天龄期强度不小于 33MPa(原设计 28 天强度 35MPa,后由于接头孔施工困难,掺部分粉煤灰,降低了早期强度)。从右岸滩地已施工的墙体来看(现已开挖出露),质量还是好的。我本人对墙体的抗渗梯度并不担心,理由在于河床砂砾石非常紧密,干密度达 2.1~2.2t/m³,即使墙体有些问题,不过是些裂缝,仍夹在密实的覆盖层中。设计对混凝土的强度要求来自有限元分析计算(大部分工作是系里老师完成的),并不能真正模拟实际情况,均是偏于保守的考虑。冲击钻施工过程中,对墙体附近必然产生挤压,从而提高地基的弹模,对这一点无法真正模拟,二墙体的应力主要由不均匀沉陷造成,并不是上覆荷重。这些不均匀沉陷造成对墙体的拖曳应力能否积累(时间很长),值得怀疑。我认为过程中必然会有局部应力调整,防渗墙也不会是一个整齐的平面。退一步说,防渗墙墙体发生问题后,铺盖的作用就会增加,含沙水流入渗也较容易使之愈合。总之,我对大坝防渗有足够的信心,不对之处请先生指正。

4. 大坝防渗体系自然要和反滤一起考虑。文章中关于反滤设计原则的论述不够全面,我很同意先生所讲上游反滤不仅在水库骤降时起作用,在心墙裂缝开展时将会有细颗粒充填堵塞裂缝,使之愈合。所说"按照发生集中渗漏的运用条件设计关键性反滤"也不够清晰。小浪底反滤设计,不仅按反滤设计原则(层间关系)进行了计算,还作了试验,模拟试验的条件是心墙有贯通裂缝,看反滤(防渗心墙)的自愈功能。试验证明现设计的反滤是好的。现寄上一篇较为详细论述反滤的文章,请先生指正。

5. 在小浪底大坝地震反应分析中,世界银行专家推荐采用在枢纽 10km 范围内发生 6.25 级水库诱发地震,峰值地震加速度 0.5g 进行稳定性复核,这大大超过本坝址区的本地地震 5.6 级。因此,本身是一偏保守的稳定性核算和分析。小浪底砂卵石地基曾考虑进行振冲加固,并在现场进行了试验。由于砂卵石相当紧密,故施工困难,效果不明显。由于上述地震是非常特殊的运用工况,故考虑在下游坝坡压戗下局部发生液化破坏是允许的,其破坏范围不致危及坝坡,这也是设置下游压戗的原因之一。

水库淤积后,坝前最高淤积面将达 254.0m,距坝顶不到 30m。如遇特殊的地震工况,上游部分反滤液化不会有多大范围,估计不会影响坝的安全。

6. 先生所讲孔板洞设计一文,确实论述很不全面,未抓住大家关注的重点而加以阐述。如先生所知,对于孔板洞我们做了大量的研究,清华、水科院、南科院平行进行了大量试验,成果十分丰富,在碧口水电站排沙洞还进行了现场中间试验。其中消能效果、消能原理没有人怀疑,较长时间是在研究其空化产生的条件及水流振动脉动对围岩的影响,反复修改孔板体型旨在防止空化发生。由于结构和围岩的固有频率和水流脉动的频率有较大差异(在小浪底现场曾进行了爆破试验,专门测试山体的固有频率特性),水流振动脉动值有限,不会产生什么问题。今后写这类文章时应注意先生所说,项目设总应多花些时间把关。

孔板洞弧形工作门关闭时,作用在弧门上的总水压力必须考虑可能的高含沙量。由于汛期三门峡和小浪底水库是降低水位敞泄排沙,小浪底 1973 年 8 月实测最大含沙量达 941kg/m^3,这样将会使作用在闸门上的总水压力大大增加。当然这是一种特殊情况。另外也考虑进口泥沙冲刷漏斗由于地震、冲刷等因素发生坍塌,这样也会形成高含沙水流。

7. 关于排沙洞后张法预应力混凝土衬砌结构设计,设计流速控制 15m/s。排沙洞的功能一是排沙,二是调节径流,维持进口冲刷漏斗,更多更经常的使用条件是后者,而且往往是局部开启,因此洞内平均流速大部分时间低于设计流速。衬砌厚度 0.65m 和施加的锚索应力是配套的,现锚索间距 0.25m,衬砌厚加大,平均锚索应力还得加大。现钢筋保护层厚 0.15m,比通常钢筋混凝土衬砌保护层 0.08m 留了一定的裕度,已考虑了一定的磨蚀。文中图 2 的虚弧线是表明锚具在断面错开布置的位置,图 3 是锚索布置的展开图,图中数码 1~6 即表示锚具布置的位置和编号。底拱为 1,相间 60°分别为 2 和 3。锚具错开布置旨在使平均张拉应力均匀。

排水帷幕下游地下水位将降至 200m,并与左岸山体天然地下水位(140m 左右)连接形成降水坡线,隧洞衬砌的外水压力不大,故未设排水。

锚索波纹管有现成产品,也可以买钢带加工,隔河岩就是自己加工的,还来小浪底推销。关键是不能渗浆进入管内影响张拉。

衬砌设计中围岩分担一些内水荷载,但围岩的弹模用的很低,是很保守的。"全预应力度设计",就是在最大内水荷载时混凝土衬砌中仍不出现拉应力(至少 30Pa 压应力),保证混凝土不会开裂。

锚索均是按美国标准生产的定型产品,低松弛,高强度,每根锚索 1.39cm²,屈服强度 1 860MPa。设计张拉力取屈服强度的 75%,设计中考虑了各种可能的损失,包括松弛、锚具变形、混凝土徐变、波纹管弧段摩擦等,最后得到的预应力约为设计张拉力的 50%。

帷幕上游是普通钢筋混凝土衬砌,原则上讲,帷幕上游段地下水位和库水位连通,设计外水荷载折半考虑,混凝土衬砌按限裂设计。试验段取在帷幕上游,不会由于试验未达到要求标准而影响使用(至少可相当于普通钢筋混凝土衬砌)。

现场试验用千斤顶模拟内水压力。隔河岩未做现场试验,只做了室内模拟。我们也曾委托建筑科学研究院在室内浇了一个直径 6.5m 的混凝土圈进行张拉试验。现场试验主要是解决施工工艺问题。

(林秀山注:上述和张先生讨论的是原初步设计有黏结后张预应力混凝土衬砌方案,真正实施的是优化后的无黏结后张预应力混凝土衬砌方案)

8. 关于明流洞设计:

(1)明流洞进口高程不同是从泄洪设施总体要求考虑的。低位孔板洞、排沙洞进口高程均为 175.0m,已满足 220.0m 水位 7 000m³/s 的泄量要求,没有必要把明流洞均放在一个高程如 195m,适当抬高 2、3 号明流洞进口可降低洞内流速,又必须满足总泄量 17 000m³/s 的要求。高位明流洞还兼有排污功能,进口分层布置后运用比较灵活。由于发电引水高程为 190m(5 号、6 号机)和 195m(1~4 号机),这样在立面上就形成了低位泄洪排沙,中间引水发电,高位泄洪排污的格局。再一个考虑就是进口冲刷漏斗有可能坍塌,而堵塞低位进口,这样就可利用高位进口逐层泄水拉沙。由于发电引水和泄洪排沙洞在立面上还有交叉,也必须保持交叉段有一定的围岩厚度,从布置上也不可能放在一个高程。现在的布置实际上是综合考虑各种因素的结果。

(2)"在库水位 250m,流速 >25m/s 考虑采用抗磨措施"说的不够确切。实际上只要流速 >25m/s 均采用高强度硅粉混凝土抗磨。经南科院试验,写在标书里的硅粉混凝土强度要求不低于 70MPa,在 25~30m/s 流速情况下磨损量比较小,这和三门峡普通混凝土的抗磨性能是不能比的。自然磨损后还有条件再修复。

(3)明流洞余幅值是考虑掺气水深的,各个断面的余幅值不尽相同,平均 25%,最小余幅值 17%。

(4)附图明渠支护剖面 A—E 重点在说支护。E 剖面从结构设计看,按不同地段的地质及开挖情况,采用了重力式、衡重式挡土墙的矩形槽,也采用有整体 U 形槽结构。

(5)在设计中考虑了闸门局开的影响,请南科院专门做了闸门水力学试验,研究不同工况闸门局开的振动、气蚀等问题。

(6)隧洞放空时所采用外水折减系数0.6是最低值,进口段未折减,0.6的系数考虑了作用在衬砌面上作用面积系数。

(7)设计考虑1号明流洞采用掺气坎,2号、3号明流洞最高流速(沿混凝土衬砌表面)<30m/s,是处在是否设掺气坎的临界流速,绝大部分时间的运用水位均低于250m(此时总泄量11 000m³/s),设坎后给施工带来诸多不便,掺气水深加大,反复斟酌后未全设掺气坎。

9. 先生信中所说地下厂房支护施工时应加强原型观测,及时在现场调整支护参数十分重要。7月28日~8月3日,严克强副部长在现场办公会上也强调了这一点。除承包商进行收敛监测外,业主已委托东北院和我院成立原观监测组,真正按新奥法的三原则实施信息施工。

地下厂房段在水库投入运用后的最高地下水位在190m左右(左岸山体三维渗流分析研究成果),围绕厂房布置有三层排水,另厂房壁布置有排水管网,目的就是要降低地下水位。

小浪底工程设计专辑限于篇幅字数要求不可能叙述得太详尽,此外这次专辑文章很多是年青人写的,老同志审查把关不够,有些未抓住重点,有些提法不够全面甚而错误。先生详细阅批,我等受益匪浅。尽管从设计程序来讲,初设完成后即开展招标设计,以标书及其附图作为阶段成果,但我仍要求按过去技施设计的精度编写技术设计报告,以总结多年来设计、科研的成果。现工程规划部分已出初稿,地质部分原定于本月底交项目组审查,设计部分正在编写,由于出图(施工图)紧张,进展缓慢。此外准备将初设以来的400余项科研试验分专业出汇编,该项工作业已布置。在技术报告中我们将做详细论述,包括方案演变的过程、依据及设计考虑。

大坝、泄洪建筑物、引水发电系统3个国际承包商进点以来(于去年9月份以后),大坝右岸基坑已开挖完毕,导流洞上半部扩挖剩约900m,进出口区开挖正在进行,地下厂房顶层中间3个断面已推进约60m。现主要问题是导流洞开挖出现大小不等的几次塌方,承包商着重于商务利益未及时处理,拖延了工期(滞后4~5个月),是1997年截流的关键。现正研究采取措施,把进度赶上去,保证1997年截流。大坝标施工基本正常,意大利Impergilo现场施工组织安排比较有章法。地下厂房由于顶拱增加了325根锚索也影响进度,加上承包商自身的原因,进度也有些滞后,正在研究新增开一条施工支洞。小浪底现场施工已呈现出相当宏大的场面,各种问题,包括技术的、商务的、社会环境方面的都不少,现场业主的管理和监理工作也还未能完全和国际接轨,现正逐项落实严克强部长现场办公会议的纪要。如先生身体条件许可,欢迎来现场指导,让王光纶直接和我或王咸儒联系。

谨问候师母身体好,不尽之言再叙。

祝先生健康长寿!

学生林秀山上

1995 年 8 月 13 日

十、蔡为武给小浪底建管局总工曹征齐的信

曹总：

听说建管局监理工程师、设计院对二个预应力衬砌有不同看法，这里提供一些个人建议。

小浪底排沙洞和发电洞围岩经我院原位监测定为一二类，F_{236}/F_{238} 也当在三类。地质是很好的，挪威某专家认为小浪底隧洞可以不衬砌。

排沙洞预应力段上履岩层厚 $50 \sim 150m$，按 $\gamma = 265kg/m^3$ 计，满足上抬要求，可以不衬，当然为便于排沙仍须衬砌，围岩弹性模量为 20 000MPa 以上（记不清了），手头无实测资料，估计当在 0.1Lu 以下，50m 下节理已近闭合，因此只须常规钢筋混凝土衬砌即可。一般一、二类围岩可用环向 $\Phi20@200$，轴向 $\Phi20@400$，单层配筋，保护层 15cm，F_{236}/F_{278} 段如围岩均为断层，可用 $\Phi25@200$ 与 $\Phi25@400$，如一侧为断层，另一侧为良好围岩则可能在上述 $\Phi25@200$ 与 $\Phi25@400$ 内层钢筋之外，在有断层侧铺外层钢筋，配筋同样也为 $\Phi25@200$ 与 $\Phi25@400$，良好围岩侧不加外层钢筋，固结灌浆孔距纵横 $3m \times 3m$，深入基岩 2m，灌浆水灰比 $1:(1 \sim 0.621)$，压力 2MPa，浆液中加少量膨润土（3%）和超级塑化剂混凝土，采用 28 天强度 25.0MPa，卵石最大粒径 80mm 用量 $350kg/m^3$ 以上，水泥用量不宜超过 $350kg/m^3$，加粉煤灰，使用超级塑化剂和缓凝剂，这样可较目前的更耐磨，这是上策。

如果必须采用预应力，最好采用灌浆或预应力衬砌。小浪底围岩比白山 1 号洞好得多，混凝土与开挖施工质量也比白山好得多。灌浆式预应力是毫无问题的，从本函附文的图 2 可以看出：白山 F_{22} 的地质情况远比 F_{236}/F_{288} 差，灌浆从山坡施灌，但运行并无问题，即使某段灌浆质量较差，其附近若干段灌浆后，仍可使之补充增加压应变，如图 3 第 7 段自然灌浆时压应变仅为 $-20 \times 10^{-6} \sim 400 \times 10^{-6}$，但经第 13、14、16、11、9 段灌浆后，最终应变为 $-400 \times 10^{-6} \sim -700 \times 10^{-6}$。可见不必担心灌浆技术要求达不到的问题，从图中可见 2 次灌浆后，应变即长期稳定。工程局在无人指导下对 3 号洞自行灌浆防渗，效果也很好，可见预应力灌浆是可靠的，容易施工的。

预应力灌浆使衬砌处于受压状态，不像后张拉预应力使衬砌内部处于局部受压、局部受拉、局部强剪的复杂应力状态，又无预应力锚具坑的薄弱环节，不受磨损和渗漏威胁，并且还可使轴向增加预压应力，不致产生环向渗漏，所用钢材、造价也少得多（有可能低于常规钢筋混凝土衬砌），这是中策。

如果仍然坚持采用机械式后张法预应力，看来无黏结式比黏结式好得多，但其锚索环的埋深（半径）、锚头坑布置、附加抗剪、轴向抗拉、拉弯钢筋必须较原设计有很大增加，锚头坑回填物混凝土的防渗抗磨设施，这些费用比原设计预计大得多，否则效果极差，这是下策。关于黏结式后张法，建议不再考虑，如果一定要做，上述附加钢筋、锚头也同样须增加更多费用。

　　致

　　敬礼！

蔡为武谨致

（注：蔡为武为原东北勘测设计研究院总工程师）

十一、水利部陈赓仪在小浪底考察时的讲话(2000 年 6 月)

小浪底工程是举世瞩目的治黄骨干工程,其在各个方面的复杂性是举世少见的。我们高兴地看到,在建管局高水平的组织管理下,经全体参建方的艰苦努力,工程已取得了决定性的胜利。几千年来的治黄历史将展开新的篇章。毛主席号召我们要把黄河的事办好,这一反映全国人民愿望的号召,很可能将在 21 世纪中得到实现。小浪底枢纽将发挥其骨干性的、无可替代的作用。请允许我向建管局及全体参建方、所有为小浪底建设做出贡献的同志们,包括已从一线退休的老领导、老同志们表示最诚恳的敬意,历史将记下你们的贡献。

目前的小浪底枢纽,一是基本建成,二是初经考验,三是已发挥了巨大的综合效益,四是进行了大量可贵的科研分析工作,为今后的进一步前进奠定基础。这些都是十分可贵的成绩,现在要从建设期逐步转入运行期。小浪底枢纽与其他水利水电工程有个本质性的差异,其他工程转入运行期后的工作是相对较简单的,按规章制度运行、管好用好,再把环境搞得美好一些就行了。而小浪底工程在运行期中的任务远不止此,远不如此简单,甚至可以说,进入运行期意味进入更复杂的一场战斗。相信我们的同志们一定能继承优良传统,了解肩上重任,认识面临的复杂情况,不骄不馁地继续努力下去,直到完成治黄大业为止。

所以,小浪底枢纽今后的任务不是轻了,而是更重了。我初步想了一下,今后,我们第一要确保安全,保证枢纽工程的绝对安全,这也就保证了下游广大地区亿万人民的安全,我们要掌握、了解工程中的每一环节,包括隐蔽部位的工作情况,严密的监测、控制、分析、及时进行维护,务使工程正常健康运行,不留隐患,不出险情。第二要服从调度,发挥防洪、防凌、减淤、调沙、供水、发电的综合效益,而且要发挥从全局来讲的最大效益、最高效益。第三是要通过长期的、科学的、艰苦的研究分析,逐步掌握"工程"、"水库"和"河道"的特性与规律,探索如何利用这座水库,进行最优的运行,能按照人们的意志调水调沙,能尽可能地延长水库寿命,降低下游河床高程,满足日益增长的用水需求,结合其他工程,为最后解决黄河问题做出历史性的贡献。能达到这一步,小浪底枢纽就真正成为一座名垂青史、千秋万代为民造福的伟大工程了。

上面是我对小浪底枢纽的一些感受,下面对陆局长和曹总提到的一些技术问题,就我所能表达看法的部分,谈些个人意见,很多和专家们的见解是一致或基本相同的,供陈主任及建管局参考。

(一)两岸坝肩基岩渗漏问题

两岸渗漏量巨大,确实是影响工程安全的首要问题。其原因及情况,曹总分析得很清楚,我完全同意。现在已补充做了帷幕工程,有所减少,但不理想。看来原设计对帷幕的设计偏于乐观,特别对岸坡部分估计不足。对此问题,我有以下几条意见:

(1)从远景看,渗漏问题将逐步缓解好转(因水库前淤积较快,可起天然防渗铺盖作用),所以应集中力量监视今后几年的运行情况,不使恶化或发生意外问题。只要度过这段时间就行。

(2)任何水库不可能也不必要做到完全不漏水,像小浪底水库尤其难以做到基本不漏水,只要漏水量在许可范围之内,不是不断增大,也不出现管涌或其他化学物理变化情况即可,遗憾的是,现在还不能下结论说,两岸坝头的长期渗漏不会发生这种后果。所以要加强加密对漏水量及水质的监测分析,加强对受渗漏作用后可能发生有害影响的建筑物、边坡的观测,千万不可放松。

(3)现在的渗漏量确实太大,令人难以放心,而且两岸坝肩的渗流场究竟是怎么样的,也心中无底。坝肩部位的渗流场是很复杂的,有从水库透过、绕过帷幕底向下游的渗流,有绕坝的渗流,有岸坡中地下水的下泄,山体中有大量洞室和排水系统,地质条件又很复杂,我们应对此有些进一步的认识才好,建议再列个专题,对山头的渗流场作一较精确的分析。在分析的基础上,结合基岩断层的抗渗破坏梯度和对水库淤积速度的估计,判断一下安全程度,研究有无必要在近期再做些补强工程。特别是对有条件施工和目前对运行有威胁的部位,如左岸地段,要不要再做些工作。如有必要,我总感到像小浪底这样的工程多做些工作是应该的。当然要由设计院和建管局最后来定。设计院还可以根据分析成果,提出个控制标准,在不同地区内,有多少渗漏量是可容许的,这些工作争取在正式验收前做好,以免验收中发生争议。

另外,不知可否采取措施,促进人工落淤,提个科研题目请泥沙专家考虑一下。

(4)对渗漏问题要作为特殊重要项目,定期做出报告,有异常情况时要紧急报告。还要准备一些必要的设备、人力、材料,作应急措施。

(二)蓄水后泥沙淤积问题

此项监测极为重要,现在已提供了非常好的成果,必须坚持观测下去。

(1)建议请设计方面,根据实际水沙资料和实测淤积成果,作一次仿真分析,研究设计淤积情况和实测有区别的原因,对数学模型及有关参数作些调整,力求由数模算出的成果在淤积形态及数量上大体能和实际相符,以后还可经过多次反馈修改,趋于精确。这样就能掌握一个较可信的工具(专门用于黄河小浪底库区),对今后作用是非常大的。

(2)小浪底的运用,我个人看法要以减淤、调沙摆在第一位,因为防洪标准现在看来已相当高,而且不是年年有大洪水。调水问题虽然急迫,但和最大限度减少库容损失相比,毕竟是近期利益与长远利益之比。否则,一年损失几亿库容,维持不了太久。建议黄委会、设计院通过今后几年的监测、分析、研究,能对小浪底水库的最优运行方式进行探索,提出建议,要把上游那个三角洲冲掉。当然可会同科研单位共同研究,但最终方案必须要流域委和设计院拟出才能报国家批准。

(三)进出口边坡稳定问题

小浪底枢纽进出口高边坡的稳定(特别是出口段)一直是困扰人心、威胁施工的大问题,经艰苦努力,最困难的时期已经过去。

从介绍情况看,进口段边坡运行 5 年多,已趋于稳定。仅有一支多点位移计 Bx7-12 在 2000 年 9 月至 12 月间的异常变化,以后又正常。如能证实附近的锚索测力计和测斜管无异常,似乎是仪器本身问题的可能性更大些。其顶部测点沉陷量在蓄水后有突增,应认为是合理的。

出口边坡完工后至今也已 3 年 9 个月,从观测情况看,绝大多数也是稳定的,使人放心。但同样有 3 号孔板洞下的 Bx7-3 和左上角的 Bx7-28 测值增长较快。由于附近的锚索测力计均稳定,难以得出解释。如后者测值可靠,应认为边坡是稳定的。由于其特殊重要性,建议对该部位再作分析和加强检查。

(四)1号孔板泄洪洞过流问题

小浪底孔板泄洪洞是世界上最大的用孔板消能的泄洪洞,很多同志对此深为担心。当初我极力推荐,心中也是很担忧的。现经过两次泄流试验,一次库水位为210.2m,一次为234.4m,试验中进行详尽观测研究,取得极宝贵资料。现可初步得出结论:设计是合理的,施工、运行是成功的。泄洪中未见空蚀现象,结构及山体震动微弱,孔板洞可以安全参与泄洪。为此,谨向建管局和参建的各方包括研究单位表示祝贺与钦佩。从此中国拥有一种新的有效的泄洪措施,可以在其他类似工程中使用。

但毕竟运用次数还很少,希望仍不要掉以轻心,在今后使用中,加强监测,不断积累资料,使这项技术更趋成熟。

(五)混凝土骨料碱活性问题

这个问题也是专家们深表关注的问题,我们高兴地看到,长科院长龄期试验的阶段性成果说明,小浪底工程的混凝土不会产生危害性的碱骨料反应。

和三峡工程相比,小浪底各级混凝土总含碱量稍高(以 3kg/m³ 控制),而且仅是"基本上控制",鉴于碱骨料反应要在较长时期后才反映出来,"快速试验法"仅有相对的意义,故建议对长龄期试验能坚持做下去(如无特殊困难),以便为此问题提供更多的资料,及时做出最终肯定。

十二、原黄委会主任龚时旸给亢崇仁主任的信

亢主任:

有一个建议。你如同意,请设计院和黄科院具体研究一下办理。

小浪底水库的运行是一个比较复杂的问题,牵涉到工程效益(减淤效益)能否达到预期的目的,并且使之更大。其中一个主要问题是泥沙在库区的运行规律。

在初步设计中虽然从减淤的目标出发拟定了一套运行规划,并作了计算,经多次审查,认为是可信的,但是还需要通过实践加以证实。当然这些可以也必须在水库建成后的实际运用时加强观测和分析,但一来时间较晚,二来观测精度、工作量都有一定局限性。所以我建议现在就动手做一个泥沙模型试验,对初步设计拟定的运行规则和效果进行检验,同时研究在此前提下改善运用规则的可能性,以便为正式运用做好准备。我这里强调的"前提"是指经过部、计委审查同意的初步设计所规定的"水沙系列","蓄清排浑,逐步抬高"以及"以防洪减淤效益为主"的原则。至于其他同志有新的想法,可以在按以上原则做完试验后再去考虑,不要影响。

模型建议在新购买的土地上进行,由黄科院泥沙所负责。

模型的范围,根据库区自然情况,应该上游包括八里胡同峡谷以上 10km 左右,下游包括坝下正建的黄河大桥为止。可能只能用变态模型做。

为了试验需要事先测绘上述范围的库区地形图(可以用断面法),观测几次各河段的泥沙冲淤资料,以便作模型验证,如果需要还要增加一些水位站。以上水文泥沙观测要求请设计院与黄科院共同商定,经主任批准后,委托水文局完成。

同时,请设计院、黄科院共同拟订试验内容,观测项目及进度和经费。提出意见后,请

有关同志审议一下(也可考虑请一些会外的泥沙模型专家)。

听说小浪底运行研究的费用,张春园副部长已明确在工程费的不可预见费内开支,所以当方案拟定后请计划局向建管局联系解决。

预计模型试验和分析需要相当长的时间,现在下手已是非常必要的了。希望明年能开始着手制作模型,并开始验证。

妥否?望批示。

龚时旸

1993 年 2 月 24 日

十三、水利部陈赓仪给纽茂生部长的信

纽茂生部长:

遵嘱,我邀请了水利水电工程总公司、西北勘测设计院和三峡工程总公司的部分领导和专家(名单见附件一)自 1996 年 3 月 9~18 日到小浪底工地进行了现场考察,听取了建管局、咨询公司、设计单位的介绍,察看了现场,查阅了部分资料,走访了加拿大驻工地咨询专家(谈话记录见附件四),参加了建管局召开的导流洞工程施工进度专题研究会(会议纪要见附件二)和技术座谈会(会议发言见附件三),使我们对小浪底工程有了一些了解。现将我们的认识,简要汇报如下。

(一)对小浪底工程的认识

小浪底工程是我国在建的最大的水利水电工程之一,对治理黄河起防洪、防汛、减淤的作用,又兼有供水、灌溉、发电等巨大综合效益,小浪底工程的建成,将为黄河的治理及黄河水资源的开发利用开创新的局面,是具有重大战略意义的水利枢纽工程。

小浪底工程,1991 年 9 月开始前期工程施工,1994 年 9 月主体工程正式开工,经上万名建设者近 5 年的努力,工程取得了长足的进展,前期工程已经完成,三个主体标的施工已全面展开,其中,一、三标正按总进度计划顺利进行,唯二标则因各种原因,施工进度明显拖延,给 1997 年 10 月截流带来很大困难,因而受到各方的密切关注。前阶段,水利部为促进工程进展,确保 1997 年截流目标的实现,派出了以朱登铨副部长为首的工作组到现场指导工作,还做出了组织 OTFF 联营体加入二标施工,从组织上、技术上加强二标施工力量的决定,经一个多月的筹建,在现场已产生初步效果,我们认为这个决定是正确的。

(二)对 1997 年 10 月能否实现截流目标的看法

从现在的情况看,一、三标不制约截流计划,而二标是关键,尤其是 3 条导流洞的施工更是关键。由于前阶段施工进展不理想,目前二标的施工形象已较原计划拖延了 6 至 9 个月,要想在 1997 年 10 月如期截流,施工进度将明显加大。根据资料,截流前 3 条导流洞洞身部分尚需完成的主要工程量为:石方洞挖 26 万 m^3,喷混凝土 1.9 万 m^3,锚杆 1.7 万 m,钢筋制安 2.45 万 t,混凝土浇筑 33.6 万 m^3,即剩余工程量为全部洞挖 40% 和几乎全部的钢筋混凝土浇筑,必须设法在半年内完成全部开挖量,再用 1 年时间完成全部混凝土浇筑量,这样月平均开挖强度要达 5.0 万 m^3/月(高峰要达 7.0 万 m^3/月),月平均浇筑强度要达 2.8 万 m^3/月(高峰要达 4.0 万 m^3/月)。强度很高,工期很紧,但根据黄河上游李家峡、龙羊峡等工程导流洞的施工实践,结合小浪底工程布置的特点,施工设备的装备,又有

较多工作面的实际条件,采取一定措施,有关各方密切协作,精心组织,精心管理,精心施工,这样的施工强度经过努力还是可能达到的。因此,从宏观分析,我们认为1997年10月截流的目标虽然存在不少困难,但还是有可能实现的。

(三)几点建议

(1)根据工地目前的情况,为了实现1997年截流的目标,建议尽快健全OTFF联营体组织,理顺与外商的关系,使承包商和OTFF联营体在合同的基础上紧密结合,相互理解,相互支持,密切协作,为实现1997年截流的共同目标而努力。经过一个多月的组织,OTFF联营体已初步组成,进场已达1 000余人,已全面进驻导流洞各工作面,使工地面貌有了初步改善,磨合后会更好。但这仅仅是好的开端,还有不少繁重艰巨的任务,而且由于小浪底采用国际招标,二标的责任方仍然是外商,并不因OTFF的介入而改变,因此必须千方百计调动外商的积极性,使之与OTFF密切协作,为OTFF制造较好的工作环境,使OTFF能发挥更大的作用,为夺取如期截流提供重要的组织保证。

(2)水利水电工程施工是一项十分庞大的系统工程,尤其是像小浪底工程这样复杂的水利枢纽的施工,更需要依据系统工程理论,认真编制周密的施工组织设计,制定相应的施工网络计划。在当前最迫切的是要编制落实截流前的施工网络计划。根据施工合同,这个计划,应由承包商编制提出(按小浪底的具体情况,应由外商与OTFF共同商定提出),经监理审查,认为可满足截流进度和工程质量要求、予以批准后执行。为使监理审批时心中有数,建议业主和监理单位要预先编制一个控制性进度计划。由于工程的复杂性,施工期间变更、施工交叉、干扰较多,要求监理单位加强工程协调力度,尽快帮助解决施工中遇到的各项实际问题,及时排除施工干扰,促进关键路线跟上控制工程进度的实现。为了更好调动各方面的积极性,根据国内其他工程的经验,按施工进度计划,预先确定若干控制点,设立赶工奖,分阶段逐点兑现的办法,是十分有效的,建议在小浪底工程中亦予以采用。同时,赶工时期一定要注意安全,避免发生重大事故延误工期。

(3)黄河是著名的多沙河流,泥沙淤积问题十分突出,应引起充分注意。目前,黄委设计院对小浪底工程的泥沙淤积问题已进行了多年研究,但鉴于本水库泥沙淤积的形态复杂,建议在1997年汛后截流前,对水库泥沙淤积实况进行一次遥感测量,作为工程运行前的原始形态资料为今后运行备用。要重视三门峡和小浪底联合运用作用,也要重视三门峡枢纽工程。

(4)考虑到小浪底工程以上黄河干支流已修筑了龙羊峡、刘家峡等调节水库,现在还在建李家峡、万家寨等大型工程,加上甘、宁、蒙地区灌溉大量用水等多种因素,小浪底工程的水沙条件已有所差别,建议设计单位能按变化后的水沙条件,对小浪底工程的运行规程予以修订,校核该工程泄水排沙建筑物的布置和规模,以便为今后排沙能力留有余地。

(5)受地形条件限制,小浪底工程的全部泄洪、排沙、发电建筑群均布置在左岸的山体内。因此,保证左岸山体的坚固和稳定,是本工程的根本所在。建议设计单位考虑各种不利条件,再次进行一次认真的校核,尤其是考虑水库运行后水文地质条件发生变化,对进出口高边坡的稳定性的影响进行复核。以及出口消力塘泄洪发生水雾对进出口高边坡影响亦应复核。

(6)小浪底工程泄洪建筑物布置密集,规模较大,流速较高,水流含沙量大,运行条件相当严峻。因此,对工程质量提出更为严格的要求。一方面,要求设计合理,结构可靠;另一方面,要求施工认真保证质量,监理要认真监督,切不可掉以轻心,以确保小浪底工程安全运用,充分发挥效益。

这次到工地的时间比较短,了解的情况也比较粗,在技术座谈会上,我们各自都作了发言,现已整理妥,作为附件一并送上,仅供参考。

此致
敬礼!

陈赓仪

1996 年 4 月 8 日

十四、陈赓仪携专家工作组对小浪底工程的咨询意见

陈赓仪:

我们来了近 10 天了,听了介绍,看了工地现场,小浪底工程是巨大的,也是艰难的。同志们做了大量的工作,取得了很大的成绩,由于时间很短,对于工程的情况不可能了解得很细致,仅做了初步研究。因此,我向孙副局长建议开个技术座谈会,这样可以相互交换意见,相互学习,共同来讨论和探索,以利促进工作。以下我们 5 个人都谈谈自己的看法和意见,这都仅是个人的意见。

张端伟:

小浪底工程计划 1997 年 11 月截流,目前一标、三标施工进展比较正常,而二标工程进度普遍较计划有所拖延,尤其是三条导流洞,工期拖延达 6~10 个月,已成为能否按期截流的关键项目,引起各方面的关注。水利部派出了以朱登铨副部长为首的部工作组驻工地指导工作,这次随陈赓仪老部长到工地考察,感到收获很大。

由于第一次到小浪底工地,时间也比较短,了解的情况不多,仅就截流前导流洞施工问题,谈几点粗浅意见,供同志们参考。

(1)实现 1997 年 11 月截流难度很大,但仍未失去机会。3 条导流洞截流前尚需完成开挖 26.0 万 m³,喷混凝土 1.9 万 m²,钢筋 1.7 万根,钢筋制安 2.45 万 t,钢筋混凝土浇筑 33.6 万 m³。相当于全部工程开挖量的 40% 以及几乎全部钢筋混凝土,而工期只有 19 个月。要想如期截流,必须在半年内全部完成剩余开挖量,在一年内全部完成混凝土浇筑任务,平均开挖强度 5.0 万 m³/月(高峰强度 7.0 万 m³/月),平均浇筑强度 2.8 万 m³/月(高峰强度 4.0 万 m³/月),达到平均月开挖成洞 700m 和月浇筑成洞 360m 的形象进度,组织得好,开挖有 6~9 个工作面,平均进尺 100m/(月·面),是可以达到的。混凝土浇筑有 6 个工作面,平均进尺 60m/(月·面),虽然强度较高,但仍是可以达到的。因此,从宏观分析,如期截流在技术上还是可能的,我们大家都要有信心。

(2)从工地的情况看,目前的施工通道,对扩挖Ⅰ块是适应的,但不适应Ⅱ、Ⅲ、Ⅳ块扩挖及混凝土浇筑的需要,制约下步施工的开展,有必要进行改善。听说有同志提出在 1 号支洞新挖岔洞通到中闸室上游,来解决中闸室上游段的剩余开挖出渣问题。我认为现在再打 1 号支洞岔洞意义已经不大,因为中闸室前剩余开挖量已经不多(一般只有 130~

200m未挖完),可以考虑从进口段出渣的方法解决(各洞进口混凝土浇到0+87m后暂停,给1~2个月时间出渣),当然,也可以采用1号支洞下卧的措施解决(这样混凝土浇筑可望不停顿)。中闸室至出口段导流洞下部开挖,如果继续采用目前这种洞内斜坡的办法,会严重影响开挖效率,而且无法解决混凝土浇筑的问题。因此,有必要考虑利用2号支洞岔洞延伸开挖3号、2号导流洞下支洞解决3号、2号洞下部开挖及混凝土浇筑问题。至于1号导流洞下部开挖问题,相对地更为复杂一些,因为2号支洞岔洞对1号导流洞而言,仍只是上部通道,要开挖洞下部仍然相当困难,即使是利用斜坡道,到最后部分仍然有一个斜坡道挖除出渣问题,最理想的办法是能利用出口通道出渣,当然也可以考虑再向前伸下挖一个岔洞直达1号导洞的下部,但这将增加一些辅助工作量。

如果工地施工通道在4月份内全部改造完成,则能给导流洞下部扩大开挖创造良好条件,能够创造九个开挖工作面,则每月5万~6万 m³的开挖量,700m/月的成洞进度,应是可以达到的。

(3)3条导流洞的混凝土浇筑量达33.6万 m³,预计只有12个月的时间可以浇筑,工期是很紧的。据我了解,3条导流洞不考虑渐变段和中闸室段,共有240个浇筑段,共计其中168段在中闸室下游段,每段分底、边顶2块施工,计划配备6台底拱模车和6套边顶拱模车,看来是必不可少的,而且希望该设备尽早进场,最迟8月份起应全面开始浇筑。每1个台车,要求保证每月浇筑5块的进度,才有可能在1997年8月完成洞内混凝土浇筑工作,加上灌浆及清理等必须占用的有效工期,1997年11月截流才有可能。工期很紧,已没有多少余地,希望承包商和监理单位都仔细地、逐块地安排好混凝土浇筑计划,预见施工中的干扰,解决好交叉作业的问题。

(4)3条导流洞的中闸室现在都未开挖,希望能对它的施工引起充分重视,中闸室外形复杂,开挖跨度大(宽达23.4m,高达34m),将是导流洞内最后完成开挖的部分,直接影响整个导流洞施工的工期。因此,对施工措施计划,希望能作专题研究。我有个想法,提出来供参考,这就是我担心中闸室在导流期间,因为没有闸门控制,水流在中闸室段突然扩散,水流状态会很紊乱,有可能破坏一期混凝土结构。因此,建议设计能考虑作必要的复核,如果可能的话,适当简化前期衬砌外形,使水流尽可能平顺,既保证工程安全又能简化中闸室施工,缓解截流前导流洞施工的压力。

(5)应该着重指出的是希望充分注意工程的安全问题,由于3个导流洞开挖断面都比较大,而工程地质条件并非很好(1号洞开挖时就发生过塌方),虽然上部开挖时采取了系统锚喷支护,在下部扩挖时,势必也要用锚喷支护加固,但是扩大后的隧洞安全威胁仍会存在。因此,希望加强对围岩变形的监测,观测其收敛性,判断其稳定情况,若发生异常,应及时加固补救,切不可再发生较大塌方。为了确保工程安全,建议对隧洞进出口段混凝土、进水口塔架混凝土下游段、洞内不良地质段、原塌方段、F_{236}、F_{238}影响段等尽早实施混凝土衬砌,切忌扩大开挖后长期暴露。

由于来的时间很短,了解的情况不多,提出的看法可能不很确切,仅供参考。

李天扶:
黄河小浪底水利枢纽工程经长期的、大量的地质勘探和试验工作,特别是施工以来地面地下的工程开挖,工程地质条件和岩体的工程特性都已经揭示清楚,这为今后的顺利施工提供了有利条件。鉴于实现截流和导流是工程的首要任务,我仅就与此有关的工程地质问题谈一下自己的认识。

左岸山体由三叠系砂页岩互层组成,其中砂岩成分居多,且节理发育,总体看来属于层状节理岩体。岩层走向南北,倾向东,倾角8°～10°,与主要的洞线近于正交。主要的断层 F_{236}、F_{238} 是走向北西西近于直立的陡倾结构面,与洞线呈锐角斜交。地下洞室的工程地质问题主要是顶拱稳定问题,其次是 F_{236}、F_{238} 通过地段的洞壁稳定问题。目前3条导流洞上部洞体已基本贯通,顶拱支护也近完成。除出口段的开挖和支护应与山体下游边坡工程结合施工外,预计不会发生施工期间的顶拱失稳。在下一步洞体下卧和出口施工时,可以根据可靠的地质预报,对 F_{236}、F_{238} 等断层和软弱层带分布洞段,采取控制爆破、预锚预固的措施,使全部导流洞的开挖和支护顺利完成。

山体上游边坡经锚固处理后,18个大洞口顺利完成,是很大的成绩。目前边坡变形量与分析预测值基本相符,可以认为是稳定的。我曾经陪同许百立总工参加过上游边坡的咨询工作。我认为这里岩层以10°左右倾角向岸里倾,是个逆向坡。这里陡倾表明裂隙比较发育,坡体的变形和表部张裂是由于卸荷、应力重分布和爆破震动引起的,不存在滑动机制问题。随着洞脸和洞体的支护、衬砌的完成,随着进水塔群的混凝土浇筑和结构安装的完成,边坡的稳定状态应有个良性的转变。现在还有三个明流洞的开挖没有完成,应该注意采用控制爆破和边挖边喷锚的施工方法。目前应该做好变形的监测,暂不考虑进一步加固的问题。

下游洞口边坡是个顺向坡,即岩层以10°左右的倾角倾向坡外,这对边坡的稳定是不利的。同时还有 F_{236}、F_{238} 断层的切割,造成在Ⅲ号排沙洞、Ⅲ号导流洞出口上方170m马道处局部裂缝。我认为必须处理好边坡和洞口施工的关系。如果二者都支护得好,就会相辅相成,提高整体的稳定性。这里最主要的是避免岩体的卸荷松弛。边坡要严格控制爆破,可以采用先固后挖、及时支护的措施,边坡上要严禁施工用水泄漏,做好表面排水。洞口段开挖要由外向里,在拱顶按岩体厚度做好预锚处理。与此同时要做好变形监测和预报。对于目前已经开裂的部位,可以做局部加固处理。

从渗透特性角度来看,左岸山体是透水层与相对隔水层相间的层状介质。由于本区气候干旱,左岸山体受冲沟切割,又有陡倾断层阻隔,基岩裂隙水补给条件差,目前地下水位偏低。然而,一些洞顶、洞壁浸润现象表明,可能有少量层间水存在;下游洞口边坡内115m高程排水洞每小时涌水量达200m³,表明山体深部节理岩体也有较好的透水性。左岸山体内洞群开挖,不可避免有围岩的松弛,加之北东东向断层和 F_{236}、F_{238} 和 F_{240} 等影响带内岩体透水性较强,都可能形成地下水渗透通道。导流期间和水库蓄水后,库水位抬升和地下水位的壅高都会发生绕坝渗漏现象,使下游山体内地下水位升高。此外,泄洪期间的水雾,也会使附近山体入渗量增加,使下游洞口边坡内静水压力增高。为提高边坡的整体稳定性,我建议在下游坡体内增设地表和地下的排水设施,降低坡体内部的水压力。

由于左岸山体上、下游边坡开挖和大量洞室开挖,在短时间内使应力场和变形场发生强烈变化。导流和蓄水又将使山体的水文地质条件发生剧变,使从未受过饱水考验的干燥岩体处于地下水位以下。环境的变化将使岩体的物理力学特性,特别是对水敏感的黏土质岩石的特性,也将发生变化。有些变化,例如黏土质岩石吸水膨胀、软化,发生蠕变和塑性流动等,都有时间效应,可能在一段时间之后才能显现出来。这些变化对洞群围岩到底会产生怎样的影响,还是我们未曾经验过的,因此必须建立采用综合手段的全面监测系统,对左岸山体的变化进行严密的监测和分析。要加强对左岸山体在导流和蓄水期间的分析和预测。

小浪底是采用国际合同管理的大型水利工程,我们的技术人员也要有合同意识。国际招标文件上大多有要求承包商和监理工程师对所在国的国情、工程的环境条件,特别是复杂的地质条件有充分了解的条款。这也就是要求他们对复杂地质条件有充分的准备和有效的处理手段。在这方面我们必须采取先发制人的积极主动态度,及时地、反复地提醒承包商和工程师对具体地质情况有充分的认识和准备,尽量减少因施工不当造成的地质条件的恶化,尽量减少不应发生的索赔。同时,我们也要重视技术方面的索赔和反索赔的分析。

目前工程的关键是截流、导流问题。我认为凡与截流、导流有关的技术问题,一定要分析透,解决好;与此无直接关系的工程措施,可以按其重要性和先后控制环节,排好顺序,分清主次,逐步实施,尽量减少在目前合同范围内的变动。当然,这应在有充分科学论证的基础上做出决断。

以上的认识仅供领导、专家和同行们考虑,不妥之处望批评指正。

袁培义:

我们是搞黄河上游水电站设计的,与黄委设计院同在一条河上,我是第一次来小浪底,来的时间短,情况了解也不全面,今天只谈几点粗浅的看法,不妥之处请批评指正。

1. 黄委设计院对小浪底水利枢纽进行了大量的研究和设计工作。在这样的地形、地质条件下,进行枢纽布置有很多难题。特别是地下结构,纵横交叉的洞子,要考虑到进、出口的关系,上、下、左、右的关系,很不容易协调。形成目前的总体布局是很不容易的,在设计中也有不少创新。

2. 我们在黄河上游的几个水电站中同样存在着泥沙问题。但泥沙的含量要比中游三门峡、小浪底少得多,就我们遇到的几个问题与搞小浪底电站设计的同志交流一点看法。

(1)关于泥沙淤积对电站的安全运行问题。上游的盐锅峡、刘家峡水电站已投入运行20余年、接近30年,盐锅峡水库已基本淤满。刘家峡水库泥沙问题也越来越严重,最突出的是,洮河库容淤满后大量泥沙向坝前推移,并在洮河口形成沙坎阻水,并曾经发生突然开机后形成供水不足的现象。水轮机叶片磨损严重,甚至泥沙淤堵冷却水管,影响正常发电。

(2)坝前的泥沙淤积影响泄洪排沙建筑物进口闸门的安全运行。以刘家峡为例,坝内泄水道闸门开启后,由于进口闸门前的泥沙淤积以致几个小时不能过水。排沙洞开启后由于进口泥沙淤堵以致在2个多月内不能过水,后来开启右岸泄洪洞拉沙,对进口泥沙搅动后才开始过水,否则排沙洞将被堵死而报废。

目前,在电站全部建成投产20多年后,于1987年开始研究增建洮河口排沙洞,以解决水库泥沙淤积影响安全发电问题,说明泥沙问题是严峻的,不能掉以轻心! 虽然出现这些泥沙淤积的严重情况,已较原设计新估计的时间晚得多,但已迫在眉睫!

3. 水电站的设计要为今后运行维修创造条件。黄河上游的几个电站投产比较早,有的已运行近30年,也有20多年的。电站运行过程实质上对设计是一个检验。尤其对高速水流建筑物,几乎每年汛后均要检修,如果设计事先给维修考虑一点条件,可以缩短检修时间和检修的工作量。

对一些检修很困难的水工建筑物(如在水下的),要在结构布置上采取一些防护措施。

现就以上问题,对小浪底枢纽设计谈几点具体看法。

(1)由于黄河上的泥沙比较复杂,设计中要考虑一些不可预见的问题。1号导流洞是小浪底16条洞子中进口最低的1个,2号、3号导流洞进口高程也很低,如果今后万一要打开此洞拉沙时,在堵塞段内是否可以设置一个小廊道,施工期可作为灌浆廊道,为今后施工开挖创造一些条件。

(2)2号和3号导流洞出口没有设闸门槽,建设在出口也加闸门槽为好。虽然它已在下游最低尾水位以上,考虑到今后孔板洞检修的工作时间较长,加闸槽后可以争取延长检修时间。

(3)多泥沙河流上的水工建筑物,要选用好的抗冲耐磨的材料。三门峡枢纽局做了大量的试验研究工作可以供小浪底的设计参考。60年代我们在设计刘家峡水电站的泄水建筑物时也吸取了三门峡的经验。三门峡改建过程中曾经采用过1条$\delta = 22mm$的排沙钢管,表面未涂抗冲耐磨材料,运行1个汛期后,将22mm的钢板几乎磨穿。在刘家峡泄水道进口的钢衬表面我们涂了1层厚20mm的环氧砂浆,运行后检查效果较好(其流速$v = 35m/s$)。在发电钢管内我们采用了环氧红丹为底漆,环氧沥青为面漆,运行22年后检查,除底拱有些磨损外,其余部位均完好无损。也有采用高标号混凝土,以提高其抗冲耐磨的性能,如刘家峡泄水道渠身部分,设计采用400号混凝土,后期强度为600号,泄洪洞开始也想用400号混凝土,但由于水泥用量高,浇筑后混凝土易发生裂缝,而在高速水流部位表面的平整度要求又很高,出现裂缝很难处理好,因此改用250号和300号混凝土。运行几十年后证明,其抗冲耐磨也是可以的(泄洪洞流速为40m/s)。

(4)设计的结合部位,需要特别精心设计。

①例如钢管与混凝土的连接部位,在钢管口上要设计好几道止水环。

②闸门槽的二期混凝土与渐变段的钢衬,在设计上均要加强。小浪底的洞群进口、闸门部位水头高,压力大,如果施工质量有缺陷,这些部位均容易出问题。

③对地下钢管的外水压力,即钢管道的抗外压失稳应作专题研究。国内外的实践说明,钢管道的破坏,往往不是内水压力,而是由外水压力所引起的钢管失稳破坏。如刘家峡水电站一号机进口渐变段的钢衬,设计采用了全水头,钢板厚22mm,外加间距为$500 \sim 800mm$的加劲板,外层还有双层钢筋混凝土衬砌800mm厚。运行25年后,由于闸门槽二期混凝土破坏裂缝,而产生内水压力外渗,由此出现外水压力,将渐变段一侧钢衬鼓出56cm,钢筋混凝土也与岩壁脱开,只好被迫停机检修。

5. 对运行后在水下的建筑物,要加强防护设计。比如小浪底消力池的二道坎上,最好在表面涂上抗冲耐磨的材料,并要考虑今后如何检修的问题。

6. 采用新技术的设计部位,要尽量完善。小浪底采用的洞内孔板消能,这是国内首创,也是国际上少见的,对孔板的防护、维修、更换等在设计上要做周密的考虑。

石瑞芳:

这次有机会随同陈部长(赓仪)到小浪底工程现场,对1997年截流问题以及截流后的工程建设等技术问题进行研究和讨论,使我学习到小浪底工程很多好的建设经验,得到了很多收益。由于我是初次接触小浪底工程,又因时间较短,对设计、施工还了解不深。现就这次研究中所接触的技术问题谈一些粗浅认识,仅供领导和同志们参考。

1. 小浪底是黄河上又一个"挑战性"工程

小浪底工程的建设条件极为复杂和艰难:洪水大、河床窄、泥沙多、覆盖厚,这些自然条件构成目前枢纽布置中引人注目的特色,也为工程提出了许多"挑战性"项目。例如:

(1)河床为土石坝,最大坝高154m(编者注:实际坝高160m),建在深厚覆盖层上,是目前国内在建的最高土石坝(覆盖层和混凝土防渗墙也是在建工程中最深的)。

(2)坝址左岸的洞群系统是国内外水利水电工程中所少见的,而且洞群的直径和水头的规模也是很大的。

(3)枢纽工程年内平均输沙量是国内外最大的,水库运行的泥沙问题以及相应的在水工建筑物和水轮发电机中抗泥沙磨损等技术问题极为突出。

(4)高速水流的泄洪洞中采用孔板结构消能,在国内居于首次;相应的在泄洪洞中部采用(双孔)弧形闸门和中闸室结构,在国内也属首次,引人注目。

(5)导流和泄洪过水建筑物的末端采用规模较大的消力塘集中消能,在国内也属首次。

(6)在左岸洞群和地下结构的施工组织和方法上,引进和采用国外先进的施工技术和装备,也是国内少见的,等等。

小浪底工程是紧挨在三门峡下游的一个梯级,而工程规模则比三门峡更大。40年来三门峡工程的建设和运行历程是建设小浪底工程的宝贵的实践经验,相信这个"挑战性"工程一定会被当今水利建设者所征服,取得圆满成功,迎接新世纪的来临!

2. 对1997年10~11月工程截流的认识

确保1997年底以前工程截流,不仅有重大的政治意义和政治影响,而且在工程进展形象上也是有可能实现的。1号、2号、3号导流洞每条洞的规模和黄河上游龙羊峡、李家峡的导流洞规模极为相似。根据目前3条导流洞所剩余的开挖量(26万 m³)和混凝土量(33万 m³),由3个工程局各承担1条,到1997年11月截流,尚有19个月工期,和龙羊峡、李家峡导流洞的施工实践对比,经过努力应该是可以实现的。

但目前3条导流洞的进口为进水塔,出口为消力塘,均和永久建筑物紧密结合,截流前尚需完成混凝土浇筑共60余万 m³,连同3条导流洞洞身部分混凝土33万 m³在内,总计近100万 m³混凝土。月浇筑混凝土强度很高,工程质量要求很严(属高速水流和永久性工程),又和大坝的导流、度汛工程以及为工程的按期发电结合得非常紧密,交错进行、环环紧扣,在工期上几乎没有什么余地。这就要求引起各方充分的重视,需要认真解决好下列三方面的技术问题:

(1)要增强左岸洞群系统的施工通道。由于开挖和混凝土浇筑交错进行,而且月强度均很高,因此确保施工通道的畅通十分重要。首先要为加快导流洞洞身下部的开挖和尽快进行混凝土衬护,建议增加下岔洞的通道。今后还要成为各标之间的混凝土浇筑、金结运输安装以及机电设备安装等的通道,随时进行协调,以保证工程进度按计划进行。

(2)应尽可能错开进行全断面开挖和衬砌,防止在出口段由于洞线间隔较近,以致影响洞周岩体出现较大范围的松动。

(3)应加强施工期的洪水预报,以及研究相应的度汛等措施,也是十分重要的。

3.结合工程建设,及时研究有关全局性的技术问题

由于小浪底是国际招标工程,各标均有明确的合同关系,各标的承包商和监理(单位)均有各自的分工和职责,因此必须加强对全局性技术问题的研究。对于小浪底这样的"挑战性"工程,在建设过程中难免会出现与原设计不尽一致或原没有预见到的问题;尤其是涉及各标均有关联的技术问题,更要进行专题研究。现就初步想到的,谈些粗浅认识:

(1)截流、导流和度汛问题。截流时间不宜晚于12月,因截流后还有大坝、围堰必须抢筑到度汛高程的要求。导流和度汛标准与工程实际进展情况切切相关,要研究在汛期三门峡和小浪底两库的联调问题,确保小浪底大坝和左岸洞群施工的安全。尤其是当大坝升高后,以及在导流洞改建的施工期内,度汛标准有较高的要求,需要有三门峡水库的调蓄。1号、2号和3号导流洞下闸时间的确定要十分慎重,既要考虑下闸后,有必要的充足时间完成洞内的二期工程(堵塞段、孔板、中闸室施工及安装等),又要分析下闸后的度汛标准和泄洪能力。总之,导流洞下闸时间,宜提前不宜拖后,但是想提前过多也不可能,下闸后的工期必须留有余地。

(2)对黄河泥沙问题,要有足够的重视。施工期间的泥沙淤积,也应予以注意,及时进行分析研究,并采取相应的措施,使泥沙淤积有利于工程,并尽可能减免对施工的影响。例如,西北地区几个大型工程,每次度汛后,均会有泥沙淤积,并由此增加意外的清理工期。小浪底为河道型水库,似和三门峡水库有所不同。工程截流后尤其是导流洞封堵后,汛期滞洪调蓄,库内就会有很多的泥沙淤积,对于淤积形态应在每年汛后进行观测和分析,以研究和校验原所设想的三门峡、小浪底两库的联合调洪、调沙方案。

(3)如何保证左岸洞群部位山体的永久稳定性,是众所关心的问题。研究在水库蓄水运行后,左岸洞群主体部位岩体内的地下水位,尽可能比目前的地下水位不致升高过多,即保护原有地下水位以上的岩体呈所谓的"干燥"状态,这是十分重要的。为此建议研究加强对绕坝渗漏的截排措施,例如进一步加强目前主帷幕(及其排水幕)并尽可能将帷幕轴线向上游侧移动些!又如在地下厂房左侧增设水流向的排水幕(由2~3层水流向的排水洞组成)。

(4)加强左岸山体和洞群以及大坝的安全监测。要建立和完善整个工程统一的监测网(包含近坝库岸),以及分工程的监测系统,进行总体的监测分析,为在必要时采取相应技术措施提供依据。监测的重点应是山体(含近坝库岸),左岸洞群和大坝的变形、位移以及地下水位的变动情况,等等。

(5)广泛而系统地吸取三门峡水库的建设和运行经验。这些经验归结起来,是处理好泥沙问题。突出的是水库"蓄清排浑"的经验;泥沙对泄洪建筑物的磨损以及修复的经验;泥沙对水轮机的磨损、气蚀的防护和维修的经验;下游尾水渠泥沙淤积对尾水闸门的影响,以及机组进水口清污、清草(根)等经验。

建议全面地吸取三门峡的实践经验为小浪底工程所用。尤其是今后三门峡、小浪底两库的联合运行,将会取得新的水库运行的经验,并将有很好的经济效益和社会效益。

以上意见会有很多不当之处,请予批评指正。

陈赓仪:

上次我来小浪底,主要看了施工准备和防渗墙的施工。这次来,工地面貌已有了很大变化,工程已经有了很大的进展,取得了很大的成绩。

我们这次来,先到花园口看了看下游的河槽和堤防,以后又看了小浪底和三门峡,感受很深,我想谈谈自己的几点体会。

第一,对黄河这一条河,我们的祖先几千年来就不断地去治理它。涌现出许多杰出的人物和专家,取得了许多成绩和经验,但是真正大规模的治理,还是在新中国成立以后。多年来,我们在下游加固大堤,上游水土保持,发展灌溉几千万亩。已建和在建的有 12 个梯级:龙羊峡、李家峡、刘家峡、盐锅峡、八盘峡、大峡、青铜峡、三盛公、万家寨、天桥、三门峡和小浪底,其中李家峡、大峡、万家寨、小浪底 4 个项目正在施工,总共发电装机容量大概有 8 000 余 MW,约占黄河全部可开发水电资源的 1/3,这是非常宏伟的事业。黄河可说是世界上最难治理的河流,小浪底工程是最下游一个梯级,它的水沙治理是难度最大的。"蓄清排浑"是件了不起的创造,如果在小浪底能进一步实现,那我们在黄河上的任何工程都能顺利兴建。我们正在做这样伟大的工程,正在实现我们的祖先,我们的领袖和人民的夙愿。我们这一代人是在党的领导下,来建设世界上第一流的工程。这样伟大的工程必然有很大的难度,我们在左岸这样一个山头,要布置下 16 条大洞,这就是很大的难题,我们要加快导流洞施工进度,首先考虑总希望工程量要节省一些,但是在这里就非常难,因为它还要考虑永久建筑物,上面还要做龙抬头。不像黄河上游的龙羊峡、李家峡工程,导流洞可以做成城门洞形的断面,衬砌也薄得多。所以小浪底工程是艰巨的,的确是挑战性的工程,这是我的第一个体会。

正是因为工程规模大、难度大,有些同行出于关心,产生了各种各样的疑虑,提出这样那样的问题,这是正常的,可以理解的,关键是我们怎样去对待,在三峡工程中也有这样的事。例如在做地质遥感时,就说那里有一条隐伏断层,地质人员听了不很高兴,后来发现在这个地点正有一条探洞,再增打 200m 探洞就能验证这件事,于是就加长了探洞,证明隐伏断层并不存在,这就解决了问题。

第二,三峡工程也有泥沙问题,小浪底历史上最大的含沙量达到 941kg/m³,但是年径流量不到 300 亿 m³;三峡那里只有 1.1kg/m³ 的含沙量,但是年径流量是 4 500 亿 m³,一年就有 5 亿 t 泥沙,这对航运就有很大的影响,我们做了不同的模型试验,做了大量的工作。对我们没有经验的事,一定要做慎重的研究。黄委这里有许多老前辈、老专家、有经验的工程技术人员,这是个很有利的条件。我们要尽可能把工作做细,我们现在是搞施工,将来电站要运行,要接受历史的验证。周总理在三门峡、葛洲坝都谆谆教导我们要"如临深渊,如履薄冰"。我也相信大家有这种精神。这是我的第二个体会。

第三,对截流的看法。我同意大家的意见,1997 年截流是有可能的,但是,难度是很大的。我同意当前为加强二标工程这样的解决方法。当然,这也会增加些麻烦和费用。

3条导流洞断面很大,混凝土衬砌方量也很大,再加上不良地质情况,时间紧,相互干扰大,都是困难。但是3条洞子有许多工作面,把工作量除个3,再除几个工作面,那样我们还是可以把进度抢上去,地质情况是差一些,但整个导流洞地质已剖析了,心中有数的,出现的许多困难有些已经克服了。例如,上游边坡的变形经处理后观测的资料,在设计允许范围之内,工程措施是可行的,2号洞有些塌方,是可以处理好的。至于干扰、交通条件差,增加工作面的困难,这些都是人为的,可以通过调整来解决。当然现在还有许多困难,这要业主下决心,我们应抓紧与各方面协商尽早定下来,拖下去就被动。

混凝土衬砌的问题,现暴露得还不够。我问了这方面的问题,据说现在混凝土浇筑能力够,砂石料够,掌子面也相当多,但能否顺利地浇筑,交通指挥能否行,钢模是否够,混凝土浇筑工艺等都需要逐项落实。要仔细安排一下,把卡关的问题揭露出来,各方协调同心协力来解决。还有中闸室的难度最大,跨度大,8m深的锚杆永久支护、工艺和设备存在的问题,这部位质量要求是十分严格的,要抓紧协商,提出妥善解决办法。

OTFF联营体已进1 000余人,机构组建亦逐渐健全,同志们工作很努力,工地近来工作是有起色的,经磨合后会更好。现需要加速制定工程进度计划,并能得到确认,以此将作为工作考核。目前刚开始工作,各种困难很多,仍望各方给予支持。

我听施工单位讲,他们没得到地质预报,按我们的习惯做法,这要设计院地质方面来做。我记得马君寿总工在负责建溪工程时,那里导流洞也很大,发生了严重塌方,伤亡十几个人,后来一检查,地质方面已做过预测预报,责任在施工。十三陵工程也是地质方面做预报。

总之,这方面要有资料、有分析来指导工程进展。我还担心洞群的围岩松弛问题,据说现在还没有发生严重的松弛现象,这方面还是要很好注意。工程在施工期间,更要注意安全和质量,要掌握住关键部位,精心设计、精心施工、精心监理,去克服难关,不能掉以轻心,延误战机。开挖质量上要避免超、欠挖,严格防震孔、预裂孔、钢架支护和喷锚的要求等。

第四,建大型工程中应注意的问题:

(1)合同管理。我认为工地对加强合同管理应提高到贯彻党中央提出的"两个根本转变"。我们工地从粗放型向集约型转变,要抓的根本就是精心合同管理。因为我们执行合同的目的是要建好工程,管合同的人要懂技术,管技术的人要懂合同,按合同要求来指导施工,二者要密切合作,相辅相成。另一方面,监理、设计和承包商也要密切合作,要有紧迫感。我听说F_{28}断层的处理因为合作不好而耽搁了6个月。现在我们要以日来计算和安排工期,我们还有17~19个月,如果延迟,就要推迟截流,一标就要来索赔。

业主不仅要加强管理,同时要尽可能调动各方积极性,要多做协调工作,根据可能做好服务工作。

要重视监理工作,施工监理是施工全过程的监理,对施工进度、质量控制、工程结算、施工索赔等各方面进行监督,监理人员要深入现场,准确地掌握情况,及时地按照规程规范和设计文件督促承包商切实按照设计文件保证施工质量。监理工作是非常艰苦的工作,应给予充分信赖和支持。工程进展常常有个过程线,在设计阶段,为了有利于工程上马,总想方设法减少工作量,降低造价;工程实施后,发现有漏项或原考虑不全面,就不得把漏项添上。工程将结束时,又是运行的事,又要增补。怎样避免这种省—增—补的曲线呢?主要是把工作做细,要实事求是,否则就很被动。经过仔细研究论证,该增减就要增减,各方要相互理解、相互支持。

(2)索赔问题。在大型工程是十分复杂和棘手的问题,尤其合同不规范化和物价上涨,造成施工成本随之增加,加大经济风险,势必形成索赔,来重新分配这些责任的过程。所以工程承包中的索赔行为是正常的,也是对合同双方均赋予保护自己权益,以提出合理索赔的权利。因此,我们也要下工夫研究并组织一些同志依据合同条款提出反索赔措施。在大型工程施工过程中,不可避免地遇到地质条件变化,工程量的变化等情况,要持实事求是的科学态度,如果发生增减时,该增的就增,该赔的就赔,这不是丢人的事。在鲁布革、二滩工程中都曾发生过,三峡工程是国内承包工程也有索赔问题。关键看是否合理,当然要尽量减少这种情况。

(3)掌握全局,要做好结合部和衔接部的工作。大型工程就是工程大,分布广,因此工程要考虑全局,各方面都要妥善安排。例如,小浪底工程三个标,工程量都很大,首先要掌握全局,但也要考虑到它们之间的关系,尤其结合部。例如,泄洪隧洞泄洪时消力塘会产生很大水雾,如果有风,对出口高边坡就会产生影响,应予考虑。导流洞和泄洪洞包括孔板设施,改建的衔接甚至建设后和运行的衔接等,都是要细致考虑,做出安排。

(4)工程质量问题,近来有几个大型地下工程,如四川太平驿水电站、西藏羊河水电工程都发现严重质量事故。浙江天荒坪抽水蓄能电站最近发生高边坡滑坡事故,都引起我们的重视,尤其小浪底工程,工程复杂,这些建筑物都是大型的,在国际上也是领先的,例如进水塔群、孔板泄洪洞、大型消力塘等,对工程质量需严格要求,一定要把握质量关,建设为一流工程。

第五,几点建议:

(1)尽快组织按合同规定,编制 1997 年截流计划,排出导流洞、进水塔和消力塘 3 部分网络计划和分月计划,分清职责定时检查,更进一步理顺关系。

(2)黄河泥沙淤积十分复杂,为了今后水库运行应用,应在 1997 年汛后截流前之间,进行一项库区(三门峡到小浪底)地形测量,可请部里遥感中心组织承办。

(3)近年黄河干流已修建龙羊峡、刘家峡等水库,在建有李家峡、万家寨等水库,加上甘肃、宁夏、内蒙地区灌溉大量用水等多种因素,小浪底水沙条件会有不少变化,建议黄委会和设计单位迅速组织力量,进行调查研究,以修订运行规程,并校核泄水和排沙建筑物的布置和规模,根据三门峡的经验,再研究是否给增加排沙能力留有余地的措施。

(4)小浪底工程泄水和排沙建筑物,承受着高水头、高含沙量和高水流速的冲刷,因此对建筑物混凝土和金属结构(闸门和闸门槽)以及泄洪孔板等的抗冲耐磨要继续试验研究工作,尽可能采用当今抗冲耐磨新工艺、新型材料,提高抗冲耐磨能力,减少维修工作量。

(5)关于二期围堰采用旋喷单排防渗墙问题,大坝截流时在冬天进行,坝前形不成铺盖,覆盖层中有块石,还有接头的要求,单排旋喷作为防渗墙嫌单薄,在三峡工程隔流堤曾采用过,经检查成墙防渗效果都不好,建议还是采用两排为妥。

(6)坝址区域很大,随着工程进展,平整土地后是很好的土地资源,应以保护工程运行安全、有利于工程运行为核心,制定规划,把这地区环保和绿化搞好,要有长期经营思想和措施。工程建成后,这里亦将成为国际泥沙研究瞩目的地方。

我们在工地工作近10天,得到局领导和各有关部门热情接待和帮助,我们衷心感谢。并预祝圆满完成1997年截流任务。

张基尧:

今年3月9日,我随同陈赓仪老部长一行去小浪底水利枢纽考察工作,为期3天。3天中间我们察看了工地现场,听取了业主、监理、施工单位对1997年截流意见的汇报,召开了小浪底导流洞新进点三、四、十四局的联合会议,并参加了朱部长主持的现场办公会议。时间虽短,但收获很大。

小浪底工程在短短3年中发生了很大变化,施工准备已全部完成,主体工程工作面已全部展开,施工强度正向高峰推动。工程临时设施布置合理,机械装备先进,具备抢工条件,但由于使用世界银行贷款带来的国际招标诸多涉外问题,工程地质复杂带来的诸多设计及施工问题,使得该工程面临重重困难。面临小浪底工程工程量大、困难多、关系复杂、政治责任大的客观实际,水利部党组作出促使我国水利水电专业队伍进场,确保1997年截流目标实现的重大决策。我认为这一决策是从政治、经济及小浪底现实情况出发的唯一正确选择。为这一抉择的实现,水利部领导及业主、监理的同志们做了艰苦的工作,付出辛勤的劳动。即使如此,小浪底工程1997年截流仍不容乐观,它的关键仍在生产关系不顺和工程地质障碍,所幸这两方面问题已引起有关各方的重视并在着手解决。为有助于1997年截流,我提出以下几点建议,由于在现场时间太短,不妥之处敬请批评。

1. 坚定目标,紧密配合

小浪底工程是继三峡工程之后全国最大的水利枢纽,工期紧、任务重、困难多,尤其生产关系复杂,这就要求中方各单位坚定1997年截流目标不动摇,并想方设法促进外方认可这一计划。另外,国际合同的签订,丝毫不意味着减轻业主、监理的责任,况且我方施工队伍的进点也难以进行责任的转移,因为小浪底是中国的小浪底,还款的责任在水利部,所以我认为要提高业主、监理的责任意识,所有单位紧密团结,提出为中国人争气,为中华民族争光的口号,同舟共济、相互支持、相互帮助,在小浪底打出中国人的威风。

2. 统一思想,统一规划

1997年截流的目标不能动摇,时间宜定在10月31日。在此基础上,黄委设计院应尽快提出截流标准和截流设计,经建管局同意后,明确此标准前提下与截流有关的所有建筑物10月31日前的形象面貌。以此面貌为目标,编制截流前小浪底工程整体网络计划和导流系统分部网络计划(包括进口、出口及导流隧洞)。这一计划应由监理工程师牵头进行协调,并最终经监理工程师批准,作为截流文件执行。为落实此计划的可行性,承包商应在计划中做出包括施工方案、施工程序、施工机具、施工组织等方面的说明,并经得住监理工程师的质疑。同时我建议在当前集中力量抓好导流洞工作的同时,切莫忽视进水口、出水口及两岸坝肩开挖及基础处理的工作。

3. 千方百计理顺关系

导流洞施工中这种劳务分包的形式是我们花了巨大代价不得已而为之的,进点的施工队伍群情激昂,决心很大,如何使他们放开手脚日夜抢工,当前主要是进一步疏通分包工作关系,减少对中国施工队伍的约束和限制,如施工方法、水电供应及设备利用,等等。当前,一方面要依靠 OTFF 联营体自身的工作,另一方面更离不开监理工程师的支持。

4. 顽强拼搏,为国争光

小浪底工程所有参战的工程局都应以对国家负责的精神,把 1997 年截流既作为经济仗,更作为政治仗,全面动员,发扬水利水电施工专业队伍的优势和传统,打好这一个争气仗。

(1)各参战工程局党委要专题研究小浪底工程的组织,选派优秀干部和人员进点并在经济条件力所能及的情况下,进行设备和物资的支援。目前导流洞所需人员、设备已基本到位。

(2)OTFF 要尽快组织联合办公室,各职能部门展开工作,联合办公室要有指挥权威和全局观念,要求各单位在工作关系理顺前必须有一名副局长参加联合办公,OTFF 责任方代表,十四局副局长陆承吉同志原则上长留工地。

(3)建立现场调度室,昼夜值班,负责现场水电、机具、设备调度及工作协调,希望监理工程师每条隧洞都有人 3 班工作,保持与外方联系(关系正常后可改为 2 班)。

(4)建立生产调度会(周会)和工作协调会制度(旬会),生产调度会由施工单位自行组织,工作协调会由监理工程师组织,设计、业主及中外承包商参加,业主可派人了解情况,共同协调解决生产中遇到的技术、经济、施工问题,协调会应有各方高层次领导参加,以提高会议效率,当场决定问题。

(5)建立分期目标奖励制度,利用思想工作、行政手段、经济杠杆充分调动中方职工的积极性,鼓励他们为国争光,为 1997 年截流做贡献。

5. 配合施工,优化设计

设计的优化是最大的节约,在由于种种原因工期推迟的情况下,要确保 1997 年截流目标的实现,除业主、监理、施工各方的努力外,加强施工方案、设计图纸、施工工艺的调整和优化,是不可缺少的重要一环。当前急需研究解决的如从 2 号支洞增设通往导流洞底板的施工通道,以增加工作面形成全断面下部开挖的格局;在保证安全前提下减少闸门井锚杆长度;导流洞衬砌中钢筋焊接改为搭接,尽快研究导流洞模板数量、卸除部位及方案,等等。同时,导流洞进水口利用微差控制爆破技术进行排沙洞开挖,出口第Ⅲ区岩体加固措施亦应早做专题研究。

这次去工地时间短,走马观花,所提建议难免谬误,但水利部已对小浪底工程 1997 年截流做出决定,我们就必须毫不动摇坚决贯彻。我认为,有部党组做坚强后盾,有已经取得的工程基础,只要有关各方精诚团结、齐心协力,做到思想、计划、组织、措施四个落实,1997 年截流还是大有希望的。

十五、水利部陈庚仪与加拿大咨询专家安德森先生等谈话记录

陈庚仪(以下简称陈):受部长的委托,我到小浪底来看一看,我还邀请了几位专家一起来,我们是 9 日到的。CIPM 与我们是老朋友,所以想与你见见面,一起谈一谈,很想听听你对小浪底工程的看法。

安德森(以下简称安):很高兴能见到你,欢迎你们到小浪底来。CIPM 在中国不仅参加了

小浪底的咨询,而且还参加了其他项目的工作。我个人是1991年到小浪底的。我还参加了湖南江垭、陕西洛河、万家寨、龙滩、三峡等项目的咨询,小浪底是我介入最深的。在1990~1993年我们参加设计和前期准备工作,不常在这里,1994年8月开工以来,我们全力投入了工作,一年半来我们目睹了工程的进展。

我们的工作是为业主负责,特别是在国际合同管理方面。小浪底是按FIDIC条款管理的国际招标项目,中国的业主和工程师习惯于中国式的管理,对国际通行的管理不甚了解,没有经验,这正是工程的重点和难点。中国的传统做法是由政府的工程局施工,各单位都受一两个部委的领导,这之间没有利害冲突,施工单位自己控制质量,如果需要修改设计或有什么变更,也没有索赔的问题。国际合同项目,则是私营承包商追求最大利润来施工,在质量和利润之间是有矛盾的。中国工程师单位缺少经济管理人才,有素质高的工程师,但缺少大量现场监督人员。在北美和欧洲,工程师在现场雇用大量的人,他们并不需要受很高的教育,他们要日夜坚持在工作面上,查看一切,例如:对打一根砂浆锚杆,也要做仔细的检查,监督施工质量,逐项填写报表。

陈:在中国第一个搞国际合同管理项目的是鲁布革,以后我们都学习鲁布革的经验,采取国际上的做法。第二个大的采取国际管理方法的工程是二滩,那个项目属于电力工业部,小浪底是水利部的项目,在这方面我们的改革有些慢。三峡是国家资金建设的项目,我们也采取了招投标、项目管理、工程师监理的国际做法,这些改革要有个过程。

现在我想转个话题,请问你们对1997年截流是怎样看的,还有什么问题?

安:1997年截流前还有大量的工作要做。前一段进展有些拖后,业主和工程师都清楚意识到形势严峻,因此提出并采取了紧急措施。1995年底决定把导流洞这一最重要工程分包给几个工程局,现在已进入导流洞全面开挖阶段。我的印象是他们干得好,效率高。要在短期内完成3个大洞是很困难的,你们到现场看一看就会发现洞子是很大的,工期没有一点余地。此外还有消力塘的支护和混凝土工程,有些专家认为对消力塘上游边坡还要增加支护。CIPM的专家正在收集资料作分析计算。

陈:导流洞能顺利通过F_{236}、F_{238}断层吗?

安:导流洞顶部已经通过了F_{236}、F_{238}。这些困难已经克服,对上游F_{28}作了处理,上下游边坡还要增加支护。

陈:现在这样的交通洞布置,能满足按期完成混凝土浇筑的任务吗?

安:理论上可以完成,要保证做到7~10天内浇筑12m一段就可以按期完成。但是这里没有一点余地,不允许有一点事故发生。

陈:现在洞里的交通很困难,施工支洞的路面很高,将来会形成一个陡坎。

安:你说得对,1号交通洞受到限制,现在业主增加了1个1B交通洞,希望在混凝土浇筑前即能完成。当使用大模板时洞内交通将受阻。

陈:要实现截流和导流,需要完成进水口、洞身和出口共约100多万m^3混凝土,而且出口消力塘也要配合完成。

安:是的,如果入口要浇到190m以上,有25万~30万m^3,消力塘还有50万m^3。很多人认为在1997年底浇到190m是不现实的。在较低的水位下,例如:185~180m,也可以导流,当然这将增加1998年、1999年的工作量。但是这还不是太严重的问题。因为以后的工作是与水轮机安装和发电相联系的,德国伏依特公司水轮机交货可能要推迟一年半,我们对水轮机的事有怀疑。

袁檀林: 他的意思是施工进度与发电进度不会有太大的矛盾。

安: 恕我冒昧说一句:即使导流晚一些也不会影响发电,但这将影响大坝的进度,导致一标承包商索赔。

陈: 进口高边坡的稳定性能不能满足要求?

安: 自从施工以来,就进行了仔细的监测,现在位移量很小,与设计分析预测值相符,我们不再担心。我们要与设计方面协商,在山体与进水塔结构之间设一可压缩层,在山体受到如地震力等外力时,也不会影响进水口建筑物的安全,这将在特咨团下周开会时讨论,设计单位对进水口边坡的情况是满意的。

陈: 下游边坡的稳定性怎样?

安: 这里有些忧虑,因为2条平行的断层在此向左偏转,对边坡稳定不利。这个问题也将在特咨团会议上讨论。

陈: 3号导流洞离出口还有10m左右,在170m平台发现了宽30mm、错距20mm的裂缝,这是否与边坡开挖相交叉有关系?

安: 我们对导流洞出口很关注,我们可以用垂直锚杆锚固洞顶,也可以采用出口段明挖的方法,这些都是局部稳定问题。我们对总体稳定也很关心,因为这里是顺向坡,岩层产状不利,又有断裂切割。我们想建议采用从上面打孔浇筑钢筋混凝土桩,在不影响二标施工的前提下由其他承包商施工,我们也想在特咨团会议上讨论这个问题。

陈: 要多大直径的桩?

安: 有不同看法,有人主张用直径2.5m的竖井,少用钢筋浇混凝土;有人建议直径600~800mm,多用钢筋浇混凝土,要从技术和经济上作可行性比较。

陈: 边坡最怕水,钻孔用水对边坡稳定是不利的。

安: 我们已向设计者指出了这一点。

陈: 林秀山先生介绍说左岸是一个T形的山头,迎水前缘有270m长,蓄水后会不会发生绕坝渗漏?

安: 蓄水后水文地质条件将发生变化,设计者作了灌浆帷幕和排水。

石瑞芳(以下简称石): 帷幕设在地下厂房上游,帷幕上游没有设防,在基本烈度是7度的情况下,水位骤降时边坡的稳定性如何?

安: 上游边坡是逆向坡,岩层以10°倾角倾向坡内,水平地震加速度按0.1g考虑,已经大幅度增加了锚固措施,将来在山体与引水建筑物之间还要设一个可压缩层。也在研究准备再加一些200~300t位的锚索。

李天扶: 左岸山体由砂页岩互层组成,在渗透特性上属于层状介质,将来水库蓄水后可能发生绕坝渗漏以及泄洪时水雾,可能导致下游山体内地下水位升高,现在下游坡体内115m高程处排水洞很有效。为保持下游边坡的稳定,建议在下游山坡内增设排水系统。

安: 我对地质不大熟悉,我认为这个建议很好,我可以转达给设计单位。

石：导流洞内是否有位移监测设施,围岩松弛情况怎样?

安：在洞顶洞壁上都有监测仪器,可以采集数据,作过程线,一旦有异常就可以采取加固措施。目前几个洞子都没有松动迹象,在上导洞扩挖时有变形,现在已经不变。

石：现在 3 个导流洞,开挖量还有 30 万 m^3,洞身混凝土 30 万 m^3,再加消力塘 46 万 m^3,如果今年 8 月份全挖完,以后每个月浇筑混凝土要达到 10 万 m^3。

安：应该说还有 18 个月,这样每个月浇筑量是平均 6 万~7 万 m^3,高峰时还会超过。我们有 2 座拌和楼,每台拌和强度是 $200m^3/h$,理论上讲是够用的。每天 5 000m^3,可满足每月 8 万~9 万 m^3 的要求。但是工作要安排得像表一样准确,而且是一只瑞士表。

陈：加拿大表。(众笑)

石：如果稍有延误就要推迟 1 年,根据我们在黄河上施工的经验,截流不能迟于 12 月。

安：是这样,顶多延缓 2 个月,否则便要推迟 1 年。

陈：小浪底工程是个巨大的艰难的工程,是对我们的挑战,也是世界水平,我想对你们也是很好的机遇。

安：我们参加小浪底工程感到光荣和自豪,我们对中国大型水利工程也有很高的评价。

陈：现在评价还为时过早,这本画册上说得好,小浪底的运行是非常苛刻的,所以我们要经过一段运行的考验才能体现出这种成就,我们要认真对待这个工程。

安：小浪底工程在水利界是值得深入研究的,现在对任何问题都要经过认真的分析、判断,采取必要的决定,否则将来会带来麻烦,我们许多经验教训都是在运行之后发现问题,主要是施工时没有充分重视。例如伊朗的拉尔坝、危地马拉的美拉拉坝,后者是在洞内发现气蚀洞被迫停机。还有塔贝拉。

陈：是的,那里消力池出了问题,好像那里用过 RCC 碾压混凝土方法,修复消力池的混凝土结构。

塔斯克(以下简称塔)：在抢修时用碾压混凝土,那里有四五个重大问题,后来都逐一解决了,主要是引起各方面的关注,大家密切合作,那里一开始进度也非常慢,大家都有些悲观,但是后来加快了速度,基本还是按工期完成。我想小浪底现在比较慢,明年会很快的,我们希望如此。

陈：请你继续谈谈对小浪底的看法。

塔：我认为最主要的是设计、工程师和承包商要紧密合作,要及时根据现场条件的变化做出决策并实行,我们最大希望也在此。前一段在 F_{28} 断层的处理上合作得不理想,承包商就会有很多借口,我希望 OTFF 能很好地工作。任务是艰巨的,我们也一定会竭尽全力。

陈：你们说得很好,我们再转个话题吧,你们的工作生活都很好吗?

塔：这个工程很吸引人,工作有兴趣。业主对我们照顾得很好,过得很舒服。

陈：小浪底是个非常重要的工程,最主要是泥沙问题。黄河上游泥沙问题较少,如果小浪底顺利建成,其他水电站的问题就更容易处理。

安：黄河泥沙治理处于世界的领先地位,控制泥沙的设计是很好的先例。

陈：主要是从三门峡水电站得到的经验教训,我们对长江的泥沙问题也很关心,黄河泥沙的特点是下游河床淤积,大堤不断加高,黄河成了"悬河"。长江不是悬河,但是它是重要的水道,水位降低时泥沙阻碍航运。今天很高兴和你们交谈,听到你们很好的想法和意见,谢谢你们。

1996 年 3 月 14 日于小浪底工地

(翻译:栾兰,记录:李天扶)

十六、水利部原部长杨振怀转来的专家建议

《小浪底水利枢纽 1 号导流洞改建为排沙洞方案和增设右岸排沙洞方案初步研究》

前言

小浪底水利枢纽是治理黄河中下游水害的关键性工程。新中国成立以来,我国在治理黄河上已积累了丰富的经验,但是对于泥沙问题的认识及其治理的规律,还有很多方面需要进一步探索和研究。例如小浪底工程建成后水库的泥沙淤积,还会出现哪些问题?今后如何合理地调水、调沙,充分发挥小浪底水利枢纽工程效益?都是国内专家所关注的问题。

现遵照陈赓仪部长的指示和对排沙方案的设想,要我们根据一些专家的意见做一些具体的研究和分析,由于我们对设计、施工情况了解甚少,可能有些意见不切实际,请有关同志予以指正。

由于三门峡水库已达到淤积平衡,因此小浪底的入库沙量和三门峡水库入库沙量基本相同,小浪底蓄水后,库内泥沙淤积速度将是很快的,而电站进水口等建筑物均布置在左岸的山体内,为在排沙设施上留有余地,设想将 1 号导流洞改建为永久排沙洞,留一条出路,以防止泥沙淤积严重时,可以打开底孔进行拉沙。

根据黄河上游已建成的刘家峡、盐锅峡、青铜峡等水电站,其泥沙含量均远远小于中游的三门峡和小浪底,在运转 20～30 年以后所暴露的泥沙问题仍然是很严峻的,会影响电站的正常运行和泄水闸门的正常启闭,也就影响了水库的安全度汛。因此,对于小浪底水利枢纽,在泥沙的排泄问题上留有余地是非常必要的。

虽然,小浪底工程今年要截流可能会涉及工期问题,但是泥沙问题不可忽视,提出下列设想供参考。

改建为永久排沙洞的设想是:1 号导流洞的"龙抬头"和中闸室的中墩仍按现设计施工,但洞内的孔板不施工,中闸室的闸门及启闭机要安装。为使导流洞作为排沙用,主要是改建进口的闸门井,改装成 2 孔闸门,并将闸门升高至 283.0m 高程。

(一)基本资料

1. 水位

上游水库水位:正常蓄水位 275.0m;

正常死水位:230.0m;

非常死水位:220.0m;

发电水位:205.0m;

下游尾水位:最高尾水位 141.5m。

2. 主要建筑物进出口底槛高程

1 号导流洞进口底槛高程 132.0m,出口挑槛高程 129.0m;

2 号和 3 号导流洞进口底槛高程 141.5m,出口挑槛高程 138.5m;

1 号、2 号、3 号孔板洞进口高程 175.0m;

电站进水口底槛高程 195.0m;

1 号明流洞进水高程 195.0m;

2 号明流洞进水高程 209.0m;

3 号明流洞进水高程 225.0m;

排沙、排污洞进口高程 175.0m。

(二)建 1 号导流洞作为永久排沙洞的必要性

1 号导流洞改为永久排沙洞,其平面位置正处在左岸泄水引水建筑物群的进口处,在立面上其高程最低,现分述如下:

1. 从小浪底水利枢纽布置上分析其排沙效果

小浪底水利枢纽的泄洪、排沙、发电引水建筑物均布置在左岸的凹当内,黄河主流的来水、来沙均要拐向左岸才能下泄。而 1 号导流洞在所有洞群中,进口高程最低(132.0m),在平面位置上又处于凹当的进口处,首先可以拦截黄河的来沙。

又其 3 个孔板洞、排沙洞均在同一高程上(175.0m)。根据黄河上游几个已建工程排沙底孔的排沙效果分析,高程越低,排沙效果越好,假如 1 号导流洞改建为排沙洞后,其进口底槛高程为 132.0m 形成的拉沙漏斗如以直径 200～250m 计,就可以保护 1～4 号机组进水口前的"门前清",保护了机组的安全运行和减少机组磨损。

目前小浪底的枢纽布置,从泄洪排沙的观点分析其运行条件,不如上游的三门峡、青铜峡、刘家峡和龙羊峡。以上几个电站的泄水、排沙建筑物的进口均对准河道来流的主流,而小浪底的泄水排沙建筑物的进口均设在左岸的凹当内,影响不到右岸,因此当小浪底枢纽建成后,水库中的淤积形态怎样?水库寿命有多长,如何才能恢复其有效库容?这是专家们所担心的问题之一。因此,在设计中要考虑设有一定排沙能力的排沙底孔,必要时进行各种方式的拉沙、排沙、冲沙,以恢复有效库容。刘家峡水库多年来采用的低水位拉沙,对恢复水库有效库容,效果很显著;三门峡的底孔冲沙效果也很好,确保了三门峡水库的冲淤平衡。

2. 根据黄河上游几个电站的运行经验,建有深孔大泄量的永久排沙洞是非常必要的

上游最早建成的盐锅峡水库,运行 2 年后即基本淤满,造成拦污栅淤堵,影响机组正常运行。刘家峡水电站 1969 年 4 月第 1 台机组投入运行,1972 年以前泥沙基本上没有过机组,到 1978 年洮河口库区的死库容淤满后,泥沙大量过机,造成机组严重磨损,导叶大量漏水,开停机困难,乃至机组冷却管路经常淤堵,排水泵不能正常启动,和消防水管被淤塞等现象,严重威胁电站正常运行。由于泥沙淤积推向坝前,严重影响泄水建筑物闸门的正常启闭。1988 年 5 月 21 日开启泄水道闸门,因坝前泥沙淤堵进水口,曾发生短时间没有过水。右岸排沙洞 5 月 6 日提门后到 7 月 10 日经过 65 天后才开始过水。是采用开启泄洪洞冲沙来扰动排沙洞淤积泥沙的办法,才使排沙洞过水。由此可见,大泄量的排沙洞的作用是很大的,否则排沙洞(泄量小)将会报废,可见泥沙淤积所引发的问题,会影响水库的安全度汛。

而中游的小浪底水库其泥沙含量还比上游的刘家峡、盐锅峡要高,因此对泥沙淤堵的

严重性应该引起足够的关注,在设计施工中留有一定的余地,以防止今后不可预见的泥沙问题的出现。

(三)改建方案的设想

根据小浪底水利枢纽的重要性和泥沙淤积带来的严重后果,按照陈部长的指示精神,设想了两个排沙方案。

1. 1 号导流洞改建为永久的排沙洞

原设计中 1 号导流洞的堵塞段,暂不堵塞。"龙抬头"部分和中闸室为不影响目前的施工安排,仍按原计划进行施工,孔板部分暂不施工,但进水口部分由于原导流洞为 1 孔 12m×15m 平板闸门,如果改建成排沙洞后,由于水头高,孔口大,水压力太大,必须改建为 2 孔 5m×15m 的 2 扇平板闸门,并控制在正常死水位 230m 时开启冲沙。

为了便于运行操作,原有导流洞的进水塔,必须加高到 283.0m 和电站进水塔塔顶齐平,而且与"龙抬头"进水塔之间还需加设长 80m 的工作桥一座,进水塔考虑与当前截流蓄水的矛盾,进水塔的加高,也可以放在后期施工。

根据泄洪的需要,导流洞与"龙抬头"交叉处,也可设一临时堵塞段,但在堵塞段内应预留廊道,作为以后炮爆施工时的通道。(详见改建方案一布置图)

根据 1 号导流洞的过流曲线,推算出改为排水洞后的泄流曲线如表 18-2-1 所示。

(中闸室闸门安装后,估计泄量要有所减小,待方案定后,进行水力模型试验,以试验数据为准)。

表 18-2-1　1 号导流洞改建为排沙洞后过流量及流速的推算

上游库水位 (m)	1 号导流洞进流曲线		改建为二孔排沙洞后进流曲线	
	下泄流量 (m³/s)	洞内流速 (m/s)	下泄流量 (m³/s)	洞内流速 (m/s)
132	0	0	0	0
134	20	0.11	16.67	0.00
136	90	0.50	75.0	0.50
137	145	0.81	120.83	0.81
140	360	2.0	300.0	2.0
141.5	515	2.86	429.17	2.86
144	730	4.06	608.33	4.06
147	1 050	5.83	875.0	5.83
150	1 400	7.78	1 166.67	7.78
160	2 220	12.3	1 850.0	12.3
170	2 720	15.1	2 266.67	15.1
180	3 050	16.9	2 541.67	16.9
190	3 390	18.8	2 825.0	18.8
200	3 600	20.0	3 000.0	20.0
205	3 835	21.3	3 195.83	21.3
210	3 980	22.11	3 316.67	22.11
215	4 115	22.86	3 429.17	22.86
220	4 245	23.58	3 537.50	23.58
225	4 370	24.3	3 641.67	24.3
230	4 500	25	3 750.0	25

(1)1号导流洞改建为永久排沙洞关键是进口闸门的布置和设计。从以下几个水位分析闸门的水头压力：

正常蓄水位时闸门水头(到底槛)$H = 275 - 132 = 143(\text{m})$；

正常死水位时闸门水头 $H = 230 - 132 = 98(\text{m})$；

非常死水位时闸门水头 $H = 220 - 132 = 88(\text{m})$。

由于原导流洞1孔 12m×15m 平板闸门在上述水位时，水压力太大，必须改建为2孔 5m×15m 的2扇平板闸门。初步估算在正常蓄水位 275m 时因水头过大不能启闭，只能在正常死水位 230m 时可启闭冲沙。

(2)设计条件分析。由于1号导流洞高程为小浪底所有洞室中最低的1个孔洞，在正常蓄水位时水头为 143m，此时洞内流速太高，因此必须限制其运行水位。初步定为在230.0m 时可以启闭冲沙。

(3)预计排沙效果。根据黄河上游刘家峡水库多年来的运行经验，当低水位排沙时，其拉沙效果是很好的，由于小浪底为河道型水库，推测拉沙效果也较好，有可能防止进水口前沙坎的形成，恢复一定的有效库容。

在进水口形成一个冲沙漏斗，预计可以使1号、2号发电洞口前达到"门前清"。

由于1号导流洞高程低，泄流量大，因此可宣泄高含沙量的水流。根据有关研究资料对下游河道的冲刷效果较好，既可节约用水，又可多排泄泥沙。为充分发挥小浪底水库泥沙多年调节作用，减缓黄河下游河道淤积，节省输沙用水提供泄水排沙的通道。

1号导流洞改为排沙洞后"龙抬头"及其闸门井可作为排沙洞泄流量的通气孔道，"龙抬头"和排沙洞2洞不宜同时泄流，即导流洞排沙时"龙抬头"部分不能泄流；导流洞不排沙时，"龙抬头"部分是否可以限制使用，要经过水力模型试验后才能确定其运行方式。

2. 增建右岸排沙洞方案

假如小浪底水利枢纽运行若干年后，出现严重的泥沙问题。例如刘家峡水库和三门峡水库为了解决泥沙问题，亦可考虑在右岸适当的位置，增建一个大直径、大流量的排沙泄洪隧洞，由于缺少地形、地质资料，本报告仅示意了一个平面位置，待需要时尚可作进一步探讨研究，本报告中仅提一个设想方案(见附图二)，未进行工程量估算。

(四)导流洞改建为排沙洞的工程量初估

1. 土建部分

需将原导流洞的进水口，改建为2孔的泄流排沙孔，并将进水塔加高到 283.0m。

增设跨度为 50m，2跨的交通桥，增加1个 108m 高桥墩排架。

开挖量可以不增加，增加混凝土量约为4万 m^3，钢筋约 8 000t。

2. 2孔 5m×15m 的闸门和启闭机的金属结构量

(1)小浪底 5m×15m - 98m 事故闸门。

闸门性质：动水下门，静水启门；

闸门型式：上游止水，平面链轮闸门；

门重(包括拉杆)：250t/扇，共 500t；

门槽重(不包括水道钢板衬砌)：300t/孔，共 600t。

(2)液压启闭机重：150t/台，共 300t。

十七、水利部张基尧副部长给钮茂生部长对上述"十六"的信

钮部长:

赓仪老部长6月9日来函转来杨部长5月25日给他的信,杨部长信的主要意思是希望研究将导流洞改建为排沙洞的可能性。赓仪老部长嘱我阅后再转您阅。

接信后我即组织设计院和建管局有关同志认真研究,现将主要意见简要汇报如下:

1.鉴于小浪底工程的极端重要性和技术复杂性,其开发任务、运用方式及工程规划指标都是经过反复论证研究后,经水利部(原水利电力部)、国家计委审定的。枢纽布置和建筑物设计又是在多种方案论证比较和大量科学试验的基础上优选确定的,方案修改和变更是十分慎重和严肃的事,必须履行有关审批程序。

2.小浪底采用导流洞改建的孔板消能泄洪洞是经过工程技术界较长时间争论才确定的。若将导流洞改为排沙洞,将带来以下难以解决的技术问题:

(1)取消孔板后,洞内最高流速将达45m/s以上,远远超出目前工程实践所能承受的限度;

(2)导流洞进口段(原设计应被封堵)承受不了其上部进水塔正常运用时的巨大荷载;

(3)导流洞改为排沙洞后,其进水塔高度达140m以上,在水库诱发地震情况下,结构稳定不能满足要求;

(4)闸门设计和启闭设备都难以过关。

3.现有设计无论是水库拉沙还是调水、调沙,均可满足工程规划中既定的运用要求。

4.大量的试验结果表明,现有进水口采用的侧面进流方式和进水塔布置,不会造成进水口的淤堵。若按新设想方案布置,进水口会不会淤堵倒是缺乏论证的。

5.工程已进入大干100天的决战阶段,确保按期截流是涉及工程建设、合同管理的大事。现在已没有时间再去研究、设计、上报、审查和批准新设想的方案,即使新方案能马上被批准,合同处理、施工组织、现场设备和交通布置等也绝难保证按期截流的实现,这是谁也担当不起的政治责任。

综上所述,我们认为应从工程建设的实际出发,尊重以往的审批成果,不宜轻易改变原有的大方案。但对老部长关心工程建设的崇高精神境界,我代表小浪底全体建设者表示衷心感谢和敬意。

当否,请指示!

张基尧
1997年6月28日

十八、张光斗先生给汪恕诚部长的信

尊敬的汪恕诚部长:

您好!

黄河小浪底工程今年末将关闸蓄水,开始发电运行,但水库运行方案有不同意见。据张仁教授告知,"八五"期间,对小浪底水库的运行方案进行了研究,有两个主要比较方案。

方案一,逐步抬高的运行方式。多年平均水量345.6亿 m^3,来沙量13.48亿 t。起调

水位205m,库容17亿 m³,估计3年淤满。然后逐步抬高汛期限制水位,库内经常蓄水3亿 m³,粗沙落淤,细沙下泄,利于冲刷下游河床。经过14年,最终形成滩面254m和主槽226m的高滩低槽形态。水库拦粗沙约100亿 t,下游河道减少淤积约73亿 t,总的水库减淤时间17年。

方案二,高蓄速冲的运行方式,多年平均来水、来沙量同前,起调水位205m,3年淤满,然后高蓄,水位可抬高到254m,粗细沙都拦。当水库累计淤积量大于60亿~70亿 m³ 时,预报洪水大于2 300m³/s并持续3天,即放空水库,进行泄空冲刷,形成高含沙水流,输沙入海。接着又高蓄速冲,经过8年,水库拦沙约100亿 t,下游河道减少淤积仅33亿 t。由于粗细沙同时下泄,所以冲刷力量较弱。因为往复高蓄速冲,所以下游河道减淤时间的研究结果未说明。

两个方案比较,由于近年来进入下游的水量减少,用调水调沙来减少下游河道淤积的能力越来越小,水库淤积100亿 t换来的减淤作用和时间,用逐步抬高运行方案对减淤效果比高蓄速冲方案为好。而且高蓄速冲能否造成高含沙水流,高含沙水流能否输沙入海,也无把握。小浪底水库是防洪减淤的,所以宜采用逐步抬高运行方案。

在初步设计中,采用逐步抬高运行方案,水库起调水位为200m,库容13.9亿 m³,估计3年淤满,然后逐步抬高汛限水位,进行水沙调节,拦粗沙,排细沙,直到库内滩面高程达到245m,再降低汛限水位至230m,库内形成高滩深槽,滩面淤高至254m,主槽床面降低至226m,水库拦沙量约100亿 t,下游河道减淤77.27亿 t,历时19年水库减淤时间共22年,比上述方案一逐步抬高运行方案多5年。这可能因水库泄流能力在200m水位时比初步设计中小1 700m³/s的缘故。要尽量延长下游河道减淤时间,不要因照顾发电而缩短减淤年限。目前来沙量减少,可能增加减淤年限。

小浪底工程建成后,下游从铁谢到高村间是游荡性河段,常产生横河、斜河,造成不利的险情,需要河道整治。采用逐步抬高运行方案,流量变幅减小,来沙减少,河流将比较适应微弯形的治导线,使整治工程容易取得成效。如采用高蓄速冲方案,下游河道发生大冲大淤,使河道整治十分困难。

小浪底水电站装机1 800MW,满发需流量1 800m³/s,由于年平均流量小,水电站必须进行调峰。夏季流量大,可多发电,如火电站不能调峰,水电站多发的电是季节性电能,很难出售。为了减少山东河段的淤积,小浪底水库和水电站运行方式应尽量避免下泄800~2 000m³/s的流量。在枯水季来流量小于800m³/s,多余的流量蓄在水库中。在汛期流量大于2 000m³/s时,如火电站不能调峰,则水电站仍用800m³/s调峰;如火电站能调峰,水电站满发担任基荷,多余的流量经泄水隧洞下泄,水库蓄水不超过3亿 m³。水电站调峰流量800m³/s,需要建西霞院反调节水库,使800m³/s流量均匀下泄入山东河段。在反调节水库未建成前,先装机2台,担任基荷。反调节水库建成后,装机6台,担任峰荷。

总之,小浪底水库以防洪减淤为主,是黄河下游的大水库,要尽量延长其减淤期限。以上意见是否妥当,请指正。此致

敬礼!

张光斗上
1999年6月17日

第三节　专家评价意见

一、我所了解的小浪底

张光斗(清华大学教授、中国科学院院士、中国工程院院士):

早在 50 年代,黄河水利委员会王化云老主任就提出要修建小浪底工程,以防治黄河下游洪水和凌汛,且可拦沙减少下游河道淤积,增加下游供水量,还能发电。我很赞成,曾同王化云老主任、赵明甫老副主任查勘坝址不止 10 次。小浪底工程是黄河出峡谷最下游一个水库,高坝大库,必须保证安全。但坝址河床覆盖层深达 70 余 m,右岸有大滑坡体,左岸山梁单薄,地质构造复杂,山高难以做溢洪道,因而感到工程技术问题十分复杂,不易解决。

后来,黄委会开始设计小浪底工程,拟修黏土心墙堆石高坝,在左岸山头打导流洞、泄洪洞、发电洞、冲沙洞等。当时担心的是在左岸山头内能否挖洞。我建议挖试验洞,挖成功了,稍放心。我访法时,与法国工程师讨论,他们认为在左岸山头是能打洞的。他们建议做模型试验,在泄洪洞内加糙,以减少流速,防泥沙磨损洞壁。我们感到加糙减少流速有限,未做试验。

80 年代,黄委会与美国柏克德公司合作设计小浪底工程,龚时旸老主任带领中国工程师组赴美参加设计。龚老主任经常同我通信联系,他每次回国,就同我讨论设计。我们不同意美方提出的把深覆盖层挖成槽,使黏土心墙做在基岩上,因为挖深槽太困难了,不如做成混凝土防渗墙,下接基岩,上接黏土心墙,我们有经验,是能够可靠防渗的。我们也不同意美方提出的用混凝土板把左坝头上游坡包起来,以保持岩坡稳定,认为是不可靠的。不如用灌浆和喷锚加固,较为可靠。对美方提出的孔板洞作为泄洪洞,我们认为可以考虑。

在审查黄委会设计院提出的初步设计时,大家对孔板洞不放心。于是做了白龙江水库孔板洞工程等试验,表明孔板洞能减小流速,利于抗磨,结构上也是可行的。我们认为孔板洞尚少工程先例,建议部分泄洪洞做成孔板洞,部分泄洪洞做成常规洞。对于引水洞下端发电厂房和调压井,大家感到对抗滑稳定不放心。后来黄委会设计院经过研究,把地面厂房改为地下厂房,就比较稳妥了。

黄委会设计院经过多年精心勘测、科研、设计,解决了许多复杂工程技术问题,完成了小浪底工程的初步设计和技术设计。小浪底工程水库库容 126.5 亿 m^3,可大大提高下游河道防洪标准,解除下游凌汛威胁,并能减少下游河道淤积,增加下游供水 20 亿 m^3。运行 20 年后,水库达到冲淤平衡,尚有库容 50 亿 m^3,仍能保持防洪、防凌、供水效益,但不再起减淤作用。水电站装机 1 800MW,前 20 年年均发电 52.5 亿 kWh。

由于流量不大,截流能胜利成功。关键是度汛,围堰和大坝必须到超过历年防洪高程,直到大坝建成。今后,要做好水库调度运行计划,做到既能防洪,又能减淤,并加长水库减淤年限,还要做好下游河道整治,增大过洪和输沙能力。

二、对我国水电建设的重大贡献

潘家铮(中国工程院院士、中国科学院院士)：

小浪底枢纽工程的泥沙问题及地质条件太复杂,技术难题极多,所以在研究论证过程中意见比较分歧。就我的认识来说,由于治黄任务紧迫,不允许犹豫等待,因此借鉴国内外的成功经验,特别是我国自己兴修大型水利水电工程的经验,我深信技术问题再复杂,只要认真对待,精心设计、精心施工,有可靠的科学试验分析和落实的技术措施作保证,问题是可以解决的,因此我赞成兴建小浪底工程。目前,工程进展顺利,完全证明了这一点。

从枢纽布置和水工设计来看,由于河床覆盖层深达70余m,只能采用堆石坝型和隧洞泄洪,但右坝肩又处在滑坡体上,16条大泄量的洞群只能安排在山体单薄、夹泥层严重的左岸,即便在世界水利建设史上也是罕见的挑战。黄委会设计院的同志们迎难而上,进行了大量的地勘工作和科研试验,和有关单位开展联合攻关,他们既解放思想、打破常规,又依靠科学、严谨求实,主要依靠自己的力量,攻克了道道难关,在左岸单薄山体中共设计开挖了108条各类洞室,都取得成功,并通过锚索等手段,保证高边坡稳定。为在极复杂的地质条件下修建地下洞室群和解决岩石稳定等问题方面提供了宝贵的经验,也是小浪底工程对中国乃至世界水利水电建设的重大贡献。

在水力学方面,为了减轻含沙水流的磨蚀作用和降低洞内流速和压力,采用了孔板泄洪洞方案,这在水利界也引起重大争论。在中国国际工程咨询公司评估中,我认为设计同志已做过反复试验研究,而且在碧口水电站进行过中间试验,有足够的根据证明技术上的安全可靠和显著的消能效果,因此也态度鲜明地表示支持。希望在今后运行中密切观测,不断总结经验,为解决高速和高含沙水流的泄放问题创出一条新路。

小浪底工程中还有许多其他建筑物的设计都做得很出色,不再详述。1990年我在对小浪底工程初步设计的水工部分进行评估时说过,小浪底枢纽布置方案经过多次评审,做了大量细致的工作,进行了优化,较1986年方案有了很大改进,对现方案是可以放心的。时隔8年,小浪底工程已顺利截流,现在我敢说,小浪底工程的设计、建设比我们预期的会更好。

当然,枢纽建筑物的完美设计和胜利建成还只是完成了工程任务中的一个方面,黄河的问题是复杂的,还会出现一些新情况、新问题。小浪底工程建成后,如何适应黄河的情况,发挥最大的综合效益,还需要在长期运行中不断探索、反馈、研究和改进,这个任务丝毫不比建设枢纽简单。而且,治黄工程还需要更全面和深入地进行,我们面临的征途尚长,挑战还多,但是,有一点是肯定的:中国人民有志气、有决心也有能力治理好我们的母亲河——伟大的黄河。

三、小浪底在治理开发黄河中的作用

龚时旸(小浪底工程建设技术委员会委员、原黄河水利委员会主任)：

1. 小浪底水库是治理开发黄河整体规划中的一个重要组成部分

黄河的水利、水电资源集中在干流,70%的引黄灌溉面积分布在干流两岸,90%以上的可开发水电资源集中在干流,沿黄城市、工业、能源基地和油田供水也依赖干流,威胁下游的洪水泥沙主要来自中游地区。由此,治理开发黄河干流不仅对促进我国西北、华北地区的经济和社会发展有十分重要的意义,而且是解决下游防洪和缓解河道泥沙淤积的战略措施。

经过多年研究论证,《黄河治理开发规划纲要》选定龙羊峡、刘家峡、大柳树、碛口、古贤、三门峡和小浪底等 7 座大型干流骨干工程,以巨大库容调控水沙,形成治理开发黄河干流的主体。每座骨干工程的开发任务各有侧重,但又互相关联。其中上游的龙羊峡、刘家峡和大柳树 3 座骨干工程联合运用构成黄河水量调节工程体系的主体;中游的碛口、古贤、三门峡和小浪底水库联合运用,构成黄河洪水、泥沙调控工程的主体。两个体系相互配合,可使黄河径流得到充分调节利用,较好地满足用水需求,同时大大提高各河段和大城市的防洪标准,达到除害兴利、综合利用的目的。

2. 小浪底水库是解决当前急迫的黄河下游防洪问题的唯一现实可行的关键工程

目前黄河下游防洪形势仍很紧张。下游洪灾不仅是因为洪水过大,也是泥沙淤积使河床不断抬高、排洪能力日益降低所造成的。近 200 年来,黄河下游曾发生过 2 次 30 000m³/s 以上的大洪水,根据计算分析,还可能发生 46 000m³/s 左右的特大洪水,都远远超过现有下游防洪工程的设防标准(22 000m³/s),至今尚无有效的控制措施。黄河泥沙未得到有效控制。下游河床仍以每年 100mm 左右的速度不断淤高。为了寻求近期可以奏效的削减洪水、降低河道泥沙淤淤积速率的措施,1975 年以来,曾研究过 10 种以上的方案,如继续加高堤防、修建龙门或桃花峪水库、建设北岸分洪道或彻底改道、引汉水刷黄、利用滩区放淤和修建小浪底水库等等。经过多方研究论证并经上级审查,认为有的不能从根本上解决洪水、泥沙问题,有的效果较差或问题复杂,需要长期研究,有的矛盾很多,很难实现,唯有修建小浪底水库是当前现实可行的方案。

3. 小浪底水库的效益是巨大的

小浪底水库总库容 126.5 亿 m³,根据三门峡水库的运用经验,可以长期保持 51 亿 m³ 的有效库容用以防洪、防凌,调节径流、泥沙。与三门峡、陆浑和故县等现有干支流水库联合运用,可以使花园口站千年一遇的洪水从 34 420m³/s 削减为 22 000m³/s;使百年一遇的洪水从 25 800m³/s 削减为 15 400m³/s。如现发生 1958 年同样洪水时,花园口站的洪水将从 22 300m³/s 削减到 10 000m³/s 以下,从而大大提高下游的防洪标准,并彻底消除下游凌汛威胁。水库拦沙 100 亿 t 左右,可以减少下游河道淤积 78 亿 t 左右,相当于 20 年左右河道不淤积抬高,后期还可以利用部分库容调水调沙,长期发挥一定的减淤作用。利用长期有效库容,调节径流可以增加每年 10 月至次年 6 月的可供水量,缓解下游工农业用水的供需矛盾。小浪底电站装机容量 1 800MW,每年平均年发电量约 55 亿 kWh。

4. 继续研究水库运用方式

1975 年 9 月由豫、鲁两省和水利部合署提出建设黄河小浪底水利枢纽工程的建议,到 2004 年工程全部竣工,整整经历了 29 年! 这是一个极具挑战性的工程。它的建成凝聚着我国水利界众多技术、管理人员和工人们的创新精神、辛勤劳动和聪明才智,也包含了国际同行合作者的才能和贡献,标志着开发治理黄河进入了一个新的阶段。小浪底工程是黄河下游防洪工程体系中的关键性骨干工程。它所具有的巨大的防洪减淤作用,在可见的今后一二十年内不是其他措施可以替代的。因此,要十分珍惜它的来之不易的拦沙库容和可以长期利用的有效库容,要抓紧研究制订以防洪减淤为主的小浪底水库运用方式,并在实践中不断加以改进。同时要抓紧完善下游滩区安全建设、游荡性河段的河道整治和堤防险段的加固工作,以推动"上拦下排"防洪方略的实施,保证黄河下游防洪安全。

四、特有的设计与施工

左丹·索利玛(Z.V.Solymar,1997 年中国友谊奖章获得者、加拿大国际工程管理有限公司顾问工程师):

小浪底工程建设的主要目的是防止洪水和冰凌对河南、山东的威胁,调节水沙、灌溉、发电和供水。每一个目的都给工程提出不同的设计要求,使该工程与世界上其他工程相比,其布置异常复杂和独特。小浪底工程地下厂房和所有 16 条输水隧洞都布置在左岸单薄分水岭,使地下工程布置十分困难,洞室开挖间距很小。

1.众多的挑战性课题

复杂的水沙条件造就了复杂的建筑物布置的要求。高含沙水流的淤积给未来的水库的运行方式提出了一系列技术上的难题,摆在设计者面前的是众多的挑战性课题,如水工结构和水力机械的抗泥沙磨蚀,通过水库自身的调节来有效地排泄泥沙,利用人造洪峰冲刷下游河道。因此,设计采用了高强混凝土来提高隧洞和输水建筑物的抗磨强度;为防止高压水渗入含有泥化夹层的单薄山体,部分隧洞采用了预应力衬砌。

在这个工程中有许多特有的设计,虽然在中国或国外工程中已有类似经验,但都没有小浪底工程这样复杂的条件,导致难度极高的设计。

大坝的设计利用水库淤积作为上游不透水铺盖以控制坝基渗流。大坝的内铺盖可以在水库蓄水开始就和水库淤积连成一体。大坝设计的另一个特征是采用高压旋喷灌浆形成上游第一道防渗墙,采用特殊技术建造近 80m 深的连续混凝土防渗墙形成了第二道截渗防线。在设计 120m 高进口高边坡、地下厂房、洞室群体和其他重要的岩石开挖中广泛地采用了有限元分析技术。

施工中采用了一些诸如全防腐锚索以及新的灌浆方法等新技术。在全国,水泥砂浆曾普遍被认为是锚索的理想防腐蚀介质。全防腐锚索首次在二滩工程中得到使用,现在在小浪底工程中得到了广泛的采用。

绝大多数的大直径地下洞室的开挖是在短时间内完成的,如将进口的洞室开挖投影到一个水平面上,则有 42% 的进口坡面因形成洞室而被开挖掉。在导流洞各个大型闸门控制建筑物之间的岩石柱体宽度小于一倍洞径,而这些建筑物与排沙洞的距离小于 5m。即使在这样困难的条件下,至今未发现有应力集中问题发生,这主要归功于设计者们及早认清该部位岩石具有较好的初始地应力场和相对完好的岩石条件,并采取了适当的支护。

2.加强总体施工组织设计

要研究和协调总体施工组织设计,尤其是各标之间和各合同之间的结合部,防止出现严重的脱节或相互干扰。例如截流之后,进水塔上升的浇筑措施和施工通道;又如导流洞下闸后的洞内堵塞段、孔板段和中闸室的混凝土浇筑以及弧门吊运安装等交通运输和施工措施;再如工程的分期导流以及加快发电工期等的施工组织设计,均需制订出严密的措施计划,确保各标、各合同之间的紧密衔接,保证工程计划工期的实现。

3. 要预测工程建设过程中可能出现的风险

对工程进展过程中可能出现的风险要有预见性的研究,并及时采取相应的措施。为此,设计、承包商和监理工程师之间必须紧密合作。例如:应切实防止导流洞和二标开挖过程中的再次坍方,为此应加强地质预报。研究二标下游山体有可能因施工影响而出现岩体拉裂等情况,应及时进行加强或开挖处理。又如导流洞出口段全断面开挖后,应尽快进行混凝土衬砌,尤其是 3 条导流洞。

(1997 年 6 月 28 日)

五、潘家铮院士采访录(1998 年 4 月 8 日晚,杜慧)

我与小浪底工程接触不多,到小浪底工地来仅有两次,这次是第二次。过去,我听说小浪底是非常复杂的工程:复杂的地形、地势条件,设计和施工的难度,还有建成后水库的调度运用方式,我是很担忧的。

在我的印象中,小浪底非常复杂,比三峡还复杂。我记得钱正英部长有一次曾经对我说,小浪底太复杂了,三峡工程上马我敢拍板,上小浪底我不敢拍板。

后来国际咨询公司对小浪底枢纽进行评估,请我做顾问。讨论孔板洞的问题,当时很多专家反对在小浪底采用孔板消能,我后来对这个问题做了研究,认为黄委在这个问题上不但有科研分析,还做了中间试验,可以说态度非常慎重。我认为他们的设计意见很正确;小浪底的泄洪机会不多,而且有检修条件,我就在这个问题上表了态,当时可能还得罪了一些人,甚至现在还有反对意见。

1995 年作为小浪底工程技术委员会顾问,我第一次到了小浪底,才对工程有了较全面的了解,就比较放心了。虽然坝址地质条件复杂,但根据当时的情况来看,技术上是可以解决的,不存在不可克服的困难。大坝地质条件和左岸山体洞室的布置虽然复杂,但不是不可解决的,我对小浪底就比较乐观了。

这次是第二次来小浪底,比上次信心更明确,可以讲,从工程技术上讲,枢纽、大坝、泄洪洞、发电和度汛问题均可解决,有相当的把握,我对工程非常有信心。

从现场来看,成绩是第一位的。

但是除了修建枢纽以外,我对小浪底的其他问题无太大把握:比如小浪底如何调度运用? 小浪底建成后,黄河将进入一个新的阶段,它的建设对黄河有什么好的影响,有什么不好的影响? 如何合理调度,使它发挥最大效益,克服可能存在的不利影响? 小浪底的建设不是枢纽建成就万事大吉。它与其他河流上的其他工程不同,它的环境不同,运行条件、维修也不同。修起后可能还有大量问题,可能还要有几十年时间的研究工作。黄河非常复杂,它是动态而不是静态的,是不断变化的。3 000 年以前的黄河与清代的黄河不同,清代的黄河与民国的黄河又不同,民国的黄河与现在的黄河也不同,现在的黄河与以后的还会不相同。我们千万不能以停滞的态度看黄河。三峡在修建以前,也有很多不同的看法,反对建的,要求建的,有的要把坝修得高一点,有的要把坝修得低一点,等等,这些争论现在还有,建成后也还会有。我曾建议三峡成立一个三峡科研院,不能大坝截流、工程完工、实现发电就完事了。现在我想,能不能也成立一个小浪底研究院,专门研究修建小浪底的情况,研究黄河因此出现的各种变化,主动探索怎样来控制它。建水利工程不像建工厂,工厂上马了,只要投资生产,进行管理就行了。

我现在对工程建设本身很有信心,我想,在枢纽如何运作、克服副作用的问题上,领导要关心,我们都要做有心人。比如三峡发的电应该怎样有效利用,如何投放到市场上去。现在是市场经济,卖方市场怎样发电及发多少电都是一个值得研究的问题。最简单的问题都应该研究,那么小浪底的拦洪减淤运用问题就更应该好好研究。

这次会议我听来听去,研究的就是如何解决发电和度汛的矛盾问题,看上去是有两种意见。一种意见是从安全角度出发考虑的,认为如果大坝出问题,下游的人民生命财产和国家经济都将受到重大影响;另一种意见认为过去的考虑是保守加保守。明年是新中国成立 50 年大庆,发电作为国庆献礼很有政治意义。似乎两种说法都有理。希望最后的决策能将两方面的意见有机结合,看看怎么能很好地解决。我认为:安全必须保证,如果能保证安全,在坝身抬高到符合要求的情况下,提早发电当然是好的。

三峡和小浪底不好比较。因为两者性质不同,各有难度。黄河与长江比,长江的流量大,三峡截流困难,工程量大,发电量大;但黄河复杂性高,泥沙含量居世界之冠,令人难以想象。小浪底的地质条件复杂,左岸的洞室几乎把山体掏空,这在世界上是没有的。但两者在各自的治河史上的地位是一样的:长江三峡,黄河小浪底,都是根治两大河流的关键性工程,而且都不能够一库定天下,都需要加强综合治理。黄河干流上龙羊峡、刘家峡、大柳树、三门峡和小浪底 5 大工程都建成后,如何调度,是一个很深的学问。

关于科学精神和人文思想,无论做什么事,特别是我们做工程师的,一定要做个老实人。真正讲科学的人,不弄虚作假。你不要以为工程师、科学家都那么讲科学,其实有一些唯心主义的思想和不实事求是的人常常会暴露出来,这种作风要害死人的,决不可追求表面而不讲求实际。过去我们在左的思想影响下,有一些不好的习惯,搞表面花架子,不实事求是,我看很不好。

另一方面,工程师必须有创新的思想,千万不可墨守成规,特别是现在。中国是在几十年内翻身,还是被淘汰,关键在于我们有无创新精神。现在国家困难多,压力很大,任务很重,又面临着强烈的竞争。我们现在与世界先进水平的差距很大,在有些方面,差距不是缩小了而是增大了,我们发展了,但是别人比我们发展得更快。中国如果不把科技、管理水平提上去,不抓创新,就没有前途。这一次来小浪底参观、学习,我看到了一个创新问题。防渗墙的施工,我们还是用的 50 年代的老方法(冲击钻法),而外国人用液压刀双轮铣,效率要高出我们 10 倍。或许用老的方法,也可以做工程,但是,现在是一个竞争的时代,不可能老是老牛拉破车。现在又不是一个闭关锁国的时代,比如我们要与国外竞争工程施工,这项工作我们用 3 年完成,人家只用 3 个月,怎么行? 所以我支持孔板洞设计,在一个方面也是因为它是技术创新。如果在黄河这样高泥沙的河流上都可以使用,我们就可以推广,这将给我国的水利泄洪工程带来一场革命。我上次在上海院看小浪底工程的多媒体,我就说,能不能做一些专题的,比如孔板洞,我们好推广学习。

第三,我认为现在还应该讲一点大协作精神。现在人们都讲市场经济,经济效益,这是这个时代的主流。但是我想,社会主义的市场经济应该和资本主义的市场经济有所不同,我发现现在有些人除了讲经济效益,心里就没有别的了。50 年代讲协作,讲无私支援的精神,很好,如何把二者结合起来呢?我想如果大协作精神在别的领域内推广困难,可否在我们科技工程领域先推广? 我想我们这些人在这个方面应该比商人要好一点吧。

六、张基尧(国务院南水北调办公室主任,原水利部副部长、小浪底建设管理局局长)

小浪底工程是国内外最具挑战性的水利工程。从技术上讲,黄河河床深覆盖层基础防渗,复杂破碎岩体中洞室群开挖,高水头大断面隧洞的孔板消能,泄洪、排沙、发电洞"一字形"布置的进水塔,都是设计的创新;从管理上讲,50多个国家和地区国际承包商参与的全新国际工程管理、艰苦而又理性的合同索赔与反索赔都是管理的探索。小浪底工程技术和管理经验是一笔无形的财富,丰富着水利水电建设的宝库,充分展现了中国水利设计管理工作者的聪明才智和进取精神。

七、林昭(设计大师、小浪底工程建设技术委员会委员)

衷心祝贺举世闻名的黄河小浪底水利枢纽工程胜利建成,热烈欢呼我国治黄工程所取得的又一伟大成就! 这是小浪底全体建设者共同努力的结晶,其中也凝聚了设计人员的一片心血,他们解决了许多具有挑战性的技术难题,为我国大型水利工程设计谱写了光辉的一页。我认为,小浪底水利枢纽工程设计具有国内外先进水平,这是黄委会设计院设计人员,通过科学试验和调查研究,依靠自身精湛的理论基础和丰富的实践经验而结出的丰硕果实,对此,我表示热烈祝贺和由衷钦佩! 建议对小浪底水利枢纽工程设计进一步作深入总结并出版专集。

八、赵传绍(世界银行小浪底特别咨询专家组组长)

小浪底水利枢纽是治理黄河的关键工程,蓄水运用四年以来,在防洪、减淤、供水、发电等方面发挥了巨大效益。由于当地地质条件复杂,水文泥沙条件特殊,小浪底工程在设计和建设中,采用了不少特有的工程技术措施,诸如:设置了泄水能力高达17 000m³/s的泄洪排沙建筑物,拟定特有的水库运用方式,以满足防洪、减淤的要求。在较单薄的左岸山体中集中布置了15条泄洪、排沙、引水隧洞,它们的进水口分设在不同高程以利不同库水位下的泄洪、排沙和引水,防止进水口淤堵,联成一体的巨大进水塔便于操作运用等。

(1)为解决大坝基础深达74m覆盖层的防渗问题,在主坝心墙下设置了厚1.2m、深达82m的混凝土防渗墙,并在坝体上游堆石体下设置内铺盖与库区淤积层相连接,有效地延长渗水途径。

(2)为充分利用导流洞的泄水能力,在截流后将其改建为孔板消能泄洪洞。

(3)为防止高压水向左岸单薄山体渗漏,采用了双圈缠绕后张预应力混凝土衬砌。

(4)在砂页岩地层中设计建造了宽26.2m、高61.4m、长251m的地下发电厂房。

(5)采用了新型的抗磨水轮机,较好地解决了汛期高含沙水流的发电问题。

(6)按照土木工程建设国际合同条件(FIDIC)编写了国际招标标书。在建设中严格按合同进行管理。

由于汇集这些工程技术问题,小浪底工程的设计和建设被国内外同行公认为最具有挑战性的工程之一。现该工程已建成,工期提前了一年,工程质量良好,节省了原概算投资,锻炼培养了一大批优秀人才。运用四年的实践证明工程的设计、建设和管理是成功的。

九、杨定原(著名机电专家、小浪底工程建设技术委员会委员)

小浪底工程建成后已在防洪、防凌、减淤,以及供水、灌溉和发电方面发挥了显著的效益,工程是成功的。

小浪底工程是水利系统中第一个使用巨额世界银行贷款成功建设的大型水利枢纽工程,也是第一个将世界银行无息信贷用于开发性移民并取得良好效果的水利枢纽工程。小浪底水电站的水轮机国际招标以提供出口信贷为条件,在招标中同时引进了优良设备和优惠信贷,开辟了利用外资的新渠道,成为其他工程的范例。

小浪底工程与国际接轨按市场规律运作,严格地、规范地实行招标投标制、项目监理制、业主负责制,使工程实现了优质、项目节约了资金、施工缩短了工期,而且在开发性移民方面做出了良好示范。更可贵的是,小浪底工程按照合同和国际惯例在处理地质条件变化、设计更改、工程变更、工期拖期、工程赶工以及索赔和反索赔等方面都通过实践获得宝贵经验,值得有关工程建设单位借鉴。

小浪底水电站水轮机在水头变幅大,泥沙磨损严重的恶劣条件下工作。黄委会设计院在水轮机参数选择、母材选择、抗磨措施确定、结构选择方面都做了大量的调研工作,采取了正确的措施。水电站投产五年多来,在高、低水头和过机泥沙磨损的考验下机组运行稳定,显示出优良的性能,证明了这些措施是正确的,为多泥沙河流的水电建设提供了宝贵经验。

十、陈德基(勘察大师)

小浪底水利枢纽是开发治理黄河的综合性骨干工程,也是一项广为国内外关注的大型建设项目。我曾经在国内地质界的学术会议上将三峡水利枢纽、小浪底水利枢纽和二滩水电站誉为中国献给20世纪最伟大三项水利工程。它们的成功建设标志着中国在水利水电建设的诸多领域,包括工程地质的理论与实践,都已居于世界的领先地位。

小浪底水利枢纽的工程地质条件,可概括为以下几个特点:①工程区主要为砂岩、页岩互层的地层,岩性软硬相间,强度、性状及透水性有着巨大的差异;岩层产状近水平、缓倾下游,由此构成的岩体结构对山体、边坡及地下洞室围岩稳定极为不利。②顺河断层发育,规模较大且性状差,不仅破坏了岩体的完整性,而且成为沟通不同含水层和上下游地下水运动的重要通道。③河床覆盖层厚度大,深槽处厚达70m。总体评价地质条件并不理想,兴建如此规模的大型水利工程,必然会遇到很多复杂的地质问题。虽然采用土质斜心墙堆石坝坝型,大坝较好地适应了地质条件,但坝基深厚砂砾石层及两岸山体顺河断层的防渗处理仍很复杂,而大量地下洞室群由于受到地形地质条件的限制,集中布置于左岸单薄山体内,更成为小浪底工程勘测设计工作中的重大技术难点。

通过黄委会设计院广大科技人员长达40多年的艰苦工作和不懈研究,小浪底水利枢纽终于顺利建成并已发挥了巨大的社会和经济效益,而且在水利工程勘测设计的众多方面创造了许多新经验。在工程地质方面,小浪底工程在地下建筑物厂址选择、河床深厚覆盖层及两岸基岩强透水带的防渗处理,薄层至中厚层产状近水平的砂页岩互层的岩层中开挖大跨度地下洞室群的围岩稳定分析及围岩加固,多夹层缓倾顺向坡边坡稳定性评价及加固处理等方面,都积累了丰富的值得学习和借鉴的经验。

　　小浪底工程有一些独特的设计思路和特定的地质环境,在运行过程中,加强监测,随时关注一些薄弱环节(地段)的变化,确保工程按设计目标正常运行,是今后管理工作不可忽视的方面。祝愿小浪底水利枢纽青春常在。